Belgique
België
Luxembourg

2012

Sommaire

Inhoud

Inhaltsverzeichnis

Contents

INTRODUCTION

FRANÇAIS

→ EINLEITUNG

DEUTSCH

→ INTRODUCTIE

NEDERLANDS

→ INTRODUCTION

ENGLISH

POUR EN SAVOIR PLUS

→ GUT ZU WISSEN

→ WETENSWAARDIGHEDEN

→ FURTHER INFORMATION

LES DISTINCTIONS 2012

→ ONDERSCHEIDINGEN 2012

→ AUSZEICHNUNGEN 2012

→ AWARDS 2012

VILLES *de A à Z*

→ STEDEN *van A tot Z*

→ STÄDTE *von A bis Z*

→ TOWNS *from A to Z*

Mode d'emploi

INFORMATIONS TOURISTIQUES

Distances depuis les villes principales, offices de tourisme, sites touristiques locaux, moyens de transports, golfs et loisirs...

HERENTALS – Antwerpen – 532 015 et 716
Bruxelles 70 – Antwerpen 30 – Hasselt 48 –
Grote Markt 41, ✆ 0 14 21 90 88,
au Nord : 8 km à Lille, Haarlebeek 3, ✆
Witbos, au Sud : 5km à Noorderwijk,
Retable ★ de l'église Ste-Waudru
De Tram
Grote Markt 45 – ✆ 0 14 28 70 01
– fermé fin décembre, 2 sem.
35 ch – 85/117 € 95/145 €–
Rest – (fermé dimanche) Lunch 15
Dit karakteristieke hotel aan
Moderne kamers, auditoriums
Sur le Grote Markt, bâtisse
rain. Chambres modernes,
De Stoove
Van Cauwenberghelaan 6 –
– fermé 20 mars-7 avril,
Rest – (fermé après 20 h)
Spéc. Bar de ligne au
chocolat noir au
Rustiek interieur,
maaltijd kunt
Table au cadre
goûteux. Bon choix
BELGIQUE
HEURE – Namur Ⓒ
Bruxelles 102 –
Beau Séjour
Route de Givet
– fermé 20
36 ch
Rest – Menu
Paisible
regroupant
se décline
Dit
bouwd
worden
Grande
Rest

HÉBERGEMENT

De 🏠🏠🏠🏠🏠 à 🏠 : catégorie de confort.
⌂ : maisons d'hôte.
Les plus agréables : en rouge.

LES RESTAURANTS

De ✗✗✗✗✗ à ✗ : catégorie de confort
Les plus agréables : en rouge.

LES TABLES ÉTOILÉES

✿✿✿ Vaut le voyage.
✿✿ Mérite un détour.
✿ Très bonne cuisine.

LES MEILLEURES ADRESSES À PETITS PRIX

Bib Hôtel.
Bib Gourmand.

AUTRES PUBLICATIONS MICHELIN

Références de la carte MICHELIN où vous retrouverez la localité.

LOCALISER LA VILLE

Repérage de la localité sur la carte provinciale en fin de guide (n° de la carte et coordonnées).

LOCALISER L'ÉTABLISSEMENT

Localisation sur le plan de ville (coordonnées et indice).

DESCRIPTION DE L'ÉTABLISSEMENT

Atmosphère, style, caractère et spécialités.

LES HÔTELS TRANQUILLES

hôtel tranquille.
hôtel très tranquille.

ÉQUIPEMENTS ET SERVICES

PRIX

Les engagements du guide MICHELIN

L'expérience au service de la qualité

Qu'il soit au Japon, aux Etats-Unis, en Chine ou en Europe, l'inspecteur du guide MICHELIN respecte exactement les mêmes critères pour évaluer la qualité d'une table ou d'un établissement hôtelier, et il applique les mêmes règles lors de ses visites. Car si le guide peut se prévaloir aujourd'hui d'une notoriété mondiale, c'est notamment grâce à la constance de son engagement vis-à-vis de ses lecteurs. Un engagement dont nous voulons réaffirmer ici les principes :

La visite anonyme – Première règle d'or, les inspecteurs testent de façon anonyme et régulière les tables et les chambres, afin d'apprécier pleinement le niveau des prestations offertes à tout client. Ils paient donc leurs additions ; après quoi ils pourront révéler leur identité pour obtenir des renseignements supplémentaires. Le courrier des lecteurs nous fournit par ailleurs de précieux témoignages, autant d'informations qui sont prises en compte lors de l'élaboration de nos itinéraires de visites.

L'indépendance – Pour garder un point de vue parfaitement objectif – dans le seul intérêt du lecteur –, la sélection des établissements s'effectue en toute indépendance, et l'inscription des établissements dans le Guide est totalement gratuite. Les décisions sont discutées collégialement par les inspecteurs et le rédacteur en chef, et les plus hautes distinctions font l'objet d'un débat au niveau européen.

Le choix du meilleur – Loin de l'annuaire d'adresses, le Guide se concentre sur une sélection des meilleurs hôtels et restaurants, dans toutes les catégories de confort et de prix. Un choix qui résulte de l'application rigoureuse d'une même méthode par tous les inspecteurs, quel que soit le pays où il œuvre.

Une mise à jour annuelle – Toutes les informations pratiques, tous les classements et distinctions sont revus et mis à jour chaque année afin d'offrir l'information la plus fiable.

L'homogénéité de la sélection – Les critères de classification sont identiques pour tous les pays couverts par le Guide Michelin. A chaque culture sa cuisine, mais la qualité se doit de rester un principe universel…

Car notre unique dessein est de tout mettre en œuvre pour vous aider dans chacun de vos déplacements, afin qu'ils soient toujours sous le signe du plaisir et de la sécurité. « L'aide à la mobilité » : c'est la mission que s'est donnée Michelin.

Édito

Cher lecteur,

Toujours au fait de l'actualité en matière de bonnes tables et d'hébergements de qualité, le guide MICHELIN vous propose sa nouvelle édition, enrichie et mise à jour.

De millésime en millésime, vous savez que sa vocation reste immuable, et ce depuis sa création : vous accompagner dans tous vos déplacements en sélectionnant le meilleur, dans toutes les catégories de confort et de prix.

Pour ce faire, le guide MICHELIN s'appuie sur un « carnet de route » éprouvé, dont le premier critère, indéfectible, est l'inspection sur le terrain : toutes les adresses sélectionnées sont rigoureusement testées par nos inspecteurs professionnels, qui n'ont de cesse de dénicher les nouveaux établissements et de vérifier le niveau des prestations de ceux figurant déjà dans nos pages.

Au sein de cette sélection, le guide reconnaît ainsi, chaque année, les tables les plus savoureuses, en leur décernant nos étoiles ✿ : une, deux ou trois, celles-ci distinguent les établissements qui révèlent la meilleure qualité de cuisine – dans tous les styles –, en tenant compte du choix des produits, de la créativité, de la maîtrise des cuissons et des saveurs, du rapport qualité/prix, ainsi que de la constance de la prestation. Chaque année, le guide s'étoffe ainsi de nombreuses tables remarquées pour l'évolution de leur cuisine, à découvrir au fil de ses pages... et de vos voyages.

Autres petits symboles à suivre absolument : les Bib Gourmand ☺ et les Bib Hôtel ☺, qui repèrent les bonnes adresses à prix modérés : ils vous garantissent des prestations de qualité à des tarifs ajustés.

Car notre engagement est bien de rester attentifs aux évolutions du monde... et aux exigences de tous nos lecteurs, tant en terme de qualité que de budget. Autant dire que nous attachons donc beaucoup d'intérêt à recueillir votre propre opinion sur les adresses de notre sélection. N'hésitez pas à nous écrire ; votre participation nous est très utile pour orienter nos visites et améliorer sans cesse la qualité de notre information. Pour toujours mieux vous accompagner...

Merci de votre fidélité, et bonne route avec le Guide Michelin, millésime 2012 !

Consultez le guide MICHELIN sur
www.ViaMichelin.com
et écrivez-nous à :
guidemichelingids@michelin.com

Classement & distinctions

LES CATÉGORIES DE CONFORT

Le guide MICHELIN retient dans sa sélection les meilleures adresses dans chaque catégorie de confort et de prix. Les établissements sélectionnés sont classés selon leur confort et cités par ordre de préférence dans chaque catégorie.

🏨🏨🏨🏨🏨	XXXXX	**Grand luxe et tradition**
🏨🏨🏨🏨	XXXX	**Grand confort**
🏨🏨🏨	XXX	**Très confortable**
🏨🏨	XX	**De bon confort**
🏨	X	**Assez confortable**
⌂		**Maison d'hôte**
sans rest.		**L'hôtel n'a pas de restaurant**
avec ch.		**Le restaurant possède des chambres**

LES DISTINCTIONS

Pour vous aider à faire le meilleur choix, certaines adresses particulièrement remarquables ont reçu une distinction : étoile(s), Bib Gourmand ou Bib Hôtel. Elles sont repérables dans la marge par ✪, ☺ ou ▭ et dans le texte par **Rest** ou **ch**.

LES ÉTOILES : LES MEILLEURES TABLES

Les étoiles distinguent les établissements, tous styles de cuisine confondus, qui proposent la meilleure qualité de cuisine. Les critères retenus sont : la qualité des produits, la personnalité de la cuisine, la maîtrise des cuissons et des saveurs, le rapport qualité/prix ainsi que la régularité.

Chaque restaurant étoilé est accompagné de trois spécialités représentatives de sa cuisine. Il arrive parfois qu'elles ne puissent être servies : c'est souvent au profit d'autres savoureuses recettes inspirées par la saison.

✪✪✪	**Cuisine remarquable, cette table vaut le voyage** On y mange toujours très bien, parfois merveilleusement.
✪✪	**Cuisine excellente, cette table mérite un détour**
✪	**Une très bonne cuisine dans sa catégorie**

Certaines années, des « espoirs » pour la catégorie supérieure peuvent également figurer dans notre sélection. Ils repèrent les meilleurs établissements de leur catégorie, qui pourront accéder à la distinction supérieure dès lors que la constance de leurs prestations, dans le temps et sur l'ensemble de la carte, se sera confirmée. Par cette mention spéciale, nous entendons ainsi vous faire connaître les tables qui constituent, à nos yeux, les « espoirs » de la gastronomie de demain.

LES BIBS : LES MEILLEURES ADRESSES À PETIT PRIX

Bib Gourmand
Établissement proposant une cuisine de qualité à moins de 35 € et à moins de 36 € à Bruxelles et Luxembourg (prix d'un repas hors boisson).

Bib Hôtel
Établissement offrant une prestation de qualité avec une majorité de chambres à moins de 80 € en province et à moins de 100 € dans les villes et stations touristiques importantes (prix pour 2 personnes, hors petit-déjeuner).

LES ADRESSES LES PLUS AGRÉABLES

Le rouge signale les établissements particulièrement agréables. Cela peut tenir au caractère de l'édifice, à l'originalité du décor, au site, à l'accueil ou aux services proposés.

à **Hébergements agréables**

à **Restaurants agréables**

LES MENTIONS PARTICULIÈRES

En dehors des distinctions décernées aux établissements, les inspecteurs MICHELIN apprécient d'autres critères souvent importants dans le choix d'un établissement.

SITUATION

Vous cherchez un établissement tranquille ou offrant une vue attractive ? Suivez les symboles suivants :

Hôtel tranquille

Hôtel très tranquille

Vue intéressante

Vue exceptionnelle

CARTE DES VINS

Vous cherchez un restaurant dont la carte des vins offre un choix particulièrement intéressant ? Suivez le symbole suivant :

Carte des vins particulièrement attractive
Toutefois, ne comparez pas la carte présentée par le sommelier d'un grand restaurant avec celle d'une auberge dont le patron se passionne pour les vins de petits producteurs.

Équipements & services

30 ch	Nombre de chambres
	Ascenseur
A/C	Air conditionné (dans tout ou partie de l'établissement)
	Établissement en partie accessible aux personnes à mobilité réduite
	Repas servi au jardin ou en terrasse
Spa	Wellness centre : bel espace de bien-être et de relaxation
	Balnéothérapie, cure thermale
	Salle de remise en forme
	Piscine : de plein air ou couverte
	Sauna
	Jardin de repos – parc
	Location de vélos
	Court de tennis
	Connexion internet WIFI/ADSL
	Accès interdit aux chiens (dans tout ou partie de l'établissement)
	Salons pour repas privés
	Salles de conférences
	Service voiturier (pourboire d'usage)
	Garage dans l'hôtel (généralement payant)
P	Parking (pouvant être payant)
Ouvert.../Fermé...	Période d'ouverture ou de fermeture communiquée par l'hôtelier
✉ *6801*	Code postal de l'établissement (Grand-Duché de Luxembourg en particulier)

Prix

Les prix indiqués dans ce guide ont été établis en été 2011. Ils sont susceptibles de modifications, notamment en cas de variation des prix des biens et des services. Ils s'entendent taxes et service compris. Aucune majoration ne doit figurer sur votre note sauf éventuellement une taxe locale.
Les hôteliers et restaurateurs se sont engagés, sous leur propre responsabilité, à appliquer ces prix aux clients.
A l'occasion de certaines manifestations : congrès, foires, salons, festivals, événements sportifs..., les prix demandés par les hôteliers peuvent être sensiblement majorés.
Par ailleurs, renseignez-vous pour connaître les éventuelles conditions avantageuses accordées par les hôteliers.

RÉSERVATION ET ARRHES

Pour la confirmation de la réservation certains hôteliers demandent le numéro de carte de crédit ou un versement d'arrhes. Il s'agit d'un dépôt-garantie qui engage l'hôtelier comme le client. Bien demander à l'hôtelier de vous fournir dans sa lettre d'accord toutes les précisions utiles sur la réservation et les conditions de séjour.

CARTES DE PAIEMENT

	Cartes de paiement acceptées :
VISA MC AE D	Visa – MasterCard – American Express – Diners Club

CHAMBRES

ch – 🚹 90/120 €	Prix d'une chambre minimum/maximum pour une personne
ch – 🚹🚹 120/150 €	Prix d'une chambre minimum/maximum pour deux personnes
ch ☕	Petit-déjeuner compris
☕ 10 €	Petit-déjeuner en sus

DEMI-PENSION

½ P 90/110 €	Prix minimum et maximum de la demi-pension (chambre, petit-déjeuner et un repas) par personne. Ces prix s'entendent pour une chambre double occupée par deux personnes. Une personne seule occupant une chambre double se voit souvent appliquer une majoration.

RESTAURANT

(pièces)	Restaurant proposant un menu simple **à moins de 26 €**
Rest *Lunch* 18 €	Repas servi le midi et en semaine seulement
Rest 35/60 €	**Prix des menus :** minimum 35 €, maximum 60 € - Certains menus ne sont servis que pour 2 couverts minimum ou par table entière
bc	Boisson comprise
Rest carte 40/75 €	**Repas à la carte hors boisson** Le premier prix correspond à une sélection de mets (entrée, plat, dessert) parmi les moins chers ; le second prix concerne une sélection de mets parmi les plus chers.

Informations sur les localités

GÉNÉRALITÉS

1000	Numéro postal à indiquer dans l'adresse avant le nom de la localité
✉ **4900 Spa**	Bureau de poste desservant la localité
P	Capitale de province
C **Herve**	Siège administratif communal
531 T 3	Numéro de la carte MICHELIN et coordonnées permettant de se repérer sur la carte
4 283 h	Nombre d'habitants
BX A	Lettres repérant un emplacement sur le plan de ville
18	Golf et nombre de trous
✱ ≤	Panorama, point de vue
✈	Aéroport
⛴	Transports maritimes
⛴	Transports maritimes pour passagers seulement
i	Information touristique

INFORMATIONS TOURISTIQUES

INTÉRÊT TOURISTIQUE

★★★	Vaut le voyage
★★	Mérite un détour
★	Intéressant

SITUATION DU SITE

👁	A voir dans la ville
↻	A voir aux environs de la ville
Nord, Sud, Est, Ouest	La curiosité est située : au Nord, au Sud, à l'Est, à l'Ouest
② ④	On s'y rend par la sortie ② ou ④ repérée par le même signe sur le plan du Guide et sur la carte MICHELIN
2 km	Distance en kilomètres

Légende des plans

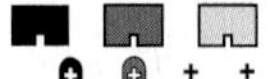

Hôtels
Restaurants

CURIOSITÉS

Bâtiment intéressant
Édifice religieux intéressant

VOIRIE

Autoroute, double chaussée de type autoroutier
Échangeurs numérotés : complet, partiels
Grande voie de circulation
Sens unique – Rue réglementée ou impraticable
Pasteur Rue piétonne – Tramway
Parking – Parking Relais
Porte – Passage sous voûte – Tunnel
Gare et voie ferrée
Passage bas (inf. à 4 m 50) – Charge limitée (inf. à 19 t.)
Pont mobile

SIGNES DIVERS

Information touristique
Mosquée – Synagogue
Tour – Ruines – Moulin à vent – Château d'eau
Jardin, parc, bois – Cimetière – Calvaire
Stade – Golf – Hippodrome – Patinoire
Piscine de plein air, couverte
Vue – Panorama
Monument – Fontaine – Usine – Centre commercial
Port de plaisance – Phare – Embarcadère
Aéroport – Station de métro – Gare routière
Transport par bateau :
- passagers et voitures, passagers seulement

③ Repère commun aux plans et aux cartes MICHELIN détaillées

Bureau principal de poste restante
Hôpital – Marché couvert
Bâtiment public repéré par une lettre :

H P - Hôtel de ville – Gouvernement Provincial
J - Palais de justice
M T - Musée – Théâtre
U - Université, grande école
POL. - Police (commissariat central)

Gebruiksaanwijzing

TOERISTISCHE INFORMATIE

Afstand tussen de belangrijkste steden,
toeristische diensten, lokale toeristische sites,
transportmiddelen,
golf en vrije tijd…

HOTELS

Van 🏨🏨🏨🏨🏨 tot 🏨: comfortcategorie.
⌂: gastenkamers.
De aangenaamste : in het rood.

RESTAURANTS

Van XXXXX tot X: comfortcategorie.
De aangenaamste : in het rood.

DE STERREN

- ✿✿✿ Voortreffelijke keuken, de reis waard.
- ✿✿ Verfijnde keuken, een omweg waard.
- ✿ Een heel goede keuken in zijn categorie.

DE BESTE ADRESSEN MET EEN SCHAPPELIJKE PRIJS

- Bib Hotel.
- Bib Gourmand.

12 **C2**

– ✉ **2200**

ıtals.be

24 59 36

rk)

AU **b**

om

5/80 €
/48 € – Carte 38/45 €
t is in hedendaagse stijl gerenoveerd.
ditioneel café.
ypée rénovée dans l'esprit contempo-
verne traditionnelle au fort cachet.

CZ **e**

25 – www.destoove.com

– Carte 80/110 €
nneau poché et laqué au miel. Fondant de

n eenvoudige maar smakelijke traditionele
d-Franse wijnen, terras.
les plaisirs d'un repas traditionnel simple et
de la France, terrasse verdoyante.

3 **B4**

33 Q21 **et 534** Q21 – **3 690 h.** – ✉ **5377**
Dinant 35 – Liège 54

3 21 – www.lebeausejour.com
et mercredi
20 € – ½ P 70/85 €
3/72 €
enne dont le parc, reposant, s'est vu loti d'une annexe
mbres pratiques et jolies. Salle à manger bourgeoise où
inaire assez traditionnel.
t in een rustig park, waar onlangs een dependance is ge-
ktische kamers die er ook nog aantrekkelijk uitzien. Hier
e gerechten geserveerd.

ıe grandfou@belgacom.net
5 32 48 14 – www.legrandfou@belgacom.net
t, dimanche et mardi soir
22 h) Lunch 10 € – Menu 30 € – Carte 35/55 € ♀
ntrant un certain succès et pour cause : cuisine classico-tradi-
te, intéressant menu multi-choix et service aussi dynamique

goede naam : uitgebalanceerde klassiek-tradi-
een bediening die even energiek als

ANDERE MICHELIN PUBLICATIES

Referenties van de MICHELIN kaart
en de groene gids waar u de stad vindt.

LOCALISEREN VAN DE STAD

Positiebepaling van de plaatsnamen,
per provincie, op de kaarten achteraan in de
gids (nr van de kaart en de coördinaten).

LOCALISEREN VAN HET BEDRIJF

Aanduiding op het stadsplan
(gegevens en aanwijzing).

BESCHRIJVING VAN HET BEDRIJF

Atmosfeer, stijl, karakter en
specialiteiten.

VOORZIENINGEN EN DIENSTEN

RUSTIGE HOTELS

rustig hotel.
zeer rustig hotel.

PRIJS

De principes van de MICHELIN gids

Ervaring ten dienste van de kwaliteit

Of ze nu in Japan, de Verenigde Staten, China of Europa zijn, de inspecteurs van de MICHELIN gids hanteren steeds dezelfde criteria om de kwaliteit van een maaltijd of een hotel te beoordelen, en volgen altijd dezelfde regels bij hun bezoeken. De Gids dankt zijn wereldfaam aan de constante kwaliteit waartoe MICHELIN zich ten opzichte van zijn lezers heeft verbonden. Dit engagement leggen wij vast in de volgende principes :

Anomieme inspectie – De eerste gouden regel : onze inspecteurs testen anoniem en regelmatig de restaurants en de hotels uit de selectie om zo goed mogelijk de kwaliteit in te schatten die de klant mag verwachten. De inspecteurs betalen dus altijd hun rekening, daarna kunnen ze zich voorstellen om nadere inlichtingen over het bedrijf in te winnen. Brieven en e-mails van lezers zijn voor ons ook een belangrijke bron van informatie.

Onafhankelijkheid – Om objectief te blijven – in het belang van de lezer – gebeurt de selectie van de hotels en restaurants in alle onafhankelijkheid en is een vermelding in de Gids volledig gratis. Alle beslissingen worden besproken door de inspecteurs en de hoofdinspecteur. Voor het toekennen van de hoogste onderscheidingen wordt op Europees niveau overlegd.

Selectie – De Gids is zoveel meer dan een adresboek. Hij biedt een selectie van de beste hotels en restaurants in elke prijsklasse en in elke kwaliteitscategorie, gemaakt op basis van een methode die door alle inspecteurs even nauwkeurig wordt toegepast, ongeacht in welk land ze ook werken.

Jaarlijkse update – Ieder jaar worden alle praktische inlichtingen, classificaties en onderscheidingen herzien en eventueel aangepast om zo de meest betrouwbare en actuele informatie te kunnen bieden.

Eén selectieprocedure – De beoordelingscriteria zijn volledig gelijk voor alle landen waar de MICHELIN gids actief is. Iedere cultuur heeft zijn keuken, maar kwaliteit blijft ons universele streven.

Ons ultieme doel is om alles in het werk te stellen om u te helpen om van al uw verplaatsingen een waar genoegen te maken, zodat u zich steeds in alle comfort en veiligheid kunt verplaatsen. "Bijdragen tot een betere mobiliteit" luidt dan ook de missie van MICHELIN.

Voorwoord

Beste lezer,

MICHELIN houdt de vinger aan de pols van alles wat lekker eten en goed overnachten aangaat.

Wij stellen u dan ook graag onze nieuwe editie voor, helemaal up-to-date en aangevuld met nieuwe interessante horecazaken.

Jaar na jaar blijft de missie van deze gids dezelfde, en dit al sinds zijn ontstaan: u bijstaan bij al uw verplaatsingen met een selectie van de beste hotels en restaurants in elke prijsklasse.

De MICHELIN gids baseert zich hiervoor op een leidraad die zijn betrouwbaarheid al decennialang heeft bewezen, met op de eerste plaats: de inspectie op het terrein. Al onze adressen zijn rigoureus getest door onze professionele inspecteurs. Zij gaan voor u voortdurend op zoek naar nieuwe hotels en restaurants en controleren het niveau van de zaken die al in de gids staan.

Binnen deze selectie reiken wij jaarlijks een, twee of drie sterren ✿ uit aan de beste restaurants. In deze restaurants bent u verzekerd van een keuken van topniveau, in alle mogelijke stijlen. Bij de toekenning van deze sterren wordt rekening gehouden met de producten, de creativiteit, de bereiding, de prijs-kwaliteitverhouding en of de keuken constant op peil blijft. Ieder jaar wordt de gids aangevuld met ettelijke restaurants waarvan de keuken zich positief laat opmerken.

Andere symbolen waar u zeker uw ogen moet voor open houden : de Bib Gourmand ☺ en de Bib Hotel 🛏, die goede adressen met een interessante prijs-kwaliteitverhouding aanduiden. Onze Bibs garanderen u kwaliteit tegen een eerlijke prijs.

Want wij engageren ons om de evoluties in de wereld nauwgelet op te volgen, net als de wensen van onze lezers, zowel qua kwaliteit als qua budget. Wij hechten veel belang aan onze lezers en zijn dan ook benieuwd naar uw mening over de adressen van onze selectie. Aarzelt u niet om ons te schrijven, uw ervaringen bieden ons erg nuttige informatie om onze inspecties te plannen en onze informatie voortdurend bij te werken.

Om u altijd maar beter te vergezellen...

Hartelijk bedankt voor uw vertrouwen, wij wensen u een goede reis met de MICHELIN gids 2012!

Raadpleeg de MICHELIN gids op
www.ViaMichelin.com
en schrijf ons naar:
guidemichelingids@michelin.com

Indeling & onderscheidingen

DE CATEGORIEËN

De MICHELIN gids omvat de beste adressen in elke kwaliteitscategorie en in elke prijsklasse. In de verschillende categorieën, die overeenkomen met het geboden comfort, zijn de geselecteerde etablissementen in volgorde van voorkeur opgenomen.

Zeer luxueus, traditioneel

Eerste klas

Zeer comfortabel

Geriefelijk

Vrij geriefelijk

Andere vormen van overnachting, gastenkamers

sans rest. **Hotel zonder restaurant**

avec ch. **Restaurant met kamers**

DE ONDERSCHEIDINGEN

Om u zo goed mogelijk te kunnen helpen bij uw keuze, hebben sommige bijzonder opmerkelijke adressen dit jaar een onderscheiding gekregen: ster(ren), Bib Gourmand of Bib Hotel. Zij zijn herkenbaar aan het teken ✿, ☺ of ⌂ in de kantlijn en aan de aanduiding **Rest** of **ch** in de tekst.

DE STERREN: DE BESTE RESTAURANTS

De sterren onderscheiden de etablissementen die de beste keuken bieden, ongeacht de stijl. Voor de beoordeling zijn de volgende criteria toegepast: keuze van de producten, persoonlijkheid van de keuken, bereiding, prijs-kwaliteitverhouding en constantheid van het kwaliteitsniveau.
Elk sterrenrestaurant wordt begeleid met drie specialiteiten die zijn keuken duidt. Soms gebeurd het dat ze niet verkrijgbaar zijn : dat is dan ten voordele van andere heerlijke gerechten geïnspireerd door het seizoen

✿✿✿ **Voortreffelijke keuken, de reis waard**
Het eten is altijd zeer goed, soms buitengewoon.

✿✿ **Verfijnde keuken, een omweg waard**

✿ **Een heel goede keuken in zijn categorie**

Sommige jaren worden « veelbelovende restaurants » voor een bepaalde onderscheiding ook in onze selectie opgenomen. Deze restaurants zijn de beste in hun categorie en komen in aanmerking voor een hogere onderscheiding zodra er een constant kwaliteitsniveau wordt vastgesteld, zowel over de tijd heen als in de verschillende gerechten. Met deze speciale vermelding willen wij uw aandacht vestigen op restaurants die in onze ogen « veelbelovend » zijn voor de gastronomie van morgen.

DE BIB: DE BESTE ADRESSEN MET EEN SCHAPPELIJKE PRIJS

Bib Gourmand
Een eetgelegenheid die een prima maaltijd serveert onder de 35 € en onder de 36 € in Brussel en Luxemburg (prijs excl. dranken).

Bib Hotel
Een hotel dat kwaliteit biedt, met een meerderheid van kamers onder de 80 € in de provincie en onder de 100 € in de stad en belangrijke toeristische plaatsen (prijs voor 2 personen, excl. ontbijt).

DE AANGENAAMSTE ADRESSEN

Met de rode tekens worden etablissementen aangeduid waar een verblijf bijzonder aangenaam is. Dit kan te danken zijn aan het gebouw, de originele inrichting, de ligging, de ontvangst of de geboden diensten.

tot **Aangenaam overnachten**

tot **Aangename restaurants**

BIJZONDERE VERMELDINGEN

De MICHELIN inspecteurs kennen niet alleen onderscheidingen toe aan de etablissementen zelf. Zij hanteren ook andere criteria, die net zo belangrijk kunnen zijn bij de keuze van een etablissement.

LIGGING

Zoekt u een rustig etablissement of een adres met een aantrekkelijk uitzicht? Let dan op de volgende symbolen:

Rustig hotel

Zeer rustig hotel

Interessant uitzicht

uitzonderlijk uitzicht

WIJNKAART

Zoekt u een restaurant met een interessante wijnkaart? Let dan op het volgende symbool:

Bijzonder interessante wijnkaart
Vergelijk echter niet de wijnkaart die door de sommelier van een beroemd restaurant wordt gepresenteerd met de wijnselectie van een herberg waarvan de eigenaar een passie heeft voor de wijnen van kleine producenten.

Voorzieningen & diensten

30 ch	Aantal kamers
	Lift
A/C	Airconditioning (in het hele etablissement of een deel ervan)
	Etablissement dat gedeeltelijk toegankelijk is voor rolstoelgebruikers
	Maaltijden worden geserveerd in tuin of op terras
Spa	Wellness centre: mooie ruimte met faciliteiten voor een weldadige lichaamsbehandeling en ontspanning
	Balneotherapie, badkuur –
	Fitness
	Zwembad: openlucht of overdekt
	Sauna
	Tuin – park
	Verhuur van fietsen
	Tennisbaan
	internetverbinding WIFI/ADSL
	Honden worden niet toegelaten (in het hele bedrijf of in een gedeelte ervan)
	Salons voor apart diner
	Vergaderzalen
	Valet service (fooi gebruikelijk)
	Garage bij het hotel (meestal tegen betaling)
P	Parkeerplaats (eventueel tegen betaling)
Ouvert... / Fermé...	Openingsperiode of sluitings periode door de hotelhouder opgegeven
6801	Postcode van het etablissement (in het bijzonder voor het Groothertogdom Luxemburg)

Prijzen

De prijzen in deze gids werden in de zomer 2011 genoteerd . Zij kunnen worden gewijzigd, met name als de prijzen van goederen en diensten veranderen. In de vermelde bedragen is alles inbegrepen (bediening en belasting). Op uw rekening behoort geen ander bedrag te staan, behalve eventueel een plaatselijke belasting.
De hotel- en restauranthouders hebben zich voor eigen verantwoording verplicht deze prijzen aan de gasten te berekenen.
Tijdens bijzondere evenementen, zoals congressen, beurzen, jaarmarkten, festivals en sportevenementen, kunnen de hotelhouders aanzienlijk hogere prijzen vragen.
Informeer bij de reservering van een hotel naar eventuele voordelige aanbiedingen.

RESERVERING EN AANBETALING

Sommige hotelhouders vragen uw creditcard nummer of een aanbetaling als bevestiging van uw reservering. Dit bedrag is een garantie, zowel voor de hotelhouder als de gast. Vraag de hotelhouder om in zijn bevestiging alle details te vermelden betreffende reservering en verblijfsvoorwaarden.

BETAALKAARTEN

	Kaarten die worden geaccepteerd:
VISA MC AE D	Visa – MasterCard – American Express – Diners Club

KAMERS

ch – 🚹 90/120 €	Prijs minimum/maximum voor een éénpersoonskamer
ch – 🚹🚹 120/150 €	Prijs minimum/maximum voor een tweepersoonskamer
ch ☕	Ontbijt inbegrepen
☕ 10 €	Prijs van het ontbijt indien niet begrepen in de prijs voor een kamer.

HALFPENSION

½ P 90/110 €	Laagste en hoogste prijs voor halfpension (kamer, ontbijt en een maaltijd) per persoon. Deze prijzen gelden voor een tweepersoonskamer die door twee personen wordt bezet. Voor gebruik van een tweepersoonskamer door één persoon geldt doorgaans een toeslag.

RESTAURANT

☺☺	Restaurant dat een eenvoudig menu serveert **onder de 26 €**
Rest *Lunch* 18 €	Deze maaltijd wordt alleen 's middags geserveerd en uitsluitend op werkdagen
Rest 35/60 €	**Prijs van de menus:** laagste prijs 35 €, hoogste prijs 60 € – Sommige menu's worden alleen geserveerd voor minimum 2 personen of per tafel
bc	Drank inbegrepen
Rest carte 40/75 €	**Maaltijd a la carte, zonder drank:** de eerste prijs betreft een keuze (voorgerecht, hoofgerecht en dessert) uit de goedkoopste gerechten ; de tweede prijs betreft een keuze uit de duurste gerechten.

Informatie over steden

ALGEMEEN

1000	Postcodenummer, steeds te vermelden in het adres, vóór de plaatsnaam
✉ **4900 Spa**	Postkantoor voor deze plaats
P	Hoofdstad van de provincie
C **Herve**	Gemeentelijke administratieve zetel
531 T3	Nummer van de MICHELIN kaart en de coördinaten om de plaats gemakkelijk te kunnen vinden
4 283 h	Aantal inwoners
BX A	Letters die de ligging op de plattegrond aangeven
18	Golf en aantal holes
☀ ←	Panorama, uitzicht
✈	Vliegveld
	Bootverbinding
	Bootverbinding (uitsluitend passagiers)
i	Informatie voor toeristen – VVV

TOERISTISCHE INFORMATIE

CLASSIFICATIE

★★★	De reis waard
★★	Een omweg waard
★	Interessant

LIGGING

	In de stad
	In de omgeving van de stad
Nord, Sud, Est, Ouest	De bezienswaardigheid ligt: ten noorden, ten zuiden, ten oosten, ten westen
② ④	Men komt er via uitvalsweg ② of ④, die met hetzelfde teken is aangegeven op de plattegrond in de gids en op de MICHELIN kaart
2 km	Afstand in kilometers

Legende van de plattegronden

Hotels
Restaurants

BEZIENSWAARDIGHEDEN

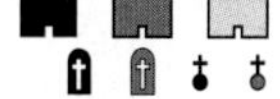

Interessant gebouw
Interessant kerkelijk gebouw

WEGEN

Autosnelweg, weg met gescheiden rijbanen. Genummerde knooppunten/aansluitingen: volledig, gedeeltelijk
Hoofdverkeersweg
Eenrichtingsverkeer – Onbegaanbare straat of beperkt toegankelijk
Pasteur — Voetgangersgebied – Tramlijn – Winkelstraat
Parkeerplaats – Parkeer en Reis
Poort – Onderdoorgang – Tunnel
Station en spoorweg
4.4 18 — Vrije hoogte (onder 4,50 m) – Maximum draagvermogen (onder 19 t.)
Beweegbare brug

OVERIGE TEKENS

Informatie voor toeristen
Moskee – Synagoge
Toren – Ruïne – Windmolen – Watertoren
Tuin, park, bos – Begraafplaats – Kruisbeeld
Station – Golfterrein – Renbaan – IJsbaan
Zwembad: openlucht, overdekt
Uitzicht – Panorama
Gedenkteken, standbeeld – Fontein
Fabriek – Winkelcentrum
Jachthaven – Vuurtoren – Aanlegsteiger
Luchthaven – Metrostation – Busstation
Vervoer per boot:
- passagiers en auto's, uitsluitend passagiers

3 — Verwijsteken uitvalsweg: identiek op plattegronden en MICHELIN kaarten
Hoofdkantoor voor poste-restante
Ziekenhuis – Overdekte markt
Openbaar gebouw, aangegeven met een letter:

H P	- Stadhuis – Provinciehuis
J	- Gerechtshof, rechtbank
M T	- Museum – Schouwburg
U	- Universiteit, hogeschool
POL.	- Politie (hoofdbureau)

Hinweise zur Benutzung

TOURISTISCHE INFORMATIONEN

Entfernungen zu grösseren Städten, Informationsstellen, Sehenswürdigkeiten, Golfplätze und lokale Veranstaltungen...

DIE HOTELS

Von 🏨🏨🏨🏨🏨 bis 🏨: Komfortkategorien.
⌂ : Gasthof.
Besonders angenehme Häuser: in rot.

DIE RESTAURANTS

Von XXXXX bis X: Komfortkategorien
Besonders angenehme Häuser: in rot.

DIE STERNE-RESTAURANTS

- ✿✿✿ Eine Reise wert .
- ✿✿ Verdient einen Umweg.
- ✿ Eine sehr gute Küche.

DIE BESTEN PREISWERTEN ADRESSEN

- Bib Hotel.
- Bib Gourmand.

HERENTALS – Antwerpen – 532 015 et 716 H
Bruxelles 70 – Antwerpen 30 – Hasselt 48 –
Grote Markt 41, ✆ 0 14 21 90 88, www.toer
au Nord : 8 km à Lille, Haarlebeek 3, ✆ 0
Witbos, au Sud : 5km à Noorderwijk, wit
Retable ★ de l'église Ste-Waudru (St-Wa

De Tram
Grote Markt 45 – ✆ 0 14 28 70 01 – w
– fermé fin décembre, 2 sem. carna
35 ch – 🛉85/117 € 🛉🛉95/145 €–
Rest –(fermé dimanche) Lunch 15
◆ Dit karakteristieke hotel aan d
Moderne kamers, auditoriums,
◆ Sur le Grote Markt, bâtisse a
rain. Chambres modernes, au

De Stoove
Van Cauwenberghelaan 6 –
– fermé 20 mars-7 avril, ma
Rest – (fermé après 20 h) M
Spéc. Bar de ligne au vin
chocolat noir au gingem
◆ Rustiek interieur, wa
maaltijd kunt geniete
◆ Table au cadre rus
goûteux. Bon choix d

BELGIQUE

HEURE – Namur C Som
Bruxelles 102 –

Beau Séjour
Route de Givet 4
– fermé 20 mars
36 ch – 🛉8
Rest – Menu
◆ Paisible de
regroupant
se décline
◆ Dit patri
bouwd m
worden v

Le Gr
Grande
– ferm
Rest

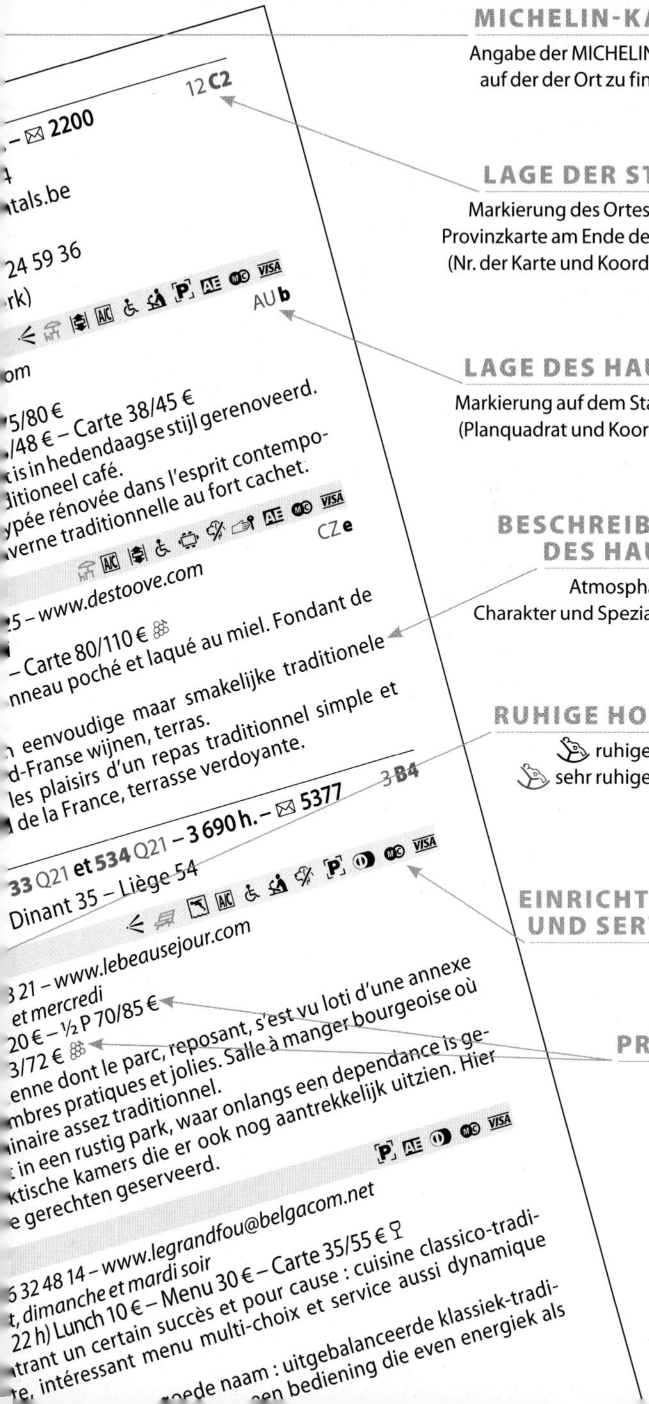

MICHELIN-KARTE

Angabe der MICHELIN-Karte, auf der der Ort zu finden ist.

LAGE DER STADT

Markierung des Ortes auf der Provinzkarte am Ende des Buchs (Nr. der Karte und Koordinaten).

LAGE DES HAUSES

Markierung auf dem Stadtplan (Planquadrat und Koordinate).

BESCHREIBUNG DES HAUSES

Atmosphäre, Stil, Charakter und Spezialitäten.

RUHIGE HOTELS

ruhiges Hotel.
sehr ruhiges Hotel.

EINRICHTUNG UND SERVICE

PREISE

Die Grundsätze des MICHELIN-Führers

Erfahrung im Dienste der Qualität

Ob in Japan, in den Vereinigten Staaten, in China oder in Europa, die Inspektoren des MICHELIN-Führers respektieren weltweit exakt dieselben Kriterien, um die Qualität eines Restaurants oder eines Hotels zu überprüfen. Dass der MICHELIN-Führer heute weltweit bekannt und geachtet ist, verdankt er der Beständigkeit seiner Kriterien und der Achtung gegenüber seinen Lesern. Diese Grundsätze möchten wir hier bekräftigen:

Der anonyme Besuch – die oberste Regel. Die Inspektoren testen anonym und regelmäßig die Restaurants und Hotels, um das Leistungsniveau in seiner Gesamtheit zu beurteilen. Sie bezahlen alle in Anspruch genommene Leistungen und geben sich nur zu erkennen, um ergänzende Auskünfte zu erhalten. Die Zuschriften unserer Leser stellen darüber hinaus wertvolle Erfahrungsberichte für uns dar und wir benutzen diese Hinweise, um unsere Besuche vorzubereiten.

Die Unabhängigkeit – Um einen objektiven Standpunkt zu bewahren, der einzig und allein dem Interesse des Lesers dient, wird die Auswahl der Häuser in kompletter Unabhängigkeit erstellt. Die Empfehlung im MICHELIN-Führer ist daher kostenlos. Die Entscheidungen werden vom Chefredakteur und seinen Inspektoren gemeinsam gefällt. Für die höchste Auszeichnung wird zusätzlich auf europäischer Ebene entschieden.

Die Auswahl der Besten – Der MICHELIN-Führer ist weit davon entfernt, ein reines Adressbuch darzustellen, er konzentriert sich vielmehr auf eine Auswahl der besten Hotels und Restaurants in allen Komfort- und Preiskategorien. Eine einzigartige Auswahl, die auf ein und derselben Methode aller Inspektoren weltweit basiert.

Die jährliche Aktualisierung – Alle praktischen Hinweise, alle Klassifizierungen und Auszeichnungen werden jährlich aktualisiert, um die genauestmögliche Information zu bieten.

Die Einheitlichkeit der Auswahl – Die Kriterien für die Klassifizierung im MICHELIN-Führer sind weltweit identisch. Jede Kultur hat ihren eigenen Küchenstil, aber gute Qualität muss der einheitliche Grundsatz bleiben.

Denn unser einziges Ziel ist es, Ihnen bei Ihren Reisen behilflich zu sein. Mobilität im Zeichen von Vergnügen und Sicherheit ist die Mission von Michelin.

Lieber Leser,

Wir freuen uns, Ihnen die neue Ausgabe des MICHELIN-Führers vorzustellen, die wieder aktualisiert und um zahlreiche gute Restaurants und Hotels bereichert wurde.

Seine Aufgabe ist in all den Jahren seit der ersten Ausgabe unverändert geblieben: Sie auf all Ihren Reisen zu begleiten, mit einer Auswahl der besten Adressen in allen Komfortkategorien und Preisklassen.

Dafür stützt sich der MICHELIN-Führer auf ein bewährtes „Fahrtenbuch", dessen Hauptmerkmal die Kontrolle vor Ort ist: Alle ausgewählten Hotels und Restaurants werden von unseren professionellen Inspektoren aufs Genaueste überprüft. Sie entdecken ständig neue Adressen und kontrollieren die Leistung derer, die bereits empfohlen sind.

Innerhalb dieser Auswahl werden jedes Jahr die besten Restaurants durch die Verleihung unserer Sterne ✿ – einer, zwei oder drei – ausgezeichnet. Sie werden an die Häuser mit der besten Küchenqualität vergeben, unabhängig vom Küchenstil. Die Kriterien für die Sternvergabe sind die Qualität der Produkte, die fachgerechte Zubereitung, der Geschmack der Gerichte, die persönliche Note, das Preis-Leistungs-Verhältnis und die Beständigkeit der Küchenleistung. Jedes Jahr kommen zahlreiche Restaurants hinzu, die uns durch die Entwicklung Ihrer Küche aufgefallen sind – Sie können sie auf den Seiten dieses Buches entdecken… und auf Ihren Reisen.

Weitere Symbole, denen Sie unbedingt Beachtung schenken sollten: der Bib Gourmand ☺ und der Bib Hotel ☺. Mit ihnen markieren wir besonders gute und günstige Adressen. Sie garantieren gute Leistung zu moderaten Preisen.

Denn wir bleiben unverändert aufmerksam bezüglich der aktuellen Entwicklungen - und der Ansprüche unserer Leser, nicht nur hinsichtlich der Qualität, sondern auch in Bezug auf das Budget.

Ihre Meinung zu den von uns ausgewählten Hotels und Restaurants interessiert uns sehr! Zögern Sie daher nicht, uns zu schreiben; Ihre Mitarbeit ist für die Planung unserer Besuche und für die ständige Verbesserung des MICHELIN-Führers von großer Bedeutung.

Danke für Ihre Treue, und gute Fahrt mit dem MICHELIN-Führer 2012!

Den MICHELIN- Führer finden Sie auch im Internet unter
www.ViaMichelin.com
oder schreiben Sie uns eine E-mail:
guidemichelingids@michelin.com

Kategorien & Auszeichnungen

KOMFORTKATEGORIEN

Der MICHELIN-Führer bietet in seiner Auswahl die besten Adressen jeder Komfort- und Preiskategorie. Die ausgewählten Häuser sind nach dem gebotenen Komfort geordnet; die Reihenfolge innerhalb jeder Kategorie drückt eine weitere Rangordnung aus.

	XXXXX	**Großer Luxus und Tradition**
	XXXX	**Großer Komfort**
	XXX	**Sehr komfortabel**
	XX	**Mit gutem Komfort**
	X	**Mit Standard-Komfort**
		Andere empfohlene Übernachtungsmöglichkeiten, Fremdenzimmer
sans rest.		**Hotel ohne Restaurant**
avec ch.		**Restaurant vermietet auch Zimmer**

AUSZEICHNUNGEN

Um ihnen behilflich zu sein, die bestmögliche Wahl zu treffen, haben einige besonders bemerkenswerte Adressen dieses Jahr eine Auszeichnung erhalten. Die Sterne, „Bib Gourmand“ bzw. „Bib Hotel“ sind durch das entsprechende Symbol ✿, ☺ bzw. ☺ und **Rest** bzw. **ch** gekennzeichnet.

DIE BESTEN RESTAURANTS

Die Häuser, die eine überdurchschnittlich gute Küche bieten, wobei alle Stilrichtungen vertreten sind, wurden mit einem Stern ausgezeichnet. Die Kriterien sind: die Wahl der Produkte, die persönlichen Akzente der Küche, die fachgerechte Zubereitung und der Geschmack, sowie das Preis-Leistungs-Verhältnis und die immer gleich bleibende Qualität.

In jedem Sterne-Restaurant werden drei Spezialitäten angegeben, die den Küchenstil widerspiegeln. Nicht immer finden sich diese Gerichte auf der Karte, werden aber durch andere repräsentative Speisen ersetzt.

✿✿✿	**Eine der besten Küchen: eine Reise wert** Man isst hier immer sehr gut, öfters auch exzellent.
✿✿	**Eine hervorragende Küche: verdient einen Umweg**
✿	**Ein sehr gutes Restaurant in seiner Kategorie**

In manchen Jahren sind in der Liste der Sterne-Restaurants auch „Hoffnungsträger“ für die nächsthöhere Kategorie aufgeführt. Sie verweisen auf die besten Häuser innerhalb einer Kategorie, die die nächsthöhere Auszeichnung erreichen können, wenn sich die Beständigkeit ihrer Leistung bestätigt - auf die gesamte Karte bezogen und über längere Zeit betrachtet. Mit dieser besonderen Kennzeichnung möchten wir Ihnen die Restaurants vorstellen, die in unseren Augen die „Hoffnungsträger“ der Gastronomie von morgen sind.

DIE BESTEN PREISWERTEN HÄUSER

Bib Gourmand
Häuser, die eine gute Küche für weniger als 35 € bieten (Preis für eine Mahlzeit ohne Getränke und für weniger als 36 € in Brüssel und Luxemburg).

Bib Hotel
Häuser, die eine Mehrzahl ihrer komfortablen Zimmer für weniger als 80 € anbieten – bzw.weniger als 100 € in größeren Städten und Urlaubsorten (Preis für 2 Personen ohne Frühstück).

DIE ANGENEHMSTEN ADRESSEN

Die rote Kennzeichnung weist auf besonders angenehme Häuser hin. Dies kann sich auf den besonderen Charakter des Gebäudes, die nicht alltägliche Einrichtung, die Lage, den Empfang oder den gebotenen Service beziehen.

bis **Angenehme Unterbringung**

bis **Angenehme Restaurants**

BESONDERE ANGABEN

Neben den Auszeichnungen, die den Häusern verliehen werden, legen die MICHELIN-Inspektoren auch Wert auf andere Kriterien, die bei der Wahl einer Adresse oft von Bedeutung sind.

LAGE

Wenn Sie eine ruhige Adresse oder ein Haus mit einer schönen Aussicht suchen, achten Sie auf diese Symbole:

Ruhiges Hotel

Sehr ruhiges Hotel

Interessante Sicht

Besonders schöne Aussicht

WEINKARTE

Wenn Sie ein Restaurant mit einer besonders interessanten Weinauswahl suchen, achten Sie auf dieses Symbol:

Weinkarte mit besonders attraktivem Angebot
Aber vergleichen Sie bitte nicht die Weinkarte, die Ihnen vom Sommelier eines großen Hauses präsentiert wird, mit der Auswahl eines Gasthauses, die vom Besitzer mit Sorgfalt zusammenstellt wird.

Einrichtung & Service

30 ch	Anzahl der Zimmer
	Fahrstuhl
A/C	Klimaanlage (im ganzen Haus bzw. in den Zimmern oder im Restaurant)
	Für Körperbehinderte leicht zugängliches Haus
	Terrasse mit Speisenservice
Spa	Wellnessbereich – Badeabteilung, Thermalkur
	Fitnessraum
	Freibad oder Hallenbad
	Sauna
	Liegewiese, Garten – Park
	Fahrradverleih – Tennisplatz
	Internetzugang mit W-LAN/DSL
	Hunde sind unerwünscht (im ganzen Haus bzw. in den Zimmern oder im Restaurant)
	Veranstaltungsraum
	Konferenzraum
	Restaurant mit Wagenmeister-Service (Trinkgeld üblich)
	Hotelgarage (wird gewöhnlich berechnet)
P	Parkplatz reserviert für Gäste (manchmal gebührenpflichtig)
Ouvert... / Fermé...	Öffnungszeit/Schliessungszeit, vom Hotelier mitgeteilt
✉ *6801*	Angabe des Postbezirks (bes. Großherzogtum Luxemburg)

Preise

Die in diesem Führer genannten Preise wurden uns im Sommer 2011 angegeben. Bedienung und MWSt sind enthalten. Es sind Inklusivpreise, die sich nur noch durch die evtl. zu zahlende lokale Taxe erhöhen können. Sie können sich mit den Preisen von Waren und Dienstleistungen ändern.
Die Häuser haben sich verpflichtet, die von den Hoteliers selbst angegebenen Preise den Kunden zu berechnen.
Anlässlich größerer Veranstaltungen, Messen und Ausstellungen werden von den Hotels in manchen Städten und deren Umgebung erhöhte Preise verlangt.
Erkundigen Sie sich bei den Hoteliers nach eventuellen Sonderbedingungen.

RESERVIERUNG UND ANZAHLUNG

Einige Hoteliers verlangen zur Bestätigung der Reservierung eine Anzahlung oder die Nennung der Kreditkartennummer. Dies ist als Garantie sowohl für den Hotelier als auch für den Gast anzusehen. Bitten Sie den Hotelier, dass er Ihnen in seinem Bestätigungsschreiben alle seine Bedingungen mitteilt.

KREDITKARTEN

	Akzeptierte Kreditkarten:
VISA MC AE D	Visa – MasterCard – American Express – Diners Club

ZIMMER

ch – 🚹 90/120 €	Mindest- und Höchstpreis für ein Einzelzimmer
ch – 🚹🚹 120/150 €	Mindest- und Höchstpreis für ein Doppelzimmer
ch ☕	Frühstück inklusief
☕ 10 €	Preis des Frühstücks

HALBPENSION

½ P 90/110 €	Mindest- und Höchstpreis für Halbpension (Zimmerpreis inkl. Frühstück und einer Mahlzeit) pro Person, bei einem von zwei Personen belegten Doppelzimmer. Falls eine Einzelperson ein Doppelzimmer belegt, kann ein Preisaufschlag verlangt werden.

RESTAURANT

⚭	Restaurant, das ein einfaches **Menu unter 26 €** anbietet
Rest *Lunch* 18 €	Menu im allgemeinen nur werktags mittags serviert
Rest 35/60 €	**Menupreise:** mindestens 35 €, höchstens 60 € – Einige Menus werden nur tischweise oder für mindestens 2 Personen serviert
bc	Getränke inbegriffen
Rest carte 40/75 €	**Mahlzeiten à la carte ohne Getränke:** Der erste Preis entspricht einer Auswahl der günstigsten Speisen (Vorspeise, Hauptgericht, Dessert); der zweite Preis entspricht einer Auswahl der teuersten Speisen.

Informationen zu den Orten

ALLGEMEINES

1000	Postleitzahl, bei der Anschrift vor dem Ortsnamen anzugeben
✉ **4900 Spa**	Name des Verteilerpostamtes
P	Provinzhauptstadt
C **Herve**	Sitz der Kreisverwaltung
531 T 3	Nummer der MICHELIN-Karte mit Koordinaten
4 283 h	Einwohnerzahl
BX A	Markierung auf dem Stadtplan
18	Golfplatz mit Lochzahl
✳ ⋞	Rundblick, Aussichtspunkt
✈	Flughafen
	Autofähre
	Personenfähre
i	Informationsstelle

SEHENSWÜRDIGKEITEN

BEWERTUNG

★★★	Eine Reise wert
★★	Verdient einen Umweg
★	Sehenswert

LAGE

	In der Stadt
	In der Umgebung der Stadt
Nord, Sud, Est, Ouest	Im Norden, Süden, Osten, Westen der Stadt
② ④	Zu erreichen über die Ausfallstraße ② bzw ④, die auf dem Stadtplan und der MICHELIN-Karte identisch gekennzeichnet sind
2 km	Entfernung in Kilometern

Legende der Stadtpläne

Hotels
Restaurants

SEHENSWÜRDIGKEITEN

Sehenswertes Gebäude
Sehenswerte Kirche

STRASSEN

Autobahn, Schnellstraße
Nummern der Anschlussstellen: Autobahnein- und/oder -ausfahrt
Hauptverkehrsstraße
Einbahnstraße – Gesperrte Straße, mit Verkehrsbeschränkungen
Pasteur — Fußgängerzone – Straßenbahn – Einkaufsstraße
Parkplatz, Parkhaus – Park-and-Ride-Plätze
Tor – Passage – Tunnel
Bahnhof und Bahnlinie
4'4 (18) Unterführung (Höhe bis 4,50 m) – Höchstbelastung (unter 19 t)
Bewegliche Brücke

SONSTIGE ZEICHEN

Informationsstelle
Moschee – Synagoge
Turm – Ruine – Windmühle – Wasserturm
Garten, Park, Wäldchen – Friedhof – Bildstock
Stadion – Golfplatz – Pferderennbahn – Eisbahn
Freibad – Hallenbad
Aussicht – Rundblick
Denkmal – Brunnen – Fabrik – Einkaufszentrum
Jachthafen – Leuchtturm – Anlegestelle
Flughafen – U-Bahnstation – Autobusbahnhof
Schiffsverbindungen: Autofähre – Personenfähre
(3) Straßenkennzeichnung (identisch auf MICHELIN-Stadtplänen und -Abschnittskarten)
Hauptpostamt (postlagernde Sendungen)
Krankenhaus – Markthalle
Öffentliches Gebäude, durch einen Buchstaben gekennzeichnet:
H P – Rathaus – Sitz der Landesregierung
J – Gerichtsgebäude
M T – Museum – Theater
U – Universität, Hochschule
POL. – Polizei (in größeren Städten Polizeipräsidium)

How to use this guide

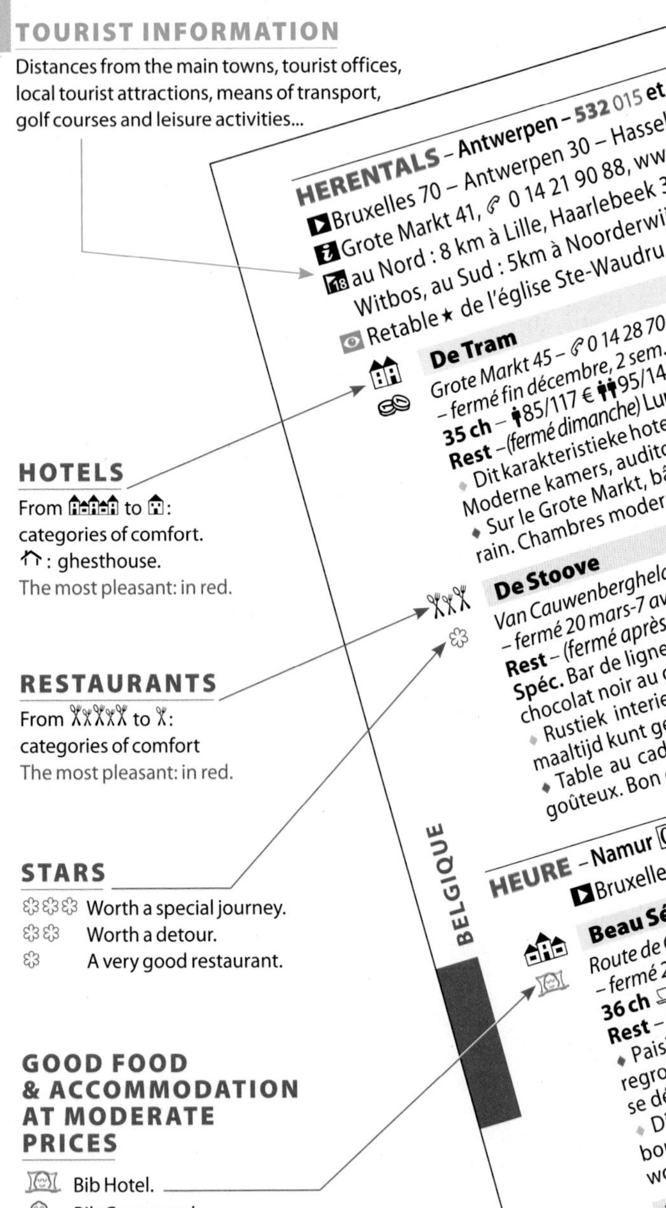

TOURIST INFORMATION

Distances from the main towns, tourist offices, local tourist attractions, means of transport, golf courses and leisure activities...

HOTELS

From 🏨🏨🏨🏨 to 🏨: categories of comfort.
⌂ : ghesthouse.
The most pleasant: in red.

RESTAURANTS

From XXXXX to X: categories of comfort
The most pleasant: in red.

STARS

✿✿✿ Worth a special journey.
✿✿ Worth a detour.
✿ A very good restaurant.

GOOD FOOD & ACCOMMODATION AT MODERATE PRICES

Bib Hotel.
Bib Gourmand.

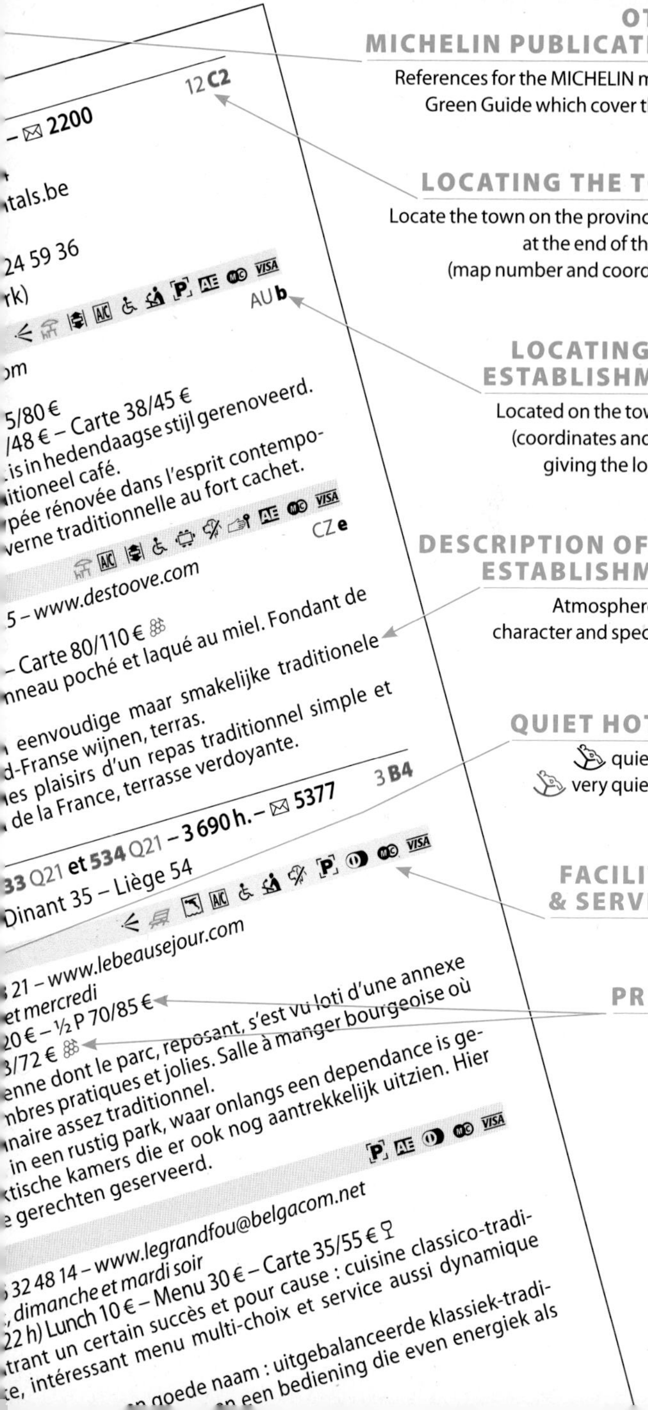

OTHER MICHELIN PUBLICATIONS

References for the MICHELIN map and Green Guide which cover the area.

LOCATING THE TOWN

Locate the town on the provincial map at the end of the guide (map number and coordinates).

LOCATING THE ESTABLISHMENT

Located on the town plan (coordinates and letters giving the location).

DESCRIPTION OF THE ESTABLISHMENT

Atmosphere, style, character and specialities.

QUIET HOTELS

quiet hotel.
very quiet hotel.

FACILITIES & SERVICES

PRICES

The MICHELIN guide's commitments

Experienced in quality

Whether it is in Japan, the USA, China or Europe our inspectors use the same criteria to judge the quality of the hotels and restaurants and use the same methods of visiting. The guide can only boast this worldwide reputation thanks to its commitment to the readers and we would like to stress these here:

Anonymous inspections – our inspectors make regular and anonymous visits to hotels and restaurants to gauge the quality of products and services offered to an ordinary customer. They settle their own bill and may then introduce themselves and ask for more information about the establishment. Our readers' comments are also a valuable source of information, which we can then follow up with another visit of our own.

Independence – To remain totally objective for our readers, the selection is made with complete independence. Entry into the guide is free. All decisions are discussed with the Editor and our highest awards are considered at a European level.

Selection and choice – The guide offers a selection of the best hotels and restaurants in every category of comfort and price. This is only possible because all the inspectors rigorously apply the same methods.

Annual updates – All the practical information, the classifications and awards are revised and updated every single year to give the most reliable information possible.

Consistency – The criteria for the classifications are the same in every country covered by the MICHELIN guide.

The sole intention of Michelin is to make your travels both safe and enjoyable.

Dear reader

Dear reader,

Having kept up-to-date with the latest developments in the hotel and restaurant scenes, we are pleased to present this new, improved and updated edition of the Michelin Guide.

Since the very beginning, our ambition has remained the same each year: to accompany you on all of your journeys and to help you choose the best establishments to both stay and eat in, across all categories of comfort and price; whether that's a friendly guesthouse or luxury hotel, a lively gastropub or fine dining restaurant.

To this end, the Michelin Guide is a tried-and-tested travel planner, its primary objective being to provide first-hand experience for you, our readers. All of the establishments selected have been rigorously tested by our team of professional inspectors, who are constantly seeking out new places and continually assessing those already listed.

Every year the guide recognises the best places to eat, by awarding them one ✿, two ✿✿ or three ✿✿✿ stars. These lie at the heart of the selection and highlight the establishments producing the best quality cuisine – in all styles – taking into account the quality of ingredients, creativity, mastery of techniques and flavours, value for money and consistency.

Other symbols to look out for are the Bib Gourmand ☺ and the Bib Hotel ☺, which point out establishments that represent particularly good value; here you'll be guaranteed excellence but at moderate prices.

We are committed to remaining at the forefront of the culinary world and to meeting the demands of our readers. As such, we are very interested to hear your opinions on the establishments listed in our guide. Please don't hesitate to contact us, as your contributions are invaluable in directing our work and improving the quality of our information.

We continually strive to help you on your journeys.

Thank you for your loyalty and happy travelling with the 2012 edition of the Michelin Guide.

Consult the MICHELIN guide at
www.ViaMichelin.com
and write to us at:
guidemichelingids@michelin.com

Classification & awards

CATEGORIES OF COMFORT

The MICHELIN guide selection lists the best hotels and restaurants in each category of comfort and price. The establishments we choose are classified according to their levels of comfort and, within each category, are listed in order of preference.

🏨🏨🏨🏨🏨	XXXXX	**Luxury in the traditional style**
🏨🏨🏨🏨	XXXX	**Top class comfort**
🏨🏨🏨	XXX	**Very comfortable**
🏨🏨	XX	**Comfortable**
🏨	X	**Quite comfortable**
⌂		**Other recommended accommodation, (guesthouse)**
sans rest.		**This hotel has no restaurant**
avec ch.		**This restaurant also offers accommodation**

THE AWARDS

To help you make the best choice, some exceptional establishments have been given an award in this year's guide: star(s), Bib Gourmand or Bib Hotel. They are marked ✿, ☺ or 🛏 and **Rest** or **ch** in the text.

THE BEST CUISINE

MICHELIN stars are awarded to establishments serving cuisine, of whatever style, which is of the highest quality. The cuisine is judged on the quality of ingredients, the flair and the skill in their preparation, the combination of flavours, the levels of creativity, the value for money and the consistency of culinary standards.

For every restaurant awarded a star we include 3 specialities that are typical of their cooking style. These specific dishes may not always be available.

✿✿✿	**Exceptional cuisine, worth a special journey** One always eats extremely well here, sometimes superbly.
✿✿	**Excellent cooking, worth a detour**
✿	**A very good restaurant in its category**

Occasionally «Rising Stars» for promotion feature. These are the best in their category that may achieve a higher award if we can confirm the consistent quality of the whole menu over time. By this special mention we just want to let you know who we think may be future stars.

THE BIB: GOOD FOOD AND ACCOMMODATION AT MODERATE PRICES

Bib Gourmand
Establishment offering good quality cuisine for under 35 € and under 36 € in Brussels and Luxemburg (price of a meal not including drinks).

Bib Hotel
Establishment offering good levels of comfort and service, with most rooms priced at under 80 € in the provinces and 100 € in towns and popular tourist resorts (price of a room for 2 people, not including breakfast).

PLEASANT HOTELS AND RESTAURANTS

Symbols shown in red indicate particularly pleasant or restful establishments: the character of the building, its décor, the setting, the welcome and services offered may all contribute to this special appeal.

to Pleasant accommodation

to Pleasant restaurants

OTHER SPECIAL FEATURES

As well as the categories and awards given to the establishment, MICHELIN inspectors also make special note of other criteria which can be important when choosing an establishment.

LOCATION

If you are looking for a particularly restful establishment, or one with a special view, look out for the following symbols:

Quiet hotel

Very quiet hotel

Interesting view

Exceptional view

WINE LIST

If you are looking for an establishment with a particularly interesting wine list, look out for the following symbol:

Particularly interesting wine list
This symbol might cover the list presented by a sommelier in a luxury restaurant or that of a simple inn where the owner has a passion for wine. The two lists will offer something exceptional but very different, so beware of comparing them by each other's standards.

Facilities & services

30 ch	Number of rooms
	Lift (elevator)
A/C	Air conditioning (in all or part of the establishment)
	Establishment at least partly accessible to those of restricted mobility
	Meals served in garden or on terrace
Spa	Wellness centre: an extensive facility for relaxation and well-being
	Hydrotherapy
	Exercise room
	Swimming pool: outdoor or indoor
	Sauna
	Garden – Park
	Bike hire
	Tennis court
	Wireless/broadband connection
	No dogs allowed (in all or part of the establishment)
	Private dining rooms
	Equipped conference room
	Restaurant offering valet parking (tipping customary)
	Hotel garage (additional charge in most cases)
P	Car park (a fee may be charged)
Ouvert... / Fermé...	Dates when open or closed as indicated by the hotelier
✉ *6801*	Postal code (Grand Duchy of Luxembourg only)

Prices

Prices quoted in this Guide were supplied in summer 2011. They are subject to alteration if goods and service costs are revised. The rates include tax and service and no extra charge should appear on your bill, with the possible exception of a local tax.
By supplying the information, hotels and restaurants have undertaken to maintain these rates for our readers.
In some towns, when commercial, cultural or sporting events are taking place the hotel rates are likely to be considerably higher.
Out of season, certain establishments offer special rates. Ask when booking.

RESERVATION AND DEPOSITS

Some hotels will ask you to confirm your reservation by giving your credit card number or require a deposit which confirms the commitment of both the customer and the hotelier. Ask the hotelier to provide you with all the terms and conditions applicable to your reservation in their written confirmation.

CREDIT CARDS

Credit cards accepted by the establishment:
VISA MC AE DC — Visa – MasterCard – American Express – Diners Club

ROOMS

ch – 🚹 90/120 € — Lowest price and highest price for a confortable single room.
ch – 🚹🚹 120/150 € — Lowest price and highest price for a double or twin room for 2 people.
ch ☕ — Breakfast included
☕ 10 € — Price of breakfast

HALF BOARD

½ P 90/110 € — Lowest and highest prices for half board (room, breakfast and a meal), per person. These prices apply to a double room occupied by two people. One person occupying a double room may be asked to pay a supplement.

RESTAURANT PRICES

(symbol) — Restaurant serving a menu **under 26 €**
Rest *Lunch* 18 € — This meal is served at lunchtime and normally during the working week
Rest 35/60 € — **Set meals**: Lowest price 35 €, highest price 60 €. Certain menus are only served for a minimum of 2 people or for an entire table.
bc — Wine included
Rest carte 40/75 € — **A la carte dishes, not including drinks:** the first price corresponds to a selection of dishes (starter, main course, dessert) among the least expensive on the menu; the second price is a selection among the most expensive items.

Information on localities

GENERAL INFORMATION

1000	Postal number to be shown in the address before the town name
✉ **4900 Spa**	Postal number and name of the post office serving the town
P	Provincial capital
C **Herve**	Administrative centre of the "commune"
531 T 3	MICHELIN map and co-ordinates or fold
4 283 h	Population
BX A	Letters giving the location of a place on the town plan
18	Golf course and number of holes
✳ ⋞	Panoramic view, viewpoint
✈	Airport
	Shipping line
	Passenger transport only
i	Tourist Information Centre

TOURIST INFORMATION

STAR-RATING

★★★	Highly recommended
★★	Recommended
★	Interesting

LOCATION

	Sights in town
	On the outskirts
	In the surrounding area
Nord, Sud, Est, Ouest	The sight lies north, south, east, west
② ④	Sign on town plan and on the MICHELIN road map indicating the road leading to a place of interest
2 km	Distance in kilometres

Plan key

Hotels
Restaurants

SIGHTS

Place of interest
Interesting place of worship

ROADS

Motorway, dual carriageway
Junction: complete, limited
Main traffic artery
One-way street – Unsuitable for traffic; street subject to restrictions
Pasteur — Pedestrian street – Tramway – Shopping street
Car park – Park and Ride
Gateway – Street passing under arch – Tunnel
Station and railway
4'4 (18) — Low headroom (15ft max) – Load limit (under 19 t)
Lever bridge

VARIOUS SIGNS

Tourist Information Centre
Mosque – Synagogue
Tower or mast – Ruins – Windmill – Water tower
Garden, park, wood – Cemetery – Cross
Stadium – Gof course – Racecourse – Skating rink
Outdoor or indoor swimming pool
View – Panorama
Monument – Fountain – Factory – Shopping centre
Pleasure boat harbour – Lighthouse – Landing stage
Airport – Underground station – Coach station
Ferry services:
passengers and cars, passengers only
(3) — Reference number common to town plans and MICHELIN maps
Main post office with poste restante
Hospital – Covered market
Public buildings located by letter:
H P - Town Hall – Provincial Government Office
J - Law Courts
M T - Museum – Theatre
U - University, College
POL - Police (in large towns police headquarters)

→ *Dénicher la meilleure table ?*
→ *Trouver l'hôtel le plus proche ?*
→ *Vous repérer sur les plans et les cartes ?*
→ *Décoder les symboles utilisés dans le guide...*

Suivez les Bibs rouges !

Les conseils du **Bib Chef**
pour vous aider au restaurant.

Les « bons tuyaux » et les informations du **Bib Astuce** pour vous repérer dans le guide... et sur la route.

Les conseils du **Bib Groom** pour vous aider à l'hotel.

Distinctions 2012

Onderscheidingen 2012

Auszeichnungen 2012

Awards 2012

Les Tables étoilées 2012
De sterrenrestaurants
Die Sterne-Restaurants

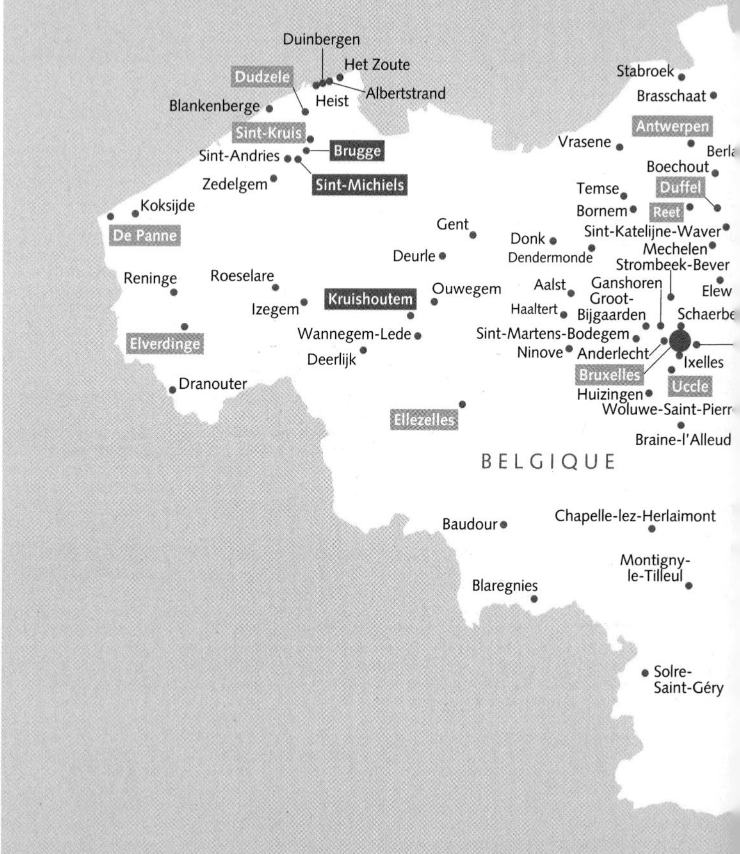

Brugge	✻✻✻	La localité possède au moins un restaurant 3 étoiles Plaats met minstens één restaurant met 3 sterren Ort mit mindestens einem 3-Sterne-Restaurant
Bruxelles	✻✻	La localité possède au moins un restaurant 2 étoiles Plaats met minstens één restaurant met 2 sterren Ort mit mindestens einem 2-Sterne-Restaurant
Namur	✻	La localité possède au moins un restaurant 1 étoile Plaats met minstens één restaurant met 1 ster Ort mit mindestens einem 1-Sterne-Restaurant

La couleur correspond à l'établissement le plus étoilé de la localité.

De kleur geeft het etablissement met de meeste sterren aan in de betreffende plaats.

Die Farbe entspricht dem besten Sterne-Restaurant im Ort.

Les tables étoilées

De sterrenrestaurants
Die Sterne-Restaurants
Starred establishments

✿✿✿ 2012

→ Belgique

Brugge	De Karmeliet	
Brugge / Sint-Michiels	Hertog Jan	**N**
Kruishoutem	Hof van Cleve	

✿✿ 2012

→ Belgique

Antwerpen	't Zilte	**N**
Brugge / Dudzele	Danny Horseele	
Brugge / Sint-Kruis	De Jonkman	**N**
Bruxelles	Le Chalet de la Forêt	**N**
Bruxelles	Comme Chez Soi	
Bruxelles	Sea Grill	
Duffel	Nuance	
Éghezée / Noville-sur-Mehaigne	L'Air du Temps	
Ellezelles	Château du Mylord	
Hasselt	Aan Tafel bij Luc Bellings	
Ieper / Elverdinge	Hostellerie St-Nicolas	
Opglabbeek	Slagmolen	
De Panne	Hostellerie Le Fox	
Profondeville / Arbre	L'Eau Vive	
Reet	Pastorale	

Luxembourg

✿ 2012

→ Belgique

Aalst	't Overhamme	
Antwerpen	Bij Lam en Yin	
Antwerpen	Dôme	
Antwerpen	't Fornuis	
Antwerpen	Het Gebaar	
Antwerpen	Kommilfoo	**N**
Antwerpen / Boechout	De Schone van Boskoop	
Antwerpen / Brasschaat	Kasteel Withof	**N**
Antwerpen / Stabroek	De Koopvaardij	
Barvaux	Le Cor de Chasse	

→ **N** *Nouveau* → *Nieuw* → *Neu* → *New*

Beaumont / Solre-Saint-Géry	Hostellerie Le Prieuré Saint-Géry
Beerzel	De Tuinkamer **N**
Berlaar	Het Land
Berlare / Donk	Lijsterbes
Blankenberge	Philippe Nuyens
Blaregnies	Les Gourmands
Bornem	Eyckerhof
Braine-l'Alleud	Jacques Marit
Brugge	Aneth
Brugge	Den Gouden Harynck
Brugge	Sans Cravate
Brugge / Sint-Andries	Herborist
Brugge / Zedelgem	Ter Leepe
Bruxelles	Alexandre
Bruxelles	Bon-Bon
Bruxelles	Bruneau
Bruxelles	Jaloa **N**
Bruxelles	Kamo
Bruxelles	La Paix
Bruxelles	Le Passage
Bruxelles	San Daniele
Bruxelles	Senza Nome
Bruxelles	La Truffe Noire
Bruxelles / Groot-Bijgaarden	Michel
Bruxelles / Huizingen	Terborght
Bruxelles / Strombeek-Bever	't Stoveke
Chapelle-lez-Herlaimont	Pouic-Pouic
Charleroi / Montigny-le-Tilleul	L'Éveil des Sens
Deerlijk	Marcus
Dendermonde	't Truffeltje
Dilsen	Hostellerie Vivendum
Dinant / Sorinnes	Hostellerie Gilain
Dranouter	In de Wulf
Elewijt	Kasteel Diependael
Fauvillers	Le Château de Strainchamps
Gent	Jan Van den Bon
Haaltert	Apriori
Hasselt	JER **N**
Heure	Le Fou est belge
Houthalen	Innesto - Domein De Barrier **N**
Hulshout	Hof Ter Hulst
Huy	Li Cwerneu
Izegem	La Durée
Kasterlee / Lichtaart	De Pastorie
Knokke-Heist / Albertstrand	Jardin Tropical
Knokke-Heist / Duinbergen	Sel Gris
Knokke-Heist / Heist	Bartholomeus
Knokke-Heist / Het Zoute	De Oosthoek
Koksijde	Ten Bogaerde **N**
Kruishoutem / Wannegem-Lede	't Huis van Lede
Lavaux-Sainte-Anne	Lemonnier
Leuven / Heverlee	Arenberg
Leuven / Heverlee	Couvert couvert
Liège	Héliport
Mechelen	D'Hoogh
Mechelen	Folliez
Mechelen / Sint-Katelijne-Waver	Centpourcent **N**
Mons / Baudour	d'Eugénie à Emilie **N**
Namur	Cuisinémoi
Namur / Lives-sur-Meuse	La Bergerie
Namur / Temploux	l'Essentiel
Ninove	Hof ter Eycken
Noirefontaine	Auberge du Moulin Hideux
Paliseul	La Table de Maxime
Pepinster	Hostellerie Lafarque
Perwez	La Frairie
Reninge	't Convent
Roeselare	Boury **N**
Sankt-Vith	Zur Post
Sint-Martens-Bodegem	Bistro Margaux
Sint-Martens-Latem / Deurle	Orangerie
Soheit-Tinlot	Le Coq aux Champs
Temse	Clandestino **N**
Tongeren	Magis
Tongeren	De Mijlpaal **N**
Virton / Torgny	Auberge de la Grappe d'Or
Vrasene	Herbert Robbrecht
Zingem / Ouwegem	Benoit en Bernard Dewitte **N**
Zolder / Bolderberg	Prêt-à-Goûter

→ Luxembourg

Bourglinster	La Distillerie **N**
Esch-sur-Alzette	Favaro
Frisange	Lea Linster
Gaichel	La Gaichel
Luxembourg	Le Bouquet Garni
Luxembourg	Clairefontaine
Luxembourg / Kockelscheuer	Patin d'Or
Mondorf-les-Bains	Les Roses
Oetrange	Ma langue sourit
Schouweiler	Toit pour Toi

→ **N** *Nouveau* → *Nieuw* → *Neu* → *New*

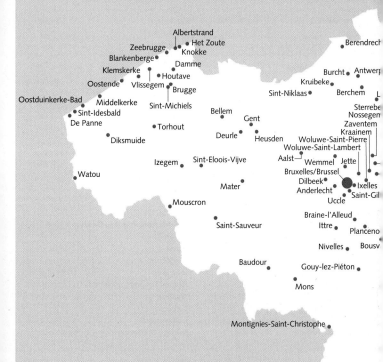

Albertstrand
Het Zoute
Zeebrugge
Knokke
Blankenberge
Damme
Klemskerke
Houtave
Oostende
Vlissegem
Brugge
Oostduinkerke-Bad
Middelkerke
Sint-Michiels
Sint-Idesbald
De Panne
Torhout
Diksmuide
Bellem
Gent
Deurle
Heusden
Izegem
Sint-Eloois-Vijve
Watou
Mater
Mouscron
Saint-Sauveur
Baudour
Mons
Montignies-Saint-Christophe
Berendrech
Burcht
Antwerp
Kruibeke
Sint-Niklaas
Berchem
Sterrebe
Nossegem
Zaventem
Kraainem
Woluwe-Saint-Pierre
Woluwe-Saint-Lambert
Aalst
Wemmel
Jette
Bruxelles/Brussel
Dilbeek
Ixelles
Anderlecht
Saint-Gil
Uccle
Braine-l'Alleud
Ittre
Planceno
Nivelles
Bousv
Gouy-lez-Piéton

Bib Gourmand 2012

• Localités possédant au moins un établissement avec un Bib Gourmand.
Plaatsen met minstens één Bib Gourmand-etablissement.
Orte mit mindestens einem Bib Gourmand-Haus.

Bib Gourmand

Repas soignés à prix modérés

Verzorgde maaltijden voor een schappelijke prijs

Sorgfältig zubereitete, preiswerte Mahlzeiten

Good food at moderate prices

➔ Belgique

Aalst Het Verschil **N**
Aalter / Bellem Den Duyventooren
Antwerpen Cuichine **N**
Antwerpen Dock's Café
Antwerpen The Glorious
Antwerpen InVINcible **N**
Antwerpen Marcel **N**
Antwerpen Le Zoute Zoen
Antwerpen / Berchem De Troubadour
Antwerpen / Berendrecht Reigershof
Antwerpen / Burcht Chef's Table **N**
Arlon Zinc
Bastogne Wagon Léo
Battice / Charneux Le Wadeleux
Bertrix Four et Fourchette
Bilzen 't Vlierhof
Blankenberge Triton
Borgloon Ambrozijn
Bouillon / Corbion Des Ardennes
Bousval l'En-Quête du Goût
Braine-l'Alleud Philippe Meyers
Brugge Assiette Blanche
Brugge Bistro Kok au Vin
Brugge Pergola Kaffee
Brugge Refter
Brugge / Sint-Michiels Tête Pressée
Bruxelles Bar Bik
Bruxelles La Belle Maraîchère
Bruxelles La Brouette
Bruxelles Le Coq en Pâte
Bruxelles Les Deux Maisons
Bruxelles El Txoko
Bruxelles French Kiss
Bruxelles Le 830
Bruxelles Jardin de Pékin
Bruxelles JB
Bruxelles Leonor
Bruxelles Mamy Louise
Bruxelles La Manufacture
Bruxelles Medicis
Bruxelles Sérafine
Bruxelles Switch
Bruxelles Ventre Saint Gris
Bruxelles De la Vigne... à l'Assiette
Bruxelles Viva M'Boma
Bruxelles / Dilbeek De Smidse
Bruxelles / Kraainem Sjo d'O **N**
Bruxelles / Nossegem Orange
Bruxelles / Sterrebeek Chasse des Princes
Bruxelles / Wemmel L'Auberge de l'Isard
Bruxelles / Zaventem Brasserie Mariadal
Damme De Lieve
Damme Luna Piena
Daverdisse Le Moulin
Diksmuide 't Notarishuys
Dinant Le Jardin de Fiorine
Dinant / Falmignoul Alain Stiers
Durbuy Clos des Récollets
Durbuy Le Fou du Roy
Eksel Deliciouz **N**
Floreffe Le Relais Gourmand
Fosses-la-Ville Le Vin100
Gent De 3 Biggetjes
Gent Le Grand Bleu
Gent Pakhuis
Gent / Heusden Rooselaer
Gesves La Pineraie **N**
Gouy-lez-Piéton Le Mont-à-Gourmet
's-Gravenvoeren De Kommel
De Haan / Klemskerke De Kruidenmolen
De Haan / Vlissegem Vijfwege
Habay-la-Neuve Les Plats Canailles de la Bleue Maison

➔ **N** *Nouveau* ➔ *Nieuw* ➔ *Neu* ➔ *New*

Hermalle-sous-Argenteau	Au Comte de Mercy	
Houffalize	La Fleur de Thym	
Houtave	De Roeschaert	
Huy	Les Caves Gourmandes	**N**
Ittre	Le Chabichou	**N**
Izegem	Villared	
Jalhay	Le Vinâve	
Jodoigne	Aux petits oignons	
Knokke-Heist / Albertstrand	Lispanne	
Knokke-Heist / Knokke	La Croisette	
Knokke-Heist / Knokke	Le Tire Bouchon	**N**
Knokke-Heist / Het Zoute	Aquilon	
Koksijde / Sint-Idesbald	8chef	**N**
Kruibeke	De Ceder	
Lasne / Plancenoit	Le Vert d'Eau	
Liège	Le Bistrot d'en Face	**N**
Liège	El Pica Pica	**N**
Liège	Enoteca	
Liège	Frédéric Maquin	
Liège / Chênée	Le Ponticino	**N**
Lier	Numerus Clausus	
Maaseik	Bienvenue	
Marenne	Les Pieds dans le Plat	
Middelkerke	Hostellerie Renty	
Mirwart	Auberge du Grandgousier	
Mons	La Table du Boucher	**N**
Mons / Baudour	Le Faitout	
Montignies-Saint-Christophe	Lettres Gourmandes	**N**
Mouscron	La Cloche	**N**
Mouscron	Mets gusta	
Mouscron	Au Petit Château	
Namur	Parfums de cuisine	
Namur / Jambes	La Plage d'Amée	
Neupré	l'Apropos	
Nivelles	dis-moi où ?	**N**
Nivelles	Divino Gusto	**N**
Omal	L'Isola	**N**
Oostduinkerke / Oostduinkerke-Bad	Eglantier	
Oostende	Au Vieux Port	
Oudenaarde / Mater	Zwadderkotmolen	
De Panne	Le Flore	
Profondeville	La Cuisine d'un Gourmand	
Profondeville	Olivier	
Rendeux	Au Comte d'Harscamp	
Saint-Sauveur	Les Marronniers	
Sint-Martens-Latem / Deurle	The Green	
Sint-Niklaas	Bistro De Eetkamer	
Stoumont	Zabonprés	
Tienen	De Refugie	
Torhout	Forum	
Trois-Ponts / Wanne	La Métairie	
Turnhout	Lo Zio	
Verviers / Heusy	La Croustade	
Verviers / Petit Rechain	La Chapellerie	
Vielsalm / Hébronval	Le Val d'Hébron	
Virton / Torgny	L'Empreinte du Temps	
Vresse-sur-Semois / Laforêt	Auberge Moulin Simonis	
Waregem / Sint-Eloois-Vijve	De Houtsnip	
Watou	Gasthof 't Hommelhof	
Wellin	La Papillote	
Zeebrugge	Channel 16	**N**

→ Luxembourg

Bourglinster	Brasserie Côté Cour
Esch-sur-Alzette	Lounge Favaro
Junglinster	Parmentier
Luxembourg	Caves Gourmandes
Luxembourg	Kamakura
Luxembourg	Mi et Ti
Wiltz	Du Vieux Château

→ **N** *Nouveau* → *Nieuw* → *Neu* → *New*

Bib Hôtel

Bonnes nuits à petits prix

Goed overnachten voor schappelijke prijzen

Hier übernachten Sie gut und preiswert

Good accommodation at moderate prices

→ Belgique

Aalst / Moorsel	De Biek
Balâtre	L'Escapade
Bastogne	Léo at home
Bastogne	Melba
Batsheers	Karrehof
Blankenberge	Alfa Inn
Blankenberge	Avenue
Blankenberge	Malecot
Blankenberge	Manitoba
Bouillon	Cosy
Brugge / Dudzele	Het Bloemenhof
Bruxelles	De Fierlant
Bruxelles / Tervuren	Rastelli
Burg-Reuland	Paquet
Burg-Reuland / Ouren	Dreiländerblick
Burg-Reuland / Ouren	Rittersprung
Bütgenbach	Eifelland **N**
Bütgenbach	Vier Jahreszeiten
Damme	De Speye
Damme / Hoeke	Welkom
Damme / Sijsele	Vredehof
Deinze	D'Hulhaege
Diksmuide / Stuivekenskerke	Kasteelhoeve Viconia
Dinant / Falmignoul	L'auberge des Crêtes
Durbuy / Grandhan	La Passerelle
Gent / Lochristi	Arriate
Gent / Melle	Lepelbed
's-Gravenvoeren	De Kommel
De Haan	Apostrophe **N**
De Haan	Arcato
De Haan	Rubens
Hamoir	Hostellerie de la Poste **N**
Herentals	De Zalm
Knesselare	Prélude
Knokke-Heist / Albertstrand	Atlanta
Knokke-Heist / Albertstrand	Parkhotel
Kortrijk	Center
Kortrijk	Full House
Libin	La Grange de Juliette
Libramont / Recogne	L'Amandier
Maldegem	Cleythil
Malmedy / Bévercé	Maison Geron
Mechelen	3 Paardekens **N**
Mechelen	Het Anker
Middelkerke	Hostellerie Renty
Mirwart	Le Beau Site
Nadrin	Hostellerie du Panorama
Namur / Bouge	La Ferme du Quartier
Oignies-en-Thiérache	Au Sanglier des Ardennes
Oostduinkerke / Oostduinkerke-Bad	Argos
De Panne	Ambassador
Poperinge	Amfora
La Roche-en-Ardenne	Les Genêts
La Roche-en-Ardenne	Moulin de la Strument
Rochefort	Le Vieux Logis
Rochefort / Han-sur-Lesse	Auberge de Faule
Sankt-Vith	Am Steineweiher
Sougné-Remouchamps	Royal H.-Bonhomme
Vencimont	Le Barbouillon
Veurne / Beauvoorde	Driekoningen
Vielsalm / Bovigny	Saint-Martin
Vresse-sur-Semois / Laforêt	Auberge Moulin Simonis
Wenduine	Hostellerie Astrid
Zeebrugge	Monaco **N**
Zelzate	Royal

→**N** *Nouveau* → *Nieuw* → *Neu* → *New*

➜ Luxembourg

Bascharage Beierhaascht
Clervaux Hôtel du Commerce **N**
Echternach / Steinheim Gruber
Esch-sur-Alzette Topaz
Junglinster Parmentier **N**
Kleinbettingen Jacoby **N**
Mondorf-les-Bains Beau Séjour **N**
Mondorf-les-Bains Grand Chef
Scheidgen Hôtel de la Station
Vianden Heintz
Wallendorf-Pont Dimmer **N**
Wiltz Hôtel du Vieux Château **N**

➜ **N** *Nouveau* ➜ *Nieuw* ➜ *Neu* ➜ *New*

Hébergements agréables

Aangenaam overnachten

Angenehme Unterbringung

Particularly pleasant accommodation

→ Belgique

Bruxelles	Amigo
Bruxelles	Stanhope

→ Belgique

Antwerpen	Julien
Antwerpen	De Witte Lelie
Brugge	Die Swaene
Brugge	Heritage
Brugge	De Orangerie
Brugge	Pand
Brugge	De Tuilerieën
Bruxelles	The Dominican
Bruxelles	Eurostars Montgomery
Bruxelles	Manos Premier
Chaudfontaine	Château des Thermes
Genk	Carbon
De Haan	Manoir Carpe Diem
Habay-la-Neuve	Les Ardillières
Herbeumont	Hostellerie du Prieuré de Conques
Kluisbergen / Kluisberg	La Sablière
Knokke-Heist / Het Zoute	Manoir du Dragon
Lanaken / Neerharen	Hostellerie La Butte aux Bois
Liège	Crowne Plaza
Noirefontaine	Auberge du Moulin Hideux
Spa / Creppe	Manoir de Lébioles
Stavelot	Le Val d'Amblève

→ Luxembourg

Gaichel	La Gaichel
Luxembourg	Le Place d'Armes
Luxembourg / Belair	Albert Premier

→ Belgique

Antwerpen	Firean
Brugge	Prinsenhof
Gent / Q. Ancien	Harmony
's-Gravenvoeren	Altembrouck
Grobbendonk	't Hemelryck
De Haan	Duinhof
Hamont	Villa Christina
Poperinge	Manoir Ogygia
Poperinge	Recour
Retie	Villa Tilia

→ Luxembourg

Esch-sur-Alzette	The Seven
Luxembourg	Parc Beaux-Arts
Luxembourg / Clausen	Les Jardins du President

→ Belgique

Battice / Charneux	Hostellerie Le Wadeleux
De Haan	Alizee
Malmedy / Bévercé	Maison Geron

→ Belgique

Antwerpen	Huis Ergo
Bois-de-Villers	Espace Medissey
Boortmeerbeek	Classics
Brugge	Bonifacius
Brugge	De Brugsche Suites
Brugge	Côté Canal-Huyze Hertsberge
Brugge	Maison Le Dragon
Eben-Emael	Villa Bayard
Florenville / Lacuisine	Le Vieux Moulin
Gent	Chambreplus
Gent	Verhaegen
Gent	De Waterzooi
De Haan	Het Zonnehuis
Hasselt	Chambres b'Hôtes
Hasselt / Wimmertingen	Abeljano
Leuven / Korbeek-Dijle	Vallis Dyliae
Leuven / Neerijse	Baron's House
Oostende	Huyze Elimonica
Paal	Villa Nostra
Rance / Sautin	Le Domaine de la Carrauterie
Schore	Landgoed de Kastanjeboom
Spa	L'Étape Fagnarde
Spa	Villa d'Olne
Spa / Nivezé	La Chamboise
Stavelot	Dufays
Tongeren	De Open Poort
Vielsalm	L'Auberge du Notaire
Vollezele	Hof te Spieringen

Restaurants agréables

Aangename restaurants

Angenehme Restaurants

Particularly pleasant restaurants

XXXX

➜ Belgique

Antwerpen / Brasschaat	Kasteel Withof
Bruxelles	Le Chalet de la Forêt
Bruxelles	Villa Lorraine
Bruxelles / Overijse	Barbizon
Ellezelles	Château du Mylord
Hasselt	Figaro
Namur / Lives-sur-Meuse	La Bergerie
Pepinster	Hostellerie Lafarque
Reet	Pastorale
Reninge	't Convent

➜ Luxembourg

Luxembourg	Mosconi

XXX

➜ Belgique

Antwerpen	't Zilte
Bazel	Hofke van Bazel
Beaumont / Solre-Saint-Géry	Hostellerie Le Prieuré Saint-Géry
Berlare / Donk	Lijsterbes
Bornem	Eyckerhof
Brugge / Dudzele	Danny Horseele
Brugge / Sint-Andries	Herborist
Bruxelles	Comme Chez Soi
Bruxelles	La Truffe Noire
Bruxelles	Via Lamanna
Deinze / Sint-Martens-Leerne	D'Hoeve
Dinant / Sorinnes	Hostellerie Gilain
Elewijt	Kasteel Diependael
Geel	De Cuylhoeve
Genk	De Kristalijn
Houthalen	Innesto - Domein De Barrier
Kasterlee / Lichtaart	De Pastorie
Keerbergen	The Paddock
Kruishoutem	Hof van Cleve
Lanaken / Neerharen	La Source
Lavaux-Sainte-Anne	Lemonnier
Namur / Temploux	l'Essentiel
Namur / Wierde	Le D'Arville
Noirefontaine	Auberge du Moulin Hideux
Opglabbeek	Slagmolen
De Panne	Hostellerie Le Fox
Profondeville / Arbre	L'Eau Vive
Sint-Truiden	De Fakkels
Spa / Creppe	Manoir de Lébioles
Stavelot	Le Val d'Amblève
Virton / Torgny	Auberge de la Grappe d'Or

➜ Luxembourg

Ahn	Mathes
Frisange	Lea Linster
Gaichel	La Gaichel
Luxembourg	Le Bouquet Garni
Luxembourg / Clausen	Le Sud

Belgique

Aalst / Moorsel	De Biek
Antwerpen	Het Gebaar
Antwerpen / Kapellen	Bellefleur
Bouillon	La Ferronnière
Brugge	Le Mystique
Brugge	Pergola Kaffee
Bruxelles	Le Diptyque
Crupet	La Toquade
Damme	De Zuidkant
Diest	De Proosdij
Dilsen	Hostellerie Vivendum
Dilsen / Lanklaar	Hostellerie La Feuille d'Or
Dranouter	In de Wulf
Hamont	Villa Christina
Maasmechelen / Opgrimbie	Il Fiore
Marche-en-Famenne	Les 4 Saisons
Marenne	Les Pieds dans le Plat
Mechelen	Folliez
Namur / Jambes	La Plage d'Amée
Nassogne	La Gourmandine
Paliseul	La Table de Maxime
Profondeville	La Cuisine d'un Gourmand
Sankt-Vith	Zur Post
Sint-Martens-Latem	Hof ter Leie
Temse	La Provence
Tongeren	Magis
Zingem / Ouwegem	Benoit en Bernard Dewitte

Belgique

Antwerpen	The Glorious
Brugge	Lieven
Brugge / Sint-Michiels	Tête Pressée
Habay-la-Neuve	Les Plats Canailles de la Bleue Maison
Heure	Le Fou est belge
Sint-Martens-Latem	A Table
Stoumont	Zabonprés

Luxembourg

Bourglinster	Brasserie Côté Cour
Schouweiler	Guillou Campagne
Schouweiler	Toit pour Toi

Spa

Bel espace de bien-être et de relaxation

Mooie ruimte van welzijn en ontspanning

Wellnessbereich

Extensive facility for relaxation and well-being

➜ Belgique

Beverlo	De Boerderie
Blankenberge	Beach Palace
Borgloon	Pracha
Brugge	Die Swaene
Brugge	Kempinski Dukes' Palace
Bruxelles	Be Manos
Bruxelles	Conrad
Bütgenbach	Bütgenbacher Hof
Chaudfontaine	Château des Thermes
Dilsen	De Maretak
Durbuy	Le Sanglier des Ardennes
Genk	Carbon
Genval	Château du Lac
Koksijde / Koksijde-Bad	Apostroff
Koksijde / Koksijde-Bad	Casino
Koksijde / Sint-Idesbald	Soll Cress
Lanaken / Neerharen	Hostellerie La Butte aux Bois
Liège	Crowne Plaza
Liège / Herstal	Post
Limelette	Château de Limelette
Lissewege	Hof Ter Doest
Marche-en-Famenne	Quartier Latin
Nieuwpoort / Nieuwpoort-Bad	Cosmopolite
Oostende	Andromeda
Oostende	Glenmore
De Panne	Donny
Peer / Kleine-Brogel	Casa Ciolina
Poperinge	Manoir Ogygia
Robertville	Domaine des Hautes Fagnes
Robertville	Hôtel des Bains
Sint-Laureins	Het Godshuis
Sint-Truiden	Hoeve Roosbeek
Spa	Radisson Blu Palace
Spa / Balmoral	Radisson Blu Balmoral
Spa / Balmoral	Spa Balmoral
Spa / Creppe	Manoir de Lébioles
Verviers	Verviers
Veurne	't Kasteel en 't Koetshuys

➜ Luxembourg

Canach	Mercure
Clervaux	Hôtel des Nations
Clervaux	International
Clervaux	Koener
Echternach	Bel Air
Echternach	Eden au Lac
Esch-sur-Alzette	The Seven
Grundhof	Brimer
Lipperscheid	Leweck
Luxembourg	Le Royal
Luxembourg / Belair	Albert Premier
Mondorf-les-Bains	Parc
Münsbach	Légère
Remich	Domaine la Forêt
Remich	Saint-Nicolas
Vianden	Belle-Vue

Pour en savoir plus

Voor meer informatie

Gut zu wissen

Further information

Les langues parlées au Belux

Située au cœur de l'Europe, la Belgique est divisée en trois régions : la Flandre, Bruxelles et la Wallonie. Chaque région a sa personnalité bien marquée. Trois langues y sont utilisées : le néerlandais en Flandre, le français en Wallonie et l'allemand dans les cantons de l'Est. La Région de Bruxelles-Capitale est bilingue avec une majorité francophone. La frontière linguistique correspond à peu près aux limites des provinces. Ce « multilinguisme » a des conséquences importantes sur l'organisation politique et administrative du pays, devenu État Fédéral depuis 1993.
Au Grand-Duché, outre le « Lëtzebuergesch », dialecte germanique, la langue officielle est le français. L'allemand est utilisé comme langue culturelle.

De talen in de Belux

In het hartje van Europa ligt België, verdeeld in Vlaanderen, Brussel en Wallonië. Elke regio heeft zijn eigen karakter. Er worden drie talen gesproken : Nederlands in Vlaanderen, Frans in Wallonië en Duits in de Oostkantons. Het Brussels Hoofdstedelijk Gewest is tweetalig met een meerderheid aan Franstaligen. De taalgrens komt ongeveer overeen met de grenzen van de provincies. Het feit dat België een meertalig land is, heeft belangrijke gevolgen voor de politieke en bestuurlijke organisatie. Dit leidde tot de vorming van een Federale Staat in 1993.
In het Groot-Hertogdom wordt het « Lëtzebuergesch », een Duits dialect gesproken. De officiële taal is het Frans. Het Duits is de algemene cultuurtaal.

Die Sprachen im Belux

Belgien, ein Land im Herzen von Europa, gliedert sich in drei Regionen : Flandern, Brüssel und Wallonien. Jede dieser Regionen hat ihre eigene Persönlichkeit. Man spricht hier drei Sprachen : Niederländisch in Flandern, Französisch in Wallonien und Deutsch in den östlichen Kantonen. Die Gegend um die Haupstadt Brüssel ist zweisprachig, wobei die Mehrheit Französisch spricht. Die Sprachengrenze entspricht in etwa den Provinzgrenzen. Diese Vielsprachigkeit hat starke Auswirkungen auf die politische und verwaltungstechnische Struktur des Landes, das seit 1993 Bundesstaat ist.
Im Grossherzogtum wird ausser dem « Lëtzebuergesch », einem deutschen Dialekt als offizielle Sprache französisch gesprochen. Die deutsche Sprache findet als Sprache der Kultur Verwendung.

Spoken languages in Belux

Situated at the heart of Europe, Belgium is divided into three regions : Flanders, Brussels and Wallonia. Each region has its own individual personality. Three different languages are spoken : Dutch in Flanders, French in Wallonia and German in the eastern cantons. The Brussels-Capital region is bilingual, with the majority of its population speaking French. The linguistic frontiers correspond more or less to those of the provinces. The fact that the country, which has been a Federal State since 1993, is multilingual, has important consequences on its political and administrative structures.
In the Grand Duchy, apart from « Lëtzebuergesch », a German dialect, the official language is French. German is used as a cultural language.

Yvan Duhamel/Michelin

La bière en Belgique

«BELGIUM : BEER PARADISE»

La Belgique est le pays de la bière par excellence. On y brasse environ 400 bières sous plus de 800 marques. Une partie est consommée au tonneau, c'est-à-dire tirée à la pression ; l'autre partie, en bouteilles. Le belge moyen en a absorbé 80 litres en 2005 (contre 200 litres au début du 20e s.) et le pays compte encore plus de 100 brasseries. Les principaux brasseurs industriels sont Stella Artois, Jupiler (groupe InBev) et Alken-Maes.

Mais le brassin n'est pas l'apanage des brasseries : les abbayes en perpétuent la tradition médiévale, et leurs produits suscitent un regain d'intérêt depuis la fin du 20e s.

DE LA FABRICATION DE LA BIÈRE

Le **malt** est, avec l'eau, la matière première de la bière. Il s'obtient à partir de **grains d'orge** trempés pour produire la germination. Ces grains sont alors séchés et moulus. Le procédé de séchage détermine le type de malt et la couleur de la bière. Le **brassage** se passe traditionnellement dans des cuves en cuivre où le malt moulu se transforme en **moût** (jus sucré) par trempage dans l'eau chaude. La durée d'infusion et les paliers thermiques déterminent la variété de bière. L'ajout de **houblon** – très cultivé autour d'Alost et Poperinge – lors de l'ébullition donne sa saveur et son amertume au breuvage. Une fois le moût refroidi, la **fermentation** débute sous l'effet de la levure dont on ensemence les cuves. Cette étape dure quelques jours, pendant lesquels le moût se change en alcool et gaz carbonique. Selon la température, le type et la durée de fermentation, on obtient 3 genres de bières.

SAINT ARNOULD, LE PATRON DES BRASSEURS

Né à Tiegem au 11e s, ce fils de brasseur est la figure emblématique de la corporation brassicole. Très jeune il s'initia aux secrets du brassin avant de rejoindre la chevalerie et plus tard entrer dans les ordres. Il devint abbé puis évêque à Soissons, avant de regagner sa Flandre où il fonda à Oudenburg une abbaye dont on dit qu'il assura la prospérité en fabriquant de la bière. Par son talent de diplomate, il réconcilia les noblesses brabançonne et flamande. Alors que la peste sévissait en Flandre, la transformation d'eau contaminée en bière compte parmi les miracles qui lui sont attribués.

FERMENTATION BASSE : FRAÎCHEUR ET LÉGÈRETÉ

Cette méthode – la plus récente – représente 70% de la production belge. Son origine remonte à 1842, dans la ville de Pilsen (Rép. Tchèque). La fermentation et la maturation se font à basse température, notamment à 0°C et 9°C. Le procédé donne des bières blondes du type **pils** : un produit léger, doré et limpide ; très désaltérant si consommé bien frais, et doté d'une amertume houblonnée. Stella Artois, Jupiler et Maes sont les trois géants belges de cette catégorie de bières.

FERMENTATION HAUTE : DES BIÈRES CONTRASTÉES

Cette méthode plus ancienne produit une infinité de bières. La fermentation s'opère entre 24°C et 28°C et une maturation à 13-16°C (refermentation en tonneau ou bouteille) lui succède souvent. La plupart des bières belges dites «**spéciales**» appartiennent à cette catégorie. Il s'agit de bières de dégustation, par opposition à la pils ordinaire. La **blanche**, non filtrée, donc trouble, fait appel à une fermentation haute mais s'apparente, par ses qualités rafraîchissantes, aux bières de soif, comme les **saisons,** pétillantes et fruitées, qui sont une délicatesse wallonne. Les **blondes** fortes, limpides, aromatiques et mousseuses connaissent aussi de nombreux adeptes, au même titre que les **ambrées, rousses** et **brunes.**

Parmi les nombreuses bières d'abbaye (Leffe, Maredsous, Val Dieu, Aulne, Grimbergen, Affligem, etc.), les **trappistes** ont un statut privilégié réservé aux seules bières brassées in situ sous le contrôle de moines cisterciens. Il en existe 7 au monde, dont 6 en Belgique : **Orval**, **Chimay** et **Rochefort** en Wallonie ; **Achel**, **Westmalle** et **Westvleteren** en Flandre. L'offre trappiste est variée (blondes, brunes, ambrées, double ou triple fermentation) ; chaque abbaye perpétue ses recettes et peut en créer de nouvelles.

GAMBRINUS, LE ROI DES BUVEURS DE BIÈRE

Autre personnage de légende hérité du Moyen-Âge (13e s.), Gambrinus est l'emblème des consommateurs de bière en Belgique. Héritier des duchés de Brabant et de Lorraine, il favorisa l'essor de l'industrie brassicole brabançonne en donnant aux échevins bruxellois la prérogative d'accorder des licences pour brasser et vendre le fameux breuvage. Au cours de longues agapes, raconte-t-on, ce grand amateur de cervoise fut proclamé «roi de la bière». La légende veut qu'à l'issue d'une victoire, festoyant avec son peuple, il escalada un tas de fûts, s'assit à califourchon dessus et brandit sa chope pour trinquer avec les siens : attitude symbolique relayée par l'imagerie populaire.

FERMENTATION SPONTANÉE : ACIDITÉ, DOUCEUR OU FRUIT

La fermentation s'opère ici par l'action spontanée de levures présentes naturellement dans l'air du Pajottenland et de la vallée de la Senne, où cette technique unique au monde existe depuis le Moyen-Âge. Après 2 à 3 ans de conservation en tonneaux, le liquide, plat et aigrelet, s'appelle **lambic**. La **gueuze**, bière acide et pétillante, résulte de la fermentation naturelle d'un mélange de jeune et de vieux lambic en partie fermenté. Le **faro** est un lambic acide enrichi de sucre. Les **bières fruitées** proviennent d'un mélange de fruits et de lambic. La fameuse **kriek** utilise la cerise ; framboise et pêche aromatisent aussi des bières réputées.

À CHACUN SA BIÈRE

Amères, aigres, fruitées, suaves ou épicées, les bières belges et se marient souvent avec bonheur à la gastronomie locale. Elles entrent aussi dans de nombreuses spécialités culinaires traditionnelles. À chaque variété de bière, enfin, correspond un verre adapté et une température idéale de service, qui doit se conformer à un rituel précis. Maxime à méditer avant de lever le coude : «une bière brassée avec savoir se déguste avec sagesse».

Belgisch bier

BIERPARADIJS BELGIË

België is een echt bierland. Er worden zo'n 400 biersoorten gebrouwen, die onder meer dan 800 merknamen worden verkocht. Een deel wordt uit het fust geschonken, dat wil zeggen getapt, en de rest gebotteld. In 2005 dronk de gemiddelde Belg 80 liter bier (tegenover 200 liter in het begin van de 20ste eeuw) en het land telt nog ruim 100 brouwerijen. De voornaamste industriële brouwerijen zijn Stella Artois, Jupiler (InBev-groep) en Alken-Maes. Bier is echter niet het alleenrecht van de brouwerijen, want de abdijen zetten de middeleeuwse traditie voort en hun producten mogen zich sinds het einde van de 20ste eeuw in een hernieuwde belangstelling verheugen.

DE VERVAARDIGING VAN BIER

Samen met water is mout de grondstof van bier. **Mout** wordt verkregen door **gerstekorrels** te weken zodat ze gaan ontkiemen, waarna de korrels worden gedroogd en gemalen. Het drogingsprocédé bepaalt het type mout en de kleur van het bier. Het **brouwen** geschiedt van oudsher in koperen ketels, waarin het gemalen mout in **wort** (suikerhoudend extract) verandert, doordat het in heet water wordt gedompeld. Door de duur van de infusie en het aanhouden van rustpauzes op bepaalde temperaturen wordt de variëteit van het bier bepaald. Door tijdens het koken **hop** toe te voegen – wat veel wordt verbouwd in de omgeving van Aalst en Poperinge – krijgt het brouwsel zijn smaak en bitterheid. Als de wort is afgekoeld, begint de **vergisting** door biergist in de ketels af te zetten. Deze fase duurt enkele dagen, waarin de wort in alcohol en koolzuurgas wordt omgezet. Afhankelijk van de temperatuur, het type gisting en de duur daarvan worden er drie categorieën bier verkregen.

DE H. ARNOLDUS, SCHUTSPATROON VAN DE BIERBROUWERS

Deze zoon van een bierbrouwer werd in de 11de eeuw in Tiegem geboren en is het symbool van het bierbrouwersgilde. Op zeer jonge leeftijd werd hij al ingewijd in de geheimen van het brouwsel, alvorens tot ridder te worden geslagen en daarna in het klooster in te treden. Hij werd abt en vervolgens bisschop van Soissons. Later keerde hij terug naar zijn geboortestreek Vlaanderen, waar hij in Oudenburg een abdij stichtte, waarvan de welvaart aan de productie van bier te danken zou zijn. Dankzij zijn diplomatieke gave slaagde hij erin de Brabantse en Vlaamse adel met elkaar te verzoenen. Toen de pest Vlaanderen teisterde, zou hij voor een wonder hebben gezorgd door besmet water in bier te veranderen.

LAGE GISTING: FRIS EN LICHT

Deze methode, de meest recente, vertegenwoordigt 70% van de Belgische productie en werd in 1842 in het Tsjechische Pilsen uitgevonden. De gisting en rijping geschieden op lage temperatuur, tussen de 0 en 9°C. Dit procédé geeft blond bier van het type **pils:** een licht, lichtgeel en helder biertje met een bittere hopsmaak, dat goed is tegen de dorst als het koud wordt gedronken. Stella Artois, Jupiler en Maes zijn de drie Belgische giganten van deze categorie bier.

HOGE GISTING: STERK VERSCHILLENDE SMAKEN

Deze methode, die ouder is, levert een oneindige variatie op. De gisting vindt plaats tussen de 24 en 28°C, vaak gevolgd door een rijping op 13 tot 16°C (nagisting op vat of in de fles). De meeste van de zogeheten **"speciale"** Belgische biersoorten vallen onder deze categorie. Dit is echt proefbier, in tegenstelling tot gewone pils. Ongefilterd dus troebel **witbier** is het resultaat van een hoge gisting, maar lijkt door zijn verfrissende kwaliteiten op dorstlessend bier, zoals bruisend en fruitig **seizoenbier,** een echte Waalse traktatie. **Sterk blond bier,** dat helder, aromatisch en mousserend is, heeft ook veel fans, net als **amberbier**, **roodbier** en **bruinbier**.

Onder de talloze **abdijbieren** (Leffe, Maredsous, Val Dieu, Aulne, Grimbergen, Affligem, enz.) geniet het **trappistenbier** een bevoorrechte status die is voorbehouden aan bier dat binnen de kloostermuren wordt gebrouwen onder toezicht van de cisterciënzers. Er bestaan er slechts zeven ter wereld, waarvan zes in België: **Orval**, **Chimay** en **Rochefort** in Wallonië en **Achel**, **Westmalle** en **Westvleteren** in Vlaanderen. Het trappistenaanbod is gevarieerd (blond, bruin, amber, dubbel of tripple), want elke abdij heeft zijn eigen eeuwenoude recepten en kan daarnaast ook nieuwe bedenken.

SPONTANE GISTING: ZURIG, ZACHT OF FRUITIG

De gisting geschiedt hier door de spontane werking van natuurlijke gisten in de lucht van het Pajottenland en het Zennedal, waar deze unieke techniek al vanaf de Middeleeuwen wordt toegepast. Na twee tot drie jaar op vat te zijn bewaard, heet het rinse vocht zonder koolzuur **lambiek**. Het zurige en bruisende **geuzenbier** ontstaat door de natuurlijke gisting van een mengsel van jonge en oude lambiek die deels heeft gefermenteerd. **Faro** is een met suiker verrijkte zure lambiek. **Fruitbier** bestaat uit een mix van vruchten en lambiek. De beroemde **kriek** is op basis van kersen, maar er zijn ook bekende bieren met frambozen- of perziksmaak.

GAMBRINUS, KONING VAN HET BIER

Een andere legendarische figuur uit de Middeleeuwen (13de eeuw) is Gambrinus, het symbool van de bierdrinkers in België. Deze erfgenaam van de hertogdommen Brabant en Lotharingen bevorderde de bloei van de Brabantse bierindustrie door de Brusselse schepenen het voorrecht te geven om licenties te verlenen voor het brouwen en verkopen van de beroemde drank. Tijdens enorme braspartijen zou deze grote liefhebber van het gerstenat tot "koning van het bier" zijn uitgeroepen. Het verhaal gaat dat hij na een overwinning met zijn volk feestvierde en toen een stel fusten op elkaar stapelde, waarop hij schrijlings ging zitten met een pul in de hand om met zijn onderdanen te proosten. Sindsdien wordt hij op volksprenten steevast in deze houding afgebeeld.

VOOR ELK WAT WILS

Bitter, zuur, fruitig, zacht of kruidig, Belgisch bier past uitstekend bij de gastronomie van het land en wordt gebruikt voor de bereiding van talloze traditionele specialiteiten. Elke biersoort vraagt wel om zijn eigen glas en heeft een ideale temperatuur om te worden geschonken, een ritueel dat nauwlettend moet worden gevolgd. Tot besluit een spreuk om even bij stil te staan alvorens het glas te heffen: "bier dat met kennis is gebrouwen, wordt met verstand gedronken".

Das Bier in Belgien

„BELGIEN, DAS BIERPARADIES"

In Belgien, dem Bierland par excellence, werden etwa 400 Biersorten unter mehr als 800 Markennamen gebraut. In dem Land existieren noch über 100 Brauereien, von denen die größten industriellen Brauereien Stella Artois, Jupiler (InBev-Gruppe) und Alken-Maes sind. Doch der Braukessel ist keineswegs den Brauereien vorbehalten, denn die **Abteien** setzen die mittelalterliche Tradition fort, und ihre Produkte stoßen seit Ende des 20. Jh.s wieder vermehrt auf Interesse. Im Jahr 2005 konsumierte der durchschnittliche Belgier 80 Liter Bier (gegenüber 200 Litern zu Beginn des 20. Jh.s), von denen ein Teil als Fassbier und der Rest aus Flaschen getrunken wurde.

DIE BIERHERSTELLUNG

Gemeinsam mit dem Wasser ist **Malz** der Rohstoff für Bier. Es wird aus **Gerstenkörnern** gewonnen, die in Wasser eingeweicht und zur Keimung gebracht werden. Anschließend werden die Körner getrocknet und geschrotet. Das Trocknungsverfahren ist ausschlaggebend für den Malztyp und die Farbe des Bieres. Das **Brauen** erfolgt traditionell in Kupferkesseln, in denen sich das ge-schrotete Malz durch Mischen mit heißem Wasser in **Maische** (zuckerhaltiger Stoff) verwandelt. Die Infusionsdauer und die so genannten Rast-Temperaturen be-stimmen die Biersorte. Durch Zusatz von **Hopfen** beim Kochen erhält das Gebräu seinen Geschmack und sein bitteres Aroma. Wenn die Maische abgekühlt ist, beginnt die **Gärung** durch die Hefe, die in den Kesseln zugesetzt wird. Dieser Prozess dauert einige Tage, in denen die Maische in Alkohol und Kohlensäure vergoren wird. Je nach Temperatur, Art und Dauer der Gärung erhält man eine der 3 Bierarten.

DER HL. ARNOLD, DER SCHUTZHEILIGE DER BIERBRAUER

Der im 11. Jh. in Tiegem geborene Sohn eines Bierbrauers machte sich sehr früh mit den Geheimnissen des Brauens vertraut, bevor er dem Ritterstand beitrat und später ins Kloster ging. Er wurde zunächst Abt, dann Bischof von Soissons und kehrte anschließend nach Flandern zurück. Dort gründete er in Oudenburg eine Abtei, der er durch das Brauen von Bier zum Wohlstand verhalf. Dank seines diplomatischen Geschicks konnten die brabantischen und die flämischen Adeligen versöhnt werden. Die Umwandlung von verseuchtem Wasser in Bier in der Zeit, als in Flandern die Pest wütete, ist eines der ihm zugeschriebenen Wunder.

UNTERGÄRIGE BIERE: FRISCHE UND LEICHTIGKEIT

Dieses Brauverfahren wurde in Pilsen (Tschechien) entwickelt und ist das jüngste Verfahren (1842). 70 % der belgischen Bierproduktion werden nach dieser Methode hergestellt und von den drei Riesen Stella Artois, Jupiler und Maes gebraut. Dabei erfolgen Gärung und Reifung bei niedrigen Temperaturen (zwischen 0° C und 9° C). Man erhält ein helles Bier nach Art des **Pils**, ein goldenes, leichtes und sehr durstlöschendes Getränk mit leicht bitterem Hopfengeschmack.

OBERGÄRIGE BIERE: KONTRASTREICHE SORTEN

Bei dieser älteren Methode vollzieht sich die Gärung bei 24° C bis 28° C, und häufig folgt eine Reifung bei 13° C bis 16° C. Eine riesige Zahl Biersorten wird nach diesem Verfahren hergestellt, darunter die meisten der belgischen so genannten **Spezialbiere,** die im Gegensatz zum durstlöschenden normalen Pils eher zum Genuss getrunken werden. Das **„weiße Bier"** (blanche) ist ungefiltert, also trüb, und wird mit obergäriger Hefe hergestellt, ist jedoch durch seine erfrischenden Eigenschaften eher den durstlöschenden Bieren zuzurechnen, wie auch die feinen wallonischen **Saisonbiere** *(saisons)*, die spritzig und fruchtig schmecken. Die klaren, aromatischen und schäumenden **hellen Starkbiere** *(blondes fortes)* haben ebenfalls zahlreiche Liebhaber, ebenso wie die **bernsteinfarbenen**, **rotbraunen** und **dunklen Biere** *(ambrées, rousses, brunes)*.
Weiterhin gibt es zahlreiche **Abteibiere** (Leffe, Maredsous, Val Dieu, Aulne, Grimbergen, Affligem usw.). Dabei verwendet jede Abtei ihre eigenen Rezepte und kreiert bisweilen auch neue.
Unter den Abteibieren genießen die Trappistenbiere, die es in vielen verschiedenen Sorten gibt, einen Sonderstatus, da sie die einzigen Biere sind, die innerhalb der Abtei unter der Aufsicht von Zisterziensermönchen gebraut werden. Weltweit existieren sieben Trappistenbiere, davon sechs in Belgien: **Orval**, **Chimay** und **Rochefort** in Wallonien sowie **Achel**, **Westmalle** und **Westvleteren** in Flandern.

SPONTANGÄRIGE BIERE: SÄURE, MILDE ODER FRUCHTIGKEIT

Bei diesem weltweit einzigartigen Verfahren, das im Mittelalter entwickelt wurde, vollzieht sich die Gärung durch die spontane Wirkung der Hefesporen, die in der Luft des Pajottenlandes und des Sennetals natürlich vorkommen. Nach zwei- bis dreijähriger Lagerung im Fass wird das nicht schäumende, leicht säuerliche Getränk **Lambic** genannt. Das **Gueuze,** ein saures, spritziges Bier, entsteht durch die natürliche Gärung einer Mischung aus jungen und älteren, teils vergorenen Lambic-Bieren, wohingegen das **Faro** ein saures, mit Zucker angereichertes Lambic ist. Nicht vergessen werden dürfen die **Fruchtbiere,** die aus einer Mischung von Früchten (Himbeeren, Pfirsiche usw.) und Lambic entstehen. Bei dem berühmten **Kriek** werden dazu Kirschen verwendet.

GAMBRINUS, DER KÖNIG DER BIERTRINKER

Gambrinus, eine weitere legendäre Gestalt aus der Zeit des Mittelalters (13. Jh.), ist das Sinnbild der Biertrinker in Belgien. Er erbte die Herzogtümer Brabant und Lothringen und verhalf der Brabanter Brauindustrie zum Aufschwung, indem er den Brüsseler Beigeordneten das Vorrecht gab, Lizenzen zum Brauen und Verkaufen des berühmten Getränks zu gewähren. Es wird erzählt, dass dieser große Bierliebhaber im Verlauf langer Festmähler zum „König des Biers" ausgerufen wurde. Der Sage nach feierte er im Anschluss an einen Sieg mit seinem Volk, erklomm einen Haufen Fässer, setzte sich rittlings darauf und erhob sein Glas, um mit den Seinen anzustoßen. Diese emblematische Haltung wurde in den Bilderbögen wieder aufgenommen.

EIN BIER FÜR JEDEN GESCHMACK

Ob bitter, säuerlich, fruchtig, mild oder würzig, die belgischen Biere harmonieren ausgezeichnet mit der lokalen Küche und werden auch für zahlreiche traditionelle kulinarische Spezialitäten verwendet. Für jede Biersorte gibt es ein geeignetes Glas und eine ideale Trinktemperatur, wobei man immer nach einem präzisen Ritual vorgeht. Und bevor man das Glas hebt, sollte man daran denken: „Ein mit Können gebrautes Bier genießt man mit Mäßigung."

Beer in Belgium

BELGIUM: A PARADISE FOR BEER LOVERS

Belgium is famous for its beer and produces around 400 beers under more than 800 brand names. There remain over 100 breweries in Belgium, the main industrial brewers being Stella Artois, Jupiler (InBev Group) and Alken-Maes. However, beer production is not limited to the breweries: the abbeys carry on their medieval tradition and in the last ten years there has been a revival in the popularity of these beers. The average Belgian drank 80 litres of the drink in 2005 (compared to 200 litres at the beginning of the 20th century), partly draught beer (from the barrel) and partly bottled beer.

THE BEER PRODUCTION PROCESS

Together with water, **malt** is the main ingredient of beer. Grains of **barley** are used to make the malt. The grains are soaked to bring about germination and then dried and crushed. The drying process determines the type of malt and the colour of the beer. **Brewing** traditionally takes place in copper vats where the ground malt is soaked in hot water, turning it into a sweet solution called **wort**. The duration of infusion and the temperature determine the beer variety. **Hops** are added during the boiling process, contributing flavour and bitterness to the brew. Once the wort has cooled, yeast is added to the vats and **fermentation** starts. This stage lasts several days, during which time the wort breaks down into alcohol and carbon dioxide. Depending on the temperature, type and duration of fermentation, three different styles of beers result.

ST ARNOLDUS, THE PATRON SAINT OF BREWERS

The son of a brewer, St Arnoldus was born in Tiegem in the 11th century. He was taught the secrets of beer brewing at a very young age before he became a knight and then later entered the orders. He became an abbot and then bishop at Soissons, before returning to Flanders where he founded an abbey in Oudenburg. It is said that he ensured the prosperity of the abbey by producing beer. Using his talents as a diplomat, St Arnoldus reconciled the Brabant and Flemish nobilities. When the plague was rife in Flanders, St Arnoldus was credited with transforming contaminated water into beer, among other miracles.

FRESH AND LIGHT BOTTOM-FERMENTED BEERS

Bottom fermentation was developed in Pilsen in the Czech Republic in 1842 and is the most recently developed method of fermentation. 70% of Belgian beer production – including that of the big three beer manufacturers, Stella Artois, Jupiler and Maes – is made in this way. Fermentation takes place at low temperatures (between 0°C and 9°C) to produce a **Pils**-type pale lager – a light and thirst-quenching golden beer, with a bitter hops flavour.

CONTRASTING TOP-FERMENTED BEERS

Top-fermentation is an older method whereby primary fermentation takes place at between 24°C and 28°C, often followed by secondary fermentation at 13°C to 16°C. A wide variety of beers are produced in this way, including most of the Belgian beers known as **"spéciales"**, in other words 'tasting' beers, as opposed to ordinary Pils. Unfiltered and therefore cloudy **white beers** are top fermented but, because of their refreshing qualities, are similar in taste to 'drinking' beers, like the delicate, sparkling and fruity **saison** beers from Wallonia. The clear, aromatic and frothy **blonde** beers also have their devotees, as do the **amber**, **red** and **brown** beers.

There are numerous **abbey beers** (Leffe, Maredsous, Val Dieu, Aulne, Grimbergen, Affligem, etc) whose producers continue to use abbey recipes and are able to create new ones.

Among these, the wide-ranging **Trappist beers** have special status reserved for those beers brewed in situ under the control of the Cistercian monks themselves. There are 7 Trappist abbey breweries, 6 of them in Belgium: **Orval**, **Chimay** and **Rochefort** in Wallonia, and **Achel**, **Westmalle** and **Westvleteren** in Flanders.

ACIDIC, SWEET OR FRUITY SPONTANEOUS-FERMENTED BEERS

Spontaneous fermentation was developed in the Middle Ages and is unique to Belgium. Fermentation takes place due to the spontaneous action of yeasts which are naturally present in the air around Pajottenland and the Senne valley. The liquid is kept for 2 to 3 years in barrels and the resultant still and sour brew is called **lambic**. The acidic and sparkling **gueuze** is the result of the natural fermentation of a mix of partly-fermented young and old lambic, while **faro** is an acidic lambic which has been sweetened. Then there are **fruit beers**, where lambic is mixed with fruit (for example, strawberry or peach), such as the famous **kriek**, which is flavoured using cherries.

GAMBRINUS, KING OF BEER DRINKERS

The 13th century king Gambrinus is another legendary medieval figure and a symbol for beer drinkers in Belgium. He was Duke of Brabant and Lorraine and encouraged the development of the Brabant brewing industry by giving Brussels aldermen the right to grant licences for the brewing and sale of the famous beverage. Legend has it that, to celebrate a victory, he quaffed beer with his subjects and during long banquets, the great beer lover was proclaimed "king of beer". The image of Gambrinus retained in the popular imagination is of him astride a beer keg, on a pile of barrels, brandishing his tankard aloft.

A BEER FOR EVERYONE

Whether bitter, sour, fruity, sweet or spicy, Belgian beers are a perfect partner to the local cuisine. They are also used in many traditional culinary specialities. Each variety of beer should be served in the appropriate glass and at the ideal temperature, and then enjoyed according to the maxim, "beer brewed carefully, to be consumed with care".

Le vin au Luxembourg

LA MOSELLE : TERROIR DU VIN LUXEMBOURGEOIS

Avec seulement 1.300 ha de parcelles et une production vineuse annuelle de 135.000 hl (2005), en constante évolution qualitative, le Luxembourg reste, comme le commentait déjà le Général de Gaulle, «le petit pays des grands vins». L'essentiel de l'activité viticole se concentre dans une trentaine de localités de la vallée de la Moselle, dont la tradition vigneronne remonte à l'Antiquité. Frontière naturelle avec l'Allemagne, cette rivière aux allures de fleuve déroule ses flots paisibles sur 42 km en territoire grand-ducal, entre Schengen et Wasserbillig. La majorité des exploitations (460) sont groupées en 6 coopératives gérées par le groupe Vinsmoselle (840 ha) qui assure 62 % de la production nationale. 52 vignerons indépendants fournissent 21,5 % de la production nationale ; les 16,5 % restants étant assurés par 6 producteurs-négociants.

L'UN DES VIGNOBLES EUROPÉENS LES PLUS SEPTENTRIONAUX

«Eldorado viticole du Nord», les coteaux de la rive gauche de la Moselle bénéficient de conditions particulièrement propices à la culture de la vigne : sous-sol de qualité, pentes régulières dont la déclivité peut atteindre 60%, exposition favorable, microclimat doux et tempéré, conjuguant influences continentales et maritimes, pluviosité se distribuant idéalement sur les 12 mois de l'année et action thermorégulatrice de la rivière, dont la surface de l'eau reflète la lumière et favorise la maturation du raisin.

NEUF GRANDS CÉPAGES

Vins blancs, mousseux et crémants se partagent la majeure partie de la production, où entrent aujourd'hui 9 principaux cépages : Rivaner (le plus répandu), Auxerrois, Pinot Gris, Riesling, Elbling, Pinot Blanc, Gewürztraminer et, plus récemment, Chardonnay et Pinot Noir. Les conditions climatiques permettent même parfois l'élaboration de vins rares : vendanges tardives, vins de paille et vins de glace. À la différence de la France, le Luxembourg ne possède pas de tradition d'assemblage, sauf pour

Des cépages pour tous les goûts

- **Auxerrois :** faible acidité, bouquet moelleux et fruité (note de banane au stade jeune). Pour toutes les occasions, en particulier pour l'apéritif et au cours des réceptions.
- **Chardonnay :** un cépage introduit avec succès en 1986. Plaît pour sa finesse et son côté à la fois sec et fruité. S'accorde bien aux poissons, fruits de mer et crustacés.
- **Elbling :** un vin «de tous les jours», cultivé depuis l'époque gallo-romaine et très prisé des Luxembourgeois. Sec, faiblement alcoolisé et plutôt neutre, avec tout de même une pointe d'acidité lui conférant fraîcheur et légèreté.
- **Gewürztraminer :** voluptueux et raffiné, doté d'un bouquet d'épices, de fruit (litchi) et de fleur (rose). Pour les desserts et les fromages.
- **Pinot blanc :** cépage d'origine bourguignonne. Fruité, fraîcheur, vivacité et finesse pour valoriser les recettes de poissons et les coquillages.
- **Pinot gris :** cépage alsacien offrant un vin souple et onctueux, au nez de fruits secs, bois et épices, et à la longueur en bouche parfaits pour l'apéritif et le dessert.
- **Pinot noir :** autre cépage bourguignon, se prêtant à une vinification en rosé et en rouge, voire en blanc. Bouquet tout en fraîcheur, caractère élégant et fruité en font également un partenaire assez polyvalent.
- **Riesling :** «roi des vins luxembourgeois», venu d'Allemagne. Fraîcheur, bouquet fruité, élégance, nervosité et race, longueur en bouche: le complice idéal d'une grande diversité de mets raffinés.
- **Rivaner :** parmi les cépages les plus cultivés, né d'un croisement entre le Riesling et le Sylvaner. Produit un vin convivial et fruité, au parfum typé et aux accents musqués. Agréable à l'apéritif... et après.

l'élaboration des mousseux et des crémants ; aussi, les vins tranquilles (non pétillants) sont-ils toujours vendus sous le nom de leur cépage. On distingue deux principaux terroirs, qui sont les plus réputés : les sols calcaires du Nord de la vallée (canton de Grevenmacher) donnent des vins élégants et racés, à notes minérales, tandis que les gypses et marnes argileuses de la partie Sud (canton de Remich) procurent des vins alliant rondeur et souplesse.

COMMENT CHOISIR LE BON VIN ?

Les vins de qualité issus de ces régions bénéficient de l'appellation d'origine contrôlée, repérable grâce à une petite contre-étiquette rectangulaire apposée au dos de la bouteille, côté bas. Les mentions «Moselle luxembourgeoise-Appellation contrôlée», «Marque nationale» et «Sous le contrôle de l'État» figurent obligatoirement sur ce label, en même temps que le millésime et le niveau qualitatif, exprimé comme suit (par ordre de qualité décroissant) : mentions «grand premier cru», «premier cru», «vin classé» et absence de mention. Producteurs indépendants ou coopérateurs, mais aussi tavernes, bistrots et bon nombre de restaurants retenus dans la sélection du Guide vous feront partager la passion du vin et découvrir la cuvée ou le cépage approprié à chaque mets et à chaque situation de dégustation.

Luxemburgse wijn

DE MOEZEL, BAKERMAT VAN DE LUXEMBURGSE WIJN

Luxemburg telt slechts 1300 ha wijngaarden en produceert jaarlijks 13,5 miljoen liter wijn, waarvan de kwaliteit nog voortdurend wordt verbeterd. Hiermee blijft Luxemburg, zoals Charles De Gaulle verwoordde, 'het kleine land met de grote wijnen'. De wijnbouw concentreert zich met name op een dertigtal locaties in de Moezelvallei, waar de wijntraditie teruggaat tot de Oudheid. De Moezel vormt een natuurlijke grens met Duitsland en volgt op het grondgebied van het groothertogdom een traject van 42 km, tussen Schengen en Wasserbillig. De meeste wijnbouwers (460) hebben zich verenigd in zes coöperaties, beheerd door de groep Vinsmoselle (840 ha). Zij nemen 62% van de nationale productie voor hun rekening. Verder zijn er 52 onafhankelijke wijnbouwers, die 21,5% van de nationale productie leveren. De resterende 16,5 % wordt verbouwd door zes producenten-handelaren..

EEN VAN DE MEEST NOORDELIJK GELEGEN WIJNGEBIEDEN VAN EUROPA

De hellingen langs de linkeroever van de Moezel behoren tot het 'wijneldorado van het Noorden'. De omstandigheden zijn er uitermate geschikt voor de wijnbouw: uitstekende bodem, gelijkmatige hellingen van soms 60%, gunstige ligging op de zon, een zacht en gematigd microklimaat met continentale en maritieme invloeden, een neerslag die ideaal verspreid is over de 12 maanden, en de warmte regelende werking van de rivier, die het licht weerkaatst en zo de rijping van de druiven stimuleert.

NEGEN BELANGRIJKE DRUIVENRASSEN VOOR EEN MOOI ASSORTIMENT WIJNEN

Witte, mousserende en licht mousserende wijnen vormen het grootste deel van de productie, waarvoor negen druivensoorten worden verbouwd: Rivaner (de meest verbreide), Auxerrois, Pinot Gris, Riesling, Elbling, Pinot Blanc, Gewürztraminer en, van recentere datum, Chardonnay en Pinot Noir. Dankzij de klimatologische omstandigheden kunnen soms zelfs zeldzame wijnen worden geproduceerd: late oogst, strowijn en ijswijn. In Luxemburg wordt traditioneel geen wijn versneden, behalve voor de productie van mousserende en licht mousserende wijnen. De niet-mousserende wijnen worden dan ook altijd verkocht onder de naam van de druivenvariëteit. Er zijn twee belangrijke wijnbouwgebieden te onderscheiden, die de meeste bekendheid genieten: de kalkgronden aan de noordkant van het dal (kanton Grevenmacher) geven elegante raswijnen met een minerale ondertoon, terwijl de zuidelijke mergelstreek (kanton Remich) ronde, soepele wijnen oplevert.

DE JUISTE WIJN KIEZEN

De kwaliteitswijnen uit genoemde streken dragen het label 'appellation d'origine contrôlée', te herkennen aan een klein, rechthoekig etiketje onderaan op de achterkant van de fles. Op dit label zijn ook de verplichte vermeldingen 'Moselle luxembourgeoise-Appellation contrôlée', 'Marque nationale' en 'Sous le contrôle de l'État', evenals het jaartal en het kwaliteitsniveau (in volgorde van afnemende kwaliteit) 'grand premier cru', 'premier cru', 'vin classé' of geen kwaliteitsaanduiding.

- De **Auxerrois** heeft een geringe zuurtegraad en een vol, zacht en fruitig bouquet (in de nog jonge wijn is vaak een noot van banaan te proeven). De wijn is geschikt voor elke gelegenheid, met name als aperitief en voor recepties.
- De **Chardonnay,** een druivensoort die in 1986 met succes is geïntroduceerd, heeft finesse en is droog en fruitig tegelijk. De wijn smaakt heerlijk bij vis, fruits de mer en schaaldieren.
- De **Elbling** wordt al sinds de Gallo-Romeinse tijd verbouwd en geeft een wijn 'voor alle dag'. De wijn is droog, heeft een laag alcoholpercentage, is vrij neutraal van smaak en bij de Luxemburgers bijzonder in trek. De zuurtegraad zorgt voor een licht en fris karakter.
- De **Gewürztraminer** geeft een volle, subtiele wijn met een kruidig, fruitig (lichee) en bloemig (roos) bouquet dat neus en tong verleidt. Bij desserts en kaas komt de aromatische complexiteit van deze wijn goed tot uitdrukking.
- Een fruitig, fris, rond en subtiel karakter onderscheidt de **Pinot blanc,** een druivensoort uit de Bourgogne. De wijn past bijzonder goed bij visgerechten en schelpdieren.
- De **Pinot gris,** een druivenras uit de Elzas, geeft een soepele, zachte wijn met een neus van droog fruit, hout en kruiden en een lange afdronk. Een prima keus voor het aperitief, maar ook betrouwbaar gezelschap bij het dessert.
- Ook uit de Bourgogne komt de **Pinot noir,** die geschikt is voor de productie van rosé, rode en zelfs witte wijn. De soort onderscheidt zich door een fris bouquet en een elegant, fruitig karakter en is hiermee breed inzetbaar.
- De **Riesling,** afkomstig uit Duitsland, wordt beschouwd als de 'koning van de Luxemburgse wijnen'. De wijn heeft een fris en krachtig raskarakter, een fruitig en elegant bouquet en een lange afdronk. De soort kan aroma's ontwikkelen die doen denken aan mineralen, vruchten (citrusfruit, perzik, mango, ananas), bloemen en honing. Riesling is de ideale bondgenoot voor vele verfijnde gerechten.
- De **Rivaner** is een kruising van de Riesling en de Sylvaner en een van de meest verbouwde variëteiten. De wijn is harmonieus en fruitig en heeft een karakteristiek parfum met een muskaatachtig accent. Een aangename wijn als aperitief, die ook verder tijdens de maaltijd kan worden gedronken.

Onafhankelijke producenten en coöperatieve wijnboeren, maar ook tavernes, bistrots en tal van restaurants die in deze gids zijn opgenomen, zullen hun passie voor de wijn met u delen en u adviseren welke wijn het beste past bij welk gerecht en bij welke gelegenheid.

Der Wein in Luxemburg

DAS MOSELTAL – LAND DES LUXEMBURGISCHEN WEINS

Mit nur 1 300 ha Weinbergen und einer jährlichen Weinproduktion von 135 000 hl (2005), die an Qualität ständig zunimmt, bleibt Luxemburg „das kleine Land der großen Weine", wie schon Charles de Gaulle meinte. Der Weinbau konzentriert sich im Wesentlichen auf etwa 30 Gemeinden im Moseltal, dessen Weinbautradition bis in die Antike zurückreicht. Dieser Fluss mit der Anmutung eines Stromes, der die natürliche Grenze zu Deutschland bildet, fließt ruhig auf einer Länge von 42 km zwischen Schengen und Wasserbillig durch das Staatsgebiet des Großherzogtums dahin. Die meisten der Weinbaubetriebe (460) sind in 6 Genossenschaften zusammengefasst. Diese Genossenschaften werden von der Vinsmoselle-Gruppe geleitet (840 ha), die 62 % der Produktion des Landes erzeugt. 52 unabhängige Winzer stellen 21,5 % der Landesproduktion her, und die übrigen 16,5 % stammen von 6 Selbstabfüllern.

EINES DER NÖRDLICHSTEN WEINBAUGEBIETE EUROPAS

An den auch als „Wein-Eldorado des Nordens" bezeichneten Anhöhen am linken Moselufer herrschen Bedingungen, die für den Rebenanbau besonders günstig sind: ein ausgezeichneter Boden, gleichmäßige Hänge, deren Neigung bis zu 60 % betragen kann, eine günstige Ausrichtung, ein mildes und gemäßigtes Mikroklima, das die Einflüsse von See- und Kontinentalklima in sich vereint, ideal auf alle 12 Monate des Jahres verteilte Niederschläge und temperaturausgleichende Einflüsse des Flusses, dessen Wasseroberfläche das Licht reflektiert und die Reifung der Trauben begünstigt.

NEUN REBSORTEN FÜR EIN SCHÖNES WEINSORTIMENT

Weißweine, Schaumweine und Crémants machen den größten Teil der Produktion aus, für die heute im Wesentlichen die neun Rebsorten Rivaner (Müller-Thurgau, am weitesten verbreitet), Auxerrois, Pinot Gris (Grauburgunder), Riesling, Elbling, Pinot Blanc (Weißer Burgunder), Gewürztraminer sowie seit kurzem Chardonnay und Pinot Noir (Spätburgunder) verwendet werden. Dank der klimatischen Bedingungen können manchmal sogar Spitzenweine wie Spätlese (vendange tardive), Strohwein (vin de paille) und Eiswein (vin de glace) erzeugt werden. Im Unterschied zu Frankreich werden in Luxemburg die Rebsorten traditionell nicht verschnitten, außer für die Herstellung der Schaumweine und Crémants. Daher werden die nicht perlenden Weine immer unter dem Namen der Rebsorte verkauft. Man unterscheidet zwei Hauptweinbaugebiete, die höchstes Ansehen genießen: Die Kalkböden im Norden des Moseltals (Kanton Grevenmacher) bringen elegante und rassige Weine mit mineralischer Note hervor, während auf den Gipsböden und Mergeltonen im südlichen Teil (Kanton Remich) geschmeidige, runde Weine erzeugt werden.

DIE WAHL DES RICHTIGEN WEINES

Die in diesen Regionen erzeugten Qualitätsweine tragen die kontrollierte Herkunftsbezeichnung, die an einem kleinen rechteckigen Zusatzetikett im unteren Bereich auf der Rückseite der Flasche zu erkennen ist. Auf diesem Gütesiegel müssen zwingend die Angaben „Moselle luxembourgeoise-Appellation contrôlée", „Marque

Weine für jeden Geschmack

- Die Weine der Rebsorte **Auxerrois**, die wegen ihrer geringen Säure und ihres weichen und fruchtigen Buketts (häufig ist bei jungen Weinen eine bananenartige Note wahrnehmbar) geschätzt werden, passen für alle Gelegenheiten und werden insbesondere als Aperitif und bei Empfängen getrunken.
- Der auf der 1986 mit Erfolg eingeführten **Chardonnay-Rebe** basierende Wein gefällt durch seine Feinheit und seine zugleich trockene und fruchtige Note. Er wird zu Fisch, Meeresfrüchten und Krustentieren gereicht.
- Der **Elbling**, der seit der gallorömischen Epoche angebaut wird, ergibt einen Wein „für jeden Tag". Er ist trocken, mit niedrigem Alkoholgehalt und eher neutral, doch ist er bei den Luxemburgern sehr beliebt. Gleichwohl zeichnet er sich durch eine gewisse Säure aus, die ihm Frische und Leichtigkeit verleiht.
- Aus der **Gewürztraminer-Traube** wird ein voller und eleganter Wein mit einem Bukett nach Gewürzen, Früchten (Litschi) und Blumen (Rose) gewonnen, der Nase und Gaumen gleichermaßen schmeichelt. Zum Dessert und beim Käse entfaltet er sein komplexes Aroma am besten.
- Fruchtigkeit, Frische, Fülle und Feinheit zeichnen den **Pinot blanc** (Weißer Burgunder) aus. Die Weine dieser ursprünglich aus Burgund stammenden Rebsorte harmonieren besonders gut mit Fisch- und Muschelgerichten.
- Der **Pinot gris** (Grauburgunder), eine elsässische Rebsorte, ergibt einen geschmeidigen, vollmundigen Wein. Durch seinen Duft (Trockenfrüchte, Holz, Gewürze) und seinen langen Abgang ist er ein hervorragender Begleiter zum Aperitif wie auch zum Dessert.
- Der **Pinot noir** (Spätburgunder) ist eine weitere burgundische Rebsorte. Aus ihm werden Rot- und Roséweine und sogar Weißweine hergestellt. Mit seinem frischen Bukett und seinem eleganten und fruchtigen Charakter ist er zu vielen Gelegenheiten zu genießen.
- Der aus Deutschland stammende **Riesling** gilt als der „König der luxemburgischen Weine". Er überzeugt durch seine Frische, sein fruchtiges, elegantes, nervöses und rassiges Bukett und seinen langen Abgang. Er kann mineralische Aromen entwickeln oder nach Früchten (Zitrusfrüchte, Pfirsich, Mango, Ananas), Blumen oder Honig schmecken und ist der ideale Begleiter zu einer großen Vielzahl an raffinierten Gerichten.
- Der **Rivaner** (Müller-Thurgau) gehört zu den am meisten angebauten Trauben. Er entstand aus einer Kreuzung von Riesling und Sylvaner und ergibt einen angenehmen, fruchtigen Wein mit einem typischen Bukett und Muskatnote. Er passt zum Aperitif, kann aber ebenso eine ganze Mahlzeit begleiten.

nationale" und „Sous le contrôle de l'État" („Luxemburger Moseltal-kontrollierte Herkunftsbezeichnung", „Landesmarke" und „Unter staatlicher Kontrolle") aufgeführt sein, außerdem der Jahrgang und das Qualitätsniveau, das folgendermaßen ausgedrückt wird (mit abnehmender Qualität): „Grand premier cru", „Premier cru", „Vin classé" und ohne Qualitätsangabe. Privatwinzer, in Genossenschaften zusammengeschlossene Weinbauern, aber auch Tavernen, Bistros und zahlreiche Restaurants, die in der Auswahl dieses Führers aufgeführt sind, möchten Sie an der Weinleidenschaft teilhaben lassen und werden zu jedem Gericht und jeder Gelegenheit den passenden Wein und Jahrgang für Sie finden.

Luxembourg wine

THE MOSELLE: THE WINE-GROWING REGION OF THE GRAND DUCHY

Luxembourg has only 1 300 ha of vineyards which produced 135 000 hl of wine in 2005, but its constantly-improving quality truly makes it "a small country of great wines". The main viticulture activity is concentrated around thirty towns and villages in the Moselle valley, where wine-making dates back to Antiquity. The Moselle river forms a natural frontier with Germany and moves slowly through 42km of the Grand Duchy, from Schengen to Wasserbillig. Most of the vineyards (460) are grouped into 6 co-operatives managed by the Vinsmoselle Group (840 ha), accounting for 62% of Luxembourg's wine production; 52 independent vineyards supply 21.5% of national production and the remaining 16.5% comes from 6 producer-traders.

ONE OF THE MOST NORTHERLY WINE PRODUCERS IN EUROPE

The left bank of the Moselle river benefits from conditions which are particularly favourable to wine growing. It has quality subsoil and regular, well-orientated slopes with inclines of up to 60%. The area enjoys a mild and temperate micro-climate which benefits from both continental and maritime influences and rainfall which is ideally distributed over the 12 months of the year. The river, which has a temperature-regulating effect, reflects the light, encouraging the grapes to ripen.

NINE MAIN GRAPE VARIETIES PRODUCING A WIDE SELECTION OF WINES

Most of the wines produced in Luxembourg are white, *mousseux* and *crémants* (sparkling) which are today made from nine principal types of grape: Rivaner (the most widespread), Auxerrois, Pinot Gris, Riesling, Elbling, Pinot Blanc, Gewürztraminer and two more recent additions, Chardonnay and Pinot Noir. The climate sometimes even allows for the production of rare wines – *vendanges tardives, vin de paille* and *vin de glace*. There is no tradition of blending in Luxembourg, except during the production of *mousseux* and *crémants*. Still (unsparkling) wines are sold under the name of the grape variety. The reputation of two main wine-growing areas stands out: the northern end of the valley (Grevenmacher) whose limestone subsoil produces distinguished, elegant wines with mineral notes, and the area to the south (Remich) which has clay and marl soil, producing soft, well-rounded wines.

CHOOSING A GOOD WINE

Quality wines from these regions are awarded the *appellation contrôlée* designation – look out for a small rectangular label fixed to the rear of the bottle. The words "Moselle luxembourgeoise-Appellation contrôlée", "Marque nationale" and "Sous le contrôle de l'État" must feature on the label, in addition to the year and status of the wine ("grand premier cru", "premier cru", "vin classé" or no grading, in descending

BRU
SOURCE-BRON

NATUURLIJK MINERAALWATER
EAU MINÉRALE NATURELLE
BRU
Naturellement légèrement pétillante
Natuurlijk licht bruisend
BRU

BRU

Grape varieties for all tastes

- Wine from the **Auxerrois** grape is appreciated for its low acidity and sweet, fruity bouquet (hints of banana are often discernable in young wines). It is suitable for all occasions, particularly as an aperitif wine and when receiving guests.
- The **Chardonnay** grape variety was successfully introduced in Luxembourg in 1986. Wine from this grape is known for its delicacy and dry, fruity side. It goes well with fish and seafood.
- The **Elbling** grape has been grown since Roman times and produces an everyday wine which is dry and somewhat neutral, with a low alcohol content. The high acidity levels bring out its fresh and light qualities. Very popular locally.
- The **Gewürztraminer** grape produces a refined, full-bodied wine, with a bouquet of spices, fruit (lychee) and flowers (rose), pleasing the nose as well as the palate. Desserts and cheeses perfectly enhance the aromatic complexity of this wine.
- Delicate, fruity, lively and fresh all describe wine from the **Pinot blanc** grape, which originates from Burgundy and particularly complements fish and shellfish dishes.
- **Pinot gris**, an Alsatian grape, produces a smooth and supple wine. Its bouquet of dried fruit, wood and spices and long finish make it a delicious aperitif wine. It is also an ideal partner for dessert.
- Another Burgundy grape, **Pinot noir**, lends itself to the production of red, rosé and even white wines. Its fresh bouquet and elegant, fruity character make it suitable to drink with most dishes.
- **Riesling**, originally from Germany, is considered the king of Luxembourg wines. It is appreciated for its freshness, its elegant, fruity and distinguished bouquet, and its long finish. This wine is an ideal partner for a wide variety of refined dishes, as it brings out mineral, fruit (citrus, peach, mango and pineapple), flower and honey flavours.
- **Rivaner** is one of the most intensively-produced grapes in the Grand Duchy. A cross between the Riesling and Sylvaner varieties, it produces a pleasant, fruity wine and has a characteristic bouquet with a hint of muskiness. A good aperitif wine which may also be enjoyed throughout a meal.

order of quality). Independent producers and cooperatives, as well as inns, bistros and many of the restaurants included in the Guide will share their passion for wine with you and will be able to suggest the grape and year most appropriate to the dish and situation.

L'aventure Michelin

Tout commence avec des balles en caoutchouc ! C'est ce que produit, vers 1880, la petite entreprise clermontoise dont héritent André et Édouard Michelin. Les deux frères saisissent vite le potentiel des nouveaux moyens de transport. L'invention du pneumatique démontable pour la bicyclette est leur première réussite. Mais c'est avec l'automobile qu'ils donnent la pleine mesure de leur créativité. Tout au long du 20e s., Michelin n'a cessé d'innover pour créer des pneumatiques plus fiables et plus performants, du poids lourd à la F 1, en passant par le métro et l'avion.

Très tôt, Michelin propose à ses clients des outils et des services destinés à faciliter leurs déplacements, à les rendre plus agréables… et plus fréquents. Dès 1900, le Guide Michelin fournit aux chauffeurs tous les renseignements utiles pour entretenir leur automobile, trouver où se loger et se restaurer. Il deviendra la référence en matière de gastronomie. Parallèlement, le Bureau des itinéraires offre aux voyageurs conseils et itinéraires personnalisés.

En 1910, la première collection de cartes routières remporte un succès immédiat ! En 1926, un premier guide régional invite à découvrir les plus beaux sites de Bretagne. Bientôt, chaque région de France a son Guide Vert. La collection s'ouvre ensuite à des destinations plus lointaines (de New York en 1968… à Taïwan en 2011).

Au 21e s., avec l'essor du numérique, le défi se poursuit pour les cartes et guides Michelin qui continuent d'accompagner le pneumatique. Aujourd'hui comme hier, la mission de Michelin reste l'aide à la mobilité, au service des voyageurs.

MICHELIN AUJOURD'HUI

N°1 MONDIAL DES PNEUMATIQUES

- 70 sites de production dans 18 pays
- 111 000 employés de toutes cultures, sur tous les continents
- 6 000 personnes dans les centres de Recherche & Développement

Avancer
monde où la

Mieux avancer, c'est d'abord innover pour mettre au point des pneus qui freinent plus court et offrent une meilleure adhérence, quel que soit l'état de la route.

LA JUSTE PRESSION

- Sécurité
- Longévité
- Consommation de carburant optimale

-0,5 bar

- Durée de vie des pneus réduite de 20% (- 8 000 km)

- Risque d'éclatement
- Hausse de la consommation de carburant
- Distance de freinage augmentée sur sol mouillé

ensemble vers un mobilité est plus sûre

C'est aussi aider les automobilistes à prendre soin de leur sécurité et de leurs pneus. Pour cela, Michelin organise partout dans le monde des opérations **Faites le plein d'air** pour rappeler à tous que la juste pression, c'est vital.

L'USURE

COMMENT DETECTER L'USURE

La profondeur minimale des sculptures est fixée par la loi à 1,6 mm.

Les manufacturiers ont muni les pneus d'indicateurs d'usure.

Ce sont de petits pains de gomme moulés au fond des sculptures et d'une hauteur de 1,6 mm.

Les pneumatiques constituent le seul point de contact entre le véhicule et la route.

Ci-dessous, la zone de contact réelle photographiée.

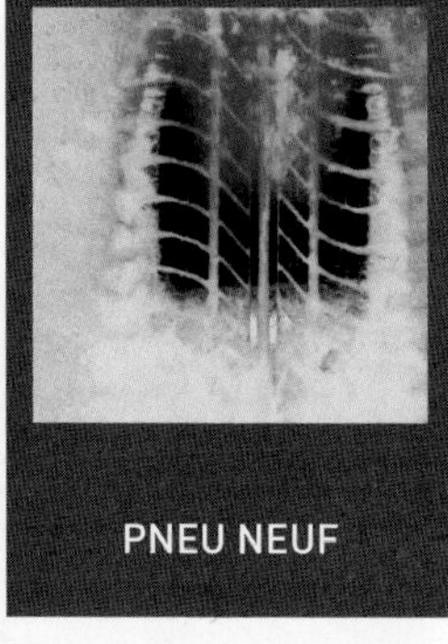

PNEU NEUF

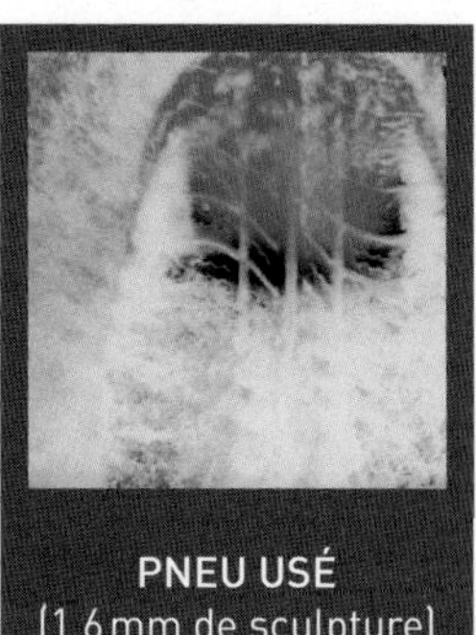

PNEU USÉ
(1,6 mm de sculpture)

Au-dessous de cette valeur, les pneus sont considérés comme lisses et dangereux sur chaussée mouillée.

Mieux avancer, c'est développer une mobilité durable

INNOVATION ET ENVIRONNEMENT

Chaque jour, Michelin innove pour diviser par deux d'ici à 2050 la quantité de matières premières utilisée dans la fabrication des pneumatiques, et développe dans ses usines les énergies renouvelables. La conception des pneus MICHELIN permet déjà d'économiser des milliards de litres de carburant, et donc des milliards de tonnes de CO2.

De même, Michelin choisit d'imprimer ses cartes et guides sur des « papiers issus de forêts gérées durablement ». L'obtention de la certification ISO14001 atteste de son plein engagement dans une éco-conception au quotidien.

Un engagement que Michelin confirme en diversifiant ses supports de publication et en proposant des solutions numériques pour trouver plus facilement son chemin, dépenser moins de carburant.... et profiter de ses voyages !

Parce que, comme vous, Michelin s'engage dans la préservation de notre planète.

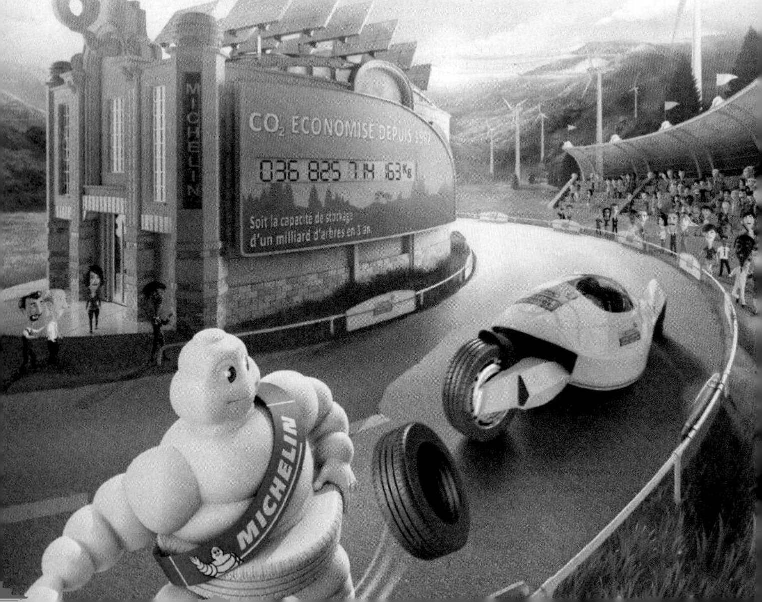

Chattez avec Bibendum

Rendez-vous sur:
www.michelin.com/corporate/fr
Découvrez l'actualité et l'histoire de Michelin.

QUIZZ

Michelin développe des pneumatiques pour tous les types de véhicules. Amusez-vous à identifier le bon pneu...

Résultat : A-6 / B-4 / C-2 / D-1 / E-3 / F-7 / G-5

MICHELIN: MAAK KENNIS MET HET BEDRIJF ACHTER DE MICHELIN GIDS

Het Michelin-avontuur

Het begon als een klein bedrijfje van André en Édouard Michelin in Clermont-Ferrand, dat rond 1880 rubberen ballen produceerde. Maar algauw maakten de twee broers gebruik van de mogelijkheden die hun door de opkomst van nieuwe vervoersmiddelen werden geboden. Hun eerste succes was de uitvinding van de demonteerbare luchtband voor fietsen, maar met de auto lieten ze pas echt zien wat ze in huis hadden. De hele 20ste eeuw door heeft Michelin innovatieve concepten ontwikkeld, met steeds betere en sterkere banden voor alles wat rijdt, van vrachtwagens tot formule 1-auto's, metro's en zelfs vliegtuigen.

Al in een vroeg stadium bood Michelin zijn klanten middelen en diensten om het reizen per auto makkelijker en aangenamer te maken, en zo het autorijden te stimuleren. Vanaf 1900 verscheen de Rode Michelingids met veel praktische informatie voor automobilisten, zoals tips over het onderhoud van auto's, maar ook adressen van hotels en restaurants. Deze gids zou uitgroeien tot een standaardwerk op het gebied van gastronomie. Daarnaast had Michelin een aparte afdeling die reizigers adviseerde en routes voor hen uitstippelde.

De eerste collectie wegenkaarten werd in 1910 gepubliceerd en vond meteen gretig aftrek. In 1926 verscheen de eerste regionale gids, waarin de mooiste bezienswaardigheden van Bretagne vermeld stonden. Algauw kreeg iedere regio in Frankrijk zijn eigen Groene Gids. Daarna werd de collectie gaandeweg uitgebreid naar verdere bestemmingen (van New York in 1968 tot Taiwan in 2011).

Door de pijlsnelle digitale ontwikkelingen vormt de 21ste eeuw een nieuwe uitdaging voor de kaarten en gidsen die Michelin naast de banden blijft produceren. Maar net als vroeger richt Michelin zich ook nu op het faciliteren van mobiliteit, in het belang van de reizigers.

MICHELIN VANDAAG DE DAG

DE GROOTSTE BANDENPRODUCENT TER WERELD

- 70 fabrieken in 18 landen
- Een multicultureel bedrijf met 111.000 werknemers wereldwijd
- 6000 medewerkers in de centra voor Research & Development

Samen
een wereld met

Beter op weg betekent voor Michelin allereerst innoveren om banden te ontwikkelen met een kortere remweg en meer grip, wat de toestand van het wegdek ook is.
Het betekent ook automobilisten

DE JUISTE SPANNING

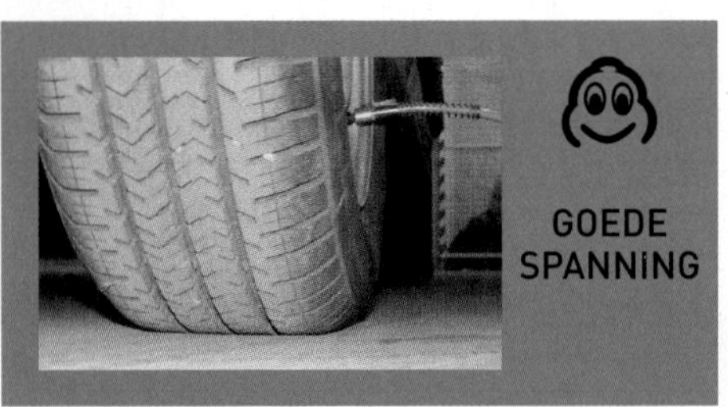

- Veilig
- Minder slijtage
- Optimaal brandstofverbruik

- Banden gaan 20% minder lang mee (-8000 km)

- Kans op een klapband
- Hoger brandstofverbruik
- Langere remweg op nat wegdek

op weg naar
meer veiligheid in mobiliteit

stimuleren om te denken aan hun veiligheid en het onderhoud van hun autobanden.
Daarom organiseert Michelin wereldwijd de actie Faites le plein d'air om iedereen eraan te herinneren dat het essentieel is om autobanden op de juiste spanning te houden.

SLIJTAGE

BANDEN CONTROLEREN OP SLIJTAGE

Banden moeten een profieldiepte van minimaal 1,6 mm hebben. Alle banden zijn voorzien van slijtage-indicatoren in de hoofdgroeven. Als het profiel tot op deze horizontale rubbertjes is versleten, is de wettelijke limiet van 1,6 mm bereikt en moet de band worden vervangen.

De band is het enige contactpunt met de weg.

Hieronder zijn twee foto's van de contactzone te zien.

NIEUWE BAND

VERSLETEN BAND
(profiel van 1,6 mm)

Banden met een profiel onder deze limiet zijn glad en gevaarlijk op een nat wegdek.

Beter op weg
Is werken aan duurzame mobiliteit

INNOVATIE EN MILIEU

Michelin is constant aan het innoveren om tussen nu en 2050 de hoeveelheid grondstoffen die voor de bandenproductie worden gebruikt met de helft te verminderen, en in de fabrieken van Michelin worden duurzame energiebronnen ontwikkeld. De moderne Michelinbanden zijn zo gemaakt dat ze al een besparing van miljarden liters brandstof en dus van miljarden tonnen CO2-uitstoot opleveren.

Ook heeft Michelin ervoor gekozen om alle kaarten en gidsen te drukken op papier dat afkomstig is van duurzaam geproduceerde bossen. Met het ISO14001-certificaat laat Michelin zien dat het zich volledig inzet voor een milieuvriendelijk bedrijfsconcept ten behoeve van een beter dagelijks leven.

Een belofte die Michelin waarmaakt door het diversifiëren van reclame- en promotiemiddelen en door steeds meer gebruik te maken van digitale oplossingen om makkelijker de weg te vinden, op brandstof te besparen en dus optimaal te reizen.

Want net als u werkt Michelin aan het behoud van onze planeet.

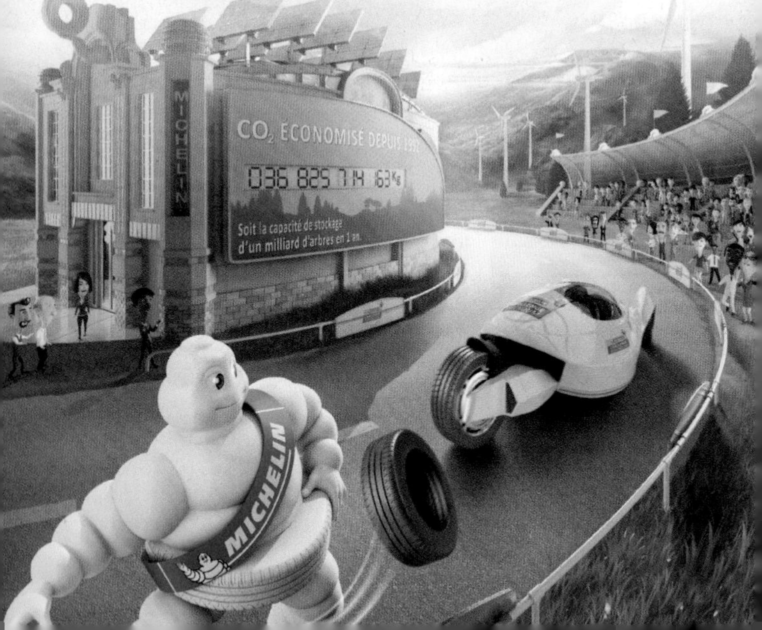

Chatten met Bibendum op

www.michelin.com/corporate/fr
Meer informatie over de nieuwste ontwikkelingen en de geschiedenis van Michelin

QUIZ

Michelin maakt banden voor allerlei soorten voertuigen
Welke band hoort waarbij?

A 1
B 2
3
C 4
D
E 5
F 6
G 7

Antwoord : A-6 / B-4 / C-2 / D-1 / E-3 / F-7 / G-5

Jupiler
Jupiler

Bertrand Rieger/Hemis.fr

Belgique
België

AALBEKE – West-Vlaanderen – **533** E18 et **716** C3 – voir à Kortrijk

AALST (ALOST) – Oost-Vlaanderen – **533** J17 et **716** F3 – 80 043 h. **17** C2
– ✉ 9300

Bruxelles 29 – Gent 34 – Antwerpen 52 – Lille 95

Grote Markt 3, ✆ 0 53 73 22 70, www.aalst.be

Collégiale St-Martin (Sint-Martinuskerk):Transept et chevet★, tabernacle★CBYA • Schepenhuis★YB

Keizershof

Korte Nieuwstraat 15 – ✆ 0 53 77 44 11
– www.keizershof-hotel.com BYx

69 ch – †120/190 € ††125/215 € – 1 suite – ½ P 85/125 €

Rest – *(fermé 9 juillet-26 août, vendredi, samedi et dimanche) (dîner seulement)* Carte 45/66 €

• Dit laat 20ste-eeuwse hotel is gebouwd rond een glazen atrium. Diverse soorten kamers, bar, fitness, sauna, goed geëquipeerde vergaderzalen en parkeergelegenheid. Restaurant in de stijl van een eigentijdse brasserie; internationale kaart.

• Hôtel de la fin du 20ᵉs. ordonné autour d'un hall-atrium à verrières. Divers types de chambres, bar, fitness sauna, salles de réunions bien équipées et facilités de parking. Restaurant au décor de brasserie contemporaine ; carte internationale.

BELGIQUE

AALST

Albrechtlaan . . . AZ 2
Alfred Nichelsstr. . . . BZ 3
Bert van Hoorickstraat . . . BY 4
Brusselsesteenweg . . . AZ 6
Burgemeesterspl. . . . BZ 5
Dendermondsesteenweg . . . AZ 8
De Gheeststr. . . . BZ 17
Dirk Martensstr. . . . BY 9
Esplanadepl. . . . BY 10
Esplanadestr. . . . BY 12
Frits de Wolfkaai . . . BY 13
Gentsesteenweg . . . AZ 15
Geraardsbergsestr. . . . AZ 16
Graanmarkt . . . BY 19
Grote Markt . . . BY 20
Heilig Hartlaan . . . AZ 21
Houtmarkt . . . BZ 23
Josse Ringoikaai . . . BY 24
Kattestr. . . . BY
Korte Zoutstr. . . . BZ 26
Lange Zoutstr. . . . BY 29
Leopoldlaan . . . AZ 30
Molendries . . . BY 31
Molenstr. . . . BY 32
Moorselbaan . . . AZ 33
Moutstr. . . . BY 34
Nieuwstr. . . . BY
Priester Daenspl. . . . BY 35
Vaartstr. . . . BY 38
Van Langenhovestr. . . . BZ 28
Varkensmarkt . . . BY 39
Vlaanderenstr. . . . BY 41
Vredepl. . . . BY 42
Vrijheidstr. . . . BY 43
Zwarte Zustersstraat . . . BY 44
1 Meistr. . . . BY 45

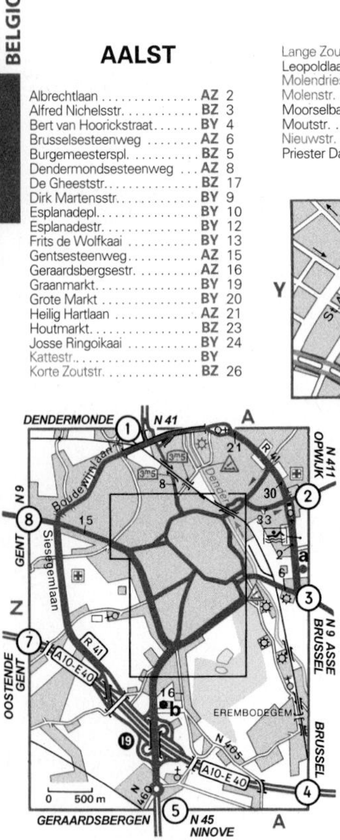

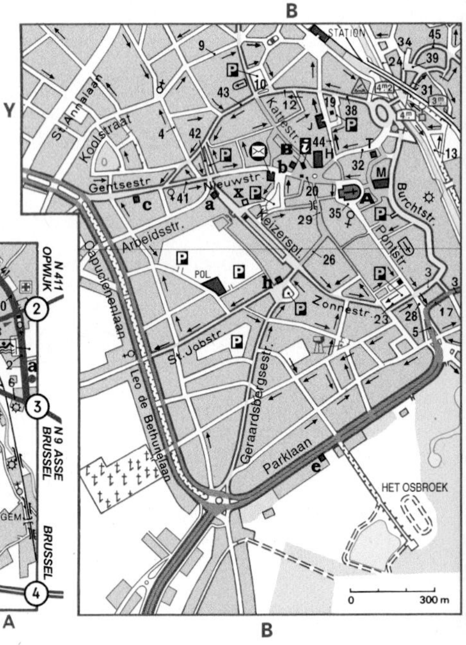

Ibis sans rest
Villalaan 20 – ✆ 0 53 71 18 19 – www.ibishotel.com AZ**b**
78 ch – 62/89 € 62/89 €, 13 €

Dit hotel staat aan de zuidkant van de stad, vlak bij de snelweg. De kamers zijn functioneel en voldoen aan de normen van de Ibisketen.

◆ Établissement de chaîne hôtelière implanté au Sud de la ville, dans le voisinage de l'autoroute. Chambres fonctionnelles conformes aux standards de l'enseigne.

't Overhamme (Patrick Bogaert)
Brusselsesteenweg 163 (par ③ : 3 km sur N 9) – ✆ 0 53 77 85 99 – www.toverhamme.be – fermé 1 semaine en janvier, 1 semaine Pâques, mi-juillet-mi-août, tous les premiers mardis du mois, samedi midi, dimanche soir et lundi
Rest – Lunch 40 € – Menu 60/70 € – Carte 57/83 €
Spéc. Cuisses de grenouilles, risotto et fines herbes, écume d'ail et parmesan. Pigeon aux légumineuses, girolles et lard (mai-juin). Clafouti et sorbet de cerises, glace au lait battu (avril-juin)

Verfijnde, eigentijdse keuken in een mooie villa met tuin en waterpartij. 's Zomers kunt u heerlijk rustig eten op het terras. Kosmopolitische wijnkelder.

◆ Fine cuisine au goût du jour servie dans une villa à fière allure agrémentée d'un jardin avec pièce d'eau. L'été, profitez du cadre reposant de la terrasse. Cave cosmopolite.

Kelderman
Parklaan 4 – ✆ 0 53 77 61 25 – www.visrestaurant-kelderman.be – fermé deuxième semaine après Pâques, dernière semaine d'août-2 premières semaines de septembre, samedi midi, mercredi et jeudi BZ**e**
Rest – Lunch 56 € bc – Menu 75/120 € bc – Carte 71/132 €

Gemoderniseerd oud pand, waar vader en zoon heerlijke vismenu's bereiden in een klassieke of meer moderne stijl. Veranda, kunstexpositie, tuin en terras met pergola.

◆ Maison ancienne modernisée, où père et fils signent de beaux menus axés sur la mer, dans un style classique ou évolutif. Véranda, expo d'art, jardin et terrasse sous la vigne.

La Tourbière
Albrechtlaan 15 – ✆ 0 53 76 96 10 – www.latourbiere.be – fermé 1 semaine carnaval, 2 dernières semaines d'août, samedi midi, dimanche soir, mardi et mercredi AZ**a**
Rest – Menu 35/105 € bc

Stijlvolle villa om te tafelen in een van de klassieke zalen of op het terras in de tuin die bevolkt wordt door konijnen, eenden en duiven. Enkel menu, all-in formule.

◆ Cette demeure élégante vous accueille dans un décor classique. En terrasse, profitez du jardin peuplé de lapins, canards et pigeons... Pas de carte (menus ou formule tout compris).

Borse van Amsterdam
Grote Markt 26 – ✆ 0 53 21 15 81 – www.borsevanamsterdam.be – fermé 16 février-1er mars, 6 au 30 août, dimanche soir, mercredi soir et jeudi
Rest – Lunch 13 € – Menu 34/48 € – Carte 34/63 € BY**b**

Karakteristieke gevel met klokkentoren, barokfrontons en zuilengalerij voor dit 17e-eeuwse monument, waar vroeger de rederijkerskamer bijeenkwam. Gerenoveerde eetzalen.

◆ Façade de caractère avec campanile à bulbe, frontons baroques et galerie à arcades (terrasse) pour ce monument du 17e s. où siégeait jadis la chambre de rhétorique. Salles rénovées.

Mooi weer ? Laten we buiten op het terras eten:

BELGIQUE

XX **Tang's Palace**

Korte Zoutstraat 51 – 0 53 78 77 77 – www.tangspalace.be – fermé jeudis non fériés BZ**h**

Rest – Lunch 11 € – Menu 26/50 € – Carte 17/63 €

◆ Dit Chinese restaurant met sfeervol interieur is al meer dan 20 jaar een begrip in Aalst. Specialiteit: Tik-Pan (aan tafel bereid in gietijzeren schalen). Onklopbare lunch!

◆ Resto chinois au cadre clair et sobre, connu en ville depuis plus de 20 ans. Produits hyper-frais, spécialité de Tik pan (cuisson à table sur plat en fonte). Lunch imbattable !

XX **So**

Keizersplein 1 – 0 53 70 05 55 – www.so-resto.be – fermé carnaval et samedi midi BY**a**

Rest – Lunch 19 € – Menu 30/60 € – Carte 41/78 €

◆ De aantrekkingskracht van dit adresje is vooral het trendy interieur en de zuidelijk aandoende binnenplaats, waar de gasten in strandhokjes in alle privacy kunnen eten.

◆ Une table qui plaît pour son intérieur très "fashion" et sa cour-terrasse à l'ambiance "Sud", où plusieurs cabines de plage privatives permettent de manger en toute intimité.

X **Het Verschil**

Gentsestraat 70 – 0 474 98 16 98 – www.hetverschil.com – fermé 1er au 17 août, fin décembre, mercredi soir, samedi midi et dimanche BY**c**

Rest – Lunch 21 € – Menu 35/50 € – Carte 34/61 €

◆ Hedendaagse creatie of oerdegelijke klassieker: ze worden hier allebei bereid met dezelfde drive en vaak een schalkse knipoog. De americain en het stoofvlees zijn hier de plat préféré!

◆ Créatifs ou classiques, les plats sont toujours préparés avec dynamisme, voire une touche d'humour. Le tartare de bœuf et les carbonades emportent les faveurs des habitués.

BELGIQUE

à Erondegem par ⑧ : 6 km – Erpe-Mere 19 425 h. – ✉ 9420

Bovendael rest, rest,

Kuilstraat 1 – 0 53 80 53 66 – www.bovendael.com – fermé dernière semaine de décembre

20 ch – †75/95 € ††92/108 € – ½ P 96/116 €

Rest – *(fermé carnaval et 2 dernières semaines de juillet)* Lunch 35 € bc – Menu 45/57 € bc – Carte 34/52 €

◆ Hotel dat door een familie wordt gerund; bij de kerk. De kamers op de bovenverdieping zijn gerenoveerd, maar minder ruim en rustig dan die in de nieuwe dependance aan de tuinzijde. Traditioneel restaurant waar wielervedetten klant aan huis zijn tijdens de voorjaarsklassiekers.

◆ Hôtel familial voisinant avec l'église. Deux types de chambres : rajeunies à l'étage, mais un peu moins amples et calmes que celles de la nouvelle annexe côté jardin. Table traditionnelle où défilent les vedettes du cyclisme lors des classiques du printemps.

à Moorsel Nord-Est : 5 km – Aalst – ✉ 9310

XX **De Biek** avec ch ch,

Dorp 3 – 0 53 60 76 40 – www.hostelleriedebiek.be – fermé 25 juillet-5 août

11 ch – †70/75 € ††100 € – ½ P 78 €

Rest – *(fermé samedi midi, dimanche soir et lundi)* Lunch 35 € – Menu 52/63 € – Carte 53/78 €

◆ Voormalige kleine brouwerij, verbouwd tot restaurant waar verzorgde hedendaagse gerechten, gebaseerd op traditie, worden geserveerd. Zeer mooie actuele kamers met functioneel comfort.

◆ Ancienne brasserie transformée en restaurant, où l'on peut apprécier une cuisine soignée qui puise ses racines dans la tradition. La partie hôtel abrite de très jolies chambres, au décor actuel et au confort bien pensé.

AALTER – Oost-Vlaanderen – 533 F16 et 716 D2 – 19 501 h. – ✉ 9880 16 A2

▶ Bruxelles 73 – Gent 24 – Brugge 28

Orchidee

Aard 1 – ✆ 0 9 216 81 60 – www.hotelorchidee.be

27 ch – †70/120 € ††75/125 €, ☕ 13 € – 3 suites – ½ P 87 €

Rest – *(fermé 3 premières semaines de janvier, samedi midi et dimanche)* Menu 25/32 € – Carte 23/47 €

◆ Modern hotel aan de rand van Aalter, tegenover een groot (gratis) parkeerterrein. Kamers op drie verdiepingen, lobby met bar, sauna in de kelder. Fietsen beschikbaar. Klassieke maaltijd in een fris en eigentijds interieur, met veel licht door de glaspuien.

◆ Hôtel moderne à l'entrée d'Aalter, face à un grand parking public gratuit. Trois étages de chambres, lobby-bar, sauna au sous-sol, vélos disponibles. Repas classique dans un cadre actuel frais, éclairé le jour par de larges baies vitrées.

Bacchus

Aalterweg 10 (Nord : 5,5 km sur N 44) – ✆ 0 9 375 04 85 – www.restaurantbacchus.be – fermé 2 dernières semaines d'août, dimanche soir, mardi soir et mercredi

Rest – Lunch 30 € – Menu 35/58 € – Carte 48/69 €

◆ Moderne, lichte eetzaal, klassieke keuken die zich geleidelijk vernieuwt, goede wijnkelder en terras met uitzicht op de fraaie tuin en het hertenkamp van de eigenaar.

◆ Cadre actuel clair en salle, cuisine classique se renouvelant à petits pas, cave bien tournée et terrasse donnant sur le jardin ornemental et la pâture des chevreuils du patron.

BELGIQUE

à Bellem Est : 4 km – Ⓒ Aalter – ✉ 9881

Den Duyventooren

Bellemdorpweg 68 – ✆ 0 9 371 97 23 – www.denduyventooren.be – fermé vacances de Pâques, 2 dernières semaines d'août, samedi midi, mardi soir et mercredi

Rest – Lunch 15 € – Menu 35/57 € bc – Carte 36/55 €

◆ In deze eeuwenoude kasteelhoeve met modern interieur serveert de patron klassieke gerechten met een vernieuwende toets, bereid door zijn echtgenote. Tijdig reserveren!

◆ Manoir ancien recélant un décor contemporain. La chef élabore une cuisine classique, relevée de détails originaux, tandis que son époux assure le service. Réservation conseillée.

à Lotenhulle Sud : 3 km par N 409 – Ⓒ Aalter – ✉ 9880

Lomolen

Lomolenstraat 112 – ✆ 0 486 52 21 72 – www.lomolenlogies.be

3 ch ☕ – †65/78 € ††82/98 € – ½ P 85/98 €

Rest – *(dîner pour résidents seulement)*

◆ Oude boerderij met bijgebouwen even buiten een dorp in het Meetjesland. Rustig gastenverblijf in landelijke stijl en pico bello kamers. Tuin en boomgaard.

◆ Aux abords d'un village du Meetjesland, ancienne ferme et ses dépendances, dont une paisible maison d'hôtes reconstruite en style campagnard. Chambres pimpantes. Jardin-verger.

AARLEN – Luxembourg – voir Arlon

AARSCHOT – Vlaams Brabant – 533 O17 et 716 H3 – 28 405 h. – ✉ 3200 4 C1

▶ Bruxelles 47 – Leuven 19 – Antwerpen 42 – Hasselt 41

⛳ Leuvensesteenweg 252, au Sud : 10 km à Sint-Joris-Winge, ✆ 0 16 63 40 53

's Hertogenmolens

Demerstraat 1a – ✆ 0 16 74 52 40 – www.hertogenmolens.be – fermé 23 au 31 décembre

25 ch – 90/160 € 99/160 €

Rest – ✆ 0 16 44 86 01 – Menu 16/35 € – Carte 30/56 €

◆ Keer terug naar de eenvoud van vroeger in de sobere maar aardige kamers van deze voormalige watermolen. De kamers in de aanbouw hebben een minder authentieke uitstraling. Restaurant in brasseriestijl.

◆ Retour à la simplicité d'antan dans les chambres sobres mais agréables de cet ancien moulin à eau, même si celles de l'annexe offrent un peu moins d'authenticité. Restaurant de type brasserie.

De Gouden Muts

Jan Van Ophemstraat 14 – ✆ 0 16 56 26 08 – www.degoudenmuts.be – fermé samedi midi, mardi et mercredi

Rest – Lunch 28 € – Menu 38/95 € bc – Carte 61/71 €

◆ Dit oude herenhuis bij de kapittelkerk is vanbinnen gemoderniseerd. Ruime eetzaal, eigentijdse kaart, goede ontvangst door de bazin en terras op de binnenplaats.

◆ Près de la collégiale, maison ancienne modernisée au-dedans. Salle spacieuse dotée de sièges en fibre tressée, terrasse sur cour, carte actuelle et bon accueil de la patronne.

De Gelofte

Begijnhof 19 – ✆ 0 16 57 36 75 – www.degelofte.be – fermé 19 au 26 février, 1er au 9 avril, 19 au 31 août, samedi midi, dimanche et mercredi

Rest – Lunch 29 € – Menu 45/60 € – Carte 58/90 €

◆ Fraai verbouwde begijnenwoning met een romantische toets: licht parket, grijze muren, sfeerlicht en slechts 6 tafels. De keuken is klassiek met een vleugje modern. Goed beschut terras.

◆ Un joli béguinage relooké avec une touche romantique : parquet clair, murs gris, ambiance tamisée… et seulement six tables ! Cuisine classique avec des touches modernes. Terrasse bien abritée.

BELGIQUE

à Langdorp Nord-Est : 3,5 km – C Aarschot – ✉ 3201

De Meren sans rest

Merenstraat 40 – ✆ 0 16 56 99 82 – www.demeren.com

5 ch – 60/70 € 80/90 €

◆ Dit B&B in de bossen biedt rust en kalmte in een modern interieur. Twee kamers aan de achterkant hebben een terras met uitzicht op de natuur. Aangename lounge.

◆ Ce bed and breakfast à dénicher parmi les bois offre calme et repos dans un cadre moderne. À l'arrière, deux chambres ont une terrasse tournée vers la nature. Salon agréable.

Green

Diepvenstraat 2, (Gasthof Ter Venne) – ✆ 0 16 56 43 95 – www.tervenne.be/green – fermé dimanche soir, mardi et mercredi

Rest – Lunch 30 € – Menu 42/85 €

◆ Restaurant met gemoderniseerd interieur, gehuisvest in een oude graanschuur met rieten dak in een bosrijke omgeving. Eigentijdse keuken. Aparte ruimte voor groepen.

◆ Table aux abords boisés occupant une ancienne grange à toit de chaume rajeunie intérieurement dans l'esprit design. Cuisine d'aujourd'hui. Espaces pour banquets et séminaires.

AARTSELAAR – Antwerpen – **533** L16 et **716** G2 – voir à Antwerpen, environs

---

AAT – Hainaut – voir Ath

ACHEL – Limburg – **533** R15 et **716** J2 – voir à Hamont-Achel

---

AFSNEE – Oost-Vlaanderen – **533** H16 – voir à Gent, périphérie

---

ALBERTSTRAND – West-Vlaanderen – **533** E14 et **716** C1 – voir à Knokke-Heist

ALLE – Namur – Ⓒ Vresse-sur-Semois 2 853 h. – **534** O23 et **716** H6 **15** C3 – ✉ 5550

Bruxelles 163 – Namur 104 – Bouillon 25

Hostellerie Le Charme de la Semois

r. Liboichant 12 – ☎ 0 61 50 80 70 – www.charmedelasemois.be

22 ch – 80/95 € 110/140 € – ½ P 115/130 €

Rest ***Le Charme de la Semois*** – voir la sélection des restaurants

◆ Cette agréable auberge porte bien son nom ! Point de départ idéal pour faire de belles balades le long de la rivière voisine. Parfait pour un authentique séjour ardennais, le tout dans une ambiance chaleureuse.

◆ Deze bekoorlijke hostellerie heeft haar naam niet gestolen, en laat u ten volle proeven van de charme van de rivier die er voorbijstroomt. De huiselijke sfeer waarin u ontvangen wordt, past perfect voor een authentiek verblijf in de Ardennen.

Hostellerie Fief de Liboichant

r. Liboichant 44 – ☎ 0 61 50 80 30 – www.lefiefdeliboichant.be – fermé janvier-mars sauf week-end, 24 juin-2 juillet et troisième semaine de septembre

24 ch – 60 € 90 € – ½ P 100 €

Rest – Menu 29/73 € bc – Carte 35/49 €

◆ Voilà un fief où il fait bon entrer ! De nombreuses fenêtres et une verrière trouent la façade de pierres anciennes ; les chambres, peu à peu rénovées, donnent sur le jardin ou la Semois. Véranda et jeux pour les enfants. Salle à manger classique, à l'image de la cuisine du chef. Terrasses devant et derrière.

◆ Oude herberg met een moderne glaswand aan de voorkant, tussen een beboste helling en de Semois. Oude en gerenoveerde kamers, serre en tuin met speeltoestellen. Klassieke eetzaal, net als de kookstijl van de chef. Terrassen voor en achter.

Le Charme de la Semois – Hôtel Hostellerie Le Charme de la Semois

r. Liboichant 12 – ☎ 0 61 50 80 70 – www.charmedelasemois.be

Rest – Menu 35/45 € – Carte 28/72 €

◆ Dans un cadre naturel et verdoyant, cet établissement propose une cuisine d'inspiration française. Et pour la touche belge, le chef est un fier ambassadeur de la bière régionale d'Orval, qu'il associe à bon nombre de ses plats.

◆ De Frans geïnspireerde gerechten zijn een prima culinaire omlijsting voor wie hier van de natuur komt genieten. De chef is een trotse ambassadeur van Orval, het bier uit de streek, en verfijnt er dan ook graag zijn gerechten mee.

ALOST – Oost-Vlaanderen – voir Aalst

AMAY – Liège – **533** Q19, **534** Q19 et **716** I4 – 13 557 h. – ✉ 4540 **8** B2

Bruxelles 95 – Liège 29 – Namur 50 – Maastricht 59

Frédéric Catoul

r. Trois Sœurs 14a – ☎ 0 85 31 60 67 – www.frederic-catoul.be – fermé samedis midis, dimanches soirs, lundis non fériés et après 20 h 30

Rest – Menu 40/65 €

◆ Bungalow dont la charmante terrasse-véranda "Louisiane" ouvre sur le jardin. Gastronomie moderne aux élans créatifs. Menu homard toute l'année. Toiles peintes par le chef-patron.

◆ Bungalow met veranda in Louisiana-stijl en tuin. Moderne gastronomie met een creatief elan. Kreeftmenu het hele jaar. De schilderijen zijn van de eigenaar, die tevens kookt.

ANDERLECHT – Bruxelles-Capitale – **533** K17 et **716** F3 – voir à Bruxelles

---

ANDRIMONT – Liège – **533** U19, **534** U19 et **716** K4 – voir à Verviers

---

ANGLEUR – Liège – **533** S19 et **534** S19 – voir à Liège, périphérie

---

ANHÉE – Namur – **533** O21, **534** O21 et **716** H5 – 7 034 h. – ✉ 5537 **15** C2

Bruxelles 85 – Namur 24 – Charleroi 51 – Dinant 7

à l'Ouest : Vallée de la Molignée★

 **Les Jardins de la Molignée** 

rte de la Molignée 1 – ✆ 0 82 61 33 75 – www.jardins.molignee.com

50 ch – †66 € ††76 €, ☕ 13 € – 2 suites – ½ P 89 €

Rest – *(fermé 23 décembre-9 février et mercredi et jeudi sauf en juillet-août)* Lunch 19 € – Menu 31 € – Carte 35/46 €

♦ Une ancienne forge, une ferme et un petit château transformés en un hôtel-restaurant accueillant... Une étape traditionnelle idéale pour partir à la découverte de la vallée de la Molignée.

♦ De vallei van de Molignée laat zich graag ontdekken vanuit dit gastvrije complex. Een oude smidse en boerderij werden samen met een klein kasteeltje omgevormd tot aangename slaap- en eetgelegenheden. Traditionele kaart in het restaurant.

ANS – **Liège** – **533** S19, **534** S19 **et 716** J4 – **voir à Liège, environs**

ANSEREMME – **Namur** – **533** O21, **534** O21 **et 716** H5 – **voir à Dinant**

BELGIQUE

ANTWERPEN *Anvers*

1 B2

© Atlantide S.N.C./Age fotostock

BELGIQUE

🄿 – **Antwerpen** – **483 505 h.** – ✉ **2000** – **533** L15 **et 716** G2

▶ Bruxelles 47 – Amsterdam 159 – Luxembourg 261 – Rotterdam 103

Office de Tourisme

Grote Markt 13, ✆ 0 3 232 01 03, www.antwerpen.be

Fédération provinciale de tourisme Koningin Elisabethlei 16, ✉ 2018, ✆ 0 3 240 63 73, www.tpa.be

Quelques golfs

- 9 Miksebaan 248, au Nord : 11 km à Brasschaat, ✆ 0 3 653 10 84
- 9 Drie Eikenstraat 510, au Sud : 9 km à Edegem, ✆ 0 3 228 51 10
- 18 Kasteel Cleydael, Groenenhoek 7, au Sud : 10 km à Aartselaar, ✆ 0 3 887 00 79
- 27 Torenlei 1a, au Nord : 15,5 km à Kapellen, ✆ 0 3 666 84 56
- 27 Kasteel Bossenstein, Moor 16, à l'Est : 13 km par N 116 à Broechem, ✆ 0 3 485 64 46
- 27 Uilenbaan 15, à l'Est : 10 km à Wommelgem, ✆ 0 3 355 14 30
- 36 St-Jobsteenweg 120, à l'Est : 13 km à 's Gravenwezel, ✆ 0 3 380 12 80

Aéroport

- Bruxelles-aéroport national à Zaventem, ✆ 0 2 753 77 53
- Deurne-aéroport Antwerpen, ✆ 0 3 285 65 00

A VOIR

Vieux centre★★★ : Grand-Place★(Grote Markt)1FY, Vlaaikensgang★1FY, Cathédrale★★★ et sa tour★★★1FY, Maison des Bouchers★ (Vleeshuis)1FYD • Maison de Rubens★★ (Rubenshuis)1GZ • Intérieur★ de l'église St-Jacques(St-Jacobskerk)1GY • Place Hendrik Conscience★1GY • Église St-Charles-Borromée★(St-Carolus Borromeuskerk)1GY • Intérieur★★ de l'église St-Paul★(St-Pauluskerk)1FY • Jardin zoologique★★(Dierentuin)5DEU • Quartier Zurenborg★★5EV • Eglise St-André★1FZ • Gare centrale★5DU

Musées : de la Marine «Steen»★(Nationaal Scheepvaartmuseum)1FY • Aquatopia★5DU • Plantin-Moretus★★★1FZ • Mayer van den Bergh★★ : Margot l'enragée★★(De Dulle Griet)1GZ • Maison Rockox★(Rockoxhuis)1GY**M**[4] • Royal des Beaux-Arts★★★(Koninklijk Museum voor Schone Kunsten)4CV**M**[5] • de la Photographie★(Museum voor Fotografie) 4CV**M**[6] • de Sculpture en plein air Middelheim★(Openluchtmuseum voor Beeldhouwkunst)3BS • de l'Argenterie★(Provinciaal Museum Zilvercentrum)3BR**M**[10] • de la Mode★★(Modemuseum)1FZ • du Diamant★(Diamantmuseum)5DEU**M**[8]

Liste alphabétique des hôtels
Alfabetische lijst van hotels
Alphabetische liste der Hotels
Index of hotels

Liste alphabétique des restaurants
Alfabetische lijst van restaurants
Alphabetische liste der restaurants
Index of restaurants

BELGIQUE

Quartier Ancien

Hilton

Groenplaats 32 – ✆ 0 3 204 12 12 – www.antwerp.hilton.com 1FZ**m**
210 ch – ♂159/399 € ♂♂159/399 €, ☕ 25 € – 12 suites
Rest *Brasserie Terrace Café* – voir la sélection des restaurants

◆ Luxehotel in de voormalige Grand Bazar, een prachtig gebouw uit de vroege 20e eeuw. Schitterende balzaal, suites aan de stadskant en kamers aan de binnenplaats.

◆ Hôtel de luxe aménagé en 1994 dans l'ex-Grand Bazar : un superbe édifice du début du 20ᵉs. Fastueuse salle de bal Belle Époque, suites côté ville et chambres côté cour.

De Witte Lelie sans rest

Keizerstraat 16 – ✆ 0 3 226 19 66 – www.dewittelelie.be 1GY**z**
8 ch – ♂225/295 € ♂♂265/295 €, ☕ 25 € – 3 suites

◆ Dit rustige kleine 'grand hotel' paart ouderwetse charme aan modern design. Persoonlijk onthaal. De kamers worden met oog voor detail geleidelijk opgeknapt. Ontbijt in vintage decor bij de open keuken of op de patio.

◆ Paisible petit "grand hôtel" alliant charme ancien et design moderne. Accueil personnalisé, chambres peu à peu refaites avec le sens du détail, breakfast dans un décor "vintage" près de la cuisine ouverte ou l'été au patio.

BELGIQUE

Julien sans rest

Korte Nieuwstraat 24 – ✆ 0 3 229 06 00 – www.hotel-julien.com
– *fermé dernière semaine de juillet-première semaine d'août* 1GY**a**
22 ch ☕ – ♂195/295 € ♂♂195/295 €

◆ Dit juweeltje ligt achter de koetspoort... Toegewijd personeel, gezellige sfeer, verfijnd interieur en parels van kamers in Scandinavisch design. Spa en intieme sauna. Wie, zoals hier, vanop het dakterras de kathedraal kan bewonderen, ervaart ten volle de vibe van 't stad!

◆ Une véritable perle dissimulée derrière une porte cochère : accueil prévenant, atmosphère intime, et des chambres de style scandinave vraiment raffinées. Ne manquez pas le spa aménagé dans les caves du 16e s. Du toit-terrasse, vue époustouflante sur la cathédrale.

't Sandt sans rest

Zand 17 – ✆ 0 3 232 93 90 – www.hotel-sandt.be 1FZ**w**
28 ch ☕ – ♂150/185 € ♂♂170/205 € – 1 suite

◆ Attente service, sfeervolle kamers, congresfaciliteiten, patio en dakterras in dit fraaie oude pand met rococogevel bij de kaden langs de Schelde.

◆ Service aux petits soins, chambres de caractère, espaces pour séminaires, patio et toit-terrasse en cette belle demeure ancienne à façade rococo proche des quais de l'Escaut.

Theater

rest,

Arenbergstraat 30 – ✆ 0 3 203 54 10 – www.vhv-hotels.be 1GZ**t**
122 ch – ♂115/225 € ♂♂137/247 €, ☕ 20 € – 5 suites – ½ P 143 €
Rest – *(fermé 16 juillet-17 août et 21 décembre-2 janvier) (dîner seulement)*
Menu 33/54 € – Carte 35/49 €

◆ Modern zakenhotel, strategisch gelegen tussen de schouwburg, musea en luxewinkels, dus ook ideaal voor een citytrip. Kamers van twee generaties, cosy lounge en vergaderzalen. Sfeervolle eetzaal met parket en smeedijzeren meubelen. Kosmopolitische kaart.

◆ Cet hôtel moderne jouit d'une situation stratégique, entre théâtre, musées et boutiques de luxe : idéal pour un voyage d'affaires comme pour un week-end urbain ! Carte internationale au restaurant.

Standing : verwacht niet dat de dienst in een ✗ of een ⌂ dezelfde is als ✗✗✗✗✗ of een ⌂⌂⌂⌂.

ANTWERPEN

Street	Square	No.
Gildekamerstr.	FY	68
Groenplaats	FZ	
Handschoenmarkt	FY	82
Klapdorp	GY	
Korte Gasthuisstr.	GZ	112
Maria Pijpelinckxstr.	GZ	127
Meir	GZ	
Nationalestr.	FZ	
Oude Koornmarkt	FYZ	147
Paardenmarkt	GY	
Repenstr.	FY	168
Schoenmarkt	FZ	
Sint-Jansvliet	FZ	184
Sint-Rochusstr.	FZ	189
Steenhouwersvest	FZ	193
Twaalf Maandenstr.	GZ	199
Veemarkt	FY	201
Vlasmarkt	FYZ	205
Vleeshouwersstr.	FY	206
Vrijdagmarkt	FZ	213
Wisselstr.	FY	214
Zirkstr.	FY	216
Zwartzusterstr.	FY	217

ANTWERPEN

Street	Grid	No.
Antwerpsesteenweg	**AS**	
Antwerpsestr.	**BS**	7
Aug. van de Wielelei	**BR**	9
Autolei	**BR**	10
Beatrijslaan	**BR**	
Berkenlaan	**BS**	13
Bisschoppenhoflaan	**BR**	
Blancefloerlaan	**AR**	
Boomsesteenweg	**BS**	
Borsbeeksesteenweg	**BS**	
Bosuilbaan	**BQ**	18
Bredabaan	**BQ**	
Calesbergdreef	**BQ**	30
Charles de Costerlaan	**ABR**	
Churchilllaan	**BQ**	34
Delbekelaan	**BQ**	40
Deurnestr.	**BS**	42
de Bruynlaan	**BS**	28
de Robianostr.	**BS**	169
Doornstr.	**BS**	
Drakenhoflaan	**BS**	45
Edegemsestr.	**BS**	46
Eethuisstr.	**BQ**	48
Elisabethlaan	**BS**	49
Frans Beirenslaan	**BRS**	
Gallifortlei	**BR**	61
Gitschotellei	**BS**	
Groenenborgerlaan	**BS**	73
Groenendaallaan	**BQ**	75
Groot Hagelkruis	**BQ**	76
Grotesteenweg	**BS**	
Guido Gezellelaan	**BS**	78
Herentalsebaan	**BR**	
Horstebaan	**BQ**	
Hovestr.	**BS**	85
Ijzerlaan	**BQ**	87
Ing. Menneslaan	**BQ**	88
Jan van Rijswijcklaan	**BS**	93
Jeurissensstr.	**BQ**	94
Juul Moretuslei	**BS**	
Kapelsesteenweg	**BQ**	99
Kapelstr.	**AS**	100
Koningin Astridlaan	**AR**	108
Krijgsbaan	**AR**	
Lakborslei	**BR**	115
Langestr.	**AS**	
Liersesteenweg	**BS**	
Luitenant Lippenslaan	**BR**	126
Mechelsesteenweg (MORTSEL)	**BS**	
Merksemsebaan	**BQR**	132
Mussenhœvelaan	**BS**	
Noorderlaan	**BQ**	
Oosterveldlaan	**BS**	139
Oude Barreellei	**BQ**	144
Oude Godstr.	**BS**	145
Pastoor Coplaan	**AR**	150
Prins Boudewijnlaan	**BS**	
Provinciesteenweg	**BS**	160
Scheldelaan	**AQ**	
Schotensteenweg	**BR**	177
Sint-Bernardsesteenweg	**ABS**	
Statielei	**BS**	190
Statiestr. (ZWIJNDRECHT)	**AR**	192
Stenenbrug	**BR**	195
Turnhoutsebaan (DEURNE)	**BR**	198
Veltwijcklaan	**BQ**	
Vordensteinstr.	**BQ**	210
Vredebaan	**BS**	211

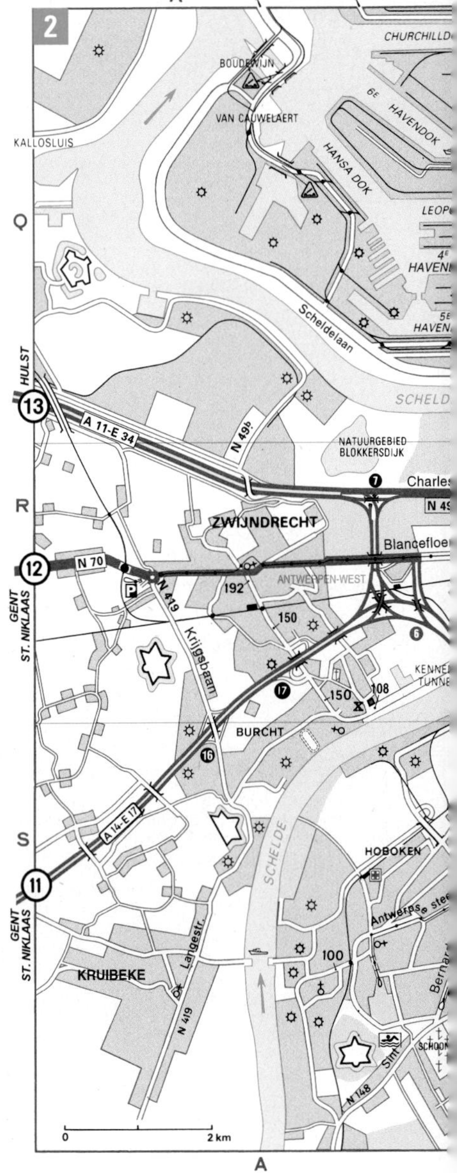

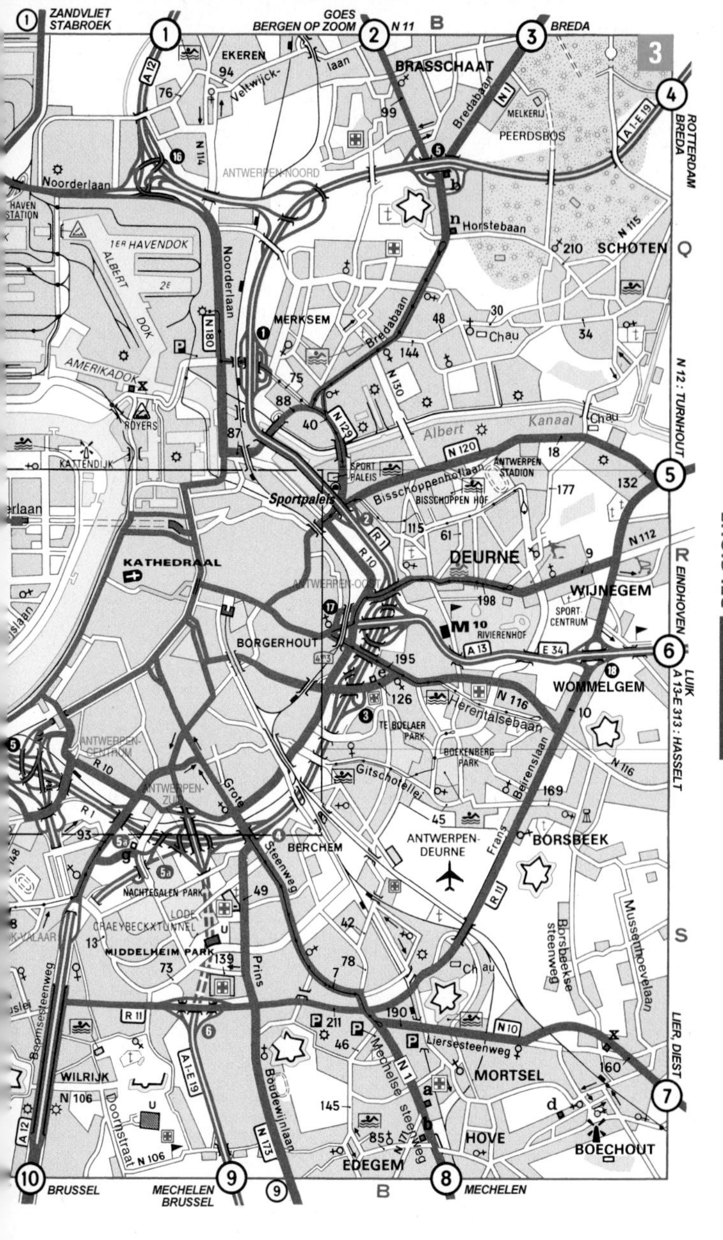

ZANDVLIET STABROEK
GOES
BERGEN OP ZOOM
N 11
BREDA
3
ROTTERDAM BREDA
EKEREN
BRASSCHAAT
MELKERIJ
PEERDSBOS
ANTWERPEN-NOORD
Noorderlaan
HAVEN STATION
1ER HAVENDOK
ALBERT DOK
Horstebaan
SCHOTEN
MERKSEM
Bredabaan
AMERIKADOK
ROYERS
KATTENDIJK
Albert Kanaal
N 12 : TURNHOUT
SPORT PALEIS
ANTWERPEN STADION
Sportpaleis
Bisschoppenhoflaan
BISSCHOPPEN HOF
KATHEDRAAL
DEURNE
WIJNEGEM
SPORT CENTRUM
RIVIERENHOF
BORGERHOUT
EINDHOVEN
LUIK A 13-E 313 : HASSELT
WOMMELGEM
Herentalsebaan
TE BOELAER PARK
BOEKENBERG PARK
ANTWERPEN-CENTRUM
ANTWERPEN-ZUID
Gitschotellei
Beirenslaan
BORSBEEK
ANTWERPEN-DEURNE
BERCHEM
NACHTEGALEN PARK
CRAEYBECKXTUNNEL
MIDDELHEIM PARK
Borsbeekse steenweg
Mussenhoevelaan
Liersesteenweg
MORTSEL
WILRIJK
Doornstraat
Boudewijnlaan
Mechelse steenweg
HOVE
BOECHOUT
EDEGEM
LIER, DIEST
BRUSSEL
MECHELEN BRUSSEL
MECHELEN
BELGIQUE

ANTWERPEN

Amsterdamstr. .... DT 4
Ankerrui .... DT 6
Ballaerst. .... DV 12
Borsbeekbrug .... EX 16
Brialmontlei .... DV 21
Britselei .... DV 22
Broederminstr. .... CV 24
Brouwersvliet .... DT 25
Brusselstr. .... CV 27
Carnotstr. .... EU
Cassiersstr. .... DT 31
Charlottalei .... DV 33
Cockerillkaai .... CV 36
Cogels-Osylei .... EV 37
Cuperusstr. .... EV 38
Dambruggestr. .... ETU 39
de Gerlachekaai .... CV 67
de Keyserlei .... DU 103
Diksmuidelaan .... EX 43
Emiel Banningstr. .... CV 51
Emiel Vloorsstr. .... CX 52
Erwtenstr. .... ET 55
Falconpl. .... DT 58
Franklin Rooseveltpl. .... DU 60
Gemeentestr. .... DU 63
Gen. Armstrongweg .... CX 64
Gen. van Merlenstr. .... EV 65
Gerard Le Grellelaan .... DX 66
Gillisplaats .... CV 69
Gitschotellei .... EX 70
Graaf van Egmontstr. .... CV 72
Haantjeslei .... CDV 79
Halenstr. .... ET 81
Hessenpl. .... DT 84
Jan de Voslei .... CX 90
Jan van Gentstr. .... CV 91
Jezusstr. .... DU 96
Justitiestr. .... DV 97
Kasteelpleinstr. .... DV 102
Kloosterstr. .... CU 105
Kol. Silvertopstr. .... CX 106
Koningin Astridpl. .... DEU 109
Koningin Elisabethlei .... DX 110
Korte Winkelstr. .... DTU 114
Lambermontplaats .... CV 116
Lange Winkelstr. .... DT 118
Leopold de Waelpl. .... CV 120
Leopold de Waelstr. .... CV 121
Leysstr. .... DU 123
Londenstr. .... DT 124
Maria Henriettalei .... DV 125
Marnixplaats .... CV 129
Mercatorstr. .... DEV 130
Namenstr. .... CV 133
Offerandestr. .... EU 136
Ommeganckstr. .... EU 138
Orteliuskaai .... DT 141
Osystr. .... DU 142
Oude Leeuwenrui .... DT 148
Pelikaanstr. .... DU 151
Plantinkaai .... CU 153
Ploegstr. .... EU 154
Posthofbrug .... EX 157
Prins Albertlei .... DX 159
Provinciestr. .... EUV 162
Pyckestr. .... CX 163
Quellinstr. .... DU 165
Quinten Matsijslei .... DUV 166
Rolwagenstr. .... EV 171
Schijnpoortweg .... ET 174
Simonsstr. .... DEV 178
Sint-Bernardsesteenweg .... CX 180
Sint-Gummarusstr. .... DT 181
Sint-Janspl. .... DT 183
Sint-Jozefsstr. .... DV 186
Sint-Michielskaai .... CU 187
Turnhoutsebaan (BORGERHOUT) . EU
van Aerdtstr. .... DT 3
van Breestr. .... DV 19
van den Nestlei .... EV 135
van Schoonhovestr. .... DEU 175
Viaduct Dam .... ET 202
Viséstr. .... ET 204
Volksstr. .... CV 207
Vondelstr. .... DT 208
Waterloostr. .... EV 218

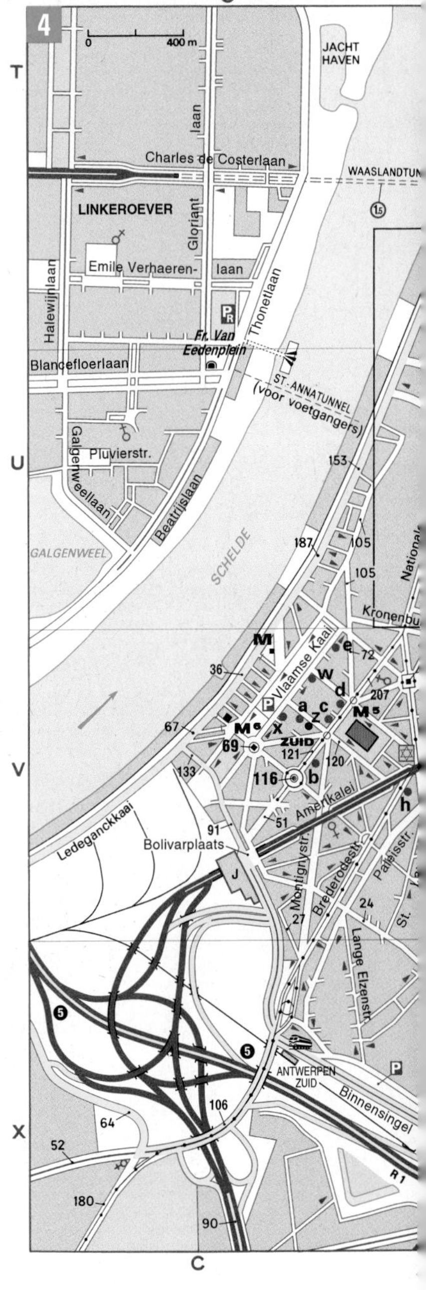

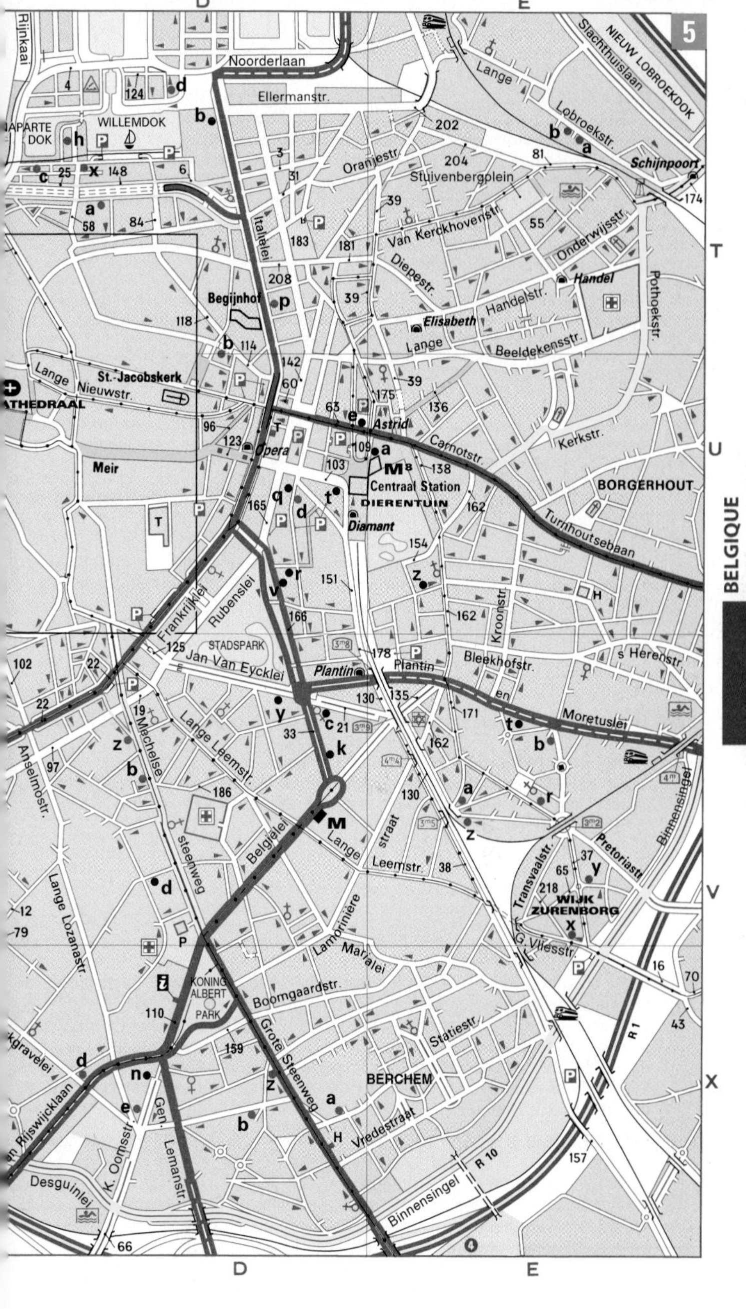

D
E
5
Noorderlaan
Ellermanstr.
WILLEMDOK
Rijnkaai
NIEUW LOBROEKDOK
Slachthuislaan
Lange
Lobroekstr.
Schijnpoort
Oranjestr.
Stuivenbergplein
Van Kerckhovenstr.
Onderwijsstr.
Italielei
Diepestr.
Handel
Handelstr.
Pothoekstr.
Begijnhof
Elisabeth
Lange
Beeldekensstr.
St.-Jacobskerk
Lange Nieuwstr.
Meir
Opera
Astrid
Carnotstr.
Kerkstr.
Centraal Station
DIERENTUIN
Diamant
BORGERHOUT
Turnhoutsebaan
Rubenslei
Frankrijklei
STADSPARK
Jan Van Eycklei
Plantin
Plantin
Bleekhofstr.
s Herenstr.
Kroonstr.
Moretuslei
Lange Leemstr.
Mechelse steenweg
Anselmostr.
Belgiëlei
Lange Leemstr.
straat
Lamorinière
Marialei
Pretoriastr.
Transvaalstr.
WIJK ZURENBORG
G. Vliesstr.
Binnensingel
Lange Lozanastr.
KONING ALBERT PARK
Boomgaardstr.
Grote Steenweg
Statiestr.
BERCHEM
Vredestraat
R 1
R 10
Binnensingel
Desguinlei
K. Oomsstr.
Gen. Lemanstr.
Rijswijcklaan
T
U
V
X
BELGIQUE

Les Nuits ch,

Lange Gasthuisstraat 12 – 0 3 225 02 04 – www.hotellesnuits.be 1GZ**b**

24 ch – 139 € 139 €, 17 €

Rest – *(fermé dimanche et jours fériés)* Lunch 18 € – Menu 39/55 € – Carte env. 34 €

◆ Met de Flamantwinkel eronder kon ook dit hotel niet anders dan chic en een en al klasse worden. Het bekende interieurmerk wordt op de kamers op een strakke en sobere manier geïnterpreteerd en uitgevoerd in kwaliteitsmaterialen. Fijne brasseriekeuken in Flamant Dining. Een hip adres in deze trendy stad!

◆ Un hôtel chic au-dessus des magasins Flamant. Dans les chambres, des matériaux nobles et l'atmosphère élégante de la célèbre marque de décoration d'intérieur ; au restaurant Flamant Dining, une cuisine de brasserie d'une belle finesse. Une adresse branchée… dans une ville branchée !

Rubens sans rest

Oude Beurs 29 – 0 3 222 48 48 – www.hotelrubensantwerp.be 1FY**y**

35 ch – 145/230 € 145/230 € – 1 suite

◆ Patriciërshuis bij de Grote Markt. Sommige kamers hebben een privéterras. Sfeervol salon en ontbijtruimte. Bloemrijke binnenplaats met zuilengalerij. Rust gegarandeerd.

◆ Maison patricienne proche de la Grand-Place. Certaines chambres ont une terrasse côté jardin. Salon et espace breakfast chaleureux. Cour à colonnades fleurie. Quiétude garantie.

Matelote sans rest

Haarstraat 11a – 0 3 201 88 00 – www.matelote.be 1FY**g**

10 ch – 90/190 € 90/190 €, 12 €

◆ Een hotel dat is aan te raden voor de uiterst centrale ligging en het moderne interieur, dat fraai contrasteert met de 16e-eeuwse muren. Ontbijt in het restaurant ernaast.

◆ Un hôtel vraiment bien situé, à deux pas de la Grand-Place. Le décor, résolument contemporain, s'intègre à merveille dans ce bâtiment du 16e s. parfaitement conservé : une expérience originale du luxe à Anvers. Petit-déjeuner au restaurant voisin.

Prinse sans rest

Keizerstraat 63 – 0 3 226 40 50 – www.hotelprinse.be – fermé 23 au 27 décembre

32 ch – 112/120 € 135/150 € – 2 suites 1GY**b**

◆ Dit 16e-eeuwse patriciërshuis biedt ruime kamers met een eigentijds interieur. Modern ingericht, binnenplaatsen met kunstig gesnoeide buxus, het geheel straalt orde en netheid uit.

◆ Hôtel particulier du 16e s. alliant le charme à la modernité. Au retour de vos escapades anversoises, vous apprécierez les chambres spacieuses, et sans doute plus encore le caractère paisible du lieu, avec ses cours intérieures et ses buis bien taillés…

Banks sans rest

Steenhouwersvest 55 – 0 3 232 40 02 – www.hotelbanks.com 1FZ**z**

68 ch – 65/90 € 115/160 €, 15 €

◆ De Steenhouwersvest is een hub van Antwerpse gastvrijheid! De Nederlandse uitbaters bieden hier centrale, compacte kamers en minimalistisch design voor een redelijke prijs. Gratis drinks en bites rond borreltijd, receptie open tot 20 uur.

◆ L'hospitalité anversoise – même si les propriétaires sont néerlandais – s'exprime dans cet hôtel design, tout proche du centre, qui propose des chambres épurées à un prix raisonnable. On vous offre un apéritif de bienvenue à la réception, ouverte jusqu'à 20 heures.

Huis Ergo sans rest

Venusstraat 16 – 0 476 80 37 08 – www.huis-ergo.be 1GY**k**

3 ch – 210/260 € 210/260 €

◆ Van de deurknop tot de plafondschilderingen: met een indrukwekkend oog voor detail werd hier een stadspaleisje gecreëerd; een oase van verfijnde smaak en een uitgelezen uitvalsbasis voor de veeleisende citytripper.

◆ Superbe ! Dans ce véritable palais des temps modernes, chaque détail a été minutieusement pensé pour satisfaire les hôtes les plus exigeants. Épure contemporaine, mobilier chiné, toile de Jouy… Un luxe tout en discrétion pour une halte très raffinée.

BELGIQUE

Le Patio sans rest

Pelgrimsstraat 8 – ✆ 0 3 232 76 61 – www.lepatio.be – fermé août et 31 décembre 1FYd

3 ch – 100 € 105 €

◆ Bed and breakfast in een levendige voetgangersstraat, waar een Franse dame u met egards ontvangt. De kamers hebben elk hun eigen kleur en kijken uit op een rustige patio.

◆ En secteur piétonnier animé, maison d'hôte où une dame française vous reçoit avec égards. Chambres personnalisées par une couleur dominante et ouvrant sur un patio tranquille.

De Koning van Spanje ch, VISA AE

Korte Nieuwstraat 12 – ✆ 0 473 31 29 98 – www.dekoningvanspanje.be

3 ch – 115/155 € 135/155 €, 13 € 1KYz

Rest – *(dîner pour résidents seulement)*

◆ Kom tot rust in deze huiselijke B&B met rustieke flair, een welverdoende pauze na een dag Antwerpen, het fashionista-walhalla. Ondanks de uitstekende ligging, op een boogscheut van de Grote Markt, heerst hier altijd een aangename rust.

◆ Une situation idéale ! À deux pas de la Grand-Place, cette agréable maison d'hôtes – où règne une atmosphère intime – vous offrira une pause bien méritée après une journée de balade à Anvers.

't Fornuis (Johan Segers) VISA AE

Reyndersstraat 24 – ✆ 0 3 233 62 70 – fermé 17 juillet-15 août, samedi et dimanche 1FZc

Rest – *(prévenir)* Carte 65/135 €

Spéc. Sole à la rhubarbe. Tartare de bœuf à la truffe. Ris de veau aux lentilles.

◆ Fijne klassieke keuken en uitstekende wijnen in dit oude pand. De chef-kok staat al sinds 1976 achter het fornuis en geeft u in eigen persoon uitleg over zijn keuken, die in 1986 met een ster werd bekroond! Verzameling miniformuisjes beneden en rustieke zalen boven.

◆ Belle cuisine classique et cave de qualité dans cette demeure ancienne où le chef-patron, aux marmites depuis 1976, vous détaillera lui-même son offre, "étoilée" depuis 1986 ! Expo de mini-fourneaux en bas et salles rustiques en haut.

BELGIQUE

Raven AC VISA AE

Grote Markt 14 – ✆ 0 3 233 28 33 – www.restaurant-raven.be – fermé dimanche et lundi 1FYv

Rest – Lunch 34 € – Menu 45/60 €

◆ Dit karaktervolle pand aan de Grote Markt is overgenomen door een talentvolle chef-kok, die graag in de zuivere klassieke Franse traditie kookt, zij het met een snufje modern.

◆ Sur la Grand-Place, maison de caractère reprise en main par un chef doué, qui aime cuisiner dans la pure tradition classique française, en s'autorisant quelques pointes de modernité.

Het Nieuwe Palinghuis AC VISA AE

Sint-Jansvliet 14 – ✆ 0 3 231 74 45 – www.hetnieuwepalinghuis.be – fermé juin, lundi et mardi 1FZe

Rest – Lunch 39 € – Menu 50 € bc/125 € bc – Carte 32/98 €

◆ Paling is koning in dit visrestaurant maar in het seizoen is de Oosterscheldekreeft er keizer. Serre en authentieke eetzaal met nostalgische foto's van Antwerpen en de zeevaart. Curiositeit in de toiletten!

◆ L'anguille est reine dans ce restaurant de poisson, elle n'est détrônée par le homard de l'Escaut qu'en saison. Salle à manger avec véranda, agrémentée de marines et de photos anciennes d'Anvers. Tous les plaisirs de la mer du Nord…

Een goede maaltijd voor een redelijke prijs? Kijk bij de Bib Gourmand. Ze helpen u goede tafels te ontdekken die kwaliteitskeuken verbinden met aangepaste prijzen!

XX **Hofstraat 24**

Hofstraat 24 – ✆ 0 3 225 05 45 – www.hofstraat24.be – fermé 2 semaines Pâques, dernière semaine de juillet-2 premières semaines d'août, 2 semaines Noël, mercredi et dimanche **1**FY**m**

Rest – *(dîner seulement)* Carte 45/90 €

◆ Maandelijks wisselende kaart (geen menu). Lekker tafelen onder een glasdak of in twee mooie vertrekken. De ruimte met bibliotheek biedt meer privacy. De eigenaar kookt.

◆ Carte revue chaque mois (aucun menu), proposée sous un toit en verre ou dans deux pièces sympathiques dont une bibliothèque offrant plus d'intimité. Patron en cuisine.

XX **Het Gebaar** (Roger van Damme)

✿ *Leopoldstraat 24 – ✆ 0 3 232 37 10 – www.hetgebaar.be – fermé dimanche, lundi et jours fériés* **1**GZ**x**

Rest – *(déjeuner seulement) (réservation conseillée)* Carte 62/81 €

Spéc. Entrecôte et tartare de bœuf Holsteiner, croquette et pomme de terre farcie à la mayonnaise. Dame blanche création personnelle. "Twins" création au chocolat, yuzu et kalamansi.

◆ Elegant lunchrestaurant aan de rand van het botanisch park. Luxe bereidingen waarin de chef moderne invloeden verwerkt. De desserts zijn helemaal top! Doorlopend open tot 18.00 u.

◆ À l'orée du parc botanique, dans un élégant pavillon. Cuisine de tea-room de luxe que le chef enrichit d'influences modernes ; les desserts sont topissimes ! Service continu jusqu'à 18 h.

BELGIQUE

XX **Graanmarkt 13**

Graanmarkt 13 – ✆ 0 3 337 79 91 – www.graanmarkt13.be – fermé 24 décembre-1er janvier, 1er au 21 août, dimanche et lundi **1**GZ**y**

Rest – Lunch 30 € – Menu 60/80 € – Carte 50/80 €

◆ Beneden in een herenhuis in hartje Antwerpen, achter het Bourla-theater, is dit restaurant minimalistisch en trendy ingericht met een loftachtige sfeer. De heerlijke gerechten worden origineel gepresenteerd.

◆ Au cœur d'Anvers, derrière le théâtre Bourla, un loft minimaliste et branché aménagé dans l'entresol d'une maison de maître. Assiettes savoureuses, présentées avec originalité.

XX **De Godevaart**

soir

Sint-Katelijnevest 23 – ✆ 0 3 231 89 94 – www.degodevaart.be – fermé première semaine de janvier, deuxième semaine de mai, 2 premières semaines de septembre, samedi midi, dimanche et lundi **1**GY**h**

Rest – *(prévenir)* Lunch 35 € – Menu 65/115 € – Carte 61/82 €

◆ Avant-gardistische gastronomie van een jonge ambitieuze chef-kok in een oud pand met enkele authentieke elementen (stucwerk, schouw). Valet parking voor het diner.

◆ À l'avant-garde ! Un jeune chef dynamique œuvre dans cette maison ancienne, qui conserve une part de son décor d'origine (stucs, cheminée). Service voiturier le soir.

XX **Bernardin**

Sint-Jacobsstraat 17 – ✆ 0 3 213 07 00 – www.restaurantbernardin.be – fermé 1 semaine Pâques, 2 dernières semaines d'août, 25 décembre-4 janvier, samedi midi, dimanche et lundi **1**GY**d**

Rest – Menu 30/40 € – Carte 49/68 €

◆ Vanbuiten en vanbinnen gerenoveerd 17de-eeuws pand. Kies, afhankelijk van het weer, voor de sobere en moderne eetzaal of de prachtige patio in de schaduw van de St.-Jakobskerk.

◆ Maison du 17e s. rajeunie dedans comme dehors. Selon la saison et la météo, optez pour la salle au cadre sobre et moderne ou pour la ravissante cour au pied de l'église St-Jacques.

Brasserie Terrace Café - Hôtel Hilton

Groenplaats 32 – ✆ 0 3 204 12 12 – www.antwerp.hilton.com 1FZ**m**

Rest – Menu 32 € – Carte 35/68 €

◆ Het prachtige uitzicht op de kathedraal is op zich al een goede reden om hier te komen borrelen. Op het menu vindt u Belgische en internationale klassiekers.

◆ La vue sur la Grand-Place est splendide et donne envie de s'installer en terrasse pour prendre un verre... Un apéritif bien sympathique avant de se restaurer de grands classiques belges et internationaux.

InVINcible

Haarstraat 9 – ✆ 0 3 231 32 07 – www.invincible.be – fermé 1er au 9 janvier, 2 dernières semaines de septembre, samedi et dimanche 1FY**e**

Rest – Lunch 16 € – Menu 35 €

◆ Hier speelt de Franse keuken de hoofdrol, in een interessante adaptatie. In de vol-au-vent, bijvoorbeeld, is een niet te versmaden bijrol weggelegd voor zwezerik, overgoten met een krachtige gevogeltevelouté. Voor het happy end zorgt patron en barista Kenny, met een perfecte uitvoering van uw favoriete dosis cafeïne.

◆ Réellement InVINcible, le restaurant de Kenny et Wendy ! Dans le rôle principal, la cuisine, d'inspiration française. Le vol-au-vent, par exemple, donne la répartie aux ris de veau ! Le tout évidemment accompagné d'un vin de qualité. Et l'histoire finit toujours bien avec le café, Kenny étant un "barista" très réputé...

Dock's Café

Jordaenskaai 7 – ✆ 0 3 226 63 30 – www.docks.be – fermé dimanche

Rest – *(ouvert jusqu'à 23 h)* Lunch 15 € – Menu 26/50 € bc – Carte 32/77 € 1FY**h**

◆ Fascinerend scheepsinterieur vol rondingen in deze brasserie met oesterbar, die in de docks goed op zijn plaats is. Clientèle van BV's (Bekende Vlamingen), valet parking, knappe serveersters. Reserveren aanbevolen.

◆ Dans le paysage post-industriel des docks, cette brasserie a su capter le goût contemporain : décor à la Jules Verne, clientèle branchée et savoureuse cuisine terre-mer (bar à huîtres). Pensez à réserver !

BELGIQUE

Chez Raoul

Vlasmarkt 21 – ✆ 0 3 213 09 77 – www.chezraoul.be – fermé 3 semaines en juillet, mardi et mercredi 1FYZ**x**

Rest – *(dîner seulement)* Menu 50 € – Carte 48/84 €

◆ Piepkleine, sfeervolle eetzaal met suggesties op een leitje, seizoensgebonden kaart die een schare van vaste klanten erg weet te appreciëren. Keur van champagnes en digestieven.

◆ Un vrai restaurant de poche, chaleureux comme on l'aime ! Suggestions à l'ardoise et carte de saison font le bonheur des nombreux habitués. Belle sélection de champagnes et de digestifs.

Le Zoute Zoen

Zirkstraat 23 – ✆ 0 3 226 92 20 – fermé samedi midi et lundi 1FY**c**

Rest – Lunch 18 € – Menu 27/45 € – Carte 32/54 €

◆ Intiem en gezellig restaurantje, waar met liefde wordt gekookt. De vrouwelijke chef-kok heeft een voorkeur voor Belgische streekproducten. Het Zoenmenu is een aanrader!

◆ Une petite table qui ravit par son caractère intime et cosy et par sa cuisine féminine préparée avec amour, en donnant autant que possible la parole aux terroirs belges. Testez le "Zoenmenu" !

De Reddende Engel

Torfburg 3 – ✆ 0 3 233 66 30 – www.de-reddende-engel.be – fermé 19 au 28 février, mi-août-mi-septembre, samedi midi, mardi et mercredi

Rest – Menu 28/35 € – Carte 35/55 € 1FY**p**

◆ Rustiek restaurant bij de kathedraal, met specialiteiten uit de Provence en Zuidwest-Frankrijk: bouillabaisse, brandade, foie de canard, cassoulet, enz.

◆ Provence et Gascogne s'invitent à table en cette maison rustique côtoyant la cathédrale. Bouillabaisse de Marseille, brandade de Nîmes, foie de canard des Landes, cassoulet...

De Kleine Zavel

Stoofstraat 2 – ✆ 0 3 231 96 91 – www.kleinezavel.be – fermé samedi midi et lundi **1**FZ**w**

Rest – Lunch 30 € – Menu 53/70 € – Carte 44/71 €

◆ 'Vintage' houten vloer, ouderwetse toog, kale tafeltjes, wijnrekken en afscheiding van oude houten bierkratten. Laat u niet verschalken: de inrichting mag dan die van een typische Antwerpse bistro zijn, de keuken is helemaal bij de tijd!

◆ Plancher vintage, comptoir rétro, petites tables nues, étagères à vin, vieux casiers à bière en bois... Ne vous fiez pas aux apparences : ce bistrot anversois typique propose une cuisine bien de son temps !

Bij Lam & Yin (Lap Yee Lam)

Reynderstraat 17 – ✆ 0 3 232 88 38
– fermé vacances de Pâques, lundi et mardi **1**FZ**b**

Rest – *(dîner seulement) (réservation indispensable)* Carte 36/54 €

Spéc. Canard laqué. Poisson cuit vapeur au soja et gingembre. Saint-Jacques sauce chili.

◆ Minimalistische inrichting en kleine kaart, waarop versheid, originaliteit en smaak hoog in het vaandel staan. Deze Chinees breekt met de gangbare opvatting over Aziatische restaurants. Wel reserveren!

◆ Avec sa déco minimaliste et son choix réduit privilégiant fraîcheur, originalité et saveur, ce chinois tord le cou aux idées reçues sur la restauration asiatique. Réservation impérative !

BELGIQUE

Quartier du Centre et Gare

Radisson Blu Astrid

ch, rest,

Koningin Astridplein 7 ✉ 2018 – ✆ 0 3 203 12 34
– www.radissonblu.com/astridhotel-antwerp **5**DEU**e**

247 ch – †129/179 € ††129/179 €, ☕ 22 € – 3 suites

Rest – Menu 33/53 € – Carte 38/53 €

◆ Zaken, congres of privé? Dit moderne luxehotel is voor alle drie een uitstekende keuze. Het nabijgelegen Aquatopia geeft een boeiend beeld van de wereld van vissen en reptielen. Lichte en trendy brasserie met een rechtstreeks zicht op het levendige plein.

◆ Séjour pour affaires, congrès ou loisir ? Ce palace moderne offre, dans tous les cas, une prestation hôtelière sur mesure. Espace "Aquatopia" (poissons et reptiles) à visiter. Brasserie lumineuse genre cantine trendy en prise directe avec l'agitation urbaine.

Radisson Blu Park Lane

Van Eycklei 34 ✉ 2018 – ✆ 0 3 285 85 85
– www.radissonblu.com/parklanehotel-antwerp **5**DV**y**

161 ch – †99/239 € ††99/239 €, ☕ 27 € – 13 suites – ½ P 164 €

Rest – Lunch 32 € – Menu 40/75 € – Carte 33/53 €

◆ Luxehotel aan een boulevard bij een park. Kamers en suites met alle comfort, congrescentrum, loungebar met glaskoepel, zwembad met sauna en fitnessruimte. Brasserie met internationale kaart, waaronder pasta's en pizza's. Valet parking.

◆ Hôtel de standing au bord d'un boulevard longeant un parc. Chambres et suites tout confort, centre de séminaires, lounge-bar sous verrière, piscine avec fitness et sauna. À la brasserie, carte internationale incluant pâtes et pizzas. Service voiturier.

Hyllit sans rest

De Keyserlei 28 (accès par Appelmansstraat) ✉ 2018 – ✆ 0 3 202 68 00
– www.hyllithotel.be **5**DU**q**

197 ch – †120/190 € ††145/215 €, ☕ 20 € – 3 suites

◆ Hotel aan een grote winkelstraat. Attent personeel, goed uitgeruste ruime kamers, suites en junior suites, uitgebreid ontbijtbuffet, vergaderzalen, lounge en ontspanning.

◆ Dans une artère commerçante. Personnel serviable, vastes chambres, suites et junior suites bien équipées, buffet matinal extensif, salles de réunions, lounge et distractions.

Plaza sans rest
Charlottalei 49 ✉ 2018 – ✆ 0 3 287 28 70 – www.plaza.be **5**DV**k**
81 ch – †79/349 € ††79/349 €, ☕ 16 €
◆ Comfortabel familiaal hotel, voorzien van een lounge met chesterfields, grote kamers, cosy suites, een aangename ontbijtruimte en een bar.
◆ Hôtel familial propice à des nuits douillettes : chambres spacieuses et suites cosy, salon avec fauteuils Chesterfield, agréable espace petit-déjeuner et bar.

Leopold sans rest
Quinten Matsijslei 25 ✉ 2018 – ✆ 0 3 231 15 15 – www.leopoldhotels.com/antwerp **5**DU**v**
126 ch – †99/139 € ††99/139 €, ☕ 15 € – 1 suite
◆ Dit boetiekhotel bij een park, niet ver van de diamantwijk, behoort tot een keten. De kamers en openbare ruimten zijn modern ingericht. Vergaderzalen.
◆ Boutique-hôtel de chaîne installé à proximité du centre diamantaire, face à un parc. Déco moderne de caractère, des parties communes jusqu'aux chambres. Salles de conférences.

Lindner
Lange Kievitstraat 125 ✉ 2018 – ✆ 0 3 227 77 00 – www.lindnerhotels.be
173 ch – †109/349 € ††109/349 €, ☕ 18 € – 4 suites **5**EU**z**
Rest – Lunch 23 € – Menu 30/69 €
◆ Dit frisse en enigszins futuristische hotel heeft zich slim genesteld in het vernieuwde stationskwartier: een goede uitvalsbasis voor zowel zaken als plezier. Ruime kamers.
◆ Cet hôtel moderne, voire futuriste, s'est judicieusement installé dans le quartier de la nouvelle gare : un bon point de départ pour un séjour d'affaires ou juste pour le plaisir. Chambres spacieuses.

BELGIQUE

Astoria sans rest
Korte Herentalsestraat 5 ✉ 2018 – ✆ 0 3 227 31 30 – www.astoria-antwerp.com
66 ch ☕ – †99/169 € ††99/169 € **5**DU**r**
◆ Moderne functionele kamers (twee met ruim balkon) en volledig ingerichte appartementen in het bijgebouw, voor een korte citytrip of een langer verblijf. Nabij de diamantwijk.
◆ Chambres fonctionnelles modernes (dont deux avec terrasse-balcon) et apparts équipés à l'annexe, pour un long séjour ou un bref city-trip. Proximité du secteur diamantaire.

Park Inn sans rest
Koningin Astridplein 14 ✉ 2018 – ✆ 0 3 202 31 70 – www.parkinn.com/hotel-antwerp **5**DEU**a**
59 ch – †99/149 € ††99/149 €, ☕ 16 €
◆ Nieuw ketenhotel, gunstig gelegen bij het centraal station. Overal moderne inrichting. De beste kamers kijken uit op het Koningin Astrid-plein.
◆ Hôtel de chaîne neuf, commodément implanté dans les parages de la gare centrale. Cadre contemporain jusque dans les chambres. Les meilleures donnent sur la place Reine Astrid.

Sir Plantin sans rest
Plantin en Moretuslei 136 ✉ 2018 – ✆ 0 3 271 07 00 – www.sirplantin-antwerp.com
176 ch – †89/389 € ††89/389 €, ☕ 15 € **5**EV**t**
◆ Wilt u zich even een trendy Zurenborgse stadsvogel voelen? Logeren in dit nieuwe hotel, dat qua hipheid niet voor zijn wijk onderdoet, is dan een stap in de goede richting!
◆ Zurenborg ! Si vous voulez expérimenter la vie de ce quartier branché d'Anvers, ce nouvel hôtel a tout pour vous plaire. Design stupéfiant, couleurs et déco particulièrement insolites. Amateurs de tendance, ne vous privez pas…

De Keyser sans rest
De Keyserlei 66 ✉ 2018 – ✆ 0 3 206 74 60 – www.vhv-hotels.be **5**DU**t**
120 ch ☕ – †165/350 € ††185/350 € – 3 suites
◆ Gunstig gelegen hotel tussen het station en de winkelwijk. Openbare ruimten en kamers in moderne stijl, vergaderzalen, trendy bar.
◆ Hôtel privilégié par son emplacement central entre gare et secteur commerçant. Communs et chambres de style moderne, salles de réunions, bar branché.

Holiday Inn Express sans rest
Italiëlei 2a – 0 3 221 49 49 – www.hiexpress.com/ex-antwerp **5**DT**b**
140 ch – 85/135 € 85/135 €
Dit ketenhotel even buiten het centrum ligt bij een gerenoveerd havengebied (Het Eilandje). Goed onderhouden kamers, vergaderzalen en garage.
♦ Cet établissement de chaîne un rien excentré se trouve à l'approche d'une zone portuaire reconvertie (Het Eilandje). Chambres bien tenues, salles de réunions et garage.

Le Tissu sans rest
Brialmontlei 2 ✉ 2018 – 0 3 281 67 70 – www.le-tissu.be **5**DV**c**
5 ch – 120/190 € 120/190 €, 15 €
Een en al sfeer en verfijnde smaak in dit licht nostalgische herenhuis. Geen wonder, de bezielers zijn dan ook interieurarchitecten wier voorliefde voor wandtextiel zowel in het pand als de naam ervan zichtbaar is. Praktische ligging.
♦ Cette maison de maître distille un joli je-ne-sais-quoi de nostalgie et de raffinement... Vous ne serez pas surpris d'apprendre qu'elle est tenue par un couple d'architectes d'intérieur amoureux des textiles ! Situation avantageuse pour découvrir la ville.

Camesina sans rest
Mozartstraat 19 ✉ 2018 – 0 3 257 20 38 – www.camesina.be **5**DV**d**
4 ch – 80/100 € 120/140 €
Gezellige bed and breakfast in een rustige wijk. Kleurige kamers, genoemd naar de drie liefdes van Mozart. Verzorgd ontbijt door de eigenaresse en mooie stadstuin.
♦ Maison d'hôtes cosy dans un quartier tranquille. Chambres colorées et nommées d'après les trois amours de Mozart. Breakfast soigné par la propriétaire. Cour-jardin charmante.

BELGIQUE

Dôme (Julien Burlat)
Grote Hondstraat 2 ✉ 2018 – 0 3 239 90 03 – www.domeweb.be – fermé 2 semaines en août, 24 décembre-9 janvier, samedi midi, dimanche et lundi
Rest – *(réservation conseillée le soir)* Lunch 39 € – Menu 78 € **5**EV**z**
– Carte 76/92 €
Spéc. Cuisses de grenouilles meunière à la réglisse, salade de Cécina. Anguille laquée au soja, asperges blanches, sabayon d'algues et crumble (printemps). Tarte au chocolat maison, chantilly à la vanille.
Chef Julien Burlat is gebeten door kwaliteit, en is dan ook steeds op jacht naar superieure producten. De kaart verandert naargelang van zijn buit, maar de bereidingen blijven puur en zonder franjes. Weldoordachte wijnkaart met een voorkeur voor bio en zonder sulfiet.
♦ Obsédé par la qualité, le chef Julien Burlat est constamment à la recherche des meilleurs produits. La carte varie au gré de ses trouvailles, avec des préparations toujours authentiques et sans chichis. Belle carte des vins, avec une préférence pour les productions bio et sans sulfites.

La Luna
soir
Italiëlei 177 – 0 3 232 23 44 – www.laluna.be – fermé 1 semaine à Pâques, 1er au 15 août, Noël-nouvel an, samedi midi, dimanche et lundi **5**DT**p**
Rest – Carte 66/97 €
Sober designinterieur met grijze banken, fraaie verlichting, gashaard en hightechfornuizen, waarop vader en zoon 'live' verfijnde gerechten bereiden. Mooie selectie wijnen.
♦ Cadre épuré avec banquettes grises, jeux de lumières, cheminée au gaz et fourneaux high-tech où père et fils façonnent en "live" des mets élaborés. Belle sélection de vins.

Standing : verwacht niet dat de dienst in een X of een dezelfde is als XXXXX of een .

Dôme Sur Mer

Arendstraat 1 ✉ 2018 – ✆ 0 3 281 74 33 – www.domeweb.be – fermé 2 semaines début septembre, 24 décembre-10 janvier et samedi midi
Rest – Carte 33/74 € **5**EV**a**

◆ Trendy visbistro met spierwitte muren, waartegen de knalblauwe aquariums met hun felrode vissen prachtig afsteken. Sterke visspecialiteiten die de producten voor zich laten spreken

◆ Maison de maître réaménagée en tendancissime brasserie de la mer au cadre design d'un blanc éclatant égayé par une rangée d'aquariums bleutés où évoluent des poissons rouges.

Pazzo

Oude Leeuwenrui 12 – ✆ 0 3 232 86 82 – www.pazzo.be – fermé mi-juillet-mi-août, fin décembre-début janvier, samedi, dimanche et jours fériés
Rest – *(ouvert jusqu'à 23 h)* Lunch 20 € – Carte 36/58 € **5**DT**a**

◆ Trendy en levendig restaurant in een pakhuis bij de haven. Bistrokeuken met mediterrane en Aziatische invloeden, met passie bereid door de sprankelende lady chef Ingrid Neven. De eigenaar is tevens sommelier en geeft goede wijnadviezen.

◆ Resto vivant et branché, dans un entrepôt proche des docks. Cuisine de bistrot trouvant son inspiration du côté de la Méditerranée et de l'Asie. Patron-sommelier de bon conseil.

Lamalo

Appelmansstraat 21 ✉ 2018 – ✆ 0 3 213 22 00 – www.lamalo.com – fermé 2 premières semaines d'août, jours feriés juifs, vendredi et samedi **5**DU**d**
Rest – Lunch 24 € – Carte 26/65 €

◆ De joodse gemeenschap van Antwerpen komt graag in dit restaurant in de diamantwijk. Smakelijke koosjere keuken uit de Middellandse Zeelanden. Licht en sober interieur.

◆ La diaspora juive a ses habitudes à cette table du quartier diamantaire. Goûteuse cuisine kascher explorant le pourtour méditerranéen. Cadre clair et sobre, qui met à l'aise.

Yamayu Santatsu

Ossenmarkt 19 – ✆ 0 3 234 09 49 – www.santatsu.be – fermé dimanche midi et lundi **5**DTU**b**
Rest – Lunch 23 € – Menu 50/55 € – Carte 29/51 €

◆ Levendig en authentiek Japans restaurant, waar alle producten met grote zorg worden uitgekozen. Kaart met vier menu's voor 2 personen. Sushibar.

◆ Adresse nippone vivante et authentique, où n'entrent que des produits triés sur le volet. Carte assortie de quatre menus pour deux couverts. Sushis façonnés à vue au comptoir.

Bicyclette

Mechelsesteenweg 76 ✉ 2018 – ✆ 0 3 257 77 07 – www.brasseriebicyclette.be – fermé 24 décembre-3 janvier, samedi midi, dimanche et lundi **5**DV**z**
Rest – Lunch 13 € – Carte env. 44 €

◆ Soms heeft een mens zin in een traditionele keuken, rechtdoorzee maar verzorgd en vol smaak. Voor die momenten is er deze bistro waar wat Franse flair in de lucht hangt.

◆ On a parfois envie d'une cuisine traditionnelle simple, mais soignée et savoureuse. Ce bistrot, au charme très français, est tout indiqué pour ces moments-là.

De Veehandel

Lange Lobroekstraat 61 ✉ 2060 – ✆ 0 3 271 06 06 – www.de-veehandel.be – fermé 25 decembre, 1er janvier, samedi midi et dimanche **5**ET**b**
Rest – Menu 38 € – Carte env. 45 €

◆ Waar zijn de beste steaks van de stad te vinden? Bij de abattoirs, natuurlijk, in deze oude bistro met verweerde lambrisering, waar limousin-rundsvlees een ereplaats krijgt.

◆ Où sert-on les meilleures entrecôtes de la ville ? Naturellement près des abattoirs, et plus précisément dans ce vieux bistrot aux lambris patinés. Bœuf limousin à l'honneur.

Godard

Wolfstraat 35 ✉ 2018 – ☎ 0 3 283 68 21 – www.restaurantgodard.be – fermé samedi midi, dimanche et lundi **5**EV**b**

Rest – *(réservation conseillée)* Lunch 21 € – Menu 38/58 € – Carte 44/59 €

◆ Deze buurtbistro zit altijd vol, dus reserveren is aan te raden! De kracht van Godard zit hem in het volgende onklopbare trio: vriendelijke ontvangst, prettig, modern interieur en een spontane keuken.

◆ Ce nouveau bistrot de quartier ne désemplit pas ! La recette de son succès ? Un accueil charmant, un cadre moderne, une ambiance agréable et une cuisine sans chichis. N'oubliez pas de réserver…

Cuichine

Draakstraat 13 ✉ 2018 – ☎ 0 3 289 92 45 – www.cuichine.be – fermé première semaine de septembre, samedi midi, lundi **5**EV**r**

Rest – Lunch 16 € – Menu 35 € – Carte 34/45 €

◆ Twee jeugdvrienden, zonen van Chinese restaurateurs, zetten hun schouders onder dit project. Hun missie: het eten serveren dat ze thuis kregen; vers, zonder franje en met een zekere finesse. Schappelijk geprijsde kaart (3 gangen voor minder dan 40 euro), nog aantrekkelijker geprijsd verrassingsmenu.

◆ Deux amis d'enfance, fils de restaurateurs chinois, ont créé cette "Cuichine" avec l'envie d'y proposer les plats qu'ils dégustaient à la maison. Une belle réalisation, sans fioritures, tout en fraîcheur et finesse. De plus, les prix à la carte restent doux et le menu surprise se révèle très intéressant !

BELGIQUE

À l'improviste

Mechelsesteenweg 112 ✉ 2018 – ☎ 0 3 216 33 03 – www.alimproviste.be – fermé samedi midi, dimanche, lundi et jours fériés **5**DV**b**

Rest – *(nombre de couverts limité, prévenir)* Lunch 20 € – Menu 35/75 € bc

◆ In dit "kooktheater" wordt elke middag voor een uitverkochte zaal gespeeld. Het menu van de dag is vrij flexibel. Moderne eetzaal met open keuken.

◆ Ne vous rendez pas à l'improviste dans ce "théâtre culinaire", car il joue chaque midi à guichet fermé. Le menu du jour offre un choix intéressant. Décor moderne (cuisine ouverte).

Bar(t)-à-vin

Lange Slachterijstraat 3 ✉ 2060 – ☎ 0 474 94 17 86 – www.bartavin.info – fermé samedi, dimanche et jours fériés **5**ET**a**

Rest – Carte 37/53 €

◆ In een charmante voormalige slagerij liet patron Bart zijn zaak evolueren van wijnbar naar bistro. Dankzij de klassieke productkeuken, beperkt qua keuze maar nog zo smakelijk, verliep de overgang vlekkeloos.

◆ C'est dans cette charmante boucherie que patron Bart a fait évoluer son bar à vin en bistrot. Grâce a sa cuisine de produits, aux recettes classiques et au choix restreint mais variée, le passage c'est fait tout en douceur.

Quartier Nord (Docks)

't Zilte (Viki Geunes)

Hanzestedenplaats 5 (9ème étage du MAS - Museum Aan de Schelde) – ☎ 0 3 283 40 40 – www.tzilte.be – fermé 1 semaine à Pâques, 2 semaines en juillet, 1 semaine à la Toussaint, fin décembre-début janvier, dimanche et lundi

Rest – *(réservation conseillée)* Lunch 65 € – Menu 105/195 € bc – Carte 120/197 € **5**DT**h**

Spéc. Sardine à l'olive, aubergine et pomme; crabe royal au lardo. Sole meunière aux girolles, pommes fondantes à la remoulade de crustacés et échalotes frites. Aubergine laquée, "dry shot" de olive, oregan et pignon de pin, guimauve de pomme.

◆ Dankzij de verhuis naar de bovenste verdieping van het MAS is de locatie nu in lijn met de keuken: van een torenhoog niveau. Dit is 'urban gastronomy' op zijn best; genieten van een heerlijk samenspel tussen vakmanschap en speelse creativiteit op een van de mooiste plekken van de stad, met uitzicht op de haven.

◆ L'établissement a déménagé au sommet du MAS ; dorénavant, sa cuisine peut se targuer d'une situation à sa hauteur ! Car cette "urban gastronomy" est bien d'un niveau supérieur, mêlant magnifiquement artisanat et créativité – dans l'un des endroits les plus beaux de la ville, ouvert sur le port.

XX **Het Pomphuis**

Siberiastraat ✉ 2030 – ☎ 03 770 86 25 – www.hetpomphuis.be – fermé 24 décembre et 7 juillet **3**BQ**x**

Rest – Lunch 28 € – Menu 45/65 € – Carte 36/64 €

◆ Opvallend restaurant in een reusachtig havengebouw (1920), waarvan drie enorme droogdokpompen zijn overgebleven. Eigentijdse, verfijnde keuken. Terras met havenzicht.

◆ Ce restaurant étonnant habite un hangar portuaire monumental (1920) où subsistent trois énormes pompes de cale sèche. Carte actuelle et élaborée. Panorama naval en terrasse.

XX **Marcel**

Van Schoonbekeplein 13 – ☎ 03 336 33 02 – www.restaurantmarcel.be – fermé samedi midi et dimanche **5**DT**x**

Rest – Lunch 24 € – Menu 35/65 € – Carte 44/82 €

◆ Bienvenue bij Marcel, een retrobrasserie waar een vleugje francofolie doorwaait. Het culinaire repertoire van de chef verraadt dat hij de vertrouwde keuken naar waarde weet te schatten, maar met jeugdige inspiratie infuseert. Het resultaat? Een frisse kookstijl, sterk in zijn categorie. Terras met uitzicht op het MAS.

◆ Bienvenue chez Marcel, une brasserie rétro où souffle un vent de "francofolie". Tradition culinaire soit, mais avec quelques touches de modernité. Résultat : une cuisine unique, excellente en son genre. Terrasse avec vue sur le MAS, un tout nouveau musée.

XX **Lux**

midi

Adriaan Brouwerstraat 13 – ☎ 03 233 30 30 – www.luxantwerp.com – fermé 1er janvier

Rest – *(ouvert jusqu'à 23 h)* Lunch 22 € – Menu 35 € – Carte 40/69 € **5**DT**c**

◆ Grote moderne brasserie met retro-accenten in een voormalige rederij bij het Bonapartedok. Italiaans-Belgische kaart, lekkere wijnen per glas en loungebar.

◆ Maison d'armateur en bord de dock. Terrasse portuaire, salles superposées où brille le marbre (colonnes, cheminées), bar à vins et cocktails, mets à la page, lunch attirant.

BELGIQUE

X **Au Vieux Port**

Napelsstraat 130 – ☎ 03 290 77 11 – fermé 26 décembre-2 janvier, dernière semaine de juillet-2 premières semaines d'août, samedi et dimanche

Rest – *(réservation conseillée)* Carte 46/80 € **5**DT**d**

◆ Brasserie om te onthouden vanwege de eenvoudige, maar smaakvolle keuken, het zweempje nostalgie en de rituele service (flamberen en vlees aan tafel gesneden). Druk tijdens de lunch.

◆ Brasserie à retenir pour sa cuisine simple mais vigoureuse et goûtue, pour sa douce nostalgie et son service ritualisé (flambages et découpes à vue). Ambiance "busy" au lunch.

Quartier Sud

Crowne Plaza

rest, rest,

Gerard Legrellelaan 10 ✉ 2020 – ☎ 03 259 75 00 – www.crowneplazaantwerp.be **3**BS**g**

262 ch – †185 € ††185 €, ☕ 21 € **Rest** – Carte 36/66 €

◆ Groot ketenhotel bij de ring en een toegangsweg naar het centrum. 16 verdiepingen met ruim 260 kamers, die in etappen worden gerenoveerd. Tal van vergaderzalen. Gastro-lounge om te eten en te vergaderen in een relaxte sfeer.

◆ Près du ring et d'une artère vers la ville, colosse de chaîne hôtelière comptant plus de 260 chambres sur 16 étages refaits par étapes. Salles de réunions nombreuses. Gastro lounge pour manger et se réunir dans une ambiance décontractée.

Firean

Karel Oomsstraat 6 ✉ 2018 – ☎ 03 237 02 60 – www.hotelfirean.com – fermé 24 juillet-18 août et 24 décembre-10 janvier **5**DX**n**

12 ch – †144 € ††148 €, ☕ 16 € **Rest *Minerva*** – voir la sélection des restaurants

◆ Sfeervol hotel in een mooi art-decopand uit 1929. Antiek in de kamers en gemeenschappelijke ruimten, patio vol bloemen, gedistingeerde service.

◆ Hébergement de caractère dans une belle maison Art déco (1929). Communs d'époque, patio fleuri, chambres personnalisées par du mobilier ancien, accueil et service distingués.

Hotel O

Leopold de Waelplaats 34 – 0 3 292 65 10 – www.hotelhotelo.com
16 ch – 135/235 € 155/255 €, 16 € **4**CV**z**
Rest – *(ouvert jusqu'à 23 h)* Carte 15/75 €

Dit hotel heeft zich genesteld in het artistieke Zuid, en voelt er zich helemaal op z'n gemak. De kamers zijn ronduit indrukwekkend qua design, deze zaak is dan ook eigendom van een architect. Ontbijt krijgt u in de brasserie beneden.

Juste en face du musée royal des Beaux-Arts, un hôtel à l'architecture insolite, qui s'intègre bien dans ce quartier artistique du sud de la ville. Chambres et salles de bains résolument design. Petit-déjeuner servi dans la brasserie.

Kommilfoo (Olivier de Vinck de Winnezeele)

Vlaamse Kaai 17 – 0 3 237 30 00 – fermé 2 premières semaines de juillet, Noël, samedi midi, dimanche et lundi **4**CV**w**
Rest – Menu 55/65 € – Carte 62/85 €
Spéc. Tête pressée de veau et boudin noir aux légumes marinés, bouillon de pata negra et toast au fondant de moelle. Saint- Jacques, pumpernickel et structures de céleri-rave au foie gras, vinaigrette à la truffe. Le chevreau : côtes sautées au bulghur épicé et l'épaule avec une crème de pois chiches et huile de chorizo.

Moderne, comfortabele eetzaal om de creaties te proeven van een vernieuwende chef-kok die moleculaire technieken gebruikt. De geit uit de Pyreneeën is een vast item op de kaart!

Salle moderne confortable pour goûter aux créations d'un chef novateur, alternant recettes évolutives et essais moléculaires. Chevreau pyrénéen indéboulonnable de la carte !

BELGIQUE

Minerva – Hôtel Firean

Karel Oomsstraat 36 2018 – 0 3 216 00 55 – www.restaurantminerva.be – fermé fin décembre-début janvier, dernière semaine de juillet-2 premières semaines d'août, samedi et dimanche **5**DX**e**
Rest – Lunch 38 € – Menu 60 € – Carte 49/102 €

Chic interieur in een oude garage met intacte werkkuil, heel bijzonder. Klassieke keuken met een nieuwe interpretatie. Zeer professionele bediening. Alles loopt op wieltjes!

Accueil pro jusqu'au bout des ongles, cadre chic mais assez improbable (ex-garage Minerva avec sa fosse intacte), mets classiques réinterprétés, service bien rodé : ça roule !

Liang's Garden

Markgravelei 141 2018 – 0 3 237 22 22 – www.liangsgarden.be – fermé 9 juillet-5 août et dimanche **5**DX**d**
Rest – Lunch 26 € – Menu 45/70 € bc – Carte 34/81 €

Een Chinees gastronomisch begrip! Ruim en verzorgd interieur, specialiteiten uit Kanton (dim sum), Peking (gelakte eend) en Sichuan (fondue). Lekker menu "van grootmoeder".

Une institution gastronomique chinoise ! Cadre ample et soigné, spécialités cantonaises (dim sum), pékinoises (canards laqués) et sichuanaises (fondue). Bon menu "Grand-mère".

Het Gerecht

Amerikalei 20 – 0 3 248 79 28 – www.hetgerecht.be – fermé première semaine de janvier, vacances de Pâques, 2 dernières semaines de juillet-première semaine d'août, samedi midi, dimanche et lundi **5**DV**e**
Rest – Lunch 27 € – Menu 49/71 € bc – Carte 53/69 €

Eigentijdse gerechten bereid door de baas en opgediend door zijn vrouw in een modern, sfeervol interieur of op het plankier van de patio met bakstenen muren. Deze degelijke, professioneel gerunde zaak is uitgegroeid tot een vaste waarde.

Une valeur sûre. Monsieur œuvre aux fourneaux (cuisine au goût du jour) tandis que sa compagne assure le service. Décor soigné, assez cosy, avec une terrasse dans la cour close de murs de brique.

XX **Matty**

Brederodestraat 23 ✉ 2018 – ✆ 0 3 293 54 41 – www.restaurantmatty.be – fermé 3 premières semaines d'août, samedi midi, dimanche et lundi

Rest – *(réservation conseillée)* Lunch 25 € – Menu 50 € – Carte 50/77 € **4CVh**

◆ Superverse eigentijdse gerechten, geserveerd in twee moderne spierwitte eetzalen of op het zomerterras. In de achterste zaal is de chef-kok te zien, die in alle rust aan het werk is.

◆ Cuisine bien de son époque, réalisée à la minute par un chef que l'on peut admirer depuis l'une des deux salles. Décor moderne d'un blanc immaculé ; terrasse pour les beaux jours.

X **The Glorious**

De Burburestraat 4a – ✆ 0 3 237 06 13 – www.theglorious.be – fermé 3 semaines en juin, dimanche et lundi **4CVa**

Rest – Menu 35 € – Carte 48/71 €

◆ Oud pakhuis met een tikje gekunsteld design. Dankzij het concept "Wining & Dining" à la carte is de bistro weer glorieus.

◆ Ancien entrepôt industriel au design tendance très étudié. Concept Wining & Dining à la carte : une nouvelle gloire du bistrot.

The Glorious Inn

– fermé 3 semaines en juin

3 ch – 140/190 € 140/190 €

◆ Het bij elkaar gescharrelde meubilair zorgt voor een eigentijds en origineel interieur. Verrukkelijk ontbijt, klaargemaakt door de gastheer.

◆ Mobilier chiné pour une décoration contemporaine originale. Délicieux petit-déjeuner préparé par le patron.

BELGIQUE

X **l'Amitié**

Vlaamse Kaai 43 – ✆ 0 3 257 50 05 – www.lamitie.net – fermé 2 semaines en juin, Noël-nouvel an, samedi midi, dimanche et lundi **4CVx**

Rest – Lunch 25 € – Menu 45/65 €

◆ Gastronomische bistro in een uitgaanswijk. Mediterraan terras aan de voorkant en leuke eetzalen. De kaart is een mix van modern en klassiek.

◆ Dans un quartier animé, une sympathique adresse dédiée à la bistronomie (plats traditionnels ou plus inventifs). Aux beaux jours, profitez de la terrasse qui évoque le Sud…

X **Hippodroom**

Leopold de Waelplaats 10 – ✆ 0 3 248 52 52 – www.hippodroom.be – fermé samedi midi et dimanche **4CVd**

Rest – Carte 39/82 €

◆ Moderne brasserie in een herenhuis tegenover het Museum voor Schone Kunsten. Wereldkeuken, arty clientèle, cocktailbar en terrassen voor en achter (wat intiemer).

◆ Dans une maison de maître face au musée des Beaux-Arts, cette adresse mêle ambiance "arty" et cuisine tendance (assiettes assez graphiques). Terrasses sur la rue et à l'arrière.

X **L'épicerie du Cirque**

Leopold De Waelstraat 7 – ✆ 0 3 238 05 71 – www.lepicerieducirque.be – fermé 1 semaine en juillet, 3 semaines en septembre, samedi midi, dimanche et lundi

Rest – Lunch 23 € – Menu 35/95 € bc – Carte 47/65 € **4CVb**

◆ Geen concessies hier: vers moet het zijn, van de vis tot het brood. Het restaurant noemt zich graag een tegenhanger van "fast dining": in dit charmante stadsresto komen eten moet een moment van rustig genieten zijn. Frans-internationale kaart.

◆ Ici, on est sans concession : la fraîcheur est un impératif, du pain au poisson ! Ce charmant restaurant du centre-ville se présente comme un contre-pied au "fast dining" : chaque repas est un plaisir à savourer lentement… Carte française et internationale.

Ferrier 30

Leopold de Waelplaats 30 – ✆ 0 3 216 50 62 – www.ferrier-30.be – fermé mercredi **4**CV**c**

Rest – *(ouvert jusqu'à 23 h)* Carte 36/58 €

◆ Sterke traditionele Italiaanse keuken zonder poespas, die mooi tot zijn recht komt met een van de goede wijnen, die de eigenaar zelf haalt in Italië. Terras naast het MSK. Intiemer zaaltje in de kelder en attente bediening.

◆ De la bonne cuisine italienne traditionnelle, à deux pas du musée royal des Beaux-Arts. Le patron, qui sélectionne lui-même ses vins en Italie, a toujours de belles propositions à vous faire ! Salle plus intime au sous-sol.

River Kwai

Vlaamse Kaai 14 – ✆ 0 3 237 46 51 – www.riverkwai.be – fermé mercredi **4**CV**e**

Rest – *(dîner seulement sauf jeudi et vendredi)* Lunch 20 € – Menu 25/49 € bc – Carte 30/44 €

◆ Deze Thai bestaat al 20 jaar. Mooie retrogevel, exotische eetzalen op verschillende verdiepingen, sfeervol salon en terras aan de voorkant. Authentieke Thaise keuken.

◆ Valeur sûre depuis 20 ans pour manger au Pays du Sourire ! Jolie façade rétro, dépaysantes salles superposées, salon feutré et terrasse avant. Saveurs thaïlandaises bien typées.

PÉRIPHÉRIE

à Berchem – Ⓒ Antwerpen – ✉ 2600

Bistro Vin d'Où

Terlinckstraat 2 – ✆ 0 3 230 55 99 – www.vindou.be – fermé 24 décembre-5 janvier, 2 au 15 avril, 15 juillet-15 août, 29 octobre-4 novembre, lundi soir, mardi soir, mercredi soir, samedi midi et dimanche **5**DX**b**

Rest – Carte 51/94 €

◆ Dit oude pand in een woonwijk ziet eruit als een luxebistro. Moderne en ambachtelijke kookstijl op basis van eersteklasingrediënten. Mooie patio voor een zomerse maaltijd.

◆ En secteur résidentiel, maison ancienne rajeunie façon bistrot cossu. Cuisine moderne très artisanale, n'utilisant que des produits choisis. Joli patio pour vos repas d'été.

Euterpia

Generaal Capiaumontstraat 2 – ✆ 0 3 235 02 02 – www.euterpia.be – fermé vacances de Pâques, dernière semaine de juillet-2 premières semaines d'août, vacances de Noël, lundi et mardi **5**EV**y**

Rest – *(dîner seulement) (prévenir)* Carte 53/68 €

◆ Gevel in verschillende stijlen en art-nouveautoren met een beeld van de muze Euterpia. Artistieke ambiance, retro-interieur, glaskoepel, klassieke kaart en dagsuggesties.

◆ Façade éclectique et tour Art nouveau veillées par une statue de la muse Euterpe. Ambiance artistique, déco rétro, verrière, carte classique et ardoise suggestive actualisée.

De Troubadour

Driekoningenstraat 72 – ✆ 0 3 239 39 16 – www.detroubadour.be – fermé 3 premières semaines d'août, dimanche et lundi **5**DX**a**

Rest – Menu 32/44 € – Carte 34/66 €

◆ Moderne eetzaal, waar de spraakzame patron voor een gezellige sfeer zorgt. Creatieve klassieke keuken en mondeling doorgegeven menu's. Parkeren: informeren bij het reserveren.

◆ Salle moderne-cosy où un patron volubile entretient une atmosphère cordiale. Carte classico-créative et bons menus-choix annoncés oralement. Parking : s'informer en réservant.

XX **Degustation**

Frederik de Merodeplein 6 – ✆ 0 495 63 04 97 – www.degustation-restaurant.be – fermé samedi midi, dimanche midi, lundi et mardi **5**DX**z**

Rest – Lunch 25 € – Menu 39/65 € – Carte 41/68 €

◆ Maak uw keuze uit het grote menu, vol hedendaags lekkers. De chef kiest op zijn beurt voor nobele producten van kwaliteit, zodat u een bord vol smaak gepresenteerd krijgt aan een haalbare prijs.

◆ À la carte, une foule de délices contemporains. Le chef sélectionne des produits nobles, pour vous proposer une assiette pleine de saveurs à prix raisonnable.

X **Veranda**

Guldenvliesstraat 60 – ✆ 0 3 218 55 95 – fermé 1 semaine à Pâques, fin décembre-début janvier, samedi midi, dimanche midi, lundi et mardi

Rest – Lunch 23 € – Menu 45 € **5**EV**x**

◆ Culinair toptalent Davy Schellemans blijft down-to-earth, ondanks het laaiend enthousiasme waarmee zijn zaak werd ontvangen. Deze nuchterheid komt terug in het sobere interieur; maar op uw bord zijn superlatieven aan de orde. Dit is koken op zijn uitgekiendst, met de inventiefste gerechten tegen de scherpste prijs.

◆ Chef talentueux, Davy Schellemans a su garder les pieds sur terre, malgré l'enthousiasme que suscite son nouvel établissement, sobrement élégant. On manque de superlatifs pour décrire l'assiette… inventive, étonnante, et pourtant à prix doux.

à Berendrecht par ① : 23 km au Nord – 🄲 Antwerpen – ✉ 2040

XX **Reigershof**

Reigersbosdreef 2 – ✆ 0 3 568 96 91 – www.hetreigershof.be – fermé 24 décembre-7 janvier, 2 au 26 juillet, samedi midi, dimanche soir, lundi et mardi

Rest – Lunch 40 € bc – Menu 35/80 € bc – Carte 51/71 €

◆ Restaurant met een verzorgde inrichting in een oude smederij annex bierhuis, in een polderdorp bij een bos waar een reigerkolonie nestelt. Aantrekkelijke eigentijdse kaart.

◆ Table au cadre soigné tirant parti d'une ancienne forge-estaminet située dans un village des polders, près d'un bois où niche une colonie de hérons. Carte actuelle alléchante.

à Borgerhout – 🄲 Antwerpen – ✉ 2140

Scandic ch, rest,

Luitenant Lippenslaan 66 – ✆ 0 3 235 91 91 – www.scandichotels.com/antwerpen **3**BR**e**

204 ch – 🛉95/185 € 🛉🛉95/205 €

Rest – *(fermé samedi midi et dimanche midi)* Menu 30 € – Carte 31/48 €

◆ Busy of lazy, wat zal het worden in dit ketenhotel bij de Ring? Makkelijk bereikbaar centrum, comfortabele kamers en faciliteiten voor congressen en ontspanning. Restaurant met een internationale klassieke kaart. Bar met terras.

◆ Séjour "busy" ou "lazy" ? Cet hôtel de chaîne a plusieurs atouts : accès facile au ring et au centre-ville, bon confort dans les chambres, salles de séminaires et distractions. Restaurant présentant une carte classique internationale. Bar avec terrasse.

ENVIRONS

à Aartselaar par ⑩ : 10 km – 14 290 h. – ✉ 2630

Kasteel Solhof sans rest

Baron Van Ertbornstraat 116 – ✆ 0 3 877 30 00 – www.solhof.be – fermé Noël-nouvel an

24 ch – 🛉135/185 € 🛉🛉155/215 €, 20 €

◆ Imposante patriciërswoning omringd door een slotgracht en een park met veel bomen. Ideaal voor zakelijke besprekingen.

◆ Défendue par des douves et agrémentée d'un parc bien boisé, cette demeure imposante et cossue offre à la clientèle d'affaires un cadre idéal pour la tenue de réunions.

BELGIQUE

De Cocotte

Kleistraat 175 – ✆ 0 3 887 56 85 – www.decocotte.be

Rest – Lunch 28 € – Menu 35/55 € – Carte 43/58 €

◆ Bistro-ambiance op z'n Antwerps: gezellige ambiance, bediening met flair (inclusief sappig accent) en gerechten die gaan van klassiek tot verfrissend origineel. Mooie wijnkaart.

◆ Agréable bistrot contemporain situé dans un secteur résidentiel. La carte honore à la fois la tradition et la modernité (spécialités de saison). Jolie terrasse dans le jardin.

Hana

Antwerpsesteenweg 116 – ✆ 0 3 877 08 95 – fermé mi-juillet-mi-août, mardi soir, samedi midi et dimanche midi

Rest – Lunch 15 € – Menu 25/50 € – Carte 35/65 €

◆ Goede wijn behoeft geen krans, net zoals de authentieke keuken bij deze Japanner ook in het simpele interieur prima kan overtuigen. Teppanyaki-formule voor groepen op aanvraag.

◆ Petit resto traditionnel japonais connu depuis plus de 20 ans au bord de l'autoroute A12. Formule teppanyaki (table de cuisson) pour petit groupe, sur réservation.

à Boechout – 12 749 h. – ✉ 2530

De Schone van Boskoop (Wouter Keersmaekers)

Appelkantstraat 10 – ✆ 0 3 454 19 31 – www.deschonevanboskoop.be – fermé 1 semaine à Pâques, 3 semaines en août, 1 semaine à Noël, dimanche et lundi **3BSd**

Rest – Carte 108/218 €

Spéc. Tête de veau et langoustines. Turbot au chou-fleur et lait battu (février-juillet). Tête de porc rôtie en 2 services.

◆ Modern artistiek interieur, eigentijds bereide luxeproducten, prestigieuze wijnkelder, kortom een topadres! De beste tafels kijken uit op de tuin met terras en waterpartij. De chef-kok komt u zelf informeren over de kaart en dagsuggesties.

◆ Cadre contemporain "arty", ingrédients festifs travaillés à la manière d'aujourd'hui, cave de prestige : une adresse de standing ! Les meilleures tables donnent sur la terrasse-jardin avec pièce d'eau. Chef présentant lui-même sa carte et suggestions du jour.

l'Étoile

Binnensteenweg 187 – ✆ 0 3 454 53 23 – fermé lundi **3BSx**

Rest – Lunch 22 € – Menu 33/75 € bc – Carte 31/68 €

◆ Dit fijne restaurant is een zaak met cachet waar eerlijke, genereuze brasseriegerechten worden geserveerd. De bediening is een en al klasse.

◆ Un restaurant charmant et plein de cachet, où l'on déguste des spécialités de brasserie à la fois sincères et généreuses. Service à l'ancienne.

à Brasschaat – 36 949 h. – ✉ 2930

Afspanning De Kroon

rest, ch,

Bredabaan 409 (par ③ : 1,5 km) – ✆ 0 3 652 09 88 – www.dekroon.be

20 ch – †115/150 € ††125/150 € – ½ P 155 €

Rest – Lunch 25 € – Menu 35 € – Carte 31/61 €

◆ Hotelletje in het centrum van Brasschaat, in een 18e-eeuws poststation dat doet denken aan een Engelse herberg. In de nieuwe vleugel zijn verschillende categorieën kamers ondergebracht. Traditionele maaltijd in een oude schuur met mezzanine.

◆ Au centre du bourg, petit hôtel aménagé dans un relais du 18es. au "look" d'auberge anglaise. Une aile récente abrite diverses catégories de chambres assez charmantes. Repas traditionnel dans une ancienne grange avec mezzanine. Cuisine du marché.

BELGIQUE

XXXX **Kasteel Withof**

Bredabaan 906, (Maria ter Heide) (Nord : 3 km) – ☎ 0 3 670 02 20 – www.kasteelwithof.be – fermé 11 au 15 avril, dernière semaine de juillet-2 premières semaines d'août, 25 décembre-3 janvier, samedi midi, lundi et mardi

Rest – Lunch 35 € – Menu 68/98 € – Carte 65/98 €

Spéc. Cabillaud et rattes au citron confit et piquillos, émulsion de crustacés. Vol au vent en coffret de macaroni aux ris de veau et langoustines. Tarte fine à la rhubarbe et glace à la cardamome.

◆ In dit prachtige kasteel met park wordt u in stijl ontvangen in de modern-klassieke eetzaal met grote lampen of op het terras, dat al even aangenaam is. Verfijnde keuken en prestigieuze wijnen.

◆ Ce somptueux château entouré d'un parc vous reçoit dans une salle classico-moderne éclairée par de grands luminaires, ou en plein air, tout aussi agréablement. Produits nobles cuisinés avec créativité. Vins choisis.

XX **Lucius**

Bredabaan 570 (par ③ : 3 km) – ☎ 0 3 653 27 27 – www.lucullus.be – fermé vacances de carnaval, vacances de Pâques, vacances de la Toussaint, samedi, dimanche et lundi

Rest – Lunch 26 € – Menu 35/55 € – Carte 55/79 €

◆ Generositeit troef, over de hele lijn: lunch, menu's en à la carte. Attente bediening, comfortabele eetzaal en beschut, verwarmd terras. Dit fraaie herenhuis verzorgt ook recepties.

◆ Une cuisine gourmande sur toute la ligne : formule déjeuner, carte, menus... Salle à manger confortable et terrasse abritée et chauffée. Ce charmant hôtel particulier accueille également des réceptions.

BELGIQUE

à Burcht – C Zwijndrecht 18 677 h. – ✉ 2070

XX **Chef's Table**

Koningin Astridlaan 1 – ☎ 0 3 296 65 69 – www.chefstable.be – fermé 2 dernières semaines de mars, 2 dernières semaines de septembre, mardi et mercredi

Rest – Menu 35/50 € bc – Carte 51/71 € **2**AR**x**

◆ Zij zorgt voor een warme en persoonlijke ontvangst, hij voor een creatieve en verrassende keuken waar prijs en smaak wonderwel samengaan. Aangepaste biersuggestie per gerecht.

◆ Elle s'occupe de l'accueil, chaleureux et personnalisé, et lui de la cuisine, créative et surprenante, où le prix et le goût font bon ménage. Suggestion de bières pour chaque plat.

à Edegem – 21 171 h. – ✉ 2650

XX **Cabanelf**

Mechelsesteenweg 11 – ☎ 0 3 454 58 98 – www.cabanelf.com – fermé 1 semaine Pâques, dernière semaine de juin, première semaine de septembre, Noël-nouvel an, samedi midi, dimanche et lundi **3**BS**a**

Rest – Lunch 32 € – Menu 38/62 €

◆ Houdt u van een ruime keuze voor een vaste prijs? Laat de kieskeurige gastronoom in u dan los op de kaart met hedendaagse gerechten, knap bereid met exotische invloeden. Meerkeuzemenu en degustatiemenu.

◆ Laissez-vous tenter par la carte, qui propose un grand choix de menus composés de plats actuels impeccables, aux influences exotiques. Décor contemporain, tendance minimaliste.

XX **La Rosa**

Mechelsesteenweg 398 – ☎ 0 3 454 37 25 – www.larosa.be – fermé 19 juillet-6 août, samedi midi et dimanche **3**BS**b**

Rest – Lunch 28 € – Menu 50 € bc/77 € bc – Carte 50/70 €

◆ Restaurant in een art-decopand met trendy designinterieur. Eigentijdse keuken, attente bediening en beschut zomerterras.

◆ Resto au cadre design et tendance, installé dans une maison Art déco. Cuisine du moment, service attentif au bien-être de chacun, terrasse d'été à l'abri des regards.

à 's Gravenwezel par ⑤ : 13 km – Schilde 19 446 h. – ✉ 2970

X **De Vogelenzang**

Wijnegemsteenweg 193 – ✆ 0 3 353 62 40 – www.devogelenzang.be – fermé mercredi sauf en juillet-août

Rest – Carte 35/63 €

◆ Genieten zoals in grootmoeders tijd voor gastronomen van vandaag: klassieke kaart met hedendaagse toetsen in een charmant neoretro decor. Groene omgeving, aangenaam terras.

◆ Paysage de verdure, déco néo-rétro, serre et belle terrasse moderne. La carte, étoffée, s'aventure sur plusieurs terrains : salades, mets traditionnels, caviar, ...

à Kapellen par ② : 15,5 km – 26 427 h. – ✉ 2950

XX **Bellefleur**

Antwerpsesteenweg 253 – ✆ 0 3 664 67 19 – www.blflr.be – fermé samedi midi, dimanche et lundi

Rest – Menu 35/48 € – Carte 50/68 €

◆ Moderne keuken, loungedecor (harmonieuze afmetingen, gecapitonneerde muren, designlampen, ronde bankjes, zachte fauteuils, glasdak, enz.) en prachtig terras met Japanse vijver.

◆ Recettes pétries de modernité, déco "loungy" (volumes harmonieux, murs capitonnés, éclairage design, petites banquettes arrondies, fauteuils tendres, verrière...) et fraîcheur d'un bassin zen en terrasse.

XX **Rascasse**

Kalmthoutsesteenweg 121 (N122 - 5 km direction Essen) – ✆ 0 3 297 94 29 – www.restaurantrascasse.be – fermé dimanche et lundi

Rest – Lunch 30 € – Menu 55/85 € bc – Carte 53/73 €

◆ Licht en sober verbouwd jachtpaviljoen. De chef-kok overtreft zichzelf met zijn visgerechten, maar weet ook te overtuigen met zijn vleesschotels.

◆ Pavillon de chasse relooké dans un esprit sobre et lumineux. Le chef, qui a la fibre créative, se surpasse avec la marée, mais sait aussi convaincre sur le plan terrestre.

à Schilde par ⑤ : 13 km – 19 496 h. – ✉ 2970

XX **Euryanthe**

Turnhoutsebaan 177 – ✆ 0 3 383 30 30 – www.euryanthe.be – fermé 2 premières semaines d'août, samedi midi, dimanche et lundi

Rest – Lunch 33 € – Menu 50/70 € bc – Carte 44/62 €

◆ Karakteristiek gebouw in het centrum van Schilde. Sfeervolle witte eetzaal en patio vol bloemen, om te genieten van met zorg bereide seizoensgebonden gerechten.

◆ Maison de caractère au centre de Schilde. Intérieur cosy tout blanc et cour bien fleurie en été, pour partir à la rencontre d'une cuisine saisonnière soigneusement réalisée.

à Schoten – 33 342 h. – ✉ 2900

XXX **Kleine Barreel**

Bredabaan 1147 – ✆ 0 3 645 85 84 – www.kleine-barreel.be **3**BQ**n**

Rest – Lunch 45 € bc – Menu 53/78 € bc – Carte 46/94 €

◆ De intieme en stijlvolle eetzaal ademt familietraditie. Kaart met vaste specialiteiten van het huis en seizoensgebonden creaties. Pianist in het weekend (behalve 's zomers). Tuinterras.

◆ Table distinguée, de tradition familiale, où l'on apprécie des plats classiques et des recettes de saison. Un pianiste accompagne les dîners chaque week-end (hormis l'été).

XXX **Villa Doria**

Bredabaan 1293 – ✆ 0 3 644 40 10 – www.villadoria.be – fermé 3 semaines en juillet, Noël, nouvel an et mercredi **3**BQ**b**

Rest – Lunch 33 € – Carte 51/86 €

◆ Modern en stijlvol interieur, lekkere Italiaanse recepten, tafel van de chef bij het fornuis, valet parking… Villa Doria heeft al heel wat fijnproevers in de streek veroverd!

◆ Cadre moderne et classieux, belles préparations aux parfums d'Italie, table du chef côté fourneaux, voiturier... la Villa Doria a conquis de nombreux gourmets dans la région.

XXX **De Linde**

Alice Nahonlei 92, (Est : 3 km, angle N 113) – ✆ 0 3 658 47 43 – www.restaurantdelinde.be – fermé vacances de carnaval, 3 semaines en juillet, mardi et mercredi

Rest – Lunch 26 € – Menu 55/60 € – Carte 41/80 €

◆ Jarendertigpand in een bosrijke buurt. Groen terras, eetzaal met sfeerlicht voor een intiem gesprek en uitstalling van gastronomische souvenirs.

◆ Architecture des années 1930 plantée dans un quartier boisé. Terrasse verte, salle aux lumières douces pour conversations feutrées, souvenirs "gastro" exposés contre un mur.

à Stabroek **par ① : 21 km – 17 966 h. – ✉ 2940**

XXX **De Koopvaardij** (Wouter Van Tichelen et Tim Meuleneire)

✿ *Hoogeind 96, (sur N 111) – ✆ 0 3 297 60 25 – www.dekoopvaardij.be – fermé fin décembre, 1 semaine à Pâques, 2 dernières semaines d'août, samedi midi, mardi soir et mercredi*

Rest – Lunch 50 € bc – Menu 100 € bc/145 € bc – Carte 84/136 €

Spéc. Foie de canard en croûte de sucre, navet et algues. Feuilleté de crabe royal aux asperges, sabayon à la truffe (printemps). Soufflé selon le parfum de saison.

◆ Een keuken met klasse, waar inventief wordt gekookt met specerijen van over de hele wereld. Het jonge team leerde dan ook het vak in topzaken in binnen- en buitenland, van Kruishoutem tot Monaco. De kar met kaas en die met zoetigheden is indrukwekkend!

◆ Une cuisine raffinée, astucieusement préparée avec des épices du monde entier. La jeune équipe a été formée dans de grandes maisons belges et étrangères, de Kruishoutem à Monaco. Impressionnant chariot de fromages et de douceurs...

ARBRE – Namur – **533** N20, **534** N20 et **716** H4 – voir à Profondeville

ARC – Hainaut – Ⓒ Frasnes-lez-Anvaing 11 343 h. – **533** G18, **534** G18 et **716** D3 – ✉ 7910 **6** B1

■ Bruxelles 78 – Mons 56 – Namur 131 – Lille 43

X **Le Petit Sarlat**

r. Longue 8, (Ainières) – ✆ 0 69 76 72 54 – www.lepetitsarlat.be – fermé 27 février-12 mars, 28 août-10 septembre, mardi midi, samedi midi, dimanche et lundi

Rest – Menu 34/62 € – Carte 29/51 €

◆ Un coin de Périgord au cœur du Pays des Collines ! Cadre rural sympa, véranda côté jardin et boutique de produits de bouche. Spécialités sarladaises ; gent palmée en vedette.

◆ Een stukje Périgord in het hart van het Land van de Heuvels! Mooi rustiek interieur, serre aan de tuin en even verderop een winkel met streekproducten. Eend heeft een ereplaats op de kaart.

ARDOOIE – West-Vlaanderen – **533** E17 et **716** C3 – 9 053 h. – ✉ 8850 **19** C2

■ Bruxelles 114 – Brugge 36 – Gent 70 – Roeselare 8

X **'t Hazeveld**

Hazestraat 7 – ✆ 0 51 72 63 59 – fermé 28 mars-5 avril, 27 juin-12 juillet, mercredi soir, jeudi soir, lundi et mardi

Rest – Menu 65 € bc/75 € bc – Carte 42/58 €

◆ Gulle, traditionele en huisgemaakte gerechten op het platteland, waar het wemelt van de hazen. Neoretro-interieur, stoofschotels en het hele jaar door geroosterd ribstuk.

◆ Généreuse cuisine traditionnelle faite par la patronne, dans la campagne peuplée de lièvres. Déco néo-rétro, carte-ardoise avec mets mijotés et menu côte à l'os toute l'année.

ARLON (AARLEN) – P Luxembourg – **534** T24 **et 716** K6 – **27 763 h.** **13** C3 – ✉ **6700**

Bruxelles 187 – Namur 126 – Ettelbrück 34 – Luxembourg 31

r. Faubourgs 2, ✆ 0 63 21 63 60, www.ot-arlon.be

Musée : Luxembourgeois★ : section lapidaire gallo-romaine★★ Y

Hostellerie du Peiffeschof

Chemin du Peiffeschof 111 (par ② : 800 m, puis à gauche) – ✆ 0 63 41 00 50 – www.peiffeschof.be – fermé 1 semaine à Pâques, 26 août-9 septembre et 1 semaine à la Toussaint

9 ch – †83/115 € ††94/141 €, ☕ 12 €

Rest *Zinc* – voir la sélection des restaurants

◆ Hostellerie de longue tradition familiale, constamment remise à jour avec soin. Communs pimpants, calmes chambres personnalisées, terrasse en bois exotique et jardin bichonné.

◆ Deze fraai gerenoveerde herberg heeft een lange familietraditie. Mooie openbare ruimten, rustige kamers met een persoonlijke touch, teakhouten terras en verzorgde tuin.

BELGIQUE

ARLON

Bastion (R. du) . . . . . Y 2
Capucins (R. des) . . . . . Y 3
Carmes (R. des) . . . . . Z 4
Chasseurs-Ardennais (Pl. des) . . . . . Y 6
Didier (Pl.) . . . . . Y 8
Diekrich (R. de) . . . . . Y
Dr Hollenfeltz (Pl.) . . . . . Y 9
Etienne-Lenoir (R.) . . . . . Z 10
Faubourgs (R. des) . . . . . Y 12
Frassem (R. de) . . . . . Y 13
Grand'Place . . . . . YZ 15
Grand'Rue . . . . . Z 16
Léopold (Pl.) . . . . . Z 19
Marché aux Légumes . . . . . YZ 22
Marché au Beurre (R. du) . . . . . Z 20
Marquisat (R. du) . . . . . Y 23
Michel-Hamelius (R.) . . . . . Z 25
Palais de Justice . . . . . Z 26
Paul-Reuter (R.) . . . . . Z 27
Porte Neuve (R. de la) . . . . . Y 29
Remparts (R. des) . . . . . Y 30
Saint-Jean (R.) . . . . . YZ 32
Seymerich (R. de) . . . . . Y 34
Synagogue (R. de la) . . . . . Z 35
25-Août (R. du) . . . . . Z 40

XX **L'Arlequin**

pl. Léopold 6 – ☎ 0 63 22 28 30 – www.arlequin-arlon.be – fermé première semaine de janvier, 1 semaine après Pâques, première semaine de septembre, jeudi soir et lundi Z**v**

Rest – Menu 36/70 € – Carte 51/68 €

◆ Restaurant vous accueillant cordialement au 1er étage d'une maison de ville. Choix classique actualisé ; menu vins compris prisé par la clientèle d'habitués. Vue urbaine.

◆ In dit restaurant op de eerste verdieping van een stadshuis wordt u hartelijk ontvangen. Klassieke keuken met een vleugje modern en menu inclusief wijn. Uitzicht op de stad.

XX **Or Saison**

av. de la Gare 85 – ☎ 0 63 22 98 00 – www.orsaison.be – fermé première semaine de janvier, 3 semaines en avril, 2 semaines en juillet, 1 semaine à la Toussaint, samedi midi, dimanche, lundi et jours fériés

Rest – Lunch 28 € – Menu 52/79 € bc Z**g**

◆ Cuisine du moment servie dans une salle aux tons mode, pourvue de sièges en Lloyd Loom et de tables rondes dressées avec soin. Patron au fourneau et sa charmante épouse en salle.

◆ Eigentijdse gerechten, geserveerd in een eetzaal met modieuze kleuren, fraai gedekte ronde tafels en Lloyd Loom-stoelen. De baas kookt en zijn lieftallige vrouw bedient.

XX **Zinc** – Hôtel Hostellerie du Peiffeschof

Chemin du Peiffeschof 111 (par ② : 800 m, puis à gauche) – ☎ 0 63 41 00 50 – www.peiffeschof.be – fermé carnaval, semaine de Pâques, 13 au 29 août, semaine de la Toussaint, jours fériés, mercredi soir, samedi midi, dimanche et après 20 h 30

Rest – Lunch 23 € – Menu 32/36 € – Carte 37/59 €

◆ Joli bistrot moderne dont la carte classico-contemporaine à l'accent régional est notée sur un grand écriteau. Lunch attrayant en deux services avec dessert optionnel. Belle terrasse en bois côté jardin.

◆ Eigentijdse brasserie, waar de modern-klassieke gerechten met een regionaal accent op een schoolbord staan. Voordelig tweegangenmenu bij de lunch, eventueel met dessert. Mooi terras aan de tuinzijde.

à Toernich **Sud : 4 km – C Arlon – ✉ 6700**

XX **La Régalade**

Burewee 26 – ☎ 0 63 22 65 54 – www.laregalade.be – fermé 2 au 11 janvier, dernière semaine d'août-première semaine de septembre, samedi midi, mardi soir et mercredi

Rest – Lunch 24 € – Menu 37/69 € bc – Carte 59/69 €

◆ Un village paisible sert de cadre à cette maison de bouche où l'on régale dans un décor moderne. Carte actuelle avec menu multi-choix. Salon douillet et jolie terrasse avant.

◆ Modern ingericht restaurant in een rustig dorp. Eigentijdse kaart met meerkeuzemenu. Knus salon en terras aan de voorkant.

AS – Limburg – **533** S16 et **716** J2 – **7 785 h.** – ✉ **3665** **11** C2

Bruxelles 99 – Hasselt 25 – Antwerpen 95 – Eindhoven 58

XXX **Hostellerie Mardaga** avec ch

Stationsstraat 121 – ☎ 0 89 65 62 65 – www.hotelmardaga.be

18 ch – †95/135 € ††95/185 €

Rest – *(fermé 1er au 10 janvier, 8 au 25 juillet, dimanche soir en hiver, samedi midi et lundi)* Lunch 45 € – Menu 39/80 € – Carte 50/85 €

◆ Chic hotel-restaurant, pas gerenoveerd. Eigentijdse gerechten, geserveerd in een gedistingeerde eetzaal of op het mooie terras aan het park. Gerieflijke kamers met een persoonlijke touch. Vergaderzalen op de zolderverdieping.

◆ Hôtellerie chic remise à jour ces dernières années. Cuisine du moment servie dans un cadre distingué ou sur la belle terrasse profitant d'un parc. Confortables chambres personnalisées. Salles de réunion installée dans les combles.

ASSE - Vlaams Brabant - 533 K17 et 716 F3 - 30 228 h. - ✉ 1730 3 B2

Bruxelles 16 - Leuven 46 - Aalst 12 - Dendermonde 17

De Pauw

Lindendries 3 - ☎ 0 2 452 72 45 - www.restaurantdepauw.com - fermé 15 au 25 février, dernière semaine d'août-2 premières semaines de septembre, dimanche soir, lundi soir, mardi soir et mercredi

Rest - Menu 45 € bc/80 € bc - Carte 63/83 €

◆ Oude villa met verzorgde tuin, waar het 's zomers heerlijk tafelen is. Klassieke kaart en goede wijnkeuze. Het vlees wordt aan tafel gesneden. Kokkin achter het fornuis.

◆ Villa ancienne dont le jardin soigné accueille un agréable restaurant d'été. Carte classique, découpes réalisées à la vue des convives, bon choix de vins. Cuisinière au piano.

ASTENE - Oost-Vlaanderen - 533 G17 - voir à Deinze

ATH (AAT) - Hainaut - 533 H19, 534 H19 et 716 E4 - 28 026 h. - ✉ 7800 7 C1

Bruxelles 57 - Mons 25 - Tournai 29

r. Pintamont 18, ☎ 0 68 26 51 70, www.ath.be

Espace gallo-romain:barque monoxyle géante★ et chaland★

au Sud-Ouest : 6 km à Moulbaix : Moulin de la Marquise★ • au Sud-Est : 5 km à Attre : Château★ • au Nord : 13 km à Lessines : N.-D.-à la Rose★ • au sud : 10 km à Beloeil : château★★ : riches collections★★★, bibliothèque★, parc★★, ★★

BELGIQUE

à Ghislenghien (Gellingen) Nord-Est : 8 km - Ath - ✉ 7822

Horizon

av. des Artisans 1, (dans le zoning d'activités) (sortie 29 sur E 429 - A8) - ☎ 0 68 44 51 11 - www.bestwesternhorizon.be

60 ch - 65/120 € 80/135 € - ½ P 113/168 €

Rest - *(fermé dimanche soir, vendredi soir et samedi)* Lunch 12 € - Menu 25/33 € bc - Carte 21/38 €

◆ Hôtel inauguré en 2009 dans une zone d'activités. Lobby-bar moderne, chambres fonctionnelles au look sobre et actuel, salles de réunions et fitness. Resto où afflue la clientèle des bureaux alentour, attirée par une carte franco-italienne.

◆ Dit hotel op een bedrijventerrein ging in 2009 open. Moderne lobby-bar, functionele kamers in een sobere, actuele look, vergaderzalen en fitness. Het restaurant met Frans-Italiaanse kaart trekt veel mensen uit de omliggende kantoren.

Aux Mets Encore

chaussée de Bruxelles 431, (N 7) - ☎ 0 68 55 16 07 - www.auxmetsencore.be - fermé carnaval, dernière semaine de juillet-première semaine d'août et mercredi

Rest - *(déjeuner seulement sauf vendredi et samedi)* Lunch 20 € - Menu 26/84 € bc - Carte 36/53 €

◆ Resto lié à une coopérative agro-alimentaire prônant le développement durable. Mets traditionnels à base de produits fermiers ou bio du Pays des Collines. Ambiance "bonne auberge".

◆ Dit traditionele restaurant heeft de sfeer van een goede herberg en werkt samen met een landbouwcoöperatie die duurzame ontwikkeling voorstaat.

AUBEL - Liège - 533 U18 et 716 K3 - 4 178 h. - ✉ 4880 9 C1

Bruxelles 124 - Liège 33 - Namur 96 - Maastricht 28

r. Terstraeten 254, au Nord-Est : 10 km à Gemmenich, ☎ 0 87 78 92 80

r. Vivier 3, au Sud-Est : 6 km à Henri-Chapelle, ☎ 0 87 88 19 91

au Sud-Est : 6 km à Henri-Chapelle, cimetière américain : de la terrasse ★

XX **Fiasko**

rte de la Clouse 27, (Cosenberg) – ✆ 0 87 55 25 50 – www.fiasko.be – fermé 15 août, samedi midi, mardi et mercredi

Rest – Lunch 39 € bc – Menu 49/65 € – Carte 51/71 €

Rest *Le Bistro d'Astrid* – voir la sélection des restaurants

◆ Point de fiasco au Fiasko : ici, on apprécie une cuisine gastronomique dans la tradition française, et le cadre est agréable. Les amoureux peuvent même profiter de l'atmosphère intime de la cave.

◆ Fiasko staat voor Franse gastronomie in een gezellige setting. Voor wie het nog gezelliger mag: in de kelder is een aparte tafel voor twee voorzien voor verliefde stellen.

X **Le Bistro d'Astrid** – Rest Fiasko

rte de la Clouse 27, (Cosenberg) – ✆ 0 87 68 77 18 – www.lebistrodastrid.be – fermé 15 août, mardi et mercredi

Rest – Carte 23/55 €

◆ Au Bistro d'Astrid, les spécialités de la région sont chez elles – et l'on y retrouve le même esprit de convivialité qu'au restaurant gastronomique dont il dépend. Le bar The Daily Dram recèle une collection de whiskys assez unique.

◆ In Astrids bistro staat de keuken van de streek op het menu. Net als in de meer gastronomische zaak op hetzelfde adres is het ook hier gezelligheid troef. In de bar The Daily Dram kunt u terecht voor een whiskydegustatie, uniek in de regio.

AUDENARDE – **Oost-Vlaanderen** – **voir Oudenaarde**

AUDERGHEM (OUDERGEM) – **Bruxelles-Capitale** – **533** L18 **et 716** G3 – **voir à Bruxelles**

AWENNE – **Luxembourg** – **534** Q22 **et 716** I5 – **voir à St-Hubert**

AYWAILLE – **Liège** – **533** T20, **534** T20 **et 716** K4 – **11 460 h.** – ✉ **4920** **8** B2

Bruxelles 123 – Liège 29 – Spa 16

pl. J. Thiry 9a, ✆ 0 4 384 84 84, www.aywaille.be

XX **Hostellerie La Villa des Roses** avec ch

av. de la Libération 4 – ✆ 0 4 384 42 36 – www.lavilladesroses.be – fermé 4 janvier-4 février, 13 septembre-14 octobre, mardi sauf de juin à août et lundi

8 ch – 65/95 € 79/99 €

Rest – *(fermé jeudi midi d'octobre à avril, lundi, mardi et après 20 h 30)* Lunch 16 € – Menu 37/60 € bc – Carte 46/63 €

◆ Auberge familiale adossée à un coteau boisé et disposant d'une agréable terrasse. Côté restaurant, beau choix de plats classiques. Pour une étape improvisée, il y a des chambres à l'étage. Attention, elles donnent sur la rue.

◆ Eerbiedwaardige herberg met terras tegen een beboste heuvel. Uitgebreide kaart en menu's met klassieke bereidingen. Degelijke kamers op de verdieping, aan de straatkant.

X **L'Avenue**

av. François Cornesse 4 – ✆ 0 4 384 72 92 – www.restaurantlavenue.be – fermé les 3èmes semaines de mars, de juin, de septembre et de décembre et lundis, mardis et mercredis non fériés

Rest – Lunch 17 € – Menu 30/36 € – Carte env. 48 €

◆ Voilà une famille passionnée : monsieur assure le bon accueil, le fiston est en cuisine, et madame épaule l'un ou l'autre. Classique et plein d'enthousiasme.

◆ Deze familie heeft er zin in: vader zorgt voor de vlotte ontvangst, de zoon staat in de keuken en moeder springt bij waar nodig. Een klassieke zaak, gerund vol enthousiasme.

BAILEUX – **Hainaut** – **534** L22 **et 716** G5 – **voir à Chimay**

BALÂTRE – **Namur** – Ⓒ **Jemeppe-sur-Sambre 18 495 h.** – **533** M20 **et 534** M20 – ✉ **5190** **14** B1

Bruxelles 55 – Namur 20 – Charleroi 23 – Mons 57

L'Escapade avec ch

pl. de Balâtre 123 – ✆ 0 81 58 85 08 – www.lescapade.net – fermé mardi midi, dimanche soir et lundi

9 ch – 70 € 90 € – ½ P 67 €

Rest – Lunch 22 € – Menu 30/49 € – Carte 28/51 €

◆ Ancien presbytère rénové, au cœur du village. Cuisine évolutive faite par la patronne, salle à manger-véranda chaleureuse et moderne, salon-fumoir et terrasse côté campagne. Bonnes nuits à petits prix dans des chambres bien tenues.

◆ Gerenoveerde oude pastorie in het hart van het dorp. Vernieuwende keuken, sfeervolle, moderne eetzaal met veranda, rooksalon en terras met uitzicht op het platteland. Goed onderhouden kamers voor een zacht prijsje.

BALEGEM – **Oost-Vlaanderen** – C **Oosterzele 13 373 h.** – **533** H17 **et 716** E3 – ✉ **9860** **16** B3

Bruxelles 50 – Gent 23 – Aalst 28 – Oudenaarde 21

't Parksken

Geraardsbergsesteenweg 233 – ✆ 0 9 362 52 20 – www.parksken.be – fermé 10 au 23 août, dimanche soir, lundi et mardi

Rest – Lunch 25 € – Menu 48/65 € – Carte 56/75 €

◆ Etablissement als café gestart in 1897 en uitgegroeid tot restaurant. Interieur met retro-elementen en gezellige open haard. Klassieke bereidingen, meerdere menu's.

◆ Ancien café estampillé 1897, aujourd'hui devenu restaurant. Décor rétro (cheminée) et plats classiques ou plus innovants.

BALMORAL – **Liège** – **533** U19, **534** U19 **et 716** K4 – **voir à Spa**

BARCHON – **Liège** – **533** T18, **534** T18 **et 716** K3 – **voir à Liège, environs**

BARVAUX – **Luxembourg** – C **Durbuy 11 169 h.** – **533** R20, **534** R20 **et 716** J4 – ✉ **6940** **12** B1

Bruxelles 121 – Arlon 99 – Liège 47 – Marche-en-Famenne 19

Parc Julienas 1, ✆ 0 86 21 11 65, www.barvauxsurourthe.be

rte d'Oppagne 34, ✆ 0 86 21 44 54

au Nord : 4,5 km, ≤ sur la vallée de l'Ourthe

Comme à la Ferme sans rest

pl. de Bohon 21, (Bohon) (Nord-Ouest : 3 km) – ✆ 0 86 21 30 49 – www.commealaferme.be

9 ch – 125/170 € 125/170 €

◆ Charmante auberge dans un hameau paisible entre Barvaux et Durbuy. Les chambres du bâtiment principal ont été soigneusement rajeunies. Breakfast servi à table. Salon-cheminée.

◆ Gezellige herberg in een rustig dorpje tussen Barvaux en Durbuy. De kamers in het hoofdgebouw zijn gerenoveerd. Lounge met schouw. Het ontbijt wordt uitgeserveerd.

Le Cor de Chasse (Mario Elias) avec ch

r. Petit Barvaux 97 (Nord : 1,5 km) – ✆ 0 86 21 14 98 – www.lecordechasse.be – fermé 2 premières semaines de janvier, 1 semaine à Pâques, 2 premières semaines de juillet, 1 semaine en novembre, mardi et mercredi

9 ch – 75/85 € 90 € – ½ P 132/139 €

Rest – Lunch 30 € – Menu 48/95 € bc – Carte 61/82 €

Spéc. Trois préparations de langoustines. Cabillaud aux épinards et tétragones, purée de haricots. Pigeon aux courgettes, tomates, aubergines et kalamansi.

◆ Refuge gourmand délicieusement inventif, isolé dans un virage proche de Barvaux. Accueil et service agréables, salle modernisée avec bonheur et terrasse au-dessus du jardin. Pour l'étape nocturne, charmantes chambres rénovées dans un style actuel bien cosy.

◆ Gastronomisch restaurant met een inventieve kookstijl, in een bocht nabij Barvaux. Aangename ontvangst en bediening, fraai gemoderniseerde eetzaal en tuin met terras. Wie wil overnachten kan kiezen uit sfeervolle kamers, in eigentijdse stijl gerenoveerd.

à Bomal-sur-Ourthe Nord : 3 km – Ⓒ Durbuy – ✉ 6941

Manoir Ormille

r. Barvaux 40 – ☎ 0 86 43 47 62 – www.ormille.be – fermé 9 au 15 janvier
5 ch – †80/100 € ††90/110 € **Rest** – *(dîner pour résidents seulement)*

◆ Fier manoir de 1890 remanié vers 1925 et agrémenté d'un beau parc. Éléments décoratifs intérieurs Art nouveau et Art déco, chambres personnalisées, suites familiales, breakfast dans l'orangerie.

◆ Statig landhuis uit 1890 dat in 1925 werd verbouwd. Mooi park, binnen elementen in art-nouveau- en art-decostijl, kamers met een persoonlijke toets, familiesuites, ontbijt in de oranjerie.

BASTOGNE (BASTENAKEN) – Luxembourg – 534 T22 et 716 K5 — 13 C2

– **14 850 h.** – ✉ **6600**

Bruxelles 148 – Arlon 40 – Bouillon 67 – Liège 88

pl. Mac Auliffe 60, ☎ 0 61 21 27 11, www.paysdebastogne.be

Intérieur★ de l'église St-Pierre★ • Bastogne Historical Center★ • à l'Est : 3 km: Le Mardasson★

au Nord : 17 km à Houffalize : Site★

Melba

av. Mathieu 49 – ☎ 0 61 21 77 78 – www.hotel-melba.com – fermé 18 décembre-16 janvier
34 ch – †65/72 € ††85/92 € – ½ P 90 €
Rest – *(dîner pour résidents seulement)*

◆ Hôtel moderne tenu en famille, dans une rue calme près du centre. Grandes chambres fonctionnelles, salle de réunion, sauna et fitness, local à vélos.

◆ Modern hotel dat door een familie wordt gerund, in een rustige straat bij het centrum. Grote functionele kamers, vergaderzalen, kleine sauna en fitness. Fietsen beschikbaar.

Collin

pl. Mac Auliffe 8 – ☎ 0 61 21 48 88 – www.hotel-collin.com – fermé 1er au 21 mars et 5 au 19 novembre
16 ch – †70/90 € ††90/125 € – ½ P 95 €
Rest – *(fermé mercredi et jeudi)* Carte 20/44 €

◆ Bâtisse des années 1990 dominant l'esplanade centrale où stationne l'emblématique Sherman (char U.S.). Chambres fraîches et nettes. Taverne-restaurant rétro et terrasse sur la place. Carte brasserie : grillades, plats mijotés, choucroutes et moules en saison.

◆ Flatgebouw uit de jaren 1990 aan het centrale plein, waar een Amerikaanse Sherman-tank staat. Frisse en nette kamers. Ouderwets café-restaurant met terras aan het plein. Brasseriekaart: geroosterd vlees, stoofschotels, zuurkool en mosselen.

Léo at home

pl. Mac Auliffe 50, (avec annexe 2e Léo) – ☎ 0 61 21 14 41 – www.hotel-leo.com
12 ch – †62/80 € ††79/110 € – ½ P 118/140 €
Rest *Wagon Léo* – voir la sélection des restaurants

◆ Placé sous la protection du célèbre char yankee, ce petit hôtel vous loge en toutes commodités. Chambres amples et actuelles. Buffet matinal dans un cadre clair et avenant.

◆ Gerieflijk hotelletje aan het plein met de beroemde yankeetank. Ruime, moderne kamers. Ontbijtbuffet in een prettige lichte ruimte.

Wagon Léo – Hôtel Léo at home

r. Vivier 4 – ☎ 0 61 21 14 41 – www.wagon-leo.com – fermé 21 décembre-21 janvier, 4 au 14 juillet et lundi
Rest – Lunch 20 € – Menu 33/39 € – Carte 23/64 €

◆ Les secrets d'une bonne cuisine traditionnelle se transmettent en famille depuis 1946 dans ce "wagon-restaurant" né d'une simple friterie. Carte et décor de type brasserie.

◆ De familiegeheimen van een goede traditionele keuken worden sinds 1946 doorgegeven in dit "wagon-restaurant", voorheen een frietkraam. Typische brasseriekaart, dito interieur.

BELGIQUE

BATSHEERS – Limburg – Ⓒ Heers 7 105 h. – 533 Q18 – ✉ 3870 10 B3

▶ Bruxelles 81 – Hasselt 30 – Liège 29 – Maastricht 59

Karrehof

Batsheersstraat 35 – ✆ 0 11 48 51 77 – www.karrehof.be – fermé 24 et 25 décembre

10 ch – †53/63 € ††76/96 € – ½ P 73 € **Rest** – *(résidents seulement)*

◆ Deze boerderij van rode baksteen (1799) in een landelijk dorp is nu een hotel met een mooi rustiek interieur. Persoonlijke kamers en verkoop van ambachtelijke producten.

◆ Dans un village agreste, ferme hesbignonne en briques rouges (1799) devenue un hôtel au cadre rustique soigné. Chambres personnalisées. Produits artisanaux en vente sur place.

BATTICE – Liège – Ⓒ Herve 17 155 h. – 533 T19, 534 T19 et 716 K4 9 C1 – ✉ 4651

▶ Bruxelles 117 – Liège 27 – Verviers 9 – Aachen 31

XXX **Aux Étangs de la Vieille Ferme**

Maison du Bois 66, (Bruyères) (Sud-Ouest : 7 km) – ✆ 0 87 67 49 19 – www.auxetangs.be – fermé 1er janvier, samedi midi, lundi et mardi

Rest – Lunch 32 € – Menu 50/115 € bc – Carte 52/92 €

◆ Cette bâtisse du 18e s. et son parc magnifique se prêtent aussi bien à un dîner romantique qu'à des réceptions ou des séminaires. Vous pourrez vous installer sous la véranda, sur une terrasse face aux étangs : il y en a pour tous les goûts !

◆ Deze boerderij heeft een mooi park en terrassen aan de vijvers en leent zich zowel voor een romantisch diner voor twee als voor een banket. In de week worden de gerechten geserveerd in de gezellige bar. Het mooie terras is een aanrader.

à Charneux Nord : 4 km – Ⓒ Herve – ✉ 4654

Hostellerie Le Wadeleux

Wadeleux 417 – ✆ 0 87 78 59 12 – www.wadeleux.be – fermé 1 semaine début janvier, mercredi et jeudi

6 ch – †100 € ††110 €, 13 € – ½ P 98 €

Rest *Le Wadeleux* – voir la sélection des restaurants

◆ À la recherche d'une idée originale pour une balade gourmande ? Le Pays de Herve vous tend les bras ! Rejoignez cette sympathique auberge à 5 minutes de l'abbaye de Val-Dieu et où le terroir local est roi. L'établissement propose quelques chambres pleines de charme et un petit déjeuner avec du miel régional.

◆ Op zoek naar een leuk idee voor een culinaire trip? Het Land van Herve verwelkomt u met open armen! Proef bijvoorbeeld de bieren van de abdij van Val-Dieu, en zak daarna af naar Le Wadeleux, op 5 minuutjes rijden: een charmant hotelletje waar u ontbijt met honing uit de regio.

X **Le Wadeleux** – Hôtel Hostellerie Le Wadeleux

Wadeleux 417 – ✆ 0 87 78 59 12 – www.wadeleux.be – fermé 1 semaine début janvier, mercredi et jeudi

Rest – *(réservation conseillée)* Menu 30/50 €

◆ Le Wadeleux défend avec fierté les bons produits du pays de Herve ! Ainsi les escargots, élevés par le propre frère du patron. Et pour prolonger ces délices, on peut séjourner à l'hôtel... N'oubliez pas de réserver !

◆ Le Wadeleux is duidelijk trots op zijn 'terroir', en laat u graag meegenieten van de liefde voor het lekkers uit de streek, zoals de slakken die door de broer van de patron zelf worden gekweekt. Vergeet niet te reserveren!

BAUDOUR – Hainaut – 533 I20, 534 I20 et 716 E4 – voir à Mons

BAZEL – Oost-Vlaanderen – Ⓒ Kruibeke 15 991 h. – 533 K16 et 716 F2 17 D1 – ✉ 9150

▶ Bruxelles 45 – Gent 49 – Antwerpen 17 – Sint-Niklaas 15

XXX **Hofke van Bazel**

Koningin Astridplein 11 – ☎ 03 744 11 40 – www.hofkevanbazel.be – fermé samedi midi et lundi

Rest – Lunch 35 € – Menu 45/69 € – Carte 70/92 €

◆ Eigentijdse maaltijd in deze oude huizen met een rustiek romantisch interieur of in de prachtige tuin. Aparte banquetingzalen. Open kelder voor het aperitief.

◆ Maisons anciennes vous conviant à un repas au goût du jour dans un décor rustico-romantique ou au jardin superbe. Salons pour groupes. Cave à vue où l'on propose l'apéritif.

BEAUMONT – Hainaut – 533 K21, 534 K21 et 716 F5 – 6 935 h. – ✉ 6500

7 D2

Bruxelles 80 – Mons 32 – Charleroi 26 – Maubeuge 25

Grand'Place 10, ☎ 071 58 81 91

à Grandrieu Sud-Ouest : 7 km – Ⓒ Sivry-Rance 4 703 h. – ✉ 6470

XX **Le Grand Ryeu**

r. Goëtte 1 – ☎ 060 45 52 10 – www.legrandryeu.be – fermé 2 premières semaines de janvier, 2 premières semaines de juillet, dimanche soir, mardi, mercredi, jeudi et après 20 h 30

Rest – Menu 35/75 € bc – Carte 42/60 €

◆ Vieille ferme villageoise où un chef médiatique régale au goût du jour. Menus nombreux (très généreux le lundi), bonne cave, table d'hôtes près des fourneaux, cours de cuisine.

◆ Oude dorpsboerderij met een mediagenieke chef-kok, die houdt van hedendaagse smaken. Talrijke menu's (zeer voordelig op maandag), lekkere wijnen, table d'hôtes en kooklessen.

à Solre-Saint-Géry Sud : 4 km – Ⓒ Beaumont – ✉ 6500

XXX **Hostellerie Le Prieuré Saint-Géry** (Vincent Gardinal) avec ch

r. Lambot 9 – ☎ 071 58 97 00 – www.prieurestgery.be – fermé 2 au 17 janvier, 10 au 18 septembre et lundis et mardis non fériés

4 ch – †80/99 € ††99/135 €, ☕ 20 € – 2 suites – ½ P 120/135 €

Rest – Lunch 32 € – Menu 50/135 € bc – Carte 70/130 €

Spéc. Langoustine en tartare et caviar, moelleux de pommes de terre à l'œuf de caille. Parmentier de joue et ris de veau, chou vert et lentilles. Chocolat en Forêt Noire revisitée, grué de cacao.

◆ Cet ancien prieuré a tout pour plaire : haute cuisine évolutive, service prévenant, ambiance intime dans plusieurs salles de caractère, cour-terrasse, bons vins au verre... Chambres et suites au charme romantique. Poutres et murs en moellons dans certaines.

◆ Deze voormalige priorij heeft veel te bieden, zoals een eigentijdse keuken en goede selectie wijnen per glas, een sfeervol interieur, een patio, en een attente bediening. Romantische kamers en suites, sommige met balkenplafond en breuksteenen muren.

BEAUVOORDE – West-Vlaanderen – 533 A16 – voir à Veurne

BEERNEM – West-Vlaanderen – 533 F16 et 716 D2 – 15 064 h. – ✉ 8730

19 C2

Bruxelles 81 – Brugge 20 – Gent 36 – Oostende 37

XXX **Di Coylde**

St-Jorisstraat 82 (direction Knesselare) – ☎ 050 78 18 18 – www.dicoylde.be – fermé 20 juillet-14 août, jeudi soir, samedi midi, dimanche soir et lundi

Rest – Lunch 35 € – Menu 60 € bc/90 € bc – Carte 41/65 €

◆ Schitterend landhuis met verzorgde tuinen en een mooi terras, dat moderne schilderijen exposeert en concerten verwelkomt. Verfijnde eigentijdse keuken.

◆ Un ravissant manoir dans un jardin très soigné, où se tiennent régulièrement des expositions de peinture et des concerts. Cuisine recherchée.

BELGIQUE

à Oedelem Nord : 4 km – Ⓒ Beernem – ✉ 8730

XX **Alain Meessen**

Bruggestraat 259 (Ouest : 4 km sur N 337) – ✆ 0 50 36 37 84 – www.alainmeessen.be – fermé samedi midi, dimanche et lundi

Rest – Menu 35/65 € – Carte 58/89 €

◆ Restaurant in een Vlaamse hoeve met een hedendaags interieur, intiem en sfeervol. Modern-klassieke heerlijkheden, bij voorkeur als menu. Mooi tuinterras.

◆ Table au cadre contemporain intime et chaleureux, dans une villa genre fermette flamande. Délices classico-évolutifs à choisir en de préférence en menu. Belle terrasse-jardin.

BEERVELDE – Oost-Vlaanderen – **533** I16 et **716** E2 – voir à Gent, environs

---

BEERZEL – Antwerpen – Ⓒ Putte 16 590 h. – **533** M16 et **716** H2 – ✉ 2580 **1** B3

▶ Bruxelles 46 – Antwerpen 41 – Leuven 38 – Mechelen 16

XXX **De Tuinkamer**

✿ *Hoogstraat 72 – ✆ 0 15 75 59 90 – www.detuinkamer-broodhuys.be – fermé samedi midi, lundi et mardi*

Rest – *(réservation conseillée)* Lunch 38 € – Menu 59/79 € – Carte 56/124 €

Spéc. Turbot et anguille fumée laquée, fines herbes au ponzu. Pigeon d'Anjou au barbecue, foie gras et betterave rouge, pommade de racines de persil. Dessert en trois services.

◆ Chef Ken Verschueren heeft z'n innovatieve keuken van geen vreemden: hij leerde de kneepjes van het vak bij Sergio Herman. Zijn beheersing van technieken is dan ook verbluffend, bovendien blijft het respect voor de smaak van het product behouden. Een verfrissende keuken in een interieur dat tijdloze klasse uitstraalt.

◆ Ken Verschueren a été à bonne école : c'est chez Sergio Herman qu'il a appris toutes les ficelles du métier. Sa maîtrise technique est époustouflante, son sens de l'invention très sûr, le tout au service… du produit et des saveurs. Une cuisine rafraîchissante dans un décor qui respire une classe intemporelle.

BELLEGEM – West-Vlaanderen – **533** E18 et **716** C3 – voir à Kortrijk

---

BELLEM – Oost-Vlaanderen – **533** F16 et **716** D2 – voir à Aalter

---

BELLEVAUX-LIGNEUVILLE – Liège – Ⓒ Malmédy 12 230 h. – **533** V20, **534** V20 et **716** L4 – ✉ 4960 **9** C2

▶ Bruxelles 165 – Liège 65 – Malmédy 9 – Spa 27

Hôtel du Moulin

Grand'Rue 28, (Ligneuville) (sortie ⑫ sur A 27 - E 42) – ✆ 0 80 57 00 81 www.hoteldumoulin.be – fermé 29 août-9 septembre et mercredis et jeudis non fériés

14 ch – †61/73 € ††73/102 € – ½ P 88 €

Rest *Du Moulin* – voir la sélection des restaurants

◆ Joli programme dans cette auberge familiale tout en colombages : des chambres lumineuses, un petit-déjeuner soigné et une terrasse protégée par des voiles modernes.

◆ Familieherberg met een mooie oude voorgevel in Elzasstijl. Frisse, nette kamers, verzorgd ontbijt en knap terras achteraan.

XX **Du Moulin** – Hôtel du Moulin

Grand'Rue 28, (Ligneuville) (sortie ⑫ sur A 27 - E 42) – ✆ 0 80 57 00 81 www.hoteldumoulin.be – fermé 29 août-9 septembre et mercredis et jeudis non fériés

Rest – Menu 35/60 €

◆ Comment résister à l'accueil très chaleureux et à l'ambiance intime du salon où crépite un feu ? Cuisine à la fois moderne et classique, souvent à base de produits régionaux, préparée par le propriétaire – à la bonne humeur communicative – Jean Goire.

◆ Intieme sfeer, salon met knetterend haardvuur en een warme ontvangst. Hoe kunt u hieraan weerstaan? De keuken is modern-klassiek, vaak op basis van streekproducten, en wordt voor u bereid door Jean Goire, de praatgrage eigenaar.

BERCHEM – Antwerpen – **533** L15 et **716** G2 – voir à Antwerpen, périphérie

BERCHEM-STE-AGATHE (SINT-AGATHA-BERCHEM) – Bruxelles-Capitale – **533** K17 et **716** F3 – voir à Bruxelles

BERENDRECHT – Antwerpen – **533** K14 et **716** F1 – voir à Antwerpen, périphérie

BERGEN – Hainaut – voir Mons

BERLAAR – Antwerpen – **533** M16 et **716** G2 – **10 889 h.** – ✉ **2590** **1** B3

Bruxelles 51 – Antwerpen 26 – Lier 8 – Mechelen 18

Het Land (Steven Bes)

Smidstraat 39 – 0 3 488 22 56 – www.hetland.be – fermé fin décembre, 1 semaine vacances de Pâques, 3 semaines en août, jours fériés, mercredi midi, samedi midi, dimanche et lundi

Rest – *(prévenir)* Lunch 35 € – Menu 43/88 € bc – Carte 52/93 €

Spéc. Crabe royal à la purée de pommes de terre. Bar en croûte de sel et vinaigrette de tomates. Pigeon d'Anjou aux petits pois et girolles.

♦ Hier waant u zich in het zuiden! Gastvrij onthaal, warme inrichting, intieme hoekjes in de tuin en smaakvolle gerechten waarin de mediterrane zon doorbreekt.

♦ On dirait le Sud ! Chaleur de l'accueil, douceur de la déco, intimité du jardin à niches végétales et savoureuse maîtrise dans l'assiette, où perce le soleil de la Méditerranée.

BERLARE – Oost-Vlaanderen – **533** J16 et **716** F2 – **14 569 h.** – ✉ **9290** **17** C2

Bruxelles 38 – Gent 26 – Antwerpen 43 – Sint-Niklaas 24

't Laurierblad avec ch

Dorp 4 – 0 52 42 48 01 – www.laurierblad.com – fermé 25 janvier-4 février, 9 août-3 septembre, dimanche soir, lundi et mardi

5 ch – †85 € ††125 € **Rest** – Menu 59 € bc/135 € bc – Carte 70/115 €

♦ Karakteristiek huis van rode baksteen met veranda, patio, terras en waterpartij. Streekgerechten met een hedendaags sausje. Kamers met een persoonlijke touch om na het diner heerlijk te slapen.

♦ Maison typée dont les murs de briques rouges dissimulent une véranda et sa belle terrasse sur cour-jardin avec pièce d'eau. Cuisine régionale remise à la sauce du jour. Chambres personnalisées, pour combiner agréablement repos et gastronomie.

aux étangs de Donk Nord-Ouest : 3,5 km

Lijsterbes (Geert Van Der Bruggen)

Donklaan 155, (Uitbergen) – 0 9 367 82 29 – www.lijsterbes.be – fermé 2 au 8 janvier, 9 au 15 avril, 14 au 19 mai, 20 août-10 september, samedi midi, dimanche soir, lundi et mardi

Rest – Lunch 45 € – Menu 65/95 € – Carte 75/100 €

Spéc. Bar de ligne en croûte de sel. Langoustines à la plancha, bonbon d'artichaut et olives noires. Pêche rôtie à la broche, granité de pétales de roses (juillet-septembre).

♦ Eigentijdse gerechten en mooie selectie wijnen, geserveerd in een interieur dat ter gelegenheid van het 20-jarig jubileum in een nieuw jasje is gestoken. Gastvrij onthaal, prettige loungebar, chef's table bij het fornuis, mooie wilde tuin en terras.

♦ Délices au goût du jour et vins choisis à apprécier dans un cadre rajeuni à l'occasion des 20 ans du restaurant. Sens développé de l'accueil, lounge-bar agréable, table du chef près des fourneaux, beau jardin sauvage et terrasse.

BERTRIX – Luxembourg – 534 Q23 et 716 I6 – 8 313 h. – ✉ 6880 12 B2

Bruxelles 149 – Arlon 54 – Bouillon 24 – Dinant 73

Four et Fourchette

r. Gare 103 – ☎ 0 61 41 66 90 – www.four-et-fourchette.be – fermé lundi, mardi et après 20 h 30

Rest – Lunch 15 € – Menu 34/44 € – Carte 40/59 €

◆ Entre gare et centre, petite table qui ravit par son accueil, son attachant décor intérieur, sa bonne cuisine et sa terrasse côté jardin. Mobilier disparate en salle.

◆ Restaurantje tussen het station en het centrum, met als sterke punten de ontvangst, de aantrekkelijke inrichting, de goede keuken en de tuin met terras. Gevarieerd meubilair.

BÉVERCÉ – Liège – 533 V20, 534 V20 et 716 L4 – voir à Malmédy

BEVEREN (-Leie) – West-Vlaanderen – C Waregem 36 653 h. – 533 F17 et 716 C3 – ✉ 8791 19 C3

Bruxelles 89 – Brugge 49 – Gent 44 – Kortrijk 7

De Grand Cru

Kortrijkseweg 290 – ☎ 0 56 70 11 10 – fermé 21 juillet-15 août, dimanche et lundi

Rest – Lunch 35 € – Menu 50/70 € bc – Carte 53/133 €

◆ Lichte en chique eetzaal met grote glaspuien die uitkijken op een tuintje en waterpartijen. Zeer klassieke kaart en grote bordeaux in de kelder.

◆ Salle claire et élégante, ouverte sur le jardin agrémenté de pièces d'eau, où apprécier une cuisine d'un grand classicisme. La cave conserve quelques grands vins de Bordeaux.

BELGIQUE

BEVEREN (-Waas) – Oost-Vlaanderen – 533 K15 et 716 F2 – 46 299 h. – ✉ 9120 17 D1

Bruxelles 52 – Gent 49 – Antwerpen 15 – Sint-Niklaas 11

De Nieuwe Schandpaal

Kloosterstraat 13 – ☎ 0 3 755 85 10 – www.denieuweschandpaal.be – fermé deuxième semaine d'avril, première semaine de juillet, 2 dernières semaines d'août, lundi soir, mardi et mercredi

Rest – Menu 32/57 € – Carte 54/86 €

◆ Oud pand, niet ver van de markt, met een wintertuin achter, waar klassieke bereidingen worden geserveerd. Verzorgd geheel en interessante formules. Kreeft het hele jaar door.

◆ Près du marché, une belle maison de maître avec jardin d'hiver (ambiance tamisée, verrière et plantes vertes) servant de salle à manger. Cuisine classique avec l'incontournable homard. Menus d'un bon rapport qualité-prix.

BEVERLO – Limburg – C Beringen 43 259 h. – 533 Q16 et 716 I2 – ✉ 3581 10 B2

Bruxelles 83 – Hasselt 28 – Leuven 59 – Maastricht 54

De Boerderie

Eindertstraat 18 – ☎ 0 11 40 27 37 – www.deboerderie.be – fermé 2 premières semaines de septembre

4 ch – †80/110 € ††90/110 € **Rest** – *(dîner pour résidents seulement)*

◆ Genieten in de rust van het Limburgse groen: of uw idee van genieten nu wellness, wandelen of wegdromen op een yogacursus is, de B&B van Elise en Giancarlo biedt het allemaal. Op het bord alleen maar producten van het land.

◆ Ah, la douce quiétude de la campagne limbourgeoise... La maison d'hôtes d'Élise et de Giancarlo est une halte dédiée au bien-être : cours de yoga, sauna, massages, mais aussi balades aux alentours. À table, on se régale de produits exclusivement régionaux.

BILZEN - Limburg - 533 S17 et 716 J3 - 30 882 h. - ✉ 3740 11 C3

Bruxelles 97 - Hasselt 17 - Liège 29 - Maastricht 16

Kerkevelde

ch,

Beverststraat 22, (Beverst) (Nord-Ouest : 4 km) - ✆ 0 89 30 34 80 - www.kerkevelde.be

5 ch - 56/60 € 92 €

Rest - *(résidents seulement)*

◆ De uitbaters van Kerkevelde laten u graag genieten van de charme van hun B&B, inclusief orangerie. Met themakamers van design tot cottagestijl vindt iedereen er zijn gading. In de zomer kunt u ontbijten of dineren op het tuinterras.

◆ Les propriétaires auront plaisir à vous faire découvrir leur maison d'hôtes et son orangerie, toutes les deux charmantes. Les chambres sont toutes différentes (style design, ambiance cottage...) et soignées. L'été, on peut prendre le petit-déjeuner et le dîner en terrasse, côté jardin.

't Vlierhof

Hasseltsestraat 57a - ✆ 0 89 41 44 18 - www.vlierhof.be - fermé 2 premières semaines d'août, samedi midi, lundi soir et mercredi

Rest - Menu 35/62 € - Carte 50/73 €

◆ Eigentijdse, seizoengebonden gerechten van "vergeten" groenten, kruiden en fruitsoorten, die de chef zelf gaat plukken in zijn weelderige moestuin aan de achterkant.

◆ Cuisine actuelle où entrent, au fil des saisons, fruits, légumes et condiments "oubliés", que le chef va lui-même cueillir dans son potager prolifique situé à l'arrière.

BELGIQUE

Op den Blanckaert

Michel Moorsplein 1, (Mopertingen) (Est : 4 km) - ✆ 0 89 50 35 91 - www.opdenblanckaert.be - fermé 14 au 22 mars, 13 juin-5 juillet, 17 octobre-2 novembre, samedi midi, lundi, mardi et après 20 h 30

Rest - Lunch 30 € - Menu 38/52 € - Carte 48/70 €

◆ Dit restaurant is gevestigd in een oud pand van baksteen in een landelijk dorp, dat vanbinnen is gerenoveerd met behoud van zijn cachet. Mooi terras aan de tuinzijde.

◆ Dans un village agreste, belle bâtisse ancienne en briques, modernisée au-dedans sans lui ôter son cachet. Déco actuelle et romantique en salle ; jolie terrasse au jardin.

De Verleiding

Klokkeplein - ✆ 0 89 41 14 22 - www.deverleiding.eu - fermé samedi midi, lundi et jeudi

Rest - Lunch 32 € - Menu 43/60 €

◆ Een restaurant dat verleidt met zijn verzorgde kader en dito keuken. De keukenbrigade laat zich graag inspireren door het aanbod van de markt om er hedendaagse gerechten met een klassieke basis mee te bereiden. 's Namiddags high tea-buffet.

◆ Raffinement du décor comme de la cuisine : on est séduit ! Le chef puise son inspiration dans les trouvailles du marché, au gré desquelles il se réapproprie les recettes les plus classiques. Salon de thé l'après-midi (buffet).

Une bonne table sans se ruiner ? Repérez les Bib Gourmand.

BINCHE - Hainaut - 533 J20, 534 J20 et 716 F4 - 32 749 h. - ✉ 7130 7 C2

Bruxelles 62 - Mons 19 - Charleroi 20 - Maubeuge 24

Grand'Place, ✆ 0 64 33 67 27, www.binche.be

Remparts★. Musée : International du Carnaval et du Masque★ : masques★★

au Nord-Est, 10 km : Domaine de Mariemont★★ : parc★, musée★★

à Bray **Ouest : 4 km – 🄲 Binche – ✉ 7130**

X **Le Bercha**

rte de Mons 763 – ✆ 0 64 36 91 07 – www.lebercha.be – fermé 2 premières semaines de janvier, dimanche soir, lundi et mardi

Rest – Lunch 16 € bc – Menu 33 € bc/66 € bc

◆ Resto sympa où une équipe familiale soudée entend combler votre appétit. Ambiance débonnaire, déco campagnarde, terrasse avant abritée, produits du terroir à la carte.

◆ Leuk eettentje dat door een familie wordt gerund. Relaxte sfeer, rustieke inrichting, beschut terras aan de voorkant en streekgerechten à la carte om uw honger te stillen.

à Buvrinnes **Sud-Est : 3 km – 🄲 Binche – ✉ 7133**

X **Le Beau Séjour**

rte de Merbes 408 – ✆ 0 64 22 32 42 – www.beausejourrestaurant.be – fermé 2 premières semaines de janvier, 2 dernières semaines d'août, samedi midi, mardi et mercredi

Rest – Menu 33/48 € – Carte 49/70 €

◆ Vous avez une faim de loup ? Direction le Beau Séjour ! Ici, la cuisine est classique et surtout généreuse, et le rapport qualité-prix remarquable.

◆ Zin in een copieuze maaltijd? Trek dan naar Le Beau Séjour, waar genereuze klassieke gerechten hand in hand gaan met een sterke prijs-kwaliteitverhouding.

BISSEGEM – West-Vlaanderen – 533 E18 et 716 C3 – voir à Kortrijk

BLANDEN – Vlaams Brabant – 533 N18 – voir à Leuven

BLANKENBERGE – West-Vlaanderen – 533 D15 et 716 C2 – 18 907 h. 19 C1 – Station balnéaire★ – Casino Kursaal AY, Zeedijk 150, ✆ 0 50 43 20 20 – ✉ 8370

Bruxelles 111 – Brugge 15 – Knokke-Heist 12 – Oostende 21

Leopold III-plein, ✆ 0 50 41 22 27, www.blankenberge.be

Beach Palace rest, VISA AE

Zeedijk 77 – ✆ 0 50 42 96 64 – www.beach-palace.com AY**b**

92 ch – †80/149 € ††125/198 € – 3 suites – ½ P 110/155 €

Rest – Menu 50/75 € – Carte 72/83 €

◆ Dit hotel, tussen het casino en de jachthaven, biedt kamers met zicht op zee of op het park langs de achterkant, wellness center en ontbijt met zeezicht. Weelderig klassieke eetzaal met traditionele kaart.

◆ Hôtel ouvrant d'un côté sur la plage et de l'autre sur un parc et le port. Deux types de chambres (plus modernes à l'arrière), wellness complet et vue sur mer au petit-déj'. Carte traditionnelle présentée dans une salle à manger de style classique cossu.

Aazaert rest, VISA AE

Hoogstraat 25 – ✆ 0 50 41 15 99 – www.aazaert.be – ouvert 11 février-2 décembre AY**t**

58 ch – †83/158 € ††113/168 € – ½ P 118/148 €

Rest – *(fermé dimanche et lundi) (dîner seulement jusqu'à 20 h 30)*
Menu 35/60 €

◆ Wil u graag centraal logeren in een hedendaags hotel en stelt u bovendien prijs op wellness? Dan is Aazaert wellicht wat u zoekt. De uitgebreide wellnessfaciliteiten zijn vrij toegankelijk in de voormiddag en af te huren 's namiddags.

◆ À la recherche d'un hôtel contemporain très central, avec en plus un espace bien-être ? Vous êtes à la bonne adresse ! À noter : l'accès au wellness est gratuit en matinée.

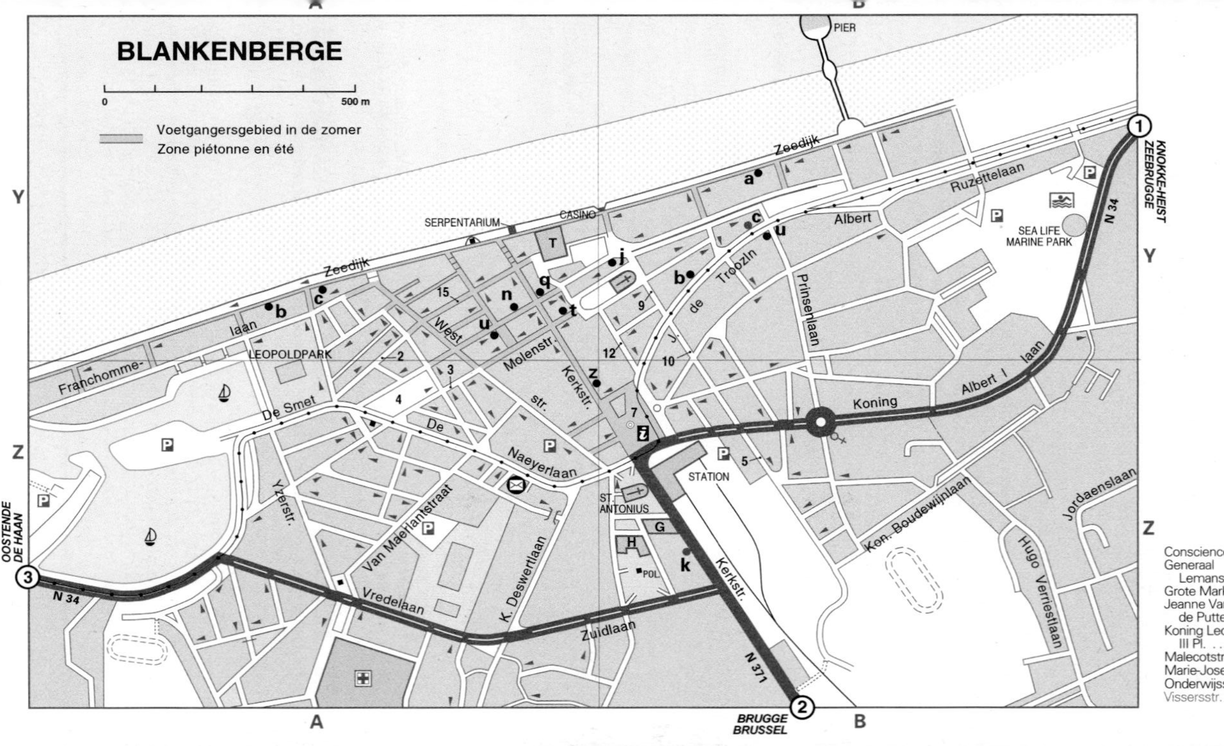

Consciencestr.	AY	2
Generaal Lemanstr.	AZ	3
Grote Markt	AZ	4
Jeanne Van de Puttelaan	BZ	5
Koning Leopold III Pl.	BZ	7
Malecotstr.	BY	9
Marie-Jose laan	BY	10
Onderwijsstr.	BY	12
Vissersstr.	AY	15

Helios

Zeedijk 92 – 0 50 42 90 20 – www.hotelhelios.be – ouvert 27 janvier-12 novembre AY**c**

33 ch – 85/140 € 130/175 € – 1 suite – ½ P 115 €

Rest *Triton* – voir la sélection des restaurants

◆ Hotel in een flatgebouw aan zee, waar 23 kamers op uitkijken. Designinterieur, tentoonstelling van moderne kunst, relaxruimte en zonneterras op het dak.

◆ Immeuble hôtelier tourné vers la mer, dont la vue profite à 23 chambres. Décor design, expo d'art moderne, espace de relaxation et terrasse-solarium perchée sur le toit.

Pantheon Palace

ch,

Langestraat 36 – 0 50 41 11 09 – www.pantheonpalace.be AY**n**

28 ch – 90/100 € 130/145 € – ½ P 125/165 €

Rest – *(fermé mardi et mercedi)* Menu 18/45 € – Carte 29/51 €

◆ Frisse kamers en verzorgd ontbijt in dit vriendelijke hotel met contrasten (moderne kleurige gevel en art-decogevel), dat bij een Vlaams cabaret hoort. Intieme en gezellige bistro in de decoratieve stijl van het theater. Patio met koi-vijver.

◆ Pimpantes chambres et breakfast soigné en cet accueillant hôtel de contrastes (façade contemporaine colorée et devanture Art nouveau) agrégé à un cabaret flamand. Bistrot intime et chaleureux décoré sur le thème du théâtre. Patio avec pièce d'eau peuplée de koï.

BELGIQUE

Saint Sauveur

Langestraat 50 – 0 50 42 70 00 – www.saintsauveur.be AY**q**

43 ch – 110/140 € 135/165 € – 3 suites – ½ P 140/175 €

Rest *Starckx* – voir la sélection des restaurants

◆ Zeer centraal gelegen designhotel met verschillende categorieën kamers voor een aangenaam verblijf. Aangename ontspanningsruimte met zwembad.

◆ À deux pas du casino, de la plage et de toutes les commodités, un hôtel avec des chambres design, un espace bien-être et une piscine intérieure : séjour agréable à l'horizon !

Riant Séjour

ch,

Zeedijk 188 – 0 50 43 27 00 – www.riantsejour.be – ouvert mars-septembre et week-ends BY**a**

30 ch – 125/160 € 125/160 €

Rest – *(fermé mercredi et après 20 h)* Carte 36/50 €

◆ Alle kamers van dit strandhotel zijn ruim bemeten en bieden een prachtig onbelemmerd uitzicht op de pier en het ruime sop. Kleine fitnessruimte. Eenvoudige traditionele keuken met een tiental menu's.

◆ Toutes les chambres de cet hôtel de plage sont de bonne dimensions et offrent une vue dégagée sur la jetée et sur le large. Petite installation de remise en forme. Table traditionnelle déclinant une dizaine de menus.

Malecot

Langestraat 91 – 0 50 41 12 07 – www.vakantiehotels.be – fermé 12 décembre-11 février et mars BY**j**

30 ch – 65/75 € 80/117 € – ½ P 90/105 €

Rest – *(dîner pour résidents seulement)*

◆ Dit familiehotel bij het casino en het strand beschikt over frisse en comfortabele kamers voor een zacht prijsje. Arrangementen beschikbaar met restaurant Le Marmiton dat door dezelfde familie wordt uitgebaat. Klassieke eetzaal en minifitness.

◆ Il règne une ambiance familiale dans cet hôtel proche du casino et de la plage. Les chambres sont fraîches et confortables – et les prix sont aussi doux... Pour les repas, des forfaits sont proposés avec le Marmiton, tenu par la même famille.

De prijzen voor het symbool komen overeen met de laagste prijs in laag seizoen en daarna de hoogste prijs in hoog seizoen voor een éénpersoonskamer. Hetzelfde principe voor het symbool hier voor een tweepersoonskamer.

Avenue sans rest

J. de Troozlaan 42 – 0 50 41 12 75 – www.avenuehotel.be BY**b**

35 ch – 66/72 € 80/92 €

◆ Art-decogevel (1927) met smeedijzeren balkons aan een brede laan waar het zijn naam aan ontleent. Rustige kamers, fitnessruimte en prettige ontbijtzaal.

◆ Sur une grande avenue (d'où le nom de l'établissement), sa façade Art déco, ornée de balconnets en fer forgé (1927), se distingue... Les chambres sont d'un calme appréciable, la salle des petits-déjeuners se révèle agréable pour commencer la journée.

Manitoba sans rest

Manitobaplein 11 – 0 50 41 12 20 – www.hotelmanitoba.com – ouvert 30 mars-septembre AY**u**

20 ch – 48/94 € 74/94 €, 12 €

◆ Familiehotel met weelderige gevel aan een voetgangersplein. Kamers met licht houten meubelen en een nieuwere rustige vleugel aan de achterkant. Heerlijk ontbijt.

◆ Maison familiale dont l'exubérante façade bourgeoise surveille une place piétonne. Chambres meublées en bois clair, bon breakfast, aile arrière plus récente et paisible.

Alfa Inn sans rest 

Kerkstraat 92 – 0 50 41 81 72 – www.alfa-inn.com – ouvert 14 février-10 novembre ABZ**z**

83 ch – 50/60 € 75/95 €

◆ Dit klooster heeft nu een nieuwe roeping als familiehotel. Studio's, kleine, maar functionele kamers, wellness en patio. Het speeltuintje en de papegaai Pico zorgen er mee voor dat dit het meest kindvriendelijke hotel van de kust is.

◆ Cet ancien couvent reconverti en hôtel familial abrite des chambres et des studios certes petits, mais très fonctionnels. Son aire de jeux et plus encore son perroquet – Pico de son petit nom – en font l'hôtel préféré des enfants sur la côte !

Moeder Lambic

J. de Troozlaan 93 – 0 50 41 27 54 – www.moederlambic.be – fermé 15 au 31 décembre, mercredi d'octobre à mi-avril et jeudi BY**u**

15 ch – 52/70 € 80/92 € – ½ P 74/102 €

Rest – Lunch 29 € – Menu 34/41 € bc – Carte 35/65 €

◆ Op 200 m van het strand, op de hoek van een straat met trambaan, staat dit etablissement met kleine, propere en praktische kamers voor een gezinsvakantie. Sympathiek restaurant met een terras dat bij mooi weer stampvol zit. Genereus menu, incl. drank.

◆ À 200 m de la plage, au coin d'une avenue desservie par le tram, établissement doté de petites chambres proprettes et pratiques pour des vacances en famille. Resto sympa dont la terrasse s'anime dès les premiers beaux jours. Généreux menu boissons incluses.

Philippe Nuyens

J. de Troozlaan 78 – 0 50 41 36 32 – fermé 1 semaine en janvier, 1 semaine en mars, 1 semaine en juin, mi-septembre-début octobre, mardi et mercredi

Rest – Menu 55 € bc/90 € bc – Carte 56/100 € BY**c**

Spéc. Grosses langoustines à la plancha, légumes au beurre d'ail citronné. Fondant de foie gras grillé aux langoustines. Croquant de ris de veau aux légumes primeurs.

◆ Modern-klassieke gerechten met een glimlach voorgeschoteld in een licht rustiek interieur: schouw, donkere balken en lichte muren met zachtgroene lambrisering, wat goed past bij het bistromeubilair. Lekkere kleine kaart en prima menu's.

◆ Cuisine classique-actuelle bien faite, servie avec le sourire dans un décor sagement rustique : cheminée, poutres sombres et murs clairs égayés de lambris vert pâle assortis au mobilier de type bistrot. Petite carte alléchante et menus recommandables.

XX **Triton** – Hôtel Helios

Zeedijk 92 – ✆ 0 50 42 90 20 – www.restauranttriton.be – fermé 25 novembre-13 janvier, mardi d'octobre à mai et mercredi AY**c**

Rest – Lunch 28 € – Menu 34/50 € – Carte 46/66 €

◆ De zeeschatten zijn hier terug te vinden in heerlijke menu's tussen traditie en "nouvelle vague". Fraai opgemaakte borden. Moderne eetzaal met nautisch design en het strand als achtergrond.

◆ Les trésors de la marée inspirent la cuisine de ce Triton, qui navigue entre tradition et "nouvelle vague". Salle design d'esprit nautique, avec la mer du Nord pour toile de fond...

X **Griffioen**

Kerkstraat 163 – ✆ 0 50 41 34 05 – www.griffioen.be – fermé 1er au 28 janvier, mercredi sauf en juillet-août et mardi BZ**k**

Rest – Lunch 20 € – Menu 30/53 € bc – Carte 43/65 €

◆ Hier is ruimte voor fantasie! Funny kaart gewijd aan alles wat zwemt en zeebanket. Bijzondere inrichting door de artistieke eigenaar. Verrassing in het herentoilet!

◆ Place à la fantaisie ! Carte "fun" dédiée à tout ce qui nage, légendaires plateaux de fruits de mer, déco improbable faite par le patron-artiste. Surprise dans les WC hommes !

X **Starckx** – Hôtel Saint Sauveur

Langestraat 50 – ✆ 0 50 42 70 00 – www.saintsauveur.be – fermé lundi en hiver

Rest – Menu 30/48 € – Carte 43/65 € AY**q**

◆ Een Nederlands team staat achter het fornuis in deze vlotte designbrasserie. Het serveert klassieke gerechten als garnaalkroketten en Black Angus-steak, maar durft ook moderner uit de hoek komen.

◆ Dans cette brasserie design et animée, l'équipe néerlandaise propose une carte particulièrement variée : des plats classiques comme les croquettes de crevettes ou le steak Black Angus, et d'autres plus actuels, presque insolites...

BELGIQUE

BLAREGNIES – **Hainaut** – Ⓒ **Quévy 7 767 h.** – **533** I20, **534** I20 **et 716** E4 – ✉ **7040** **7** C2

Bruxelles 80 – Mons 15 – Bavay 11

XX **Les Gourmands** (Lydia Glacé et Didier Bernard)

✿ *r. Sars 15 – ✆ 0 65 56 86 32 – www.lesgourmands.be – fermé dimanche soir, lundi, mardi et après 20 h 30*

Rest – Lunch 65 € bc – Menu 39/95 € – Carte 70/119 €

Spéc. Turbot à la réglisse, ravioli à l'oignon. Craquants de langoustines, tomate et combawa. Volaille et homard au jus bisqué et wasabi.

◆ Cette fermette est appréciée pour sa cuisine moderne et sa belle cave. Dans la salle à manger avec poutres, briques et chaises rustiques, la décoration évolue au gré des saisons. Sympathique.

◆ Dit boerderijtje is populair vanwege de moderne keuken en de kelder met een gevarieerde selectie wijnen. Eetzaal met balken, baksteen, rustieke stoelen en per seizoen wisselende decoratie.

BLEGNY – **Liège** – **533** T18, **534** T18 **et 716** K3 – **13 135 h.** – ✉ **4670** **9** C1

Bruxelles 105 – Liège 12 – Verviers 22 – Aachen 33

Musée : au Nord à Blegny-Trembleur : Blegny-Mine★★

à Housse **Ouest : 3 km** – Ⓒ **Blegny** – ✉ **4671**

XX **Le Jardin de Caroline**

r. Saivelette 8 – ✆ 0 4 387 42 11 – www.lejardindecaroline.be – fermé dernière semaine d'août, samedi midi, mardi et mercredi

Rest – Lunch 49 € bc – Menu 29/46 € – Carte 43/73 €

◆ Dès les amuse-bouches, on est fixé : les assiettes sont généreuses... jusqu'au dessert. Mais l'addition réserve aussi une surprise : les prix sont tout doux !

◆ Al bij de amuses wordt de toon gezet: hier wordt u genereus bediend, tot aan de zoetigheden toe. De rekening zorgt gelukkig voor een trendbreuk: u eet hier tegen een klein prijsje!

BOCHOLT - Limburg - **533** S15 et **716** J2 - **12 636 h.** - ✉ 3950 **11** C1

Bruxelles 106 - Hasselt 42 - Antwerpen 91 - Eindhoven 38

De Watermolen

Monshofstraat 9, (Reppel) - ✆ 0 89 48 00 00 - www.de-watermolen.com

65 ch - 70/80 € 100/110 € - ½ P 98/108 €

Rest - *(fermé après 20 h 30)* Carte 20/53 €

◆ Familiehotel op een domein met tal van recreatieve en sportieve voorzieningen. De watermolen dateert nog uit de 9e eeuw. Ruime, keurige kamers. Taverne met indoor-grill, groot terras en allerlei groepsvoorzieningen.

◆ Dans un domaine à vocations récréative et sportive, hôtel très familial intégrant un moulin à eau dont l'origine se perdrait au 9e s. Chambres amples et nettes. Restaurant traditionnel, gril, terrasses d'été et facilités pour groupes.

Kristoffel

Dorpsstraat 28 - ✆ 0 89 47 15 91 - www.restaurantkristoffel.be - fermé 1er au 12 janvier, 18 juillet-7 août, samedi midi, lundi et mardi

Rest - Lunch 30 € - Menu 45/83 € bc - Carte 63/88 €

◆ Dit culinaire instituut in een bierbrouwerstadje is al drie generaties in familiehanden. Eetzalen in retrostijl, verfijnde spijzen, fameuze wijnen en goede bediening.

◆ Institution gourmande exploitée en famille depuis 3 générations au cœur de la petite ville brassicole. Salles au cachet rétro, mets élaborés, fameuse cave et service appliqué.

De Marmiet

Dorpsstraat 41 - ✆ 0 89 48 19 78 - www.demarmiet.be - fermé 2 semaines carnval, 2 dernières semaines d'août, mercredi et jeudi

Rest - Menu 35/61 € - Carte 59/72 €

◆ De Marmiet, dat is een huisje met klasse in het hart van Bocholt. U vindt er een eerlijke keuken waar de chef laat zien dat hij van huis uit klassiek is ingesteld maar toch ook graag een hedendaagse wind door zijn gerechten laat waaien.

◆ Il émane une certaine classe de cette maison du cœur de Bocholt. On y apprécie une cuisine classique authentique, que le chef n'hésite pas à parer d'une touche contemporaine.

BELGIQUE

BOECHOUT - Antwerpen - **533** L16 et **716** G2 - voir à Antwerpen, environs

BOHAN - Namur - **534** O23 et **716** H6 - voir à Vresse-sur-Semois

BOIS-DE-VILLERS - Namur - Ⓒ Profondeville 11 565 h. - **533** O20, **534** O20 et **716** H4 - ✉ 5170 **14** B1

Bruxelles 83 - Namur 12 - Charleroi 38 - La Louvière 59

Espace Medissey sans rest

Chemin des Seize Pieds 5 - ✆ 0 81 40 71 80 - www.medissey.be - fermé Noël-nouvel an, 2 semaines Pâques, fin juin, 2 dernières semaines d'août, mardi et mercredi

5 ch - 100/200 € 100/200 €, 15 €

◆ Accueil aimable et spontané en cette grande maison d'hôtes moderne agencée design. Chambres et junior suites flambant neuves, bon breakfast, atelier cuisine, piscine au jardin.

◆ Vriendelijk en spontaan onthaal in dit grote moderne B&B in designstijl. Spiksplinternieuwe kamers en junior suites, lekker ontbijt, kookatelier en tuin met zwembad.

BOLDERBERG - Limburg - **533** Q17 et **716** I3 - voir à Zolder

BOMAL-SUR-OURTHE - Luxembourg - **534** S20 et **716** J4 - voir à Barvaux

BONCELLES - Liège - **533** S19, **534** S19 et **716** J4 - voir à Liège, environs

BONLEZ – **Brabant Wallon** – Ⓒ **Chaumont-Gistoux 11 485 h.** – **533** N18, **534** N18 **et 716** H3 – ✉ **1325** — **4** C2

Bruxelles 38 – Wavre 9 – Namur 43 – Charleroi 51

32 Chemin de l'herbe

Chemin de l'herbe 32 – ☎ 0 10 68 89 61 – www.32chemindelherbe.be – fermé 2 semaines en septembre, dimanche et lundi

Rest – Lunch 15 € – Menu 30/34 € – Carte env. 40 €

♦ Une jolie fermette rénovée, aux volets bleus et aux murs tapissés de lierre. Cuisine influencée par l'Italie (carpaccio, crème brûlée à la tartuffata, tiramisu...) et grillades. Terrasse bucolique.

♦ Aardig boerderijtje met blauwe luiken en muren met klimop aan de rand van het dorp. Kaart met Italiaanse invloeden en grillspecialiteiten, rustiek interieur en landelijk terras.

BOOM – **Antwerpen** – **533** L16 **et 716** G2 – **16 709 h.** – ✉ **2850** — **1** A3

Bruxelles 30 – Antwerpen 18 – Gent 57 – Mechelen 16

Domus sans rest

Antwerpsestraat 15 – ☎ 0 3 440 90 00 – www.hoteldomus.be

12 ch – †110/135 € ††135/160 €

♦ Door een familie gerund designhotel, dat ooit een klooster was, in een drukke winkelstraat. Zelfgemaakte luxebroodjes bij het ontbijt. Heerlijke tuin om uit te rusten.

♦ Exploité en famille dans une rue commerçante, cet hôtel design tire parti d'une maison de maître au passé de cloître. Viennoiseries maison au petit-déjeuner. Jardin de repos.

BELGIQUE

BOORTMEERBEEK – **Vlaams Brabant** – **533** M17 **et 716** G3 – **11 773 h.** – ✉ **3190** — **4** C1

Bruxelles 30 – Leuven 16 – Antwerpen 38 – Mechelen 11

Classics sans rest

Leuvensesteenweg 240 – ☎ 0 15 51 57 09 – www.hotel-classics.be – fermé 26 décembre-8 janvier

6 ch – †105/150 € ††150 €

♦ Dit kasteeltje uit de jaren 1940 wordt omringd door een rustig park. De grote kamers hebben een persoonlijk karakter, dankzij het mooie klassieke meubilair.

♦ Petit château élevé à la fin des années 1940 et jouissant d'un parc au calme appréciable. Les chambres sont spacieuses et agrémentées d'un beau mobilier de style... classique.

BORGERHOUT – **Antwerpen** – **533** L15 **et 716** G2 – **voir à Antwerpen, périphérie**

BORGLOON (LOOZ) – **Limburg** – **533** R18 **et 716** J3 – **10 330 h.** – ✉ **3840** — **10** B3

Bruxelles 74 – Hasselt 28 – Liège 29 – Maastricht 29

Kasteel van Rullingen

Rullingen 1, (Kuttekoven) (Ouest : 3 km) – ☎ 0 12 74 31 46 – www.rullingen.com

23 ch – †100/135 € ††110/245 €, 15 € – ½ P 118/200 €

Rest *Noblesse* – voir la sélection des restaurants

♦ Schitterend renaissancekasteeltje (17de eeuw) met recente uitbouw, waarvan de kamers allemaal anders zijn. Het park wordt omringd door greppels en boomgaarden.

♦ Des chambres personnalisées trouvent place dans ce ravissant petit château (17[e]s.) d'esprit Renaissance mosane et son extension récente. Parc entouré de douves et vergers. Table misant sur une carte classique actualisée dans un décor d'allure aristocratique.

Het Fonteinhof sans rest
Fonteinhof 1 – 0 12 23 45 00 – www.fonteinhof.be
10 ch – 110/125 € 145 € – 2 suites
Een droom van een kasteelhoeve met het comfort van een luxehotel. Ontspannen kan in de tuin met zwemvijver of in de voormalige stallen waar u nu een aangename relaxruimte vindt. Het gotische kerkje tegenover de oprijlaan is een bezoekje waard.
♦ La vie de château ! Le Fonteinhof vous ravira avec son cadre propice à la détente : jardin avec piscine, espace bien-être aménagé dans les anciennes écuries… Et ne manquez pas l'église gothique située en face.

Pracha sans rest
Kogelstraat 3 – 0 12 74 20 74 – www.pracha.be
7 ch – 85 € 90/97 €
Moderne villa om relaxed te "cocoonen". Wellness, beautycenter (de eigenares is schoonheidsspecialiste), lounge in de serre en rustgevende tuin met waterpartij.
♦ Villa moderne vous conviant à un séjour "cocooning" dans une ambiance relax. Wellness, beauty center (patronne esthéticienne), salon-véranda, jardin de repos avec pièce d'eau.

De Tornaco rest,
Romeinse Kassei 5, (Voort) (Nord-Ouest : 3 km) – 0 12 67 26 00 – www.detornaco.be
5 ch – 65 € 90 € – ½ P 85 € **Rest** – *(dîner pour résidents seulement)*
U in bed op uw rustieke kamer en uw paard op stal: na een nacht in de rust van dit stukje Haspengouw bent u allebei klaar om erop uit te trekken. Laat u zich liever rijden, dan kunt u mee met uitbater Ronny in de huifkar. Maaltijd na afspraak.
♦ Repos assuré dans cette ferme-château d'un coin paisible de la Hesbaye. Le propriétaire, Ronny, grand amateur de chevaux, vous proposera des randonnées équestres, et même… une balade en roulotte ! Repas possible sur réservation.

De Verborgen Parel sans rest
Hoenshovenstraat 5, (Hoetertingen) (Ouest : 5 km par N 79) – 0 477 05 94 80 – www.deverborgenparel.be
6 ch – 75/95 € 98/134 €
Deze B&B biedt meer dan knappe kamers in een groene long van België. De belangrijkste troef? Een uitgebreide wellness, met hammam, binnenzwembad, sauna en meer.
♦ Une maison d'hôtes qui, outre de jolies chambres, vous propose un vaste espace bien-être, un hammam, un sauna et une piscine intérieure.

Noblesse – Hôtel Kasteel van Rullingen
Rullingen 1, (Kuttekoven) (Ouest : 3 km) – 0 12 74 31 46 – www.rullingen.com – fermé 25 au 31 juillet, samedi midi, mardi et mercredi
Rest – Lunch 39 € – Menu 49/125 € bc – Carte 46/95 €
Met zijn somptueuze decor, met fraaie wandschilderingen en neoklassieke schouwen, hoort dit restaurant helemaal thuis in het kasteel waar het gevestigd is. De chef kookt klassiek met hier en daar een moderne toets.
♦ Ce restaurant au décor somptueux, avec ses fresques et ses cheminées néo-classiques, s'intègre parfaitement au château dans lequel il est niché…Noblesse oblige ! Cuisine classique, avec quelques touches de modernité.

Ambrozijn
Tongersesteenweg 30 – 0 12 74 72 31 – www.restaurantambrozijn.be – fermé semaine de carnaval, 16 juillet-1er août, semaine de la Toussaint, samedi midi, mardi et mercredi
Rest – Lunch 30 € – Menu 35/90 € bc – Carte 53/75 €
Godenspijzen worden rijkelijk voorzien van godendranken in dit restaurant met een licht en eigentijds interieur. Dankzij de inzet van twee broers zal het een lang leven beschoren zijn. Fijn terras.
♦ L'ambroisie et autres nectars divins coulent à flots dans ce restaurant au décor clair et contemporain. Les deux frères, Johan aux fourneaux et Kris en cave, sont bien partis pour lui assurer une belle longévité gastronomique. Agréable terrasse.

BELGIQUE

X **Het Klaphuis** avec ch rest, VISA MC

Kortestraat 2 – ☎ 0 12 74 73 25 – www.klaphuis.be – fermé 1er au 14 septembre
8 ch – ♦60/70 € ♦♦80/90 €
Rest – *(fermé mardi)* Lunch 16 € – Menu 35/45 € – Carte 34/52 €

♦ Zoekt u een brasseriekeuken met liefde gemaakt en volgens de regels van de kunst? Dan is Het Klaphuis een bezoek waard. Het amfitheatertje op het terras en het historische stadhuis zijn een onverwacht maar prettig uitzicht. Functionele kamers.

♦ Envie de bons plats de brasserie concoctés dans les règles de l'art ? Ce restaurant vous ravira ! Et en terrasse, on profite d'une vue inattendue sur le petit amphithéâtre et l'hôtel de ville du 17e s. Chambres fonctionnelles pour vous reposer après un bon dîner.

BORGWORM – Liège – voir Waremme

BORNEM – Antwerpen – 533 K16 et 716 F2 – 20 556 h. – ✉ 2880 1 A3

▶ Bruxelles 36 – Antwerpen 28 – Gent 46 – Mechelen 21

De Notelaer AC VISA MC AE

Stationsplein 2 – ☎ 0 3 889 13 67 – www.denotelaer.be – fermé 24 au 28 décembre
12 ch – ♦95/110 € ♦♦110 € – ½ P 110/125 €
Rest – Lunch 28 € – Menu 28/45 € – Carte env. 41 €

♦ Verjongde stationsherberg met aandacht voor esthetiek en comfort. Goede kamers voor een zakenreis of voor wie na 100 km afzien in de Dodentocht snakt naar een comfortabel bed.

♦ Une auberge de gare joliment rénovée, avec des chambres confortables. Idéal pour un séjour d'affaires, mais aussi… gastronomique. Brasserie contemporaine et agréable restaurant avec terrasse, ouvert sur réservation.

Secundo AC P VISA MC AE

Rijksweg 58 – ☎ 0 3 889 03 40 – www.hotelsecundo.be – fermé 23 décembre-2 janvier
17 ch – ♦95 € ♦♦105 € – ½ P 110 €

♦ Moderne en cosy accommodatie in een bijgebouw iets verderop (klein industrieterrein).

♦ Hébergement moderne et cosy dans une dépendance un peu à l'écart (petit parc industriel).

XXX **Eyckerhof** (Ferdy Debecker) P VISA MC AE

Spuistraat 21, (Eikevliet) – ☎ 0 3 889 07 18 – www.eyckerhof.be – fermé 19 au 26 février, 10 au 31 juillet, 4 au 7 septembre, samedi midi, dimanche soir et lundi
Rest – *(prévenir)* Lunch 42 € – Menu 63 € bc/115 € bc – Carte 74/102 €
Spéc. Anguille fumée et foie gras d'oie, brioche. Pigeon de Bresse à la laitue, petits pois et morilles. Ris de veau au risotto, parmesan et truffes.

♦ Fijne seizoengebonden keuken in een stijlvolle en comfortabele eetzaal of buiten, wat al even aangenaam is. Onweerstaanbaar à la carte-menu 's avonds door de week. De eigenaar staat al bijna 25 jaar achter het fornuis. Landelijk gelegen.

♦ Fine cuisine de saison servie dans un cadre élégant et confortable ou, tout aussi agréablement, en plein air. Irrésistible "menu à la carte" proposé le soir en semaine. Chef-patron en place depuis près de 25 ans. Site champêtre.

BOUGE – Namur – 533 O20, 534 O20 et 716 H4 – voir à Namur

BOUILLON – Luxembourg – 534 P24 et 716 I6 – 5 464 h. – ✉ 6830 12 B3

▶ Bruxelles 161 – Arlon 64 – Dinant 63 – Sedan 18

ℹ Esplanade Godefroy de Bouillon, ☎ 0 61 46 62 57, www.bouillon-tourisme.be

ℹ Pavillon, ☎ 0 61 46 42 02

◉ Château★★Z : Tour d'Autriche ≤★★. Musée : Ducal★YM

◉ par ③ : 8 km à Corbion : Chaire à prêcher ≤★

BOUILLON

Ange Gardien (R. de l') . . . . Y 2
Augustins (R. des). . . . . . Y 3
Brutz (R. du). . . . . Y 4
Collège (R. du) . . . . YZ
Ducale (Pl.). . . . . Y 5
Écoles (R. des) . . . . Y 6
Faubourg de France . . . . Z 7
France (Porte de). . . . . . . Z 9
France (Pt de) . . . . Z 8
Godefroid-de-Bouillon (Espl.) . . . . Y 10
Hautes Voies (R. des) . . . . Y 11
Laitte (R. de) . . . . Z 12
Liège (Pt de) . . . . Y 13
Maladrerie (Q. de la) . . . . Y 14
Maladrerie (R. de la) . . . . Y 15
Moulin (R. du) . . . . Z 16
Nord (R. du). . . . . Y 18
Paroisse (Allée de la). . . . Z 19
Petit (R. du) . . . . Y 20
Poste (R. de la) . . . . Z 22
Poulie (Pt de la) . . . . Y 23
Poulie (R. de la) . . . . Y 24
Prison (R. de la) . . . . Y 26
Rempart (Q. du) . . . . . . YZ
St-Arnould (Pl.) . . . . Y 27
Saulx (Q. des) . . . . Y 28

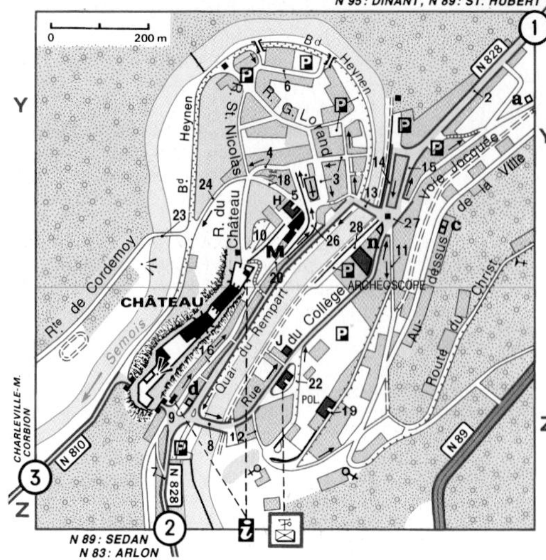

BELGIQUE

Panorama

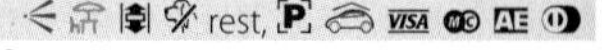

r. au-dessus de la Ville 25 – ☎ 0 61 46 61 38 – www.panoramahotel.be – ouvert 15 mars-15 novembre, Noël-nouvel an, saint Valentin et week-ends; fermé janvier, 25 juin-10 juillet et mercredi et jeudi sauf vacances scolaires Y**c**

24 ch – 🛉75 € 🛉🛉95/115 € – ½ P 105/125 €

Rest – *(fermé après 20 h 30)* Menu 32/44 € – Carte 45/54 €

◆ Bâtisse dominant la ville, avec le château pour toile de fond : une vue captivante dont profitent les 4 types de chambres. Plaisant salon-cheminée. 4e génération en place. Restaurant panoramique et belle terrasse-belvédère. Carte actuelle annonçant deux menus.

◆ Alle 4 typen kamers van dit hooggelegen hotel bieden een prachtig uitzicht op de stad met de burcht. Prettige lounge met schouw. Vierde generatie hôteliers. Panoramarestaurant en mooi terras met belvedère. Eigentijdse kaart met twee menu's.

La Porte de France

Porte de France 1 – ☎ 0 61 46 62 66 – www.laportedefrance.be – fermé janvier Z**d**

25 ch – 🛉73/105 € 🛉🛉73/105 € – ½ P 107 €

Rest – Lunch 17 € – Menu 31/39 € – Carte 31/53 €

◆ Établissement d'aspect régional posté au pied du rempart, face au pont de France enjambant la Semois, visible de la plupart des chambres. Brasserie d'esprit Art nouveau, très fréquentée en saison (terrasse) ; carte traditionnelle, gibier dès l'automne. Repas plus simples au café.

◆ Etablissement in regionale stijl onder aan de stadsmuur, bij de brug over de Semois, die vanuit de meeste kamers te zien is. Tijdens het seizoen is het restaurant drukbezocht en het terras de hele dag open. Traditionele kaart met wild en meerkeuzemenu. Eenvoudigere maaltijd in het café. Art-nouveaudecor.

Een goede maaltijd voor een schappelijke prijs? Zoek de Bib Gourmand.

Cosy

r. au-dessus de la Ville 23 – ☎ 0 61 46 04 62 – www.hotelcosy.be – fermé janvier-13 février, lundi, mardi et mercredi Y**c**

11 ch – 55/65 € 85/110 € – ½ P 68/80 €

Rest – *(dîner seulement jusqu'à 20 h 30)* Menu 25/28 € – Carte env. 35 €

◆ L'âme du seigneur de Bouillon flotte dans cet hôtel à la vue fascinante sur la cité et sa forteresse. Chambres "cosy". Le restaurant cultive la thématique médiévale : saveurs retrouvées du temps de Godefroy et soirées à thème. Terrasse panoramique.

◆ De geest van de heer van Bouillon waart rond in dit hotel met een weids uitzicht op de stad en het fort. Cosy kamers. In een nieuwe zaal kunnen jonkers en jonkvrouwen de keuken uit de tijd van Godfried van Bouillon proeven. Thema-avonden. Hooggelegen terras.

Poste rest,

pl. St-Arnould 1 – ☎ 0 61 46 51 51 – www.hotelposte.be Y**n**

60 ch – 50/95 € 60/190 €, 10 € – ½ P 80/90 €

Rest – Lunch 25 € – Menu 39/75 € – Carte 46/69 €

◆ Napoléon III et Zola ont séjourné dans cet hotel de 1730 où règne une ambiance nostalgique. Chambres rustiques, romantiques ou modernes. Repas au goût du jour dans un cadre soigné ; coup d'œil sur la Semois et le château par les fenêtres. Taverne chaleureuse.

◆ Napoleon III en Zola hebben nog gelogeerd in dit hotel uit 1730 met een nostalgische sfeer. De kamers zijn rustiek, romantisch of modern. Eigentijdse maaltijd in een verzorgd interieur, met een doorkijkje op de Semois en het kasteel. Gezellige taverne.

BELGIQUE

La Ferronnière avec ch

Voie Jocquée 44 – ☎ 0 61 23 07 50 – www.laferronniere.be – fermé 8 au 26 janvier et 24 juin-12 juillet Y**a**

13 ch – 80/115 € 90/135 € – 5 suites

Rest – *(fermé dimanche soir hors saison, mardi midi, lundi et après 20 h 30)* Lunch 28 € – Menu 35/65 € – Carte 51/71 €

◆ Cette belle villa de style anglo-normand, entourée de verdure, domine les hauteurs de Bouillon… Ses salles offrent un cadre très classique pour une cuisine soignée. Chambres de bon confort (quelques-unes dans une annexe récente). Espace bien-être.

◆ Mooie villa in de heuvels van Bouillon. Eigentijdse keuken, eetzalen in cottage-stijl en beplant terras met uitzicht op het dal. Rustige kamers met een persoonlijk karakter. Nieuwe annex bestaande uit vier luxekamers, een suite en een wellness-corner.

à Corbion par ③ : 7 km – Ⓒ Bouillon – ✉ 6838

Hôtel des Ardennes

r. Hate 1 – ☎ 0 61 25 01 00 – www.hoteldesardennes.be – ouvert 16 mars-1er janvier

29 ch – 76/101 € 97/122 € – ½ P 111 €

Rest *Des Ardennes* – voir la sélection des restaurants

◆ Hostellerie ardennaise centenaire postée aux portes de Corbion. Chambres personnalisées et jardin ombragé offrant une jolie vue sur les collines boisées.

◆ Honderd jaar oude herberg in Ardense stijl aan de rand van Corbion. De kamers zijn allemaal anders en de schaduwrijke tuin biedt een fraai uitzicht op de beboste heuvels.

Des Ardennes – Hôtel des Ardennes

r. Hate 1 – ☎ 0 61 25 01 00 – www.hoteldesardennes.be – ouvert 16 mars-1er janvier; fermé après 20 h 30

Rest – Lunch 25 € – Menu 35/60 € – Carte 40/57 €

◆ Les années passent et l'attrait de cet établissement ne faiblit pas… Vous le constaterez aisément en savourant sa cuisine de tradition, qui séduit encore davantage associée à un flacon bien choisi – en matière de vins, la maison est experte.

◆ Deze hostellerie mag dan wel al decennia meegaan, toch is deze zaak allesbehalve aan het einde van zijn Latjin, dat proef je wel aan de geurige gerechten. Dankzij het vakkundige advies kunt u een wijntje kiezen waarbij de traditionele gerechten nog beter tot hun recht komen.

BOUSVAL - Brabant Wallon - C Genappe 14 910 h. - 533 M19, 534 M19 et 716 G4 - ✉ 1470 — 3 B3

Bruxelles 43 - Wavre 26 - Leuven 58 - Namur 46

XX **l'En-Quête du Goût**

av. des Combattants 80 - ✆ 0 67 56 18 99 - www.lenquetedugout.be - fermé samedi midi, dimanche soir, lundi et mardi

Rest - Lunch 25 € bc - Menu 35 € - Carte 42/60 €

◆ Menez l'enquête face à l'église, dans cette maison brabançonne ancienne au cadre agréable (œuvres contemporaines). La carte, classique, témoigne d'un savoir-faire certain.

◆ Gezellige brasserie-restaurant in een oud Brabants huis tegenover de kerk. Uitgebreid menu en klassieke kaart, uitstekend bereid. Twee zalen met kleurrijke moderne schilderijen.

BOVIGNY - Luxembourg - 534 U21 et 716 K5 - voir à Vielsalm

BRAINE-L'ALLEUD (EIGENBRAKEL) - Brabant Wallon - 533 L18, 534 L18 et 716 G3 - 38 303 h. - ✉ 1420 — 3 B2

Bruxelles 33 - Wavre 35 - Charleroi 37 - Nivelles 15

36 chaussée d'Alsemberg 1021, ✆ 0 2 353 02 46

XXX **Jacques Marit** (Jacques et Dimitri Marit)

chaussée de Nivelles 336 (sur N 27 près R0, sortie 24) - ✆ 0 2 384 15 01 - www.jacquesmarit.com - fermé 2 au 10 janvier, 9 au 17 avril, 30 juillet-28 août, dimanche soir, lundi et mardi

Rest - Lunch 37 € - Menu 65/140 € bc - Carte 68/90 €

Spéc. Émincé de foie de canard et filet de bœuf aux pignons de pin, basilic et balsamique. Agneau de notre bergerie (mars-juillet) et volaille fermière d'élevage "maison". Le Stradivarius en structures de chocolat.

◆ "4 mains, 2 têtes, 1 cuisine" ! Dans leur campagne brabançonne, Jacques et son fils Dimitri mettent en saveurs le meilleur du terroir. Agneau et volaille élevés ici-même. Menu du marché avec choix et grand menu gourmet-gourmand, entre tradition et innovation.

◆ 4 handen, 2 hoofden, 1 keuken! Op het Brabantse platteland brengen Jacques en zoon Dimitri het beste van de streek op smaak. Zelf gefokt lam en gevogelte. Keuzemenu van de markt en groot fijnproeversmenu, dat het midden houdt tussen traditie en innovatie.

XX **Philippe Meyers**

r. Doyen Van Belle 6 - ✆ 0 2 384 83 18 - www.philippe-meyers.be - fermé début janvier, semaine de carnaval, 2 dernières semaines d'août, samedi midi, dimanche soir et lundi

Rest - Lunch 20 € - Menu 35/52 €

◆ Table familiale aux multiples atouts : un intérieur design et sobre, des menus généreux qui mettent en valeur des produits choisis et un accueil chaleureux. Pour l'anecdote, le patron conserve une superbe collection de guides MICHELIN !

◆ Dit familiebedrijf heeft sterke troeven in de hand, zoals een sober designinterieur, royale menu's op basis van kwaliteitsproducten en een warm onthaal. Als leuke bijkomstigheid zij hier vermeld dat de gastheer een schitterende collectie Michelingidsen in huis heeft!

X **Brasserie de l'Alliance**

av. Alphonse Allard 400 - ✆ 0 2 387 17 20 - www.lalliance.be

Rest - Lunch 14 € - Menu 40 € bc/60 € bc - Carte 30/50 €

◆ Vaste brasserie habitant une ancienne ferme dans une zone d'activités, entre butte du Lion et Imagibraine (cinémas). Choix typique, véranda, salles de réceptions et terrasse.

◆ Grote brasserie in een oude boerderij op een bedrijventerrein tussen de Leeuwenheuvel en Imagibraine (bioscopen). Traditionele kaart, veranda, banquetingzalen en terras.

Le Pavot

r. Doyen Vanbelle 7 – ✆ 0 2 384 99 82 – www.lepavot.be – fermé 2 semaines en janvier, 2 semaines en juillet, samedi midi, mardi et mercredi

Rest – Lunch 19 € – Menu 32/74 € bc – Carte 44/53 €

♦ Ce bistrot contemporain est tenu par deux cousins polonais : cherchez les indices qui en témoignent dans le décor ! Cuisine soignée, entre France et Pologne, et service attentif.

♦ Twee Poolse neven zijn de uitbaters van deze hedendaagse bistro. Een paar elementen verwijzen naar hun afkomst. Actuele keuken, zeer verzorgde presentatie en persoonlijke service.

BRASSCHAAT – Antwerpen – 533 L15 et 716 G2 – voir à Antwerpen, environs

BRAY – Hainaut – 533 J20, 534 J20 et 716 F4 – voir à Binche

BRECHT – Antwerpen – 533 M14 et 716 G1 – 27 597 h. – ✉ 2960 1 B2

Bruxelles 73 – Antwerpen 25 – Turnhout 25

Cuvee Hoeve

Boudewijnstraat 20 (Sud : 2,5 km par Westmallebaan) – ✆ 0 3 313 96 60 – www.cuvee-hoeve.be – fermé 2 semaines en février, mi-août-mi-septembre, lundi et mardi

Rest – Lunch 20 € – Menu 28/38 € – Carte 37/62 €

♦ Lekker levensgenieten zoals Bourgondiërs het graag hebben: deze pittoreske hoeve charmeert u met een authentieke keuken en seizoensmenu's, inclusief een jaarlijks wildfestival.

♦ Fermette modernisée avec goût sans renier son âme rurale. Carte classique, déclinaison de menus et homard du vivier. Casse-croûtes ou popote ménagère côté taverne et terrasse.

Torsk

Bethovenstraat 61 (près E 19 - sortie ③) – ✆ 0 3 313 70 72 – www.torsk.be – fermé mardi et mercredi

Rest – *(dîner seulement)* Menu 65 € bc/81 € bc – Carte 52/69 €

♦ Na 20 jaar weet het aardige echtpaar dat dit restaurant runt, wel hoe u te plezieren: een klassiek geïnspireerde keuken die niet bang is voor vernieuwing en met de seizoenen meegaat. Geweldige bourgognes.

♦ Le secret du succès pour le couple à la tête de ce restaurant depuis 20 ans ? Une cuisine classique inspirée, qui ne craint pas la nouveauté et qui suit les saisons. Excellents vins de Bourgogne.

BREDENE – West-Vlaanderen – 533 C15 et 716 B2 – 16 202 h. – ✉ 8450 18 B1

Bruxelles 112 – Brugge 23 – Oostende 6

Kapelstraat 76, ✆ 0 59 56 19 70, www.bredene.be

à Bredene-aan-Zee Nord : 2 km – Ⓒ Bredene – ✉ 8450

Le Homard et la Moule

Duinenstraat 325 – ✆ 0 59 32 02 28 – www.lehomardetlamoule.be – fermé dimanche soir de fin novembre à Pâques, lundi et mardi

Rest – Menu 40/55 € – Carte 60/89 €

♦ Easy chic hedendaagse look met Aziatische toetsen voor dit restaurant. Modern-klassieke keuken op basis van verse zeeproducten, kreeft het hele jaar door.

♦ Décor chic et contemporain – les aplats de noir dominent – dans cette institution dédiée au homard et au poisson. Recettes classiques ou plus inventives.

BROECHEM – Antwerpen – 533 M15 et 716 G2 – voir à Lier

BRUGGE *Bruges*

19 C1

© Bertrand Rieger/Hemis.fr

BELGIQUE

P – **West-Vlaanderen** – **116 741 h.** – ✉ **8000** – **533** E15 **et 716** C2

▶ Bruxelles 97 – Gent 48 – Lille 72 – Oostende 28

Office de Tourisme

't Zand 34, concertgebouw, www.brugge.be
Fédération provinciale de tourisme Koning Albert I-laan 120, ☎0 50 30 55 00
Stationsplein, dans la gare

Golf

Doornstraat 16, au Nord-Est : 7 km à Sijsele, ☎0 50 35 35 72

A VOIR

La procession du Saint-Sang★★★(De Heilig Bloedprocessie) • Centre historique et canaux★★★(Historisch centrum en grachten) : Grand-Place★★(Markt)AU, Beffroi et halles★★★(Belfort en Hallen)≤★★ du sommetAU, Place du Bourg★★(Burg)AU, Basilique du Saint-Sang★(Basiliek van het Heilig Bloed) : chapelle basse★ ou chapelle St-Basile (beneden-of Basiliuskapel)AU**B**, Cheminée du Franc de Bruges★(schouw van het Brugse Vrije) dans le palais du Franc de Bruges(Paleis van het Brugse Vrije)AU**S**, Quai du Rosaire (Rozenhoedkaai)≤★★AU63, Dijver≤★★AU, Pont St-Boniface (Bonifatiusbrug) : cadre poétique★★AU, Béguinage★★ (Begijnhof)AV • Église Notre-Dame★★(O.-L.-Vrouwekerk) : tour★★, statue de la Vierge et l'Enfant★★, tombeau de Marie de Bourgogne★★AV**N** • Cathédrale St-Sauveur★(Salvatorskathedraal)AU

Musées : Groeninge★★★(Stedelijk Museum voor Schone Kunsten)AU • Memling★★★(St-Janshospitaal)AV • Gruuthuse★★ : buste de Charles Quint★(borstbeeld van Karel V) AU**M**[1] • Arentshuis★AU**M**[4] • du Folklore★(Museum voor Volkskunde)DY**M**[2]

Environs : par ⑥: 10,5 km à Zedelgem : St-Laurent (St-Laurentiuskerk): fonts baptismaux★ • au Nord-Est : 7km : Damme★

Liste alphabétique des hôtels
Alfabetische lijst van hotels
Alphabetische liste der Hotels
Index of hotels

Liste alphabétique des restaurants
Alfabetische lijst van restaurants
Alphabetische liste der restaurants
Index of restaurants

BELGIQUE

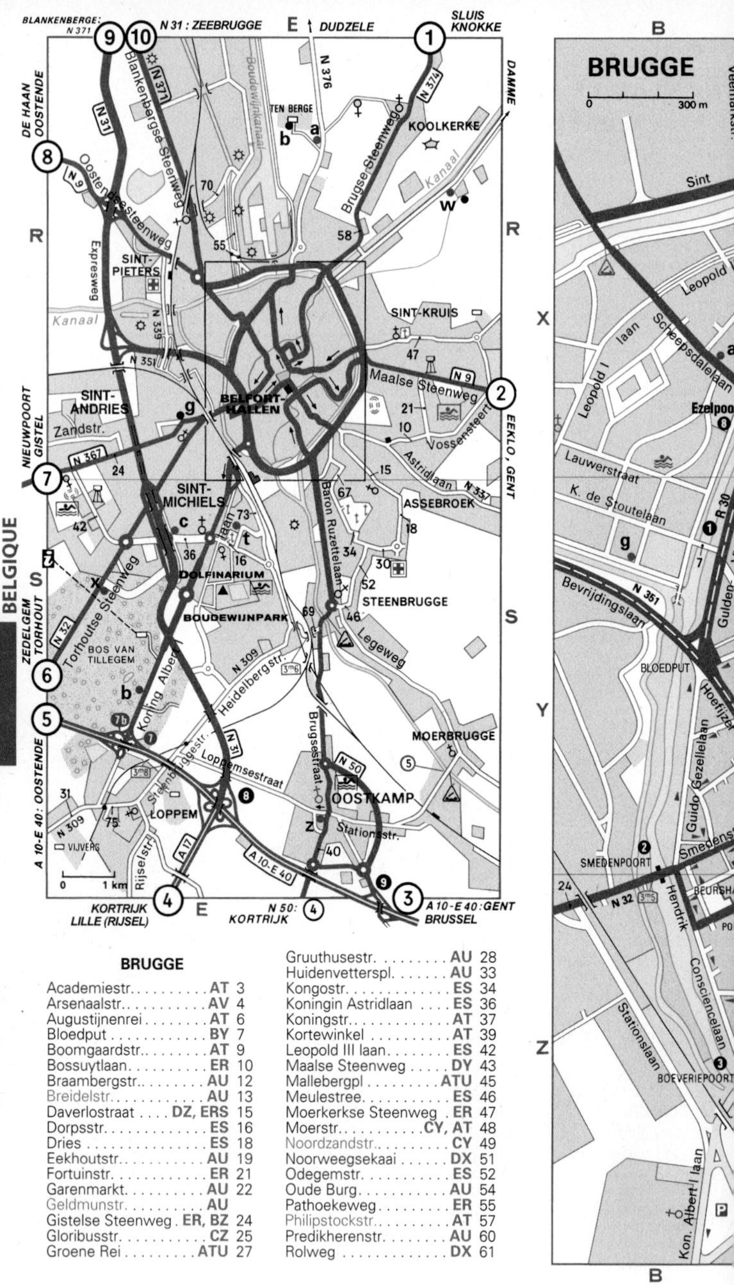

BRUGGE

Academiestr. . . . . **AT** 3
Arsenaalstr. . . . . **AV** 4
Augustijnenrei . . . . **AT** 6
Bloedput . . . . **BY** 7
Boomgaardstr. . . . . **AT** 9
Bossuytlaan . . . . **ER** 10
Braambergstr. . . . . **AU** 12
Breidelstr. . . . . **AU** 13
Daverlostraat . . . . **DZ, ERS** 15
Dorpsstr. . . . . **ES** 16
Dries . . . . **ES** 18
Eekhoutstr. . . . . **AU** 19
Fortuinstr. . . . . **ER** 21
Garenmarkt . . . . **AU** 22
Geldmunstr. . . . . **AU**
Gistelse Steenweg . **ER, BZ** 24
Gloribusstr. . . . . **CZ** 25
Groene Rei . . . . **ATU** 27
Gruuthusestr. . . . . **AU** 28
Huidenvetterspl. . . . . . . **AU** 33
Kongostr. . . . . **ES** 34
Koningin Astridlaan . . . . **ES** 36
Koningstr. . . . . **AT** 37
Kortewinkel . . . . **AT** 39
Leopold III laan . . . . **ES** 42
Maalse Steenweg . . . . . **DY** 43
Mallebergpl . . . . **ATU** 45
Meulestree . . . . **ES** 46
Moerkerkse Steenweg . **ER** 47
Moerstr. . . . . **CY, AT** 48
Noordzandstr. . . . . **CY** 49
Noorweegsekaai . . . . . . **DX** 51
Odegemstr. . . . . **ES** 52
Oude Burg . . . . **AU** 54
Pathoekeweg . . . . **ER** 55
Philipstockstr. . . . . **AT** 57
Predikherenstr. . . . . **AU** 60
Rolweg . . . . **DX** 61

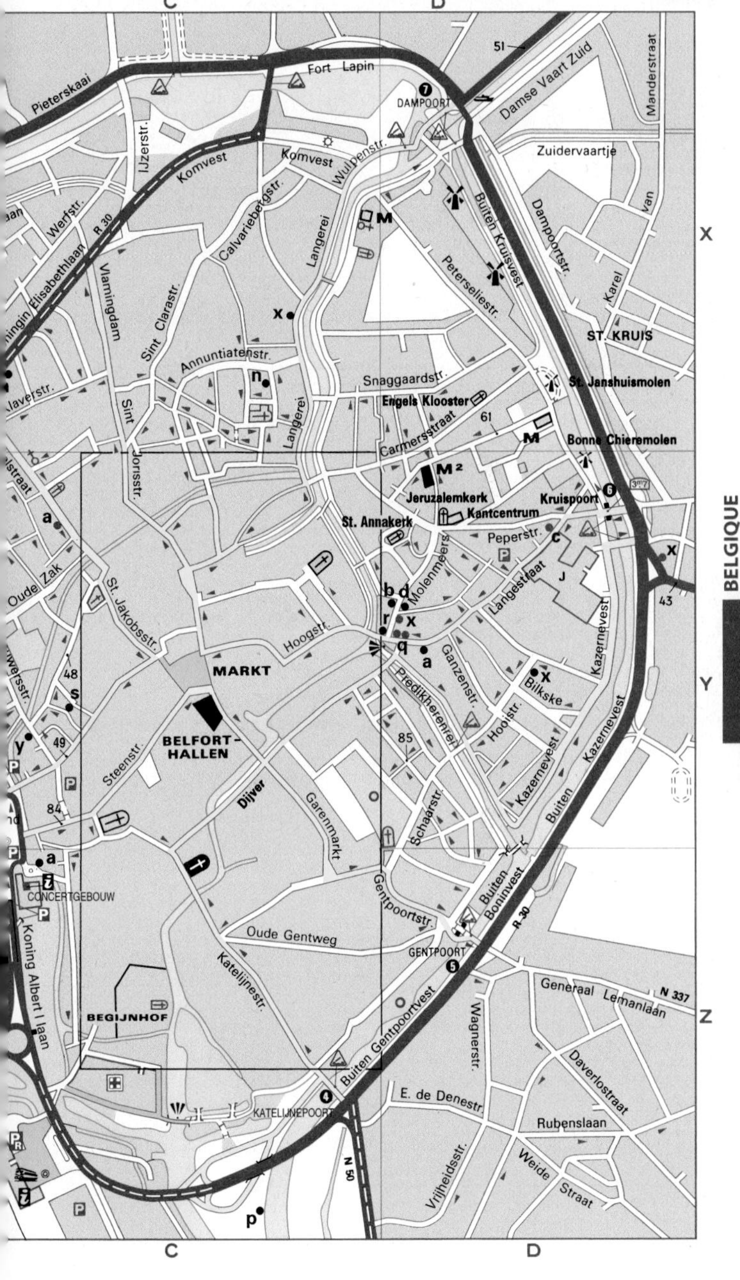
C
D
Pieterskaai
Fort Lapin
DAMPOORT
Damse Vaart Zuid
Manderstraat
51
Zuidervaartje
IJzerstr.
Komvest
Komvest
Wulpenstr.
Werfstr.
R 30
Calvariebergstr.
Langerei
Buiten Kruisvest
Dampoortstr.
Van
X
Elisabethlaan
Vlamingdam
Sint Clarastr.
Peterseliestr.
Karel
ST. KRUIS
Annuntiatenstr.
Snaggaardstr.
St. Janshuismolen
Engels Klooster
Langerei
Sint
61
Carmersstraat
Bonne Chieremolen
Jorisstr.
Jeruzalemkerk
Kruispoort
Kantcentrum
St. Annakerk
Peperstr.
Oude Zak
St. Jakobsstr.
Molenmeers
Langestraat
43
Hoogstr.
Kazernevest
MARKT
Ganzenstr.
48
Predikherenrei
Bilkske
Y
Hooistr.
49
BELFORT-HALLEN
Steenstr.
85
Kazernevest
Kazernevest
Buiten
Dijver
Garenmarkt
Schaarstr.
84
CONCERTGEBOUW
Buiten Boninvest
R 30
Gentpoortstr.
Oude Gentweg
Koning Albert I laan
GENTPOORT
Katelijnestr.
Generaal Lemanlaan
N 337
Z
BEGIJNHOF
Wagnerstr.
Buiten Gentpoortvest
Daverlostraat
E. de Denestr.
KATELIJNEPOORT
Rubenslaan
N 50
Vrijheidsstr.
Weide Straat
C
D

BELGIQUE

Rozenhoedkaai . . . . . AU 63
Simon Stevinpl. . . . . . AU 64
Sint-Jansstr. . . . . AT 66
Sint-Katarinastr. . . . . ERS 67
Sint-Michielstr. . . . . . . ES 69
Sint-Pieterskerklaan . . ER 70
Spanjaardstr. . . . . AT 72
Spoorwegstr. . . . . ES 73
Steenhouwersdijk . . . AU 76
Steenstr. . . . . AU 78
s Heer
Boudewijnsburg . . . ES 30
van Praetstr. . . . . ER 58
Vlamingstr. . . . . AT 79
Wijngaardstr. . . . . AV 81
Wollestr. . . . . AU 82
Zuidzandstr. . . . . CY 84
Zwarte
Leertouwersstr. . . . DY 85

OOSTKAMP

Kortrijkstr. . . . . ES 40

ZEDELGEM

Heidelbergstr. . . . . . . ES 31
Stationstr. . . . . ES 75

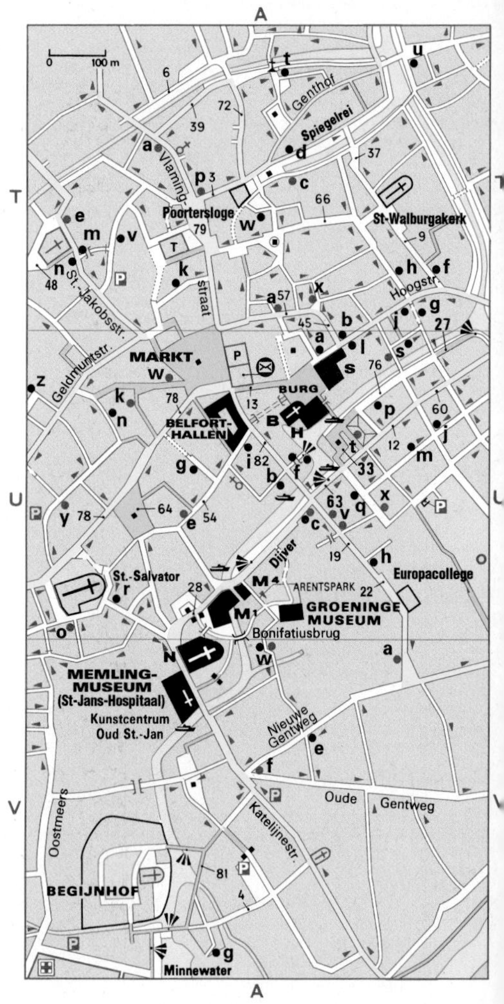

BELGIQUE

Quartiers du Centre

Kempinski Dukes' Palace

ch,

Prinsenhof 8 – ✆ 0 50 44 78 88 – www.kempinski-bruges.com AU**z**

71 ch – 459 € 459 €, 31 € – 22 suites

Rest – Lunch 25 € – Menu 40/84 € bc – Carte 54/90 €

◆ Het meest prestigieuze hotel van Brugge, zo rijk aan historie! In 1430 stichtte Filips de Goede er de orde van het Gulden Vlies, ter ere van zijn huwelijk met Isabella van Portugal. Weelderig restaurant met een klassieke keuken, veelal op basis van Belgische producten.

◆ Le plus prestigieux palace brugeois ! En 1430, à l'occasion de son mariage avec Isabelle de Portugal, Philippe le Bon fonda l'ordre de la Toison d'or en ces lieux chargés d'histoire. Restaurant cossu servant une cuisine classique où entrent souvent des produits belges.

Crowne Plaza

rest,

Burg 10 – ✆ 0 50 44 68 44 – www.crowneplaza.com AU**a**

96 ch – 132/232 € 132/279 €, 23 €

Rest – *(fermé mercredi soir, samedi midi, dimanche et jours fériés)* Carte env. 60 €

◆ Ketenhotel aan een plein in het centrum. De rustige, grote kamers bieden alle comfort. Eigentijdse hal en middeleeuwse overblijfselen in het souterrain.

◆ Sur une place centrale, hôtel de chaîne où vous logerez au calme dans de grandes chambres tout confort. Hall de style contemporain ; vestiges et objets médiévaux au sous-sol.

BELGIQUE

Grand Hotel Casselbergh sans rest

Hoogstraat 6 – ✆ 0 50 44 65 00 – www.grandhotelcasselbergh.com AU**l**

118 ch – 118/350 € 128/395 €

◆ Beschermd pand verbouwd tot luxehotel in klassieke stijl. Majestueuze hall, salon met open haard en grote trap die leidt naar de stijlvolle kamers voorzien van alle comfort.

◆ Ce bel immeuble classé, un rien austère, dissimule un hôtel luxueux (hall majestueux, salon avec cheminée, lustres en cristal). Le grand escalier mène avec pompe à des chambres de grand confort.

De Tuilerieën

rest,

Dijver 7 – ✆ 0 50 34 36 91 – www.hoteltuilerieen.com AU**c**

45 ch – 135/415 € 135/465 €, 25 € – 4 suites

Rest – *(fermé lundi, mardi et mercredi) (dîner seulement)* Menu 40/50 € – Carte 51/62 €

◆ Mooie oude gevel aan een schilderachtige gracht. Weelderig klassiek-eigentijds interieur en aantrekkelijke, goed ingerichte kamers. Gasten worden hier in de watten gelegd! Belgisch specialiteitenrestaurantje (tomaten gevuld met garnalen, waterzooi, enz.).

◆ Une élégante demeure patricienne, au bord d'un ravissant canal. Cadre raffiné (mobilier ancien et actuel, tentures, verrières) et chambres bien équipées. Sans oublier la piscine couverte ! Petit restaurant servant des spécialités belges (tomates aux crevettes, waterzooi).

Die Swaene

Steenhouwersdijk 1 – ✆ 0 50 34 27 98 – www.dieswaene.com AU**p**

30 ch – 170 € 195/295 €

Rest *Pergola Kaffee* – voir la sélection des restaurants

◆ Romantiek en raffinement in dit rustige hotel met dependance aan de overkant van de gracht. Het restaurant en de 8 kamers behoren tot de mooiste van Brugge. Wellness op 150 m.

◆ Romantisme et raffinement en ce paisible hôtel et sa dépendance (de l'autre côté du canal) abritant le restaurant et 8 chambres, parmi les plus belles de Bruges. Wellness à 150 m.

De Orangerie sans rest
Kartuizerinnenstraat 10 – ✆ 0 50 34 16 49 – www.hotelorangerie.be – fermé 9 au 19 janvier AU**b**
20 ch – 200/250 € 200/250 €, 25 € – 2 suites
◆ Oud klooster (15de eeuw) aan een prachtig kanaaltje, zichtbaar vanuit enkele van de knusse kamers. Oranjerie, salon met open haard, antieke eetzaal en terras aan de waterkant.
◆ Cloître du 15e s. au bord du canal Den Dijver, sur lequel donne une grande terrasse. Chambres aux tentures fleuries, salon avec cheminée et salle à manger Grand Siècle.

NH rest, rest,
Boeveriestraat 2 – ✆ 0 50 44 97 11 – www.nh-hotels.com CZ**b**
147 ch – 110/185 € 110/225 €, 21 € – 2 suites – ½ P 164 €
Rest – *(dîner seulement sauf dimanche)* Menu 33/42 €
◆ Hotel in een oud klooster bij het Concertgebouw en 't Zand. Gerieflijke kamers (lady's room op aanvraag). Begroeide binnenhof, zwembad, hamam, fitness en vergaderzalen. Restaurant met een eigentijdse kaart in een gezellig interieur.
◆ Hôtel au passé monastique, voisin du Concertgebouw et de 't Zand. Chambres confortables ; lady's room sur demande. Cour-jardin, piscine, hammam, fitness et salles de réunions. Restaurant où l'on propose une carte actuelle dans un cadre cosy.

Oud Huis de Peellaert sans rest
Hoogstraat 20 – ✆ 0 50 33 78 89 – www.depeellaert.com AT**j**
50 ch – 105/170 € 125/320 €
◆ Dit hotel bestaat uit twee stijlvolle herenhuizen (1800 en 1850) met mooie, grote, klassiek ingerichte kamers. Wellness center in de overwelfde kelders.
◆ Hôtels particuliers (1800 et 1850) élégamment agencés où vous logerez dans de grandes et belles chambres de style classique. Caves voûtées aménagées en centre de bien-être.

Relais Ravestein
Molenmeers 11 – ✆ 0 50 47 69 47 – www.relaisravestein.be DY**b**
16 ch – 145/290 € 145/290 €, 21 €
Rest – *(fermé samedi midi, dimanche soir et mardi)* Lunch 28 € – Menu 52/85 € bc – Carte 43/55 €
◆ Statig herenhuis (1473), waarvan het designinterieur goed harmonieert met het oude cachet. Stijlvolle kamers (zes aan de gracht) en dito vergaderzalen. Modern restaurant in roodwit, net als de rest van het pand. Eigentijdse kaart. Terras aan het water.
◆ Fière demeure de 1473 harmonieusement relookée design en épurant son cachet ancien. Chambres très smart (6 ont vue sur le canal) ; espaces réunions idem. Restaurant moderne en rouge et blanc, comme le reste de la maison. Carte actuelle. Terrasse près de l'eau.

Relais sans rest
Genthof 4a – ✆ 0 50 34 18 10 – www.martinshotels.com AT**d**
44 ch – 109/189 € 109/209 €, 22 € – 2 suites
◆ Hotel met veel antiek in een 17de-eeuwse Hollandse handelsbank aan de Spiegelrei; prachtig uitzicht vanaf de bovenverdiepingen. Gerenoveerde kamers. Parkeergarage op 400 m afstand.
◆ Cet hôtel foisonnant d'objets d'art anciens occupe un comptoir commercial hollandais du 17e s. Façade tournée vers le Spiegelrei ; très belle vue aux étages. Chambres rénovées. Garage à 400 m.

Heritage
N. Desparsstraat 11 – ✆ 0 50 44 44 44 – www.hotel-heritage.com AT**k**
24 ch – 157/263 € 173/469 €, 22 €
Rest *Le Mystique* – voir la sélection des restaurants
◆ Rustig en sfeervol hotel in een mooi herenhuis (1869) met dienstvaardig personeel. Comfortabele kamers met klassiek interieur, rijk ontbijtbuffet met champagne.
◆ Belle maison de notable (1869) convertie en un hôtel paisible. Ambiance feutrée, chambres classiques confortables, riche buffet matinal au champagne.

Jan Brito sans rest
Freren Fonteinstraat 1 – 0 5 033 06 01 – www.janbrito.com AU**j**
36 ch – 85/185 € 99/185 €
◆ Karakteristiek gebouw met ornamenten uit de 16de, 17de en 18de eeuw. De kamers variëren qua grootte, meubilering en standing. Split-level suites aan de tuinzijde.
◆ Cette noble demeure du 16e s. préserve l'ambiance feutrée des intérieurs anciens : charpente apparente, reliefs gothiques ou décor 18e s. dans des chambres de grand confort.

Acacia sans rest
Korte Zilverstraat 3a – 0 50 34 44 11 – www.hotel-acacia.com – fermé 3 au 26 janvier AU**n**
46 ch – 108/158 € 128/178 € – 2 suites
◆ Een papegaai verwelkomt u in dit 15de-eeuwse hotel bij de Markt. Vraag om een van de gerenoveerde kamers. Ontbijtzaal met schouw en piano. Zwembad en sauna.
◆ Un perroquet vous accueille dans cet hôtel (15e s.) bien situé près du Markt. Réservez une chambre rénovée. Cheminée et piano dans la salle de breakfast. Piscine avec sauna.

Pand sans rest
Pandreitje 16 – 0 50 34 06 66 – www.pandhotel.com AU**q**
26 ch – 130/260 € 155/280 €, 22 €
◆ Drie sfeervolle huizen in hartje Brugge. Verzorgde openbare ruimten, smaakvol gemeubileerde kamers en junior suites met een thema. Het ontbijt wordt uitgeserveerd. Geweldig!
◆ Trois maisons de caractère tenues en famille au cœur de Bruges. Communs bichonnés, chambres meublées avec recherche, junior suites à thème, breakfast servi à table. Séduisant !

De Castillion
Heilige Geeststraat 1, (avec annexe) – 0 50 34 30 01 – www.castillion.be AU**r**
20 ch – 95/165 € 125/215 € – ½ P 130/160 €
Rest *Le Manoir Quatre Saisons* – voir la sélection des restaurants
◆ Stijlvol hotel in het oude bisschopspaleis (1743). Talrijke trapgevels, gepersonaliseerde kamers, art-decolounge en fraaie binnenplaats. Eenvoudiger bijgebouw aan de overkant.
◆ Dans un palais épiscopal de 1743, remarquable pour ses pignons à redans. Chambres cossues, salon Art déco et jolie terrasse pour siroter son café.

Walburg sans rest
Boomgaardstraat 13 – 0 50 34 94 14 – www.hotelwalburg.be – fermé 4 au 29 janvier AT**f**
18 ch – 130/175 € 150/180 € – 1 suite
◆ Fier neoclassicistisch bouwwerk, waarvan de oude koetspoort naar een monumentale hal leidt met twee bovengalerijen, gesierd door zuilen en balustrades. King-size kamers.
◆ Fière architecture néo-classique dont l'entrée cochère dessert un hall monumental où s'étagent deux hautes galeries animées de colonnes et balustrades. Chambres "king size".

Prinsenhof sans rest
Ontvangersstraat 9 – 0 50 34 26 90 – www.prinsenhof.com CY**s**
19 ch – 176/367 € 176/367 €, 20 €
◆ Klein hotel in een fraai gerenoveerd herenhuis, waar u prinselijk wordt ontvangen, ver van alle drukte. De sfeervolle kamers zijn allemaal verschillend.
◆ Petit hôtel accueillant et cossu dans une maison de maître rénovée, à l'écart de l'animation. Les chambres, toutes différentes, se caractérisent par une ambiance très "cosy".

Relais Bourgondisch Cruyce sans rest
Wollestraat 41 – ☎ 0 50 33 79 26
– www.relaisbourgondischcruyce.be AU**f**
16 ch – †200/450 € ††200/450 €, ☕ 25 €
◆ Schitterend hotel in een dubbel vakwerkhuis op het kruispunt van twee grachten. Elegant neoklassiek interieur, stijlvolle kamers en ontbijtzaal annex theesalon aan het water. Kunstcollectie (o.a. Appel en Klimt).
◆ Bruges éternelle... Cette demeure historique offre une vue sublime sur les canaux et les façades anciennes qui s'y reflètent. Chambres exquises, propices à une escapade romantique.

Aragon sans rest
Naaldenstraat 22 – ☎ 0 50 33 35 33 – www.aragon.be AT**v**
42 ch ☕ – †82/165 € ††105/230 €
◆ In deze gerenoveerde herenhuizen in een rustige straat even buiten het centrum logeren de gasten in modern-klassieke standaardkamers. Knusse lounge annex bar.
◆ Dans une rue calme peu éloignée du centre, maisons bourgeoises rénovées pour vous héberger dans des chambres au décor classico-actuel standardisé. Lounge-bar douillet.

Navarra sans rest
St-Jakobsstraat 41 – ☎ 0 50 34 05 61
– www.hotelnavarra.com AT**n**
94 ch ☕ – †100/169 € ††120/189 €
◆ Dit oude complex vol historie is sinds 1982 een comfortabel hotel. Eigentijdse kamers, fraaie wenteltrap, pianobar, mooi overwelfd zwembad en rustige tuin.
◆ Cet ensemble ancien chargé d'histoire est devenu un confortable hôtel en 1982. Chambres actuelles, bel escalier tournant, piano-bar, jolie piscine voûtée et jardin de repos.

Adornes sans rest
St-Annarei 26 – ☎ 0 50 34 13 36 – www.adornes.be
– fermé janvier-5 février AT**u**
20 ch ☕ – †115/145 € ††125/155 €
◆ Verzorgd hotel bestaande uit vier karakteristieke grachtenpanden. Kamers van verschillend formaat, ontbijtzaal met haardvuur in de winter. Gratis gebruik van fietsen.
◆ Petit hôtel soigné composé de quatre maisons typiques tournées vers un canal. Diverses tailles de chambres, breakfast au coin du feu (sauf l'été), vélos prêtés gratuitement.

Montanus sans rest
Nieuwe Gentweg 78 – ☎ 0 50 33 11 76 – www.montanus.be AV**e**
24 ch – †99/149 € ††99/149 €, ☕ 16 €
◆ De kamers van dit hotelletje bieden rust en een goed functioneel comfort. De fraai begroeide binnenplaats met waterpartij geeft toegang tot het bijgebouw, waar voormalige burgemeester A. Van Acker woonde.
◆ Les chambres de ce petit hôtel offrent calme et bon confort fonctionnel. Une jolie cour-jardin avec pièce d'eau donne accès à l'annexe où vécut le bourgmestre A. Van Acker.

Azalea sans rest
Wulfhagestraat 43 – ☎ 0 50 33 14 78 – www.azaleahotel.be – fermé 3 au 31 janvier et 22 au 27 décembre CY**y**
25 ch ☕ – †122/155 € ††125/190 €
◆ In deze oude bierbrouwerij wordt u prima onthaald. Houten trap met siersmeedwerk en goed onderhouden kamers. Rustige tuin met terras aan de grachtkant, voor een zomers ontbijt.
◆ Ex-maison de brasseur vous réservant un bon accueil. Bel escalier en bois et fer forgé, chambres bien tenues, reposante terrasse-jardin côté canal, pour vos petits-déj' d'été.

Flanders sans rest
Langestraat 38 – ☎ 0 50 33 88 89 – www.hotelflanders.com DY**a**
50 ch – 109/179 € 119/189 €
◆ Dit herenhuis uit 1910 valt op door de groene gevel. De deels gerenoveerde kamers zijn rustig gelegen aan de achterkant. Klein overdekt zwembad. Binnenplaats met waterpartij.
◆ Maison des années 1910 se signalant par une façade verte. Chambres en partie modernisées, bien calmes car situées à l'arrière. Petite piscine couverte ; cour avec pièce d'eau.

Parkhotel sans rest
Vrijdagmarkt 5 – ☎ 0 50 33 33 64 – www.parkhotelbrugge.be CY**j**
86 ch – 123/142 € 138/168 €
◆ Dit hotel, dat langzamerhand wordt opgeknapt, heeft enkele vierpersoonskamers voor gezinnen. Ontbijtzaal met een piramidevormig glasdak.
◆ Cet hôtel convient bien aux familles car il peut héberger jusqu'à quatre adultes dans certaines de ses chambres, rajeunies par étapes. Espace breakfast sous pyramide de verre.

Martin's sans rest
Oude Burg 5 – ☎ 0 50 44 51 11 – www.martinshotels.com AU**i**
177 ch – 75/175 € 85/185 €, 17 €
◆ Modern zakenhotel met vergaderzalen aan de voet van het belfort. Kleine eigentijdse kamers, de meeste met uitzicht op de binnenplaats.
◆ À l'ombre du beffroi, bâtiment moderne dont les petites chambres, de style actuel, appréciées par la clientèle d'affaires, donnent souvent sur la cour. Salles de séminaires.

BELGIQUE

Bourgoensch Hof
Wollestraat 39 – ☎ 0 50 33 16 45 – www.hotelbourgoensch-hof.be AU**f**
25 ch – 95/195 € 115/220 €
Rest – *(fermé dimanche soir et lundi)* Lunch 20 € – Menu 33 € – Carte 36/53 €
◆ Goed comfort in dit gunstig gelegen hotel bij een passage met prachtig uitzicht. Het wordt al ruim 30 jaar door dezelfde eigenaar beheerd. Moderne bistro met panoramaterrasje achter. Belgische keuken op basis van bier.
◆ Bon niveau de confort et emplacement privilégié (près d'un passage desservant un superbe point de vue) pour cet hôtel exploité par le même propriétaire depuis plus de 30 ans. Bistrot moderne avec petite terrasse arrière panoramique. Cuisine belge à la bière.

Anselmus sans rest
Ridderstraat 15 – ☎ 0 50 34 13 74 – www.anselmus.be – fermé janvier-9 février AT**h**
16 ch – 89/125 € 99/150 €
◆ Oud pand met koetspoort. De oorspronkelijke kamers zijn gerenoveerd en in de uitbouw zijn nieuwe kamers ingericht. Mooie klassieke lounge en ontbijt in de wintertuin.
◆ Vieille maison à entrée cochère. Les chambres initiales sont rénovées et une extension arrière en abrite de nouvelles. Joli salon classique. Petit-déj' dans le jardin d'hiver.

Biskajer sans rest
Biskajersplein 4 – ☎ 0 50 34 15 06 – www.hotelbiskajer.com – fermé janvier-5 mars et 5 novembre-25 décembre sauf week-end AT**w**
17 ch – 60/140 € 65/175 €
◆ Oud wit gebouw aan een pleintje (parking) met een gotische toren, nog geen 5 minuten lopen van de Markt. De kamers met whitewash lambrisering zien er pico bello uit.
◆ À moins de 5 min. du Markt, bâtisse blanche ancienne donnant sur une placette (parking public) dominée par une tour gothique. Pimpantes chambres revêtues de lambris cérusés.

Ter Duinen sans rest
Langerei 52 – 0 50 33 04 37 – www.terduinenhotel.eu – fermé 2 au 31 janvier, 1er au 16 juillet et 28 octobre-5 novembre CX**x**
20 ch – 119/189 € 149/199 €
◆ Rustig hotel buiten het centrum aan de Langerei. Vriendelijk onthaal, kamers aan de water- of tuinzijde, verzorgd ontbijtbuffet, knus salon, lounge in de serre en patio.
◆ Paisible hôtel excentré avec vue splendide sur le Langerei. Accueil souriant, chambres côté canal ou jardin, buffet matinal soigné, salon cosy, lounge-serre et patio charmant.

Bryghia sans rest
Oosterlingenplein 4 – 0 50 33 80 59 – www.bryghiahotel.be – ouvert 24 février-15 décembre AT**t**
18 ch – 67/98 € 85/135 €
◆ Oud pand van rode baksteen aan een rustig plein, vlakbij een bruggetje over de gracht. Gezellige lounge en keurige kamers. Leuke ontbijtruimte in ouderwetse stijl.
◆ Sur une place tranquille, vieille maison en briques rouges côtoyant un canal qu'enjambe un petit pont. Salon "cosy" et chambres nettes. Charmant espace breakfast à l'ancienne.

BELGIQUE

't Putje
ch,
't Zand 31 – 0 50 33 28 47 – www.hotelputje.be CZ**a**
37 ch – 70/80 € 85/125 € – ½ P 63/109 €
Rest – *(ouvert jusqu'à 23 h)* Lunch 12 € – Menu 35 € – Carte 33/63 €
◆ Reserveer een gerenoveerde kamer in dit centraal gelegen hotel met een neoklassieke gevel en twee bijgebouwen aan de achterkant. Openbare parking ernaast. Traditioneel café-restaurant met overdekt terras. De uitgebreide kaart is typerend voor dit genre.
◆ Réservez une chambre rénovée dans cet hôtel central s'étalant sur une maison à façade néoclassique et deux dépendances à l'arrière. Parking public à côté. Taverne-restaurant traditionnelle avec terrasse couverte face au Zand. Grande carte typique du genre.

Egmond sans rest
Minnewater 15 (par Katelijnestraat) – 0 50 34 14 45 – www.egmond.be
8 ch – 65/105 € 75/115 € AV**g**
◆ In dit mooie landhuis in een rustig park met uitzicht op het Minnewater zetelde vroeger een notaris. Interieur in Engelse stijl.
◆ Un notaire scellait les actes en ce joli manoir situé dans un parc paisible. Communs et chambres de style anglais, jardin de repos et vue sur le lac d'Amour (Minnewater).

Albert I sans rest
Koning Albert I-laan 2 – 0 50 34 09 30 – www.hotelalbert1.be – fermé 23 au 27 décembre CZ**e**
13 ch – 75/110 € 80/125 €
◆ Familiehotel bij 't Zand, tegenover het Concertgebouw. Knusse kamers met moderne badkamers, aan de voorkant met dubbele ramen. Ontbijtbuffet in een aangename ruimte.
◆ Hôtel familial jouxtant le Zand, face au Concertgebouw. Chambres douillettes avec salles d'eau modernes et doubles fenêtres à l'avant. Buffet matinal dans un cadre avenant.

Botaniek sans rest
Waalsestraat 23 – 0 50 34 14 24 – www.botaniek.be AU**m**
9 ch – 85/95 € 99/110 €
◆ Dit herenhuis in hartje Brugge ligt uit de drukte en wordt door een familie gerund. Mooie lichte kamers, klassiek ingericht salon en ontbijtzaal (buffet).
◆ Maison bourgeoise tenue en famille au cœur de Bruges, mais à l'écart de l'animation. Chambres claires et mignonnes. Salon classique, à l'image de la salle de breakfast (buffet).

Ter Reien sans rest

Langestraat 1 – ☎ 0 50 34 91 00 – www.hotelterreien.be – fermé 19 février-1er mars et 1er au 11 juillet DY**r**

26 ch – 65/120 € 65/150 €

◆ Hotel pal aan het water. De suite en kamers zijn klein maar praktisch en kijken uit op de gracht, straat of patio. Ontbijtbuffet bij mooi weer buiten. Sauna.

◆ Un hôtel "les pieds dans l'eau". Suite et chambres un rien exiguës mais pratiques, orientées côté canal, rue ou patio. Breakfast-buffet en salle ou l'été à l'extérieur. Sauna.

The Golden Tree sans rest

Hoefijzerlaan 21 – ☎ 0 50 33 87 31 – www.goldentreehotel.be – fermé 3 janvier-4 février BY**x**

21 ch – 75/95 € 95/125 €

◆ Klassiek herenhuis bij 't Zand. Monumentale hal met zuilen en standbeelden, kleine gerenoveerde kamers en ontbijtbuffet onder een beschilderd cassetteplafond.

◆ Bel hôtel particulier classique proche du 't Zand. Hall monumental avec colonnades et statues, menues chambres rénovées et buffet du matin sous un plafond à caissons peints.

Malleberg sans rest

Hoogstraat 7 – ☎ 0 50 34 41 11 – www.malleberg.be – fermé 15 janvier-9 février

9 ch – 85/130 € 85/130 € ATU**b**

◆ Dit hotelletje bij de Burg biedt rustige gerenoveerde kamers tegen betaalbare prijzen. Goed ontbijtbuffet in de gewelfde kelder. Hartelijke gastvrouw.

◆ Nuitées paisibles à prix modérés dans ce petit hôtel voisinant le Burg. Chambres rénovées et cave voûtée où l'on propose un bon buffet matinal. Patronne accueillante.

BELGIQUE

Boterhuis sans rest

St-Jakobsstraat 38 – ☎ 0 50 34 15 11 – www.boterhuis.be AT**m**

13 ch – 75/130 € 95/130 €

◆ Dit voormalige boterpakhuis wordt door een familie gerund. Vlaamse renaissancemeubelen in de hal en de salon, wenteltrap, mooie kamers en ontbijt in de gewelfde kelder.

◆ On entreposait du beurre en ces murs ! Tenue familiale, meubles renaissance flamande à l'accueil et au salon, escalier tournant, chambres mignonnes et cave voûtée (breakfast).

Fevery sans rest

Collaert Mansionstraat 3 – ☎ 0 50 33 12 69 – www.hotelfevery.be – fermé 20 au 29 janvier, 17 au 28 juin et 12 au 22 novembre CX**n**

10 ch – 60/85 € 60/90 €

◆ Rustige ligging, vriendelijk onthaal, functionele kamers en bescheiden prijzen zijn de trefwoorden van dit familiebedrijf in het hart van het "Venetië van het noorden".

◆ Situation calme, accueil gentil, chambres fonctionnelles, tenue suivie et prix muselés caractérisent cet hébergement exploité en famille au centre de la Venise du Nord.

De Barge rest,

Bargeweg 15 – ☎ 0 50 38 51 50 – www.hoteldebarge.be – fermé 3 janvier-14 février CZ**p**

20 ch – 79/110 € 89/150 € – ½ P 159/230 €

Rest – *(dîner seulement sauf weekend)* Lunch 20 € – Menu 35/45 € – Carte 40/58 €

◆ Deze aak in het kanaal tussen Brugge en Gent is nu een drijvend hotel met kleine hutten die in nautische stijl zijn ingericht. Traditionele gerechten en maritiem decor aan de captain's table. Terras voor.

◆ Cette péniche amarrée à la berge du canal reliant Bruges à Gand est un hôtel flottant où vous serez hébergés dans des petites "cabines" d'esprit nautique. Cuisine traditionnelle et décor maritime à la table du capitaine. Terrasse avant.

De Brugsche Suites sans rest
Koningin Elisabethlaan 20 – 0 50 68 03 10 – www.brugschesuites.be
– fermé 1er au 20 janvier CX**a**
3 ch – 210/275 € 235/275 €

◆ Select logeeradres met junior suites in een schitterend herenhuis dat in 1906 werd gebouwd voor de architect van de haven van Zeebrugge. Alle kunstvoorwerpen en stijlmeubelen in het smaakvolle interieur zijn te koop.

◆ Tout s'achète dans cette maison d'hôte sélecte occupant un fastueux hôtel particulier bâti en 1906 pour l'architecte du port de Zeebrugge. Intérieur raffiné, foisonnant d'objets d'art et de meubles de style. Junior suites.

Bonifacius sans rest
Groeninge 4 – 0 50 49 00 49 – www.bonifacius.be AV**w**
3 ch – 165/270 € 165/320 €

◆ Romantiek en decoratieve perfectie in dit 16de-eeuwse pand bij een gotische klokkentoren. Sublieme kamers, lekker ontbijt in een stijlkamer met uitzicht op de gracht, en panoramisch dakterras.

◆ Romantisme et perfection décorative en ces murs du 16e s. à l'ombre d'un clocher gothique. Sublimes chambres d'hôte, bon breakfast dans un décor d'époque avec vue sur le canal, terrasse-belvédère perchée sur le toit.

Maison Le Dragon sans rest
Eekhoutstraat 5 – 0 50 72 06 54 – www.maisonledragon.be
– fermé 4 au 12 janvier AU**v**
3 ch – 160/260 € 180/280 € – 1 suite

◆ Chique B&B in een historisch pand met een prachtig interieur. Trapgevel, juweeltjes van kamers en salon met rococolambrisering en 18de-eeuwse muurschilderingen.

◆ Une maison d'hôtes distinguée, qui plaira aux amateurs de demeures historiques : façade à redans, salon rococo et délicates peintures murales du 18e s. Chambres confortables à la décoration soignée.

Casa Romantico sans rest
Eekhoutstraat 37 – 0 50 67 80 93 – www.casa-romantico.be
– fermé février AU**h**
2 ch – 175 € 210 € – 1 suite

◆ Sfeervol B&B met een beeld van Maria met Kind op de hoek van de trapgevel. De grote kamers zijn smaakvol ingericht, net als de rest van het huis. Sauna, buitenzwembad.

◆ Derrière sa façade à redents ornée d'une Vierge à l'enfant, cette guesthouse est en prise sur l'époque : décor contemporain, jolis espaces, sauna, piscine dans le jardin...

Côté Canal-Huyze Hertsberge sans rest
Hertsbergestraat 8 – 0 50 33 35 42 – www.bruges-bedandbreakfast.be
4 ch – 130/150 € 140/160 € AU**s**

◆ Goed onthaal in dit sfeervolle 18de-eeuwse B&B, dat al sinds 1901 in handen van dezelfde familie is. Neoklassieke kamers, verzorgd ontbijt en mooie terrastuin aan de gracht.

◆ Accueil soigné en cette maison d'hôte (18e s.) intime et séduisante, appartenant à la même famille depuis 1901. Chambres néoclassiques, breakfast de qualité, belle terrasse-jardin côté canal.

Number 11 sans rest
Peerdenstraat 11 – 0 50 33 06 75 – www.number11.be
– fermé 1er au 10 février AT**g**
3 ch – 155 € 175 €

◆ B&B om rustig te cocoonen in een 16de-eeuws pandje in de voetgangerszone. Mooie grote kamers en suite met uitzicht op de prachtige ommuurde tuin. Expo van moderne schilderijen.

◆ En centre piétonnier, maison paisible (16e s.) devenue un B&B très "cocooning". Belles grandes chambres et suite donnant sur un délicieux jardin clos. Expo de toiles modernes.

De Bleker sans rest
Hooistraat 70 – 0 475 54 82 39 – www.debleker.be DYx
3 ch – 80 € 90/100 €
Rustig en sfeervol maison d'hôte, in een voormalige blekerij, vandaar de naam. Vrolijke kamers en gemeenschappelijke ruimten. Grote tuin, waar vroeger de was werd gedroogd.
◆ Maison d'hôte paisible et charmante, dont la raison sociale résume le passé (une blanchisserie). Chambres et communs fringants. Grand jardin où l'on étendait jadis le linge.

Sint Niklaas sans rest
Sint-Niklaasstraat 18 – 0 50 61 03 08 – www.sintnik.be AUg
3 ch – 100/120 € 110/145 €
Mooi B&B uit de jaren 1900 in een doodlopende straat bij de Markt. Kamers met uitzicht op de klokkentoren. De ovale kamer heeft een antiek plafond. Weelderig salon en patio.
◆ Dans une impasse proche du Markt, une belle maison de ville des années 1900, recélant un intérieur très contemporain et cosy. Toutes les chambres ont vue sur le beffroi.

Absoluut Verhulst sans rest
Verbrand Nieuwland 1 – 0 50 33 45 15 – www.b-bverhulst.com DYd
3 ch – 85/95 € 95/130 €
Deze B&B valt op door de 17de-eeuwse bakstenen gevel die knalrood is geverfd. De kamers heten "loft", "klassiek" en "tuin". Ontbijt met uitzicht op de patio met waterpartij.
◆ Maison repérable à sa façade (17e s.) de briques peinte en rouge vif. Chambres nommées "loft", "classique" et "jardin". Vue sur le patio et sa pièce d'eau au petit-déj'.

De Karmeliet (Geert Van Hecke)
Langestraat 19 – 0 50 33 82 59 – www.dekarmeliet.be
– fermé 1er au 24 janvier, 24 juin-17 juillet, 26 août-6 septembre, dimanche et lundi DYq
Rest – Lunch 80 € – Menu 120/190 € – Carte 135/235 €
Spéc. Cabillaud rôti en croûte d'amandes, chou-fleur à brun et à blanc et crevettes grises. Fine omelette à l'encre de seiche, noix de coco, homard bleu et bouillon au gingembre et à la citronelle. Œuf fermier frit en croûte de pain, mousseline de petits pois et truffe noire.
Schitterende specialiteiten, virtuoos bereid door een bescheiden eigenaar, die met zijn tijd meegaat zonder zijn culinaire ziel te verliezen. Al ruim 15 jaar een toprestaurant, dat tot de crème de la crème van de Belgische gastronomie behoort!
◆ Spécialités pleines d'éclat, élaborées avec virtuosité par un patron humble et discret, qui réussit à s'adapter aux modes tout en gardant son âme culinaire. Une table au "top" depuis plus de 15 ans, à classer parmi les fleurons de la gastronomie belge !

Den Gouden Harynck (Philippe Serruys)
Groeninge 25 – 0 50 33 76 37 – www.goudenharynck.be
– fermé 1 semaine vacances de Pâques, 2 dernières semaines de juillet-début août, jours fériés, samedi midi, dimanche et lundi AVw
Rest – Lunch 39 € – Menu 55/89 € – Carte 73/91 €
Spéc. Lisette grillée au shiso et cannelloni d'anguille fumée. Bar en croûte de sel. Ris de veau rôti au laurier et parmesan.
Dhr. Serruys, een veteraan uit de lokale gastronomie, verdedigt smaakvol de macaron waarmee hij in 1996 werd bekroond. Zijn recepten worden steeds vernieuwd en bevatten een vleugje oriëntaals, terwijl goede wijnen rustig in de kelder liggen.
◆ Vétéran de la gastronomie locale, M. Serruys défend finement son macaron décroché en 1996. Ses recettes sans cesse renouvelées se teintent de nuances orientales (dosages subtils d'épices et condiments), tandis que de bonnes cuvées patientent en cave.

BELGIQUE

XXX **Patrick Devos**

Zilverstraat 41 – ☎ 0 50 33 55 66 – www.patrickdevos.be – fermé 2 au 6 avril, 23 juillet-15 août, 26 au 30 décembre, samedi midi et dimanche

Rest – Menu 40/85 € – Carte 70/83 € AU**y**

◆ Een statige patriciërswoning met authentiek Art Deco interieur (1900-1935) vormt het kader om te genieten van een innovatieve keuken met nadruk op het product en de harmonie met de wijnen.

◆ Dans une fière maison patricienne, un décor chic et rétro mêlant souvenirs Belle Époque, cheminées, cour verdoyante, etc. Cuisine inventive centrée sur le produit, en harmonie avec les vins.

XXX **'t Pandreitje**

Pandreitje 6 – ☎ 0 50 33 11 90 – www.pandreitje.be – fermé 16 au 29 juillet, 29 octobre-8 novembre, mercredi, jeudi et dimanche AU**x**

Rest – Menu 50/95 € – Carte 78/108 €

◆ Hier wordt in 2010 al 30 jaar goed gegeten! Klassieke keuken van de boss zelf en plezierige eetzaal met grote ramen die uitkijken op de nieuwe patio vol groen.

◆ 30 ans de bonne chère en 2010 ! Cuisine classique faite par le boss et servie dans une salle plaisante, dont les grandes baies donnent sur la nouvelle cour-terrasse verte.

XX **Le Manoir Quatre Saisons** – Hôtel De Castillion

Heilige Geeststraat 1 – ☎ 0 50 34 30 01 – www.castillion.be – fermé 3 au 20 janvier, 3 au 22 juillet, lundi midi, mardi midi et dimanche

Rest – Menu 35/65 € – Carte 74/99 € AU**r**

◆ In de romantische eetzaal wordt u een eigentijdse kaart geserveerd: kort gebakken langoustines met structuren van jonge wortel, sint-jakobsmossel gemarineerd met ponzu, etc.

◆ Dans un cadre romantique, une carte résolument contemporaine : langoustines légèrement poêlées avec structures de carottes nouvelles, Saint-Jacques marinées au ponzu (sauce japonaise), etc.

XX **Le Mystique** – Hôtel Heritage

N. Desparsstraat 11 – ☎ 0 50 44 44 45 – www.hotel-heritage.com – fermé 6 au 14 mars, 17 juillet-16 août, dimanche et lundi AT**k**

Rest – Lunch 24 € – Menu 48/75 € – Carte 58/79 €

◆ Niet zomaar een "hotelrestaurant", maar een heuse troef voor het hotel: Le Mystique biedt een verfijnde keuken die aanslaat bij het veeleisende internationale cliënteel. De chef verwerkt graag nobele ingrediënten tot hedendaagse gerechten.

◆ Le chef du Mystique a l'art de concocter des plats contemporains avec de très beaux produits. Une cuisine raffinée qui ravit une clientèle internationale exigeante.

XX **'t Stil Ende**

Scheepsdalelaan 12 – ☎ 0 50 33 92 03 – www.stilende.be – fermé 1 semaine en mars, 2 dernières semaines de juillet, 1 semaine en novembre, samedi midi, dimanche et lundi BX**a**

Rest – Lunch 23 € – Menu 35/55 €

◆ Eigentijds restaurant met parketvloer en wijnrode muren met designverlichting en schilderijen. Open keuken, interessante wijnkaart en terras aan de achterkant.

◆ Table actuelle dont la salle, parquetée, aux murs lie de vin supportant des tableaux-appliques design, s'ouvre sur la cuisine. Livre de cave digne d'intérêt. Terrasse arrière.

XX **De Florentijnen**

Academiestraat 1 – ☎ 0 50 67 75 33 – www.deflorentijnen.be – fermé 20 juillet-8 août, vacances de la Toussaint, dimanche et lundi AT**p**

Rest – Lunch 24 € – Menu 42/95 € bc – Carte 52/89 €

◆ Groot restaurant in een voormalige Florentijnse factorij, vandaar de naam. Licht en modern interieur, in harmonie met de kookstijl. Krabspecialiteiten.

◆ Dans un ancien comptoir commercial florentin, ce qui explique la raison sociale. Cadre actuel ample et lumineux, cuisine du moment, spécialités de crabe de la mer de Barents.

XX **Pergola Kaffee** – Hôtel Die Swaene

Meestraat – ✆ 0 50 44 76 50 – www.pergolakaffee.be – fermé 2 dernières semaines de janvier, mardi et mercredi AU**s**

Rest – Lunch 24 € – Menu 35/60 € – Carte 56/79 €

♦ Behaaglijke, trendy bistro in een eeuwenoude kelder met veranda en leuk terras aan de waterkant. Verfijnde keuken. Aantrekkelijk menu met veel keuze.

♦ Bistrot "cosy-trendy" dans des caves séculaires au ras de l'eau, complété par un salon-véranda et une charmante terrasse au bord du canal. Carte élaborée. Menu multi-choix.

XX **Aneth** (Paul Hendrickx)

Maria van Bourgondiëlaan 1 (derrière le parc Graaf Visart) – ✆ 0 50 31 11 89 – www.aneth.be – fermé 3 semaines en mars, 2 dernières semaines d'août, samedi midi, dimanche et lundi BY**g**

Rest – *(prévenir)* Lunch 45 € – Menu 75/99 € – Carte 84/100 €

Spéc. Trois préparations d'huîtres Gillardeau. Cappuccino de homard et crustacés, compote de tomates et crème au malt whisky. Langoustines poêlées et langue de porc en saumure à l'ail fumé.

♦ Oud pand buiten de toeristische circuits, tussen een gracht en een park. Modern-klassiek interieur, intiem en sfeervol, verzorgde eigentijdse keuken met veel vis, wijn- en waterkaart.

♦ Maison ancienne située hors des circuits touristiques, entre parc et canal. Dans un cadre intimiste et charmant, on déguste une soigneuse cuisine actuelle (produits de la mer).

XX **Den Dyver**

Dijver 5 – ✆ 0 50 33 60 69 – www.dyver.be – fermé 31 janvier-8 février, 2 premières semaines de juillet, mercredi et jeudi

Rest – Lunch 24 € – Menu 55/83 € – Carte 47/73 € AU**c**

♦ Gezellig restaurant met typisch Vlaams interieur, waar veel met bier wordt gekookt, beslist het proberen waard. Uiteraard wordt bij het eten een schuimend biertje gedronken.

♦ Maison animée au décor flamand, attirant les amateurs de cuisine à la bière comme les curieux. Un beau col de mousse adéquat accompagne naturellement chaque préparation.

XX **Kardinaalshof**

St-Salvatorskerkhof 14 – ✆ 0 50 34 16 91 – www.kardinaalshof.be – fermé 2 premières semaines de juillet, jeudi midi et mercredi AU**o**

Rest – Menu 35/62 €

♦ Dit adres valt in de smaak vanwege de intieme sfeer, het Kardinaalsmenu en de gedistingeerde ontvangst. Goede producten uit de zee (en van het land) die met zorg worden bereid.

♦ Une adresse à retenir pour son atmosphère intime, son Kardinaalsmenu et pour l'accueil distingué du patron. Bons produits de la mer (mais aussi terrestres) traités avec égards.

XX **Spinola**

Spinolarei 1 – ✆ 0 50 34 17 85 – www.spinola.be – fermé 2 premières semaines de janvier, dernière semaine de juin-2 premières semaines de juillet et dimanches et lundis non fériés AT**c**

Rest – Lunch 35 € – Menu 50/60 € – Carte 50/112 €

♦ Intiem restaurantje, warm aanbevolen vanwege de eigentijdse keuken en de romantische ambiance, die goed bij de atmosfeer van de stad past.

♦ Une petite table intimiste, chaudement recommandable pour sa cuisine bien dans son époque et pour son ambiance romantique qui s'accorde bien à l'atmosphère de la ville.

Standing : verwacht niet dat de dienst in een X of een 🏠 dezelfde is als XXXXX of een 🏠🏠🏠🏠🏠.

XX **De Visscherie**

Vismarkt 8 – ✆ 0 50 33 02 12 – www.visscherie.be – fermé mardi AU**t**

Rest – Lunch 35 € – Menu 55/78 € – Carte 60/105 €

◆ Dit restaurant uit 1976 aan de vismarkt voert een klassieke kaart, waarop vis de hoofdmoot vormt. Schaaldieren zijn de specialiteit. Twee moderne, cosy eetzalen boven elkaar.

◆ Face au Vismarkt, deux salles modernes et cosy superposées et une carte classique se concentrant naturellement sur les trésors de la mer, depuis 1976. Spécialité de crustacés.

XX **Assiette Blanche**

Philipstockstraat 23 – ✆ 0 50 34 00 94 – www.assietteblanche.be – fermé deuxième semaine de mars, dernière semaine juillet-première semaine août, Noël, nouvel-an, mardi et mercredi AT**a**

Rest – Lunch 20 € – Menu 35/47 € – Carte 44/58 €

◆ Joviaal onthaal, warme inrichting, efficiënte service, volle smaak, vriendelijke prijzen: vijf redenen om hier te gaan eten! Terugkerend thema: recepten rondom de grijze garnaal, natuurlijk zelf gepeld.

◆ Jovialité de l'accueil, chaleur de la déco, efficacité du service, plénitude des saveurs, légèreté tarifaire : cinq raisons de manger ici ! Thème récurrent : les recettes autour de la crevette grise, naturellement épluchée maison.

XX **Guillaume**

Korte Lane 20 – ✆ 0 50 34 46 05 – www.guillaume2000.be – fermé 2 semaines en février, 2 semaines en août, 2 semaines en novembre, samedi midi, lundi et mardi CY**c**

Rest – Lunch 30 € – Menu 35/60 € – Carte env. 60 €

◆ Knus 18de-eeuws Brugs huisje waar de joviale patron en de popmuziek er 's avonds laat de sfeer goed in brengen. Creatieve lunch en populair menu. Gerechten met Bourgondische touch en Aziatische invloeden.

◆ Petit resto d'amis dans une maison du 18e s. dont l'ambiance doit beaucoup à la vivacité du patron et à la musique pop diffusée en fin se soirée. Lunch créatif, menu intéressant, plats classiques aux influences asiatiques.

XX **Couvert**

Eekhoutstraat 17 – ✆ 0 50 33 37 87 – www. couvertbrugge.be – fermé mardi et mercredi AU**v**

Rest – Menu 38/49 € bc – Carte 44/63 €

◆ Licht rustiek, warm en romantisch zijn de trefwoorden van dit pand uit 1637 met die typische Brugse sfeer. De eigenaar kookt en zijn vrouw serveert hoffelijk.

◆ Douce rusticité, chaleur et romantisme : cette maison de 1637 cultive une atmosphère typiquement brugeoise. Le patron cuisine et sa compagne fait le service avec courtoisie.

XX **Tanuki**

Oude Gentweg 1 – ✆ 0 50 34 75 12 – www.tanuki.be – fermé 1 semaine carnaval, 2 semaines en juillet, 1 semaine à la Toussaint, lundi et mardi

Rest – Lunch 30 € – Menu 68/115 € bc – Carte 54/107 € AV**f**

◆ Het land van de rijzende zon in hartje Brugge! Japanse ambiance en bijpassend interieur, personeel in kimono, authentieke specialiteiten, sushibar en spectaculaire teppanyaki.

◆ Un petit coin de Japon en plein Bruges : ambiance et déco nipponnes, personnel en kimono, spécialités authentiques, sushi bar et jongleries au Teppan-Yaki (table de cuisson).

XX **Zeno**

Vlamingstraat 53 – ✆ 0 50 68 09 93 – www.restaurantzeno.be – fermé dernière semaine de décembre-première semaine de janvier, 1 semaine Pâques, 2 premières semaines de septembre, samedi midi, dimanche et lundi

Rest – Lunch 38 € – Menu 55/100 € AT**b**

◆ In dit herenhuis met patio vertoont een jonge progressieve chef-kok zijn kookkunsten. 's Avonds uitgebreid menu met 7 suggesties naar keuze. De lunch is bescheidener.

◆ Maison de maître où évolue un jeune chef progressiste, formé à l'école de l'excellence. Le soir, grand menu déclinant 7 suggestions au choix. Lunch plus modeste. Patio-terrasse.

BELGIQUE

XX ✿ **Sans Cravate** (Henk Van Oudenhove)

Langestraat 159 – ✆ 0 50 67 83 10 – www.sanscravate.be – fermé samedi midi, dimanche et lundi DY**c**

Rest – *(réservation conseillée) (menu unique le samedi soir)* Lunch 27 € – Menu 52/111 € bc – Carte 74/96 €

Spéc. Huîtres plates cuites en coquilles au sherry et échalote (octobre-janvier). Poulet de Bresse rôti à la broche et présenté en deux services. Pigeon à la broche et ses cuisses confites.

◆ Een enthousiast stel runt dit kooktheater, waar fornuizen, grill en kwaliteitsproducten de hoofdrol spelen. Heerlijk gebraad voor twee personen. Ontspannen sfeer, smart en casual dresscode, maar dat blijkt al uit de naam (Zonder Stropdas)!

◆ Un couple qui a la niaque anime ce "kooktheater" où fourneaux, rôtissoire et produits A.O.C. tiennent les premiers rôles. Rôts d'anthologie à partager à deux. Climat détendu et dress code "casual smart", mais grâce à la raison sociale, vous le saviez déjà !

X **Refter** avec ch

Molenmeers 2 – ✆ 0 50 44 49 00 – www.bistrorefter.com – fermé du 8 au 26 janvier, 24 juin-17 juillet, 2 au 14 septembre, dimanche et lundi

4 ch – †150 € ††200 €, ☕ 30 € DY**x**

Rest – Lunch 25 € – Menu 35/60 €

◆ In deze chique refter, een spin-off van de naburige Karmeliet, kunt u Belgische streekproducten ontdekken zonder u te ruïneren! De gerechten dragen de signatuur van de grote chef-kok die het huis chaperonneert. Ruime kamers op de verdieping.

◆ Ce Refter ("réfectoire" en néerlandais) plutôt chic, annexe de son voisin le Karmeliet, permet de découvrir une belle palette de produits régionaux belges. Les plats portent la signature du grand chef qui chapeaute la maison. Bon rapport qualité-prix. Chambres spacieuses à l'étage.

X **Lieven**

Philipstockstraat 45 – ✆ 0 50 68 09 75 – www.etenbijlieven.be – fermé vacances Noël, samedi midi, dimanche et lundi AT**x**

Rest – Lunch 15 € – Carte env. 60 €

◆ 't Is niet moeilijk om te raden waarom Lieven in ijltempo uitgroeide tot een publiekslieveling in Brugge. Zijn keuken past perfect in de culinaire koers van het moment: geen poespas, maar pure producten. Een aanrader!

◆ En un clin d'œil, Lieven s'est imposé comme une véritable institution à Bruges. On comprend aisément pourquoi ! La cuisine épouse les dernières tendances, en se concentrant sur l'essentiel : le produit dans son authenticité. Hautement recommandable !

X **Kurt's Pan**

St-Jakobsstraat 58 – ✆ 0 50 34 12 24 – www.kurtspan.be – fermé vacances de carnaval, vacances de la Toussaint, 2 dernières semaines de novembre, lundi et mardi AT**e**

Rest – Lunch 22 € – Menu 35/55 € – Carte 43/70 €

◆ Intiem restaurant in een pittoresk pandje, waar in Kurt's pan zorgvuldig uitgekozen ingrediënten liggen te sudderen, overgoten met inventieve ideeën. All-in menu's.

◆ Table intimiste occupant une petite maison pittoresque. Mais que mijote Kurt dans sa casserole ? Des ingrédients triés sur le volet et plein d'idées inventives. Menus all-in.

X **De Stove**

Kleine Sint-Amandstraat 4 – ✆ 0 50 33 78 35 – www.restaurantdestove.be – fermé mercredi et jeudi AU**k**

Rest – *(dîner seulement sauf samedi et dimanche)* Menu 62 € bc – Carte 44/57 €

◆ Oud pand in het voetgangersgebied bij de Markt. Leuke eenvoudige eetzaal, waar Erica de gasten ontvangt en Gino kookt: een duo dat al 25 jaar goed op elkaar is ingespeeld!

◆ Maison ancienne en secteur piétonnier, près du Markt. Salle simple et mignonne où Erica soigne l'accueil tandis que Gino pianote : un duo bien rodé, depuis près de 25 ans !

Rock-Fort

Langestraat 15 – ☎ 0 50 33 41 13 – www.rock-fort.be – fermé fin décembre-début janvier, 2 dernières semaines de juillet, samedi et dimanche DY**q**

Rest – Lunch 15 € – Menu 49 € – Carte 39/71 €

◆ Een verrassend restaurant! Rock-'n-roll keuken met krachtige smaken, superstar lunch en een sober interieur met een mix van vintage en design.

◆ Une enseigne qui décoiffe ! Cuisine rock'n roll aux saveurs musclées, lunch superstar et déco épurée, entre vintage et design.

Den Amand

Sint-Amandstraat 4 – ☎ 0 50 34 01 22 – www.denamand.be – fermé 23 au 27 janvier, 13 au 29 février, 18 juin-14 juillet, 15 octobre-6 novembre, 24 et 25 décembre, dimanche et mercredi AU**w**

Rest – Menu 35 € – Carte 39/56 €

◆ Ontdek weer de eenvoudige genoegens van een traditionele maaltijd in deze bistro, waar de chef-kok en zijn wederhelft hun best doen om de gasten bij elke gang te verwennen.

◆ Renouez avec les plaisirs simples d'une table traditionnelle dans ce bistrot où le chef et sa moitié mettent les bouchées doubles pour vous satisfaire à chaque service.

De Mangerie

Oude Burg 20 – ☎ 0 50 33 93 36 – www.mangerie.com – fermé première semaine de janvier, 15 juillet-1er août, dimanche et lundi AU**e**

Rest – Lunch 15 € – Menu 30/65 € – Carte env. 45 €

◆ Spontane eigenaresse, sfeerverlichting, wereldmuziek, voordelige lunch, creatief menu ('s avonds) en kaart rond 4 thema's: mediterraan, oosters, regionaal en vegetarisch.

◆ Patronne spontanée à l'accueil, lumières douces, world music, lunch à prix d'ami, menu créatif (le soir) et carte explorant 4 thèmes : méridional, oriental, régional, végétal.

Bistro Kok au Vin

Ezelstraat 21 – ☎ 0 50 33 95 21 – www.kok-au-vin.be – fermé semaine carnaval, 2 dernières semaines de juillet, première semaine de novembre, dimanche et lundi

Rest – Lunch 15 € – Menu 35/55 € bc – Carte 36/54 € CY**a**

◆ Deze moderne bistro voert een kleine kaart met voor elk wat wils: traditionele gerechten, stoofschotels en eigentijdse recepten. Coq au vin is vanzelfsprekend de specialiteit. Voordelige lunch en menu.

◆ Bistrot moderne dont l'appétissante petite carte panache mets traditionnels, plats mijotés et recettes plus contemporaines. Inutile de vous préciser "la" spécialité maison ! Lunch et menu à prix jubilatoires.

Bistro Christophe

Garenmarkt 34 – ☎ 0 50 34 48 92 – fermé 2 dernières semaines de janvier, 2 premières semaines de juillet, mardi et mercredi AV**a**

Rest – *(dîner seulement jusqu'à 1 h du matin)* Carte 34/65 €

◆ In dit oude pandje huist een klein nachtrestaurant met een gezellige bistrosfeer. Boven de open keuken hangt een schoolbord met de gerechten (geen menu's).

◆ Maisonnette ancienne abritant un petit bistrot de nuit à l'atmosphère chaleureuse. Au-dessus de la cuisine ouverte, un écriteau tient lieu de carte (aucun menu).

PÉRIPHÉRIE

au Nord – ✉ 8000

Kasteel ten Berghe sans rest

Dudzeelsesteenweg 311, (Koolkerke) – ☎ 0 50 67 96 97 – www.kasteeltenberghe.be ER**b**

8 ch – †100/140 € ††140/180 €

◆ Dit mooie kasteel met een nostalgische sfeer uit 1627 werd in 1880 verbouwd. Groot park, slotgracht, kamers met stijlmeubelen, neogotische ontbijtruimte en portretgalerij.

◆ Beau château à l'ambiance nostalgique élevé en 1627 et remanié en 1880. Grand parc, douves, chambres au décor d'époque, espace breakfast néo-gothique et galerie de portraits.

BELGIQUE

Chateau Rougesse avec ch

Dudzelesteenweg 460 – ✆ 0 50 44 76 10 – www.chateaurougesse.be
– fermé 2 semaines en janvier ER**a**
3 ch – 150/160 € 150/160 €
Rest – *(fermé mardi)* Lunch 25 € – Menu 40/60 € – Carte 52/65 €

◆ "Een burcht van gastvrijheid", zo laat dit kasteel zich graag noemen. U kan er dan ook terecht voor een totaalpakket: eten in het klassieke restaurant, koffie in de tearoom en slapen in de romantische chambres d'hôtes.

◆ Ce château est un vrai havre d'hospitalité... Pourquoi ne pas opter pour la formule complète ? Repas au restaurant – classique –, pause au salon de thé et repos dans l'une des chambres, romantiques.

à Dudzele au Nord par N 376 : 9 km – C Brugge – ✉ 8380

Het Bloemenhof

rest,

Damsesteenweg 96 – ✆ 0 50 59 81 34 – www.hetbloemenhof.be
– fermé 23 janvier-1er février et 19 au 28 novembre
8 ch – 60/65 € 90/100 € – ½ P 80 €
Rest – *(dîner pour résidents seulement)*

◆ Rustig boerderijtje even van de plattelandsweg af. Knusse sfeer, keurige kamers, verzorgd ontbijt en serre met uitzicht op de tuin en het zwembad.

◆ Fermette tranquille établie en retrait d'une route de campagne. Ambiance "bonbonnière", chambres coquettes, breakfast soigné et véranda tournée vers la piscine du jardin.

Danny Horseele

Stationsweg 45c – ✆ 0 50 32 10 32
– www.dannyhorseele.be
– fermé première semaine de janvier, 1 semaine en mars, 1 semaine en juin, 12 au 30 septembre, mercredi et dimanche
Rest – Lunch 85 € bc – Menu 110 € bc/165 € bc – Carte 94/215 €
Spéc. Salade de langoustines aux herbes et épices. Blanc de bar, risotto aux huîtres et beurre blanc aux algues marine. Poulet de ferme "des Polders" aux jeunes légumes à l'estragon (été).

◆ Sober gemoderniseerd boerderijtje met een rustiek karakter. Uitstekende creatieve keuken. Verzorgde eetzalen, waaronder een gewelfde kelder, loungebar op de zolder en mooi terras. Jonge, attente bediening.

◆ Jolie fermette modernisée en épurant son caractère rustique. Cuisine créative de haut vol, salles soignées (dont une cave voûtée), lounge-bar sous la charpente du grenier et belle terrasse. Service jeune et attentif.

à Sint-Andries – C Brugge – ✉ 8200

Herborist (Alex Hanbuckers) avec ch

rest,

De Watermolen 15 (par ⑥ : 6 km puis à droite après E 40 - A 10)
– ✆ 0 50 38 76 00 – www.aubergedeherborist.be
– fermé vacances de Pâques, septembre, vacances de Noël, dimanche soir, lundi et mardi
4 ch – 120 € 150 €
Rest – *(menu unique)* Lunch 40 € – Menu 55/70 €
Spéc. Anguille fumée et tartare de gambas à la mascarpone moutardée et citron vert. Brandade de crabe et dorade, coulis de tomates et jus de crustacés à l'anis. Structure de fraises à la crème d'amandes, crumble de nougat et sorbet aux agrumes.

◆ Sfeervolle herberg aan de rand van de akkers, niet ver van de snelweg. Het creatieve menu wordt mondeling doorgegeven, op zaterdagavond wordt enkel een uitgebreid menu geserveerd. Rust, landelijke charme en goed comfort in de vier kamers.

◆ Charmante auberge en lisière des champs, non loin de la sortie d'autoroute. Ici, le chef vous présente son menu créatif de vive voix… Et pour prolonger l'étape, quatre chambres tranquilles, charmantes et confortables.

XX **Hostellerie Pannenhuis** avec ch — rest,

Zandstraat 2 – ☎ 0 50 31 19 07 – www.pannenhuis.be

– fermé 15 janvier-3 février ERg

18 ch – 75/125 € 95/165 € – 1 suite – ½ P 113/133 €

Rest – *(fermé 15 janvier-3 février, 1er au 18 juillet, dimanche soir, mardi soir et mercredi)* Lunch 25 € – Menu 65/79 € bc – Carte 53/70 €

◆ In deze klassieke villa zorgen de eigenares en zoon des huizes voor een warme ontvangst. Op het menu: klassiekers, traditioneel en met zorg bereid. Het hotel zal gezinnen plezieren met z'n bloementuin en fietsuitleendienst.

◆ Dans cette villa classique, la propriétaire et son fils vous réservent un accueil chaleureux. Au menu : des mets de tradition, préparés dans les règles de l'art. L'hôtel offre aux familles le plaisir d'un jardin et… on peut même louer des vélos !

XX **A'Qi**

Gistelsesteenweg 686 (par ⑦ : 1,5 km) – ☎ 0 50 30 05 99
– www.restaurantaqi.be – fermé 26 février-11 mars, 2 au 18 juillet, 24 septembre-3 octobre, 24 décembre-4 janvier, dimanche soir, lundi et mardi

Rest – Menu 48/85 €

◆ Een chef met vele jaren ervaring leidt de keuken in deze villa (1953). Geen kaart maar "all-in" formules met goede prijs-kwaliteitsverhouding. Actuele, creatieve keuken met knipoog naar Azië.

◆ Un chef expérimenté œuvre en cette adresse, avec l'aide d'une cuisinière de confiance. Pas de carte : le menu est inspiré par le marché… et à la fois ouvert sur le monde.

à Sint-Kruis – C Brugge – ✉ 8310

Wilgenhof sans rest

Polderstraat 151 – ☎ 0 50 36 27 44 – www.hotel-wilgenhof.be ERw

6 ch – 85 € 105/125 €

◆ Lieflijk boerderijtje aan de Damse Vaart, in een typisch polderlandschap. Rustige kamers. Als het buiten koud is knappert het haardvuur in de lounge.

◆ Au bord du Damse Vaart, dans un paysage de campagne et polders, adorable fermette disposant de chambres silencieuses. Un feu de bûches ronfle au salon quand le froid sévit.

XX **De Jonkman** (Filip Claeys)

Maalsesteenweg 438 (Est : 2 km) – ☎ 0 50 36 07 67 – www.dejonkman.be
– fermé dimanche et lundi

Rest – Lunch 43 € – Menu 75/105 € – Carte 87/128 €

Spéc. Bœuf d'élevage maison en trois préparations. Préparations aux crevettes grises. Turbot rôti à l'arête, béarnaise aux crevettes grises.

◆ Filip Claeys is gebeten door zijn vak. Nog verrassender, origineler en lekkerder: dat is zijn drijfveer in de keuken. Als zo een ambitie gepaard gaat met toptalent en een prachtig cv krijg je een ijzersterke formule. De inventieve gerechten komen perfect tot hun recht in het moderne decor.

◆ Filip Claeys est un passionné de son métier. Encore plus surprenant, original et savoureux : Ceci est le seul objectif en cuisine. Quand l'ambition va de pair avec le talent et un cv impressionnant, la formule est imbattable! Les mets inventifs sont bien mis en valeur par le decor moderne.

XX **Goffin**

Maalsesteenweg 2 – ☎ 0 50 68 77 88 – www.timothygoffin.be – fermé samedi midi, dimanche et lundi DYs

Rest – Lunch 30 € – Menu 45/55 € – Carte 55/77 €

◆ Met Goffin heeft Brugge er een gastronomische troef bij. Dankzij zijn ervaring in verschillende topzaken uit de buurt, zit de chef niet om culinaire inspiratie verlegen. Zijn keuken is er een met een klassieke basis, van volle smaken en bereidingen die niet gezocht zijn.

◆ Une jolie étape gastronomique à Bruges. Fort de son expérience dans de grandes maisons de la région, le chef n'est jamais à court d'inspiration... Une cuisine classique, riche de saveurs et de belles découvertes.

X **'t Apertje**

Damse Vaart Zuid 223 – ✆ 0 50 35 00 12 – www.apertje.be – fermé troisième semaine de mars, première semaine de juillet, deuxième semaine d'octobre et lundi ER**w**

Rest – Menu 48 € bc – Carte 36/51 €

◆ Oude visserskroeg met een gezellige sfeer en weids uitzicht op het polderkanaal. Bistrokeuken met paling en geroosterd vlees, suggesties van het seizoen, aloude klassiekers op fijne wijze.

◆ Un horizon d'aquarelle : cette ancienne guinguette de pêcheurs ouvre sur le canal et les polders... Ambiance sympathique et plats d'antan préparés avec finesse (anguilles, grillades).

à Sint-Michiels – C Brugge – ✉ 8200

Weinebrugge

Koning Albert I laan 242 – ✆ 0 50 38 44 40 – www.weinebrugge.be ES**b**

30 ch – †70/160 € ††100/180 €

Rest – Menu 50 € bc/70 € bc – Carte 47/80 €

◆ Comfortabel hotel even voor Brugge, tussen een bos en een doorgaande weg naar de stad. Lichte en moderne hal. De kamers zijn perfect voor zowel een busy als een lazy verblijf. Eigentijdse gerechten, geserveerd in een klassieke eetzaal of 's zomers buiten.

◆ Hôtel tout confort à l'approche de Bruges, entre un bois et un axe important menant en ville. Hall clair et moderne. Chambres parfaites pour les séjours "busy" ou "lazy". Cuisine du moment servie dans une salle classiquement aménagée et l'été en plein air.

XXX **Hertog Jan** (Gert De Mangeleer)

✿✿✿ *Torhoutse Steenweg 479 – ✆ 0 50 67 34 46 – www.hertog-jan.com – fermé 25 décembre-11 janvier, 10 au 18 avril, 31 juillet-22 août, 30 octobre-7 novembre, dimanche et lundi* ES**x**

Rest – *(réservation conseillée) (menu unique le samedi soir)* Lunch 65 € – Menu 100/125 € – Carte 100/220 €

Spéc. Salade de tomates rafraîchie d'un bouillon acidulé glacé, agrumes et fromage de chèvre (été). Queue de bœuf braisée à la truffe noire, crème légère à l'oignon et pommes de terre (hiver). Assiette de légumes, fleurs et herbes du potager du chef.

◆ Gert De Mangeleer: talent van bij ons om trots op te zijn. Hij gaat voorop in de internationale beweging van chefs die zweren bij streek- en seizoensproducten, de smaak van het pure product is voor hem een obsessie. Samen met sommelier Joachim stuurt hij zijn jonge dynamische team richting ongekende hoogtes!

◆ Un talent qui honore la Belgique ! Précurseur parmi tous ces chefs qui ne jurent que par les saisons et les produits locaux, Gert De Mangeleer se place à la pointe de la cuisine internationale. Son obsession ? Sublimer les saveurs dans leur pureté. Une véritable leçon de choses, magnifiquement servie par Joachim, le sommelier.

XX **Casserole**

Groene-Poortdreef 17, (établissement d'application hôtelière) – ✆ 0 50 40 30 30 – www.tergroenepoorte.be – fermé 27 décembre-7 janvier, juillet-août, samedi et dimanche ES**t**

Rest – *(déjeuner seulement) (menu unique)* Menu 35/55 € bc

◆ Restaurant van de hotelschool in een boerderijtje tussen het groen. Rustieke eetzaal, steeds wisselend menu, traditionele en moderne spijzen, goede wijnen voor een zacht prijsje.

◆ Établissement d'application hôtelière squattant une fermette entourée de verdure. Décor rural, menu en évolution constante, mets d'hier et d'aujourd'hui, bons vins à petits prix.

Tête Pressée

Koningin Astridlaan 100 – 0 470 21 26 27 – www.tetepressee.be – fermé semaine de carnaval, dernière semaine de juillet-première semaine d'août, première semaine de novembre, dimanche et lundi ESc

Rest – *(déjeuner seulement)* Menu 33/37 €

◆ Ook al bent u geen fan van hoofdkaas, u zal het concept ongetwijfeld appreciëren: gezeten aan de toog kijkt u de chef op de vingers. Creatieve keuken en gerechten om mee te nemen.

◆ Même si vous n'aimez pas le fromage de tête, vous risquez d'apprécier le concept. Attablés au comptoir, vous regardez le chef travailler sous vos yeux. Cuisine créative et plats à emporter.

Environs

à Hertsberge au Sud par N 50 : 12,5 km – C Oostkamp 22 452 h. – ✉ 8020

Manderley

Kruisstraat 13 – 0 50 27 80 51 – www.manderley.be – fermé 3 premières semaines de janvier, 2 semaines en septembre, dimanche soir, lundi et mardi

Rest – Menu 40/68 € – Carte 59/86 €

◆ Oude boerderij met terras aan het water in een bosrijke buurt. Klassieke Franse keuken van de patron, met egards door madame op tafel gezet. Lunch en verzorgde menu's.

◆ Ancienne ferme et sa terrasse près de l'eau, dans un quartier boisé. Cuisine classique escoffière faite par le patron et servie avec égards par Madame. Lunch et menus soignés.

BELGIQUE

à Oostkamp – 22 452 h. – ✉ 8020

Laurel & Hardy

Majoor Woodstraat 3 – 0 50 82 34 34 – www.laurel-hardy.be – fermé samedi midi, mercredi soir et jeudi ESz

Rest – Menu 22/45 €

◆ Restaurant in het centrum van Oostkamp, met twee lichte, moderne eetzalen. Bij mooi weer worden de tafels op de groene binnenplaats opgedekt. Innovatieve keuken.

◆ Cuisine actuelle évolutive à apprécier au centre d'Oostkamp, dans deux salles claires et modernes ou sur la terrasse verte dressée dans la cour dès les premiers beaux jours.

à Zedelgem par ⑥ : 10,5 km – 22 180 h. – ✉ 8210

Ter Leepe (Kristof Marrannes)

Torhoutsesteenweg 168 – 0 50 20 01 97 – www.terleepe.be – fermé 16 au 26 janvier, 9 au 19 avril, 15 juillet-2 août, dimanche soir, lundi et mercredi

Rest – Lunch 59 € bc – Menu 105 € bc/120 € bc – Carte 77/135 €

Spéc. Trois préparations de crabe royale. Saint-Jacques et anguille au potiron et cumbava (septembre-avril). Turbot en croûte de sel à l'homard et légumes de mer de Zélande.

◆ De hele familie steekt de handen uit de mouwen in dit restaurant. De jonge generatie volgt de moleculaire mode. Moderne aankleding, banquetingzalen en mooi tuinterras.

◆ Une famille entière met la main à la pâte dans cette maison de bouche où la jeune génération surfe sur la vague moléculaire. Cadre moderne, salles de réceptions, belle terrasse-jardin.

BRUXELLES *Brussel*

5 B2

© Riccardo Sala/ Tips/Photononstop/Age/Paris/2012

🄿 – **Région de Bruxelles-Capitale - Brussels Hoofdstedelijk Gewest – 1 031 215 h.**
– ✉ **1000 – 533** L17 **et 716** G3

▶ Paris 308 – Amsterdam 204 – Düsseldorf 222 – Lille 116

Office de Tourisme

r. Royale 2, ✉ 1000, ✆0 2 513 89 40, www.brusselsinternational.be
Office de Promotion du Tourisme (OPT) r. Saint-Bernard 30, ✉ 1060, ✆0 2 504 02 00, www.opt.be
TIB Gare du Midi
- Principales banques : ferment à 16 h 30 et samedi, dimanche et jours fériés
- Près des centres touristiques il y a des guichets de change non-officiels

Aéroport

Aéroport national à Zaventem, ✆ 0 2 753 77 53

Transports

Principales compagnies de taxis : Taxis Verts ✆ 0 2 349 49 49 • Taxis Bleus ✆ 0 2 268 00 00
En outre, il existe les Taxis Tours faisant des visites guidées au tarif du taximètre. Se renseigner directement auprès des compagnies
Métro :
STIB ✆ 0 2 515 31 35 pour toute information
Le métro dessert principalement le centre-ville, ainsi que certains quartiers de l'agglomération (Heysel, Anderlecht, Auderghem, Woluwe-St-Pierre). Aucune ligne de métro ne desservant l'aéroport, empruntez le train (SNCB) qui fait halte aux gares du Nord, Central et du Midi
SNCB ✆ 0 2 555 25 55
Trams et Bus: En plus des nombreux réseaux quadrillant toute la ville, le tram 94 propose un intéressant trajet visite guidée avec baladeur (3 h). Pour tout renseignement et réservation, s'adresser au TIB (voir plus haut)

Casino

r. Dusquesnoy 12, ✆ 0 2 289 68 68

Quelques golfs

- chaussée de la Hulpe 53a, à Watermael-Boitsfort, ✆ 0 2 672 22 22
- Gemslaan 55, au Sud-Est : 16 km à Overijse, ✆ 0 2 687 50 30
- J.M. Van Lierdelaan 24, à l'Ouest : 8 km à Itterbeek, ✆ 0 2 569 69 81
- Hertswegenstraat 59, à l'Est : 18 km à Duisburg, ✆ 0 2 769 41 62
- Steenwagenstraat 11, au Nord-Est : 14 km à Melsbroek, ✆ 0 2 751 82 05
- r. Scholle 1, à Anderlecht, Zone Sportive de la Pede, ✆ 0 2 521 16 87
- Wildersedreef 56, au Nord-Est : 20 km à Kampenhout, ✆ 0 16 65 12 16
- Château de Ravenstein, par Tervurenlaan: 14 km à Tervuren, ✆ 0 2 767 58 01

A VOIR

Capitale verte : Parcs de Bruxelles★ • Bois de la Cambre★ •La forêt de Soignes★★ et le site★ de Groenendael • Arboretum géographique★ • Parc de Tervuren★ • La Hulpe : parc★, fondation Folon★

Bruxelles vu d'en haut : Atomium★ **1**BK • Basilique du Sacré-Cœur★ **1**ABL

Quelques sites et monuments historiques : Grand' Place★★★ **9**JY • Théâtre de la Monnaie★ **9**JY • Galeries St-Hubert★★ : Bruxelles en scène★ **9**JKY • Manneken Pis★ **9**JZ • Parc de Bruxelles★ **9**KYZ • Place de Brouckère★ **9**JY • Le Botanique★ **5**FQ • Place des Martyrs★ **9**JY • Place Royale★ **9**KZ • Palais royal : salle du Trône★ **9**KZ • Maison d'Erasme (Anderlecht)★★ **1**AM • Château, parc et jardin-musée de Gaasbeek★★(Ouest : 12 km par N 282, Gaasbeek et ses **2**AN) • Serres royales (Laeken)★★ **1**BK**R**

Architecture réligieuse : Cathédrale des Sts-Michel-et-Gudule★ et ses vitraux★ **9**KY • Église N.-D. de la Chapelle★ **9**JZ • Église N.-D. du Sablon★ **9**KZ • Abbaye de la Cambre (Ixelles)★★ **7**FGV (Christ aux outrages★) • Collégiale des Sts-Pierre-et-Guidon (Anderlecht)★ **1**AM**D** • Basilique du Sacré-Cœur (Koekelberg)★ **10**W • Eglise St-Nicolas★ **9**JY

Architecture moderne : Atomium★ **1**BK • Palais Stoclet (Woluwe)★ **2**CM**Q**[4] • Hôtel Van Eetvelde★ **6**GR187 • Maison Cauchie (Etterbeek)★ **6**HS**K**[1]

Musées : Royaux des Beaux Arts★★★ (d'Art ancien★★★, d'Art moderne★★★ **9**KZ) • du Cinquantenaire★★★ **6**HS**M**[11] • Centre Belge de la bande dessinée★★ **9**KY**M**[8] • Autoworld★★ **6**HS**M**[3] • des Sciences Naturelles★ **6**GS**M**[29] • des instruments de Musique★★★ **9**KZ**M**[21] • royal de l'Armée et d'Histoire militaire ✳★ **6**HS**M**[25] • Maison d'Erasme (Anderlecht)★★ **1**AM • de la Gueuze-Brasserie Cantillon (Anderlecht)★ **5**ES • Serres royales (Laeken)★★ **1**BK**R** • d'Ixelles★ **7**GT**M**[12] • Charlier★ **5**FR**M**[9] • royal de l'Afrique centrale (Tervuren)★ (par ③) • Horta (St-Gilles)★★ **7**EFU**M**[20] • David et Alice van Buuren (Uccle)★★ **7**EFV**M**[6] • Musée BELvue★ **9**KZ**M**[28] • Magritte★★

Quartiers pittoresques : La Grand' Place★★★ **9**JY • Le Sablon★★★ ; Places du Grand Sablon★ et du Petit Sablon★ **9**JZ • Cinquantenaire★★★ • Les Galeries St-Hubert★★ **9**JKY • Petite rue des Bouchers★ **9**JY • Les Marolles★ **9**JZ • Bois de la Cambre (Ixelles)★ **4**CN • Flagey et les étangs (Ixelles)★ **4**CN • Rue Haute et rue Blaes : ascenceur panoramique★ **9**KZ • Place du Jeu-de-balle★ 5ES • Place Poelaert : ≤★ **9**JZ

Achats - Grands Magasins : rue Neuve **9**JKY • **Commerces de luxe** : avenue Louise **3**BMN, avenue de la Toison d'Or **9**KZ, boulevard de Waterloo **9**KZ, rue de Namur **9**KZ, Galerie St-Hubert **9**KY • **Antiquaires :** Le Sablon et alentours **9**JKZ • **Marché aux puces :** place du Jeu-de-Balle **5**ES • **Bouquinistes :** Galerie Bortier **9**JK**Z**[23] • **Boutique de bières :** rue du Marché-aux-Herbes **9**JY • **Stylistes belges branchés :** rue A. Dansaert **5**ER

Liste alphabétique des hôtels
Alfabetische lijst van hotels
Alphabetische liste der Hotels
Index of hotels

Liste alphabétique des restaurants
Alfabetische lijst van restaurants
Alphabetische liste der restaurants
Index of restaurants

Les tables étoilées
Sterrenrestaurants
Sterne-restaurants
Starred restaurants

Bib Gourmand

Repas soignés à prix modérés
Verzorgde maaltijden voor een schappelijke prijs
Gute Küche zu moderaten Preisen
Good food at moderate prices

Restaurants par type de cuisine
Restaurants per type keuken
Restaurants nach küchentypen
Restaurants by cuisine type

Restaurants ouverts le samedi et le dimanche
Restaurants geopend op Zaterdag en Zondag
Restaurants am Samstag und Sonntag geöffnet
Restaurants open on Saturday and Sunday

Al Piccolo Mondo	X	234
Angelus	XX	250
Aux Armes de Bruxelles	XX	211
Atrium	X	210
Barbizon	XXXX	246
La Belle Maraîchère	XX ☺	213
Bozar Brasserie	X	208
Brasserie Bijgaarden	XX	244
La Brasserie de Bruxelles	XX	208
Brasserie Jaloa Jardin	X	214
Brasserie Mariadal	X ☺	250
Brasseries Georges	X	237
Bruneau	XXXX ✿	226
Café Wiltcher's	XXX	219
Chalet Robinson	X	220
Chasse des Princes	XX ☺	247
Chutney's	X	212
Le Coq en Pâte	X ☺	240
Crystal Lounge	XX	231
French Kiss	X ☺	232
The Grand Lounge	XX	208
L'Huîtrière	XX	213
Istas	X	246
Jardin de Pékin	X ☺	242
Le Jaspe	X	225
La Khaïma	X	224
Lola	XX	216
Mamy Louise	X ☺	237
Midtown Grill	X	210
Odette en ville	XX	229
La Pagode	XX	227
René	X	223
La Roue d'Or	X	212
Royal	X	215
Le Varietes	X	228
Ventre Saint Gris	XX ☺	238
Le Villance	X	223
YuMe	XX	242

Restaurants ouverts tard le soir
Restaurants 's Avonds laat geopend
Restaurants spät geöffnet
Restaurants open late

Heure de la dernière commande signalée entre parenthèses
Uur laatste bestelling tussen haakjes
Zeitpunkt der letzten Bestellung in Klammern
Time of last orders in brackets

BRUXELLES

Les 19 communes bruxelloises

Bruxelles, capitale de la Belgique, est composée de communes dont l'une, la plus importante, porte pré sément le nom de « Bruxelles ».

La carte ci-desssous vous indiquera la situation gé graphique de chacune de ces communes.

1 ANDERLECHT
2 AUDERGHEM
3 BERCHEM-SAINTE-AGATHE
4 BRUXELLES
5 ETTERBEEK
6 EVERE
7 FOREST
8 GANSHOREN
9 IXELLES
10 JETTE
11 KOEKELBERG
12 MOLENBEEK-SAINT-JEAN
13 SAINT-GILLES
14 SAINT-JOSSE-TEN-NOODE
15 SCHAERBEEK
16 UCCLE
17 WATERMAEL-BOITSFORT
18 WOLUWE-SAINT-LAMBERT
19 WOLUWE-SAINT-PIERRE

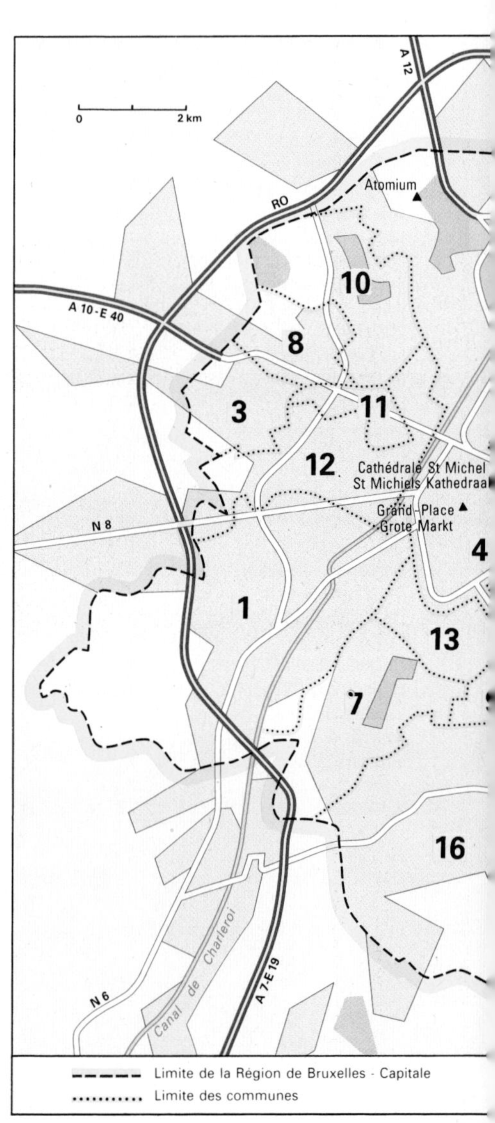

De 19 Brusselse gemeenten

ssel, hoofdstad van België, bestaat uit 19 gemeen-, waarvan de meest belangrijke de naam « Brussel » agt.

derstaande kaart geeft U een overzicht van de geo-fische ligging van elk van deze gemeenten.

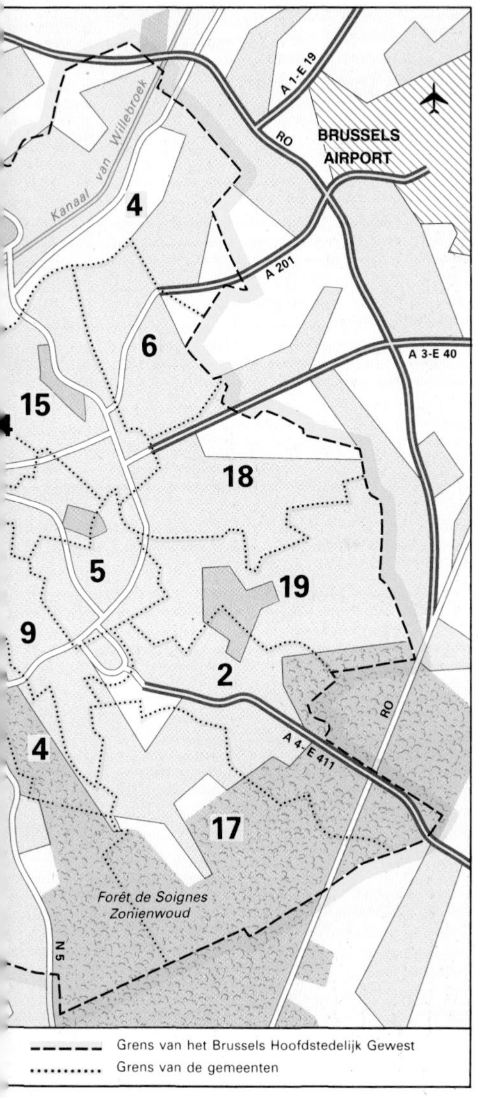

ANDERLECHT	1
OUDERGEM	2
SINT-AGATHA-BERCHEM	3
BRUSSEL	4
ETTERBEEK	5
EVERE	6
VORST	7
GANSHOREN	8
ELSENE	9
JETTE	10
KOEKELBERG	11
SINT-JANS-MOLENBEEK	12
SINT-GILLIS	13
SINT-JOOST-TEN-NODE	14
SCHAARBEEK	15
UKKEL	16
WATERMAAL-BOSVOORDE	17
SINT-LAMBRECHTS-WOLUWE	18
SINT-PIETERS-WOLUWE	19

RÉPERTOIRE DES RUES DE BRUXELLES/BRUSSEL

ASSE

Brusselse Steenweg . . . 1 . . . AL
Pontbeeklaan . . . 1 . . . AK 197
Zuiderlaan . . . 1 . . . AL 264

BEERSEL

Alsembergsesteenweg . . . 3 . . . BP
Grote Baan . . . 3 . . . ABP
Jozef Huysmanslaan . . . 3 . . . AP
Lotsestraat . . . 3 . . . AP 159
Sanatorium . . . 3 . . . AP
Schoolstraat . . . 3 . . . AP 229
Zennestraat . . . 3 . . . AP 262

BRUXELLES/BRUSSEL

Abattoir (Bd de l') . . . 5 . . . ER
Adolphe Buyl (Av.) . . . 8 . . . GV
Adolphe Dupuich (Av.) . . . 7 . . . EVX
Adolphe Max (Bd) . . . 9 . . . JY 3
Albertine (Pl. de l') . . . 9 . . . KZ 4
Albert (Av.) . . . 7 . . . EUV
Alexiens (R. des) . . . 9 . . . JZ
Alfred Madoux (Av.) . . . 4 . . . DMN 6
Alsemberg (Chaussée d') . . . 3 . . . BNP
Altitude Cent (Pl. de l') . . . 3 . . . BN 7
Ambiorix (Square) . . . 6 . . . GR
Américaine (R.) . . . 7 . . . FU 8
Anspach (Bd) . . . 9 . . . JY
Antoine Dansaert (R.) . . . 5 . . . ER
Anvers (Bd d') . . . 5 . . . EQ
Armand Huysmans (Av.) . . . 8 . . . GV
Artan (R.) . . . 6 . . . GQ
Artevelde (R. van) . . . 5 . . . ER
Arts (Av. des) . . . 9 . . . KZ
Assaut (R. d') . . . 9 . . . KY 10
Association (R. de l') . . . 9 . . . KY
Auderghem (Av. d') . . . 6 . . . GS
Auguste Reyers (Bd) . . . 6 . . . HQR
Auguste Rodin (Av.) . . . 8 . . . GU 12
Azalées (Av. des) . . . 6 . . . GQ
Baron Albert d'Huart (Av.) . . . 4 . . . DMN
Barricades (Pl. des) . . . 9 . . . KY
Barthélémy (Bd) . . . 5 . . . ER
Basilique (Av. de la) . . . 10 . . . W 13
Baudet (R. du) . . . 9 . . . KZ 15
Baudouin (Bd) . . . 5 . . . EQ 16
Belliard (R.) . . . 6 . . . GS
Berckmans (R.) . . . 5 . . . EFT
Berlaimont (Bd de) . . . 9 . . . KY
Besme (Av.) . . . 7 . . . EV 18
Beurre (R. au) . . . 9 . . . JY 19
Bienfaiteurs (Pl. des) . . . 6 . . . GQ 21
Blaes (R.) . . . 5 . . . ES
Boitsfort (Av. de) . . . 8 . . . GX
Boitsfort (Chaussée de) . . . 8 . . . HX
Bolivar (Bd Simon) . . . 5 . . . EFQ
Boondael (Chaussée de) . . . 8 . . . GUV
Boondael (Drève de) . . . 8 . . . GX 22
Bortier (Galerie) . . . 9 . . . JKZ 23
Bouchers (Petite rue des) . . . 9 . . . JY 24
Bouchers (R. des) . . . 9 . . . JY 25
Bourse (Pl. de la) . . . 9 . . . JY 27
Brabançonne (Av. de la) . . . 6 . . . GR 28
Brabant (R. de) . . . 5 . . . FQ
Brand Whitlock (Bd) . . . 6 . . . HRS
Briques (Quai aux) . . . 9 . . . JY 29
Broqueville (Av. de) . . . 2 . . . CM 30
Brouckère (Pl. de) . . . 9 . . . JY
Broustin (Av.) . . . 10 . . . W
Brugmann (Av.) . . . 7 . . . EVX
Cambre (Bd de la) . . . 8 . . . GV 33
Canal (R. du) . . . 5 . . . EQ
Carton de Wiart (Av.) . . . 10 . . . W
Casernes (Av. des) . . . 8 . . . GHU
Celtes (Av. des) . . . 6 . . . HS
Cerisiers (Av. des) . . . 6 . . . HR
Charleroi (Chaussée de) . . . 7 . . . EFU
Charles Quint (Av.) . . . 1 . . . AL
Charles Woeste (Av.) . . . 1 . . . BL
Charroi (R. du) . . . 3 . . . ABN 36
Chasse (Av. de la) . . . 6 . . . HS
Château (Av. du) . . . 10 . . . W 37
Chazal (Av.) . . . 6 . . . GQ
Chêne (R. du) . . . 9 . . . JZ 39
Clays (Av.) . . . 6 . . . GQ
Coccinelles (Av. des) . . . 8 . . . HX 40
Coghen (Av.) . . . 7 . . . EVX
Colonel Bremer (Pl.) . . . 6 . . . GQ
Colonies (R. des) . . . 9 . . . KY 43
Comédiens (R. des) . . . 9 . . . KY 45
Commerce (R. du) . . . 9 . . . KZ 46
Congo (Av. du) . . . 8 . . . GV 48
Congrès (R. du) . . . 9 . . . KY
Constitution (Av. de la) . . . 10 . . . W 49
Copernic (R.) . . . 7 . . . FX 51
Cornet (R. du) . . . 6 . . . GS
Cortenbergh (Av. de) . . . 6 . . . GHR
Couronne (Av. de la) . . . 8 . . . GUHV
Croix de Fer (R. de la) . . . 9 . . . KY 52
Croix du Feu (Av. des) . . . 1 . . . BCK 54
Dailly (Av.) . . . 6 . . . GQ
Dailly (Pl.) . . . 6 . . . GR
Defacqz (R.) . . . 7 . . . FU
Delleur (Av.) . . . 4 . . . CN 57
Démosthène Poplimont (Av.) . . . 10 . . . W 58
Derby (Av. du) . . . 8 . . . GX
Diamant (Av. du) . . . 6 . . . HR
Diane (Av. de) . . . 8 . . . FGX
Dodonée (R.) . . . 7 . . . FV 61
Dolez (Av.) . . . 3 . . . BN
Dries . . . 8 . . . HX 63
Ducale (R.) . . . 9 . . . KYZ
Ducpétiaux (Av.) . . . 7 . . . EU
Duc Jean (Av. du) . . . 10 . . . W 64
Duquesnoy (R.) . . . 9 . . . JZ 66
Échevinage (Av. de l') . . . 7 . . . EX
Écuyer (R. de l') . . . 9 . . . JKY
Édith Cavell (R.) . . . 7 . . . FX
Edmond Mesens (Av.) . . . 6 . . . HT
Edmond Parmentier (Av.) . . . 2 . . . DM 69
Édouard Bènes (Av.) . . . 10 . . . W 70
Édouard de Thibault (Av.) . . . 6 . . . HS 72
Église Saint-Martin (R. de l') . . . 10 . . . W 73
Eloy (R.) . . . 1 . . . BM
Émile Bockstael (Bd) . . . 1 . . . BL 75
Émile Bossaert (Av.) . . . 10 . . . W 76
Émile de Beco (Av.) . . . 8 . . . GU 79
Émile De Mot (Av.) . . . 8 . . . GV 81
Émile Jacqmain (Bd) . . . 9 . . . JY
Émile Vandervelde (Av.) . . . 2 . . . DM 82
Émile van Becelaere (Av.) . . . 8 . . . HX
Empereur (Bd de l') . . . 9 . . . JZ
Éperons d'Or (Av. des) . . . 8 . . . GU 85
Épicéas (R. des) . . . 8 . . . HX
Ernest Allard (R.) . . . 9 . . . JZ 86
Étuve (R. de l') . . . 9 . . . JZ 87
Eugène Flagey (Pl.) . . . 3 . . . BN 88
Eugène Plasky (Av.) . . . 6 . . . HR
Europe (Carr. de l') . . . 9 . . . KY 90
Europe (Esplanade de l') . . . 5 . . . ES 89
Everard (Av.) . . . 7 . . . EV 91
Exposition Universelle (Av. de l') . . . 10 . . . W
Exposition (Av. de l') . . . 1 . . . AKL
Firmin Lecharlier (Av.) . . . 10 . . . W 92
Flore (Av. de) . . . 8 . . . GV
Floride (Av. de la) . . . 7 . . . FX
Fonsny (Av.) . . . 3 . . . BMN 94
Foresterie (Av. de la) . . . 4 . . . CN 96
Forêt (Av. de la) . . . 8 . . . HX
Fossé aux Loups (R. du) . . . 9 . . . JKY 99
France (R. de) . . . 1 . . . BM 100
Franklin Roosevelt (Av.) . . . 8 . . . GVX
Frans Courtens (Av.) . . . 6 . . . HQ 102
Frans van Kalken (Av.) . . . 3 . . . AN 103
Frère Orban (Square) . . . 5 . . . FR 104
Fré (Av. de) . . . 7 . . . EFX
Fripiers (R. des) . . . 9 . . . JY 105
Froissart (R.) . . . 6 . . . GS 106
Galilée (Av.) . . . 9 . . . KY
Gand (Chaussée de) . . . 1 . . . ABL
Général Eisenhower (Av.) . . . 6 . . . GQ 108
Général Jacques (Bd) . . . 8 . . . GVHU
Général Médecin Derache (Av.) . . . 8 . . . GV
Général Wahis (Bd) . . . 6 . . . HQ
Genève (R. de) . . . 6 . . . HQ
Gloires Nationales (Av. des) . . . 10 . . . W 110
Goffart (R.) . . . 6 . . . FGS
Grand-Place . . . 9 . . . JY
Grand Sablon (Pl. du) . . . 9 . . . KZ 112
Gray (R.) . . . 6 . . . GST
Haecht (Chaussée de) . . . 2 . . . CLDK
Hal (Porte de) . . . 5 . . . ES 114
Hamoir (Av.) . . . 7 . . . FX
Haute (R.) . . . 5 . . . ES
Henri Chomé (R.) . . . 6 . . . HQ
Henri Jaspar (Av.) . . . 5 . . . ES 117
Henry Dunant (Av.) . . . 6 . . . HQ
Herbert Hoover (Av.) . . . 6 . . . HR 118
Hippodrome (Av. de l') . . . 8 . . . GU 120
Hospices (Av. des) . . . 3 . . . BP
Houba de Strooper (Av.) . . . 1 . . . BK 121
Houzeau (Av.) . . . 7 . . . FX
Hulpe (Chaussée de la) . . . 4 . . . CN
Impératrice (Bd de l') . . . 9 . . . KY 124
Industriel (Bd) . . . 3 . . . AN
Industrie (Quai de l') . . . 5 . . . ER 126
Invalides (Bd des) . . . 8 . . . HV 127
Italie (Av. d') . . . 8 . . . GHX
Itterbeek (Av. d') . . . 1 . . . AM
Ixelles (Chaussée d') . . . 5 . . . FST
Jacques Sermon (Av.) . . . 10 . . . W 130
Jan Stobbaerts (Av.) . . . 6 . . . GQ 133
Jardin Botanique (Bd du) . . . 5 . . . FQ 134
Jean Baptiste Colyns (R.) . . . 7 . . . FV
Jean Jacobs (Pl.) . . . 5 . . . ES 135
Jean Sobieski (Av.) . . . 1 . . . BKL 136
Jean Volders (Av.) . . . 5 . . . EST 138
Jette (Av. de) . . . 10 . . . W
Jette (Chaussée de) . . . 10 . . . W
Jeu de Balle (Pl. du) . . . 5 . . . ES 139
Joseph II (R.) . . . 6 . . . FGR
Joseph Stallaert (R.) . . . 7 . . . FV 141
Jourdan (R.) . . . 5 . . . ET
Jubilé (Bd du) . . . 5 . . . EQ
Jules van Praet (Av.) . . . 1 . . . BKL 144
Juliette Wytsman (R.) . . . 8 . . . GU 145
Kamerdelle (Av.) . . . 7 . . . EX 147
Kasterlinden (R.) . . . 1 . . . AL
Laeken (Av. de) . . . 10 . . . W 150
Laeken (R. de) . . . 5 . . . EQR
Laines (R. aux) . . . 9 . . . JKZ
Lambermont (Bd) . . . 2 . . . CL
Lebeau (R.) . . . 9 . . . JZ 152
Legrand (Av.) . . . 7 . . . FV 153
Léon Théodor (R.) . . . 10 . . . W 154
Léopold III (Bd) . . . 2 . . . CL
Léopold II (Bd) . . . 5 . . . EQ
Lesbroussart (R.) . . . 7 . . . FU
Levis Mirepoix (Av. de) . . . 10 . . . W 156
Liberté (Av. de la) . . . 10 . . . W
Ligne (R. de) . . . 9 . . . KY
Linthout (R. de) . . . 6 . . . HRS
Livourne (R. de) . . . 5 . . . FT 158

DROGENBOS

GRIMBERGEN

HOEILAART

KRAAINEM

LINKEBEEK

MACHELEN

SINT-GENESIUS-RODE

SINT-PIETERS-LEEUW

STEENOKKERZEEL

VILVOORDE

WEMMEL

ZAVENTEM

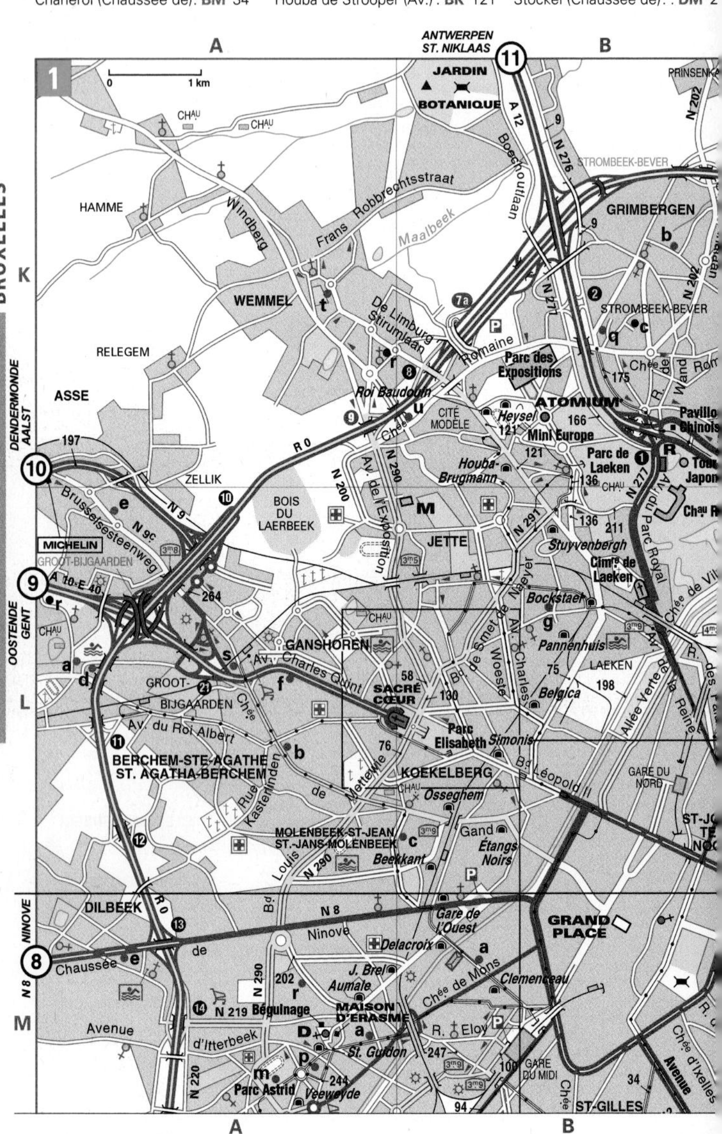

A
B
ANTWERPEN
ST. NIKLAAS
1
0
1 km
JARDIN
BOTANIQUE
PRINSENK
STROMBEEK-BEVER
GRIMBERGEN
HAMME
Windberg
Frans Robbrechtsstraat
Maalbeek
Boechoutlaan
WEMMEL
RELEGEM
ASSE
DENDERMONDE
AALST
STROMBEEK-BEVER
De Limburg Stirumlaan
Parc des Expositions
ATOMIUM
Roi Baudouin
CITÉ MODÈLE
Heysel
Mini Europe
Parc de Laeken
Houba-Brugmann
ZELLIK
BOIS DU LAERBEEK
Av. de l'Exposition
JETTE
Stuyvenbergh
Cim^re de Laeken
MICHELIN
GROOT-BIJGAARDEN
Brusselsesteenweg
OOSTENDE
GENT
GANSHOREN
Bockstael
Pannenhuis
LAEKEN
Av. Charles Quint
SACRÉ CŒUR
Belgica
GROOT-BIJGAARDEN
Av. du Roi Albert
Parc Elisabeth
Simonis
BERCHEM-STE-AGATHE
ST. AGATHA-BERCHEM
KOEKELBERG
Bd Léopold II
GARE DU NORD
Osseghem
MOLENBEEK-ST-JEAN
ST.-JANS-MOLENBEEK
Beekkant
Gand
Étangs Noirs
DILBEEK
NINOVE
Chaussée de Ninove
Gare de l'Ouest
GRAND PLACE
Delacroix
J. Brel
Aumale
Clemenceau
Chée de Mons
Béguinage
MAISON D'ERASME
Avenue d'Itterbeek
St. Guidon
Parc Astrid
Veeweyde
GARE DU MIDI
ST-GILLES
K
L
M

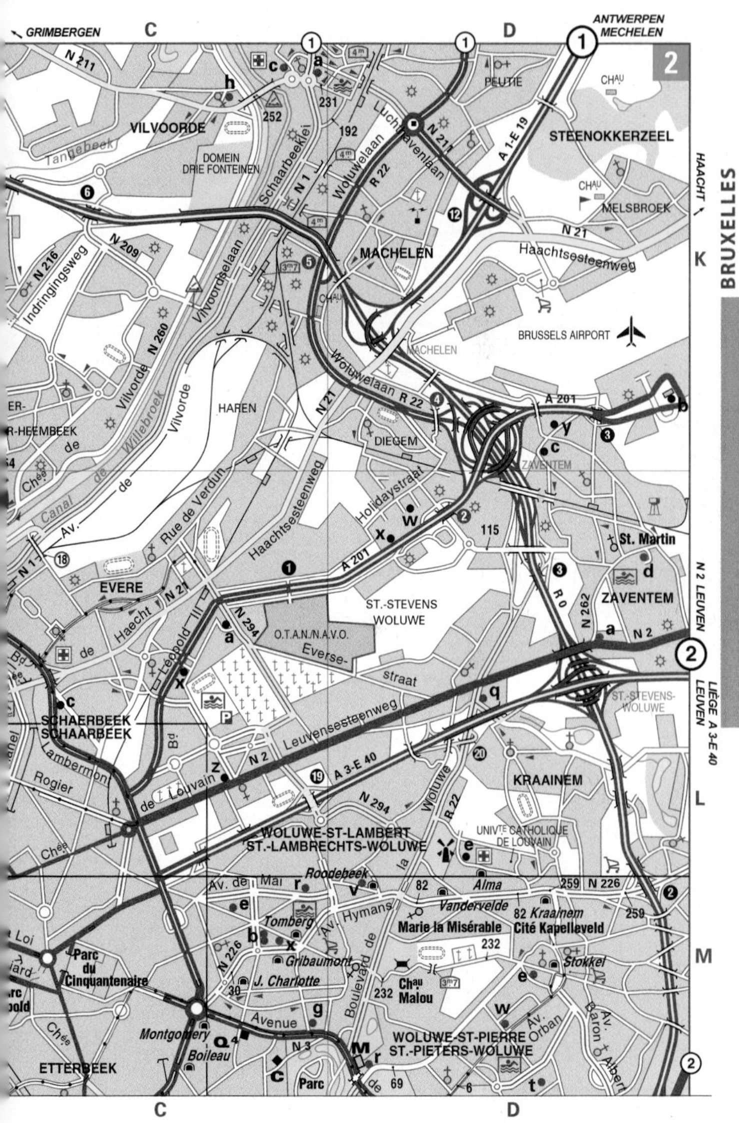
GRIMBERGEN
C
D
ANTWERPEN
MECHELEN
2
N 211
VILVOORDE
DOMEIN
DRIE FONTEINEN
Schaarbeeklei
Tangebeek
252
231
192
Luchthavenlaan
Woluwelaan
R 22
N 1
A 1-E 19
PEUTIE
STEENOKKERZEEL
MELSBROEK
HAACHT
N 21
Haachtsesteenweg
MACHELEN
N 209
N 216
Indringingsweg
Vilvoordselaan
N 260
BRUSSELS AIRPORT
HAREN
Vilvorde
Canal de Willebroek
Chée de Vilvorde
Av. de Vilvorde
HEEMBEEK
A 201
DIEGEM
ZAVENTEM
Holidaystraat
Haachtsesteenweg
Rue de Verdun
115
St. Martin
EVERE
N 21
Haecht
Leopold
N 294
O.T.A.N./N.A.V.O.
ST.-STEVENS
WOLUWE
R 0
N 262
N 2
N 2 LEUVEN
Everse-
straat
LIÈGE A 3-E 40
LEUVEN
ST.-STEVENS-
WOLUWE
SCHAERBEEK
SCHAARBEEK
Lambermont
Rogier
Leuvensesteenweg
de Louvain
A 3-E 40
N 294
Woluwe
R 22
KRAAINEM
UNIVTE CATHOLIQUE
DE LOUVAIN
K
L
M
WOLUWE-ST-LAMBERT
ST.-LAMBRECHTS-WOLUWE
Roodebeek
Av. de Mai
82
Alma
259
N 226
Vandervelde
Av. Hymans
Tomberg
Marie la Misérable
82 Kraainem
Cité Kapelleveld
232
Gribaumont
Stokkel
N 226
J. Charlotte
30
Boulevard de la Woluwe
232
Chau
Malou
Parc
du
Cinquantenaire
Avenue
Av. Orban
Av. Baron Albert
Montgomery
Boileau
N 3
WOLUWE-ST-PIERRE
ST.-PIETERS-WOLUWE
ETTERBEEK
Parc
69
6

BRUXELLES

BEERSEL

BRUXELLES/BRUSSEL

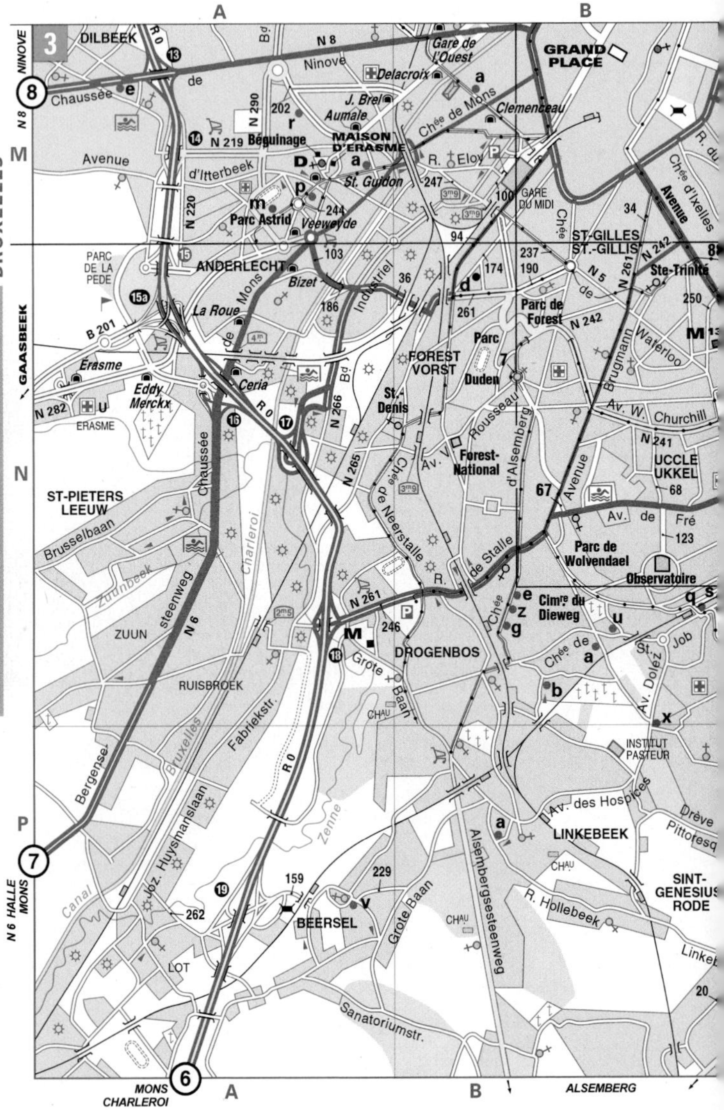

DROGENBOS

KRAAINEM

SINT-GENESIUS-RODE

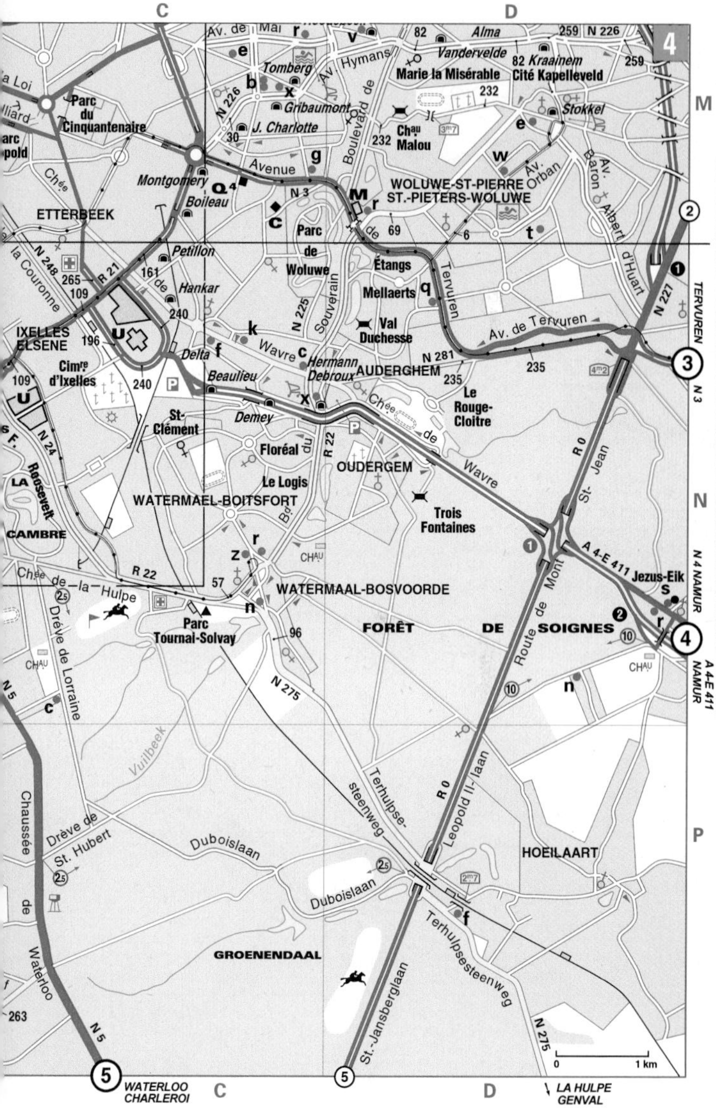

BRUXELLES/ BRUSSEL

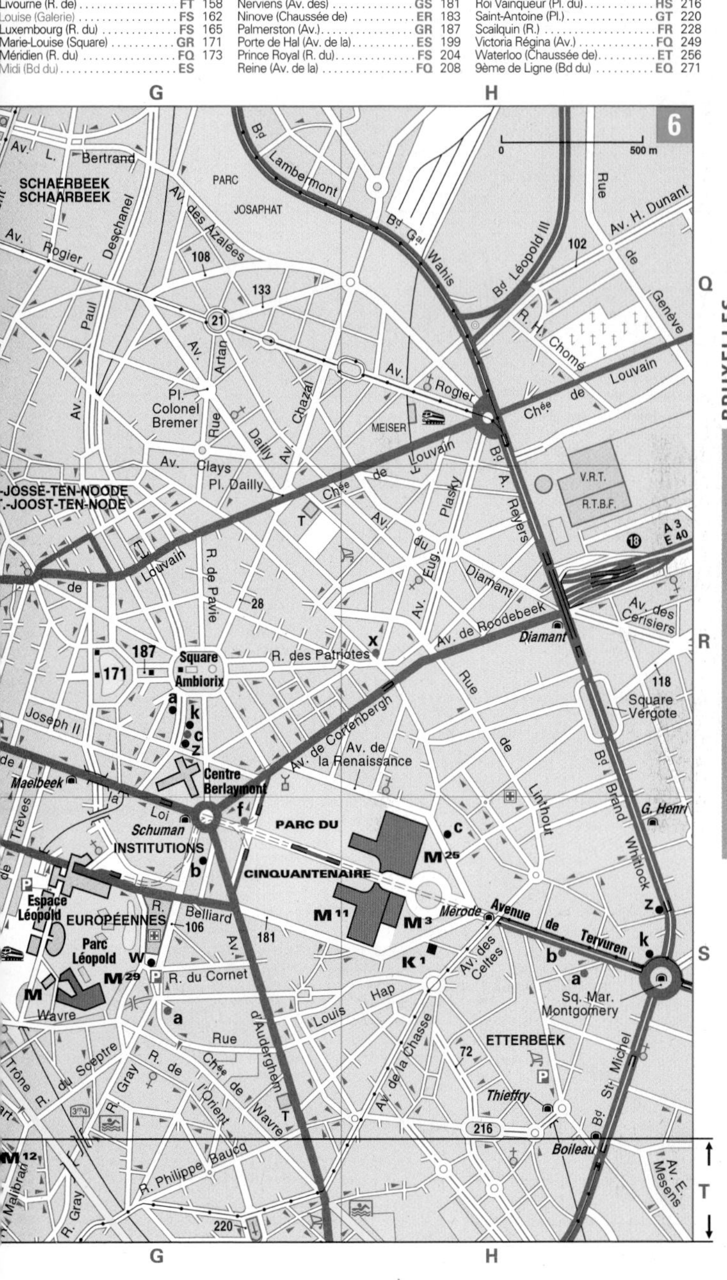

G
H
6
0
500 m
Q
R
S
T
BRUXELLES
SCHAERBEEK
SCHAARBEEK
Av. L. Bertrand
PARC
JOSAPHAT
Bd Lambermont
Bd Gal Wahis
Bd Léopold III
Rue de Genève
Av. H. Dunant
Av. Rogier
Av. Deschanel
Av. des Azalées
Av. Paul
Av. Artan
Pl. Colonel Bremer
Rue Dailly
Av. Chazal
MEISER
R. H. Chomé
Chée de Louvain
Bd A. Reyers
V.R.T.
R.T.B.F.
A 3
E 40
Av. Clays
Pl. Dailly
-JOSSE-TEN-NOODE
-JOSST-TEN-NODE
Av. Plasky
Av. du Diamant
Av. Eug.
R. de Pavie
Av. de Roodebeek
Diamant
Av. des Cerisiers
R. des Patriotes
Square Ambiorix
Square Vergote
Joseph II
Av. de Cortenbergh
Av. de la Renaissance
Rue de Linthout
Bd Brand Whitlock
Maelbeek
Centre Berlaymont
Loi
Schuman
INSTITUTIONS
PARC DU
CINQUANTENAIRE
G. Henri
Trèves
Espace Léopold
EUROPÉENNES
Parc Léopold
R. Belliard
Mérode
Avenue de Tervuren
Av. des Celtes
R. du Cornet
Sq. Mar. Montgomery
Wavre
Louis Hap
Av. d'Auderghem
Av. de la Chasse
ETTERBEEK
Bd St. Michel
Trône
R. du Sceptre
R. Gray
Chée de Wavre
R. de l'Orient
Thieffry
Boileau
R. Philippe Baucq
Malibran
Av. E. Mesens
108
133
21
102
28
187
171
118
106
181
72
216
220

BRUXELLES/ BRUSSEL

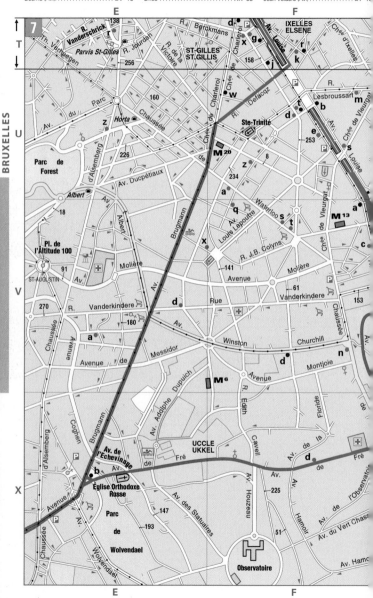

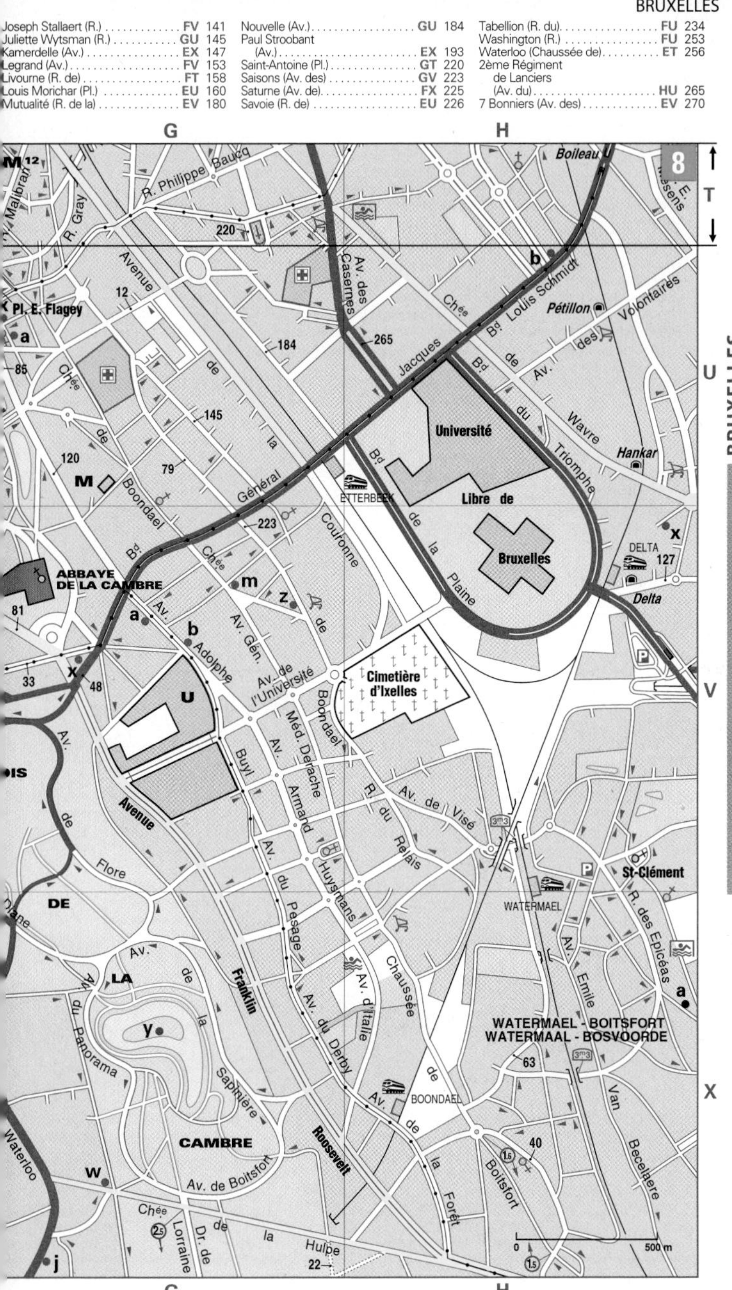

G
H
8
T
U
V
X
BRUXELLES
R. Philippe Baucq
R. Gray
Malibran
Boileau
E. Vaessens
Pl. E. Flagey
Avenue de la Couronne
Av. des Casernes
Bd Louis Schmidt
Pétillon
Av. des Volontaires
Chée de Wavre
Bd du Triomphe
Hankar
Bd Général Jacques
Université Libre de Bruxelles
ETTERBEEK
Bd de la Plaine
DELTA
Delta
Chée de Boondael
ABBAYE DE LA CAMBRE
Av. Adolphe Buyl
Av. Gén.
Av. de l'Université
Cimetière d'Ixelles
Av. Méd. Derache
Av. Armand Huysmans
R. du Relais
Av. de Visé
St-Clément
R. des Epicéas
WATERMAEL
Av. Emile Van Becelaere
WATERMAEL - BOITSFORT
WATERMAAL - BOSVOORDE
Avenue Franklin Roosevelt
Av. de Flore
Av. du Pesage
Av. du Derby
Av. d'Italie
Chaussée de Boondael
BOONDAEL
Av. de la Forêt
Boitsfort
Av. de la Sapinière
Av. du Panorama
CAMBRE
Av. de Boitsfort
Chée de la Hulpe
Dr. de Lorraine
Waterloo
DE
LA
0
500 m

BRUXELLES/ BRUSSEL

Adolphe Max (Bd) . . . . JY 3
Albertine (Pl. de l') . . . . KZ 4
Anspach (Bd) . . . . JY
Assaut (R. d') . . . . KY 10
Baudet (R. du) . . . . KZ 15
Beurre (R. au) . . . . JY 19
Bortier (Galerie) . . . . JYZ 23
Bouchers (Petite rue des) . . . . JY 24
Bouchers (R. des) . . . . JY 25
Bourse (Pl. de la) . . . . JY 27
Briques (Quai aux) . . . . JY 29
Chêne (R. du) . . . . JZ 39
Colonies (R. des) . . . . KY 43
Comédiens (R. des) . . . . . . KY 45
Commerce (R. du) . . . . KZ 46
Croix de Fer (R. de la) . . . . . KY 52
Duquesnoy (R.) . . . . JZ 66
Ernest Allard (R.) . . . . JZ 86
Étuve (R. de l') . . . . JZ 87
Europe (Carr. de l') . . . . KY 90
Fossé aux Loups (R. du) . JKY 99
Fripiers (R. des) . . . . JY 105
Grand Sablon (Pl. du) . . . . . KZ 112
Impératrice (Bd de l') . . . . . KY 124
Ixelles (Chaussée d') . . . . . . KZ 129
Laeken (R. de) . . . . JY 151
Lebeau (R.) . . . . JZ 152
Louvain (R. de) . . . . KY 163
Marché aux Herbes (R. du) . . . . JY 168
Marché aux Poulets (R. du) . . . . JY 169
Mercier (R. du Cardinal) . . . KY 172
Midi (R. du) . . . . JYZ
Montagne (R. de la) . . . . . . KY 17
Musée (Pl. du) . . . . KZ 17
Neuve (R.) . . . . JKZ
Nord (Passage du) . . . . JY 18
Petit Sablon (Pl. du) . . . . KZ 19
Presse (R. de la) . . . . KY 20
Princes (Galeries des) . . . JKY 20
Ravenstein (R.) . . . . KZ 20
Reine (Galerie de la) . . . . . . JY 21
Roi (Galerie du) . . . . KY 21
Rollebeek (R. de) . . . . JZ 21
Ruysbroeck (R. de) . . . . KZ 21
Sainte-Catherine (Pl.) . . . . . JY 22
Sainte-Gudule (Pl.) . . . . KY 22
Toison d'Or (Av. de la) . . . . . KZ 23
Trône (R. du) . . . . KZ 24
Ursulines (R. des) . . . . JZ 24
Waterloo (Bd de) . . . . KZ 25
6 Jeunes Hommes (R. des) . . . . KZ 26

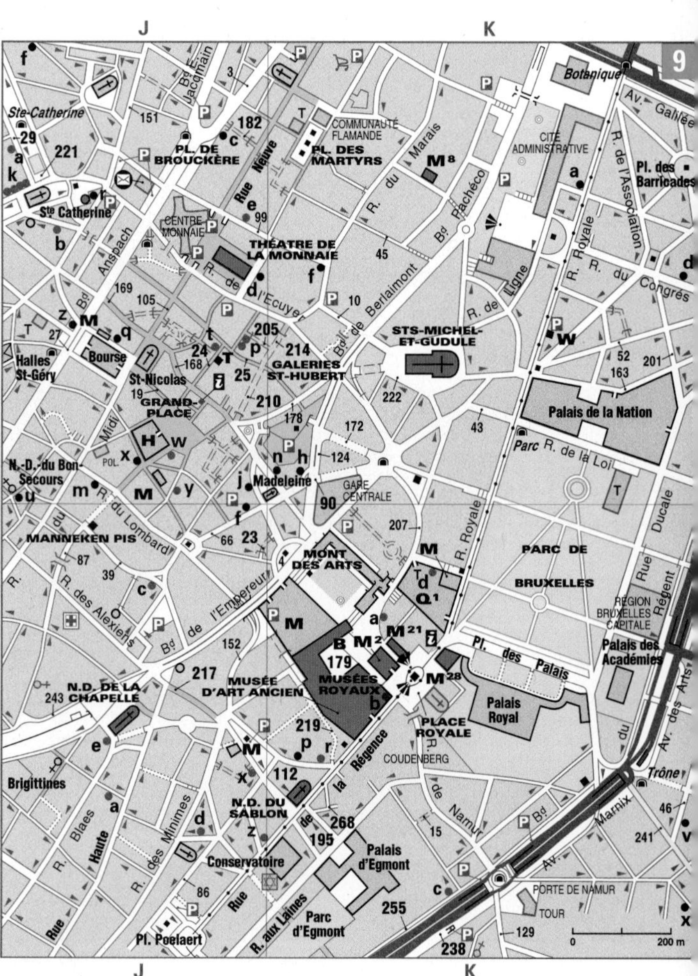

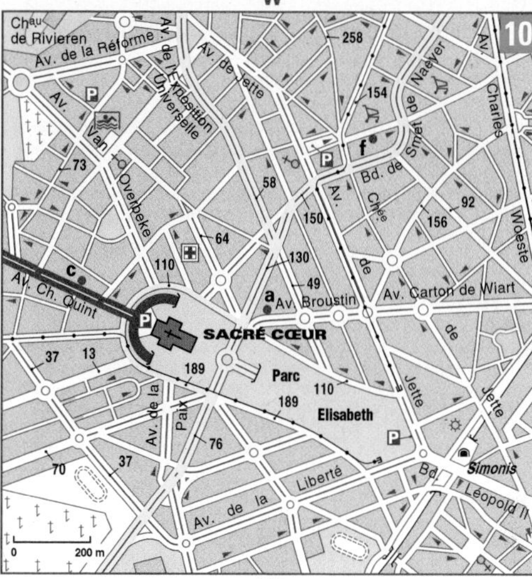

GANSHOREN JETTE KOEKELBERG

Basilique (Av. de la) . . W 13
Château (Av. du). . . . . W 37
Constitution (Av. de la). . . . . W 49
Démosthène Poplimont (Av.) . . . . W 58
Duc Jean (Av. du). . . . W 64
Édouard Bènes (Av.) . . . . W 70
Église Saint-Martin (R. de l') . . . . W 73
Émile Bossaert (Av.) . . . . W 76
Firmin Lecharlier (Av.) . . . . W 92
Gloires Nationales (Av. des) . . . . W 110
Jacques Sermon (Av.) . . . . W 130
Laeken (Av. de). . . . . . W 150
Léon Théodor (R.) . . . W 154
Levis Mirepoix (Av. de) . . . . W 156
Panthéon (Av. du). . . . W 189
Wemmel (Chaussée de). . . . . . W 258

BRUXELLES (BRUSSEL)

Radisson Blu Royal

r. Fossé-aux-Loups 47 ✉ 1000 – ☎ 0 2 219 28 28 – www.radissonblu.com/royalhotel-brussels **9**KY**f**

269 ch – 🛉99/599 € 🛉🛉99/599 €, ☕ 30 € – 12 suites

Rest *Sea Grill* ✿✿ **Rest *Atrium*** – voir la sélection des restaurants

◆ Bel atrium moderne à verrière, vestiges de fortifications urbaines, suites et chambres d'excellent confort, bar bédéphile et espace breakfast égayé de billes de chemin de fer.

◆ Modern atrium met glaskoepel, overblijfselen van de oude stadsmuur, suites en kamers met uitstekend comfort, bar met stripfiguren en ontbijtruimte met bielzen.

Le Plaza

bd A. Max 118 ✉ 1000 – ☎ 0 2 278 01 00 – www.leplaza.be **5**FQ**e**

184 ch – 🛉120/450 € 🛉🛉140/450 €, ☕ 27 € – 6 suites

Rest *Brasserie l'Esterel* – voir la sélection des restaurants

◆ Bâtisse de 1930 imitant le George V à Paris. Communs classiques, grandes chambres avenantes et superbe salle de théâtre baroque (réceptions et événements).

◆ Gebouw uit 1930 dat is geïnspireerd op het George V-hotel in Parijs. Klassieke openbare ruimten, smaakvolle kamers en een barokke theaterzaal voor recepties en evenementen.

Métropole

pl. de Brouckère 31 ✉ 1000 – ☎ 0 2 217 23 00 – www.metropolehotel.com **9**JY**c**

283 ch ☕ – 🛉140/359 € 🛉🛉140/419 € – 5 suites – ½ P 206 €

Rest *L'Alban Chambon* – voir la sélection des restaurants

◆ Palace du 19e s. dominant la place de Brouckère. Hall et salons d''époque, lounge-bar rétro (piano, colonnes, fresques), chambres et suites luxueuses, breakfast dans un décor colonial.

◆ Chic 19de-eeuws hotel aan het Brouckèreplein. Hal en salons met origineel interieur, loungebar in retrostijl (zuilen, piano, chesterfields), luxekamers en suites, ontbijtzaal met Indiaas decor.

Marriott
r. A. Orts 7 (face à la bourse) ✉ *1000 – ✆ 0 2 516 90 90 – www.marriottbrussels.com*
214 ch – ♦99/399 € ♦♦99/399 €, ☕ 25 € – 5 suites **9**JY**z**
Rest *Midtown Grill* – voir la sélection des restaurants
♦ Une fameuse pièce de théâtre du folklore local (Le Mariage de Mlle Beulemans) naquit derrière cette façade de 1900 côtoyant la Bourse. Communs chics. Chambres tout confort.
♦ Achter deze gevel uit 1900 naast de Beurs ontstond het beroemde folklorestuk "Het huwelijk van Mej. Beulemans". Chique openbare ruimten en kamers met alle comfort.

The Dominican
r. Léopold 9 ✉ *1000 – ✆ 0 2 203 08 08 – www.thedominican.be* **9**JY**d**
147 ch – ♦150/425 € ♦♦150/425 €, ☕ 27 € – 3 suites
Rest *The Grand Lounge* – voir la sélection des restaurants
♦ Hôtel luxueux et design, élevé sur le site d'un ancien couvent dominicain : de beaux espaces, un mobilier élégant et un confort pensé jusque dans les moindres détails...
♦ De schilder Jacques-Louis David woonde van 1815 tot 1825 in dit dominicanenklooster, dat nu een chic hotel is met een subtiele mix van klassiek en modern.

Royal Centre sans rest
r. Royale 160 ✉ *1000 – ✆ 0 2 219 00 65 – www.royalcentre.be* **9**KY**a**
73 ch ☕ – ♦390/590 € ♦♦490/690 €
♦ Hall-réception en marbre, salon confortable et chambres actuelles de diverses tailles réparties sur huit étages d'un immeuble de ville bâti dans un quartier institutionnel.
♦ Marmeren hal, comfortabele lounge en moderne kamers van verschillend formaat op acht verdiepingen van een flat in een wijk waar veel instellingen zijn gevestigd.

Marivaux
bd Adolphe Max 98 ✉ *1000 – ✆ 0 2 227 03 00 – www.hotelmarivaux.be*
– fermé jours fériés **5**FQ**c**
86 ch ☕ – ♦85/250 € ♦♦85/250 €
Rest – *(fermé samedi midi et dimanche)* Lunch 10 € – Menu 25/65 € – Carte 26/100 €
♦ Maisons mitoyennes dans le centre. Communs relookés, ancien cinéma Marivaux transformé en salle de conférences. Cuisine de brasserie servie dans un décor contemporain.
♦ Verschillende huizen naast elkaar, in het centrum. Openbare ruimten in een nieuw kleedje, oude cinema Marivaux omgetoverd in conferentiezaal. Brasseriekeuken in een eigentijds interieur.

Le Dome
bd du Jardin Botanique 12 ✉ *1000 – ✆ 0 2 218 06 80 – www.hotel-le-dome.be*
125 ch ☕ – ♦82/120 € ♦♦92/130 € – ½ P 107/117 € **5**FQ**m**
Rest *Le Dome* – voir la sélection des restaurants
♦ Façade 1900 dont le dôme domine l'effervescente place Rogier. Réminiscences décoratives Art nouveau dans les chambres et parties communes.
♦ Gevel uit 1900, waarvan de koepel hoog boven het drukke Rogierplein uitsteekt. Kamers en gemeenschappelijke ruimten met art-deco-elementen.

Agenda Midi sans rest
bd Jamar 11 ✉ *1060 – ✆ 0 2 520 00 10 – www.hotel-agenda.com* **5**ES**z**
35 ch ☕ – ♦90 € ♦♦90 €
♦ Dans un immeuble situé à deux pas de la gare du Midi, des chambres bien tenues et fraîches ; préférez celles sur l'arrière. Business-corner et buffet petit-déjeuner.
♦ Flatgebouw bij het station Brussel-Zuid. De goed onderhouden kamers worden regelmatig gerenoveerd; die aan de achterkant zijn het best. Ontbijtbuffet en business-corner.

Hôtel du Congrès sans rest
r. Congrès 42 ✉ *1000 – ✆ 0 2 217 18 90 – www.hotelducongres.be*
67 ch ☕ – ♦60/350 € ♦♦75/350 € **9**KY**d**
♦ Quatre maisons bourgeoises du 19e s. forment cet hôtel voisin de la colonne du Congrès. Éléments décoratifs d'époque dans certaines chambres et parties communes.
♦ Dit hotel is gevestigd in vier 19de-eeuwse herenhuizen bij de Congreszuil. Sommige kamers en gemeenschappelijke ruimten zijn voorzien van antieke decoratieve elementen.

Queen Anne sans rest
bd E. Jacqmain 110 ✉ 1000 – ✆ 0 2 217 16 00 – www.queen-anne.be **5**EFQ**a**
60 ch – 65/195 € 75/215 €
◆ Situé près du centre-ville, cet hôtel se reconnaît à sa façade vitrée. Sobriété, fraîcheur et notes design discrètes dans les chambres et les appartements.
◆ Flat met glasgevel aan een grote verkeersader. Gerenoveerde kamers, die klein en sober zijn, maar er fris uitzien en bescheiden designelementen hebben.

Downtown-BXL sans rest
r. Marché-au-Charbon 118 ✉ 1000 – ✆ 0 475 29 07 21 – www.downtownbxl.com **9**JY**u**
3 ch – 79/89 € 81/91 €
◆ Au cœur de la ville, dans un quartier festif, cette maison de maître abrite de grandes chambres au décor très pop ! La Casa contiguë propose trois chambres d'esprit plus ethnique.
◆ Herenhuis in een levendige wijk met mooie en comfortabele gastenkamers. Modern interieur met leuke kitschelementen. Aansluitend bevindt zich La Casa met 3 kamers in ethnische stijl.

Sea Grill (Yves Mattagne) – Hôtel Radisson Blu Royal
r. Fossé-aux-Loups 47 ✉ 1000 – ✆ 0 2 212 08 00 – www.seagrill.be – fermé 1er au 8 janvier, 31 mars-9 avril, 21 juillet-15 août, 1er au 4 novembre, jours fériés, samedi et dimanche **9**KY**f**
Rest – Lunch 65 € – Menu 120/185 € – Carte 110/174 €
Spéc. Caviar "Royal Belgium" et langoustines, gaufre de Bruxelles, algues et citron vert. Turbot rôti à l'arête, béarnaise d'huîtres. Homard bleu à la presse, riz sauté au corail.
◆ La carte varie au gré des marées et, quels que soient les trésors apportés par la mer, la brigade tient la barre avec brio ! Une prestation ambitieuse et de haute volée, avec... quelques vins prestigieux en cale, pour une traversée mémorable. Certaines tables isolées se prêtent particulièrement aux repas d'affaires.
◆ Een ambitieuze kaart die meegaat met het tij, een mooi team aan het roer in de eetzaal en prestigieuze wijnen in het vooronder. Dit ijzersterke trio zorgt voor een onvergetelijke dineerervaring van internationaal topniveau. Aparte eethoekjes verzekeren de discretie van uw zakenlunch of -diner. De Sea Grill houdt koers!

L'Alban Chambon – Hôtel Métropole
pl. de Brouckère 31 ✉ 1000 – ✆ 0 2 217 23 00 – www.albanchambon.com – fermé 9 juillet-14 août, samedi midi, dimanche, lundi et jours fériés
Rest – Menu 49/95 € **9**JY**c**
◆ Le nom de ce restaurant intégré à l'hôtel Métropole honore l'architecte du bâtiment. Repas classiques dans une ancienne salle de bal de style baroque.
◆ Dit restaurant van het Métropole is genoemd naar de architect van het hotel. Klassieke beleving in een weelderige oude balzaal in barokstijl.

Comme Chez Soi (Lionel Rigolet)
pl. Rouppe 23 ✉ 1000 – ✆ 0 2 512 29 21 – www.commechezsoi.be – fermé 25 décembre-9 janvier, 21 février, 3 avril, 1er mai, 15 juillet-13 août, 30 octobre, mercredi midi, dimanche et lundi **5**ES**m**
Rest – *(prévenir)* Lunch 55 € – Menu 87/191 € – Carte 105/252 €
Spéc. Foie gras de canard au genièvre, perles de riz soufflé, réduction de vinaigre de figues. Moelleux de pommes de terre, crabe, crevettes grises, caviar et beurre blanc d'huîtres. Soufflé au citron vert, granité au parfum de mojito.
◆ Une institution bruxelloise née en 1926 ! Carte associant des spécialités indéracinables depuis 4 générations et les nouvelles créations de Lionel Rigolet. Confort bistrot, déco Horta et tables confortables en cuisine, où l'on voit la brigade en pleine action.
◆ Sinds 1926 een begrip in Brussel! De kaart biedt een geslaagde mix van toppers die al 4 generaties standhouden, aangevuld met experimenten van Lionel Rigolet. Luxe bistro in Horta-stijl en prettige tafels in de keuken, waar men het team aan het werk kan zien.

XX **Le Ravenstein**

r. Ravenstein 1 ✉ 1000 – ☎ 0 2 512 77 68 – www.leravenstein.be – fermé août, fin décembre-début janvier, samedi midi et dimanche **9**KZ**a**

Rest – Lunch 22 € – Menu 30/45 € – Carte 48/75 €

♦ Alain Bohné officie avec majesté dans cette maison classée (15e s.), située près du mont des Arts. Deux ambiances : contemporaine et épurée ou seigneuriale. Cuisine classique.

♦ Dit beschermd pand uit de 15de eeuw bevindt zich vlakbij de Kunstberg en is het strijdtoneel van chef Alain Bohné. Kies voor de moderne zaal vooraan of voor één van de rustieke Spaanse zalen.

XX **La Brasserie de Bruxelles**

pl. de la Vieille Halle aux Blés 39 ✉ 1000 – ☎ 0 2 513 98 12 – fermé lundi

Rest – Lunch 20 € – Menu 35/45 € – Carte 36/58 € **9**JZ**b**

♦ En 2008, Laurent Veulemans a rendu les Armes (le restaurant Aux Armes de Bruxelles) pour s'installer dans cette brasserie située dans le quartier animé de la Vieille-Halle-aux-Blés. Cuisine traditionnelle bruxelloise.

♦ Brasserie in de gezellig drukke wijk van het Oud Korenhuis, in 2008 geopend door Laurent Veulemans (voormalige Aux Armes de Bruxelles). Traditionele Brusselse keuken.

XX **L'Atelier de Michel D**

pl. de la Vieille Halle aux Blés 31 ✉ 1000 – ☎ 0 2 512 57 00 – www.ateliermicheld.be – fermé samedis midis et dimanches non fériés

Rest – Lunch 21 € – Menu 35/55 € – Carte 55/61 € **9**JZ**c**

♦ Une touche méditerranéenne en ville! Bon accueil, carte de saison, menu du marché et cadre actuel : banquette en similiserpent et cuisine à vue où le système D n'est pas de mise !

♦ Michel D zorgt voor een zuidelijke sfeer in de stad. Goed onthaal, seizoensgebonden kaart, menu van de markt. Eigentijds interieur met bankjes van imitatieleer en open keuken.

XX **Brasserie l'Esterel** – Hôtel Le Plaza

bd A. Max 118 ✉ 1000 – ☎ 0 2 278 01 00 – www.leplaza.be – fermé samedi, dimanche et jours fériés **5**FQ**e**

Rest – Carte 38/58 €

♦ Dans une salle somptueuse, sous un dôme avec un ciel en trompe-l'œil, vous apprécierez une cuisine française concoctée avec des produits d'excellente qualité.

♦ Onder een koepel met een hemelse trompe-l'œil, in een weelderige eetzaal, krijgt u een Franse keuken geserveerd waarin het product centraal staat.

XX **The Grand Lounge** – Hôtel The Dominican

r. Léopold 9 ✉ 1000 – ☎ 0 2 203 08 08 – www.thedominican.be **9**JY**d**

Rest – Lunch 27 € – Carte env. 55 €

♦ Ce restaurant est charmant, tout comme l'hôtel qui l'abrite... Quel plaisir de s'attabler ici, le temps d'une pause ou d'un vrai moment gourmand (petite restauration ou plats plus élaborés).

♦ De charme van het hotel waarin het gevestigd is, maakt ook van het restaurant een prettige pleisterplaats. In het "Foodbook": snacks en uitgebreidere gerechten.

X **La Manufacture**

r. Notre-Dame du Sommeil 12 ✉ 1000 – ☎ 0 2 502 25 25 – www.manufacture.be – fermé samedi midi et dimanche **5**ER**e**

Rest – *(ouvert jusqu'à 23 h)* Lunch 15 € – Menu 35/40 € – Carte 36/51 €

♦ Métaux, bois, cuir et granit président au décor "loft" de cette brasserie animée occupant l'ancien atelier d'une prestigieuse maroquinerie belge. Cuisine au goût du jour.

♦ Metaal, hout, leer en graniet hebben de overhand in deze hippe brasserie, die als een loft is ingericht in een voormalig lederwarenfabriekje. Trendy menukaart.

X **Bozar Brasserie**

r. Baron Horta 3 ✉ 1000 – ☎ 0 2 503 00 00 – www.bozarbrasserie.be

Rest – Lunch 25 € – Carte 42/55 € **9**KZ**d**

♦ Si vous la connaissez, vous reconnaîtrez toute de suite la patte du chef de La Paix, "protecteur" de ce restaurant. Le raffinement et la présentation sont les points forts de cette cuisine de brasserie originale. L'établissement vaut vraiment une visite !

♦ Een interessante zaak, waarin u de signatuur van de chef van La Paix, de beschermheer van het restaurant, in herkent. Verfijning en een verzorgde presentatie zijn het handelsmerk van deze originele brasseriekeuken; uw bezoek meer dan waard!

Alexandre (Alexandre Dionisio)

r. Midi 164 ✉ 1000 – ✆ 0 2 502 40 55 – www.alexandre-restaurant.be – fermé samedi, dimanche et lundi **5**ER**x**

Rest – *(réservation indispensable - menu unique le soir)* Lunch 30 € – Menu 85 € – Carte 66/96 €

Spéc. Joues de veau au speculoos et caramel de pommes, espuma de pommes de terre et girolles. Asperges aux morilles, sot-l-y laisse et jambon Bellota, texture de parmesan. Quasi de veau de Corrèze, crème de thon, cœur de bœuf et croustillant de paprika.

◆ Finaliste d'une émission télévisée, le jeune chef a profité de sa notoriété pour ouvrir son propre restaurant. Sa cuisine témoigne d'une belle intelligence du produit et d'un certain sens de la nouveauté.

◆ Een goed begin voor deze jonge chef die kon profiteren van zijn finalistenplaats in een tv-programma om een naam voor zichzelf te maken. Doordachte keuken zwevend tussen modern en klassiek, op basis van kwaliteitsproducten, die de Brusselse gastronomie nieuw leven inblaast!

Samourai

r. Fossé-aux-Loups 28 ✉ 1000 – ✆ 0 2 217 56 39 – www.samourai-restaurant.be – fermé 1er au 21 août, 24 décembre-6 janvier, dimanche et lundi **9**JY**e**

Rest – Lunch 27 € – Menu 65/110 € – Carte 49/69 €

◆ Une institution nippone à proximité de la Monnaie. Depuis 1975, on y savoure des mets de qualité, adaptés aux papilles occidentales. Salles sur trois niveaux, décor typique.

◆ Japans restaurant sinds 1975, bij de Muntschouwburg. De gerechten zijn aan de westerse smaak aangepast en bereid met eersteklasproducten. Eetzalen in typische stijl op drie niveaus.

In 't Spinnekopke

pl. du Jardin aux Fleurs 1 ✉ 1000 – ✆ 0 2 511 86 95 – www.spinnekopke.be – fermé samedi midi et dimanche **5**ER**d**

Rest – *(ouvert jusqu'à 23 h)* Carte 29/58 €

◆ Charmant estaminet typiquement bruxellois apprécié pour sa bonne ambiance bistrotière et sa cuisine régionale honorant la tradition brassicole belge. Terrasse sur la place.

◆ Deze typische Brusselse staminee valt in de smaak vanwege de gezellige bistrosfeer en de streekkeuken, een eerbetoon aan de Belgische bierbrouwerijtraditie. Terras aan het plein.

Bar Bik

quai aux Pierres de Taille 3 ✉ 1000 – ✆ 0 2 219 75 00 – fermé mi-juillet-mi-août, samedi et dimanche **5**EQ**b**

Rest – *(réservation conseillée)* Lunch 23 € – Carte 27/47 €

◆ Au Bar Bik (Brussels International Kitchen), les ardoises vous proposent de bons petits plats d'ici aux influences d'ailleurs. Service convivial et sans chichi, dans un décor minimaliste.

◆ Op de leitjes in de Bar Bik (Brussels International Kitchen) staan smakelijke kleine schotels van hier met snufjes van elders. Gemoedelijke bediening zonder poespas in een minimalistische setting.

El Txoko

r. Laeken 122 ✉ 1000 – ✆ 0 2 203 10 22 – www.eltxoko.be – fermé jours fériés, samedi midi, dimanche et lundi soir **5**EQ**p**

Rest – Menu 25 € – Carte 20/56 €

◆ Excellent tapas bar basque à l'intérieur minimaliste dans un quartier branché. Assortiment de "pintxos" et carte de vins espagnols attrayante et variée. Public culturel, proximité du KVS (Theâtre Royal Flamand) oblige, mais tout le monde est le bienvenu !

◆ Voortreffelijke Baskische tapasbar met minimalistisch interieur in een hippe buurt. Assortiment van "pintxos" en aantrekkelijke wijnkaart met grote keuze aan Spaanse wijnen. Cultureel publiek door de nabijheid van de KVS, maar iedereen is welkom!

Atrium – Hôtel Radisson Blu Royal
r. Fossé-aux-Loups 47 ✉ 1000 – ☎ 0 2 227 31 70
– www.radissonblu.com/royalhotel-brussels **9**KY**f**
Rest – Lunch 27 € – Menu 35 € – Carte env. 43 €
♦ Confortablement installé à votre table, vous aurez tout loisir d'admirer le décor original et élégant de ce grand établissement (esprit contemporain, mur en pierre datant du 12e s.). À la carte, une cuisine internationale et quelques grands classiques belges.
♦ Ga zitten aan een tafeltje, inspecteer het bijzondere decor en vang een glimp op van het fascinerende leven in een tophotel. Op de kaart vindt u wat u in een internationale keten verwacht, aangevuld met Belgische klassiekers.

Midtown Grill – Hôtel Marriott
r. A. Orts 7 (face à la bourse) ✉ 1000 – ☎ 0 2 516 90 90
– www.marriottbrussels.com **9**JY**z**
Rest – Lunch 16 € – Menu 25 € – Carte 35/71 €
♦ Le restaurant-grill de l'hôtel remplit bien sa mission : excellents steaks et côtelettes, mais aussi poissons... Petit plus bien sympathique : les cuisines ouvertes sur la salle se donnent en spectacle !
♦ Het motto "Great steaks, chops and seafood" vat perfect samen waar dit restaurant voor staat. De open showkeuken zorgt voor een vleug spektakel tijdens uw diner.

Le Dome – Hôtel Le Dome
bd du Jardin Botanique 12 ✉ 1000 – ☎ 0 2 218 06 80 – www.hotel-le-dome.be
– fermé samedi et dimanche **5**FQ**m**
Rest – Carte 26/45 €
♦ Une jolie brasserie pour un repas belge traditionnel ou pour une petite collation. Vous pourrez admirer l'intérieur Art déco de l'établissement, même si vous n'y passez pas la nuit !
♦ Moderne brasserie voor een traditionele Belgische maaltijd of snack. Wie hier komt eten, kan het art-deco-interieur ontdekken zonder te hoeven overnachten.

Quartier Grand'Place (Îlot Sacré)

Amigo
r. Amigo 1 ✉ 1000 – ☎ 0 2 547 47 47 – www.roccofortecollection.com
154 ch – †199/640 € ††199/680 €, ☐ 33 € – 19 suites **9**JY**x**
Rest *Bocconi* – voir la sélection des restaurants
♦ Une véritable institution, qui compte parmi les meilleures adresses de Bruxelles ! Ses atouts ? Une situation centrale (derrière la Grand-Place), des chambres luxueuses, un service impeccable et un charme distingué. D'ailleurs, on croise parfois des hôtes célèbres...
♦ De Amigo behoort tot het beste wat Brussel te bieden heeft, en is dan ook meer een instituut dan zomaar een hotel. Het dankt zijn faam aan zijn uiterst centrale ligging (achter de Grote Markt), onberispelijke service, chique kamers en statige uitstraling. Deze klassezaak mocht dan ook al heel wat bekende gasten ontvangen.

Royal Windsor
r. Duquesnoy 5 ✉ 1000 – ☎ 0 2 505 55 55
– www.royalwindsorbrussels.com **9**JYZ**f**
260 ch – †119/525 € ††119/525 €, ☐ 30 € – 7 suites
Rest *Chutney's* – voir la sélection des restaurants
♦ Luxe, confort et raffinement caractérisent cet hôtel du centre historique. À noter : quelques chambres taillées sur mesure pour les "Belgian fashion victims". Service royal.
♦ Luxe, comfort en verfijning kenmerken dit schitterende hotel in het historische centrum. Enkele kamers lijken op maat gemaakt voor "Belgian fashion victims". Vorstelijke service.

Le Méridien
Carrefour de l'Europe 3 ✉ 1000 – ✆ 0 2 548 42 11 – www.lemeridien.com/brussels
223 ch – 149/450 € 149/450 €, 29 € – 1 suite 9KY**h**
Rest *L'Épicerie* – voir la sélection des restaurants
♦ Devant la gare centrale, hôtel de la fin du 20ᵉs., dont la façade incurvée évoque les palaces d'hier. Hall cossu, bons équipements pour se réunir.
♦ Luxehotel uit de late 20e eeuw, zeer gunstig gelegen recht tegenover het station en vlak bij de Grote Markt. Weelderige hal en goede vergaderfaciliteiten.

Le Dixseptième sans rest
r. Madeleine 25 ✉ 1000 – ✆ 0 2 517 17 17 – www.ledixseptieme.be
22 ch – 160/400 € 180/450 €, 15 € – 2 suites 9JY**j**
♦ Ancien hôtel particulier du 17ᵉ s. où l'ambassadeur d'Espagne eut ses quartiers. Salons cossus, jolie cour intérieure et vastes chambres pourvues de meubles de divers styles.
♦ Dit 17de-eeuwse herenhuis was vroeger de ambtswoning van de Spaanse ambassadeur. Weelderige lounge, mooie patio en ruime kamers met meubelen uit verschillende stijlperioden.

Carrefour de l'Europe sans rest
r. Marché-aux-Herbes 110 ✉ 1000 – ✆ 0 2 504 94 00 – www.carrefourhotel.be
59 ch – 169/349 € 189/369 € – 6 suites 9KY**n**
♦ Entre gare centrale et Grand Place, bâtisse de la fin du 20e s. située en lisière de l'îlot sacré. Chambres fonctionnelles bien calibrées et claires.
♦ Tussen het Centraal Station en de Grote Markt begrenst dit gebouw uit de late 20ste eeuw de wijk van het îlot sacré. Functionele kamers van goed formaat, met een licht interieur.

La Légende sans rest
r. Lombard 35 ✉ 1000 – ✆ 0 2 512 82 90 – www.hotellalegende.com – fermé 22 au 29 décembre 9JY**m**
26 ch – 100/250 € 100/250 €
♦ Cet hôtel, tenu par la même famille depuis 1957, propose des chambres sobres et nettes réparties dans deux ailes accessibles par une cour intérieure. Jolie salle de breakfast.
♦ Sinds 1957 is dit hotel in handen van dezelfde familie. Sobere maar keurige kamers in twee vleugels die toegankelijk zijn via de binnenplaats. Leuke ontbijtzaal.

Matignon sans rest
r. Bourse 10 ✉ 1000 – ✆ 0 2 511 08 88 – www.hotelmatignon.be 9JY**q**
37 ch – 90/120 € 105/150 €
♦ Juste à côté de la Bourse, un établissement tenu en famille depuis près de 20 ans et mettant à votre disposition des chambres bien tenues, dont une dizaine de junior suites.
♦ Dit hotel naast de Beurs wordt al bijna 20 jaar door dezelfde familie geleid. Goed onderhouden kamers, waaronder een tiental junior suites.

La Maison du Cygne
r. Charles Buls 2, (1ᵉʳ étage) ✉ 1000 – ✆ 0 2 511 82 44 – www.lamaisonducygne.be – fermé Noël-nouvel an, samedi midi et dimanche
Rest – Lunch 40 € – Menu 65 € – Carte 66/93 € 9JY**w**
Rest *L'Ommegang* – voir la sélection des restaurants
♦ La corporation des Bouchers siégea dans cette prestigieuse maison (17ᵉs.) de la Grand-Place. Choix classique assorti à l'opulent décor.
♦ De Slagersgilde zetelde in dit prestigieuze 17e-eeuwse pand aan de Grote Markt. De klassieke kaart past bij het weelderige interieur.

Aux Armes de Bruxelles
r. Bouchers 13 ✉ 1000 – ✆ 0 2 511 55 98 – www.auxarmesdebruxelles.be
Rest – Menu 23 € bc/80 € bc – Carte 28/92 € 9JY**t**
♦ Vénérable institution bruxelloise en plein îlot sacré, cette table explore depuis 1921 les traditions culinaires belges. Plusieurs salles de divers styles. Atmosphère animée.
♦ Dit Brusselse instituut in de wijk van het Îlot Sacré houdt sinds 1921 de Belgische culinaire tradities in ere. Diverse zalen in uiteenlopende stijlen en geanimeerde ambiance.

XX **Bocconi** – Hôtel Amigo
r. Amigo 1 ✉ 1000 – ✆ 0 2 547 47 15 – www.ristorantebocconi.com – fermé samedi midi **9**JY**x**
Rest – Lunch 27 € – Menu 35/85 € – Carte 43/70 €
◆ Cet estimable restaurant italien est installé dans un hôtel de luxe voisin de la Grand-Place. Aménagement intérieur façon brasserie moderne. Carte transalpine alléchante.
◆ Deze verdienstelijke Italiaan is gevestigd in een luxehotel bij de Grote Markt. De inrichting doet denken aan een moderne brasserie. Aantrekkelijke Italiaanse kaart.

XX **L'Épicerie** – Hôtel Le Méridien
Carrefour de l'Europe 3 ✉ 1000 – ✆ 0 2 548 42 11 – www.lemeridien.com/brussels – fermé vacances de Pâques, juillet-août, 24, 25 et 31 décembre-1er janvier, dimanche soir et samedi **9**KY**h**
Rest – Lunch 38 € – Menu 75 € – Carte 54/63 €
◆ Dans un décor classique et élégant, une Épicerie vraiment très fine... Ici, le chef revisite la cuisine locale et régionale avec beaucoup de délicatesse, pour le plus grand plaisir de ses hôtes internationaux. Brunch le dimanche.
◆ Een klassieke keuken in een dito interieur, dat z'n internationale gasten ook graag de lokale keuken laat proeven. Langslapers kunnen hier op zondag brunchen.

X **L'Ommegang** – Rest La Maison du Cygne
r. Charles Buls 2 ✉ 1000 – ✆ 0 2 511 82 44 – www.brasseriedelommegang.be – fermé Noël, nouvel an et dimanche **9**JY**w**
Rest – Carte 32/55 €
◆ Dans cette brasserie – petite sœur de la célèbre Maison du Cygne –, on savoure une cuisine belge classique et copieuse, dans l'ambiance de "la plus belle place du monde", comme le disait Victor Hugo. Le service est très convivial et donne un bel aperçu de l'humour bruxellois...
◆ In het brasseriebroertje van La Maison du Cygne proeft u naast genereuze Belgische klassiekers ook de sfeer van "de mooiste markt ter wereld" (volgens Victor Hugo). In de gezelligheid van de bediening herkent u de typisch Brusselse humor.

X **Scheltema**
r. Dominicains 7 ✉ 1000 – ✆ 0 2 512 20 84 – www.scheltema.be – fermé 24 et 25 décembre et dimanche **9**JY**p**
Rest – *(ouvert jusqu'à 23 h 30)* Lunch 12 € – Menu 32 € bc/39 € – Carte 43/83 €
◆ Jolie brasserie ancienne de l'îlot sacré spécialisée dans les produits de la mer. Choix classique, suggestions actualisées, ambiance animée et décor boisé agréablement rétro.
◆ Mooie oude brasserie in het îlot sacré, gespecialiseerd in zeeproducten. Klassieke kaart, eigentijdse suggesties, geanimeerde sfeer en leuk retro-interieur met veel hout.

X **De l'Ogenblik**
Galerie des Princes 1 ✉ 1000 – ✆ 0 2 511 61 51 – www.ogenblik.be – fermé midis feriés et dimanche **9**JY**p**
Rest – *(ouvert jusqu'à minuit)* Lunch 12 € – Menu 51/58 € – Carte 48/71 €
◆ La clientèle d'affaires bruxelloise fréquente assidûment cette table animée mettant à profit un ancien café. Mets classiques et plats de bistrot. Chef en place depuis 1975.
◆ Dit restaurant in een voormalig café wordt druk bezocht door Brusselse zakenmensen. De chef-kok zet hier al sinds 1975 klassieke gerechten en bistroschotels op tafel.

X **La Roue d'Or**
r. Chapeliers 26 ✉ 1000 – ✆ 0 2 514 25 54 – fermé 15 juillet-13 août
Rest – *(ouvert jusqu'à 23 h 30)* Carte 32/54 € **9**JY**y**
◆ Cet ancien café typique et convivial mitonne de bons petits plats traditionnels et quelques spécialités belges. Peintures murales façon Magritte et superbe horloge en salle.
◆ Typisch Brussels café-restaurant met traditionele gerechten en Belgische specialiteiten. Muurschilderingen in de stijl van Magritte en een prachtig pronkstuk in de eetzaal.

X **Chutney's** – Hôtel Royal Windsor
r. Duquesnoy 5 ✉ 1000 – ✆ 0 2 505 55 55 – www.royalwindsorbrussels.com
Rest – Lunch 15 € – Menu 30 € – Carte 28/60 € **9**JYZ**f**
◆ Tout le charme de la Grand-Place – cette dernière est à deux pas – est contenu dans cette agréable brasserie... À la carte, une cuisine traditionnelle et des spécialités belges et internationales.
◆ De toeristen die hier verliefd worden op de Grote Markt proeven in deze brasserie maar al te graag de traditionele kaart en Belgische specialiteiten.

Quartier Sainte-Catherine (Marché-aux-Poissons)

Novotel Centre - Tour Noire

r. Vierge Noire 32 ✉ 1000 – ☎ 0 2 505 50 50 – www.novotel.com 9JYr

217 ch – †264/355 € ††264/355 €, ☕ 20 €

Rest – *(ouvert jusqu'à 23 h)* Carte 35/48 €

◆ Hôtel de chaîne moderne intégrant des vestiges de la première enceinte urbaine, dont une tour restaurée. Grandes chambres, salles de réunions, aquacenter, fitness et sauna. Restaurant de type brasserie contemporaine.

◆ Modern ketenhotel met overblijfselen van de eerste stadsmuur, zoals een gerestaureerde toren. Grote kamers, vergaderzalen, aquacenter, fitness en sauna. Restaurant in eigentijdse brasseriestijl.

Atlas sans rest

r. Vieux Marché-aux-Grains 30 ✉ 1000 – ☎ 0 2 502 60 06 – www.atlas.be

88 ch ☕ – †75/230 € ††85/260 € 5ERa

◆ Cet hôtel particulier (18e s.) modernisé intérieurement se situe dans un quartier festif réputé pour ses boutiques de mode belge. La majorité des chambres donne sur la cour.

◆ Hotel in een 18de-eeuws herenhuis dat vanbinnen is gemoderniseerd, in een bruisende wijk met veel Belgische modeontwerpers. De meeste kamers kijken uit op de binnenplaats.

Noga sans rest

r. Béguinage 38 ✉ 1000 – ☎ 0 2 218 67 63 – www.nogahotel.com 9JYf

19 ch ☕ – †75/110 € ††85/135 €

◆ Accueillante maison de maître dans un quartier calme. Portraits de la dynastie royale dans l'escalier, salon cosy et bar au décor nautique. Chambres confortables, de facture classique.

◆ Gastvrij herenhuis in een rustige wijk. Portretten van leden van het Belgische vorstenhuis in het trappenhuis, gezellige lounge en bar in zeemansstijl. Comfortabele kamers van klassieke makelij.

La Belle Maraîchère

pl. Ste-Catherine 11 ✉ 1000 – ☎ 0 2 512 97 59 – www.labellemaraichere.com – fermé 2 semaines carnaval, fin-juillet-début août, mercredi et jeudi

Rest – *(réservation conseillée)* Menu 36/58 € – Carte 47/103 € 9JYk

◆ Cet établissement convivial tenu en famille compte parmi les valeurs sûres du quartier. Salle au décor nostalgique attachant. Chef expert en sauces, pratiquant une goûteuse cuisine classico-traditionnelle où s'illustrent marée et gibier en saison. Jolis menus.

◆ Gezellig ouderwets familiebedrijf, een van de beste adresjes van de wijk. Nostalgisch interieur. Smakelijke klassieke keuken met heerlijke sauzen. Veel vis en wild op de kaart en lekkere menu's.

Jaloa (Gaëtan Colin)

quai aux Barques 4 ✉ 1000 – ☎ 0 2 513 19 92 – www.jaloa.com – fermé 1er au 7 janvier, 1er au 15 août, semaine de la Toussaint, dimanche et lundi

Rest – *(menu unique)* Lunch 30 € – Menu 61/131 € bc 5EQa

Spéc. Tomate mozzarella et homard. Turbot rôti aux champignons des bois, textures de betterave rouge. Feuilleté de mangue à la crème brûlée.

◆ C'est dans un des plus anciens édifices du "Vismet" (17e s.) qu'est aménagé ce restaurant qui produit un joli contraste en proposant, dans un menu unique, une cuisine innovatrice.

◆ Ingericht in een van de oudste gebouwen van de "Vismet" (17de eeuw), serveert dit restaurant, met een mooie tegenstelling, een innovatieve keuken in een enkel menu.

L'Huîtrière

quai aux Briques 20 ✉ 1000 – ☎ 0 2 512 08 66 – www.lhuitriere.eu

Rest – Lunch 17 € – Menu 25/47 € – Carte 45/70 € 9JYa

◆ Cadre patiné évocateur du vieux Bruxelles (boiseries, fresques bruegéliennes), où savourer poissons et fruits de mer. Bien des célébrités ont dîné ici, mais la vraie star se trouve dans l'assiette : le homard au beurre de corail.

◆ Klassiek visrestaurant dat door de verweerde muren, lambrisering en Breugeliaanse fresco's het oude Brussel oproept. De kreeft met koraalboter is een van de favorieten.

Brasserie Jaloa Jardin

pl. Ste-Catherine 5 ✉ 1000 – ✆ 02 512 18 31 – www.jaloa.com **9**JY**k**

Rest – *(ouvert jusqu'à 23 h)* Lunch 18 € – Menu 34 € – Carte 29/51 €

◆ Une cuisine de brasserie belge, sans surprises, servie dans deux salles, claires et épurées, ou dans la charmante cour arborée, à l'abri des regards.

◆ Eenvoudige Belgische brasseriegerechten geserveerd in twee moderne ruimtes met veel licht en een ruim terras op een schaduwrijke binnenplaats.

François

quai aux Briques 2 ✉ 1000 – ✆ 02 511 60 89 – www.restaurantfrancois.be – fermé 3 au 16 avril, 14 août-3 septembre, dimanche et lundi **9**JY**k**

Rest – Lunch 27 € – Menu 39 € – Carte 39/105 €

◆ Une maison tenue par la même famille depuis les années 1930, où poisson et fruits de mer sont à l'honneur. Cadre marin égayé de photos rétro. Poissonnerie attenante.

◆ Traditioneel restaurant dat bij een viswinkel hoort en al sinds 1930 door dezelfde familie wordt gerund. Heerlijke visgerechten in een maritiem interieur met oude foto's.

La Marée

r. Flandre 99 ✉ 1000 – ✆ 02 511 00 40 – www.lamaree-sa.com – fermé 20 juin-15 juillet, Noël, nouvel an, dimanche et lundi **5**ER**h**

Rest – Carte 23/76 €

◆ Simplicité et convivialité : le décor est planté. Ici, on se délecte de produits de la mer et de recettes portugaises (sur commande). Cuisine ouverte. Terrasse en été.

◆ Leuk adresje voor een eenvoudige maaltijd in een ongedwongen sfeer. Open keuken met een voorliefde voor alles wat zwemt. Portugese recepten op bestelling. Terras in de zomer.

Switch

r. Flandre 6 ✉ 1000 – ✆ 02 503 14 80 – www.switchrestofood.be – fermé lundi midi, samedi midi et dimanche **5**ER**g**

Rest – Lunch 17 € – Menu 30/46 € – Carte 39/52 €

◆ Sur une idée originale de Marc Boutsen, qui a "switché" sa carrière de journaliste gastronomique pour celle de restaurateur... Chez Switch, on combine soi-même son menu au gré de ses envies, en associant deux ou trois plats de la carte. Le rapport qualité-prix est imbattable !

◆ Switch is het geesteskind van Marc Boutsen, die van een carrière als culinair journalist switchte naar de andere kant. U kunt met de kaart alle richtingen uit om een menu naar believen samen te stellen in een twee- of driegangenformule. De prijs-kwaliteitverhouding is ijzersterk!

Le Fourneau

pl. Ste-Catherine 8 ✉ 1000 – ✆ 02 513 10 02 – www.evanrestaurants.be – fermé première semaine de janvier, dimanche et lundi **9**JY**k**

Rest – Lunch 20 € – Menu 45/55 € – Carte env. 50 €

◆ Dans ce restaurant aux allures de bistrot chic, tapas et saveurs aux accents du Sud se dégustent au gré de vos envies et de votre appétit (portions au poids ou à l'unité). Joli bar en wengé faisant face aux cuisines.

◆ Lekker mediterraan eten, bij voorkeur aan de bar rond het hightechfornuis. Ultraflexibele keuze: miniporties als voorgerecht en hoofdgerechten met prijs naar gewicht.

Viva M'Boma

r. Flandre 17 ✉ 1000 – ✆ 02 512 15 93 – fermé lundi soir, mardi soir, mercredi et dimanche **5**ER**b**

Rest – Carte 26/34 €

◆ Cette élégante néocantine aux tables serrées et murs carrelés façon métro parisien attire les amateurs d'abats et de mets bruxellois oubliés (pis de vache, choesels, os à moelle, joue de bœuf). Un trip au pays de la tripe !

◆ Dit eethuisje met tafeltjes dicht bij elkaar en muren met slagerijtegels trekt liefhebbers van orgaanvlees, zoals pens, uier, merg, choesels en andere vergeten Brusselse specialiteiten.

X **Little Asia**

r. Ste-Catherine 8 ✉ 1000 – ☎ 02 502 88 36 – www.littleasia.be – fermé 2 dernières semaines de juillet, mercredi, dimanche et jours fériés **9**JY**b**

Rest – *(ouvert jusqu'à 23 h)* Lunch 25 € – Menu 45/70 € – Carte 38/80 €

◆ Table vietnamienne estimée pour ses spécialités typiques et bien maîtrisées, son cadre moderne sobre et son service féminin souriant, supervisé par la charmante patronne.

◆ Dit Vietnamese restaurant valt in de smaak vanwege het sobere moderne interieur, de authentieke keuken, de vriendelijke vrouwelijke bediening en de charmante eigenaresse.

X **Strofilia**

r. Marché-aux-Porcs 11 ✉ 1000 – ☎ 02 512 32 93 – www.strofilia.be – fermé 10 juillet-15 août, samedi midi et dimanche **5**ER**c**

Rest – *(ouvert jusqu'à 23 h 30)* Lunch 13 € – Menu 28/45 € bc – Carte 27/38 €

◆ Près du quartier branché du Dansaert, cette ouzerie vous accueille dans de grandes salles d'esprit loft ou cave voûtée. Mezzes et recettes hellènes, vins du pays. Une bien jolie presse à raisin ("strofilia" en grec).

◆ Gezellig adresje waarvan de Griekse naam verwijst naar een druivenpers, nabij de hippe Dansaertwijk. Grote zalen in loftstijl met Byzantijnse accenten. Griekse recepten en wijnen.

X **L'Achepot**

pl. Ste-Catherine 1 ✉ 1000 – ☎ 02 511 62 21 – fermé 1 semaine Paques, dernière quinzaine de juillet, dimanche et lundi **9**JY**k**

Rest – Lunch 16 € – Carte 34/61 €

◆ Néobistrot élégant et convivial, où l'on peut profiter de l'animation de la place Ste-Catherine. Plats aux accents régionaux et méridionaux proposés à l'ardoise.

◆ Gezellige oude bistro met eetzalen boven en beneden, in een sfeervolle, levendige wijk. Op de blackboards staan plaatselijke en mediterrane gerechten staan genoteerd.

X **Royal**

r. Flandre 103 ✉ 1000 – ☎ 02 217 85 00 – www.royalbrasseriebrussels.be

Rest – Lunch 25 € – Menu 35/50 € – Carte 28/53 € **5**ER**w**

◆ Une adresse éminemment mondaine, idéale pour une soirée en ville. Le service se révèle aussi branché – mené en tee-shirt de matelot – que diligent, à la satisfaction de la clientèle nombreuse venue (re)découvrir les beaux standards de la cuisine de brasserie.

◆ De Royal is de place to see and be seen in het culinaire hart van Brussel. De bediening, trendy gekleed in matroos-T-shirt, is er altijd druk in de weer om de gasten de smakelijke brasseriegerechten te brengen waar ze voor gekomen zijn.

Quartier des Sablons

NH du Grand Sablon rest, rest,

r. Bodenbroek 2 ✉ 1000 – ☎ 02 518 11 00 – www.nh-hotels.com **9**KZ**p**

195 ch – †89/180 € ††89/210 €, ☕ 25 € – 1 suite

Rest – *(fermé dimanche et jours fériés)* Lunch 17 € – Menu 42 € – Carte env. 40 €

◆ Hôtel bien situé dans le quartier des antiquaires et galéristes, près des prestigieux musées royaux. Hall où brille le marbre, chambres tout confort, facilités pour se réunir. Restaurant proposant de la cuisine italienne.

◆ Gunstig gelegen hotel in de wijk van antiquairs en galeries, bij de prestigieuze Koninklijke Musea. Hal van glanzend marmer, comfortabele kamers en vergaderfaciliteiten. Restaurant met Italiaanse keuken.

XX **L'Écailler du Palais Royal**

r. Bodenbroek 18 ✉ 1000 – ☎ 02 512 87 51 – www.lecaillerdupalaisroyal.be – fermé août, fin décembre, jours fériés et dimanche **9**KZ**r**

Rest – Carte 62/149 €

◆ Écailler feutré et cossu où se croisent depuis 40 ans diplomates et patrons d'entreprises. Confort banquette ou comptoir en bas. Tables rondes à l'étage. Belle cuisine de la mer.

◆ Luxe restaurant annex oesterbar, waar diplomaten en captains of industry elkaar al meer dan 40 jaar treffen. Kies tussen intiem en knus of aan de toog beneden en ronde tafels boven. Klassieke visgerechten.

Lola

pl. du Grand Sablon 33 ✉ 1000 – ✆ 0 2 514 24 60 – www.restolola.be – fermé première quinzaine d'août **9**JZ**x**

Rest – *(ouvert jusqu'à 23 h 30)* Carte 33/74 €

◆ Brasserie conviviale, au décor contemporain. La carte fait la part belle aux saveurs italiennes et aux produits frais. Agréable comptoir, idéal pour manger sur le pouce.

◆ Gezellige brasserie met hedendaags interieur. Keuken met Italiaanse invloeden en verse producten. Behalve aan de tafels met stoelen of banken kunt u ook aan de bar eten.

Les Brigittines Aux Marches de la Chapelle

pl. de la Chapelle 5 ✉ 1000 – ✆ 0 2 512 68 91 – www.lesbrigittines.com – fermé 21 juillet-15 août, samedi midi et dimanche

Rest – Lunch 20 € – Menu 38 € – Carte 37/67 € **9**JZ**e**

◆ Face au parvis de l'église de la Chapelle, restaurant dont le chaleureux décor façon brasserie Art nouveau vous transporte à la Belle Époque. Cuisine traditionnelle généreuse.

◆ In de sfeervolle art-nouveaustijl van deze brasserie bij de Église de la Chapelle waant u zich in de belle époque. Royale traditionele keuken.

Orphyse Chaussette

r. Charles Hanssens 5 ✉ 1000 – ✆ 0 2 502 75 81 – fermé 24 décembre-3 janvier, 17 au 25 avril, 17 juillet-16 août, dimanche, lundi et jours fériés **9**JZ**d**

Rest – Lunch 19 € bc – Menu 42/49 € – Carte 38/60 €

◆ Bibliothèque en trompe-l'œil, lustre en cristal et vieux carrelage : ce restaurant du quartier du Sablon est petit, mais charmant ! Goûteuse cuisine du Sud de la France.

◆ Trompe l'oeil, sierluchter en oude vloertegeltjes: deze bistro in de antiquairswijk rond de Zavel is klein, maar gezellig! Smaakvolle, Zuid-Franse kookstijl, no-nonsense sfeer.

Les Petits Oignons

r. Régence 25 ✉ 1000 – ✆ 0 2 511 76 15 – www.lespetitsoignons.be – fermé dimanche soir **9**JKZ**z**

Rest – Menu 35/52 € – Carte 45/54 €

◆ Un décor nostalgique, une cuisine qui marie générosité et savoir-faire… Cette brasserie séduit et d'ailleurs, tout le quartier s'y bouscule, heureux d'être soigné... aux petits oignons !

◆ Een eerlijke brasserie, waar gul en kundig wordt gekookt, die niet alleen met zijn gerechten maar ook met zijn innemende nostalgische decor verleidt: Les Petits Oignons is een echte aanwinst voor het restaurantaanbod van deze buurt.

Quartier Palais de Justice

The Hotel

bd de Waterloo 38 ✉ 1000 – ✆ 0 2 504 11 11 – www.thehotel.be **5**FS**s**

433 ch – †90/400 € ††90/400 €, ☐ 33 €

Rest – *(ouvert jusqu'à 23 h)* Menu 29/62 € – Carte 40/59 €

◆ Profitez de la vue imprenable sur Bruxelles et, dans ce quartier préservé, laissez-vous séduire par les charmes cachés de la métropole… L'établissement est aussi idéal si l'on souhaite explorer les boutiques de l'avenue Louise. Avis aux accrocs du shopping !

◆ Kijk uit over de eigenzinnige skyline van Brussel, en laat u verleiden door de verborgen charme van deze metropool. Shopaholics vinden in dit hotel ook een comfortabele uitvalsbasis om in de boetieks van de Louizalaan te gaan shoppen.

JB

r. Grand Cerf 24 ✉ 1000 – ✆ 0 2 512 04 84 – www.restaurantjb.be – fermé août, jours fériés, samedi midi et dimanche **5**FS**z**

Rest – Menu 27/36 € – Carte 54/70 €

◆ Une affaire de famille depuis 1979. Le patron, saucier émérite, a d'autres cordes culinaires à son arc : il élabore des mets raffinés à prix étudié. En salle, sièges en Lloyd Loom, lustre italien et murs jaunes patinés.

◆ Familiebedrijf sinds 1979. De gastheer, een sauzenspecialist, heeft veel meer pijlen op zijn boog, zoals scherp geprijsde maar tongstrelende gerechten. Lloyd Loom-stoelen in de eetzaal, Italiaanse kroonluchter en gele muren met patinalaag.

XX **Les Larmes du Tigre**

r. Wynants 21 ✉ 1000 – ✆ 02 512 18 77 – www.leslarmesdutigre.be – fermé samedi midi **5**ES**p**

Rest – Lunch 13 € bc – Menu 25 € bc/38 € – Carte 34/44 €

♦ Un vrai voyage gustatif ! Depuis plus de vingt-cinq ans, on sert ici une authentique cuisine thaïlandaise, et le rapport prix-plaisir est excellent. Buffet midi et soir le dimanche.

♦ Sawadee krup! Intussen al meer dan een kwart eeuw kunt u hier terecht voor een authentieke keuken die met zijn sterke prijs-plezierverhouding een (Thaise) glimlach op uw gezicht tovert. Buffet op zondagmiddag en -avond.

X **L'Idiot du village**

r. Notre Seigneur 19 ✉ 1000 – ✆ 02 502 55 82 – fermé 23 décembre-3 janvier, 20 juillet-16 août, samedi et dimanche **9**JZ**a**

Rest – *(ouvert jusqu'à 23 h)* Carte 38/69 €

♦ Un resto de quartier qu'il serait "idiot" de bouder ! Accueil amical, déco gentiment kitsch, clientèle d'habitués, cuisine bistrot à la sauce du jour, avec des produits frais.

♦ Vriendelijk onthaal, leuke kitscherige inrichting, intieme sfeer en eigentijdse bistrokeuken. Kortom, het zou "idioot" zijn om hier niet te gaan eten!

X **Enjoy**

bd de Waterloo 22 ✉ 1000 – ✆ 02 641 57 90 – www.enjoybrussels.be – fermé dimanche et jours fériés **9**KZ**c**

Rest – Carte 34/64 €

♦ Pour ceux qui n'arrivent pas à choisir entre un lunch ou une BMW. Brasserie contemporaine installée dans le showroom du célèbre constructeur automobile.

♦ Voor wie zich meteen na de lunch een BMW wil kunnen aanschaffen. Moderne brasserie in de showroom van het vermaarde automerk. Clientèle van zakenlui en shoplustigen.

Quartier Léopold (voir aussi Ixelles)

Stanhope

r. Commerce 9 ✉ 1000 – ✆ 02 506 91 11 – www.stanhope.be **9**KZ**v**

125 ch – †85/350 € ††119/545 €, ☕ 25 € – 9 suites

Rest *Brighton* – voir la sélection des restaurants

♦ Revivez les fastes de l'époque victorienne dans cet hôtel particulier "very British", mettant diverses catégories de chambres à votre disposition. Superbes suites et duplex.

♦ Ervaar de luister van de Victoriaanse tijd in dit patriciërshuis dat "very British" is. Kamers in verschillende categorieën, waaronder prachtige suites en split-level.

XXX **Brighton** – Hôtel Stanhope

r. Commerce 9 ✉ 1000 – ✆ 02 506 90 35 – www.stanhope.be – fermé samedi et dimanche **9**KZ**v**

Rest – Menu 42/49 € – Carte 57/69 €

♦ Une fresque chinoise au mur, un magnolia centenaire sur la terrasse et une cuisine française savoureuse ... Les habitués de ce restaurant cossu, non loin du quartier européen, ne boudent pas leur plaisir ; le menu du jour est très apprécié.

♦ Chinese fresco's aan de muur, een 100 jaar oude magnolia op het terras en Franse smaken op het menu: deze sterke formule lokt vooral rond lunchtijd heel wat volk van het nabijgelegen Europese kwartier.

Quartier Louise (voir aussi Ixelles et Saint-Gilles)

Conrad

av. Louise 71 ✉ 1050 – ✆ 02 542 42 42 – www.conradbrussels.com

253 ch – †169/489 € ††169/489 €, ☕ 38 € – 14 suites **5**FS**f**

Rest *Café Wiltcher's* – voir la sélection des restaurants

♦ Palace moderne agrégé à un hôtel de maître (1918). Belles chambres dotées de meubles de styles ; bons équipements de loisirs et bien-être (spa). Grande capacité conférencière.

♦ Modern luxehotel in een herenhuis uit 1918. Grote kamers met stijlmeubelen. Grote conferentiecapaciteit en goede voorzieningen voor sport en ontspanning (spa).

Bristol Stephanie

rest,

av. Louise 91 ✉ *1050 –* ✆ *0 2 543 33 11 – www.thonhotels.com/bristolstephanie*
138 ch – ♦180/425 € ♦♦200/450 €, ☕ 25 € – 2 suites **5**FT**g**
Rest – *(fermé samedi midi et dimanche midi)* Lunch 19 € – Menu 38/45 € – Carte env. 42 €

◆ Établissement de luxe dont les chambres, agréables à vivre, se répartissent dans deux immeubles communicants. 49 d'entre elles ont été rénovées. Superbes suites norvégiennes. Brasserie moderne, dans l'esprit des grands hôtels.

◆ Luxehotel met gerieflijke kamers, verdeeld over twee panden die met elkaar in verbinding staan; 49 kamers zijn gerenoveerd. Prachtige Noorse suites. Moderne brasserie in een opgefrist interieur.

Le Châtelain

r. Châtelain 17 ✉ *1000 –* ✆ *0 2 646 00 55 – www.le-chatelain.net* **7**FU**t**
90 ch – ♦89/350 € ♦♦89/350 €, ☕ 25 € – 16 suites
Rest – *(fermé dimanche midi, vendredi soir et samedi)* Carte 36/44 €

◆ Hôtel cossu, proposant de vastes chambres et des suites bien équipées (Internet, télévision par satellite, climatisation). Salles de réunion, espace fitness. Au restaurant, gastronomie belge et française, influencée par la cuisine asiatique.

◆ Dit hotel bevat comfortabele kamers in eigentijdse stijl en voorzien van de allerlaatste snufjes. Weelderige receptiedesk, goed uitgeruste gymzaal en groot aantal suites. Het restaurant presenteert een continentale kaart met een paar Aziatische gerechten.

Warwick Barsey

av. Louise 381 ✉ *1050 –* ✆ *0 2 649 98 00 – www.warwickbarsey.com*
98 ch – ♦95/850 € ♦♦95/850 €, ☕ 29 € – 1 suite **7**FV**a**
Rest *Barsey* – voir la sélection des restaurants

◆ À proximité du bois de la Cambre, un magnifique hôtel de style Second Empire, avec des chambres spacieuses et luxueuses… Le chouchou des artistes et des cinéastes !

◆ Sfeervol hotel in second-empirestijl bij het Ter Kamerenbos. Fraaie gemeenschappelijke ruimten en weelderige kamers. Graag bezocht door artiesten en de filmwereld.

Agenda Louise sans rest

r. Florence 6 ✉ *1000 –* ✆ *0 2 539 00 31 – www.hotel-agenda.com* **5**FT**j**
37 ch ☕ – ♦70/145 € ♦♦80/160 €

◆ La taille des chambres, toutes bien à jour, et la gentillesse de l'accueil sont les principaux points forts de cet hôtel du quartier Louise. Buffet matinal. Petit jardin.

◆ De ruime kamers, allemaal goed bij de tijd, en het vriendelijke onthaal zijn de sterke punten van dit hotel in de Louisawijk. Ontbijtbuffet. Kleine tuin.

Thewhitehotel sans rest

av. Louise 212 ✉ *1050 –* ✆ *0 2 644 29 29 – www.thewhitehotel.be* **7**FU**b**
53 ch ☕ – ♦125/185 € ♦♦125/185 €

◆ Hôtel design dont le nom ne pourrait pas mieux annoncer la couleur, car ici, presque tout est blanc ! Personnel serviable, expo de créations belges, grandes chambres immaculées.

◆ Designhotel met een goed gekozen naam, want bijna alles is wit! Attent personeel, expo van Belgische schilderijen en ruime, smetteloze kamers.

Via Lamanna

av. Louise 233 ✉ *1050 –* ✆ *0 2 626 16 00 – www.vialamanna.com – fermé 21 juillet-15 août, samedi midi et dimanche* **7**FU**e**
Rest – Lunch 35 € – Menu 45/140 € bc – Carte 56/98 €
Rest *La Piazza* – voir la sélection des restaurants

◆ Sur l'avenue Louise, ce restaurant italien cultive l'esprit chic de la Botte : le cadre est luxueux, la carte savoureuse et le service très professionnel. Et pour cultiver encore davantage cet esprit très "dolce vita", on peut profiter du bar à vins et du lounge bar (cocktails).

◆ De Louizalaan heeft er met deze Italiaanse totaalformule een interessante horecazaak bij. De kaart staat vol mooie recepten, die u professioneel geserveerd worden in een luxueuze setting. Wijnbar voor de apéro, loungebar voor een cocktail.

XXX **Café Wiltcher's** – Hôtel Conrad

av. Louise 71 ✉ 1050 – ☎ 0 2 542 48 50 – www.conradbrussels.com

Rest – Lunch 20 € – Carte 51/84 € **5**FS**f**

◆ Pour vous détendre après une séance shopping dans ce quartier très chic de la capitale, optez pour le buffet du Café Wiltchert's. Brunch le dimanche.

◆ Wie geen zin heeft in shoppen maar toch de sfeer wil opsnuiven van deze chique buurt kan aanschuiven aan het buffet van Café Wiltcher's. Brunch op zondag.

XX **La Porte des Indes**

av. Louise 455 ✉ 1050 – ☎ 0 2 647 86 51 – www.laportedesindes.com – fermé 1er janvier, 25 décembre et dimanche midi **7**FV**c**

Rest – Lunch 12 € – Menu 43/58 € – Carte 33/69 €

◆ Envie de dépaysement ? Franchissez la Porte des Indes, vous y découvrirez les grands classiques de la cuisine indienne et thaï dans un décor chamarré.

◆ Wie door de Poort van India naar binnen gaat, betreedt een wereld die met zijn exotische smaken, geuren en kleuren alle zintuigen prikkelt. Romantisch decor met Indische kunst.

XX **Barsey** – Hôtel Warwick Barsey

av. Louise 381 ✉ 1050 – ☎ 0 2 649 98 00 – www.warwickbarsey.com – fermé samedi midi et dimanche **7**FV**a**

Rest – Lunch 19 € – Menu 45 € – Carte 32/57 €

◆ Décor néoclassique ; atmosphère glamour et boudoir… Un restaurant "lounge" signé Jacques Garcia. Carte classique et menus attractifs.

◆ Loungerestaurant met een chic neoklassiek interieur van Jacques Garcia, u waant er zich in de glamour van een boudoir. Klassieke kaart. Interessante formules.

X **Notos**

r. Livourne 154 ✉ 1000 – ☎ 0 2 513 29 59 – www.notos.be – fermé dernière semaine de juillet-2 premières semaines d'août, 1 semaine fin décembre, lundi midi et dimanche **7**FU**t**

Rest – Lunch 19 € – Menu 35/80 € – Carte 46/64 €

◆ Restaurant grec "nouvelle génération" mettant à profit un garage. Cadre contemporain épuré, authentiques saveurs hellènes revues de façon moderne, bons vins du pays d'Épicure.

◆ Trendy Grieks restaurant in een oude garage. Sober modern interieur, authentieke Helleense smaken in een eigentijds sausje en goede wijnen uit het land van Epicurus.

X **L'Atelier de la Truffe Noire**

av. Louise 300 ✉ 1050 – ☎ 0 2 640 54 55 – www.atelier.truffenoire.com – fermé première semaine de janvier, 21 juillet-15 août, lundi soir et dimanche **7**FU**s**

Rest – Lunch 22 € – Menu 35/95 € – Carte env. 98 €

◆ Tea-room, trattoria, bistrot... Ce lieu chic est un peu tout ça ! Cartes italo-intercontinentales pour un lunch rapide, un dîner complet, une pause sucrée, une envie de truffe...

◆ Deze moderne bistro heeft een snelle gastronomische formule waarin de truffel centraal staat. Italiaans getinte kaart. Klein terras op het trottoir.

X **La Piazza** – Rest Lamanna

av. Louise 235 ✉ 1050 – ☎ 0 2 626 16 00 – www.vialamanna.com – fermé dimanche soir **7**FU**e**

Rest – *(ouvert jusqu'à 23 h)* Lunch 22 € – Menu 40/70 € bc – Carte 41/53 €

◆ La Piazza… ou "la place" en italien. À toute heure du jour, jusqu'au brunch du dimanche, cette trattoria est un véritable lieu de vie, très "trendy" dans l'esprit.

◆ In La Piazza, de trattoria-formule binnen Italiaans concept, bent u de hele dag welkom: ontbijt, lunch, diner en op zondag zelfs brunch. Trendy inrichting.

Quartier Bois de la Cambre

XXXX Villa Lorraine

av. du Vivier d'Oie 75 ✉ 1000 – ☎ 0 2 374 31 63 – www.villalorraine.be – fermé 3 dernières semaines de juillet et dimanche **8**GX**w**

Rest – Lunch 48 € – Menu 90/160 € bc – Carte 84/190 €

Rest ***Le Diptyque*** – voir la sélection des restaurants

◆ Élégant restaurant ouvert en 1953, à l'orée du bois de la Cambre. Cuisine classique servie dans un cadre clair et contemporain. Superbe carte des vins. Ravissante terrasse sous un marronnier.

◆ Mooi restaurant dat al sinds 1953 bestaat, aan de rand van het Ter Kamerenbos. Zeer geslaagde klassieke inrichting, mooi terras met kastanjeboom en geweldige wijnkaart.

XXX La Truffe Noire

bd de la Cambre 12 ✉ 1000 – ☎ 0 2 640 44 22 – www.truffenoire.com – fermé 1 semaine à Pâques, 2 premières semaines d'août, Noël-nouvel an, samedi midi et dimanche **8**GV**x**

Rest – Lunch 50 € – Menu 87 € bc/225 € – Carte 73/209 €

Spéc. Carpaccio aux truffes façon Luigi préparé en salle. Ravioli aux truffes et trois céleris. Filet de Saint-pierre farci aux truffes et leurs nectar mousseux.

◆ Table où le fameux tubercule Tuber melanosporum – le "diamant de la cuisine" – entre rituellement en scène dans un décor élégant. Splendide choix de vins... à des tarifs qui donnent parfois le vertige ! Terrasse-patio. Patron charismatique.

◆ Centraal op de kaart van dit smaakvolle restaurant staat de beroemde Tuber melanosporum of zwarte truffel. Schitterende wijnkaart, die ook qua prijs duizelingwekkend is! Patioterras. Eigenaar met charisma.

XX Le Diptyque – Rest Villa Lorraine

av. du Vivier d'Oie 75 ✉ 1000 – ☎ 0 2 374 31 63 – www.villalorraine.be – fermé 3 dernières semaines de juillet et dimanche **8**GX**w**

Rest – *(ouvert jusqu'à 23 h)* Menu 35 € – Carte 26/65 €

◆ La petite sœur de la Villa Lorraine... pour s'imprégner de l'ambiance de cette prestigieuse maison, à prix plus abordable. Au menu : plats classiques de brasserie et petite restauration raffinée.

◆ Wie geïntrigeerd is door de uitstraling van het moederbedrijf, de Villa Lorraine, kan hier aan een toegankelijke prijs de sfeer van (een stukje van) het pand opsnuiven. Op het menu: bistroklassiekers en fancy snacks.

X Chalet Robinson

Sentier de l'Embarcadère 1 (par bac) ✉ 1000 – ☎ 0 2 372 92 92 – www.chaletrobinson.be **8**GX**y**

Rest – *(ouvert jusqu'à 23 h)* Lunch 12 € – Menu 27/44 € – Carte 27/55 €

◆ Ce grand chalet sur une petite île du bois de la Cambre est un lieu unique, empreint de nostalgie. Intérieur design et cuisine classique à prix accessible. Location de barques ; événementiel.

◆ Deze grote chalet op een eilandje in het Ter Kamerenbos vormt een groen kader om een eenvoudige kwaliteitskeuken te proeven voor een democratische prijs. Ook geschikt voor feesten.

Quartier de l'Europe

Silken Berlaymont

bd Charlemagne 11 ✉ 1000 – ☎ 0 2 231 09 09 – www.hotelsilkenberlaymont.com **6**GR**c**

212 ch – †79/325 € ††79/325 €, ☐ 27 € – 2 suites

Rest ***L'Objectif*** – voir la sélection des restaurants

◆ Hôtel dont les chambres, plus calmes sur l'arrière, sont fonctionnelles et confortables. Côté décoration, la photographie contemporaine est à l'honneur.

◆ Hotel met frisse, eigentijdse, keurige kamers, verdeeld over twee moderne gebouwen die met elkaar zijn verbonden. Inrichting met als thema de hedendaagse fotografie.

Martin's Central Park

bd Charlemagne 80 ✉ 1000 – ☎ 0 2 230 85 55 – www.martinshotels.com **6GRa**

97 ch – 130/275 € 150/295 €, 25 € – 3 suites

Rest ***Icones*** – voir la sélection des restaurants

♦ Trois formats de chambres et bons équipements pour réunions et affaires dans cet hôtel moderne proche du Berlaymont. Communs design ornés de clichés de stars hollywoodiennes.

♦ Dit moderne hotel bij het Berlaymont biedt kamers in drie maten en goede voorzieningen voor vergaderingen en zaken. Designlounge met foto's van Hollywoodsterren.

Holiday Inn Schuman sans rest

r. Breydel 20 ✉ 1040 – ☎ 0 2 280 40 00 – www.holiday-inn.com/brusselschuman **6GSb**

59 ch – 450/480 € 480/510 €, 22 €

♦ Situation imparable au cœur du quartier européen, pour des prestations bien appréciées des parlementaires, fonctionnaires et hommes d'affaires.

♦ Schuman, de "vader van Europa", zou graag in dit hotel gelogeerd hebben; de kamers voldoen immers perfect aan de verwachtingen van Eurofunctionarissen.

BRUXELLES

New Hotel Charlemagne sans rest

bd Charlemagne 25 ✉ 1000 – ☎ 0 2 230 21 35 – www.new-hotel.com

68 ch – 75/425 € 75/425 €, 22 € **6GRk**

♦ Situé entre le square Ambiorix et le complexe Berlaymont, cet hôtel commode est très prisé des parlementaires et fonctionnaires européens. Réservez de préférence une chambre rénovée.

♦ Praktisch hotel tussen het Ambiorixsquare en het Berlaymont-complex, dat het vooral moet hebben van de EU-clientèle. Reserveer bij voorkeur een gerenoveerde kamer.

L'Objectif – Hôtel Silken Berlaymont

bd Charlemagne 11 ✉ 1000 – ☎ 0 2 231 09 09 – www.hotelsilkenberlaymont.com – fermé samedi midi et dimanche midi

Rest – Lunch 19 € – Menu 25/39 € – Carte 37/53 € **6GRc**

♦ La photographie est la reine de cet Objectif... mais juste après la cuisine, créative et variée ! Assiettes décorées avec des clichés originaux et servies dans une salle ronde en verre qui vaut la photo à elle seule.

♦ Het thema van het hotel wordt hier doorgetrokken: de borden hebben een originele print en de glazen, ronde eetzaal is op zich een foto waard. Gevarieerde kaart.

Take Sushi

bd Charlemagne 21 ✉ 1000 – ☎ 0 2 230 56 27 – fermé samedi et dimanche

Rest – Lunch 18 € – Menu 27/49 € bc – Carte 39/57 € **6GRz**

♦ Table nippone née en 1985 au centre du quartier européen. Sushi bar, cour-terrasse, typiques formules "bento" (boîtes-repas). Adresse souvent prise d'assaut à midi en semaine.

♦ Een stukje Japan in het hart van Europa (sinds 1985). Sushibar en bento-formules (bakjes met verschillende gerechten op 1 schaal). Door de week vaak 's middags stampvol.

Foro Romano

r. Joseph II 19 ✉ 1000 – ☎ 0 2 280 15 14 – www.fororomano.be – fermé samedi midi et dimanche **5FRd**

Rest – *(déjeuner seulement sauf jeudi, vendredi et samedi)* Carte 35/47 €

♦ Cette œnothèque, très animée le midi, propose une cuisine généreuse, aux accents italiens, bien adaptée à sa clientèle internationale. On peut se restaurer en salle ou au comptoir.

♦ Dubbele formule met restaurant en toog in deze enotheek. Italiaanse keuken die goed is aangepast aan het internationaal publiek; copieuze gerechten van goede smaak. Druk bezet op lunchtijd.

Icones – Hôtel Martin's Central Park
bd Charlemagne 80 ✉ 1000 – ☏ 0 2 230 85 55 – www.martinshotels.com – fermé 20 juillet-20 août, samedi midi et dimanche midi **6**GR**a**
Rest – Lunch 19 € – Menu 25/38 € – Carte 39/56 €
◆ Restaurant branché où vous dînerez sous le regard des icônes du cinéma. La carte internationale attire une clientèle d'eurocrates.
◆ Een trendy zaak met een decor dat opgeluisterd wordt door iconen uit de filmindustrie. Met een internationale kaart pleziert men een cliënteel van eurocraten.

ANDERLECHT

Be Manos
Square de l'Aviation 23 ✉ 1070 – ☏ 0 2 520 65 65 – www.bemanos.com
59 ch – †215/445 € ††240/485 € – 1 suite **5**ES**a**
Rest *Be Lella* – voir la sélection des restaurants
◆ Ultra concept, ultra branché, ultra design : les superlatifs manquent pour décrire cet hôtel dans un quartier à la mode d'Anderlecht. Belles terrasses et spa.
◆ Designhotel in een trendy wijk van Anderlecht. De openbare ruimten en kamers zijn ultramodern ingericht door een designerscollectief. Spa en dakterrassen.

Saint Guidon
av. Théo Verbeeck 2 ✉ 1070 – ☏ 0 2 520 55 36 – www.saint-guidon.be – fermé 21 juin-21 juillet, Noël-nouvel an, samedi, dimanche et jours de match à domicile du club **1**AM**m**
Rest – *(déjeuner seulement)* Lunch 45 € bc – Menu 35/45 € – Carte 53/100 €
◆ Restaurant "smart" attenant aux tribunes du R.S.C. Anderlecht. Choix classique raffiné, brigade de salle structurée assurant un service dans les règles, belle fréquentation.
◆ Fancy restaurant bij de tribunes van R.S.C. Anderlecht. Verfijnde klassieke keuken, uitstekende bediening en een uitgelezen publiek.

Alain Cornelis
av. Paul Janson 82 ✉ 1070 – ☏ 0 2 523 20 83 – www.alaincornelis.be – fermé 1 semaine Pâques, 2 premières semaines d'août, Noël-nouvel an, mercredi soir, samedi midi, dimanche et jours fériés **1**AM**p**
Rest – Lunch 22 € – Menu 32/47 € – Carte 38/53 €
◆ Adresse d'esprit classico-bourgeois, tant par sa cuisine et son cadre que par son ambiance et son service. Terrasse côté jardin, près d'une pièce d'eau. Formule menu-carte.
◆ Bourgeois-klassiek adres, zowel qua keuken en interieur als qua ambiance en bediening. Terras aan de tuinzijde, bij een waterpartij. À la carte menu.

La Brouette
bd Prince de Liège 61 ✉ 1070 – ☏ 0 2 522 51 69 – www.labrouette.be – fermé 6 au 8 janvier, 17 au 22 février, 23 juillet-20 août, samedi midi, dimanche soir et lundi **1**AM**r**
Rest – Lunch 30 € – Menu 35/49 € – Carte 50/63 €
◆ Herman Dedapper n'hésite pas à sortir des sentiers battus : omniprésent en salle, il porta longtemps la toque de chef avant de la confier à son bras droit ; toujours patron, il œuvre aujourd'hui en tant que sommelier ! Ne ratez pas la formule "Brouette" qui permet de composer librement son menu.
◆ Herman Dedapper, de patron-sommelier van dit restaurant treedt graag buiten de gebaande paden. Na jaren heeft hij de scepter in de keuken overgedragen aan zijn rechterhand om zich persoonlijk met zijn gasten te kunnen onderhouden. Dankzij de aantrekkelijke formule "Brouette" kunnen de gasten zelf een menu samenstellen.

Be Lella – Hôtel Be Manos
Square de l'Aviation 23 ✉ 1070 – ☏ 0 2 520 65 65 – www.bemanos.com – fermé samedi midi et dimanche **5**ES**a**
Rest – *(ouvert jusqu'à 23 h)* Carte 47/71 €
◆ Sole meunière, filet d'autruche, croustillant de brie, brochettes de scampis... Une carte résolument éclectique et internationale, pour un restaurant trendy et design. Be... gourmand !
◆ Be Welcome!, Be Happy!: op de menukaart vindt u de frisse stempel van een hip restaurant. Gevarieerde kaart, van struisvogel met zoete aardappel tot sole meunière.

La Paix (David Martin)
r. Ropsy-Chaudron 49 (face abattoirs) ✉ 1070 – ✆ 0 2 523 09 58 – www.lapaix.eu – fermé juillet, Noël-nouvel an, samedi et dimanche
Rest – *(déjeuner seulement sauf vendredi)* Carte 56/80 € **1**BM**a**
Spéc. Le "Mille Oreilles" de cochon basque cuit au saké, tête pressée aux aromates. Sandwich de jambon de bœuf, beurre et fromage, moutarde confite. Le "Vitello Anguillo"; veau de Corrèze, crème d'anguille et poulpes.
◆ Dans cet ancien café de chevillards, le chef, un Français, explore et réinvente la gastronomie bistrotière dans une ambiance bien bruxelloise. Vue sur la cuisine où l'on cuit la viande dans un four à charbon de bois.
◆ Voormalig café van grossiers in slachtvlees, waar een Franse chef-kok de bistrokeuken nieuwe impulsen geeft in een typisch Brusselse ambiance. Open keuken met houtskooloven.

René
pl. de la Résistance 14 ✉ 1070 – ✆ 0 2 523 28 76 – fermé juillet, lundi et mardi
Rest – Carte 19/53 € **1**AM**a**
◆ Ancienne friterie populaire judicieusement transformée en restaurant pour le plus grand plaisir des bonnes fourchettes. Clientèle de quartier et de bureaux. Terrasse d'été.
◆ Deze oude frituur is omgetoverd tot een restaurantje voor smulpapen. Er komen veel buurtbewoners en zakenmensen. Terras in de zomer.

AUDERGHEM (OUDERGEM)

La Caudalie
r. Jacques Bassem 111 ✉ 1160 – ✆ 0 2 675 20 20 – www.resto-lacaudalie.be – fermé samedi midi et dimanche **4**CN**x**
Rest – Lunch 23 € – Menu 35/75 € – Carte 55/69 €
◆ Cuisine classique actualisée, harmonieux accords mets et vins, très bon rapport qualité-prix et menu de saison : tels sont les atouts de cette table. Cadre moderne et raffiné, jolie terrasse.
◆ Goed restaurant met harmonieuze wijn-spijscombinaties. Uitstekende prijskwaliteitsverhouding, seizoensmenu. Geactualiseerde klassieke keuken, moderne eetzaal en mooi beschut terras.

Le Villance
bd du Souverain 274 ✉ 1160 – ✆ 0 2 660 11 11 – www.villance.be
Rest – Lunch 16 € – Carte 26/57 € **4**CN**c**
◆ Les mordus de cuisine franco-belge dans la vigoureuse tradition "brasserie" aimeront Le Villance ! Cadre actuel et serein, terrasse urbaine, personnel dévoué, prix maîtrisés.
◆ Echt iets voor liefhebbers van de Frans-Belgische keuken met een sterke brasserietraditie! Eigentijds interieur, stadsterras, toegewijd personeel en redelijke prijzen.

Villa Singha
r. Trois Ponts 22 ✉ 1160 – ✆ 0 2 675 67 34 – www.singha.be – fermé juillet, samedi midi, jours fériés midis et dimanche **8**HV**x**
Rest – Lunch 10 € – Menu 19/29 € – Carte 22/32 €
◆ Ex-maison d'habitation abritant une petite table thaïlandaise à recommander tant pour l'authenticité de la cuisine que pour la gentillesse de l'accueil et du service.
◆ Dit woonhuis is verbouwd tot een Thais restaurantje, dat in de smaak valt door de authentieke keuken, maar ook door de vriendelijke ontvangst en bediening.

La Citronnelle
chaussée de Wavre 1377 ✉ 1160 – ✆ 0 2 672 98 43 – fermé août, samedi midi et lundi **4**CN**f**
Rest – Lunch 11 € – Menu 30 € – Carte 26/35 €
◆ Au bord d'un axe passant, vénérable restaurant vietnamien au décor intérieur sobre agrémenté de lithographies asiatiques. Terrasse arrière surélevée. Carte bien présentée.
◆ Vietnamees restaurant aan een drukke weg, met een sober interieur dat door Aziatische etsen wordt opgevrolijkt. Goed gepresenteerde kaart en terras aan de achterkant.

La Khaïma

chaussée de Wavre 1390 ✉ 1160 – ✆ 0 2 675 00 04 – www.lakhaima.be
Rest – *(ouvert jusqu'à 23 h)* Menu 16/45 € bc – Carte 24/36 € **4CNk**

♦ Les gourmets épris d'orientalisme apprécieront cette jolie tente berbère (khaïma) reconstituée. Tout y est : lanternes, tapis, poufs, tables basses et cuivres martelés.

♦ In dit Noord-Afrikaanse restaurant eet u in een echte Berbertent (khaïma), compleet met lantaarns, tapijten, poefs en koperen tafeltjes.

BERCHEM-SAINTE-AGATHE (SINT-AGATHA-BERCHEM)

La Brasserie de la Gare

chaussée de Gand 1430 ✉ 1082 – ✆ 0 2 469 10 09 – www.resto.com/brasseriedelagare – fermé samedi midi et dimanche
Rest – Lunch 13 € – Menu 34 € – Carte 28/50 € **1ALs**

♦ Brasserie conviviale et animée établie devant un passage à niveau. Peintures naïves sympathiques en salle ; cuisine traditionnelle généreuse. Réservation utile au déjeuner.

♦ Gezellige brasserie bij een spoorwegovergang. Grappige naïeve schilderijen in de eetzaal. Keuzemenu en traditionele gerechten. Reserveren voor de lunch aanbevolen.

Les Uns avec les Hôtes

chaussée de Gand 1121 ✉ 1082 – ✆ 0 2 465 16 16 – www.lesunsavecleshotes.be – fermé dimanche et lundi **1ALb**
Rest – Lunch 15 € – Menu 40 €

♦ De dehors, la maison ne paie pas de mine, au contraire des petits plats que mitonne le patron dans sa cuisine ouverte sur l'arrière-salle. Aucun maniérisme, mais de la spontanéité et de la simplicité, pour un résultat... goûtu !

♦ Vanbuiten is het huis niet bijzonder, maar de gerechtjes die de eigenaar bereidt in de open keuken in de achterste eetzaal zijn overheerlijk. Geen nonsens, maar eerlijk en spontaan, met een smakelijk resultaat!

Envie de partir à la dernière minute ?
Visitez les sites Internet des hôtels pour bénéficier de promotions tarifaires.

ETTERBEEK

Sofitel Brussels Europe

pl. Jourdan 1 ✉ 1040 – ✆ 0 2 235 51 00 – www.sofitel-brussels-europe.com
138 ch – †155/480 € ††155/480 €, ☕ 28 € – 11 suites **6GSw**
Rest – Lunch 28 € – Menu 38 € – Carte 39/61 €

♦ Palace moderne ouvrant sur une place animée, en plein centre institutionnel européen. Hall-atrium à verrières, espaces détente, chambres, junior suites et suites tout confort. Resto à l'ambiance smart mais décontractée et à la déco bien dans le coup.

♦ Modern luxehotel aan een druk plein, midden in de Europese wijk. Glazen atrium en ruimten om te relaxen. Comfortabele kamers, junior suites en suites. Chic restaurant met ontspannen sfeer en een eigentijds interieur.

Stirwen

chaussée St-Pierre 15 ✉ 1040 – ✆ 0 2 640 85 41 – www.stirwen.be – fermé août, 2 semaines en décembre, samedi et dimanche **6GSa**
Rest – *(déjeuner seulement sauf jeudi)* Lunch 35 € – Menu 45/75 € bc – Carte 60/70 €

♦ Table au cadre bien feutré, rehaussé de jolies boiseries façon Belle Époque. Recettes traditionnelles "oubliées" et spécialités des régions de France. Clientèle diplomatique.

♦ Sfeervol restaurant met mooie lambrisering in belle-époquestijl, waar veel diplomaten komen. Haast vergeten traditionele recepten en Franse streekgerechten.

Quartier Cinquantenaire (Montgomery)

Park sans rest

av. de l'Yser 21 ✉ 1040 – ✆ 0 2 735 74 00
– www.parkhotelbrussels.be **6HSc**

54 ch – 115/424 € 135/750 €

♦ Hôtel intime et douillet formé de deux maisons de notable (1903) tournées vers le parc du Cinquantenaire. Salle de breakfast classique donnant sur un beau jardin de ville.

♦ Sfeervol en knus hotel in twee herenhuizen (1903) tegenover het Jubelpark. De klassieke ontbijtzaal kijkt uit op een mooie stadstuin.

XX **Le buone maniere**

av. de Tervuren 59 ✉ 1040 – ✆ 0 2 762 61 05
– www.buonemaniere.be
– fermé 10 au 20 août, samedi midi et dimanche **6HSb**

Rest – Lunch 40 € – Menu 55/80 €

♦ Maison de maître bordée par un axe passant. Cuisine italo-méditerranéenne aux saveurs authentiques, à apprécier dans un cadre actuel ou sur la terrasse avant close de grilles.

♦ Herenhuis met een eigentijds interieur aan een drukke verkeersader. Italiaans-mediterrane keuken met authentieke smaken. Terras aan de voorkant, met hekwerk eromheen.

XX **Park Side**

av. de la Joyeuse Entrée 24 ✉ 1040
– ✆ 0 2 238 08 08 – www.restoparkside.be
– fermé samedi midi **6GSf**

Rest – Lunch 25 € – Carte 33/55 €

♦ Les anglophones comprendront tout de suite l'enseigne : l'établissement borde le parc du Cinquantenaire. Une belle situation pour un décor qui séduit tout autant : chic, moderne et très design – le lustre principal attire notamment les regards ! À la carte, des spécialités de brasserie "new style".

♦ Met zijn knappe interieur, inclusief een impressionante moderne luchter als blikvanger, haalt Park Side de grandeur van het imposante Jubelpark naar binnen, zij het in een modern jasje: brasseriekeuken "new style", het be-Jubel-en waard.

X **Le Jaspe**

bd Louis Schmidt 30 ✉ 1040 – ✆ 0 2 734 22 30 – fermé 15 juillet-15 août et lundi **8HUb**

Rest – Lunch 11 € – Menu 15/28 € – Carte 22/42 €

♦ Le Jaspe est une affaire familiale : monsieur est aux fourneaux et madame en salle. On y savoure une généreuse cuisine chinoise (du Sichuan), à prix doux. Sobre décor exotique.

♦ Goede en gulle Chinese keuken (Sechuan) voor zeer redelijke prijzen. Kleine zaal met exotische decoratie. Patron aan het fornuis terwijl zijn vrouw de bediening verzorgt.

X **Le Monde est Petit**

r. Bataves 65 ✉ 1040 – ✆ 0 2 732 44 34
– www.lemondeestpetit.be – fermé 1 semaine Pâques, dernière semaine de juillet-première semaine d'août, samedi midi et dimanche **6HSa**

Rest – Lunch 18 € – Carte 40/55 €

♦ Sur ce Monde-là règne une ambiance très sympathique, où se retrouve une belle clientèle d'habitués. Le chef a fait le choix d'un menu assez court pour mieux se concentrer sur le registre contemporain, teinté d'influences internationales.

♦ De sympathieke uitstraling van dit restaurant heeft het al een mooi clienteel opgeleverd. Het menu is niet erg uitgebreid, zodat de chef zich volledig kan focussen op het hedendaagse, internationaal getinte repertoire dat hij aanbiedt.

EVERE

Courtyard by Marriott

av. des Olympiades 6 ✉ 1140 – ✆ 0 2 337 08 08 – www.courtyardbrussels.com
188 ch – 🚹89/289 € 🚹🚹89/289 €, ☕ 22 € – 3 suites **2**CL**x**
Rest – *(fermé dimanche midi, vendredi soir et samedi)* Lunch 24 € bc – Carte 29/55 €

◆ Hôtel de chaîne inauguré en 2004 à mi-chemin de l'aéroport et du centre. Communs lumineux et modernes, salon agréable, bon outil conférencier et chambres classiques-actuelles. Repas traditionnel dans une ambiance de brasserie.

◆ Dit ketenhotel uit 2004 ligt halverwege tussen de luchthaven en het centrum. Lichte, moderne gemeenschappelijke gedeelten, aangename lounge, goede congresvoorzieningen en klassiek-moderne kamers. Traditionele gerechten in een café-sfeer.

Gresham Belson sans rest

chaussée de Louvain 805 ✉ 1140 – ✆ 0 2 708 31 00 – www.greshambelsonhotel.com **2**CL**z**
136 ch – 🚹75/350 € 🚹🚹75/350 €, ☕ 23 €

◆ Vous aurez aussi aisément accès au centre-ville qu'à l'aéroport (navette gratuite) depuis cet hôtel affilié à une chaîne irlandaise. Chambres au cachet décoratif anglo-saxon.

◆ Vanuit dit hotel van een Ierse keten is zowel het centrum als de luchthaven (gratis pendeldienst) heel gemakkelijk te bereiken. De kamers hebben een Brits decor.

Mercure

av. Jules Bordet 74 ✉ 1140 – ✆ 0 2 726 73 35 – www.mercure.com
113 ch – 🚹85/225 € 🚹🚹85/225 €, ☕ 20 € – 7 suites **2**CL**a**
Rest – *(fermé dimanche midi, vendredi soir et samedi) (déjeuner seulement du 15 juillet au 21 août)* Lunch 24 € – Carte 39/50 €

◆ À deux pas de l'OTAN et 5 mn de l'aéroport, hôtel de chaîne dont toutes les chambres, sobres et résolument contemporaines, ont été décorées sur le thème du chocolat. Lounge-restaurant chaleureux et cosy, où le vin occupe une place de choix.

◆ Dit ketenhotel ligt vlak bij de NAVO en op 5 minuten rijden van de luchthaven. De sobere, hypermoderne kamers hebben allemaal chocolade als thema. In het gezellige lounge-restaurant speelt wijn een belangrijke rol.

FOREST (VORST)

De Fierlant sans rest

r. De Fierlant 67 ✉ 1190 – ✆ 0 2 538 60 70 – www.hoteldefierlant.be
40 ch ☕ – 🚹55/99 € 🚹🚹55/109 € **3**BN**d**

◆ Bonnes nuits à prix justes entre la gare du Midi (TGV) et la salle de concerts Forest-National. Chambres bien tenues, espace breakfast moderne (buffet), salon et bar.

◆ Goede nachtrust voor een zacht prijsje tussen Brussel-Zuid (TGV) en de concertzaal Vorst-Nationaal. Verzorgde kamers, moderne ontbijtruimte (buffet), lounge en bar.

GANSHOREN

Bruneau (Jean-Pierre Bruneau) soir

av. Broustin 75 ✉ 1083 – ✆ 0 2 421 70 70 – www.bruneau.be – fermé 3 au 12 janvier, mi-juin-mi-juillet, jeudis fériés, mardi et mercredi **10**W**a**
Rest – Lunch 35 € – Menu 55/85 € – Carte 64/196 €
Spéc. Carpaccio de langoustines. Viennoise de turbot sauvage. Ris de veau au lard fumé.

◆ Une table de renom, qui atteint l'équilibre parfait entre classicisme et créativité, tout en valorisant les produits régionaux. Cave prestigieuse. L'été, on mange en terrasse.

◆ Gerenommeerd restaurant met een volmaakt evenwicht tussen classicisme en creativiteit, met het accent op regionale producten. Prestigieuze wijnkelder. Terras in de zomer.

XXX ✿ **San Daniele** (Franco Spinelli)

av. Charles-Quint 6 ✉ 1083 – ✆ 0 2 426 79 23 – www.san-daniele.be – fermé mi-juillet-mi-août, jours fériés, dimanche et lundi **10**W**c**

Rest – Menu 80 € – Carte 51/92 €

Spéc. Vitello tonnato façon "Gualtiero Marchesi". Bar de ligne grillé au thym. Ris de veau et chou vert truffé.

♦ Accueil et service aux petits soins, salle bien comme il faut, belle cuisine fleurant bon l'Italie, affriolante cave transalpine : la famille Spinelli met tout en œuvre pour vous faire passer un délicieux moment de table.

♦ Attente bediening, prettige eetzaal, lekkere Italiaanse keuken en dito wijnen: de familie Spinelli stelt alles in het werk om een heerlijke maaltijd op tafel te zetten!

XX **Cambrils**

av. Charles-Quint 365 ✉ 1083 – ✆ 0 2 465 50 70 – fermé 12 juillet-2 août, dimanche et lundi **1**AL**f**

Rest – Menu 31 € bc/68 € bc – Carte 39/59 €

♦ Table classique bordant un axe passant aisément accessible depuis le ring. Bar au rez-de-chaussée, cuisines ouvertes sur la salle à l'étage et terrasse-pergola à l'arrière.

♦ Restaurant aan een doorgaande weg die vanaf de Ring gemakkelijk bereikbaar is. Bar beneden, eetzaal met open keuken boven en terras met pergola achter. Klassiek register.

IXELLES (ELSENE)

X **Saint Boniface**

r. St-Boniface 9 ✉ 1050 – ✆ 0 2 511 53 66 – www.saintboniface.be – fermé samedi, dimanche et jours fériés **5**FS**g**

Rest – Carte 35/47 €

♦ Carte se référant au Pays Basque et à diverses régions de France (surtout Sud-Ouest), spécialités de tripes, décor d'affiches et de vieilles boîtes en métal, jardin à l'arrière.

♦ Kaart geïnspireerd op het Baskenland en streken van Frankrijk (vooral het zuidwesten), met pens als specialiteit. Verzameling affiches en oude blikken. Tuin aan de achterzijde.

X **Chez Oki**

r. Lesbroussart 62 ✉ 1050 – ✆ 0 26 44 45 76 – www.chez-oki.com – fermé 20 juillet-10 août, lundi midi, samedi midi et dimanche **7**FU**m**

Rest – *(prévenir)* Menu 30/50 € – Carte 49/71 €

♦ Table inventive où le chef Oki panache en "live" la tradition culinaire française et celle de son japon natal. Menus-surprise très prisés. Cadre moderne et petit patio "zen".

♦ Inventieve keuken, waarin chef-kok Oki "live" de Franse culinaire traditie met die van Japan combineert. Verrassingsmenu's, modern interieur en kleine patio in Japanse stijl.

Quartier Boondael (Université)

XX **La Pagode**

chaussée de Boondael 332 ✉ 1050 – ✆ 0 2 649 06 56 – www.lapagode.be – fermé lundi **8**GV**m**

Rest – Lunch 10 € – Menu 25/35 € – Carte 23/37 €

♦ Un honorable petit ambassadeur du Vietnam à Ixelles : accueil gentil, cadre moderne et agréable, cour-terrasse cachée, carte bien fournie et menus-choix attractifs.

♦ Deze eetgelegenheid is een waardige ambassadeur van Vietnam in Elsene: vriendelijk onthaal, moderne eetzaal, patio, uitgebreide kaart en aantrekkelijke keuzemenu's.

Une nuit douillette sans se ruiner ? Repérez les Bib Hôtel.

Marie

r. Alphonse De Witte 40 ✉ 1050 – ☎ 0 2 644 30 31 – fermé 20 juillet-16 août, 23 décembre-3 janvier, samedi midi, dimanche et lundi **8GUa**

Rest – Lunch 19 € – Menu 55 € – Carte 48/58 €

◆ Petit bistrot-gastro bien sympathique : recettes traditionnelles maîtrisées, déco pleine de grivoiseries, riche choix de vins (notamment au verre), sommelier présent au dîner.

◆ Deze leuke bistro met een stout decor is echt iets voor lekkerbekken. Traditionele keuken en uitgebreide wijnkaart, met veel wijnen per glas. 's Avonds sommelier aanwezig.

Le Varietes

pl. Sainte Croix 4 ✉ 1050 – ☎ 0 2 647 04 36 – www.levarietes.be – fermé 25 décembre et 1er janvier **8GUx**

Rest – *(ouvert jusqu'à minuit)* Carte 33/56 €

◆ Décor entre-deux-guerres en zebrano (bois exotique) plaqué pour cette rôtisserie embarquée dans le "paquebot" Flagey, dont elle suit le tempo culturel. Cuisine et gril à vue.

◆ Rôtisserie aan "boord" van het Flagey, om voor of na een voorstelling culinair te genieten. Inrichting uit het interbellum, met veel exotisch hout. Open keuken en grill.

Nonbe Daigaku

r. Adolphe Buyl 31 ✉ 1050 – ☎ 0 2 649 21 49 – fermé dimanche, lundi et jours fériés **8GVa**

Rest – Lunch 14 € bc – Menu 15 € bc/68 € bc – Carte 24/91 €

◆ Table nipponne créée en 2007 par un vétéran de la cuisine japonaise à Bruxelles. Sushi-bar pris d'assaut à midi ; spécialités cuisinées le soir. Admirez la dextérité du chef.

◆ Dit restaurant werd in 2007 geopend door een veteraan van de Japanse keuken in Brussel. Sushibar 's middags zeer in trek en 's avonds goochelt de kok met zijn specialiteiten.

Sérafine

av. Adolphe Buyl 104 ✉ 1050 – ☎ 0 2 646 00 14 – www.serafine.be – fermé samedi midi et dimanche **8GVb**

Rest – Lunch 10 € – Menu 30 € – Carte 33/48 €

◆ Le nom de ce bistrot gourmand voisin de l'U.L.B. est un hommage à la "mama" sicilienne du chef, dont il tient de goûteuses recettes. Carte franco-italienne. Cadre nostalgique.

◆ De naam van deze bistro naast de universiteit is een eerbetoon aan de Siciliaanse mama van de kok, van wie de lekkere recepten zijn. Frans-Italiaanse kaart en nostalgisch decor.

Kamo (Kamo Tomoyasu)

av. des Saisons 123 ✉ 1050 – ☎ 0 2 648 78 48 – fermé jours fériés, samedi et dimanche **8GVz**

Rest – *(réservation indispensable)* Lunch 13 € – Menu 40/70 € – Carte 35/73 €

Spéc. Fruits de mer vinaigrés. Tempura de homard. Teriyaki de ris de veau.

◆ Un coin de Tokyo à Ixelles : grands classiques de la cuisine japonaise et suggestions remarquables aux saveurs affirmées dans un cadre épuré et une ambiance "trendy". Mangez au comptoir pour admirer les tours de main des deux chefs. Pas de choix pour le lunch : sushi, sashimi ou un bento-box! Simple et excellent.

◆ Een stukje Tokio in Elsene met grote klassiekers uit de Japanse keuken en opmerkelijke smakelijke suggesties in een puur interieur met een trendy sfeer. Eet aan de bar, zodat u de twee chef-koks kunt zien goochelen. Geen keuze met de lunch : sushi, sashimi of een bento-box! Eenvoudig en erg lekker.

Quartier Bascule, Châtelain, Ma Campagne

XX **Odette en ville** avec ch

r. Châtelain 25 ✉ 1050 – ☎ 0 2 640 26 26 – www.chez-odette.com
8 ch – 250/425 € 250/425 €, 25 € **7**FU**d**
Rest – *(ouvert jusqu'à 23 h)* – Carte 36/64 €

♦ L'adresse branchée du moment ! Ici se retrouve une clientèle très brassée, dans une atmosphère trendy. Cuisine de qualité, accueil sérieux et professionnel. Côté hôtel, décoration noir et blanc et luxe feutré, salon cosy doté d'une bibliothèque richement pourvue et chambres design.

♦ Hét adresje waarover iedereen in Brussel het nu heeft! Een zeer verscheiden vast cliëntèle, trendy sfeer, goede keuken, professioneel management. Designkamers op de verdieping. Zwart-wit interieur en luxueuze uitstraling.

XX **Les Beaumes de Venise**

r. Darwin 62 ✉ 1050 – ☎ 0 2 343 82 93 – www.beaumesdevenise.be – fermé dimanche et lundi **7**EFV**x**
Rest – Lunch 18 € – Menu 35/50 € – Carte 44/64 €

♦ Salles claires et accueillantes décorées dans une veine classique. L'été, il est plaisant de déjeuner dans la cour ou la véranda. Service affable ; carte renouvelée régulièrement.

♦ Mooie, lichte eetzalen in klassieke stijl. Serre en binnenplaats om 's zomers buiten te eten. Vriendelijke ontvangst, professionele bediening en regelmatig wisselende kaart.

XX **L'ivre de cuisine**

r. J.-B. Meunier 53a ✉ 1050 – ☎ 0 2 347 32 94 – fermé 2 premières semaines d'août, lundi soir, samedi midi, dimanche et jours fériés **7**EV**d**
Rest – Carte 42/55 €

♦ Gastro-bistrot moderne et sobre installé dans un quartier résidentiel. Le chef y signe une cuisine classique réinterprétée. Le soir, le menu varie au gré de son inspiration.

♦ Moderne, sobere gastro-bistro in een chique woonwijk. De patron bereidt een moderne interpretatie van klassieke gerechten. Voor het avondmenu volgt de chef zijn inspiratie.

X **Magenta**

chaussée de Waterloo 421 ✉ 1050 – ☎ 0 2 347 01 75 – www.magenta-restaurant.com – fermé vacances de carnaval, 1 semaine en juillet, lundi soir, samedi midi, dimanche et jours fériés **7**FU**a**
Rest – Lunch 20 € – Menu 30/55 € – Carte 52/64 €

♦ La patronne, très souriante, vous reçoit dans son petit établissement aux murs crème et magenta. Le chef réalise une cuisine goûteuse, dans un souci de raffinement, à prix modéré.

♦ De eigenaresse verwelkomt u in een verzorgd interieur met magenta muren, voor een kwaliteitsmaaltijd, bereid door een chef met een mooi cv die verfijning opzoekt voor een gematigde prijs.

X **La Quincaillerie**

r. Page 45 ✉ 1050 – ☎ 0 2 533 98 33 – www.quincaillerie.be – fermé dimanche midi et jours fériés midis sauf 11 novembre **7**FU**z**
Rest – *(ouvert jusqu'à minuit)* Lunch 14 € – Menu 27 € – Carte 39/65 €

♦ Superbe quincaillerie Art nouveau (1903) convertie en brasserie-écailler. Salles étagées où subsistent des centaines de tiroirs et étagères d'époque. Lunch à prix muselé.

♦ Deze prachtige art nouveau ijzerwinkel (1903) is nu een brasserie met oesterbar. Op de verdiepingen zijn nog authentieke ladenkasten en wandrekken te zien. Goed geprijsde lunch.

X **La Canne en Ville**

r. Réforme 22 ✉ 1050 – ☎ 0 2 347 29 26 – www.lacanneenville.be – fermé 24 décembre-16 janvier, samedi soir en juillet-août, samedi midi et dimanche
Rest – Lunch 15 € – Carte 38/55 € **7**FV**q**

♦ Bistrot convivial aménagé dans une ancienne boucherie, comme l'attestent des pans de carrelage préservés. Cuisine classique à composantes du terroir. Service féminin charmant.

♦ Deze gezellige bistro was vroeger een slagerij, zoals enkele bewaard gebleven tegels bewijzen. Klassieke keuken op basis van streekproducten. Charmante vrouwelijke bediening.

Bistro de la Poste

chaussée de Waterloo 550a ✉ 1050 – ✆ 0 2 344 42 32 – www.bistrodelaposte.be – fermé dimanche et lundi **7**FV**s**

Rest – *(dîner seulement)* Carte 34/45 €

◆ Dans cet ancien bureau de poste règne une ambiance sympathique. On y sert une cuisine bistrotière (plats régionaux, abats et spécialités françaises) à prix doux. Bar à vin. Lunch réduit.

◆ In dit vroegere postkantoor hangt een gezellige sfeer. Franse bistrokeuken waar ook scherp geprijsde streekgerechten en orgaanvlees worden geserveerd. Wijnbar en beperkte lunchkaart.

En Face de Parachute

chaussée de Waterloo 578 ✉ 1050 – ✆ 0 2 346 47 41 – fermé mi-juillet-mi-août, samedi midi, dimanche, lundi et jours fériés **7**FV**t**

Rest – Carte 39/67 €

◆ L'enseigne réfère au magasin d'en face, mais ce bistrot-gastro s'est fait un nom à part entière auprès de la clientèle "in" du quartier. Cuisine de qualité ; bar à vin.

◆ De naam verwijst naar de winkel aan de overkant, maar deze culinaire bistro steelt de show bij de trendy cliëntèle uit de buurt. Kwaliteitskeuken en wijnbar.

Quartier Léopold (voir aussi Bruxelles)

Renaissance

r. Parnasse 19 ✉ 1050 – ✆ 0 2 505 29 29 – www.renaissancebrussels.com

256 ch – 79/500 € 79/500 €, ☕ 25 € – 6 suites **5**FS**e**

Rest – Lunch 25 € – Carte 32/55 €

◆ Hôtel de chaîne moderne jouxtant le quartier institutionnel européen. Chambres tout confort, studios à l'annexe, salles de conférences, centre d'affaires et "health academy". Au restaurant, choix traditionnel, buffets et ambiance de brasserie contemporaine.

◆ Modern ketenhotel naast de wijk met de Europese instellingen. Comfortabele kamers, studio's in de dependance, conferentiezalen, businesscenter en "health academy". Restaurant met een traditionele kaart, buffetten en eigentijdse brasseriesfeer.

Radisson Blu EU

ch, rest,

r. Idalie 35 ✉ 1050 – ✆ 0 2 626 81 11 – www.radissonblu.com/euhotel-brussels

145 ch ☕ – 99/227 € 109/245 € – 4 suites **6**GS**x**

Rest – Lunch 25 € – Carte 32/58 €

◆ Nouveau palace ultracontemporain proposant trois types de chambres : "Fresh", "Chic" ou "Fashion". Clientèle d'affaires et fonctionnaires européens. Repas classique-actuel dans un décor branché, à table ou sur le grand comptoir design.

◆ Ultramodern luxehotel met drie soorten kamers: "Fresh", "Chic" en "Fashion". Veel zakenmensen en eurofunctionarissen. Klassieke keuken met een snufje modern in een trendy interieur met grote bar.

Chambres en ville sans rest

r. Londres 19 ✉ 1050 – ✆ 0 2 512 92 90 – www.chambresenville.be – fermé 22 décembre-6 janvier **9**KZ**x**

4 ch ☕ – 70/90 € 90/110 €

◆ Discrète maison d'hôte aux jolies chambres de style néo-rétro, tendance "vintage". Chacune illustre un thème décoratif : gustavien, levantin, africain, etc. Mobilier patiné.

◆ Dit vrij onopvallende huis biedt mooie vintage gastenkamers in neoretrostijl, elk met een eigen thema: Zweeds, oosters, Afrikaans, enz. Gepatineerd meubilair.

L'Ancienne Poissonnerie

r. Trône 65 ✉ 1050 – ✆ 0 2 502 75 05 – www.anciennepoissonnerie.be – fermé 1er au 16 août, samedi midi et dimanche **5**FS**h**

Rest – Carte 39/50 €

◆ Table italienne design exploitée en famille, dans une ex-poissonnerie Art nouveau. Cuisine ouverte et éléments décoratifs d'époque (façade, carrelage mural peint). Aucun menu.

◆ Trendy Italiaans restaurant met open keuken in een voormalige viswinkel met authentieke art-nouveau-elementen (gevel, beschilderde wandtegels). Geen menu.

Chou

pl. de Londres 4 ✉ 1050 – ✆ 0 2 511 92 38 – www.restaurantchou.eu – fermé fin juillet-début août, samedi et dimanche **5**FS**w**

Rest – Lunch 30 € bc – Menu 65 € bc/115 € bc – Carte 51/72 €

♦ Chez Chou (surnom du patron français), ambiance feutrée et lumière douce. On s'attable autour d'anciens moules de fonderie ; le vaisselier se prend pour la tour de Pise et le sol en verre rouge permet d'admirer la cave. Cuisine ouverte sur la salle.

♦ "Chou" is de Franse patron van dit intiem restaurant, waar alles transparant is: open keuken en vloer van rood glas, waaronder de goede wijnkelder te zien is.

Quartier Louise (voir aussi Bruxelles et Saint-Gilles)

Sofitel Le Louise

av. de la Toison d'Or 40 ✉ 1050 – ✆ 0 2 514 22 00 – www.sofitel.com **5**FS**n**

159 ch – †430/530 € ††430/530 €, ☕ 29 € – 10 suites

Rest *Crystal Lounge* – voir la sélection des restaurants

♦ Sous un immense lustre en cristal, un escalator longe une curieuse dentelle murale pour accéder au lobby de cet hôtel rhabillé design à la sauce Pinto. Belles chambres.

♦ Onder een immense kristalluchter voert de roltrap langs een kantachtige wandversiering naar de lobby van dit designhotel dat de hand van Pinto verraadt. Mooie kamers.

Aqua sans rest

r. Stassart 43 ✉ 1050 – ✆ 0 2 213 01 01 – www.aqua-hotel.be **5**FS**u**

97 ch ☕ – †75/250 € ††80/250 €

♦ Décor minimaliste rehaussé d'une sculpture "vague" en bois bleu, créée par l'artiste contemporain Arne Quinze. Chambres épurées : murs en tons blancs et bleus, parquet. Environnement assez calme.

♦ Minimalistische inrichting met een blauwe "golf" van hout, een creatie van Arne Quinze. Parket in de heldere kamers met witte en blauwe muren. Redelijk rustige buurt.

Beau-Site sans rest

r. Longue Haie 76 ✉ 1000 – ✆ 0 2 640 88 89 – www.beausitebrussels.com

38 ch ☕ – †60/149 € ††65/159 € **5**FT**r**

♦ Installé dans un petit immeuble d'angle, à 100 m d'une avenue très sélecte, cet hôtel sobre et fonctionnel vous réserve un accueil familial. Chambres assez amples.

♦ In dit praktische en sobere hotel in een hoekpand op slechts 100 m van de meest chique avenue van Brussel, wacht u een gastvrij onthaal. Ruime kamers.

Crystal Lounge – Hôtel Sofitel Le Louise

av. de la Toison d'Or 40 ✉ 1050 – ✆ 0 2 514 22 00 – www.sofitel.com

Rest – Carte 61/74 € **5**FS**n**

♦ Un décor élégant, un menu alléchant, un bar à cocktails avec carafes de collection en cristal du Val-Saint-Lambert, le tout dans une ambiance "fooding". DJ du jeudi au samedi.

♦ Aantrekkelijke kaart, stijlvolle inrichting, cocktailbar met verzameling karaffen uit Val Saint-Lambert en fooding-ambiance. Live dj van donderdag tot zaterdag.

De la Vigne... à l'Assiette

r. Longue Haie 51 ✉ 1000 – ✆ 0 2 647 68 03 – fermé 25 décembre-1er janvier, 20 juillet-10 août, samedi midi, dimanche et lundi **5**FT**k**

Rest – Lunch 16 € – Menu 25/40 € – Carte 38/53 €

♦ "Bistrot-gastro" vous conviant aux plaisirs d'un généreux repas sortant de l'ordinaire et d'un choix de vins planétaire tarifé avec sagesse et commenté avec professionnalisme.

♦ In deze gastronomische bistro kunt u genieten van een overvloedige maaltijd die beslist niet alledaags is. Redelijk geprijsde wereldwijnen en professioneel wijnadvies.

JETTE

Le Vieux Pannenhuis

r. Léopold Ier 317 ✉ 1090 – ✆ 0 2 425 83 73 – www.levieuxpannenhuis.be – fermé juillet, 26 au 30 décembre, samedi midi et dimanche **1**BL**g**

Rest – Lunch 26 € – Menu 35/54 € – Carte 34/56 €

♦ Une attachante nostalgie imprègne encore cette ancienne ferme-relais. Salon-estaminet, cour-terrasse et chaleureuse salle rustique avec rôtissoire. Choix traditionnel étendu.

♦ Dit voormalige poststation in een hoeve heeft nog iets nostalgisch. Salon met bar, binnenplaats met terras en rustieke eetzaal met grill. Uitgebreide traditionele kaart.

French Kiss

r. Léopold Ier 470 ✉ 1090 – ✆ 0 2 425 22 93 – www.restaurantfrenchkiss.com – fermé 24 et 31 décembre, 28 juillet-18 août et lundi **10**W**f**

Rest – Lunch 25 € – Menu 35 € – Carte 32/47 €

♦ Restaurant sympathique estimé pour ses belles grillades et sa sélection de vins bien vue. Salle au plafond bas, dont les murs de briques s'égayent de toiles multicolores.

♦ Sympathiek grillrestaurant met een goede selectie wijnen. De eetzaal heeft een laag plafond en bakstenen muren met veelkleurige schilderijen.

MOLENBEEK-SAINT-JEAN (SINT-JANS-MOLENBEEK)

De Krebbe

av. Brigade Piron 35 ✉ 1080 – ✆ 0 2 410 49 40 – www.dekrebbe.be – fermé juillet, dimanche et lundi **1**BL**c**

Rest – Lunch 12 € – Menu 35 € – Carte 29/53 €

♦ Restaurant d'esprit taverne, simple et classique. Large choix à la carte (salades et plats traditionnels) ; salon de thé l'après-midi. Véranda.

♦ Taverne-restaurant met eenvoudig klassiek brasserie-interieur en veranda. Op de grote kaart staan salades en traditionele gerechten. Tea-room in de namiddag.

SAINT-GILLES (SINT-GILLIS)

Cascade sans rest

r. Berckmans 128 ✉ 1060 – ✆ 0 2 538 88 30 – www.cascadehotel.be

92 ch – 80/335 € 90/355 €, 14 € **5**EST**r**

♦ Cette bâtisse moderne entièrement rafraîchie dissimule une grande cour intérieure et abrite deux types de chambres ainsi que des studios et appartements pour longs séjours.

♦ Gerenoveerd hotel in een modern gebouw rondom een grote binnenplaats. Twee soorten kamers plus studio's en appartementen voor een langer verblijf.

Café des Spores

chaussée d'Alsemberg 103 ✉ 1060 – ✆ 0 2 534 13 03 – www.cafedesspores.be – fermé 24 et 25 décembre et dimanche **7**EU**z**

Rest – *(dîner seulement jusqu'à 23 h)* Carte 32/47 €

♦ Nul besoin d'appuyer sur le champignon pour rejoindre ce bistrot-gastro rétro pas comme les autres. Ici, on voue un culte aux cèpes, aux girolles et autres pleurotes – accompagnés de petits vins gouleyants. Juste en face, l'annexe La Buvette allie simplicité et saveurs.

♦ Zoals het grappige uithangbord al doet vermoeden, wordt in deze gastronomische bistro gesmuld van paddenstoelen. Retro-interieur, keuze op een schoolbord en uitstekende wijnen. In La Buvette, een tweede zaak van de eigenaar recht tegenover dit pand, worden gerechten geserveerd waarin eenvoud en smaak primeren.

Leonor

av. de la Porte de Hal 19 ✉ 1060 – ✆ 0 2 537 51 56 – www.leonor.be – fermé août, samedi midi, dimanche et mercredi **5**ES**x**

Rest – Lunch 14 € – Menu 36 € – Carte 34/50 €

♦ Frappez à la porte de l'Espagne : ici, la couleur est à la fête, comme les tapas et la nouvelle cuisine ibérique (chipirons à la plancha et réduction d'encre). Ambiance chaleureuse.

♦ Muren van baksteen in combinatie met flashy toetsen verwelkomen u in deze tapasbar. Klassiekers en gerechten geïnspireerd door de "nieuwe Spaanse keuken" delen de kaart. Ontdekkingsmenu à volonté.

Quartier Louise (voir aussi Bruxelles et Ixelles)

Manos Premier

chaussée de Charleroi 102 ✉ 1060 – ☎ 0 2 537 96 82 – www.manoshotel.com
47 ch – ♦175/325 € ♦♦205/375 € – 3 suites **7**FU**w**
Rest ***Kolya*** – voir la sélection des restaurants

◆ La grâce d'un hôtel particulier du 19ᵉs. au riche mobilier Louis XV et XVI. Réservez si possible une chambre côté jardin. Authentique hammam oriental au sous-sol.

◆ Elegant hotel in een 19e-eeuws herenhuis, weelderig ingericht met Louis XV- en Louis XVI-meubilair. Reserveer bij voorkeur een kamer aan de tuinkant. Authentieke oosterse hamam in de kelder.

Manos Stéphanie sans rest

chaussée de Charleroi 28 ✉ 1060 – ☎ 0 2 539 02 50 – www.manoshotel.com
50 ch – ♦160/295 € ♦♦195/345 € **5**FT**d**

◆ Hôtel particulier où vous logerez dans des chambres chaleureuses de style classique actualisé, dotées d'un mobilier en bois cérusé. Salle de breakfast coiffée d'une coupole.

◆ Dit herenhuis biedt sfeervolle kamers in klassiek-moderne stijl met meubelen van geceruseerd hout. De ontbijtzaal heeft een glaskoepel.

I Trulli

r. Jourdan 18 ✉ 1060 – ☎ 0 2 537 79 30 – fermé 24 décembre-2 janvier, 11 au 31 juillet, lundi soir et dimanche **5**FS**c**
Rest – *(ouvert jusqu'à 23 h)* Lunch 21 € – Carte 49/87 €

◆ Recettes italiennes dont les saveurs "pugliese" trouvent un écho dans les peintures murales montrant des trulli, habitat typique des Pouilles. Buffet d'antipasti ; belle cave.

◆ Keuken met Zuid-Italiaanse invloeden die ook terug te vinden zijn in de muurschilderingen van "trulli", de voor Apulië zo kenmerkende huizen. Antipastibuffet en mooie wijnen.

Kolya – Hôtel Manos Premier

soir

chaussée de Charleroi 102 ✉ 1060 – ☎ 0 2 533 18 30 – www.manoshotel.com – fermé samedi midi et dimanche **7**FU**w**
Rest – Lunch 18 € – Menu 45/85 € bc – Carte 44/66 €

◆ Dans le cadre raffiné du Kolya, savourez une cuisine française contemporaine aux accents méditerranéens. La véranda et le patio sont impressionnants, et le salon n'est pas en reste…

◆ In het verfijnde kader van Kolya eet u hedendaagse, Frans geïnspireerde gerechten. De serre en patio zijn impressionant, maar de lounge hoeft niet onder te doen.

Flâneries Gourmandes

r. Berckmans 2 ✉ 1060 – ☎ 0 2 537 32 20 – fermé 20 juillet-14 août, samedi midi, dimanche, lundi et jours fériés **5**FT**x**
Rest – Lunch 21 € – Menu 65 € – Carte 56/69 €

◆ Votre humeur est à la flânerie gourmande ? Allez donc vérifier le slogan de ce bistro-gastro ("on reste pour le dessert"). Menu dégustation le soir et week-end. Vins "nature".

◆ Zin in een culinaire stop? Ga dan naar deze gastronomische bistro, waar je blijft zitten tot het dessert ! "Menu dégustation" 's avonds en in het weekend. Natuurwijnen (zonder sulfer).

La Faribole

r. Bonté 6 ✉ 1060 – ☎ 0 2 537 82 23 – fermé 15 juillet-15 août, samedi et dimanche **5**FT**g**
Rest – Lunch 15 € – Menu 31 € – Carte 31/50 €

◆ Cuisine classico-actuelle servie dans une attachante salle égayée de cuivres, de vieilles cafetières en porcelaine et de boîtes à sel. Menu selon le marché, noté à l'ardoise.

◆ Modern-klassieke spijzen geserveerd in een eetzaal met veel koper, oude porseleinen koffiekannen en zoutkistjes. Het menu op een lei is gebaseerd op het marktaanbod.

Mamy Louise

r. Jean Stas 12 ✉ 1060 – ✆ 0 2 534 25 02 – www.mamylouise.be – fermé dimanche
Rest – *(déjeuner seulement)* Carte 36/50 € **5**FS**j**

♦ Dans une rue piétonne, taverne-restaurant avenante présentant une carte touche-à-tout : recettes de grand-mère, plats de bistrot, salades, tartines et suggestions actualisées.

♦ Gezellige taverne-restaurant in een voetgangersstraat. De kaart biedt voor elk wat wils: bistrogerechten, salades, sandwiches en suggesties van de dag.

Al Piccolo Mondo

r. Jourdan 19 ✉ 1060 – ✆ 0 2 538 87 94 – fermé août **5**FS**c**
Rest – *(ouvert jusqu'à 1 h du matin)* Lunch 19 € – Menu 60 € bc – Carte 40/66 €

♦ Une vaste carte franco-transalpine entend de combler votre appétit à cette table familiale connue de longue date dans ce secteur piétonnier. Ambiance conviviale à l'italienne.

♦ Dit gemoedelijke familierestaurant in het voetgangersgebied staat al jarenlang bekend om zijn uitgebreide Frans-Italiaanse kaart. Typisch Italiaanse ambiance.

SAINT-JOSSE-TEN-NOODE (SINT-JOOST-TEN-NODE)

Sheraton

pl. Rogier 3 ✉ 1210 – ✆ 0 2 224 31 11 – www.sheraton.com/brussels
488 ch – †85/375 € ††85/375 €, ☕ 27 € – 23 suites **5**FQ**n**
Rest – Lunch 29 € – Menu 35 € – Carte 29/58 €

♦ Imposante tour super-équipée, dévolue à la clientèle d'affaires internationale et de congrès. Vastes chambres standard ou "club" et nombreuses suites. Beau bar contemporain. Repas classico-traditionnel dans une salle tournée vers la place Rogier. Lunch-buffet.

♦ Uitstekend geëquipeerd hotel in een torenflat, dat op de internationale congres- en zakenwereld mikt. Ruime standaard- of clubkamers en veel suites. Mooie eigentijdse bar. Restaurant met uitzicht op het Rogierplein; klassiek-traditionele keuken. Lunchbuffet.

Crowne Plaza "Le Palace"

rest,

r. Gineste 3 ✉ 1210 – ✆ 0 2 203 62 00 – www.crowneplazabrussels.com
346 ch – †105/400 € ††125/425 €, ☕ 28 € – 8 suites **5**FQ**v**
Rest – *(fermé samedi midi et dimanche midi)* Lunch 21 € – Menu 38/60 € bc – Carte env. 45 €

♦ Ce palace Belle Époque a retrouvé sa splendeur et a fêté son centenaire en 2008. Communs fringants et cossus, bar flambant neuf, chambres de style néo-rétro et nouvelles suites. Cuisine d'inspiration cosmopolite proposée dans un nouveau décor chic et branché.

♦ 100 jaar in 2008 ! Dit luxe belle-époquehotel heeft zijn oude luister terug. Weelderige ruimten, spiksplinternieuwe bar, kamers in neoretrostijl en nieuwe suites. Kosmopolitische keuken in een chic en trendy interieur.

Bloom!

r. Royale 250 ✉ 1210 – ✆ 0 2 220 66 11 – www.hotelbloom.com **5**FQ**a**
305 ch – †79/330 € ††79/330 €, ☕ 25 € – 4 suites
Rest *Smoods* – voir la sélection des restaurants

♦ Cet hôtel d'affaires "hype" fait sensation par son design décoiffant. Lumineuses chambres "arty", ornée chacune d'une fresque moderne. Salles de réunion, fitness, sauna et hammam.

♦ Dit trendy zakenhotel maakt furore door zijn sensationele design. Lichte arty kamers met moderne fresco's. Vergaderzalen, fitness, sauna en hamam.

Villa Royale sans rest

r. Royale 195 ✉ 1210 – ✆ 0 2 226 04 60 – www.villaroyale.be **5**FQ**f**
50 ch – †75/130 € ††85/140 €, ☕ 10 €

♦ Immeuble hôtelier situé au bord d'une artère passante. En plus de chambres bien tenues, on y trouve un coin relaxation, avec sauna et hammam. Service navette vers l'aéroport.

♦ Hotelcomplex aan een doorgaande weg. Goed onderhouden kamers, sauna en hamam. Pendeldienst met de luchthaven.

XX **Smoods** – Hôtel Bloom!

r. Royale 250 ✉ 1210 – ☎ 0 2 220 66 66 – www.smoods.net – fermé samedi midi et dimanche **5**FQ**a**

Rest – *(ouvert jusqu'à 23 h)* Lunch 24 € – Menu 45/75 € – Carte 42/55 €

◆ Vous êtes plutôt d'humeur "flower power" ou "safari" ? Prenez place dans l'une des "mood islands", selon votre état d'esprit du moment. Même le menu s'adapte : de l'en-cas au repas copieux, il y en a pour tous les goûts.

◆ In de mood voor flowerpower? Of liever een safari? Kies een stoel in een van de 7 "mood islands", afhankelijk van hoe u gemutst bent. Ook de menukaart is afgesteld op uw voorkeur van het moment: van borrelhapjes over bites tot grotere gerechten.

X **Les Dames Tartine**

chaussée de Haecht 58 ✉ 1210 – ☎ 0 2 218 45 49 – fermé 3 premières semaines d'août, samedi midi, dimanche et lundi **5**FQ**s**

Rest – Lunch 20 € – Menu 35/46 € – Carte 44/54 €

◆ Deux Dames Tartine dirigent cette maison avec brio. Bonne cuisine du marché, atmosphère intime et belle carte des vins.

◆ Twee "Dames Tartine" staan aan het roer van dit restaurant dat zijn verleden trouw blijft. Lekkere keuken van de markt, intieme inrichting en mooie wijnen.

SCHAERBEEK (SCHAARBEEK)

322 sans rest

av. Lambermont 322 ✉ 1030 – ☎ 0 2 242 55 95 – www.lambermonthotels.com

45 ch – †89/145 € ††89/145 €, ☕ 18 € **2**CL**c**

◆ Un hôtel familial aux faux airs d'immeuble résidentiel. Chambres sobres et fonctionnelles. Certains clients laissent une trace de leur passage sur les murs de la salle des petits-déjeuners.

◆ Aan de buitenkant lijkt dit gerenoveerd familiehotel op een appartementencomplex. Moderne en functionele kamers. De gasten kunnen een bericht achterlaten op de muren van de ontbijtzaal.

XX ✿ **Senza Nome** (Giovanni Bruno)

r. Royale Ste-Marie 22 ✉ 1030 – ☎ 0 2 223 16 17 – www.senzanome.be – fermé 21 juillet-mi août, Noël, nouvel an, samedi et dimanche **5**FQ**u**

Rest – *(prévenir)* Menu 65/95 € – Carte 58/76 €

Spéc. Sardine 'Beccaficu'. Spaghetti alla bottarga, ail, huile et peperoncino. Bar cuit au four aux tomates, câpres et persil à l'huile d'olive.

◆ Le meilleur de l'Italie dans l'assiette et le verre, à deux pas des halles de Schaerbeek. Décor chaud, clientèle politico-"pipole", réservation indispensable, midi et soir.

◆ Het beste van Italië op het bord en in het glas, naast de hallen van Schaerbeek. Celebrities worden hier vaak gespot. Warme siciliaanse sfeer. Reserveren is een must.

X **La Cueva de Castilla**

pl. Colignon 14 ✉ 1030 – ☎ 0 2 241 81 80 – www.cuevadecastilla.be – fermé samedi et dimanche **2**CL**d**

Rest – Lunch 25 € – Menu 44/70 € bc – Carte 41/62 €

◆ Près de la maison communale, table espagnole vous accueillant dans un cadre rustique moderne, sans castagnettes ni Serrano suspendu. Menu "muy típico" et tableau suggestif.

◆ Spaans restaurant bij het gemeentehuis met een modern-rustiek interieur, maar zonder castagnetten en Serranohammen als decor. Menu "muy tipico" en suggesties op een schoolbord.

X **Les Caprices d'Harmony**

r. Noyer 236 ✉ 1030 – ☎ 0 2 733 14 02 – fermé lundi soir, samedi midi et dimanche **6**HR**x**

Rest – Lunch 19 € – Menu 30/57 € bc – Carte 25/38 €

◆ Cadre sobre, dans des tonalités brun foncé, en parfaite harmonie avec la carte classique. Ici, le patron est aux fourneaux. Ses deux spécialités : l'onglet à l'échalote et la sole meunière.

◆ Klassieke kaart met traditionele gerechten, onglet en sole meunière als specialiteiten. Simpel en sober interieur in donkerbruine tinten. Patron aan het fornuis.

UCCLE (UKKEL)

County House

square des Héros 2 ✉ 1180 – ✆ 0 2 375 44 20 – www.bestwestern.be/countyhouse 7EXb

102 ch – 80/190 € 90/210 € – ½ P 100/237 €

Rest – Lunch 23 € – Menu 38/47 € bc – Carte 39/46 €

◆ Hôtel excentré, mais d'accès aisé. Chambres fonctionnelles (balcon pour la moitié d'entre elles) réparties sur onze étages. Vue sur parc. Salles de réunion. Restaurant proposant une carte classique-traditionnelle.

◆ Goed bereikbaar hotel met vergaderzalen buiten het centrum. Functionele kamers (helft met balkon) op elf verdiepingen in twee onderling verbonden gebouwen met zicht op het park. Restaurant met een traditioneel-klassieke kaart.

Les Tourelles sans rest

av. Winston Churchill 135 ✉ 1180 – ✆ 0 2 344 95 73 – www.lestourelles.be – fermé 1er au 21 août 7FVd

17 ch – 90/125 € 105/135 € – 1 suite

◆ Deux tourelles gardent l'entrée de cet ex-pensionnat de jeunes filles devenu un hôtel de style bourgeois. Chambres et communs classiquement aménagés. Tenue familiale.

◆ Twee torentjes bewaken de ingang van dit bourgeoishotel in een voormalige kostschool, waar nu een familie de scepter zwaait. Klassieke kamers en openbare ruimten.

Le Chalet de la Forêt (Pascal Devalkeneer)

Drêve de Lorraine 43 ✉ 1180 – ✆ 0 23 74 54 16 – www.lechaletdelaforet.be – fermé première semaine de janvier, samedi et dimanche 4CNa

Rest – Lunch 39 € – Menu 72/94 € – Carte 76/108 €

Spéc. Os à moelle rôti au four, alternance de Saint-Jacques et truffes noires. Oursins et langoustines servis en coques, mousseline de petits pois et émulsion de crustacés. Poitrine de pigeonneau grillée sur la braise, nèfles rôties et mousseline de carottes aux épices.

◆ Repas classico-créatif goûteux, servi avec égards dans un intérieur contemporain raffiné ou dehors, en lisière de la Forêt de Soignes. Salon-véranda avec cheminée.

◆ Restaurant aan de rand van het Zoniënwoud, waar een smakelijke klassieke en creatieve maaltijd wordt geserveerd in een verfijnd eigentijds interieur of buiten. Lounge-glazen veranda met haard.

Les Frères Romano

av. de Fré 182 ✉ 1180 – ✆ 0 2 374 70 98 – www.lesfreresromano.com – fermé 3 dernières semaines d'août, samedi midi et dimanche soir

Rest – Lunch 22 € – Menu 55 € bc/70 € – Carte 37/64 € 7FXd

◆ Cette villa de 1900, exploitée par deux frères, interprète sans fausse note un répertoire classique aux accents italiens. Cadre moderne smart, terrasse-jardin, service dévoué.

◆ Twee broers dirigeren deze retro villa, waar zonder enige wanklank een klassiek repertoire wordt vertolkt. Enkele Italiaanse gerechten. Tuin met terras en attente bediening.

Va Doux Vent

r. Carmélites 93 ✉ 1180 – ✆ 0 2 346 65 05 – www.vadouxvent.be – fermé première semaine de janvier, 1 semaine à Pâques, 2 dernières semaines de juillet-première semaine d'août, 1 semaine à la Toussaint, dimanche et lundi

Rest – Lunch 35 € – Menu 49/99 € bc – Carte 52/61 € 7EVa

◆ À peine en place et déjà un succès pour cette "dream team" : les deux chefs se sont connus au Sea Grill et leur associé, sommelier, est un ancien de Comme Chez Soi. La cuisine, contemporaine, raffinée et originale, fait la part belle aux épices… comme le vadouvan.

◆ Nog maar net open en al meteen een schot in de roos. De ploeg is dan ook een dreamteam: de chefs leerden elkaar kennen achter het fornuis van de Sea Grill, de sommelier verdiende zijn sporen in de Comme Chez Soi. Verfijnde hedendaagse keuken vol karakter met een belangrijke rol voor specerijen (zoals vadouvan).

XX **Blue Elephant**

chaussée de Waterloo 1120 ✉ 1180 – ✆ 0 2 374 49 62 – www.blueelephant.com – fermé 25 décembre, 1er janvier, samedi midi **8**GX**j**

Rest – Lunch 19 € – Menu 50/55 € – Carte 42/60 €

♦ Antiquités siamoises, confort rotin, touches florales et vaisselle typée : une ambiance exotique qui vous transporte au Pays du Sourire. Buffets les mercredi et samedi soirs.

♦ Siamees antiek, comfortabel rotanmeubilair, fraaie bloemstukken en Thais servies: exotische ambiance uit het "land van de glimlach". Buffetten op woensdag- en zaterdagavond.

XX **Bouchéry**

chaussée d'Alsemberg 812a ✉ 1180 – ✆ 0 2 332 37 74 – www.bouchery-restaurant.be – fermé Noël, nouvel an, lundi midi, samedi midi et dimanche **3**BN**z**

Rest – *(ouvert jusqu'à minuit)* Lunch 24 € – Menu 35/65 € – Carte 45/75 €

♦ Original et savoureux ! Le chef, Damien Bouchéry, prône une cuisine actuelle aux arômes puissants, à l'instar d'une langue et tête de veau au raifort, sauce soja et chorizo. Le décor, épuré et lumineux, se révèle agréable.

♦ Lekker en origineel, zo eet je bij Damien Bouchéry. Hij houdt van een hedendaagse keuken vol krachtige smaken, dat proeft u in een voorgerecht als kalfstong en -kop met mierikswortel, sojascheuten en chorizo. Uitgepuurd, licht en strak decor.

X **Brasseries Georges**

av. Winston Churchill 259 ✉ 1180 – ✆ 0 2 347 21 00 – www.brasseriesgeorges.be

Rest – *(ouvert jusqu'à 00 h 30)* Lunch 10 € – Menu 50 € bc/ 70 € bc – Carte 28/73 € **7**FV**n**

♦ L'une des plus grandes brasseries-écailler bruxelloises aménagées à la mode parisienne. Petit "menu zinc" au déjeuner. Ambiance et service aimables. Voiturier bien pratique.

♦ Een van de grootste brasserie-oesterbars van Brussel ademt een typisch Parijse sfeer. Het "menu zinc" is ideaal als snelle lunch. Vriendelijke bediening en valetparking.

X **La Branche d'Olivier**

r. Engeland 172 ✉ 1180 – ✆ 0 2 374 47 05 – fermé samedi midi et dimanche

Rest – *(ouvert jusqu'à 23 h)* Lunch 9 € – Menu 24 € – Carte 36/62 € **3**BN**b**

♦ Les habitants du quartier aiment se retrouver dans ce bistrot typé au décor d'estaminet (vieux carrelage, banquettes en cuir, boiseries patinées) qui sert une cuisine du marché, simple et goûteuse.

♦ De buurtbewoners komen graag naar deze bistro met typisch decor (oude tegelvloer, lederen banken, gepatineerd houtwerk) die een eenvoudige maar smakelijke marktkeuken voorlegt.

X **Les Deux Frères**

av. Vanderaey 2 (hauteur 810 de la chaussée d'Alsemberg) ✉ 1180 – ✆ 0 2 376 76 06 – www.les2freres.be – fermé samedi midi et dimanche

Rest – *(ouvert jusqu'à 23 h)* Lunch 17 € – Menu 25 € – Carte 26/58 € **3**BN**e**

♦ Refuge gourmand où flotte une atmosphère romantique évoquant les années d'entre-deux-guerres. Choix classique-traditionnel actualisé, plats de brasserie et lunch démocratique.

♦ Lekker restaurant met een romantische sfeer die een beetje aan de jaren dertig doet denken.Traditionele en actuele brasseriegerechten met zeer leuk lunchmenu.

X **Mamy Louise**

av. Dolez 123 ✉ 1180 – ✆ 0 2 374 19 74 – www.mamylouise.be – fermé lundi

Rest – Carte 32/46 € **3**BNP**x**

♦ Le tout-Uccle défile à cette adresse qui plaît pour son atmosphère animée, sa déco de brasserie néo-rétro et la diversité de sa carte : de la tartine aux recettes élaborées.

♦ Heel Ukkel schuift hier aan vanwege de gezellige sfeer, het brasserie-interieur in retrostijl en de gevarieerde kaart die uiteenloopt van sandwiches tot verfijnde gerechten.

Le 830

chaussée de Waterloo 830 ✉ 1180 – ☎ 0 2 375 85 65 – www.le830.be – fermé mi-juillet-mi-août, samedi midi et mercredi **7**FX**x**

Rest – Lunch 14 € – Menu 29/50 € – Carte 28/67 €

◆ Maisonnettes anciennes offrant les plaisirs d'une généreuse cuisine de bistrot. Salles rustico-rétro en mouchoir de poche, patio-terrasse, plats mijotés et huîtres chaudes en spécialités. Bonne humeur contagieuse !

◆ Oude huisjes met piepkleine eetzalen in rustieke retrostijl en mooie patio. Genereuze bistrokeuken met stoofschotels en warme oesters. Het goede humeur van het personeel is besmettelijk!

Les Petits Bouchons

chaussée d'Alsemberg 832 ✉ 1180 – ☎ 0 2 378 09 90 – www.lespetitsbouchons.com – fermé deuxième semaine de juin, mardi soir, samedi midi, dimanche et jours fériés **3**BN**g**

Rest – *(ouvert jusqu'à 23 h)* Lunch 13 € – Carte 29/48 €

◆ Ces Petits Bouchons distillent un je-ne-sais-quoi d'ambiance parisienne qui va bien à la carte, où les classiques sont rois. À l'image d'un coquelet rôti, tout est sans chichis et concocté avec soin !

◆ No nonsense - of eerder "pas de nonsense" want in deze bistro lijkt echt wel een beetje een Parijse sfeer te hangen. Deze zaak zet in op goed gemaakte klassiekers zonder poespas, met onder meer een gebraden haantje dat u nog lang zal heugen!

BRUXELLES

Quartier Saint-Job

Ventre Saint Gris

r. Basse 10 ✉ 1180 – ☎ 0 2 375 27 55 – www.ventresaintgris.com – fermé fin juillet-début août, 25 décembre-1er janvier et lundi **3**BN**u**

Rest – Lunch 15 € – Menu 25/44 € – Carte 34/58 €

◆ L'enseigne fait allusion à un juron attribué à Henry IV. Salles "fashion" déclinées en tons gris, verts et beiges, dans deux maisonnettes d'aspect rural. Belle terrasse cachée. Menu à thème le jeudi soir.

◆ De naam is een verwijzing naar een krachtterm van de Franse koning Hendrik IV. Twee boerenhuisjes bieden onderdak aan fashionable eetzalen in grijs, groen en beige. Mooi afgeschermd terras. Themamenu op donderdagavond.

Le Passage (Rocky Renaud)

av. J. et P. Carsoel 17 ✉ 1180 – ☎ 0 2 374 66 94 – www.lepassage.be – fermé 1 semaine carnaval, 3 semaines en juillet, lundi soir, samedi midi et dimanche **3**BN**q**

Rest – Lunch 35 € – Menu 50/80 € – Carte 61/94 €

Spéc. Turbotin à la mousseline aux crevettes grises. Escalopines de ris de veau aux morilles. Pigeonneau d'Anjou laqué au miel de lavande.

◆ Rocky s'est trouvé un "ring" à sa mesure pour donner son interprétation personnelle et... percutante de la gastronomie classique. Ses saveurs ont du punch ! La cave à vins est ouverte sur la salle.

◆ Treed binnen in Le Passage, de "boksring" waar chef Rocky u knock-out slaat met zijn smaakvolle en persoonlijke interpretatie van de klassieke gastronomie. Open wijnkelder.

Bluechocolate

pl. de Saint-Job 24 ✉ 1180 – ☎ 0 23 75 25 00 – www.bluechocolate.be – fermé samedi midi et dimanche **3**BN**s**

Rest – *(ouvert jusqu'à 23 h)* Lunch 16 € bc – Menu 21 € bc/35 € – Carte 34/53 €

◆ Ne cherchez pas de chocolat bleu sur la carte, vous n'en trouverez pas ! Elle propose en revanche une cuisine fusion aux influences diverses. Bonne sélection de vins au verre.

◆ Blauwe chocolade vindt u gelukkig niet op de kaart hier aan het St.-Jobsplein, maar wel een moderne fusionkeuken met talrijke invloeden, net als enkele leuke wijnen per glas.

Le Pigeon Noir

r. Geleytsbeek 2 ✉ 1180 – ☎ 0 2 375 23 74 – www.lepigeonnoir.be – fermé 30 juillet-19 août, 24 décembre-4 janvier, samedi, dimanche et jours fériés
Rest – Menu 22 € – Carte 36/63 € **3**BN**a**

◆ La maison est d'aspect modeste, genre "p'tit troquet de quartier", mais attendez vous à y trouver une cuisine traditionnelle bien tournée, à prix sympas ! Terrasse-trottoir.

◆ Dit eettentje ziet eruit als een buurtkroeg, maar serveert uitstekende traditionele maaltijden voor een sympathiek prijsje. Terras op de stoep.

WATERMAEL-BOITSFORT (WATERMAAL-BOSVOORDE)

Côté Jardin sans rest

av. Léopold Wiener 70 ✉ 1170 – ☎ 0 2 673 36 40 – www.cotejardin.biz
3 ch – †90/100 € ††100/120 € **8**HX**a**

◆ Villa moderne dans un quartier résidentiel verdoyant. Chambres personnalisées par une couleur dominante, cage d'escalier parée de vitraux, vue sur le jardin au petit-déj'.

◆ Moderne villa in een rustige, groene woonwijk. Elke gastenkamer heeft zijn eigen kleur. Trappenhuis met glas-in-loodramen. Ontbijtruimte met uitzicht op de tuin.

Le Coriandre

r. Middelbourg 21 ✉ 1170 – ☎ 0 2 672 45 65 – www.lecoriandre.be – fermé 1 semaine Pâques, 21 juillet-15 août, fin décembre, samedi midi, dimanche et lundi
Rest – Lunch 22 € – Menu 37/60 € **4**CN**n**

◆ Petite table au cadre intime et moderne. Fourneaux à vue où tout est fait maison, carte au goût du jour et menus élaborés. On propose même des cours de cuisine le samedi midi.

◆ Restaurantje met een moderne, intieme sfeer. Open keuken, waar alles zelf wordt gemaakt. Actuele kaart en hecht doortimmerde menu's. Kookles op zaterdagmiddag.

Le Grill

r. Trois Tilleuls 1 ✉ 1170 – ☎ 0 2 672 95 13 – www.legrill.be – fermé samedi midi, dimanche et jours fériés **4**CN**r**
Rest – *(prévenir)* Menu 29 € – Carte 32/58 €

◆ Décor néo-rétro très nature, convivialité, plats traditionnels et canailleries "bleu-blanc-rouge". Réservez près de la cuisine à vue, en mezzanine ou sur la terrasse-trottoir.

◆ Sfeervol neoretro-interieur met natuurlijke materialen. Traditionele schotels en orgaanvlees. Reserveer bij de open keuken, op de mezzanine of het terras aan de voorkant.

Mamy Louise

pl. Andrée Payfa-Fosseprez 9 ✉ 1170 – ☎ 0 2 660 22 94 – www.mamylouise.be – fermé samedi midi et dimanche **4**CN**z**
Rest – Carte 34/48 €

◆ Mets traditionnels oubliés, salades, pâtes et tartines originales, livrés dans un décor de bistrot actuel. Clichés "Big Apple" aux murs. Terrasse arrière à l'abri des regards.

◆ Traditionele, haast vergeten gerechten, salades, pasta's en originele sandwiches in de sfeer van een eigentijdse bistro met foto's van New York. Terras aan de achterkant.

WOLUWE-SAINT-LAMBERT (SINT-LAMBRECHTS-WOLUWE)

Sodehotel La Woluwe

rest,

av. E. Mounier 5 ✉ 1200 – ☎ 0 2 775 21 11 – www.sodehotel.eu **2**DL**e**
117 ch – †79/389 € ††89/399 € – 9 suites – ½ P 110/420 €
Rest – Lunch 25 € – Menu 49/94 € bc – Carte 27/49 €

◆ Hôtel excentré, mais d'accès assez aisé, situé en face d'un vieux moulin. Chambres de bon confort, spacieuses et tranquilles. Patio lumineux ; centre d'affaires et de congrès. Salle de restaurant contemporaine aux lignes épurées.

◆ Dit hotel bij een oude molen buiten het centrum is goed bereikbaar. De kamers zijn ruim, rustig en comfortabel. Lichte patio. Congreszalen en business center. Restaurant met een modern, gestileerd interieur.

Monty sans rest
bd Brand Whitlock 101 ✉ 1200 – ✆ 0 2 734 56 36 – www.monty-hotel.be
18 ch – 59/195 € 69/225 € **6**HS**z**

◆ Ancien hôtel particulier habilement rénové dans l'esprit contemporain. Le sens de l'accueil et l'aménagement design des parties communes et des chambres sont ses deux atouts.

◆ Dit oude herenhuis is fraai gerestaureerd in moderne stijl. Pluspunten zijn het gastvrije onthaal en het designinterieur van de kamers.

Da Mimmo
av. du Roi Chevalier 24 ✉ 1200 – ✆ 0 2 771 58 60 – www.damimmo.eu – fermé 20 juillet-10 août, fin décembre-début janvier, samedi midi et dimanche
Rest – Lunch 39 € – Menu 60/95 € – Carte env. 84 € **4**CM**b**

◆ Cuisine italienne classico-évolutive, bons accords entre mets et vins, service soigné, déco "fashionable" et belle terrasse de ville. Clientèle d'affaires à midi.

◆ Italiaanse keuken, klassiek met een snufje modern. Goede spijs-wijncombinaties, verzorgde bediening en trendy interieur met stadsterras. Veel zakenmensen tijdens de lunch.

De Maurice à Olivier (dans l'arrière-salle d'un marchand de journaux)
chaussée de Roodebeek 246 ✉ 1200 – ✆ 0 2 771 33 98 – www.demauriceaolivier.be – fermé 3 dernières semaines de juillet, lundi soir, dimanche et jours fériés **4**CM**r**
Rest – Lunch 22 € – Menu 30/55 € – Carte 38/52 €

◆ Cette table de confort simple, mais de bonnes bases classiques, étonne par son emplacement, à l'arrière d'un commerce de journaux. Présentations soignées dans les assiettes.

◆ Dit restaurantje met eenvoudig comfort is merkwaardigerwijs achter in een krantenwinkel gevestigd. Verzorgde presentatie van de op klassieke leest geschoeide gerechten.

Le Nénuphar
chaussée de Roodebeek 76 ✉ 1200 – ✆ 0 2 770 08 88 – fermé 15 août-8 septembre, samedi midi et lundi **4**DM**v**
Rest – Lunch 14 € – Menu 27/50 € bc – Carte 30/40 €

◆ Restaurant vietnamien de quartier présentant une carte bien typique et très complète, dans une sobre salle à manger vert clair ou sur sa terrasse exotique. Accueil gentil.

◆ Dit Vietnamese buurtrestaurant met een sobere lichtgroene eetzaal heeft een zeer uitgebreide en karakteristieke kaart. Exotisch terras. Vriendelijke bediening.

Le Coq en Pâte
Tomberg 259 ✉ 1200 – ✆ 0 2 762 19 71 – www.lecoqenpate.be – fermé 2 dernières semaines d'août et lundi **4**CM**x**
Rest – Menu 30/45 € bc – Carte 29/48 €

◆ Table familiale régalant depuis 1972 ! Cadre moderne smart, terrasse avant, carte italianisante et bon menu en trois actes. Recette ancestrale de bœuf flambé à l'armagnac.

◆ Dit moderne familiebedrijf bestaat sinds 1972! Italiaans getinte gerechten, goed driegangenmenu en oud recept van rundvlees geflambeerd in armagnac. Terras vooraan.

Le Brasero
av. des Cerisiers 166 ✉ 1200 – ✆ 0 2 772 63 94 – www.lebrasero.eu – fermé samedi midi et lundi **4**CM**e**
Rest – Lunch 18 € – Menu 30/50 € – Carte 33/49 €

◆ Préparations variées, avec spécialité de grillades au feu de bois, dans cette agréable brasserie au cadre actuel. Plat du jour, lunch trois services et menu dominical.

◆ Prettig restaurant met een gevarieerde kaart in een hedendaags interieur. Op houtskool geroosterd vlees, dagschotel, lunchmenu met drie gangen en op zondag een speciaal menu.

WOLUWE-SAINT-PIERRE (SINT-PIETERS-WOLUWE)

Eurostars Montgomery

av. de Tervuren 134 ✉ 1150 – ✆ 0 2 741 85 11 – www.eurostarsmontgomery.com **6**HS**k**

61 ch – 99/650 € 99/650 €, 20 € – 2 suites

Rest – *(fermé 16 juillet-26 août, samedi et dimanche)* Carte 33/59 €

♦ Hôtel d'affaires élégant et intime, face au square Montgomery. Façade début 20ᵉs., chambres de divers styles, penthouses, salon-bibliothèque, bar anglais, fitness et sauna. Cuisine internationale adaptée aux goûts de la clientèle d'affaires, dans une ambiance cosy.

♦ Smaakvol zakenhotel tegenover het Montgomery-park. Gevel uit de vroege 20ste eeuw, kamers in verschillende stijlen, penthouses, salon-bibliotheek, Engelse bar, fitness en sauna. Restaurant met een internationale keuken, formeel gekleed cliënteel en warme ambiance.

Bon-Bon (Christophe Hardiquest)

av. de Tervuren 453 ✉ 1150 – ✆ 0 2 346 66 15 – www.bon-bon.be – fermé première semaine de janvier, dernière semaine de juillet-première semaine d'août, jours fériés, lundi midi, samedi et dimanche **4**DN**q**

Rest – Lunch 40 € – Menu 67/140 €

Spéc. Foie gras en tuile d'argile, baies de genévrier. Bar en rocher d'huîtres. Raviole chaude de parmesan affiné au whisky single malt.

♦ Bon-Bon a déménagé, mais il mérite toujours autant son nom ! Le chef y cultive une gastronomie raffinée, à base de produits de première qualité. Le menu surprise, toujours riche de nouvelles découvertes, a de nombreux adeptes...

♦ Bon-Bon: een nieuwe locatie, maar de keuken is zijn naam nog steeds meer dan waard. De doordachte gastronomie die hier het handselsmerk is, kenmerkt zich met reliëf, raffinement en superieure producten. Er wordt enkel een surprise-menu geserveerd, maar de ambiance is er daarom niet minder op, de chef heeft duidelijk fans!

BRUXELLES

Les Deux Maisons

Val des Seigneurs 81 ✉ 1150 – ✆ 0 2 771 14 47 – www.lesdeuxmaisons.be – fermé première semaine de Pâques, 3 premières semaines d'août, fin décembre, jours fériés, dimanche et lundi **4**DM**e**

Rest – Lunch 20 € – Menu 35/82 € bc – Carte 34/85 €

♦ Cuisine actuelle bien maîtrisée, servie sur les tables rondes d'une salle ample et intime ou en terrasse, côté cour. Menu "tradition" chaudement recommandable. Bonne cave.

♦ Smakelijk en eigentijds eten aan de ronde tafels in de ruime, sfeervolle eetzaal of op het terras achter. Warm aanbevolen is het menu "tradition". Goede wijnkelder.

Medicis

av. de l'Escrime 124 ✉ 1150 – ✆ 0 2 779 07 00 – www.restaurantmedicis.be – fermé samedi midi et dimanche **4**DM**w**

Rest – Lunch 17 € – Menu 36/58 € – Carte 54/71 €

♦ Maison de bouche rappelant un peu un cottage anglo-normand. Jolies pièces au nouveau look frais et coloré, terrasse arrière, bon menu "Écriteau" entre tradition et modernité.

♦ Restaurant in een Engels aandoende cottage met terras. Interieur in een nieuwe look, fris en kleurig. Lekker menu dat het midden houdt tussen traditioneel en modern.

l'Auberg'in

r. au Bois 198 ✉ 1150 – ✆ 0 2 770 68 85 – www.laubergin.be – fermé samedi midi, dimanche et jours fériés **4**DM**s**

Rest – Menu 26/38 €

♦ Fermette brabançonne convertie en table au cadre rustique et convivial, réchauffé par une cheminée centrale où le patron grille les viandes. Choix classico-traditionnel.

♦ Dit Brabantse boerderijtje is nu een gezellig rustiek restaurant met een open haard, waarin de patron het vlees roostert. Traditioneel-klassieke keuze.

XX **YuMe**

av. de Tervuren 292 ✉ *1150 –* ✆ *02 773 00 80 – www.yume-resto.be* 4CMg

Rest – *(ouvert jusqu'à 23 h)* Carte 34/64 €

◆ Avec YuMe, Yves Mattagne marie l'Orient et l'Occident. Côté Yu : sushis, gyozas, dim-sum et de nombreuses spécialités japonaises ; côté Me, de bons petits plats de la tradition franco-belge. Une belle union, dans un décor contemporain et chic.

◆ Met YuMe bewijst Yves Mattagne dat oost en west een meer dan geslaagd huwelijk kunnen aangaan. Yu, dat zijn Japanse specialiteiten als sushi, gyoza en dimsum; Me staat voor de Franco-Belgische brasseriekeuken. Ook de eetzalen weerspiegelen deze tweezijdigheid maar hebben allebei een contemporaine, exclusieve uitstraling.

X **Jardin de Pékin**

Parvis Sainte-Alix 32 ✉ *1150 –* ✆ *02 770 45 37 – fermé 15 juillet-15 août et mercredi* 4DMt

Rest – Lunch 10 € – Menu 15/35 € bc – Carte 15/32 €

◆ Ce Jardin transporte bien à Pékin ! Dans un décor typique, on y (re-)découvre les meilleures recettes de la cuisine chinoise (soupe wan-tan à la coriandre, dim-sum, canard laqué).

◆ De betere versie van de klassieke Chinese keuken vindt u hier, in het centrum van Woluwe. Veel menu's en formules tegen interessante prijzen, en een voortreffelijke huiswijn.

Comment choisir, dans une localité, entre deux adresses de même catégorie (nombre de 🏠 ou de X) ? Sachez que les établissements sont classés par ordre de préférence au sein de chaque catégorie : les meilleures adresses d'abord.

ENVIRONS DE BRUXELLES

à Diegem **par A 201, sortie Diegem – Ⓒ Machelen 13 577 h. – ✉ 1831**

Crowne Plaza Airport

Da Vincilaan 4 – ✆ *02 416 33 33 – www.crowneplaza.com/cpbrusselsarpt* 2DKc

312 ch – †95/445 € ††95/445 €, ☕ 22 € – 3 suites

Rest – *(fermé vendredi soir et samedi) (ouvert jusqu'à 23 h)* Lunch 25 € – Carte 50/64 €

◆ Hotel in het businesspark bij de luchthaven met zeer comfortabele kamers. Atrium, uitgebreide congresfaciliteiten, fitness en sauna. "Club floor" met viproom. Restaurant naast een loungebar. Lunchbuffet door de week. Terras aan het park.

◆ Dans le "corporate village" aéroportuaire. Atrium central, chambres tout confort, outil conférencier complet, fitness et sauna. "Club floor" avec salon privilège. Restaurant côtoyant un lounge-bar. Lunch-buffet en semaine. Terrasse sur parc public.

Holiday Inn Airport rest,

Holidaystraat 7 – ✆ *02 720 58 65 – www.skoj.be*

310 ch ☕ – †75/189 € ††75/189 € 2DLw

Rest – Lunch 25 € – Menu 20/50 € – Carte 26/60 €

◆ Dit hotel uit de jaren 1970 bij de luchthaven is met een groot renovatieproject gestart. Veel voorzieningen om werk en plezier te combineren. Modern ingericht restaurant met een traditionele kaart en buffetformule.

◆ Cet immeuble hôtelier érigé dans les années 1970 à portée d'aéroport vient de se lancer dans un important programme de modernisation. Équipements pour se réunir et se relaxer. Restaurant au cadre contemporain ; carte traditionnelle et formule buffet.

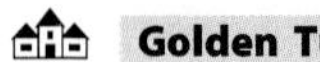

Golden Tulip Airport

Bessenveldstraat 15 – ✆ 0 2 713 66 66 – www.goldentulipbrusselsairport.be **2**DL**x**

125 ch – ♦69/340 € ♦♦69/380 €, ☐ 24 €

Rest – Menu 32 € – Carte 38/53 €

♦ Dit ketenhotel in een laag gebouw langs de snelweg, op 4 km van luchthaven Zaventem, biedt rustige en uitnodigende kamers, zeven vergaderzalen en enkele faciliteiten voor ontspanning. Gezellige bar en restaurant dat is ingericht als een luxueuze brasserie.

♦ Des chambres calmes et accueillantes, 7 salles de réunions et quelques distractions vous attendent à 4 km des pistes de Zaventem, dans cette bâtisse basse bordant l'autoroute. Bar chaleureux et restaurant installé comme une brasserie de luxe.

Novotel Airport

rest,

Leonardo Da Vincilaan 25 – ✆ 0 2 725 30 50 – www.novotel.com **2**DK**y**

209 ch – ♦79/260 € ♦♦79/260 €, ☐ 20 €

Rest – *(ouvert jusqu'à 23 h 30)* Menu 25 € – Carte 33/48 €

♦ Praktisch hotel om voor of na een vlucht te overnachten. Geleidelijke aanpassing aan de laatste Novotel- normen. Conferentiezalen, fitness en buitenbad. Moderne brasserie met buffetformule (niet in het weekend).

♦ Hôtel commode si l'on veut s'envoler ou si l'on vient d'atterrir. Adaptation progressive aux derniers standards Novotel. Piscine extérieure, fitness et salles de séminaires. Brasserie moderne avec formule buffets (sauf le week-end).

à Dilbeek par ⑧ : 7 km – 39 998 h. – ✉ 1700

Hostellerie d'Arconati avec ch

d'Arconatistraat 77 – ✆ 0 2 569 35 00 – www.arconati.be – fermé février

4 ch ☐ – ♦110 € ♦♦125 €

Rest – *(fermé dimanche soir, lundi et mardi)* Lunch 53 € – Menu 66 € bc

♦ Pand in interbellumstijl met een mooie tuin om 's zomers buiten te eten bij een waterpartij. Gezellige eetzalen en verzorgde klassieke gerechten. Frisse, lichte kamers voor een rustige nacht.

♦ Architecture de l'entre-deux-guerres ouverte sur un jardin bichonné où l'on dresse le couvert en été près d'une pièce d'eau. Salle à manger cosy. Mets classiques soignés. Nuitées paisibles dans des chambres fraîches et lumineuses.

De Kapblok

Ninoofsesteenweg 220 – ✆ 0 2 569 31 23 – www.dekapblok.be – fermé 1 semaine Pâques, 2 dernières semaines de juillet-2 premières semaines d'août, Noël-nouvel an, dimanche, lundi et soirs fériés **1**AM**e**

Rest – Lunch 25 € – Menu 43/75 € – Carte 41/74 €

♦ Dit familierestaurantje aan een drukke weg weet zijn klanten aan zich te binden door de zorg die aan het eten wordt besteed. Aan de muur foto's van aankomend keukentalent.

♦ Au bord d'un axe passant, petit restaurant tenu en famille et fidélisant bien sa clientèle par le soin apporté à la cuisine. Salle ornée de photos de cordons bleus en herbe.

De Smidse

Oudesmidsestraat 39 – ✆ 0 2 307 06 81 – www.de-smidse.be – fermé semaine de carnaval, semaine de Pâques, 2 dernières semaines d'août, semaine de la Toussaint, samedi midi, mardi et mercredi

Rest – Lunch 25 € – Menu 35/78 € bc

♦ Gun uzelf een culinaire pauze in deze oude graanschuur, waar Belgische streekproducten worden geserveerd. Rustieke eetzalen en patio met waterpartij. Hartelijke ontvangst door de eigenaar, die verstand heeft van wijn.

♦ Accordez-vous une pause gourmande dans cette ancienne grange où la parole revient aux terroirs belges. Salles rustiques et patio avec pièce d'eau. Accueil jovial du patron-sommelier qui conseille avec conviction ses derniers vins coups de cœur.

à Dworp (Tourneppe) **par ⑥ : 16 km – Ⓒ Beersel 24 406 h. – ✉ 1653**

Kasteel Gravenhof ch, VISA AE
Alsembergsesteenweg 676 – ✆ 0 2 380 44 99 – www.gravenhof.be – fermé 24 décembre
26 ch – †115/240 € ††155/240 €, ☐ 18 € **Rest** – Menu 25 € – Carte 29/55 €
◆ Ontdek het kasteelleven in dit lustslot uit 1649. De luisterrijke omgeving leent zich bij uitstek voor een feestmaal. Gemoderniseerde kamers en park met vijver. Café-restaurant in de gewelfde kelder. Klassieke kaart met een regionaal accent.
◆ "Folie" de 1649 où vous goûterez à la vie de château. Cadre fastueux se prêtant bien à l'organisation de grandes agapes, chambres modernes rénovées et parc avec étang. Taverne-restaurant retranchée dans les caves voûtées. Carte classico-régionale.

à Grimbergen au Nord par N 202 : 11 km – 35 169 h. – ✉ 1850

BRUXELLES

Abbey rest, ch, VISA AE
Kerkeblokstraat 5 – ✆ 0 2 270 08 88 – www.hotelabbey.be – fermé 10 juillet-10 août
28 ch ☐ – †135 € ††170 €
Rest – *(fermé samedi et dimanche)* Menu 35/47 € bc – Carte 44/57 €
◆ In dit grote bakstenen gebouw, een nabootsing van de Vlaamse stijl, logeert u in ruime, rustige kamers. Moderne lounge-bar, vergaderzalen, fitnessruimte en sauna. In het restaurant worden klassieke gerechten geserveerd, wat goed past bij de inrichting.
◆ Cette grande bâtisse en briques plagiant un peu le style flamand vous héberge dans des chambres amples et paisibles. Lounge-bar moderne, salles de réunions, fitness et sauna. Table au cadre classique révélateur du genre de prestation culinaire proposée.

à Groot-Bijgaarden – Ⓒ Dilbeek 40 255 h. – ✉ 1702

Waerboom rest, VISA AE
Jozef Mertensstraat 140 – ✆ 0 2 463 15 00 – www.waerboom.com 1AL**r**
44 ch ☐ – †100/185 € ††117/202 € – 1 suite
Rest – *(dîner pour résidents seulement)*
◆ Zakenhotel tussen platteland en snelweg. Grote Vlaamse boerderij voor congressen en recepties. Veel natuursteen in de kamers en openbare ruimten.
◆ Entre campagne et autoroute, hôtel d'affaires, séminaires et réceptions occupant une grande bâtisse genre ferme flamande. Pierre de France dans les chambres et communs.

XXX **Michel** (Robert Van Landeghem) VISA AE
Gossetlaan 31 ✉ 1702 – ✆ 0 2 466 65 91 – www.restaurant-michel.be – fermé 3 au 7 janvier, 3 au 7 avril, 31 juillet-18 août, 25 au 29 décembre, jours fériés, dimanche et lundi 1AL**d**
Rest – Lunch 42 € – Menu 72/86 €
Spéc. Jets de houblon à l'œuf poché, sauce mousseline ou au crabe royal. Bar au quinoa et aubergine, jus de pinot noir. Perdreau rôti au naturel à la feuille de vigne.
◆ Traditioneel ogende pand dat opvalt door zijn designinterieur en moderne gastronomie. Lekker meergangenmenu, seizoengebonden suggesties en lunch "au champagne"!
◆ Cette maison d'aspect traditionnel séduit par sa gastronomie moderne et son surprenant design intérieur. Beau menu-carte, lunch au champagne, menu de saison et suggestions.

XX **Brasserie Bijgaarden** VISA AE
I. Van Beverenstraat 20 – ✆ 0 2 464 20 90 – www.brasseriebijgaarden.be
Rest – Lunch 24 € – Menu 34/50 € bc – Carte 24/60 € 1AL**a**
◆ Dit huis heeft een rijke horecageschiedenis, u vindt er nu een trendy brasserie waar u in de eetzaal nog de grandeur van vroeger herkent. De traditionele kaart is democratisch geprijsd en biedt ook een aantrekkelijk menu. Ruim terras.
◆ Une véritable institution que cette brasserie très courue, au décor chic et discret... À la carte, toutes les spécialités du genre, aux prix mesurés (intéressante formule). Grande terrasse face à la verdure.

à Hoeilaart - 10 298 h. - ✉ 1560

XX **Aloyse Kloos**

Terhulpsesteenweg 2, (Groenendaal) – ✆ 0 2 657 37 37 – www.aloysekloos.be – fermé vacances de Pâques, 2 semaines en août, dimanche soir et lundi

Rest – Lunch 25 € – Menu 35/44 € **4**DP**f**

◆ Klassiek restaurant van een Luxemburgse horecafamilie aan de rand van het Zoniënwoud, niet ver van de Ring. Pergola met kiwis op het terras.

◆ Une famille de restaurateurs luxembourgeois est à l'origine de cette table classique postée en lisière du massif de Soignes, pas loin du ring. Tonnelle de kiwi en terrasse.

à Huizingen par ⑥ : 12 km - 🄲 Beersel 24 406 h. - ✉ 1654

XXX **Terborght** (Lesley De Vlieger)

Oud Dorp 16 – ✆ 0 2 380 10 10 – www.terborght.be – fermé janvier, juillet, samedi midi, mardi et mercredi

Rest – Lunch 37 € – Menu 49/114 € – Carte 78/145 €

Spéc. Quatre préparations de langoustines. Agneau de Texel et garniture de saison. Dégustation de desserts.

◆ Vlaams trapgevelpand van rode baksteen uit 1617 met een modern-rustiek interieur en comfortabel terras. Verfijnde en vernieuwende keuken. Het maandmenu is altijd een goede keus.

◆ Cuisine novatrice et recherchée à découvrir dans une belle demeure flamande (1617) en briques rouges, rythmée de pignons à redans. Intérieur rustique-moderne et terrasse confortable. Optez en confiance pour le menu mensuel.

à Kraainem - 13 368 h. - ✉ 1950

X **Sjo d'O**

Statieplaats 3 – ✆ 0 2 306 40 50 – fermé samedi et dimanche **2**DL**q**

Rest – Lunch 20 € – Menu 30 €

◆ Sjo d'O (een vernederlandste knipoog naar een Franse keukenterm) serveert het klassieke repertoire, met opmerkelijk nobele ingrediënten voor de bescheiden prijs die u betaalt. En met een fles champagne die aan een al even lekker lage prijs wordt geschonken, mag u zich gerust een keer helemaal laten gaan. Sober interieur.

◆ Le Sjo d'O ? Un nom original pour un répertoire classique et d'excellents produits… à des prix attractifs. Allez, vous pouvez même prendre une bouteille de champagne !

à Linkebeek - 4 755 h. - ✉ 1630

X **Noï**

Gemeenteplein 6 – ✆ 0 2 380 68 60 – www.noi.be – fermé Noël-nouvel an, lundi midi, samedi midi et dimanche **3**BP**a**

Rest – Carte 30/39 €

◆ Thais restaurant bij het grote plein in het centrum. Op donderdag- en vrijdagmiddag staat er een rickshaw met soep (zelfbediening). Exotische terrassen met veel groen.

◆ Table siamoise cachée aux abords de la place centrale. Les jeudis et vendredis midis, un rickshaw chargé de potages est présenté en libre-service. Terrasses exotiques au vert.

à Nossegem par ② : 13 km - 🄲 Zaventem 31 273 h. - ✉ 1930

XX **Orange**

Leuvensesteenweg 614 – ✆ 0 2 757 05 59 – www.orangerestaurant.be – fermé lundi soir, samedi midi et dimanche

Rest – Lunch 25 € – Menu 34 € – Carte 34/61 €

◆ Trendy brasserie in lichtoranje en tabakskleurige tinten, banken van krokodillenleer en designlampen. Goede keuken die aan de huidige smaak voldoet. Aangenaam terras.

◆ Bonne cuisine de brasserie revisitée, servie dans un décor chaleureux : tons orange et tabac, banquettes en cuir similicroco et éclairage design. Jolie terrasse verdoyante.

à Overijse par ④ : 16 km – 24 430 h. – ✉ 3090

i Begijnhof 17, ✆ 0 2 785 33 73, www.overijse.be

Soret

Kapucijnendreef 1, (Jezus-Eik) – ✆ 0 2 657 37 82 – www.hotel-soret.be – fermé 8 au 21 août 4DN**s**

40 ch – †70/90 € ††115/120 € – 2 suites

Rest *Istas* – voir la sélection des restaurants

◆ Nieuw en rustig hotel aan de rand van het Zoniënwoud. Kraakheldere grote kamers, mooi zwembad, sauna, fitnessruimte en handig parkeerterrein.

◆ Hôtel familial récent et tranquille installé en lisière de la forêt de Soignes. Grandes chambres d'une tenue exemplaire, jolie piscine, sauna, fitness et parking bien commode.

XXXX **Barbizon**

Welriekendedreef 95, (Jezus-Eik) – ✆ 0 2 657 04 62 – www.barbizon.be – fermé 9 au 18 janvier, 10 au 18 avril, mardi et mercredi 4DN**n**

Rest – Menu 36/87 € – Carte 83/131 €

◆ Mooie villa in Normandische stijl, die goed past in de bosrijke omgeving. Vader en zoon in de keuken, eigentijdse kaart, prestigieuze wijnen en tuinterras.

◆ À l'orée de la forêt, villa charmante dont le style "normand" s'harmonise au cadre bucolique du lieu. Père et fils en cuisine, carte actuelle, vins choisis et terrasse-jardin.

XXX **Lipsius**

Brusselsesteenweg 671, (Jezus-Eik) – ✆ 0 2 657 34 32 – www.lipsius.be – fermé 2 au 8 janvier, 2 au 18 avril, 23 juillet-août, dimanche soir, lundi et mardi 4DN**r**

Rest – Lunch 30 € – Menu 35/75 € bc – Carte 41/87 €

◆ Sinds 1982 serveert de chef hier klassieke gerechten op basis van kwaliteitsproducten. Een geraffineerde keuken die geapprecieerd wordt door de schare trouwe klanten, die vooral voor de menu-optie kiezen. Een klassiek, warm en gezellig adres.

◆ Une cuisine classique élaborée avec des produits raffinés : sole, homard, ris de veau ou encore pigeonneau, que les clients fidèles savent apprécier avec gourmandise...

X **Istas** – Hôtel Soret

Brusselsesteenweg 652, (Jezus-Eik) – ✆ 0 2 657 05 11 – fermé août, mercredi et jeudi 4DN**s**

Rest – Carte 19/51 €

◆ Café-restaurant uit 1875 met een ouderwetse sfeer, traditionele kaart en dito bediening. Lekker tapbier uit de streek en boterhammen met platte kaas.

◆ Ambiance rétro, choix traditionnel et service à l'ancienne en cette taverne-restaurant indéboulonnable depuis 1875. Bonnes bières régionales au fût et tartines de platte kaas.

à Sint-Genesius-Rode (Rhode-Saint-Genèse) **par ⑤ : 13 km – 18 029 h. – ✉ 1640**

X **Bois Savanes**

Chaussée de Waterloo 208 – ✆ 0 2 358 37 78 – www.boissavanes.be – fermé première semaine de janvier, 2 premières semaines d'août, samedi midi et lundi

Rest – Lunch 18 € – Menu 25 € – Carte 29/39 €

◆ Laat de keuken van Siam een lach op uw gezicht toveren in Bois Savanes, waar de Thaise keuken hedendaags gebracht wordt. Het internationale publiek van Sint-Genesius-Rode kan deze fijne zaak alvast smaken, tijd dus om zelf te komen ontdekken!

◆ Laissez-vous séduire par la cuisine du Siam... Le Bois Savanes, c'est toute la finesse de la cuisine thaïe, interprétée avec un certain esprit contemporain. De quoi séduire la clientèle internationale de cette région bruxelloise !

à Sint-Pieters-Leeuw Sud-Ouest : 13 km – 31 572 h. – ✉ 1600

Green Park

Victor Nonnemanstraat 15 (par Brusselbaan) – ☎ 0 2 331 19 70 – www.greenparkhotel.be – fermé juillet

17 ch – 99/110 € 115/125 € **Rest** – *(dîner pour résidents seulement)*

◆ Laag, modern gebouw in een rustige, groene omgeving bij een vijver. Grote eigentijdse kamers met goede voorzieningen. Zakelijke cliëntèle.

◆ Bâtisse basse de notre temps inscrite dans un site paisible et verdoyant, au bord d'un étang. Grandes chambres actuelles bien équipées. Affluence d'affaires.

XX **Tartufo**

Bergensesteenweg 500 (N 6) – ☎ 0 2 361 34 66 – fermé 5 au 9 avril, 30 août-10 septembre, 20 décembre-4 janvier, samedi midi, dimanche soir et lundi

Rest – Lunch 20 € – Menu 35/55 € bc – Carte 43/58 €

◆ De uitbaters hebben hun enthousiasme meegenomen van Sint-Genesius-Rode naar hun nieuwe pand hier. De gerechten zijn nog steeds bijdetijds, zoals u het van de chef gewoon bent. Van de drukke weg merkt u bijna niets op het verzorgde terras achter.

◆ Fort heureusement, en déménageant de Rhode-Saint-Genèse vers cette nouvelle maison, les patrons ont emporté dans leurs cartons... leur grande envie de bien faire. La cuisine reste contemporaine : on ne change pas des recettes qui plaisent ! La jolie terrasse est bien abritée de la route, un peu bruyante.

à Sterrebeek par ② : 13 km – C Zaventem 31 273 h. – ✉ 1933

XX **Chasse des Princes**

Hypodroomlaan 141 – ☎ 0 2 731 19 64 – www.resto-lachassedesprinces.be – fermé mardi midi et lundi

Rest – Lunch 19 € – Menu 35/70 € bc – Carte 44/59 €

◆ Smakelijk en eigentijds eten in een sober interieur met lichthouten vloeren, tafels en stoelen of op het terras met planten. Zaal voor groepen boven.

◆ Bons menus au goût du jour proposés dans un cadre sobre et clair (plancher, tables en bois blond, chaises cérusées) ou sur la terrasse verte. Salle pour groupes à l'étage.

à Strombeek-Bever – C Grimbergen 35 472 h. – ✉ 1853

Rijckendael

Luitberg 1 – ☎ 0 2 267 41 24 – www.rijckendael.be 1BKc

49 ch – 80/125 € 80/125 € – ½ P 110 €

Rest *Rijckendael* – voir la sélection des restaurants

◆ Modern hotel in een rustige woonwijk, niet ver van de Heizel en het Atomium, een absolute must voor toeristen. Praktische kamers en eigen parkeergarage.

◆ Immeuble hôtelier de notre époque situé dans un quartier résidentiel d'où vous rejoindrez aisément l'Atomium et le Heysel. Chambres pratiques ; parking privé.

XX **'t Stoveke** (Daniel Antuna)

Jetsestraat 52 – ☎ 0 2 267 67 25 – www.tstoveke.be – fermé fin décembre-début janvier, août, samedi midi, dimanche soir, mardi et mercredi 1BKq

Rest – *(nombre de couverts limité, prévenir)* Lunch 32 € – Menu 57/70 €

Spéc. Langoustines et joue de porc au fenouil et algues, coulis de carotte et vinaigrette à la truffe. Baby homard et saladelle à la fondue de cœur de boeuf, aubergine fumée et pancetta. Perdreau rôti en feuille de vigne, soufflé de châtaignes et jus monté au bouillon.

◆ Vanbuiten en vanbinnen gemoderniseerd pand met beschut terras in een woonwijk bij de Heizel. Open keuken en aantrekkelijk meergangenmenu op modern-klassieke leest.

◆ En secteur résidentiel, près du Heysel, maison modernisée dedans comme dehors et dotée d'une belle terrasse cachée. Alléchante carte-menu classico-évolutive. Fourneaux à vue.

XX **Rijckendael** – Hôtel Rijckendael

Luitberg 1 – ✆ 0 2 267 41 24 – www.rijckendael.be – fermé dimanche soir et vendredi
Rest – Lunch 20 € – Menu 42/48 € – Carte 38/64 € **1**BK**c**

◆ Rustiek restaurant in een oud boerderijtje (1857) met een klassiek-traditionele keuken. Beperkte kaart tijdens de grote vakantie met onder meer zomerse slaatjes.

◆ Une ancienne ferme (1857) au décor rustique, pour savourer une agréable cuisine traditionnelle. Durant les grandes vacances, la carte est plus simple et fait la part belle aux salades.

X **Restaurant 52**

De Villegas de Clercampstraat 52 – ✆ 0 2 261 00 61 – www.restaurant52.be – fermé 3 semaines en août, fin décembre-début janvier, samedi midi, dimanche soir, lundi et mardi **1**BK**b**
Rest – Carte 43/51 €

◆ Een enthousiast echtpaar leidt dit discrete huis met patio uit 1920. Moderne eetzalen met open keuken. Op het bord staan enkele eigentijdse gerechten genoteerd.

◆ Un couple plein d'allant tient cette discrète maison des années 1920. Salles modernes avec cuisine à vue, cour-terrasse, petit choix au goût du jour noté à l'écriteau.

BRUXELLES

à Tervuren par ③ : 14 km – 21 165 h. – ✉ 3080

Rastelli sans rest

Hoornzeelstraat 63 – ✆ 0 2 766 66 66 – www.hotelrastelli.be
44 ch – †98/120 € ††110/120 €

◆ In het hart van het Belgische Versailles. Junior suites en kamers met foto's van het oude Tervuren. Sommige kamers hebben een kitchenette en de helft deelt een terras.

◆ Au cœur du Versailles belge, junior suites et chambres avec ou sans cuisinette, toutes en brun et rouge, ornées de photos du vieux Tervuren. Terrasse partagée pour la moitié.

XX **De Linde**

Kerkstraat 8 – ✆ 0 2 767 87 42 – www.delindetervuren.be – fermé 2 semaines en janvier, 3 semaines en juillet, samedi midi, lundi et mardi
Rest – Lunch 14 € – Menu 35/74 € bc – Carte 56/69 €

◆ Oud pandje naast de kerk met een typisch dorpse charme. Klassieke seizoengebonden gerechten, geserveerd onder de hanenbalken van de eetzaal of op het terras aan de voorkant.

◆ À côté de l'église, menue façade ancienne au charme villageois. Repas classique de saison à savourer sous les poutres de la salle ou sur la terrasse d'été dressée à l'avant.

à Vilvoorde (Vilvorde) – 39 628 h. – ✉ 1800

XXX **Kijk Uit**

Lange Molensstraat 60 – ✆ 0 2 251 04 72 – www.kijk-uit.be – fermé 1 semaine après Pâques, 21 juillet-5 août, fin décembre, dimanche et lundi **2**CK**c**
Rest – Lunch 50 € bc – Menu 85 € bc/110 € bc – Carte 64/100 €

◆ Restaurant met een 15de-eeuwse wachttoren. Hoge eetzaal met mezzanine en grote culinaire foto's, creatieve eigentijdse kaart en terras.

◆ Restaurant dominé par une tour de guet (15e s.). Salle haute sous plafond, avec mezzanine et grandes photos d'aliments, carte actuelle créative, terrasse sous porte cochère.

XX **La Hacienda**

Koningslosteenweg 34 – ✆ 0 2 649 26 85 – www.lahacienda.be – fermé première semaine de janvier, deuxième semaine Pâques, mi-juillet-mi-août, samedi midi, dimanche et lundi **2**CK**h**
Rest – Lunch 30 € bc – Menu 42/55 € – Carte 53/70 €

◆ Deze haciënda ligt verscholen in een doodlopende straat bij het kanaal. Authentieke Spaanse keuken met tapas- en streekmenu's. Groot assortiment Spaanse wijnen.

◆ Lumineuse hacienda embusquée dans une impasse proche du canal. On y goûte une vraie cuisine ibérique avec menus tapas et régionaux. Vaste choix de vins espagnols.

X **'t Onbekende**

J.-B. Nowélei 21 – ✆ 0 2 305 87 64 – www.tonbekende.be – fermé samedi midi, dimanche et lundi **2**CK**a**

Rest – Lunch 25 € – Menu 38/48 € – Carte 42/52 €

◆ Goed menu tegen vaste prijs, Franse keuken, plezierig modern-rustiek interieur, eigentijds terras in het groen en een jong, dynamisch stel aan het hoofd.

◆ Établissement au décor contemporain, un brin zen, tenu par un jeune couple. Carte attractive mettant la cuisine française à l'honneur. Terrasse verdoyante.

à Wemmel – 15 156 h. – ✉ 1780

La Roseraie

De Limburg Stirumlaan 213 – ✆ 0 2 456 99 10 – www.laroseraie.be

8 ch – 107/250 € 130/300 € – 1 suite **1**AK**r**

Rest ***La Roseraie*** – voir la sélection des restaurants

◆ Dit hotelletje is gevestigd in een pand uit 1930 en heeft een huiselijke ambiance. De zeer goed onderhouden kamers zijn in verschillende stijlen gedecoreerd: Afrikaans, Japans, Romeins, enz.

◆ Maison des années 1930 vous réservant un accueil familial et vous logeant dans des chambres d'une tenue méticuleuse, aux thèmes décoratifs variés : Afrique, Japon, Rome, etc.

XX **Le gril aux herbes**

Brusselsesteenweg 21 – ✆ 0 2 460 52 39 – www.evanrestaurants.be – fermé samedi midi et dimanche **1**AK**t**

Rest – Lunch 35 € – Menu 50/110 €

Rest ***La table d'Evan*** – voir la sélection des restaurants

◆ Modern-klassieke gastronomie in een chic neobarokinterieur. Hier kapen de producten de aandacht weg, ongekunsteld en puur zoals escargots en coeur de boeuf-tomaat.

◆ Gastronomique ! Avec de bons produits, simples et authentiques – des escargots, des tomates cœur de bœuf – et sur des bases classiques, le chef concocte une cuisine fine et contemporaine. Pour ne rien gâcher, le décor affiche un style joliment néobaroque.

XX **L'Auberge de l'Isard**

Romeinsesteenweg 964 – ✆ 0 2 479 85 64 – www.isard.be – fermé 10 janvier, 1 semaine vacances de Pâques, 23 juillet-9 août, jours fériés soirs, dimanche soir et lundi **1**BK**u**

Rest – Lunch 25 € – Menu 35/70 € bc – Carte 47/62 €

◆ Tussen Ring en Heizel. Moderne eetzaal met ronde tafels en comfortabele stoelen. Terras met pergola. Actuele kaart, lunch en menu's op maat, zodat men goed kan eten zonder failliet te gaan.

◆ Entre ring et Heysel. Salle moderne avec tables rondes et fauteuils confortables. Pergolas en terrasse. Carte actuelle, lunch et menus taillés sur mesure pour bien manger sans se ruiner.

XX **La Roseraie** – Hôtel La Roseraie

De Limburg Stirumlaan 213 – ✆ 0 2 456 99 10 – www.laroseraie.be – fermé samedi midi, dimanche soir et lundi **1**AK**r**

Rest – Lunch 15 € bc – Menu 35/52 € – Carte 48/64 €

◆ Komt u van de Heizel in Brussel en hebt u zin in kreeft of vis? Dan staat de deur van patron Valenduc voor u open; Origineel: de kreeften leven hier in een piano!

◆ Envie de poisson et de crustacés ? Filez à la Roseraie, un restaurant élégant situé sur la route du Heysel et de l'Atomium. Pour plus de fraîcheur, belle partition de homards… dans un piano-vivier !

X **La table d'Evan** – Rest Le grill aux herbes

Brusselsesteenweg 21 – ✆ 0 2 460 52 39 – www.evanrestaurants.be – fermé dimanche et lundi **1**AK**t**

Rest – Carte 44/77 €

◆ Evan heeft al heel wat succesvolle formules gelanceerd, en ook dit project is een schot in de roos. Helemaal volgens zijn eigen stijl serveert hij u hier verfijnde tapa's; een aanrader voor wie graag zoveel mogelijk proeft.

◆ Des tapas raffinées : voilà la dernière trouvaille d'Evan, un chef créatif et imaginatif ! Une chouette idée, conviviale et idéale pour varier les plaisirs…

à Zaventem – 30 446 h. – ✉ 1930

Sheraton Airport
aéroport Bruxelles National – ☎ 02 710 80 00 – www.sheratonbrusselsairport.com 2DK**b**
294 ch – †395/495 € ††395/520 €, ☕ 25 € – 2 suites
Rest – *(ouvert jusqu'à 23 h)* Carte 42/61 €
◆ Zakenreizigers zullen het comfort en de goede service waarderen in dit hotel op de luchthaven. Gerenoveerde openbare ruimten en lichte, moderne kamers. Restaurant met een internationale kaart en Belgische gerechten.
◆ La clientèle d'affaires voyageuse appréciera le confort et les nombreux services offerts par cet hôtel intégré à l'aéroport. Communs redessinés. Chambres claires et actuelles. Restaurant proposant une carte internationale à composantes belges.

Brasserie Mariadal
Kouterweg 2, (gemeentelijk park) – ☎ 02 720 59 30 – www.brasseriemariadal.be
Rest – Lunch 18 € – Menu 34/50 € bc – Carte 24/61 € 2DL**d**
◆ Moderne brasserie in een mooi landhuis bij een park met vijver. Prettig neo-aristocratisch interieur, serre, terras, banquetingzaal en speelweide. Menu met een goede prijs-kwaliteitsverhouding.
◆ Brasserie moderne habitant un joli manoir dans un parc communal avec étang. Déco "néo-aristo décoincé", serre, terrasse, salle de réceptions et aire de jeux. Menu d'un rapport qualité-prix favorable.

piu...
Leuvensesteenweg 491 – ☎ 02 720 60 96 – www.piu-zaventem.be – fermé première semaine de janvier, vacances de Pâques, 1 semaine en août, samedi midi et dimanche 2DL**a**
Rest – Lunch 29 € – Menu 33 € – Carte 32/61 €
◆ Etablissement in brasserie-stijl met ornamenten in art-decostijl. Italiaanse gerechten op de menukaart. Goede keuken met veel smaak, aandacht voor groenten en schaaldieren tijdens het seizoen. Groot terras.
◆ Établissement façon brasserie Art déco. Goûteuse cuisine italienne faisant la part belle aux légumes ; en saison, les crustacés ne sont pas oubliés. Grande terrasse à l'arrière.

à Zellik par ⑩ : 8 km – 🄲 Asse 30 589 h. – ✉ 1731

Angelus
Brusselsesteenweg 433 – ☎ 02 466 97 26 – www.angelus-zellik.com – fermé lundi et mardi 1AL**e**
Rest – Lunch 25 € – Menu 33/45 € – Carte 42/60 €
◆ Mooie bakstenen villa uit de jaren 1950 aan de rand van het dorp, naast een aantal industrieterreinen. Traditionele keuken. 's Zomers buiten eten.
◆ Engageante villa en briques bâtie dans les années 1950 aux portes d'un village jouxtant aujourd'hui plusieurs zones industrielles. Repas traditionnel. Tables au jardin en été.

BUKEN – Vlaams Brabant – 🄲 Kampenhout 11 251 h. – 533 M17 et 716 G3 – ✉ 1910 4 C1

▶ Bruxelles 28 – Leuven 10 – Antwerpen 42 – Liège 68

De Notelaar
Bukenstraat 142 – ☎ 016 60 52 69 – www.denotelaarbuken.be – fermé mardi, mercredi, jeudi et après 20 h 30
Rest – Menu 36/49 € – Carte 48/72 €
◆ Traditioneel restaurant dat door een koppel wordt gerund, bij de N 26 van Leuven naar Mechelen. Klassieke kaart, neorustiek interieur, banketten binnen en buiten, persoonlijke service.
◆ Près de la N 26 Louvain-Malines, un restaurant traditionnel tenu par un couple soucieux de satisfaire ses clients. Carte classique, décor néorustique.

BÜLLINGEN (BULLANGE) – Liège – 533 W20, 534 W20 et 716 L4 – 5 539 h. – ✉ 4760 9 D2

▶ Bruxelles 169 – Liège 77 – Aachen 57

Haus Tiefenbach rest, rest,

Triererstr. 21 – 0 80 64 73 06 – www.haus-tiefenbach.be – fermé vacances de Pâques et fin juin-15 juillet
29 ch – 50/60 € 100/120 € – ½ P 70/74 €
Rest – *(fermé lundi et mardi sauf vacances scolaires et après 20 h)*
Menu 20/29 € – Carte 24/50 €

◆ Hôtel familial d'une tenue sans reproche, situé au creux d'un vallon agreste, entre prés, sapinières et étang (pêche). Exotisme montagnard au bar et dans quelques chambres. Carte traditionnelle présentée dans deux grandes salles, dont une est ornée de vitraux.

◆ Goed onderhouden familiehotel in een landelijk dal, tussen weilanden, sparrenbossen en een visvijver. De bar en enkele kamers zijn in Alpenstijl ingericht. Twee grote eetzalen, waarvan één met glas-in-loodramen. Traditionele keuken.

BURCHT – **Antwerpen** – **533** L15 – **voir à Antwerpen, environs**

BURG-REULAND – **Liège** – **533** V21, **534** V21 **et 716** L5 – **3 903 h.** **9** D3 – ✉ **4790**

Bruxelles 184 – Liège 93 – Namur 153 – Clervaux 28

≤★ du donjon

Paquet

Lascheid 43 (Sud-Ouest : 1 km) – 0 80 32 96 24 – www.hotelpaquet.be – fermé 28 juin-11 juillet
19 ch – 56/61 € 88/98 € – ½ P 69 € **Rest** – *(résidents seulement)*

◆ Cette hostellerie, située sur une petite route de campagne et entourée de verts pâturages et de forêts, est tenue depuis près de trente ans par la même famille. Les chambres sont belles et lumineuses. Possibilité de demi-pension (c'est le fils de la maison qui est en cuisine !).

◆ Hostellerie aan een landweg tussen weilanden en bossen die al bijna 30 jaar door dezelfde familie wordt gerund. Grote, schone en lichte kamers in twee gebouwen. Voordelig halfpension met een seizoengebonden menu van de zoon des huizes.

à Ouren Sud : 9 km – C Burg-Reuland – ✉ 4790 Burg-Reuland

Dreiländerblick

Ouren 29 – 0 80 32 90 71 – www.hoteldreilaenderblick.be – fermé 1er au 27 janvier, 26 juin-6 juillet et 24 septembre-5 octobre
13 ch – 64 € 94 € – 1 suite – ½ P 72 €
Rest – *(fermé lundi soir, mardi et après 20 h)* Menu 20/40 € – Carte env. 50 €

◆ Accueillante hôtellerie au cœur d'un village transfrontalier où se glisse l'Our. Chambres douillettes, salon-cheminée, espace bien-être et terrasse ombragée. Repas traditionnel sous les voûtes d'une salle classiquement aménagée ou dehors, face à la vallée.

◆ Vriendelijke herberg in het hart van een grensdorp waar de Our doorheen stroomt. Knusse kamers, lounge met open haard, wellnessruimte en schaduwrijk terras. Traditionele maaltijd in een klassieke gewelfde eetzaal of buiten, met uitzicht op het dal.

Rittersprung

Dorfstr. 19 – 0 80 32 91 35 – www.rittersprung.be – fermé début décembre-mi-janvier et lundi
16 ch – 60 € 90 € – ½ P 67/70 €
Rest – *(fermé après 20 h)* Menu 23/29 € – Carte 23/46 €

◆ Ce chalet rural est tenu depuis 1954 par la même famille. Les chambres jouissent d'un grand calme et, sur l'avant, elles offrent une vue sur l'Our (mais elles sont plus petites). Au restaurant, tout lambrissé, le propriétaire propose une cuisine à base de produits régionaux. Terrasse au bord de l'eau.

◆ Landelijk gelegen chalet-hotel, al sinds 1954 in handen van dezelfde familie. Rustige kamers, vooraan iets kleiner maar met uitzicht op de lager kabbelende Our. Gelambriseerde eetzaal en terras aan de rivier. De eigenares kookt op basis van lokale producten.

BÜTGENBACH – Liège – 533 W20, 534 W20 et 716 L4 – 5 701 h. 9 D2
– ✉ 4750

Bruxelles 164 – Liège 72 – Aachen 52

Bütgenbacher Hof

Marktplatz 8 – ☎ 0 80 44 42 12 – www.hotelbutgenbacherhof.com

34 ch – 75/90 € 100/150 € – ½ P 110/125 €

Rest *Bütgenbacher Hof* – voir la sélection des restaurants

♦ La version revisitée d'un séjour type dans les Ardennes ! La façade à colombages est sa signature, la piscine moderne son atout. Certaines chambres sont contemporaines, d'autres classiques.

♦ Hier beleeft u een geüpdatete versie van een typisch verblijf in de Ardennen: de klassieke vakwerkgevel is het uithangbord, het moderne zwembad de blikvanger, sommige kamers zijn bijdetijds, andere dan weer traditioneel aangekleed.

Lindenhof

rest,

Neuerweg 1, (Weywertz) (Ouest : 3 km) – ☎ 0 80 44 50 86 – www.lindenhof-weywertz.com – fermé 1er au 21 juillet, 30 août-9 septembre et lundis non fériés

16 ch – 60/75 € 80/110 €

Rest – *(dîner seulement sauf dimanche)* Menu 28/45 € – Carte 32/47 €

♦ Dans cette bâtisse en pierre du pays, vous serez au calme ! La décoration varie dans chaque chambre. Établissement familial, très bien tenu. Restaurant installé dans une villa blanche voisinant avec l'hôtel. Petite carte classique et duo de menus, uniquement pour les résidents.

♦ Gebouw van steen uit de streek met een huiselijke ambiance, ideaal voor een rustige overnachting in perfect onderhouden kamers die allemaal verschillend zijn ingericht. Restaurant in een witte villa naast het hotel. Kleine klassieke kaart en twee menu's, enkel voor hotelgasten.

Le Vieux Moulin

Mühlenstr. 32, (Weywertz) (Ouest : 1,5 km) – ☎ 0 80 28 20 00 – www.levieuxmoulin.be – fermé 23 au 26 décembre

8 ch – 110/130 € 130/150 € **Rest** – *(dîner pour résidents seulement)*

♦ Cette ferme ancienne, transformée depuis peu en hôtel de standing, jouit d'un environnement bucolique, sur les rives d'un petit lac... Les chambres sont pleines de caractère, l'ambiance intime et à la fois conviviale. Demi-pension avec menu du marché (la truite y occupe toujours une place de choix). Le chef repense son menu gastronomique chaque soir.

♦ Karaktervolle kamers, intieme ambiance en gezellige inrichting in deze oude molenboerderij, die nu een sfeervol hotelletje is, idyllisch gelegen aan een privémeertje. Halfpension met menu van de markt, waarin forel steevast de hoofdmoot vormt, en een gastronomisch menu dat elke avond verandert.

Vier Jahreszeiten

Bermicht 8, (Nidrum) (Nord : 3 km) – ☎ 0 80 44 56 04 – www.hotel4jahreszeiten.com – fermé 2 au 26 janvier, 2 premières semaines de juillet, 24 décembre et mercredi

15 ch – 55/65 € 85/100 € – ½ P 78/85 €

Rest *Vier Jahreszeiten* – voir la sélection des restaurants

♦ Une auberge de style autrichien, avec un intérieur Eifel où domine le bois. Quiétude et repos dans des chambres cosy ou au jardin.

♦ Herberg in Oostenrijkse stijl met een Eifel-interieur, gekenmerkt door veel hout. Rustige kamers met parket, fijne tuin en mooie collectie whisky's in de bar.

Eifelland sans rest

Seestr. 5 – ☎ 0 80 44 66 70 – www.hoteleifelland.be

16 ch – 45/72 € 76/100 €

♦ Maison paysanne de 1789 transformée en hôtel au début des années 1990, dans un esprit pension de famille. Chambres très bien tenues ; sauna et bain de vapeur en cabine.

♦ Dit dynamische hotelletje vormt een praktische uitvalsbasis. De kamers zijn spic en span, vooral de nieuwe vleugel biedt hoog comfort aan een lage prijs. Sauna en stoombad.

XXX **Bütgenbacher Hof** – Hôtel Bütgenbacher Hof

Marktplatz 8 – ✆ 0 80 44 42 12 – www.hotelbutgenbacherhof.com – fermé lundi et mardi

Rest – Lunch 20 € – Menu 35/65 €

◆ Un cadre traditionnel pour une cuisine... dans l'air du temps. Goûtez, par exemple, la lotte sur purée de patates douces ou le foie gras au sorbet de betterave.

◆ Ook al oogt het traditioneel, dit restaurant serveert een actuele kaart met zeeduivel op een puree van zoete aardappel en ganzenlever met sorbet van rode biet.

XX **Vier Jahreszeiten** – Hôtel Vier Jahreszeiten

Bermicht 8, (Nidrum) (Nord : 3 km) – ✆ 0 80 44 56 04 – www.hotel4jahreszeiten.com – fermé 2 au 26 janvier, 2 premières semaines de juillet, 24 décembre et mercredi

Rest – Menu 27/55 € – Carte 33/59 €

◆ Un restaurant qui porte bien son nom : la carte varie au gré des saisons, dans l'esprit de la bonne cuisine traditionnelle d'autrefois. Le propriétaire est aussi grossiste en vins et spiritueux, ce qui explique le choix infini de breuvages...

◆ Traditioneel restaurant waar de kaart met de seizoenen verandert. De eigenaar is groothandelaar in wijn en sterke drank, en dat merkt u: er is keus à volonté!

BUVRINNES – Hainaut – 533 K20, 534 K20 et 716 F4 – voir à Binche

CASTEAU – Hainaut – 533 J19, 534 J19 et 716 F4 – voir à Soignies

CELLES – Hainaut – 533 F18, 534 F18 et 716 D3 – 5 466 h. – ✉ 7760 6 B1

Bruxelles 94 – Mons 61 – Gent 64 – Lille 40

Les Secrets de la Vie

Impasse Delehouzée 2, (derrière l'église) – ✆ 0 495 56 50 72 – www.lessecretsdelavie.be

6 ch – 50/75 € 90/100 € – ½ P 85/110 € **Rest** – *(résidents seulement)*

◆ Charmante maison d'hôte au passé d'écurie. Chambres romantiques, belle salle à manger voûtée, cave à vins, espace enfants, bar sympa, lounge-terrasse et balades en auto rétro.

◆ Sfeervolle gastenkamers in een voormalige paardenstal. Fraai gewelfde eetzaal, wijnkelder, speelruimte voor kinderen, leuke bar, loungeterras en ritjes in een oldtimer.

CELLES – Namur – 533 P21, 534 P21 et 716 I5 – voir à Houyet

CHAPELLE-LEZ-HERLAIMONT – Hainaut – 533 K20, 534 K20 et 716 F4 – 14 385 h. – ✉ 7160 7 D2

Bruxelles 51 – Mons 33 – Leuven 76 – Namur 46

XXX **Pouic-Pouic** (Philipponièri Santangelo)

r. Chemin de Fer 57 – ✆ 0 64 21 31 33 – www.pouic-pouic.be – fermé 16 décembre-3 janvier, 19 au 27 février, 29 juillet-13 août, samedi midi, dimanche et lundi

Rest – Lunch 31 € – Menu 36/66 €

Spéc. Asperges vertes à ma façon (mai-juin). Fin ragoût de langue de bœuf, jus au citron et estragon. Glace vanille turbinée à la commande, servie en salle et préparée à votre goût.

◆ Trois savoureux menus réinterprétant la tradition sont proposés dans cette maison de notable modernisée avec goût. Jeux de lumières et expo de carafes en salle. Terrasse au jardin. Service agréable.

◆ Fraai gerenoveerd herenhuis met lichtspel en expo van karaffen in de eetzaal. Drie heerlijke menu's die een nieuwe interpretatie geven aan de traditie. Tuin met terras. Prettige bediening.

BELGIQUE

CHARLEROI

7 D2

BELGIQUE

Hainaut – **202 598 h.** – ✉ **6000** – **533** L20, **534** L20 **et** **716** G4

▶ Bruxelles 60 – Liège 92 – Lille 123 – Namur 43

Office de tourisme

Maison communale annexe av. Mascaux 100 par ⑤ à Marcinelle, ✆0 71 86 14 14, www.charleroi.be

Pavillon Square de la Gare du Sud, ✆0 71 31 82 18

Aéroport

✈ Charleroi Sud, ✆ 0 71 25 12 11

Golf

Chemin du Grand Pierpont 1, au Nord : 13 km à Frasnes-lez-Gosselies (Les-Bons-Villers), ✆0 71 88 08 30

A VOIR

Environs : par ⑤ : 13 km, à l'Abbaye d'Aulne★ : chevet et transept★★ de l'église abbatiale • par ⑤ à Marcinelle : l'Espace du 8 août 1956★★, Le Bois du Cazier★

Musée : par ⑤à Mont-sur-Marchienne : de la Photographie★

Quartiers du Centre

Ibis sans rest

quai de Flandre 12 – ☎ 0 71 20 60 60 – www.ibishotel.com AZ**g**

72 ch – †69/109 € ††69/109 €, ☕ 13 €

◆ Les habitués de la chaîne retrouveront aisément leurs repères dans cette unité Ibis postée à l'entrée du centre, entre gare et Ville Basse (quartiers commerçants).

◆ Wie vaker bij deze keten logeert, zal snel vertrouwd zijn in dit Ibis-hotel aan de rand van het centrum, tussen het station en de benedenstad (winkelwijken).

La Mirabelle

r. Marcinelle 7, (1er étage) – ☎ 0 71 33 39 88 – fermé 1 semaine carnaval, 1 semaine Pâques, 1 semaine en juillet, 1 semaine en août et mercredi

Rest – *(déjeuner seulement sauf vendredi et samedi)* ABZ**s**

Menu 32/55 € bc – Carte 39/47 €

◆ Une adresse de confiance, depuis plus de 25 ans ! Cadre chaleureux, carte-menu à prix fixe, bon lunch, menu minceur, menu gastro et généreuse formule "all in".

◆ Al ruim 25 jaar heel betrouwbaar! Warm interieur, à la carte-menu voor een vaste prijs, goede lunch, light menu, gastronomisch menu en genereuze all in-formule.

Au Provençal

r. Puissant 10 – ☎ 0 71 31 28 37 – www.restoauprovencal.be – fermé dimanche et jours fériés AZ**v**

Rest – Lunch 25 € bc – Menu 35/55 € bc – Carte 39/56 €

◆ Ce Provençal s'aventure en réalité dans toutes les régions de France... Classiques immuables, suggestions du marché et vaste choix de desserts, le tout dans la bonne humeur.

◆ Maaltijd in de Franse traditie en een goede sfeer. Onveranderlijke klassiekers, suggesties van de markt, grote keuze aan desserts. De kaart gaat verder dan de Provence alleen.

Côté Terroir

r. Tumelaire 6 – ☎ 0 71 30 57 32 – www.coteterroir.be – fermé première semaine de janvier, 2 premières semaines d'août, samedis midis, dimanches soirs et mercredis non fériés et après 20 h 30 BZ**c**

Rest – *(réservation indispensable)* Menu 28/45 € – Carte 42/52 €

◆ Réservez votre table dans cette salle aux tons ensoleillés et Thierry Terroir mettra tout en œuvre pour vous régaler. Goûts entiers. Midi et soir, satisfaction totale au menu.

◆ Thierry Terroir houdt van zijn vak, daar zal een bezoek aan zijn sober gedecoreerd restaurantje u moeiteloos van overtuigen. U eet er sushi van gerookte zalm, gegrilde makreel met een venkel-pompelmoessalade en meer hedendaags lekkers.

Piccolo Mondo

Grand'Rue 87 – ☎ 0 71 42 00 17 – fermé lundi soir, mardi soir, mercredi soir, samedi midi, dimanche, jours fériés et après 20 h 30 BY**e**

Rest – Lunch 21 € – Menu 30/55 € bc – Carte 29/46 €

◆ Trattoria sympa repérable à... son scooter Vespa exposé en vitrine ! Cucina italiana autentica, pasta façonnée rituellement à la minute, suggestions du jour, terrasse arrière.

◆ Deze gezellige trattoria is te herkennen aan de Vespa achter het raam! Cucina italiana autentica, ritueel à la minute gemaakte pasta en dagsuggesties. Terras aan de achterkant.

Comment choisir, dans une localité, entre deux adresses de même catégorie (nombre de 🏠 ou de ✗) ? Sachez que les établissements sont classés par ordre de préférence au sein de chaque catégorie : les meilleures adresses d'abord.

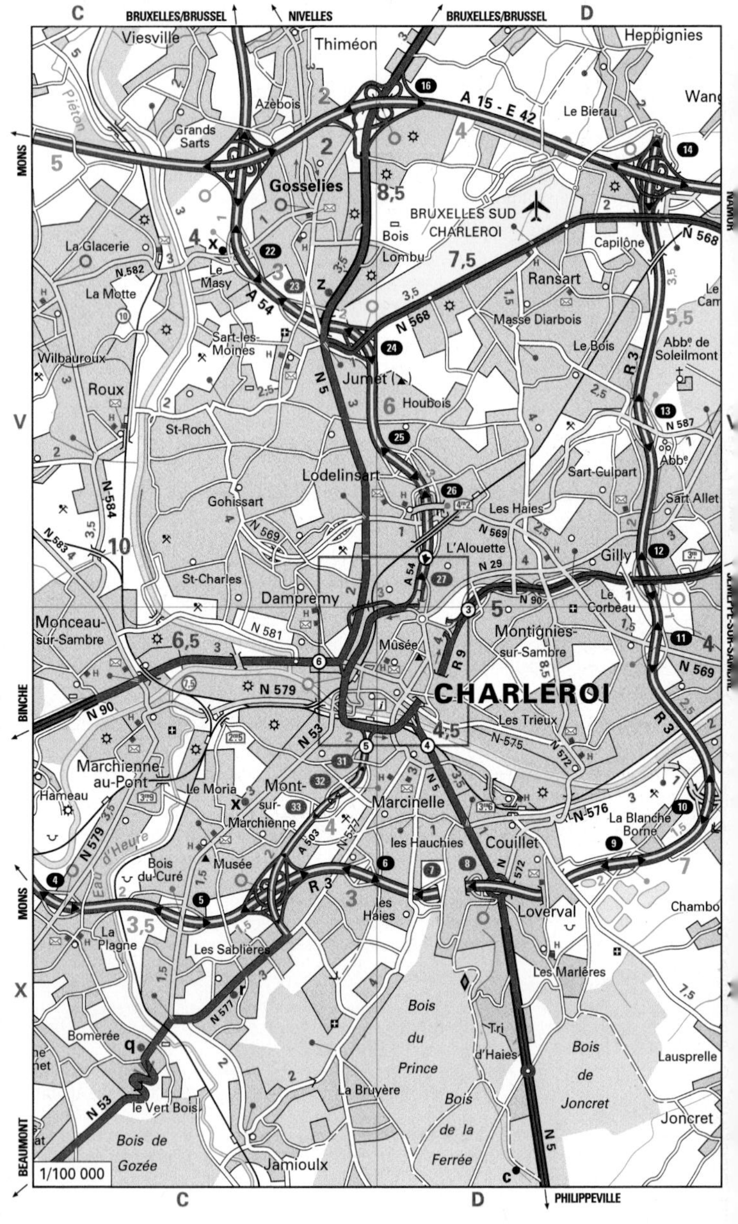
BRUXELLES/BRUSSEL
NIVELLES
BRUXELLES/BRUSSEL
MONS
NAMUR
BINCHE
MONS
BEAUMONT
PHILIPPEVILLE
Viesville
Thiméon
Heppignies
Azèbois
A 15 - E 42
Le Bierau
Grands Sarts
Gosselies
BRUXELLES SUD CHARLEROI
Bois Lombu
La Glacerie
Capilône
N 568
Le Masy
A 54
La Motte
Ransart
Sart-les-Moines
Masse Diarbois
Abbe de Soleilmont
Wilbauroux
Le Bois
Jumet
Roux
Houbois
St-Roch
Lodelinsart
Sart-Culpart
Gohissart
Sart Allet
Les Haies
N 569
L'Alouette
N 583
N 584
St-Charles
Gilly
N 29
Dampremy
Le Corbeau
Monceau-sur-Sambre
N 581
Montignies-sur-Sambre
Musée
R 9
N 90
N 579
CHARLEROI
Les Trieux
N 53
N-575
N 572
Marchienne-au-Pont
Le Moria
Mont-sur-Marchienne
Marcinelle
Hameau
N-576
La Blanche Borne
les Hauchies
Couillet
Eau d'Heure
Bois du Curé
Musée
A 503
N 577
R 3
les Haies
Loverval
Chambo
La Plagne
Les Sablières
Les Marlères
Bois du Prince
Tri d'Haies
Bois de Joncret
Bomerée
Lausprelle
La Bruyère
Bois de la Ferrée
le Vert Bois
Joncret
Bois de Gozée
Jamioulx
N 5
1/100 000

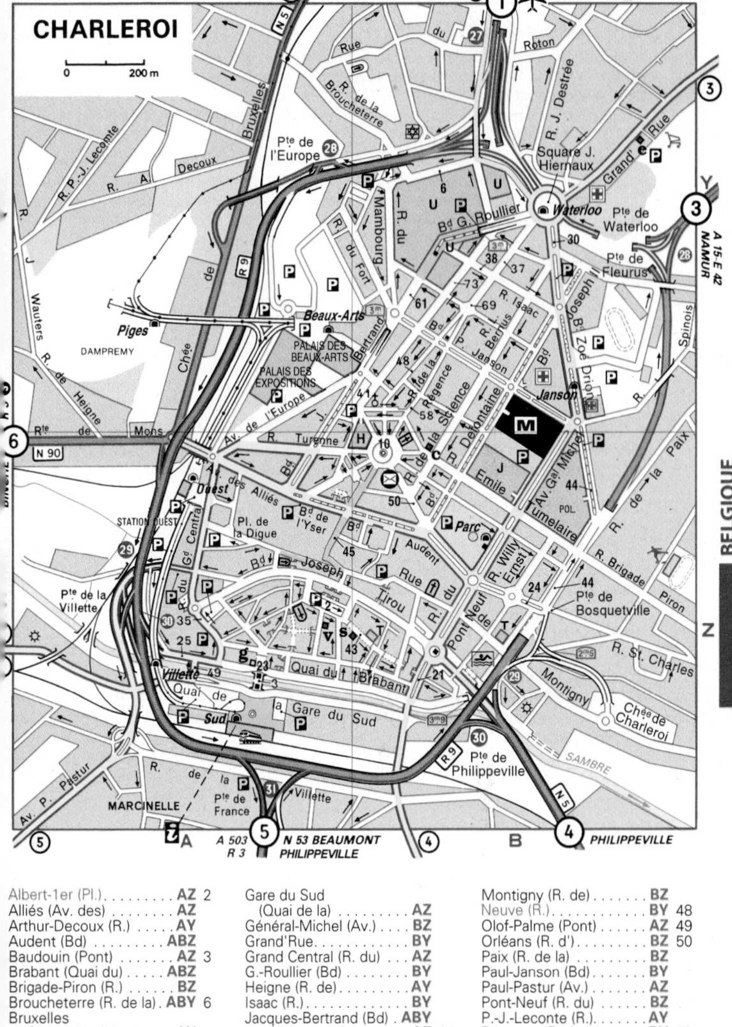

CHARLEROI
0
200 m
A
B
A 15-E 42
BRUXELLES
A 15-E 42 NAMUR
N 53 BEAUMONT PHILIPPEVILLE
A 503
R 3
PHILIPPEVILLE
Y
Z
N 5
N 90
R 9
Rue du Roton
R. de la Broucheterre
R. J. Destrée
Square J. Hiernaux
Grand' Rue
Pte de l'Europe
Pte de Waterloo
Pte de Fleurus
Waterloo
R. A. Decoux
R. P.-J. Lecomte
Chée de Bruxelles
R. J. Wauters
R. de Heigne
Rte de Mons
DAMPREMY
Piges
Beaux-Arts
PALAIS DES BEAUX-ARTS
PALAIS DES EXPOSITIONS
Av. de l'Europe
R. Turenne
Bd G. Roullier
R. Mambourg
R. du Fort
R. Isaac
R. L. Bernus
Bd P. Janson
Janson
Bd Zoé Drion
Bd Joseph II
R. Spinois
R. de la Régence
R. de la Science
Bd Defontaine
R. Emile Tumelaire
Av. Gal Michel
POL.
R. de la Paix
R. Brigade Piron
R. St. Charles
Pte de Bosquetville
Montigny
Chée de Charleroi
SAMBRE
Av. des Alliés
Ouest
STATION OUEST
Pl. de la Digue
Bd de l'Yser
Bd Audent
Bd Joseph Tirou
Rue du Pont Neuf
R. Willy Ernst
Parc
Pte de la Villette
Villette
Quai du Brabant
Quai de Flandre
Gare du Sud
Sud
Pte de Philippeville
Pte de France
R. de la Villette
Av. P. Pastur
MARCINELLE
BELGIQUE

à Gosselies – C Charleroi – ✉ 6041

Charleroi Airport

chaussée de Courcelles 115 – ✆ 0 71 25 00 50 – www.hotelcharleroiairport.be
80 ch – †79/139 € ††79/139 €, ☕ 11 € – ½ P 109/169 € CV**x**
Rest – Menu 30/62 € – Carte 35/71 €

◆ Hôtel commode pour la clientèle "airport" transitant par Bruxelles-Sud. Chambres fonctionnelles, salles de réunions, parking longue durée, navette vers le tarmac de Gosselies. Ample restaurant misant sur un choix classico-traditionnel.

◆ Deze Van der Valk is geknipt voor vliegtuigpassagiers die via Gosselies reizen. De praktische kamers zien er fris en vrolijk uit. Vergaderzalen. Groot restaurant met een traditioneel-klassieke kaart.

Bulthaup

rte Nationale 5, 193 – ✆ 0 7 134 72 00 – www.bulthaup-gosselies.be – fermé samedi et dimanche CV**z**
Rest – *(déjeuner seulement sauf vendredi)* Carte 40/54 €

◆ Un concept novateur : en guise de décor... une salle d'exposition de cuisines ! Le chef, Philippe Stevens, met en pratique tout ce qu'il a appris dans de grands établissements en France et en Wallonie. Résultat : des assiettes amusantes, fort bien préparées et sans cesse repensées.

◆ Eten in een keukenshowroom, als vernieuwend concept kan het tellen! Chef Stevens brengt wat hij leerde in goede huizen in Frankrijk en Wallonië hier in de praktijk: producten die je toelachen, knap bereid en hedendaags gebracht.

à Montigny-le-Tilleul – 10 136 h. – ✉ 6110

L'Éveil des Sens (Laury Zioui)

r. Station 105, (Bomerée) – ✆ 0 71 31 96 92 – www.leveildessens.be – fermé 1 semaine en janvier, 1 semaine en avril, dernière semaine de juillet-2 premières semaines d'août, samedi midi, dimanche et lundi CX**q**
Rest – Lunch 40 € – Menu 65/88 € – Carte 101/123 €
Spéc. Trois préparations de langoustines. Noix de ris de veau frottée aux épices du Maroc. Variété de tapas servi en menu.

◆ Cuisine goûteuse et généreuse réalisée avec des ingrédients choisis. Plats classiques laissant transparaître, en filigrane, les origines marocaines du chef. Atmosphère intime.

◆ Deze keuken verleidt u met haar rijkdom aan smaak, eersteklasproducten en klassieke gerechten waarin de chef lichtjes zijn Marokkaanse roots verwerkt. Geslaagd intiem interieur.

De Vous à Nous

r. Grand Bry 42 (sortie 4 sur R3, par N 579) – ✆ 0 71 47 47 03 – www.devousanous.net – fermé dernière semaine d'août, samedi midi, dimanche soir et mardi
Rest – Lunch 20 € – Menu 39/54 € bc – Carte 39/46 €

◆ Belle villa blanche au décor intérieur moderne clair et frais, exploitée en famille au bord de la grand-route. Salle à manger-véranda, terrasse invitante, cuisine du moment.

◆ Mooie witte villa aan de grote weg, met een licht en fris modern interieur. Eetzaal met serre, uitnodigend terras en eigentijdse keuken. Typisch familiebedrijf.

à Mont-sur-Marchienne – C Charleroi – ✉ 6032

Version Originale

r. Marcinelle 181 – ✆ 0 71 43 63 90 – www.versionoriginale.net – fermé fin décembre-début janvier, mi-juillet-mi-août, dimanche soir, mardi soir et mercredi
Rest – Lunch 21 € – Menu 34 € – Carte 41/59 € CX**r**

◆ Nouveaux nom et formule ; même équipe et envie de bien faire ! En vedettes, grillades au feu de bois, homard à la plancha, canailleries. Salles rustiques joyeusement relookées.

◆ Een nieuwe naam, een nieuwe formule, maar hetzelfde team met dezelfde ambities. Grillschotels, kreeft a la plancha en orgaanvlees. De rustieke eetzalen zijn mooi opgeknapt.

Les 3 P'tits Bouchons

av. Paul Pastur 378 – ✆ 0 71 32 55 19 – www.les3petitsbouchons.be – fermé dernière semaine de janvier, samedi et dimanche CX**x**

Rest – Lunch 24 € – Menu 35/65 € – Carte 41/62 €

◆ Une affaire de complicité... Roland concocte une cuisine classique remise au goût du jour ; Yoshide assure un service prévenant, avec de judicieux conseils quant au choix des vins. L'un et l'autre contribuent aux charmes de cette ancienne maison de maître.

◆ Yoshide en Roland zijn de partners in crime achter deze zaak: de ene maakt klassieke gerechten op hedendaagse wijze, de andere brengt ze met flair naar u toe en zorgt voor wijnadvies. Gevestigd in een oud herenhuis met eigentijds decor.

à Nalinnes – **C Ham-sur-Heure-Nalinnes 13 381 h.** – **✉ 6120**

Laudanel sans rest

r. Vallée 117, (Le Bultia) – ✆ 0 71 21 93 40 – www.laudanel.be – fermé 14 au 29 janvier et 21 juillet-5 août DX**c**

6 ch – †96/105 € ††105/115 €, ☕ 14 €

◆ Cette villa moderne à l'orée des bois vous héberge dans des chambres tranquilles et possède une piscine couverte dont les grandes fenêtres donnent sur un agréable jardin.

◆ Deze moderne villa aan de rand van het bos beschikt over rustige kamers en een overdekt zwembad met uitzicht op de mooie tuin.

CHARNEUX – **Liège** – **533** T18, **534** T18 **et 716** K3 – **voir à Battice**

CHAUDFONTAINE – **Liège** – **533** S19, **534** S19 **et 716** J4 – **20 865 h.** **8** B2
– **Casino, Esplanade 1** ✆ **0 4 365 07 41** – ✉ **4050**

Bruxelles 104 – Liège 10 – Verviers 22

Maison Sauveur Parc des Sources, ✆ 0 4 361 56 30, www.thermesetcoteaux.be

Château des Thermes

r. Hauster 9 – ✆ 0 4 367 80 67 – www.chateaudesthermes.be – fermé fin juin-début juillet

47 ch ☕ – †145/238 € ††199/390 € – ½ P 140/174 €

Rest – *(résidents seulement)*

◆ Un hôtel luxueux (18e s.) tout entier dédié au bien-être ! Cures, soins de balnéothérapie et confort douillet... sans oublier le restaurant chic, où les curistes peuvent allier gourmandise, santé (buffet du midi) et véritable dîner gastronomique.

◆ Een echt wellnesshotel! Luxueuze of cosy kamers in de voormalige stallen en de recente aanbouw van dit 18e-eeuwse luxehotel, dat zich nu toelegt op kuren en balneotherapie. Chic restaurant voor een gastronomisch diner. Lekker en gezond lunchbuffet voor kuurgasten.

La Béole sans rest

r. 13 Août 58 – ✆ 0 475 49 90 59 – www.labeole.net

4 ch ☕ – †85 € ††85/100 €

◆ Barbara et Valère vous ouvrent avec bonheur les portes de leur maison d'hôtes, à deux pas des thermes. La demeure jouit d'une vue superbe sur les environs, la piscine chauffée est un délice. En prime, occasionnellement spécialités du terroir à la table d'hôte.

◆ Barbara en Valère ontvangen u met plezier in hun klassiek ingerichte villa op een boogscheut van de thermen. Sterke troeven hier zijn het mooie uitzicht op het stadje en het verwarmde zwembad. De gastvrouw maakt op verzoek lokale specialiteiten voor u klaar.

CHAUMONT-GISTOUX – **Brabant Wallon** – **533** N18, **534** N18 **et** **4** C2
716 H3 – **11 338 h.** – ✉ **1325**

Bruxelles 37 – Wavre 10 – Namur 32

à Dion-Valmont **Nord-Ouest : 7 km – C Chaumont-Gistoux – ✉ 1325**

XX **L'Or Ange Bleu**

chaussée de Huy 71 – ☎ 0 10 68 96 86 – www.lorangebleu.com – fermé semaine de Pâques, 2 dernières semaines d'août, Noël-nouvel an, samedi midi, lundi et après 20 h 30

Rest – Menu 25/66 € – Carte 57/80 €

♦ Jolie maison où il est plaisant de s'attabler. Salle à manger aux tons orange, bleu et ivoire ; accueil avenant et belle cave. Véranda avec vue sur la terrasse et le joli jardin.

♦ Het is zeer aangenaam eten in dit huis voorzien van een serre met uitzicht op het terras en de verzorgde tuin. Interieur in blauw, oranje en ivoor. Goede service. Mooie wijnkelder.

CHÊNÉE – **Liège – 533** S19 **et 534** S19 – **voir à Liège, périphérie**

CHIMAY – **Hainaut – 534** K22 **et 716** F5 – **9 854 h. – ✉ 6460** **7** D3

Bruxelles 116 – Mons 61 – Charleroi 50 – Dinant 61

Château★

au Nord-Est : 3 km, Étang★ de Virelles

BELGIQUE

à Baileux **Est : 4 km – C Chimay – ✉ 6464**

XX **L'Attrape Loup**

r. Rocroi 102 – ☎ 0 60 21 11 47 – www.attrapeloup.be – fermé 4 au 30 juillet, mardi soir, mercredi soir, dimanche et lundi

Rest – Menu 35/50 € bc – Carte 37/57 €

♦ Mme Leloup régale au bord d'une route sylvestre, non loin d'une abbaye brassicole de l'ordre de la Trappe, d'où le nom ! Choix traditionnel, déco rustique, terrasse côté bois.

♦ Mevrouw Leloup kookt voor haar gasten aan een bosweg in de buurt van een trappistenabdij. Traditionele kaart, gedistingeerd interieur en terras aan de boskant.

à Lompret **Nord-Est : 7 km sur N 99 – C Chimay – ✉ 6463**

Franc Bois sans rest

r. courtil aux Martias 18 – ☎ 0 60 21 44 75 – www.hoteldefrancbois.be – fermé janvier

8 ch – †65/95 € ††85/95 €

♦ Près du clocher d'un village tranquille, maison en pierres du pays où l'on s'endort dans des chambres fonctionnelles récemment rajeunies. Buffet matinal dans un cadre soigné.

♦ Huis van steen uit de streek bij de klokkentoren van een rustig dorp. De functionele kamers zijn onlangs opgeknapt. Ontbijtbuffet in een verzorgde setting.

à Momignies **Ouest : 12 km – 5 261 h. – ✉ 6590**

Hostellerie du Gahy

r. Gahy 2 – ☎ 0 60 51 10 93 – fermé 20 juillet-10 août, samedi, dimanche et jours fériés

6 ch – †78 € ††95 € **Rest** – *(fermé après 20 h)* Carte 37/67 €

♦ Dynamisme et faconde de la patronne, quiétude et cadre bucolique font le charme de cette demeure ancienne. Grandes chambres. Nouvelle piscine et jardin. Salle à manger attachante et terrasse braquées vers les collines de la verte Thiérache. Écriteau suggestif.

♦ De landelijke omgeving en de rust zijn de charme van dit oude huis met een energieke en praatgrage eigenaresse. Grote kamers. Tuin met nieuw zwembad. Aantrekkelijke eetzaal en terras met uitzicht op de heuvels van de groene Thiérache. Suggesties op een leitje.

à Virelles Nord-Est : 3 km – Chimay – ✉ 6461

Chez Edgard et Madeleine

r. Lac 35 – ✆ 0 60 21 10 71 – fermé 3 au 26 janvier, dimanche soir et lundi
Rest – Lunch 30 € – Menu 45/48 € – Carte 39/70 €

◆ Convivialité assurée dans ce resto perpétuant l'art de la truite en escabèche depuis 1910. Plats à la bière, abats, homard et gibier (en saison) parmi les autres spécialités.

◆ Gezelligheid troef in dit restaurant, waar al sinds 1910 escabèche van forel wordt geserveerd! Biergerechten, orgaanvlees, kreeft en wild behoren tot de andere specialiteiten.

CINEY – Namur – 533 P21, 534 P21 et 716 I5 – 15 502 h. – ✉ 5590 — 15 C2

Bruxelles 86 – Namur 30 – Dinant 16 – Huy 31

Surlemont sans rest

r. Surlemont 9 – ✆ 0 83 23 08 68 – www.surlemont.be – fermé 1er au 15 janvier
18 ch – †65/85 € ††85/105 €, ☕ 13 €

◆ Ex-ferme seigneuriale profitant du calme de la campagne. Chambres actuelles tournées vers les prés ou la cour-pelouse ouverte. Espace relaxation. Séminaires résidentiels.

◆ Statige herenboerderij in de rust van het platteland. Moderne kamers met uitzicht op de weiden of het gazon aan de voorkant. Congrescentrum en faciliteiten voor ontspanning.

Le Comptoir du Goût

r. Commerce 121 – ✆ 0 83 21 75 95 – www.restaurant-lecomptoirdugout.be – fermé dimanche et lundi
Rest – Menu 32 € – Carte 32/54 €

◆ Salle moderne avec fourneaux à vue d'où sortent une grande diversité de mets traditionnels actualisés, pour tous les appétits et toutes les bourses. Bon menu "Tout en Un". Patronne accueillante et spontanée au service. Terrasse arrière.

◆ Moderne eetzaal met open keuken. Keur van traditionele gerechten met een snufje vernieuwing, voor grote of kleine trek en voor elk budget. Lekker menu "Tout en Un" (alles in één). Vriendelijke bediening. Terras achter.

CLERMONT – Liège – 533 U19, 534 U19 et 716 J4 – voir à Thimister

---

COO – Liège – 533 U20, 534 U20 et 716 K4 – voir à Stavelot

CORBION – Luxembourg – 534 P24 et 716 I6 – voir à Bouillon

COURTRAI – West-Vlaanderen – voir Kortrijk

COURT-SAINT-ETIENNE – Brabant Wallon – 533 M19, 534 M19 et 716 G4 – 9 843 h. – ✉ 1490 — 4 C3

Bruxelles 46 – Wavre 17 – Charleroi 34 – Leuven 40

au Sud : 8 km à Villers-la-Ville★★ : ruines★★ de l'abbaye

Les Ailes

av. des Prisonniers de Guerre 3 – ✆ 0 10 61 61 61 – www.lesailes.be – fermé août, dimanche, lundi, mardi et après 20 h 30
Rest – Menu 29/55 € – Carte 50/70 €

◆ Jolie salle à manger agrémentée de vastes baies et d'une charpente apparente en sapin canadien. Produits du terroir et suggestions du marché.

◆ Mooie eetzaal met balkenzoldering en grote glaspuien. De menu's zijn samengesteld uit streekproducten, waaronder speenvarken, gevogelte en forel.

COUVIN – Namur – 534 L22 et 716 G5 – 13 613 h. – ✉ 5660 — 14 B3

Bruxelles 104 – Namur 64 – Charleroi 44 – Dinant 47

Grottes de Neptune★

BELGIQUE

XX **Nulle Part Ailleurs** avec ch

r. Gare 10 – ☎ 0 60 34 52 84 – www.nulle-part-ailleurs.be
5 ch – †80 € ††90 €, ☕ 12 €
Rest – *(fermé lundi, mardi et après 20 h 30)* Lunch 20 € – Menu 39/49 € – Carte 42/55 €

◆ Ambiance bistrot ou resto, menus au goût du jour, recettes du cru (anguille en escabèche) et vins choisis, dont la maison fait aussi commerce, avec certains produits locaux. Chambres d'hôtes coquettement personnalisées. Exploitation cent pour cent familiale.

◆ Restaurant met bistrogedeelte, eigentijdse menu's, regionale gerechten (gemarineerde paling) en goede selectie wijnen. Tevens verkoop van streekproducten en wijn. Gastenkamers met een persoonlijke touch. Een familiebedrijf pur sang!

X **Le Jardin de Jade**

r. Gare 53 – ☎ 0 60 34 66 32 – fermé mardi
Rest – Menu 18/39 € – Carte 15/35 €

◆ Restaurant chinois tenu en famille dans la rue principale. Cadre soigné, spécialités de la région de Hangzhou, menus bien ficelés et belle cave pour le genre de la maison.

◆ Chinees restaurant in de hoofdstraat. Verzorgd interieur, specialiteiten uit de regio Hangzhou. Goed doordachte menu's en, zeker voor dit type restaurant, mooie wijnkelder.

CREPPE – **Liège** – **534** U20 – **voir à Spa**

CRUPET – **Namur** – Ⓒ **Assesse 6 659 h.** – **533** O20, **534** O20 **et 716** H4 **15** C2 – ✉ **5332**

▶ Bruxelles 79 – Namur 27 – Dinant 16

Le Moulin des Ramiers sans rest

r. Basse 31 – ☎ 0 83 69 02 40 – www.moulindesramiers.be
6 ch – †85/125 € ††85/125 €, ☕ 12 €

◆ Un beau site verdoyant sert de cadre à cet ancien moulin à eau dont les restes sont visibles dans le hall. Chambres classiques personnalisées. Jardin baigné par le ruisseau.

◆ Deze oude watermolen, waarvan de overblijfselen te zien zijn in de hal, ligt midden in het groen. Klassieke kamers met een persoonlijke toets. Tuin aan een beekje.

La Maison du Meunier sans rest

r. Haute 15 – ☎ 0 476 43 44 55 – www.maisondumeunier.be
3 ch ☕ – †120/135 € ††120/135 €

◆ Près du clocher, charmante maison d'hôte tirant parti de l'ex-logis du meunier (1866). Ambiance cosy, jardin de campagne avec piscine et tonnelle, bons conseils touristiques.

◆ Sfeervol B&B in een oude molenaarswoning uit 1866 bij de klokkentoren. Gezellige ambiance, tuin met pergola en zwembad. Goede toeristische tips.

XX **La Toquade**

r. Basse 32 – ☎ 0 83 69 90 70 – www.latoquade.be – fermé lundi et mardi
Rest – Lunch 25 € – Menu 35/52 € – Carte 61/70 €

◆ Une Toquade ? Une adresse bien pensée, par un jeune couple plein d'idées ! L'aménagement des lieux, assez élégant, a su en exploiter tout le potentiel (belle terrasse au bord du Crupet) ; la carte ne manque pas de personnalité. Une adresse à découvrir.

◆ Een slim jong koppel zag het potentieel van deze mooi gelegen zaak met zijn terras aan de oever van de Crupet, en maakte er een restaurant met tijdloze klasse van. In de keuken interpreteert de chef de klassieke gastronomie op zijn eigen manier. Kom zeker zelf eens proeven, voor de prijs zult u hiet zeker niet hoeven te laten.

CUSTINNE – **Namur** – **533** P21, **534** P21 **et 716** I5 – **voir à Houyet**

DAKNAM – **Oost-Vlaanderen** – **533** I16 – **voir à Lokeren**

DALHEM – Liège – 533 T18 et 716 K3 – 6 805 h. – ✉ 4607 9 C1

▶ Bruxelles 108 – Liège 17 – Namur 77 – Eijsden 9

La Chaume

r. Vicinal 17 – ✆ 0 4 376 65 64 – www.lachaume.be – fermé lundi

Rest – *(déjeuner seulement sauf vendredi et samedi)* Lunch 48 € bc – Menu 30/44 € – Carte 50/70 €

◆ Maison à colombages tenue en famille depuis 1973 sur cette butte agreste. Âtre et vieille charpente. Produits bio du terroir, vin de l'agriculture raisonnée, jolis bourgognes.

◆ Dit vakwerkhuis op een heuvel wordt sinds 1973 door een familie gerund. Haard en oud gebinte. Biologische streekproducten, milieuvriendelijk verbouwde wijn, mooie bourgognes.

DAMME – West-Vlaanderen – 533 E15 et 716 C2 – 10 839 h. – ✉ 8340 19 C1

▶ Bruxelles 103 – Brugge 7 – Knokke-Heist 12

ℹ Jacob van Maerlantstraat 3, ✆ 0 50 28 86 10, www.toerismedamme.be

Doornstraat 16, au Sud-Est : 7 km à Sijsele, ✆ 0 50 35 35 72

Hôtel de Ville★ (Stadhuis) • Tour★ de l'église Notre-Dame (O.L. Vrouwekerk)

De Speye sans rest

Damse Vaart Zuid 5 – ✆ 0 50 54 85 42 – www.hoteldespeye.be – fermé dernière semaine de juin-première semaine de juillet et 2 dernières semaines de décembre

5 ch – †65/85 € ††75/95 €

◆ In deze traditionele familieherberg aan de Damse Vaart kunt u overnachten voor een zacht prijsje. Goed onderhouden, eigentijdse kamers en verzorgd ontbijt.

◆ Face au canal de Damme, une auberge familiale traditionnelle, où vous passerez une douce nuit à prix sage. Chambres modernes bien tenues et petit-déjeuner soigné.

De Lieve

Jacob van Maerlantstraat 10 – ✆ 0 50 35 66 30 – www.delieve.com – fermé 11 au 29 janvier, 14 juin-2 juillet, 15 novembre-10 décembre, lundi soir et mardi

Rest – Menu 27/35 € – Carte 50/65 €

◆ Sinds 1977 serveert dit restaurant midden in het droefgeestige stadje aan het kanaal Sluis-Brugge royale en smakelijke gerechten. Rustieke inrichting en sfeer van het "oude Vlaanderen".

◆ Table généreuse et goûteuse officiant depuis 1977 au centre de cette mélancolique petite ville que borde le canal Bruges-Sluis. Décor rustique et ambiance "vieille Flandre".

De Zuidkant

Jacob van Maerlantstraat 6 – ✆ 0 50 37 16 76 – www.restaurantdezuidkant.be – fermé vendredi midi, mercredi et jeudi

Rest – Lunch 33 € – Menu 40/65 € – Carte 58/80 €

◆ Kleine aanlokkelijke kaart en mooi viergangenmenu in een rustiek mediterraan interieur dat warm en sfeervol aandoet. Terrassen voor en achter om 's zomers buiten te eten.

◆ Petite carte attrayante et joli menu en 4 actes proposés dans un cadre rustico-méridional aussi intime que chaleureux ou sur l'une des deux terrasse d'été (avant et arrière).

Luna Piena

Kerkstraat 4 – ✆ 0 50 37 29 45 – www.lunapienadamme.be – fermé 3 dernières semaines de décembre, mercredi et jeudi

Rest – Menu 34 € – Carte 38/58 €

◆ Sfeervol interieur, lekkere menu's in Italiaanse stijl, dynamische eigenaresse. Het modern en tijdloos interieur is knus en gezellig en wordt opgeluisterd met foto's van de pittoreske Damse vaart. De blikvanger is een grote foto van een volle maan, hoe kan het ook anders.

◆ Luna Piena ou "pleine lune" en italien. Est-ce sous l'influence de cet astre magique que ce restaurant contemporain offre autant de chaleur et de saveurs ? Peut-être... mais sans aucun doute grâce au dynamisme de son équipe. La carte cultive évidemment le goût de l'Italie.

à Hoeke Nord-Est : 6 km par rive du canal – C Damme – ✉ 8340

Welkom sans rest

Damse Vaart Noord 34 (près N 49) – ✆ 0 50 60 24 92 – www.hotelwelkom.be – fermé 5 au 15 mars et 12 au 22 novembre

10 ch – 50/70 € 75/90 €

◆ In dit familiebedrijf aan de vaart wordt u van harte "welkom" geheten. De kamers zijn sober, maar keurig. Het café en het terras trekken veel wielrenners.

◆ Welkom : dans cet hôtel familial, l'accueil est chaleureux ! Chambres simples et bien tenues. Taverne et terrasse avec vue sur le canal, où font halte de nombreux cyclistes…

à Oostkerke Nord-Est : 5 km par rive du canal – C Damme – ✉ 8340

Bruegel

Damse Vaart Zuid 26 – ✆ 0 50 50 18 66 – www.restaurant-bruegel.be – fermé 1 semaine en mars, 1 semaine en juillet, 1 semaine en septembre, 1 semaine en décembre et mercredis et jeudis non fériés

Rest – Lunch 32 € – Menu 50/82 € bc – Carte 48/85 €

◆ Eigentijdse keuken op klassieke basis in een landelijk decor met het authentieke karakter van de polderstreek. De chef doet alles om u te verwennen vanuit de keuken, terwijl zijn vrouw voor u zorgt in de zaal.

◆ Décor champêtre au pays des Polders… On y apprécie une cuisine actuelle appuyée sur des bases classiques (chicons caramélisés au balsamique, salade tiède de perdreau…).

BELGIQUE

Siphon

Damse Vaart Oost 1 (Sud : 2 km) – ✆ 0 50 62 02 02 – www.siphon.be – fermé 2 au 24 février, première semaine de juillet, 27 septembre-12 octobre, jeudi et vendredi

Rest – *(réservation indispensable)* Carte 18/50 €

◆ De Siphon ontpopte zich door de jaren heen tot een bedevaartsoord voor palingeters. Hier trek je dan ook niet heen voor een intiem etentje, maar om paling of grillspecialiteiten te proeven in een kader dat gonst van de bedrijvigheid.

◆ On vient dans ce restaurant de la campagne flamande pour goûter la spécialité de la maison, les anguilles, ainsi que de bonnes grillades… le tout dans une atmosphère conviviale et animée.

à Sijsele Nord-Est : 6 km – C Damme – ✉ 8340

Vredehof

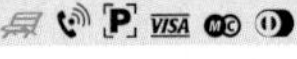

Dorpsstraat 1 – ✆ 0 50 36 28 02 – www.vredehof.com

14 ch – 65/115 € 75/130 € – ½ P 63 €

Rest *Vredehof* – voir la sélection des restaurants

◆ Dit omheinde herenhuis biedt kamers met een persoonlijke toets; die aan de achterkant zijn het rustigst. Ontbijt in de serre of de tuin. Huiselijke ambiance en retro-interieur.

◆ Dans cette jolie maison bourgeoise, il règne une atmosphère rétro et familiale vraiment plaisante. Chambres classiques et confortables, petit-déjeuner servi sous la véranda ou au jardin : du charme.

Vredehof – Hôtel Vredehof

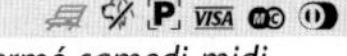

Dorpsstraat 1 – ✆ 0 50 36 28 02 – www.vredehof.com – fermé samedi midi, dimanche, lundi et après 20 h

Rest – *(déjeuner seulement sauf vendredi et samedi)* Lunch 19 € – Menu 25/37 €

◆ De chef-patron voert een licht klassieke/traditionele kaart met veel regionale gerechten. De settting is helemaal in lijn met de kookstijl. Lunchmenu in de week.

◆ Le chef, et patron, propose une carte traditionnelle légère, à base de savoureux plats classiques régionaux, dans un cadre en parfaite harmonie avec sa cuisine. Menu déjeuner en semaine.

DAVERDISSE - **Luxembourg** - **534** P22 **et 716** I5 - **1 382 h.** - ✉ **6929** **12** B2

Bruxelles 122 - Arlon 72 - Bouillon 37 - Dinant 41

Le Moulin

r. Lesse 61 - ✆ 0 84 38 81 83 - www.daverdisse.com - fermé 2 janvier-3 février, 26 août-7 septembre et mardi et mercredi de novembre à Pâques

22 ch - †97 € ††135/160 € - ½ P 122 €

Rest *Le Moulin* - voir la sélection des restaurants

◆ Ancien moulin en pierres du pays doté de chambres calmes et douillettes. Jolie piscine indoor, jardin bercé par le chant de la rivière, balades sylvestres alentour.

◆ In de rustige kamers van deze oude molen kunt u de Ardense charme aan den lijve ondervinden. Fraai overdekt zwembad, tuin aan de rivier en bossen in de omgeving.

XXX **Le Moulin** - Hôtel Le Moulin

r. Lesse 61 - ✆ 0 84 38 81 83 - www.daverdisse.com - fermé 2 janvier-3 février, 26 août-7 septembre, mardi et mercredi de novembre à Pâques, lundi midi et après 20 h 30

Rest - Lunch 24 € - Menu 28/60 € - Carte 38/60 €

◆ Profitez d'une escapade ardennaise pour frapper à la porte de cet ancien moulin. L'accueil y est chaleureux, le cadre cosy, les prix mesurés ; à la carte, des saveurs dans l'air du temps et une excellente formule déjeuner ! La terrasse, dans le jardin, est bercée par le chant de la rivière…

◆ Wie de Ardennen aandoet, moet beslist deze voormalige watermolen bezoeken. U wordt er gastvrij onthaald in een gezellig en verzorgd restaurant, met naast de eigentijdse kaart ook keuzemenu's en een uitstekende lunchformule - alles voor schappelijke prijzen. Er is een terras in de tuin, waar een riviertje doorheen loopt

XX **Le Trou du Loup**

Chemin du Corray 2 - ✆ 0 84 38 90 84 - www.trouduloup.be - fermé mardi, mercredi et après 20 h 30

Rest - Menu 27/50 € - Carte 40/65 €

◆ Choix classique actualisé et décor neuf en cet accueillant chalet donnant un peu de vie à ce hameau ardennais. Selon la saison, feu de bûches au salon ou terrasse au jardin.

◆ Dit gezellige, nieuw ingerichte chalet brengt wat leven in dit Ardeens gehuchtje. Salon met open haard en terras aan de tuinzijde. Klassieke keuken met een vleugje moderniteit.

à Gembes **Sud-Ouest : 9 km - Ⓒ Daverdisse - ✉ 6929**

Les Trois Chênes

r. Porcheresse 79 - ✆ 0 61 61 47 67 - www.les-trois-chenes.be - fermé janvier et 20 août-10 septembre

5 ch - †55/65 € ††80/90 € - ½ P 90/100 €

Rest - *(résidents seulement)*

◆ Au cœur d'un paisible village rural, cette maison d'hôtes s'abrite dans une ancienne forge typiquement ardennaise. Chambres coquettes, agréable jardin. Cuisine toute simple.

◆ B&B in een oude smederij, typisch Ardeens, net als de rest van het rustige dorp. Landelijke sfeer, mooie kamers en terras in de tuin. Vlaamse eigenaar. Keuken zonder verrassingen.

De - **voir au nom propre**

DEERLIJK - **West-Vlaanderen** - **533** F17 **et 716** D3 - **11 262 h.** - ✉ **8540** **19** D3

Bruxelles 83 - Brugge 49 - Gent 38 - Kortrijk 8

XXX **Marcus** (Gilles Joye)

Kleine Klijtstraat 30, (Belgiek) – ✆ 0 56 77 37 37 – www.restaurantmarcus.be – fermé janvier, 9 au 30 juillet, samedi midi, dimanche et lundi

Rest – Lunch 41 € – Menu 79/97 € – Carte 77/90 €

Spéc. Langoustines en chaud et froid, couscous et algues kombu. Pigeon aux légumes du potager. Les préparations de gibier en saison.

◆ In deze villa met een sober en modern interieur wachten u een charmant onthaal door de gastvrouw en eigentijdse inventieve gerechten. Mooi terras in het groen.

◆ Dans cette villa au décor sobre et moderne, vous serez accueilli par une patronne charmante pour savourer une cuisine contemporaine inventive. Belle terrasse verdoyante.

XX **Severinus**

Hoogstraat 137 – ✆ 0 56 70 41 11 – fermé 13 juillet-15 août et lundi

Rest – *(déjeuner seulement sauf samedi)* Lunch 44 € bc – Menu 33/68 € bc – Carte 41/57 €

◆ Verzorgd onthaal in dit weelderige herenhuis met stijlstoelen, kristallen luchters, marmeren schouw en reproducties van Toulouse-Lautrec. Serre voor groepen en tuin met terras.

◆ Accueil soigné, déco cossue d'une maison de maître (sièges de style, lustres en cristal, cheminée en marbre, reproductions de Toulouse-Lautrec), serre pour groupe et terrasse-jardin.

DEINZE – Oost-Vlaanderen – 533 G17 et 716 D3 – 29 298 h. – ✉ 9800 16 A2

▶ Bruxelles 67 – Gent 21 – Brugge 41 – Kortrijk 26

XXX **D'Hulhaege** avec ch

Karel Piquélaan 140 – ✆ 0 9 386 56 16 – www.dhulhaege.be

12 ch – †70 € ††100 €

Rest – *(fermé samedi midi, dimanche soir et lundi)* Lunch 18 € – Menu 42/70 € – Carte 50/73 €

◆ Restaurant, feestzalen en terrassen met ruime parking. Chique en charmant interieur in pasteltinten. Geraffineerde bereiding van hedendaagse gerechten op basis van kwaliteitsproducten door een jonge chef. Volledig gerenoveerde kamers boven: parket, moderne bedden, nieuwe meubels in donker hout en muren in pastel.

◆ Petit château chic et charmant. Un jeune chef y élabore une cuisine actuelle raffinée, à partir de bons produits. Terrasses et salon privé (réceptions). Dans les chambres, tons chauds, têtes de lit en bois sombre, meubles contemporains et parquet pour une ambiance résolument cosy.

à Astene sur N 43 : 2,5 km – C Deinze – ✉ 9800

XX **Au Bain Marie**

Emiel Clauslaan 141 – ✆ 0 9 222 48 65 – www.aubainmarie.be – fermé vacances de Pâques, 2 semaines fin juillet, fin décembre-début janvier, dimanche soir, mardi soir et mercredi

Rest – *(ouvert jusqu'à 23 h)* Lunch 15 € – Menu 40/65 € bc – Carte 35/74 €

◆ Mooie villa uit de jaren 1930 van de Belgische architect Van de Velde, een combinatie van art nouveau en Bauhaus. Goed all-in menu. Terras met landelijk uitzicht op de rivier.

◆ Belle villa des années 1930 conçue par l'architecte belge Van de Velde qui maria les styles Art nouveau et Bauhaus. Vue bucolique sur la rivière, jolie terrasse, bon menu "all in".

X **Gasthof Halifax**

Emiel Clauslaan 143 – ✆ 0 92 82 31 02 – www.gasthofhalifax.be – fermé samedi midi, dimanche et jours fériés

Rest – *(ouvert jusqu'à minuit)* Lunch 20 € – Menu 36/47 € – Carte 40/117 €

◆ Dit oude vakwerkhuis gaat sinds 1965 over van vader op zoon. Belgische spijzen en geroosterd vlees in de open haard uit 1733. Idyllisch terras aan de Leie en nieuw eikenhouten bijgebouw.

◆ Une même famille œuvre depuis 1965 dans cette authentique maison à colombages. Plats belges et grillades au feu de bois dans la cheminée datée de 1733. Terrasse donnant sur la Lys.

à Sint-Martens-Leerne **Nord-Est : 6,5 km – Ⓒ Deinze – ✉ 9800**

XXX **D'Hoeve**

Leernsesteenweg 218 – ✆ 0 9 282 48 89 – www.restaurantdhoeve.be – fermé lundi et mardi

Rest – Lunch 33 € – Menu 50/99 € bc – Carte 66/143 €

◆ Dit mooie pand naast de kerk nodigt uit voor een eigentijdse maaltijd in een sfeervol vernieuwd interieur of op het zuidelijk aandoende terras. Goed verzorgde keuken.

◆ Charme champêtre pour cette maison toute proche de l'église. Atmosphère intime et chaleureuse, cuisine au goût du jour préparée avec soin. En terrasse : teck et verdure.

DENDERMONDE (TERMONDE) – **Oost-Vlaanderen** – **533** J16 **et** **716** F2 – **44 095 h.** – ✉ **9200** **17** C2

Bruxelles 32 – Gent 34 – Antwerpen 41

Stadhuis Grote Markt, ✆ 0 52 21 39 56, www.dendermonde.be

Eglise Notre-Dame★★ (O.L. Vrouwekerk), Œuvres d'art★

XXX **'t Truffeltje** (Paul Mariën)

✿ *Bogaerdstraat 20 – ✆ 0 52 22 45 90 – www.truffeltje.be – fermé 1 semaine vacances de Pâques, 18 juillet-14 août, samedi midi, dimanche soir, lundi et mardi*

Rest – Lunch 55 € bc – Menu 40/70 € – Carte 77/87 €

Spéc. Pomme de terre écrasée au saumon fumé et caviar belge. Dim sum de langoustine à l'émulsion de jus de truffe. Ris de veau piqué à la langue de veau.

◆ Moderne, ruime eetzaal met open keuken, waar de chef-kok verfijnde modern-klassieke creaties maakt. Goede wereldwijnen en teakhouten terras.

◆ Salle moderne et spacieuse offrant la vue sur les fourneaux où le chef-patron signe de délicates créations classico-contemporaines. Bonne cave mondiale. Terrasse en teck.

XX **Ter Monde**

Sint Onolfsdijk 12 B3 (derrière complexe sportif) – ✆ 0 52 55 47 93 – www.termonde.be – fermé samedi midi, mardi et mercredi

Rest – Lunch 50 € bc – Menu 55/85 € bc – Carte 57/77 €

◆ Voormalig vissershuis op een dijk langs de Schelde, uitgebaat door een jong koppel. Creatieve keuken geserveerd in een elegant en comfortabel eigentijds kader.

◆ Cette ancienne maison de pêcheurs sur la digue de l'Escaut est baignée de lumière. Elle héberge un agréable restaurant, au décor sobre et élégant. Cuisine créative.

XX **Kokarde**

Grote Markt 10 – ✆ 0 52 52 05 80 – www.kokarde.be – fermé 20 mars-4 avril, 4 au 19 septembre, samedi midi, dimanche soir et lundi

Rest – Lunch 28 € – Menu 40/80 € bc – Carte 46/65 €

◆ Sfeervol modern restaurant met stijlelementen in een herenhuis op de hoek van de Markt. Lekker "zwart-geel-rood" menu. Rooksalon en binnenplaats met uitzicht op de rivier.

◆ À un angle du Markt, maison de maître conjuguant éléments d'époque (cheminées en marbre), inspiration néobaroque et minimalisme moderne. Bon menu "noir-jaune-rouge". Fumoir et terrasse sur la rivière.

X **Het huis van Cleophas**

Sint-Gillislaan 47 – ✆ 0 497 57 56 55 – www.cleophas.be – fermé 11 au 25 juin et lundi

Rest – Lunch 19 € – Menu 43/58 € – Carte 34/58 €

◆ Deze weelderige burgemeesterswoning is nu een trendy brasserie. 's Zomers wordt de veranda opgedekt, die aan de achterkant aan de tuin grenst.

◆ Un bourgmestre vécut dans cette maison cossue convertie en brasserie à l'ambiance "trendy". Véranda arrière tournée vers le jardin où l'on dresse aussi le couvert en été.

BELGIQUE

à Oudegem Sud-Ouest : 4,5 km – Ⓒ Dendermonde – ✉ 9200

Cosy Cottage

Eegene 38 – ✆ 0 52 42 84 43 – www.cosycottage.be – fermé janvier
3 ch – 🚹85/100 € 🚹🚹90/120 € – ½ P 115/130 €
Rest – *(dîner pour résidents seulement)*

◆ Deze karaktervolle en knusse B&B kijkt uit op de Schelde. Kamers in cottage stijl. Rustieke zaal met open haard. Tuin met toegang tot de rivier.

◆ Cette maison d'hôtes, familiale et chaleureuse, a beaucoup de caractère : intérieur rustique, cheminée, chambres d'esprit cottage. Jardin ouvert sur l'Escaut.

DEURLE – Oost-Vlaanderen – **533** G16 et **716** D2 – voir à Sint-Martens-Latem

---

DIEGEM – Vlaams Brabant – **533** L17 et **716** G3 – voir à Bruxelles, environs

---

DIEST – Vlaams Brabant – **533** P17 et **716** I3 – **23 048 h.** – ✉ **3290** **4** D1

Bruxelles 61 – Leuven 33 – Antwerpen 60 – Hasselt 25

Koning Albertstraat 16a, ✆ 0 13 35 32 74, www.toerismediest.be

Eglise St-Sulpice (St-Sulpitiuskerk),Œuvres d'art★ AZ • Béguinage★★ (Begijnhof)BY. Musée : Communal De Hofstadt★ (Stadsmuseum)AZ**H**

par ④ : 8 km, Abbaye d'Averbode★ : église★

De Franse Kroon sans rest

Leuvensestraat 26 – ✆ 0 13 31 45 40 – www.defransekroon.be
– fermé 25 décembre-1er janvier AZ**e**
28 ch – 🚹70/80 € 🚹🚹85/95 €

◆ Al sinds de 19e eeuw kunnen vermoeide reizigers terecht in dit hotel in een winkelstraat bij de Grote Markt. De kamers worden up-to-date gehouden.

◆ Depuis le 19e siècle, les voyageurs fatigués peuvent trouver refuge dans cet hôtel situé à deux pas de la Grand-Place. Chambres rénovées.

XX De Proosdij

Cleynaertsstraat 14 – ✆ 0 13 31 20 10 – www.proosdij.be – fermé 1 semaine en février, 2 semaines en juillet, 1 semaine en octobre, samedi midi, dimanche soir, lundi et mardi AZ**c**
Rest – Lunch 37 € – Menu 47/80 € – Carte 68/93 €

◆ In de 17e eeuw werd hier recht gesproken door inquisitierechters, nu hoeft u enkel te beslissen welke gerechten uit de klassieke kaart u de lady chef laat bereiden.

◆ Les tribunaux de l'Inquisition se réunissaient ici au 17e s. Aujourd'hui, la seule décision – difficile – qui vous y incombera sera de choisir le bon plat, parmi tous les classiques concoctés par la chef.

XX De Groene Munt

Veemarkt 2 – ✆ 0 13 66 68 33 – www.degroenemunt.be – fermé 2 premières semaines de janvier, 2 dernières semaines de juillet-première semaine d'août, samedi midi, dimanche soir, mardi et mercredi BZ**a**
Rest – Lunch 65 € bc – Menu 76 € bc/88 € bc – Carte 63/75 €

◆ Herenhuis aan de Veemarkt. Creatieve menu's, geserveerd in een cosy interieur (licht parket, kristalluchters, schouw en Lloyd Loom-stoelen) of op het mooie terras.

◆ Maison de maître face au Veemarkt. Menus créatifs à déguster dans un cadre cosy (parquet blond, lustres en cristal, cheminée, sièges en Lloyd Loom) ou sur la jolie cour-terrasse.

X Casa Iberico

Kautershoek 1 – ✆ 0 13 32 63 43 – www.casaiberico.be
– fermé mercredi et jeudi BZ**f**
Rest – *(dîner seulement)* Menu 27/45 € – Carte 29/56 €

◆ Behoefte aan zon op uw bord en geen tijd voor een retourtje Iberisch schiereiland? Strijk dan hier neer en verbaas u over hoe perfect de chef z'n paella weet te bereiden. En dat voor een prijs die veel interessanter is dan een vliegticket.

◆ Envie de soleil sans devoir vous envoler pour l'Espagne ? Laissez-vous surprendre par des paellas parfaitement exécutées. On s'y croirait...

DIEST

BELGIQUE

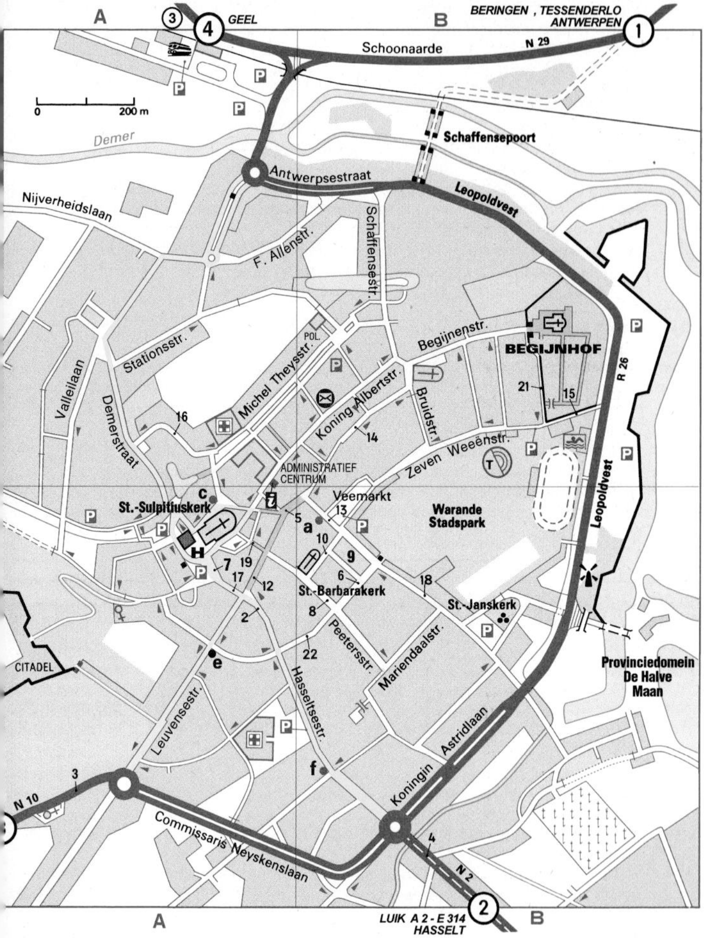

Een goede maaltijd voor een redelijke prijs? Kijk bij de Bib Gourmand. Ze helpen u goede tafels te ontdekken die kwaliteitskeuken verbinden met aangepaste prijzen!

DIKSMUIDE (DIXMUDE) – **West-Vlaanderen** – **533** C16 **et** **716** B2 **18** B2
– **16 275 h.** – ✉ **8600**

▶ Bruxelles 118 – Brugge 44 – Gent 72 – Ieper 23

i Grote Markt 28, ✆ 0 51 51 91 46, www.diksmuide.be

◉ Tour de l'Yser (IJzertoren) ✻ ★

Pax sans rest
Heilig Hartplein 2 – ✆ 0 51 50 00 34 – fermé 2 premières semaines de janvier
36 ch – 75 € 99 €
◆ Nieuw en modern gebouw met kamers van goed formaat, sober ingericht in eigentijdse stijl, net als de openbare ruimten. Mooie bar en beschut zomerterras.
◆ Immeuble récent et moderne abritant des chambres de bon gabarit, sobrement décorées dans un style actuel, à l'image des parties communes. Joli bar et terrasse d'été protégée.

't Notarishuys
Koning Albertstraat 39 – ✆ 0 51 50 03 35 – www.notarishuys.be – fermé 26 décembre-16 janvier, 19 au 30 août, dimanche et lundi
Rest – Lunch 20 € – Menu 35/51 € – Carte 44/69 €
◆ Kies gerust voor het "Compromis-menu" in dit voormalige notariskantoor met een luxe modern-klassieke inrichting. Voorkomende bediening. Tuin met een rode beuk van 150 jaar.
◆ Optez en confiance pour le menu "Compromis" en cette ex-étude de notaire au décor classico-contemporain cossu. Hêtre pourpre de 150 ans au jardin. Accueil et service affables.

à Stuivekenskerke **Nord-Ouest : 7 km – Ⓒ Diksmuide – ✉ 8600**

Kasteelhoeve Viconia
Kasteelhoevestraat 2 – ✆ 0 51 55 52 30 – www.viconia.be – ouvert avril-octobre et week-ends; fermé janvier, 29 août-13 septembre et dimanche
23 ch – 58/73 € 80/108 € – ½ P 66 € **Rest** – *(résidents seulement)*
◆ Hotel in een oude kasteelboerderij die vroeger aan een kloosterorde toebehoorde, midden in de polders. Frisse, moderne kamers die van alle comfort zijn voorzien.
◆ Ancienne ferme-château norbertine (ordre religieux) posée dans son écrin végétal, en pleine campagne "poldérienne". Chambres fraîches et actuelles, où l'on a ses aises.

BELGIQUE

DILBEEK – **Vlaams Brabant** – **533** K17 **et 716** F3 – **voir à Bruxelles, environs**

DILSEN – **Limburg** – Ⓒ **Dilsen-Stokkem 19 863 h.** – **533** T16 **et 716** K2 **11** C2
– ✉ **3650**

Bruxelles 110 – Hasselt 44 – Maastricht 33 – Roermond 31

De Maretak ch,
Watermolenstraat 20 – ✆ 0 89 75 78 38 – www.hoteldemaretak.be – fermé Noël et nouvel-an
6 ch – 65 € 92/108 € – ½ P 103 €
Rest – *(dîner pour résidents seulement)*
◆ Rustiek aandoend complex bij een kruispunt van fietspaden. Kleurige gastenkamers met parket. Complete spa, tuin met zwembad, gewelfde eetzaal en binnenplaats met terras.
◆ Petit ensemble d'aspect rural au croisement de pistes cyclables. Chambres d'hôtes parquetées et colorées, spa complet, piscine au jardin, salle à manger voûtée et cour-terrasse.

Hostellerie Vivendum (Alex Clevers) avec ch rest,
Vissersstraat 2 – ✆ 0 89 57 28 60
– www.restaurant-vivendum.com – fermé samedi midi, mercredi et jeudi
5 ch – 90 € 150 € – ½ P 150 €
Rest – Lunch 60 € bc – Menu 70/130 € bc – Carte 72/98 €
Spéc. Homard à la plancha au coco, coriandre et curry piquant. Asperges au crabe et œuf poché (mai-juin). Structures d'oignon et fromage de chèvre régional (printemps-été).
◆ Fraaie 18e-eeuwse pastorie met een moderne, verfijnde en lichte keuken. Het terras kijkt uit op de mooie tuin en een landelijk dorpje. Prettige, hedendaagse kamers om de avond rustig te besluiten.
◆ Joli presbytère du 18e s., où vous vous régalerez d'une cuisine moderne, raffinée et légère. La terrasse surplombe un beau jardin et le hameau voisin. Chambres modernes et agréables, pour poursuivre la soirée en douceur.

à Lanklaar Sud : 2 km – Dilsen-Stokkem – ✉ 3650

XX **Hostellerie La Feuille d'Or** avec ch rest,

Hoeveweg 145 (Est : 5,5 km par N 75) – ☎ 0 89 65 97 12 – www.lafeuilledor.be – fermé 2 premières semaines de janvier et 19 juillet-3 août

6 ch – 80 € 110 €

Rest – *(fermé samedi midi, lundi et mardi)* Lunch 35 € bc – Menu 50 € bc/98 € bc – Carte 61/71 €

◆ Eten smaakt nog zo lekker als het gepaard gaat met een saus van romantiek. Hiervoor bent u in deze herberg, verstopt in het bos, aan het goede adres. De keuken van chef Jan Martens heeft geen fraaie verpakking nodig om te kunnen overtuigen: wie zijn nieuwe Franse keuken proeft, beseft al snel dat deze jongeman kan koken!

◆ Envie d'un repas savoureux teinté de romantisme ? Vous êtes à la bonne adresse ! Dans cette auberge au milieu des bois, le jeune et talentueux chef, Jan Martens, réalise une nouvelle cuisine française, savoureuse et raffinée... Chambres agréables pour compléter ce séjour au calme.

DINANT – **Namur** – **533** O21, **534** O21 **et** **716** H5 – **13 317 h.** – **Casino, bd des Souverains 6** ☎ **0 82 69 84 84** – ✉ **5500** **15** C2

Bruxelles 93 – Namur 29 – Liège 75 – Charleville-Mézières 78

av. Cadoux 8, ☎ 0 82 22 28 70, www.dinant-tourisme.be

Tour Léopold-Ardenne 6, au Sud-Est : 18,5 km à Houyet, ☎ 0 82 66 62 28

Site★★ • Citadelle★ ≤★★**M** • Grotte la Merveilleuse★**B** • par ② : Rocher Bayard★ • par ⑤ : 2 km à Bouvignes : Château de Crèvecœur ≤★★ • par ② : 3 km à Anseremme : site★

Cadre★★ du domaine de Freyr (château★, parc★) • par ② : 6 km, Rochers de Freyr★ • par ① : 8,5 km à Foy-Notre-Dame : plafond★ de l'église • par ② : 10 km à Furfooz : ≤★ sur Anseremme, Parc naturel de Furfooz★ • par ② : 12 km à Vêves : château★ • par ② : 10 km à Celles : Eglise romane St-Hadelin, dalle funéraire★ • au Nord : 8 km, Vallée de la Molignée★. Descente de la Lesse★ : ≤★ et ★

BELGIQUE

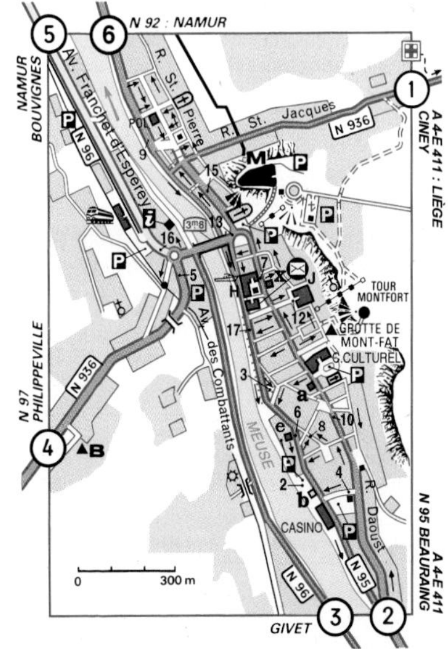

DINANT

Ibis sans rest
Rempart d'Albeau 16 – 0 82 21 15 00 – www.ibishotel.com **b**
59 ch – 69/88 € 69/88 €, 13 €
◆ Retrouvez, en bord de Meuse, aux pieds d'un coteau boisé, l'éventail des prestations hôtelières Ibis. La moitié des chambres domine le fleuve, au même titre que la terrasse.
◆ Typisch Ibishotel aan de oever van de Maas, aan de voet van een beboste heuvel. De helft van de kamers kijkt uit op de rivier, net als het terras overigens.

Le Jardin de Fiorine
r. Cousot 3 – 0 82 22 74 74 – www.jardindefiorine.be – fermé jeudi d'octobre à mars, dimanche soir et mercredi **e**
Rest – Menu 30/60 € bc – Carte 40/70 €
◆ Installée depuis 1991 dans une maison de maître, cette table du rivage mosan s'est taillée une jolie réputation avec son menu "Invitation à la gourmandise" et sa bonne cave bien conseillée. Ample salle aux tons vifs. Repas d'été sur la pelouse face au fleuve.
◆ Dit restaurant aan de Maas heeft sinds 1991 een goede reputatie opgebouwd met het menu "Invitation à la gourmandise" en de uitstekende wijnadviezen. Ruime eetzaal in felle kleuren en 's zomers buiten eten op het gras bij de rivier.

La Broche
r. Grande 22 – 0 82 22 82 81 – www.labroche.be – fermé première semaine de janvier, 1 semaine en mars, 2 premières semaines de juillet, mercredi soir en hiver, mercredi midi et mardi **a**
Rest – Lunch 20 € – Menu 27/38 € – Carte 40/62 €
◆ Dans la grande rue commerçante, restaurant estimé pour ses menus saisonniers à prix muselés, en marge d'une petite carte teintée d'orientalisme. Cadre intime et feutré égayé par des clichés rétro. Chef de formation pâtissière.
◆ Dit restaurant in de grote winkelstraat staat bekend om zijn voordelige seizoengebonden menu's en kleine kaart met oosterse invloeden. Sfeervol interieur met oude foto's. De chef is opgeleid als banketbakker en dat proef je!

Ô! Baguettes
r. Grande 111 – 0 82 22 22 82 – www.obaguettes.be – fermé mercredis non fériés sauf en juillet-août et mardis non fériés **x**
Rest – Lunch 13 € – Menu 24/38 €
◆ Adresse dépaysante face à la maison communale. Spécialités pan-asiatiques (chinoises, thaïlandaises, vietnamiennes) proposées dans un cadre simple ou sur la terrasse arrière.
◆ Een stukje Azië tegenover het gemeentehuis. Chinese, Thaise en Vietnamese specialiteiten, geserveerd in een sober interieur of op het terras aan de achterkant.

à Anseremme par ② : 3 km – Dinant – 5500

Dinant rest,
Pont a Lesse 31 – 0 82 22 28 44 – www.casteldepontalesse.be
91 ch – 109/155 € 135/199 € – ½ P 144 €
Rest – *(fermé après 20 h)* Menu 35/65 €
◆ Hôtel mettant à profit une demeure châtelaine de 1810 et ses extensions récentes. Les chambres du fenil et du pavillon ont été rénovées. Spécialité de séminaires. Restaurant ample et moderne, avec verrière et vue sur les terrasses en paliers et le parc.
◆ Hotel gevestigd in een kasteel uit 1810 met moderne bijgebouwen. De kamers op de hooizolder en in het paviljoen zijn gerenoveerd. Gespecialiseerd in congressen. Ruim, modern restaurant met glazen deuren naar de trapsgewijze terrassen en het park.

Question de standing : n'attendez pas le même service dans un ou un que dans un ou un .

BELGIQUE

Tout Simplement
r. Vélodrôme 2 – ✆ 0 82 22 69 35 – www.toutsimplement-dinant.be
– fermé 1 semaine en janvier, 1 semaine début octobre, samedi midi et jeudi soir sauf en saison et mardi
Rest – Lunch 15 € – Menu 26/40 €
◆ Des tons rouges foncés à l'extérieur et une décoration orange à l'arrière pour ce restaurant dans un village près de Dinant. Beaucoup de grillades à la carte ; prix sympas.
◆ Donkerrode tinten aan de buitenkant en oranje inrichting achterin kenmerken dit restaurant in een dorp onder de rook van Dinant. Veel prettig geprijsde grillgerechten op de kaart.

à Falmignoul par ② : 9 km – 🄲 Dinant – ✉ 5500

L'auberge des Crêtes
r. Crétias 99 – ✆ 0 82 74 42 11 – www.aubergedescretes.be
– fermé début janvier-début février, fin juin-début juillet, fin septembre-début octobre, lundi et mardi
11 ch – 65 € 82 € – ½ P 70 €
Rest *Alain Stiers* – voir la sélection des restaurants
◆ Pour de doux rèves à la campagne à prix sympa? Les chambres proprettes de cette auberge sont une valeur sûre dans la région et précisément ce que vous recherchez!
◆ Zoete dromen op het platteland tegen een prettig prijsje? De nette kamers van deze herberg, een vaste waarde in de streek, zijn precies wat u zoekt!

Alain Stiers – Hôtel L'auberge des Crêtes
r. Crétias 99 – ✆ 0 82 74 42 11 – www.aubergedescretes.be
– fermé début janvier-début février, fin juin-début juillet, fin septembre-début octobre, lundi et mardi
Rest – Lunch 25 € – Menu 35/83 € bc – Carte 46/63 €
◆ Vieille ferme en pierre à l'écart du village. Repas classiques soignés dans une cordiale ambiance familiale. Généreux menu "balade" et délicieux gibiers en saison. Terrasse côtoyant le jardin et sa pièce d'eau.
◆ Oude boerderij van natuursteen, even buiten het dorp. Verzorgde klassieke keuken in een gezellige ambiance. Aantrekkelijk menu 'balade' en wild in het seizoen. Het terras kijkt uit op de tuin met waterpartij.

à Furfooz par ② : 8 km – 🄲 Dinant – ✉ 5500

La Ferme des Belles Gourmandes sans rest
r. Camp Romain 20 – ✆ 0 82 22 55 25 – www.lafermedesbellesgourmandes.be
4 ch – 60 € 70 €
◆ Au cœur d'un village en pierres bleues, ancienne ferme vous logeant dans des chambres égayées par des tableaux illustrant divers thèmes : soleil, mer, campagne et exotisme.
◆ Oude boerderij midden in een dorp met huizen van blauwe natuursteen. De schilderijen in de kamers hebben verschillende thema's, zoals zon, zee, platteland en exotische oorden.

à Lisogne par ⑥ : 7 km – 🄲 Dinant – ✉ 5501

La Soupe aux choux
r. Lisonnette 60 – ✆ 0 82 22 63 80 – www.hotelcabane.be
– ouvert 2 avril-1er janvier
Rest – Menu 30/48 € – Carte 33/60 €
◆ Ensemble de caractère blotti au creux d'un vallon boisé. Table nostalgique par son décor autant que par sa cuisine généreuse et goûteuse. Parc et distractions pour les petits.
◆ Karakteristiek pand in een bebost dal met een nostalgische uitstraling, zowel door de inrichting als de rijke, smakelijke keuken. Park en attracties voor de kleintjes.

BELGIQUE

à Sorinnes par ① : 10 km – 🄲 Dinant – ✉ 5503

XXX **Hostellerie Gilain** (Alain Gilain) avec ch

✿ *r. Aiguigeois 1, (Liroux) (près E 411 - A 4, sortie 20)*
– ✆ 0 83 21 57 42 – www.hostelleriegilain.com
– fermé 2 au 10 janvier, 20 février-7 mars, 11 et 12 avril, 23 juillet-8 août, 31 octobre-1er novembre, dimanche soir de fin novembre à fin mars, lundi et mardi
6 ch – †101/125 € ††103/129 €, ☕ 15 € – ½ P 95 €
Rest – Lunch 35 € – Menu 51/75 € – Carte 73/101 €
Spéc. Gratin de Petits Gris de Namur , tombée de scaroles et croûte de parmesan. Noix de ris de veau caramélisée au soja, taboulé aux fruits secs et à l'huile d'argan. Râble de lièvre rôti, compotée de chicons, cuisse façon royale (octobre-décembre).

◆ Gilain, le chef, a indubitablement trouvé sa voie dans la tradition gastronomique belge, qu'il enrichit de touches plus contemporaines. Amateurs de finesse, laissez-vous séduire par ses petits plats, avant de profiter de jolies chambres confortables.

◆ Chef Gilain weet feilloos zijn weg te vinden in de Belgische gastronomische traditie, en verrijkt ze met eigentijdse omwegen. Liefhebbers van finesse kunnen hem met een gerust hart een culinair parcours laten uitstippelen, waarna u op slechts enkele passen stappen u in uw comfortabele kamer op bed kunt laten ploffen.

DION-VALMONT – **Brabant Wallon** – **533** M18, **534** M18 **et 716** G3 – **voir à Chaumont-Gistoux**

DIXMUDE – **West-Vlaanderen** – **voir Diksmuide**

DONK – **Oost-Vlaanderen** – **533** I16 **et 716** E2 – **voir à Berlare**

DOORNIK – **Hainaut** – **voir Tournai**

DRANOUTER – **West-Vlaanderen** – 🄲 **Heuvelland 8 004 h.** – **533** B18 **18** B3 – ✉ **8951**

▶ Bruxelles 136 – Brugge 85 – Ieper 15 – Kortrijk 46

XX **In de Wulf** (Kobe Desramaults) avec ch

✿ *Wulvestraat 1 (Sud : 2 km) – ✆ 0 57 44 55 67*
– www.indewulf.be
– fermé 14 au 30 juin, 20 décembre-5 janvier, lundi et mardi
8 ch ☕ – †90/110 € ††110/150 €
Rest – *(fermé samedi midi, lundi, mardi et après 20 h 15)* Lunch 50 € – Menu 65 € bc/190 € bc
Spéc. Pigeon cuit au foin et son jus. Homard aux pommes de terres confites et purée de lait battu. Fleurs et épices croquantes au fromage.

◆ Een jonge creatieve kok, die trots is op zijn Vlaamse achtergrond, staat achter het fornuis in deze fraai verbouwde hoeve. Heerlijke schelpengerechten. Mooi terras. Goede kamers voor een zacht besluit van een heerlijke maaltijd in deze uithoek.

◆ Un jeune chef créatif, et très proche de son terroir flamand, est à l'œuvre dans cette charmante fermette rajeunie. Belles recettes de coquillages. Terrasse côté campagne. Bonnes chambres pour prolonger douillettement l'étape gourmande en ce petit coin perdu.

DUDZELE – **West-Vlaanderen** – **533** E15 **et 716** C2 – **voir à Brugge, périphérie**

DUFFEL - Antwerpen - 533 L16 et 716 G2 - 16 577 h. - ✉ 2570 1 B3

▶ Bruxelles 42 - Antwerpen 23 - Gent 76 - Leuven 53

Nuance (Thierry Theys)

Kiliaanstraat 8 - ✆ 0 15 63 42 65 - www.resto-nuance.be
- fermé 25 décembre-9 janvier, samedi midi, mardi et mercredi

Rest - *(réservation indispensable)* Lunch 40 € - Menu 80 € - Carte env. 95 €

Spéc. Foie d'oie aux noisettes et abricot. Bar de ligne, émulsion de petit pois, menthe et jus de concombre. Turbot et sa garniture de saison.

◆ Modern en chic restaurant in een voormalig bankgebouw, waarvan de kluis nu dienst doet als wijnkelder! In de vernieuwende keuken beheerst men de technische kneepjes van het vak.

◆ Restaurant moderne et smart, dans une ex-banque dont le coffre-fort ne sert plus désormais qu'à ranger les vins ! Cuisine innovante aux techniques bien maîtrisées.

À la réservation, faites-vous bien préciser le prix et la catégorie de la chambre.

DUINBERGEN - West-Vlaanderen - 533 E14 et 716 C1 - voir à Knokke-Heist

DURAS - Limburg - 533 P17 - voir à Sint-Truiden

DURBUY - Luxembourg - 533 R20, 534 R20 et 716 J4 - 10 983 h. - ✉ 6940 12 B1

▶ Bruxelles 119 - Arlon 99 - Huy 34 - Liège 51

ℹ pl. aux Foires 25, ✆ 0 86 21 24 28, www.durbuyinfo.be

⛳ rte d'Oppagne 34, à l'Est : 5 km à Barvaux, ✆ 0 86 21 44 54

◉ Site★

Jean de Bohême

pl. aux Foires 2 - ✆ 0 86 21 28 82 - www.jean-de-boheme.be - fermé 2 semaines en janvier

33 ch - †70/150 € ††70/150 €, ☕ 15 € - ½ P 95 €

Rest *Jean de Bohême* - voir la sélection des restaurants

◆ Établissement dont l'enseigne se réfère au personnage grâce auquel Durbuy reçut le statut de ville, en 1331. Chambres bien agencées. Grande capacité conférencière.

◆ Jan van Bohemen is de man aan wie Durbuy in 1331 zijn status van stad te danken had. Goed ingedeelde kamers. Grote capaciteit voor congressen.

Hôtel Des Comtes sans rest

Allée Louis de Loncin 6 - ✆ 0 86 21 99 00 - www.hoteldescomtes.com

9 ch ☕ - †75/95 € ††95/120 € - 5 suites

◆ Cet hôtel de bon confort installé au calme, sur la rive gauche de l'Ourthe, tire parti de l'ancienne maison communale (1860) de Durbuy. Vue sur le clocher et le château.

◆ Comfortabel hotel in het voormalige gemeentehuis (1860) van Durbuy, rustig gelegen aan de linkeroever van de Ourthe. Uitzicht op de kerktoren en het kasteel.

La Librairie sans rest

r. Comte Th. d'Ursel 20 - ✆ 0 86 21 27 12 - www.dormiradurbuy.be - fermé janvier

8 ch ☕ - †75 € ††95 €

◆ Petit hôtel familial au-dessus d'une maison de la presse, dont les huit chambres sont colorées, simples et bien tenues. Terrasse avec vue sur l'Ourthe et le parc des Topiaires.

◆ Familiehotelletje in een boekenwinkel met acht nette, sobere, persoonlijk gekleurde kamers. Terras met zicht op de Ourthe en het Parc des Topiaires. Gratis privéparking.

XXX **Le Sanglier des Ardennes** avec ch

r. Comte Th. d'Ursel 14 – ☎ 0 86 21 32 62 – www.sanglier-des-ardennes.be

25 ch – 100/250 € 100/250 €, 15 €

Rest – Menu 40/75 € – Carte 48/71 €

◆ Cet hôtel-restaurant a fait peau neuve en 2011, mais la formule de son succès est restée intacte : un fond de classicisme, un service soigné, une belle cave à vin, une collection d'armagnacs et, côté hôtel, du confort et de la fraîcheur. En outre : espace bien-être, bar et brasserie.

◆ Dit hotel-restaurant wil er na een ingrijpende renovatie in 2011 helemaal invliegen! De succesformule werd echter wel behouden: stijlvolle bediening, een mooie wijnkelder en keur van armagnacs in het klassieke restaurant; aangenaam logies in de verzorgde kamers. Hier werd een bar, brasserie en wellness aan toegevoegd.

Au Vieux Durbuy

r. Jean de Bohême 6

25 ch – 100/250 € 100/250 €, 15 €

◆ Chambres cosy dans une maison de caractère au cœur du vieux Durbuy.

◆ Knusse kamers in een karakteristiek huis in het oude Durbuy.

XX **Clos des Récollets** avec ch

r. Prévôté 9 – ☎ 0 86 21 29 69 – www.closdesrecollets.be – fermé 8 au 26 janvier, 10 au 20 septembre, mardis et mercredis non fériés

8 ch – 90 € 105 €, 13 € – ½ P 85/90 €

Rest – *(fermé mardis et mercredis non fériés)* Menu 31/61 €

◆ Une ruelle piétonne pavée mène à ces maisonnettes anciennes et pittoresques. Préparations actuelles envoyées dans deux salles rustiques (poutres, cheminée). Crépis blanc, éléments en chêne et sanitaires à jour dans les chambres. Décor attachant au petit-déj'.

◆ Een voetgangersstraat met kinderkopjes leidt naar deze drie schilderachtige oude huisjes. Eigentijdse gerechten geserveerd in twee rustieke eetzalen (balken, schouw). Witte bepleistering, eikenhouten meubelen en modern sanitair in de kamers. Leuke ontbijtzaal.

XX **Le Saint Amour** avec ch

pl. aux Foires 18 – ☎ 0 86 21 25 92 – www.saintamour.be – fermé 2 semaines en janvier

6 ch – 110/240 € 120/250 €

Rest – *(fermé mercredi en février-mars)* Menu 26/60 € – Carte 30/60 €

◆ Repas classique dans une riante salle à manger-véranda tournée vers la place. Déco "fashion" en rouge, orange et gris. Menus de saison. Junior suites et chambres modernes aux accents romantiques à l'étage.

◆ Klassieke maaltijd in een vrolijke eetzaal met serre aan het plein. Modieus interieur in rood, oranje en grijs. Seizoengebonden menu's. Moderne kamers en junior suites boven, met een romantische noot.

Le Temps d'un Rêve

Chemin de la Houblonnière 10 – ☎ 0 476 32 01 50 – www.letempsdunreve.be – fermé 2 semaines en janvier, mercredi et jeudi

4 ch – 100/120 € 100/120 €

◆ Chalet contemporain accessible par une impasse. Chambres calmes et charmantes ; terrasse pour trois d'entre elles.

◆ Eigentijds chalet in een doodlopende straat. Mooie, rustige kamers, waarvan drie met eigen terras.

XX **Jean de Bohême** – Hôtel Jean de Bohême

pl. aux Foires 2 – ☎ 0 86 21 28 82 – www.jean-de-boheme.be – fermé 2 semaines en janvier et mardi

Rest – Lunch 20 € – Menu 34/60 € – Carte 30/57 €

◆ Dans un cadre élégant, vous pourrez goûter aux vraies saveurs ardennaises, sous l'œil attentif de la chef, Catherine Caerdinael. Gibier en saison.

◆ In een elegante setting wordt hier de echte smaak van de Ardennen geserveerd, onder het nauwlettend oog van chef Catherine Caerdinael. Wild tijdens het seizoen.

BELGIQUE

Victoria avec ch
r. Récollectines 4 – ✆ 0 86 21 28 68 – www.hotel-victoria.be
10 ch – 80/100 € 80/100 €, 15 € – ½ P 118 €
Rest – Lunch 18 € – Menu 28/38 € – Carte 30/57 €

♦ Vieille maison où l'on se repaît surtout de viandes, grillées en salle à la braise de la cheminée. Décor moderne, âtre au salon et terrasse en teck sur pelouse. Jolies chambres aménagées dans un style rustique-contemporain privilégiant des matériaux naturels.

♦ Oud pand waar het vlees boven het houtvuur in de eetzaal wordt geroosterd. Moderne inrichting, lounge met haard en teakhouten terras op het gazon. Mooie kamers in modern-rustieke stijl met natuurlijke materialen.

Le Fou du Roy
r. Comte Th. d'Ursel 4 – ✆ 0 86 21 08 68 – www.fouduroy.be – fermé lundi et mardi
Rest – Lunch 29 € – Menu 34/48 €

♦ Petite maison sympa blottie à une pirouette du pont, au pied du château dont elle fut la conciergerie. Carte-menu jonglant entre tradition et modernité, pour un régal à prix jubilatoire. Expo d'objets "vintage", jolie terrasse, festival de l'écrevisse en été.

♦ Dit leuke restaurantje bij de draaibrug was vroeger de portierswoning van het kasteel. À la carte-menu met een mix van traditie en modern voor een zacht prijsje. Verzameling oude voorwerpen, mooi terras en kreeftfestival in de zomer.

à Grandhan Sud-Ouest : 6 km – Ⓒ Durbuy – ✉ 6940

La Passerelle ch,
r. Chêne à Han 1 – ✆ 0 86 32 21 21 – www.la-passerelle.be – fermé 9 au 26 janvier
23 ch – 61 € 82 € – ½ P 63 €
Rest – *(fermé lundis non fériés sauf vacances scolaires et après 20 h 30)*
Menu 30 € – Carte 23/35 €

♦ Au bord de l'Ourthe, cette ancienne ferme en pierre abrite des chambres confortables, dont certaines donnent sur la rivière. Petit-déjeuner servi sous la véranda. Salle de restaurant arrangée de façon actuelle et terrasse verte près de l'eau.

♦ Dit karakteristieke gebouw aan de Ourthe biedt vooral aan de rivierkant prettige kamers (4 in het bijgebouw ertegenover). Moderne lounge en ontbijt in de serre. Moderne eetzaal en terras met veel groen aan het water.

DWORP (TOURNEPPE) – **Vlaams Brabant – 533** K18, **534** K18 **et 716** F3 – **voir à Bruxelles, environs**

EBEN-EMAEL – Liège – Ⓒ Bassenge 8 725 h. – 533 ST18 **et 716** J3 **8** B1
– ✉ **4690**

Bruxelles 118 – Liège 27 – Namur 93 – Maastricht 8

Villa Bayard
r. Vallée 89 – ✆ 0 4 380 11 06 – www.villabayard.be
5 ch – 95/110 € 100/115 € – ½ P 125/150 €
Rest – *(dîner pour résidents seulement)*

♦ Les esthètes se sentiront chez eux dans ce noble manoir transformé en maison d'hôtes par Hilde et Roel. Laissez-vous tenter par la table d'hôte ou les cours de cuisine organisés par la maîtresse de maison. En outre, le propriétaire organise des randonnées équestres et votre cheval est le bienvenu !

♦ Als u van mooie dingen houdt, dan zult u zich bij Hilde en Roel helemaal thuis voelen. De adellijke klasse die het geheel uitstraalt, zou de edellieden die er generaties lang huisden, zonder twijfel trots maken. Reserveer zeker voor een memorabele table d'hôtes of kookworkshop bij de pittige gastvrouw. Paarden welkom.

ÉCAUSSINNES-LALAING – Hainaut – Ⓒ Écaussinnes 10 635 h. **7** C1
– **533** K19, **534** K19 **et 716** F4 – ✉ **7191**

Bruxelles 48 – Mons 31 – Namur 60 – Lille 98

Château fort : chapelle★

XX **Le Pilori**

r. Pilori 10 – ✆ 0 67 44 23 18 – www.pilori.be – fermé vacances de Pâques, 2 premières semaines d'août, vacances de Noël, samedi et dimanche
Rest – *(déjeuner seulement sauf jeudi et vendredi)* Menu 28/70 €
♦ Un village charmant ! Il y a le château – bien sûr –, mais aussi cet agréable restaurant, très en vogue. Classicisme de bon aloi et touches actuelles ; formules intéressantes et belle carte des vins. Courez au Pilori !
♦ Niet alleen het kasteel van dit dorp is een trekpleister, ook dit klassieke restaurant met moderne invloeden is erg populair dankzij de aantrekkelijke menuformules en wijnsuggesties.

EDEGEM – **Antwerpen** – **533** L16 **et 716** G2 – **voir à Antwerpen, environs**

EDINGEN – **Hainaut** – **voir Enghien**

EEKLO – **Oost-Vlaanderen** – **533** G15 **et 716** D2 – **20 043 h.** – ✉ **9900** **16** B1

Bruxelles 89 – Gent 21 – Antwerpen 66 – Brugge 29

Shamon sans rest

Gentsesteenweg 28 – ✆ 0 9 378 09 50 – www.hotelshamon.be
8 ch – 79/89 € 109/119 €
♦ Vriendelijk en huiselijk onthaal in deze karaktervolle villa (1910) met enkele authentieke art-nouveau-ornamenten, knusse kamers en een eeuwenoude linde in de tuin.
♦ Villa de caractère (1910) vous réservant un bon accueil familial. Beaux restes Art nouveau, petit côté "bonbonnière" dans la déco des chambres, tilleul centenaire au jardin.

EERKEN – **Brabant Wallon** – **voir Archennes**

ÉGHEZÉE – **Namur** – **533** O19, **534** O19 **et 716** H4 – **15 133 h.** – ✉ **5310** **15** C1

Bruxelles 55 – Namur 16 – Charleroi 55 – Hasselt 62

à Noville-sur-Mehaigne Nord-Ouest : 2 km – Ⓒ **Éghezée** – ✉ **5310**

XXX **L'Air du Temps** (Sang-Hoon Degeimbre)

chaussée de Louvain 181 (N 91) – ✆ 0 81 81 30 48 – www.airdutemps.be – fermé fin décembre-début janvier, vacances de Pâques, 3 semaines en août, samedi midi, dimanche et lundi
Rest – Lunch 50 € – Menu 85/120 € – Carte 92/137 €
Spéc. Le "jardin suspendu". Pigeonneau de Waret à la fève de tonka et cuisses confites. Le "purple duck".
♦ "Zen-attitude" ! Dans le design intérieur comme dans l'approche culinaire d'un chef audacieux et créatif. Menus succulents, beaux accords mets-vins, deux salles dont une rotonde ouverte sur un petit jardin clos.
♦ Alles hier is "zen"! Zowel het designinterieur als de culinaire aanpak van de creatieve chef met durf. Heerlijke menu's en goede spijs-wijncombinaties. Twee eetzalen, waarvan één uitkijkt op een ommuurd tuintje.

EIGENBRAKEL – **Brabant Wallon** – **voir Braine-l'Alleud**

EKSEL – **Limburg** – Ⓒ **Hechtel-Eksel 11 885 h.** – **533** R16 **et 716** J2 – ✉ **3941** **10** B1

Bruxelles 102 – Hasselt 34 – Leuven 78 – Maastricht 72

De Paenhoeve sans rest

Weverstraat 48 – ✆ 0 477 21 86 76 – www.depaenhoeve.be
3 ch – 70/115 € 90/125 €
♦ Cultuur of natuur, vanuit deze B&B laat Limburg zich in al zijn veelzijdigheid ontdekken. De kalmte en het karakter van het huis maken ook uw uitvalsbasis tot een prima plek om uw tijd te spenderen. Ontbijt met uitzicht op de grazende paarden.
♦ Culture ou nature ? Cette maison d'hôtes vous permettra d'explorer toute la diversité culturelle du Limbourg, à moins que vous ne préfériez profiter pleinement du caractère et de la tranquillité du lieu. Petit-déjeuner avec vue sur la prairie où paissent des chevaux.

DelicIouz

Eindhovensebaan 58 – ✆ 0 11 76 23 22 – www.restaurant-deliciouz.be – fermé 2 semaines carnaval, 2 dernières semaines de septembre, lundi et mardi
Rest – *(dîner seulement)* Menu 35/50 €

◆ In de culinaire signatuur van compagnons Greve en van Engelen schemert de verfijning door van de topchefs bij wie ze het vak leerden. In combinatie met topproducten zorgt dit voor een even sterk duo op het bord als achter het fornuis.

◆ Greve et Van Engelen : une double signature culinaire pour un unique raffinement, reflet d'années de formation chez les plus grands. Avec des produits de première qualité, le duo excelle derrière les fourneaux.

ELENE – **Oost-Vlaanderen** – **533** H17 – **voir à Zottegem**

ELEWIJT – **Vlaams Brabant** – **C Zemst 21 987 h.** – **533** M17 **et 716** G3 **3** B1 – ✉ **1982**

Bruxelles 23 – Leuven 26 – Antwerpen 32

Wildersedreef 56, au Sud-Est : 6 km à Kampenhout, ✆ 0 16 65 12 16

Kasteel Diependael (Noël Neckebroeck)

Tervuursesteenweg 511 – ✆ 0 15 61 17 71 – www.kasteeldiependael.be – fermé 24 janvier-3 février, 24 juillet-24 août, vacances de la Toussaint, jours fériés soirs, samedi midi, dimanche soir, lundi et mardi
Rest – Lunch 45 € – Menu 70/80 € – Carte 70/98 €
Spéc. Langoustines en deux préparations, foie gras d'oie et homard. Crabe royal à la pomme de terre et anguille fumée. Filet d'agneau au chou-fleur, aubergine et pomme de terre mimolette.

◆ Mooi landhuis, waar vijftien jaar een ster schittert op de borden van de chef. Veranda's en terras kijken uit op de prachtige parkachtige tuin. Feestelijke en gedistingeerde sfeer.

◆ Belle gentilhommière où l'étoile brille depuis une quinzaine d'années dans les assiettes du chef. Vérandas et terrasse donnant à admirer un parc-jardin magnifique. Atmosphère festive et distinguée.

ELLEZELLES (ELZELE) – **Hainaut** – **533** H18, **534** H18 **et 716** E3 **6** B1 – **5 876 h.** – ✉ **7890**

Bruxelles 67 – Mons 64 – Gent 44 – Kortrijk 39

Château du Mylord (Jean-Baptiste et Christophe Thomaes)

r. St-Mortier 35 – ✆ 0 68 54 26 02 – www.mylord.be – fermé 22 décembre-4 janvier, 10 au 18 avril, 13 au 29 août, lundis midis et mardis midis non fériés, dimanche soir, lundi soir et mardi soir
Rest – Lunch 95 € bc – Menu 120 € bc/190 € bc – Carte 98/180 €
Spéc. Bar sauvage à la plancha, asperges, morilles et épinards de mer (avril-juin). Homard de l'Escaut cuit à basse température et sauce choron (avril-juillet). Volaille régionale aux asperges vertes, escabèche de champignons et croustillant de ris de veau.

◆ Élégant manoir de style anglo-normand (1861) niché dans son parc bichonné. Salles et terrasse raffinées, au service d'une bonne table classico-innovante. Menus aussi flexibles qu'attrayants, choix du vin bien conseillé et superbe assortiment de fromages.

◆ Sierlijk Engels landhuis (1861) met een fraaie tuin. Smaakvolle eetzalen en terras. Goede innovatieve klassieke keuken en adequate wijnadviezen. Aantrekkelijke en flexibele menu's. Fantastisch kaasassortiment.

ELSENE – **Bruxelles-Capitale** – **voir Ixelles à Bruxelles**

ELVERDINGE – **West-Vlaanderen** – **533** B17 **et 716** B3 – **voir à Ieper**

ELZELE – **Hainaut** – **voir Ellezelles**

EMBOURG – **Liège** – **533** S19, **534** S19 **et 716** J4 – **voir à Liège, environs**

ENGHIEN (EDINGEN) – **Hainaut** – **533** J18, **534** J18 **et 716** F3 **7** C1
– **12 688 h.** – ✉ **7850**

Bruxelles 38 – Mons 32 – Aalst 30 – Tournai 50

Parc Château d'Enghien 4, ☎ 0 2 396 04 17

Parc★

Auberge du Vieux Cèdre

av. Elisabeth 1 – ☎ 0 2 397 13 00 – www.auberge-vieux-cedre.com – fermé 24 décembre-3 janvier

31 ch – †95/110 € ††120/140 € – 1 suite – ½ P 120/135 €

Rest *Auberge du Vieux Cèdre* – voir la sélection des restaurants

◆ A l'orée d'un grand parc (186 ha) et tout près du centre d'Enghien, cet hôtel est idéal pour se mettre au vert.

◆ Naast een park van maar liefst 186 ha en toch op een steenworp van het centrum van Edingen biedt dit hotel u een verzorgd verblijf. Nette kamers.

Auberge du Vieux Cèdre – Hôtel Auberge du Vieux Cèdre

av. Elisabeth 1 – ☎ 0 2 397 13 00 – www.auberge-vieux-cedre.com – fermé 24 décembre-3 janvier, samedi midi, dimanche soir et vendredi

Rest – Lunch 25 € – Menu 35/55 € – Carte 43/72 €

◆ Une cuisine classique dans une maison qui ne l'est pas moins : un mariage fait pour durer ! Belle carte des vins proposant plus de deux cents références.

◆ Een klassieke keuken in een klassiek huis: een huwelijk waarin het ongetwijfeld niet snel tot een scheiding komt. Mooie wijnkaart met meer dan tweehonderd wijnen.

BELGIQUE

EPRAVE – **Namur** – **534** Q22 **et 716** I5 – **voir à Rochefort**

EREZÉE – **Luxembourg** – **533** S21, **534** S21 **et 716** J5 – **3 009 h.** **13** C1
– ✉ **6997**

Bruxelles 125 – Arlon 91 – Liège 60 – Namur 66

L'Affenage avec ch

r. Croix Henquin 7, (Blier) (Sud : 1 km) – ☎ 0 86 47 08 80 – www.affenage.be – fermé dimanche et lundi

13 ch – †100 € ††120 € – ½ P 110/120 €

Rest – Lunch 32 € – Menu 35/60 € bc – Carte 65/77 €

◆ Maison de bouche exploitée en famille dans une dépendance de la ferme-château de Blier. Fringante salle à manger contemporaine ; cuisine de même. Chambres amples et douillettes.

◆ Dit restaurant in een bijgebouw van de kasteelhoeve van Blier wordt door een familie gerund. Zwierige, moderne eetzaal en eigentijdse keuken. Ruime, behaaglijke kamers.

à Fanzel **Nord : 6 km** – Ⓒ **Erezée** – ✉ **6997 Erezée**

Auberge du Val d'Aisne rest,

r. Aisne 15 – ☎ 0 86 49 92 08 – www.aubergeduvaldaisne.be – fermé Noël-janvier, 26 juin-20 juillet et mardis, mercredis et jeudis non fériés

8 ch – †90/110 € ††90/110 € **Rest** – *(dîner pour résidents seulement)*

◆ Un petit village ardennais typé sert de cadre à cette ancienne ferme (17^{e}s.) pleine de caractère. Chambres paisibles et charmantes. Belle terrasse au bord de la rivière.

◆ Karakteristieke 17de-eeuwse boerderij in een typisch Ardens dorpje. Rustige, sfeervolle kamers. Mooi terras aan de rivier.

ERONDEGEM – **Oost-Vlaanderen** – **533** I17 – **voir à Aalst**

ERPS-KWERPS – **Vlaams Brabant** – Ⓒ **Kortenberg 19 158 h.** – **533** M17 **4** C2
et 716 G3 – ✉ **3071**

Bruxelles 19 – Leuven 6 – Mechelen 19

XX **Rooden Scilt**

Dorpsplein 7 – ✆ 0 2 759 94 44 – www.roodenscilt.be – fermé mercredi soir, dimanche soir et lundi

Rest – Menu 38/52 € – Carte 47/75 €

◆ Karakteristieke herberg om klassiek te tafelen tegenover de klokkentoren. Twee rustiek ingerichte eetzalen: balken, rode baksteen, natuursteen en ruif. Salon en terras.

◆ Face au clocher, auberge typée où l'on mange classiquement, dans deux pièces au charme agreste : poutres, briques rouges, pierres du pays, râtelier... Salon et terrasse.

ESTAIMBOURG – **Hainaut** – **Estaimpuis 10 034 h.** – **533** E18, **534** E18 **et 716** D3 – ✉ **7730** **6** B1

Bruxelles 100 – Mons 62 – Kortrijk 20 – Tournai 12

XXX **La Ferme du Château**

pl. de Bourgogne 2 – ✆ 0 69 55 72 13 – www.lafermeduchateau.net – fermé 2 semaines carnaval , 3 semaines en août et mercredi

Rest – *(déjeuner seulement sauf vendredi et samedi)* Lunch 20 € – Menu 52/82 € bc – Carte 54/100 €

◆ Maison joliment modernisée, où une famille dynamique soigne aussi bien vos repas privés que vos banquets. Bon menu minceur ; fromages et confiseries en chariots. Terrasse-jardin agréable.

◆ Fraai gemoderniseerd huis, waar een dynamische familie zowel uw privémaaltijden als banketten verzorgt. Lekker menu voor de slanke lijn; kaas- en dessertwagen. Aangenaam tuinterras.

BELGIQUE

EUPEN – **Liège** – **533** V19, **534** V19 **et 716** L4 – **18 717 h.** – ✉ **4700** **9** C1

Bruxelles 131 – Liège 40 – Verviers 15 – Aachen 17

Marktplatz 7, ✆ 0 87 55 34 50, www.eupen.be

par ② : 5 km, Barrage de la Vesdre★ (Talsperre)

par ③ : Hautes Fagnes★★, Sentier de découverte nature★ • Les Trois Bornes★ (Drielandenpunt) : de la tour Baudouin ✻★, rte de Vaals (Pays-Bas) ≤★ • au sud-est 5 km : Barrage de la Vesdre★

Plan page suivante

Julevi sans rest

Heidberg 4 – ✆ 0 478 49 32 36 – www.julevi.be – fermé semaine de carnaval

4 ch – †75 € ††95 € Y**x**

◆ Une chambre d'hôtes résolument contemporaine dans une demeure 18e s. ; en un mot : du caractère ! Les chambres sont vastes et portent le nom des enfants de la propriétaire : Julien, Léonne et Vianne, d'où la contraction Ju-le-vi.

◆ Trendy bed and breakfast in een 18e-eeuws pand. Sfeervolle ruimtes en grote kamers, genoemd naar de kinderen van de eigenaresse: Julien, Léonne en Vianne (vandaar Julevi).

Haus Langesthal sans rest

Langesthal 9 (par ② : 3 km) – ✆ 0 87 55 45 56 – www.haus-langesthal.be

3 ch – †80 € ††120 €

◆ La famille de l'ancien ambassadeur Dassel cultive dans son petit château une belle tradition d'hospitalité et de savoir-vivre. Décor tout en classicisme, magnifique jardin baigné par un ruisseau, petit-déjeuner servi dans les chambres… de quoi se rêver en hôte de marque.

◆ In het kasteeltje van voormalig ambassadeur Dassel houdt zijn familie een traditie van gastvrijheid en savoir-vivre in stand. In dit klassieke decor, met een statige tuin waar een riviertje doorstroomt, waant u zich even een hoge internationale gast. Ontbijt op bed geserveerd door het keurige kamermeisje in zwart en wit.

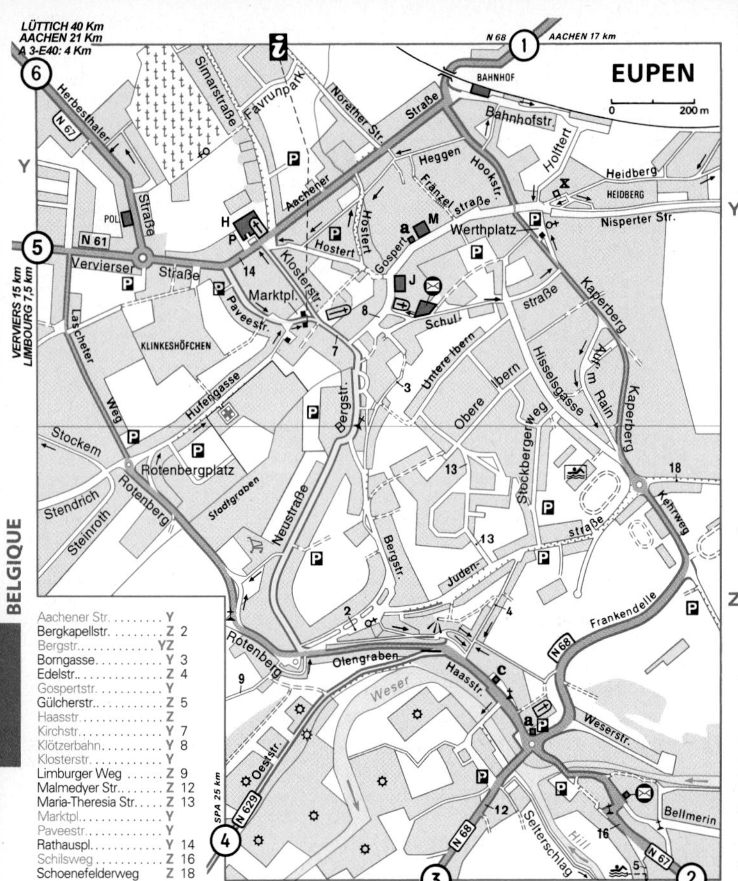

XX **Langesthaler Mühle**

Langesthal 58 (par ② : 2 km, puis à gauche vers le barrage) – ✆ 0 87 55 32 45 – www.langesthaler-muehle.be – fermé 2 semaines en juillet, 1 semaine en octobre et samedis midis et lundis non fériés

Rest – Lunch 30 € – Menu 35/65 € bc – Carte 38/72 €

♦ Ce chalet entretenant une ambiance romantique occupe un site verdoyant rafraîchi par la Vesdre. Salle dotée d'un escalier tournant en chêne. Terrasse, étang et cascade à côté.

♦ Dit chalet op een groen plekje aan de Vesdre heeft een romantische ambiance. Eetzaal met eikenhouten wenteltrap. Terras, vijver en ernaast een waterval.

XX **Delcoeur**

Gospertstr. 22 – ✆ 0 87 56 16 66 – www.delcoeur.be – fermé 2 premières semaines de janvier, 2 dernières semaines de juin, samedi midi et jeudi

Rest – Lunch 23 € – Menu 33/73 € bc – Carte 29/60 € Y**a**

♦ Passé le portail de cette bâtisse ancienne, voici ce sympathique refuge gourmand… Brasserie contemporaine, restaurant plus intime ou jolie terrasse ? Faites votre choix. Et vous pouvez aussi acheter du vin.

♦ Goed adresje voor smulpapen in een oud pand met portaal. Voor bijdetijdse gerechten hebt u de keuze uit een hedendaagse brasserie en een restaurant met contemporaine uitstraling. Wijnwinkel en mooi terras op de binnenplaats.

X **Arti'Choc**

Haasstr. 38 – ✆ 0 87 55 36 04 – www.artichoc-eupen.be – fermé semaine de carnaval, dernière semaine de juin, 2 dernières semaines d'août-première semaine de septembre, mercredi, jeudi et après 20 h 30 Z**c**

Rest – Lunch 18 € – Menu 33/55 € – Carte 30/57 €

◆ Sur une place de la ville basse, table conviviale au charmant décor genre bistrot rustico-actuel. Le menu-choix noté à l'ardoise remporte tous les suffrages. Terrasse-trottoir.

◆ Gezellig restaurant met een modern-rustiek bistro-interieur, aan een plein in de benedenstad. Het keuzemenu op het schoolbord is bij velen favoriet. Terras op de stoep.

X **Visé**

Haasstr. 63 – ✆ 0 87 55 31 27 – www.restaurant-vise.eu – fermé Noël, nouvel an, carnaval, 3 semaines en juillet, mercredi et jeudi Z**a**

Rest – Lunch 20 € – Menu 30/70 € bc – Carte 34/58 €

◆ Une simple friterie à l'origine, devenue un bon bistrot ! Le chef a un faible pour la cuisine traditionnelle, concoctée avec les excellents produits de la région. La terrasse borde la rivière.

◆ Wat begon als een frituur is uitgegroeid tot een goede bistro, een geslaagde metamorfose. De chef heeft een zwak voor de traditionele keuken en kookt graag met de mooie producten die de regio te bieden heeft. Terras aan de rivier.

EYNATTEN – Liège – C Raeren 10 492 h. – 533 V18 et 716 L3 – ✉ 4731 9 D1

▶ Bruxelles 136 – Liège 45 – Namur 105 – Maastricht 56

XX **Casino**

Aachener Str. 9 – ✆ 0 87 86 61 00 – www.casino-eynatten.be – fermé carnaval, dernière semaine de juillet-première semaine d'août, mardi et mercredi

Rest – Lunch 26 € – Menu 38/55 € – Carte 37/64 €

◆ Maison au passé d'hôtel-casino. Plats de tradition servis dans un cadre sympathique : lambris et meubles en bois blond, papier peint pourpre, niches à bibelots, vieux poêle...

◆ Restaurant in een voormalig casinohotel. Traditioneel eten in een leuk interieur: lambrisering en meubelen van licht hout, paars behang, nissen met snuisterijen, oude kachel.

XX **Sel et Poivre**

Aachener Str. 140 – ✆ 0 87 55 33 08 – www.seletpoivre-eynatten.be – fermé 24 au 31 décembre, 15 au 31 août, mercredi et jeudi

Rest – Lunch 24 € – Menu 33/60 € – Carte 35/49 €

◆ Vous le sentirez dès que votre sympathique hôtesse vous mènera à votre table : cette ancienne ferme – au décor moderne – est le lieu idéal pour déguster une cuisine traditionnelle et généreuse. Belle carte des vins, où l'accent est mis sur le Sud de la France.

◆ Wie door de joviale gastvrouw naar zijn tafel wordt geleid, voelt het meteen: in deze klassieke boerderij met modern interieur ben je aan het juiste adres voor een klassieke, genereuze keuken. Mooie wijnkaart met Zuid-Franse stempel.

FALAËN – Namur – C Onhaye 3 134 h. – 533 N21, 534 N21 et 716 H5 – ✉ 5522 14 B2

▶ Bruxelles 107 – Namur 52 – Dinant 14 – Philippeville 24

au Nord : Vallée de la Molignée★ • au Nord-Ouest : 15 km à Furnaux : église, fonts baptismaux★

X **La Fermette**

r. Château-ferme 30 – ✆ 0 82 68 86 68 – www.lafermette.be – fermé 15 février-2 mars, jeudis non fériés sauf en juillet-août et mercredis non fériés

Rest – Menu 34/55 € – Carte 34/64 €

◆ Patronne accueillante, cuisine de saison aux accents créatifs et salle rustique avec feu ouvert où grillent les viandes : cette fermette en pierres du pays a tout pour plaire.

◆ Gastvrij onthaal, creatieve seizoengebonden keuken en rustieke eetzaal met open haard om het vlees te roosteren. Dit natuurstenen boerderijtje valt goed in de smaak!

FALMIGNOUL - Namur - **533** O21, **534** O21 et **716** H5 - voir à Dinant

FANZEL - Luxembourg - **533** S21, **534** S21 et **716** J5 - voir à Erezée

FAUVILLERS - Luxembourg - **534** S23 et **716** K6 - **2 205 h.** - ✉ **6637** **13** C2

Bruxelles 172 - Arlon 28 - Bastogne 23 - Bouillon 61

Le Château de Strainchamps (Frans Vandeputte) avec ch

Strainchamps 12, (Strainchamps) (Nord : 6 km) - ✆ 0 63 60 08 12 - www.chateaudestrainchamps.com - fermé 25 juin-13 juillet, 17 décembre-11 janvier, lundi et mardi

10 ch - 65/145 € 80/160 € - ½ P 110/190 €

Rest - *(fermé après 20 h 30)* Lunch 38 € - Menu 60/75 € - Carte 54/106 €

Spéc. Croustillant de langoustine, sauce froide au curry. Rouget et ses écailles comestibles, jus de crustacés safrané et bonbon d' olives noires. Râble de lièvre Arlequin et gibier de saison.

◆ Fière demeure ancienne et son parc, en bordure d'un village typiquement ardennais. Agréables salons, salles classiques, belle carte délicieusement actualisée et lunch attirant. Chambres confortablement agencées aux étages ; plus modernes dans la dépendance.

◆ Statig oud pand met park aan de rand van een typisch Ardens dorp. Prettige salons, klassieke eetzalen, mooie geactualiseerde kaart en aantrekkelijke lunch. Comfortabele kamers op twee verdiepingen; die in de dependance zijn moderner.

FELUY - Hainaut - C **Seneffe 10 874 h.** - **533** K19, **534** K19 et **716** F4 **7** D1 - ✉ **7181**

Bruxelles 39 - Mons 28 - Charleroi 31

Le Manoir du Capitaine sans rest

Chemin Boulouffe 1 - ✆ 0 67 87 45 40 - www.manoirducapitaine.com

30 ch - 80/90 € 80/125 €, 8 €

◆ Pour l'anecdote, cette belle demeure est une ancienne brasserie ! De vastes pâturages alentour, du cachet à revendre et surtout beaucoup d'espace dans les suites en duplex : le capitaine sait vivre ! (Nombreux mariages et fêtes organisés le week-end.)

◆ Deze voormalige herenboerderij met historisch cachet geeft u ruimte: duplexsuites in het midden van de weidse weilanden. In het weekend is dit hotel populair als feestzaal.

FERRIÈRES - Liège - **531** S20 et **716** J4 - **4 680 h.** - ✉ **4190** **8** B2

Bruxelles 141 - Liège 46 - Namur 75 - Maastricht 78

A la Ferme

r. Principale 43, (Sy) (Ouest : 9 km) - ✆ 0 86 38 82 13 - www.hotelalaferme.net - fermé 1er janvier-8 février, 2 semaines en avril, 9 au 21 septembre, 19 au 23 novembre, mercredis non fériés sauf vacances scolaires et mardis non fériés

15 ch - 75/85 € 88 € - ½ P 97/107 €

Rest - *(fermé après 20 h)* Menu 26/55 € - Carte 26/45 €

◆ Ancienne ferme nichée au bord d'une rivière, dans un village touristique proche de Ferrières. Chambres douillettes, dont une avec jacuzzi. Jardin et petite piscine couverte. Table traditionnelle classiquement aménagée. Véranda et terrasse donnant sur l'Ourthe.

◆ Voormalige boerderij verscholen langs een rivier, in een toeristisch dorp bij Ferrières. Knusse kamers, waarvan een met jacuzzi. Tuin en overdekt zwembad (van Pasen tot november). Traditioneel restaurant. Veranda en terras met uitzicht op de Ourthe.

Domaine la Source de Harre sans rest

rte de la Source de Harre 7, (Burnontige) - ✆ 0 86 43 30 60 - www.harre.be - fermé janvier et 2 dernières semaines de septembre

5 ch - 80/130 € 80/130 €

◆ Une belle propriété dans une vallée boisée, d'une rare tranquillité... L'eau de source du domaine a, paraît-il, des vertus médicinales. À vous de juger ! Chambres spacieuses.

◆ Sfeervol landgoed in een bebost dal, rust en kalmte zoals we dat in België amper nog kennen. Het water uit de bron van het domein zou geneeskrachtige gaven hebben, als gast mag u het zelf uittesten! Ruime kamers.

FLOREFFE – Namur – **533** N20, **534** N20 et **716** H4 – **7 736 h.** – ✉ **5150** **14** B1

Bruxelles 63 – Namur 10 – Charleroi 28 – Dinant 30

Eglise-abbaye, stalles★

XX **Le Relais Gourmand**

r. Émile Lessire 1 (N 90) – ☎ 0 81 44 64 34 – www.relaisgourmand.be – fermé 2 au 12 janvier, 18 au 27 mars, 20 août-6 septembre et mercredis non fériés

Rest – *(déjeuner seulement sauf vendredi et samedi)* Lunch 22 € – Menu 32/40 € – Carte 37/51 €

♦ Établissement traditionnel au pied des grottes de Floreffe. À la carte, deux jolis menus intitulés "Clin d'œil" et "Balade gourmande". L'été, régalez-vous avec le "Festival du homard". Ambiance sympathique.

♦ Traditioneel restaurant vlak bij de grotten. Op de kaart staan ook twee menuformules ('clin d'oeil' en 'balade gourmande'). Gezellige eetzaal en veranda voor kleine gezelschappen.

FLORENVILLE – Luxembourg – **534** Q24 et **716** I6 – **5 428 h.** – ✉ **6820** **12** B3

Bruxelles 183 – Arlon 39 – Bouillon 25 – Sedan 38

Esplanade du Panorama 1, ☎ 0 61 31 12 29, www.florenville.org

au Nord : 6,5 km et 10 mn à pied, Route de Neufchâteau ≤★ sur le défilé de la Semois • à l'Ouest : 5 km, Route de Bouillon ≤★ sur Chassepierre • au Sud-Est : 8,5 km, Abbaye d'Orval★★. au Nord : 5 km, parcours de 8 km, descente en barque★ de Chiny à Lacuisine

BELGIQUE

à Lacuisine Nord : 3 km – Ⓒ Florenville – ✉ **6821**

La Roseraie rest,

rte de Chiny 2 – ☎ 0 61 31 10 39 – www.laroseraie-lacuisine.net – fermé janvier, 28 juin-6 juillet, mardi et mercredi

14 ch – †91 € ††104 € – ½ P 126 €

Rest – *(fermé après 20 h 30)* Menu 33/70 € – Carte 50/79 €

♦ Accueil distingué du patron et nuitées douillettes en cette bâtisse agrémentée d'un jardin arboré où se glisse la Semois. Décor et cuisine classiques : on se régale d'un foie gras de canard en terrine, d'un suprême de pigeonneau, d'une trilogie de moules et crevettes… Belle carte des vins.

♦ Dit etablissement met een boomrijke tuin, waar de Semois doorheen stroomt, biedt een goed onthaal en zachte nachtrust. Restaurant met een weelderig klassiek interieur, actuele kaart, voordelig menuutje (Les Roses) en mooie selectie wijnen.

Le Vieux Moulin sans rest

Martué 10, (Martué) (Ouest : 1,5 km) – ☎ 0 61 50 15 00 – www.levieuxmoulindemartue.be

3 ch – †80/120 € ††100/130 €

♦ Atmosphère bucolique dans cet ancien moulin à eau situé sur un bief de la Semois. Deux chambres très luxueuses. Terrasse au-dessus de l'onde.

♦ Oude watermolen op een bisse van de Semois, op een bucolische locatie in het centrum van een rustig dorpje. Twee luxekamers met droomsanitair. Terras op de benedenverdieping.

FOREST (VORST) – Bruxelles-Capitale – **533** K18 – voir à Bruxelles

---

FOSSES-LA-VILLE – Namur – **533** N20, **534** N20 et **716** H4 – **9 775 h.** – ✉ **5070** **14** B1

Bruxelles 78 – Namur 19 – Charleroi 22 – Dinant 30

au Sud : 15 km à Furnaux : Eglise, fonts baptismaux★

Il San Daniele

rte de Tamines 204 – ✆ 0 71 26 64 40 – www.ilsandaniele.be

8 ch – 75/105 € 85/120 € – ½ P 110/140 €

Rest – *(fermé samedi midi, lundi et mardi)* Lunch 25 € – Menu 34/38 €

◆ Ce petit établissement familial situé en bord de grand-route vous héberge dans des chambres claires et fraîches, décorées à la mode provençale. Cuisine italienne à la carte et ambiance chaleureuse. Salle à manger colorée avec cellier apparent et vue sur la campagne en terrasse.

◆ Dit familiebedrijfje aan de grote weg biedt lichte en frisse kamers in Provençaalse stijl. Kaart met een Italiaans accent (pizza's), kleurrijke eetzaal, terras met waterpartij en landelijk uitzicht.

Le Castel avec ch

r. Chapitre 10 – ✆ 0 71 71 18 12 – www.lecastel.be – fermé 13 au 27 mars, 18 au 26 décembre et dimanches et lundis non fériés

9 ch – 95/165 € 118/188 € – ½ P 93/128 €

Rest – Lunch 29 € – Menu 45/95 € bc – Carte 44/67 €

◆ Belle demeure bourgeoise dirigée par le même chef depuis plus de 33 ans. Désormais aidé de son fils, il y prépare une belle cuisine classique. Véranda et terrasse côté jardin. Chambres modernes soigneusement agencées. Plusieurs formules de demi-pension. Nouveau depuis 2011: 'l'ABCulinaire', une formule bistro séduisante.

◆ In dit statige stadspand kookt de eigenaar al meer dan 30 jaar zelf. Eigentijdse kaart, modern-klassiek interieur, veranda en terrassen aan de kant van de tuin, bij het zwembad. Moderne en zorgvuldig ingerichte kamers. Verschillende formules voor halfpension. Nieuw sinds 2011: 'ABCulinaire', een verleidelijke bistroformule.

BELGIQUE

Le Vin100

chaussée de Charleroi 24 – ✆ 0 71 72 92 40 – www.levin100.be – fermé janvier, septembre, mardi soir et samedi midi

Rest – Lunch 21 € – Menu 35/65 € – Carte env. 50 €

◆ Zen et contemporain ! Cette agréable villa ouvre sur un jardin japonisant (bassin à carpes koï, pins taillés) et l'assiette voyage : très belles saveurs d'ici et d'ailleurs…

◆ Zen en hedendaags! Deze prettige villa met Japanse tuin (koi-vijver, dennencollectie) neemt u mee op culinaire reis: mooie smaken van hier en elders...

FOURON-LE-COMTE – Limburg – voir 's Gravenvoeren

FRAHAN – Luxembourg – Ⓒ Bouillon 5 464 h. – 534 P23 et 716 I6 – ✉ 6830 12 A2

Bruxelles 180 – Arlon 92 – Bouillon 14 – Namur 121

Aux Roches Fleuries avec ch

r. Crêtes 32 – ✆ 0 61 46 65 14 – www.auxrochesfleuries.be – ouvert avril-15 novembre, vacances de Noël, vacances de carnaval et week-ends

14 ch – 85/95 € 95/120 €

Rest – *(fermé après 20 h 30)* Menu 33 € bc/60 €

◆ Hostellerie calme et accueillante nichée depuis 1933 dans un vallon boisé où sinue la Semois. Vue bucolique par les baies du confortable restaurant. Choix classique actualisé. Divers types de chambres, parfois avec terrasse donnant sur le jardin bichonné.

◆ Uitnodigende hostellerie (sinds 1933) in een bosrijk dal van de Semois. Comfortabele eetzaal met grote ramen en een mooi uitzicht. Klassieke kaart met een vleugje modern. Verschillende soorten kamers, sommige met terras aan de tuinkant.

FRAMERIES – Hainaut – 533 I20, 534 I20 et 716 E4 – voir à Mons

FRANCORCHAMPS – Liège – Ⓒ Stavelot 6 887 h. – 533 U20, 534 U20 et 716 K4 – ✉ 4970 9 C2

Bruxelles 146 – Liège 47 – Spa 9

 **Hôtel de la Source** rest,

rte du Circuit 22 – ✆ 0 87 79 58 00 – www.hotel-de-la-source.com
86 ch – 125/235 € 140/250 € – 4 suites – ½ P 160 €
Rest – Menu 35 € – Carte 40/46 €
◆ Non loin du circuit automobile, cet établissement ouvert en 2010 dispose de chambres sobres et confortables, numérotées façon chronomètre. Centre de fitness. Au restaurant, atmosphère feutrée et contemporaine : parquets et tons chauds.
◆ Nieuw modern etablissement aan de ingang van het circuit van Francorchamps. Sobere kamers met goed comfort, vooral voor een mannelijk publiek, met chronotijden als nummer. Hedendaagse gedempte sfeer in het restaurant: parket en warme tinten.

 **Hostellerie Le Roannay** rest,

rte de Spa 155 – ✆ 0 87 27 53 11 – www.roannay.com
– fermé 3 au 19 décembre et 9 janvier-3 février
19 ch – 99/149 € 129/169 € – 1 suite – ½ P 149 €
Rest – *(fermé mardi d'octobre à mars)* Lunch 30 € – Menu 55/85 €
– Carte 62/104 €
◆ Une affaire familiale ouverte en 1926. Le bâtiment principal et ses annexes abritent des chambres douillettes. Au restaurant, salles classiques et cossues, en harmonie avec la cuisine ; belle carte des vins.
◆ Behaaglijke kamers in het hoofdgebouw en de naburige dependances. Deze hostellerie wordt sinds 1926 door dezelfde familie geleid. Weelderige klassieke eetzalen, in harmonie met de kookstijl, en goede wijnen in de kelder.

BELGIQUE

FURFOOZ – **Namur** – **533** O21, **534** O21 **et** **716** H5 – **voir à Dinant**

FURNES – **West-Vlaanderen** – **voir Veurne**

GAND – **Oost-Vlaanderen** – **voir Gent**

GEEL – **Antwerpen** – **533** O15 **et** **716** H2 – **36 990 h.** – ✉ **2440** **2** C2

Bruxelles 66 – Antwerpen 43 – Hasselt 38 – Turnhout 18

Markt 1, ✆ 0 14 56 63 80, www.geel.be

Eglise Ste-Dymphne (St-Dimfnakerk) : Mausolée★

 **Roosendaelhof** sans rest

Stationsstraat 50 – ✆ 0 14 56 50 50 – www.roosendaelhof.be – fermé 24 décembre- 1er janvier
17 ch – 80/100 € 100/120 € – 2 suites
◆ Karakteristiek pand (17de eeuw) in het centrum van Geel, aan de rand van een park met slotgracht. Ontbijt en congressen in een mooie zaal met oud cachet. Romantische kamers.
◆ Bâtisse de caractère (17e s.) au centre de Geel, en lisière d'un parc communal avec douves. Breakfast et séminaires dans une belle salle au cachet ancien. Chambres romantiques.

 **Verlooy** sans rest

Pas 117 – ✆ 0 14 57 41 70 – www.hotelverlooy.be
– fermé 23 décembre-1er janvier
12 ch – 110/145 € 155/195 €
◆ Utramodern hotel bij de Markt. De kamers zijn genoemd naar de banketbakkersspecialiteiten van de eigenaar. Huisgebakken broodjes bij het ontbijt. Geëquipeerde vergaderzaal.
◆ Hôtel ultramoderne proche du Markt. Chambres baptisées d'après les spécialités pâtissières du patron-boulanger. Viennoiseries maison au petit-déj'. Salle de réunion équipée.

Corbie sans rest
Markt 54 / G – ✆ 0 14 56 33 00 – www.corbiehotel.com – fermé 23 décembre-1er janvier
24 ch – 79/99 € 99/140 €
◆ Centraal, trendy en interessant geprijsd: hotel Corbie biedt precies wat u nodig heeft voor een aangenaam verblijf in Geel. Zowel studio's als kamers beschikbaar.
◆ Central, contemporain et abordable, l'hôtel Corbie a tout ce qu'il faut pour un séjour agréable à Geel. Possibilité de louer un studio tout équipé.

De Cuylhoeve
Hollandsebaan 7, (Winkelomheide) (Sud : 3 km) – ✆ 0 14 58 57 35 – www.cuylhoeve.be – fermé Pâques, juillet, Noël, samedi midi, dimanche et mercredi
Rest – *(prévenir)* Lunch 34 € – Menu 60/75 €
◆ Chef Bart is op het bord creatiever dan het klassieke interieur doet vermoeden, maar in allebei vindt u een kenmerkende elegantie terug. U eet er dan ook edele producten, zoals kreeft met gesmolten ganzenlever. Indrukwekkende champagnekaart.
◆ Dans cette auberge de charme à l'orée des bois, découvrez la cuisine de Bart, un chef créatif ! Le cadre et l'assiette affichent une belle élégance, et vous dégusterez des produits nobles, tel ce beau homard et sa fondue de foie gras. Superbe carte de champagnes.

Het Keukenorkest
Dokter Van de Perrestraat 33 – ✆ 0 14 58 33 45 – www.keukenorkest.be – fermé 2 semaines en avril, 3 semaines en septembre, samedi midi, dimanche soir, lundi et mardi
Rest – Menu 26/59 € – Carte 42/64 €
◆ Sober gemoderniseerd art-nouveaupand met patio uit 1913, waar nog enkele sporen uit het verleden te vinden zijn. Verzorgde seizoensgebonden keuken met "less is more" filosofie.
◆ Maison Art nouveau de 1913 mêlant épure contemporaine et splendeurs du passé : magnifique parquet, vitraux et mosaïques... Cuisine de saison réalisée avec soin.

BELGIQUE

GELDENAKEN – **Brabant Wallon** – **voir Jodoigne**

GELLINGEN – **Hainaut** – **voir Ghislenghien à Ath**

GELUWE – **West-Vlaanderen** – **C Wervik 18 176 h.** – **533** D18 **et** **716** C3 **19** C3
– ✉ **8940**

Bruxelles 107 – Brugge 58 – Ieper 20 – Kortrijk 20

Oud Stadhuis
St-Denijsplaats 7 – ✆ 0 56 51 66 49 – www.oudstadhuis.be – fermé 8 au 20 avril, 21 juillet-17 août, jours fériés soirs, dimanche soir, mardi soir et mercredi
Rest – Lunch 35 € bc – Menu 60 € bc/80 € bc – Carte 52/63 €
◆ Dit voormalige stadhuis tegenover de kerk is sinds 1986 een gezellig restaurant. Kaart met ruime keuze, seizoengebonden menu's (incl. drank) en bistroschotels op maandagavond.
◆ Face au clocher, ex-mairie régalant depuis 1986 dans une ambiance sympathique. Bon choix à la carte, jolis menus saisonniers boissons incluses, plats de bistrot le lundi soir.

GEMBES – **Luxembourg** – **534** P23 **et** **716** I6 – **voir à Daverdisse**

GEMBLOUX – **Namur** – **533** N19, **534** N19 **et** **716** H4 – **23 206 h.** **14** B1
– ✉ **5030**

Bruxelles 44 – Namur 18 – Charleroi 26 – Tienen 34

r. Sigebert 1, ✆ 0 81 62 69 60, www.gembloux.be

r. Emile Pirson 55, au Sud : 8 km à Mazy, Ferme-château de Falnuée, ✆ 0 81 63 30 90

au Sud : 4 km à Corroy-le-Château : château féodal★

Les 3 Clés
chaussée de Namur 17 (N 4) – ☎ 0 81 61 16 17 – www.3cles.be
45 ch – 60/120 € 80/160 € – ½ P 79 €
Rest – *(fermé 24 décembre soir)* Menu 19/60 € bc – Carte 39/51 €
◆ En périphérie, bâtiment "eighties" peu à peu rénové et tenu par la 3ᵉ génération d'une famille d'hôteliers gembloutois. Chambres "single" plus récentes. Côté restaurant, carte au goût du jour et menus saisonniers. Brasserie séparée.
◆ Dit hotel in een gebouw uit de tachtiger jaren aan de rand van de stad wordt drie generaties lang door dezelfde familie gerund. De eenpersoonskamers zijn recenter. Restaurant met een eigentijdse kaart en seizoengebonden menu's. Aparte brasserie.

Chai Gourmand
chaussée de Charleroi 74 – ☎ 0 81 60 09 88 – www.chaigourmand.be – fermé 1 semaine Pâques, 2 semaines en août, Noël-nouvel an, samedi midi, mardi et mercredi
Rest – Lunch 28 € – Menu 44/58 € – Carte 45/82 €
◆ Cette maison relookée ravit par sa fine cuisine contemporaine et sa belle sélection de vins conseillée avec savoir-faire. Salles modernes dont l'une plus relax. Terrasse d'été.
◆ Dit restaurant is in een nieuw jasje gestoken en biedt een fijne eigentijdse keuken en goede selectie wijnen. Moderne eetzalen, waarvan één zeer relaxed. Zomerterras.

GENAPPE (GENEPIËN) – Brabant Wallon – 533 L19, 534 L19 et 716 G4 — 3 B3

– 14 692 h. – ✉ 1470
Bruxelles 37 – Wavre 26 – Leuven 52 – Namur 48

à Ways Est : 2 km – Genappe – ✉ 1474

Au milieu de nulle part
r. Emile Marcq 3 – ☎ 0 67 77 37 98 – www.aumilieudenullepart.be – fermé 23 décembre-6 janvier
Rest – Carte 35/52 €
◆ Bistrot convivial, à la décoration soignée (touches de prune, orchidées sur les tables). Carte ambitieuse mêlant plats traditionnels et plus actuels. Véranda et joli jardin.
◆ Gezellige bistro met een ambitieuze kaart die klassieke bistrogerechten combineert met een modernere keuken. Doordachte presentatie en goede producten. 's Middags aangenaam druk.

GENEPIËN – Brabant Wallon – voir Genappe

GENK – Limburg – 533 S17 et 716 J3 – 64 757 h. – ✉ 3600 — 11 C2

Bruxelles 97 – Hasselt 21 – Maastricht 24
Europalaan 34, ☎ 0 89 65 44 80, www.genk.be
Wiemesmeerstraat 109, ☎ 0 89 35 96 16
à l'Ouest : 5 km, Domaine provincial de Bokrijk★ : Musée de plein air★★ (Openluchtmuseum), Parc récréatif★

Stadsplattegrond op volgende bladzijde

Carbon
Europalaan 38 – ☎ 0 89 32 29 20 – www.carbonhotel.be Xx
60 ch – 99/179 € 99/179 €, 19 € – ½ P 143/223 €
Rest *Gusto* – voir la sélection des restaurants
◆ Dé referentie in Genk wat design betreft, met een donker, strak interieur om u tegen te zeggen. De kamers zijn ingericht in dezelfde minimalistische stijl, maar met een maximum aan ruimte en comfort. Verscholen dakterras.
◆ Face à la gare, palace neuf, dont le design "ultrafashion" ne laisse pas indifférent. Éclairage à variation chromatique dans les chambres, breakfast à la carte, lounge-bar, terrasse urbaine et spa. Service top.

GENK

André Dumontlaan . . . . . . Y 3
Bergbeemdstr. . . . . Y 4
Berglaan . . . . X 6
Camerlo . . . . Z 7
Eerste cyclistenlaan. . . . . . X 8
Eindgracht . . . . X 9
Emiel van Dorenlaan . . . . . Y 10
Europalaan . . . . YZ 12
Evence Coppéelaan. . . . . . Y 13
Fletersdel . . . . Z 15
Fruitmarkt. . . . . X 16
Genkerweg (ZUTENDAAL) . . . . Z 18
Gildelaan . . . . Z 19
Guill. Lambertlaan . . . . Y 21
Hasseltweg . . . . Z 22
Hoevenzavellaan . . . . Y 24
Hoogstr. . . . . Z 25
Jaarbeurslaan. . . . . X 28
Kempenseweg (ZUTENDAAL) . . . . Z 30
Klokstr. . . . . X 31
Koerweg. . . . . Y 33
Kolderbosstr. . . . . Z 34
Langerloweg . . . . Z 36
Maaseikerbaan . . . . Y 37
Markstr. . . . . X 39
Marktpl. . . . . X 40
Mispadstr.. . . . . Y 42
Molenblookstr. (ZUTENDAAL) . . . . Z 43
Mosselerlaan . . . . Y 45
Nieuwstr. . . . . Z 46
Noordlaan . . . . Y 48
Onderwijslaan . . . . Y 49
Pastoor Raeymaekersstr. . . . . . . X 51
Rozenkranslaan . . . . Z 52
Schietboomstr. . . . . X 54
Sint-Martinuspl. . . . . X 55
Sledderloweg . . . . Z 57
Stalenstr. . . . . Y 58
Stoffelbergstr. . . . . X 60
Swinnenweyerweg . . . . . . Z 61
Terboekt . . . . Z 63
Vennestr. . . . . YZ 64

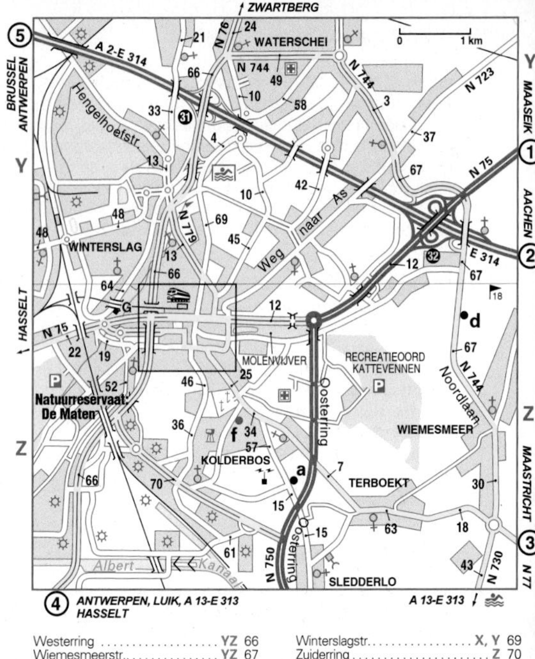

Westerring . . . . YZ 66
Wiemesmeerstr.. . . . . YZ 67
Winterslagstr. . . . . X, Y 69
Zuiderring . . . . Z 70

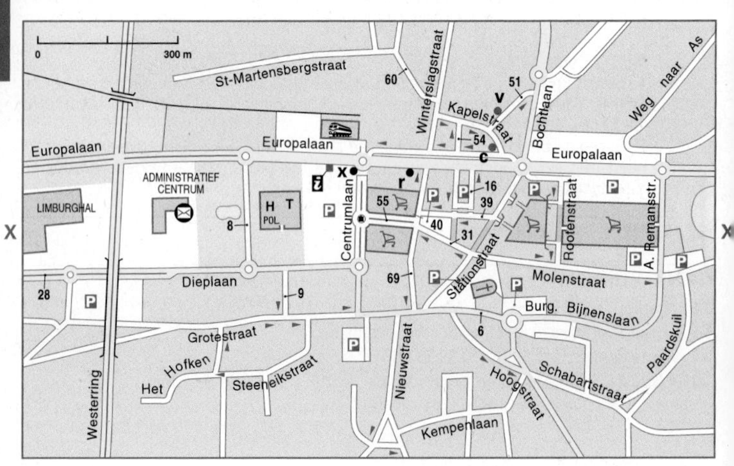

Stiemerheide
Wiemesmeerstraat 105, (Spiegelven) – 0 89 35 58 28 – www.stiemerheide.be
66 ch – 89 € 120 €, 17 € – 4 suites – ½ P 105 € Z**d**
Rest *De Kristalijn* Rest *Corneille* – voir la sélection des restaurants
◆ Deze grote cottage bij een golfbaan ontvangt u in alle rust. Moderne kamers, cosy salons en goede voorzieningen om te vergaderen en ontspannen. Mooi, groot zwembad. Het ontbijt is een traktatie.
◆ Ce vaste cottage ouvert sur un golf vous accueille en toute sérénité. Chambres modernes, petit-déjeuner festif, salons cosy et bons équipements pour se réunir et décompresser.

Atlantis
rest,
Fletersdel 1 – 0 89 32 10 10 – www.hotelatlantis.be Z**a**
26 ch – 65/95 € 65/120 €, 15 € – ½ P 85 €
Rest – *(fermé samedi midi et dimanche midi)* Menu 35 € – Carte 32/49 €
◆ Rustige ligging, 3 km buiten het centrum, hip decor, ook in de kamers (gelijkvloers, sommige met kitchenette), loungesfeer in de Orange Club. In restaurant La Focaccia proeft u Italië op een... Focaccia, of in een van de andere smakelijke specialiteiten.
◆ À seulement 3 km du centre, un hôtel branché et… paisible ! Chambres de plain-pied (certaines avec cuisinette) ; saveurs de l'Italie au restaurant La Focaccia, avant de profiter de l'ambiance lounge de l'Orange Club.

Ecu sans rest
Europalaan 46 – 0 89 36 42 44 – www.hotelecu.com X**r**
51 ch – 60/109 € 60/109 €, 15 €
◆ Aan de doorgaande weg van Genk, vlak bij het station, vindt u dit moderne hotel. Het maakt deel uit van een familie van designhotels met onder andere Carbon, ook hier een uitgepuurd interieur dus, maar dan met veel licht en witte tinten.
◆ Sur l'artère principale de Genk et près de la gare, un hôtel contemporain dont la décoration épurée fait la part belle à la lumière et aux tons clairs.

BELGIQUE

De Kristalijn – Hôtel Stiemerheide
Wiemesmeerstraat 105, (Spiegelven) – 0 89 35 58 28 – www.dekristalijn.be – fermé 21 au 28 février, 31 juillet-14 août, 25 décembre-1er janvier, samedi midi, dimanche et lundi Z**d**
Rest – Lunch 35 € – Menu 40/65 € – Carte 72/97 €
◆ Dat het oog ook wat wil, daar hoeft u ze bij De Kristalijn niet van te overtuigen: dit futuristische gebouw is zo geconcipieerd dat de bedrijvigheid van de keuken en de kalmte van de natuur van overal te zien zijn. Doe hierbij een chic interieur en hedendaagse gerechten van topniveau en u krijgt een heuse place to be!
◆ Vrai plaisir des yeux, ce bâtiment futuriste a été conçu de manière à ce que l'on puisse observer de partout les cuisines et la nature environnante. Ajoutez-y un décor élégant et des mets contemporains de haut niveau, et vous obtiendrez... un spectacle total !

Da Vinci
Pastoor Raeymaekersstraat 3 – 0 89 30 60 59 – www.restaurantdavinci.be – fermé 19 au 26 mars, 15 juillet-8 août, samedi midi, dimanche et lundi
Rest – Menu 28/55 € X**v**
◆ Vanwege het gebruik van dagverse producten veranderen de vier menu's volgens de seizoenen. Open keuken, mooi gedekte tafels, goede wijnen.
◆ Ici, cap sur la fraîcheur et le goût : les menus varient au gré des saisons et la carte des vins est séduisante. Cadre soigné et petite cuisine ouverte sur la salle.

La Botte
Europalaan 99 – 0 89 36 25 45 – www.labotte.be – fermé fin juillet-début août, fin décembre-début janvier, mardi et mercredi X**c**
Rest – *(réservation conseillée)* Lunch 38 € bc – Menu 55/71 € bc – Carte 47/63 €
◆ Veel foodies willen hier het werk van televisiechef Peppe Giacomazza (de naam alleen al doet watertanden!) proeven. Dat zijn gerechten ook in het echt volledig overtuigen, bewijst de gezellige, uitgelaten sfeer van de eetzaal die steeds helemaal gevuld is met tevreden klanten. Broer Gaspare zorgt voor wijnadvies.
◆ Voilà 30 ans que la famille Giacomazza ravit les amateurs de cuisine italienne. Produits frais préparés par Peppe en cuisine (truffes blanches en été!) et frère Gaspare vous conseille les vins de son pays. Ambiance smart et jolie terrasse.

XX **Mélange**

Hooiweg 51 – ✆ 0 89 36 72 02 – www.melange.be – fermé 23 juin-5 juillet, samedi midi, dimanche soir et mercredi Z**f**

Rest – Menu 30/85 € bc

◆ Huis in boerderijstijl buiten het centrum. Moderne eetzaal en terras aan de achterkant. Verzorgde kookstijl met een vrouwelijke hand. Het verrassingsmenu valt goed in de smaak.

◆ Maison genre fermette en secteur résidentiel. Salle moderne et terrasse arrière pour partir à la rencontre d'une cuisine féminine appliquée. Menu-surprise prisé des habitués.

XX **Double Dragons**

Hasseltweg 214 (Ouest : 2 km sur N 75) – ✆ 0 89 35 96 90 – fermé juillet et mardi

Rest – *(ouvert jusqu'à minuit)* Menu 23/68 € – Carte 23/87 €

◆ Indrukwekkend Aziatisch restaurant, te herkennen aan het portaal met pagodedak. Grote Chinese kaart en Japanse teppanyaki op donderdag en vrijdag (reserveren verplicht).

◆ Imposant resto asiatique se signalant par ses portails-pagode. Vaste carte chinoise, pléthore de menus, teppan yaki (table de cuisson nippone) à réserver les jeudi et vendredi.

XX **Gusto** – Hôtel Carbon

Europalaan 38 – ✆ 0 89 32 29 29 – www.gustocarbon.be X**x**

Rest – Lunch 25 € – Menu 36/52 € – Carte 39/71 €

◆ Avant-gardistische inrichting in dit restaurant, dat bij een hotel hoort. Designinterieur met lichtspel. Eigentijdse en goed beheerste kookkunst. Kleinere degustatieporties.

◆ Restaurant d'hôtel originalement agencé dans un esprit avant-gardiste. Cadre design avec jeux de lumière, pour une gastronomie contemporaine et bien maîtrisée. Petites portions "dégustation".

XX **Corneille** – Hôtel Stiemerheide

Wiemesmeerstraat 105, (Spiegelven) – ✆ 0 89 35 58 28 – www.stiemerheide.be

Rest – Lunch 33 € – Menu 35/45 € Z**d**

◆ De schilder waar dit restaurant naar genoemd is, is een inspiratiebron voor de brigade. Net als hem willen ze graag kleur en emoties brengen, maar dan met een bord als hun canvas, verse seizoensproducten als palet en de Franse keuken als muze.

◆ Ce restaurant doit son nom au peintre Corneille (l'un des fondateurs du mouvement CoBrA). Une vraie source d'inspiration ! Avec l'assiette pour toile, les produits de saison pour palette et la cuisine française pour muse, le chef et son équipe aiment jouer sur les couleurs et les émotions…

BELGIQUE

GENT *Gand*

16 B2

© Axiom/Hemis.fr

BELGIQUE

P – **Oost-Vlaanderen** – **243 366 h.** – ✉ **9000** – **533** H16 **et 716** E2

Bruxelles 56 – Brugge 56 – Antwerpen 60 – Lille 71

Office de Tourisme

Predikherenlei 2, ✆ 0 9 266 56 60, www.visitgent.be

Fédération provinciale de tourisme Sint-Niklaasstraat 2, ✆ 0 9 269 26 00, www.tov.be

Golf

Latemstraat 120, au Sud-Ouest : 9 km à Sint-Martens-Latemau Sud-Ouest : 9 km à Sint-Martens-Latem, ✆ 0 9 282 54 11

A VOIR

Vieille ville (Oude Stad)★★★ • Cathédrale St-Bavon★★(St-Baafskathedraal)**3**FZ : Polyptyque★★★ de l'Adoration de l'agneau mystique par Van Eyck (veelluik de Aanbidding van Het Lam Gods), Crypte★ : triptyque du Calvaire★ par Juste de Gand (Calvarietriptiek van Justus van Gent)**3**FZ • Beffroi et Halle aux Draps★★★(Belfort en Lakenhalle)**3**FY • Pont St-Michel (St-Michielsburg)≤★★★**3**EY • Quai aux Herbes★★★(Graslei)**3**EY • Château des Comtes de Flandre (Gravensteen) : ≤★ du sommet du donjon**3**EY • Eglise St-Nicolas★ (St-Niklaaskerk)**3**EY • Petit béguinage★(Klein Begijnhof)**2**DX • Réfectoire★ des ruines de l'abbaye St-Bavon (Ruïnes van de St-Baafsadij)**2**DV**M**[5] • Hôtel de ville★(Stadhuis)**3**FY**H** • Patershol★**3**EY • Marché du vendredi★**3**FY

Musées : Maison d'Alijn★(Huis van Alijn)**3**EY**M**[1] • des Beaux-Arts (Museum voor Schone Kunsten)**2**CX**M**[2] • du Design**3**EY**M**[4] • d'art contemporain (SMAK-Stedelijk Museum voor Actuele Kunst)**2**CX • d'Archéologie industrielle et du Textile (MIAT-Museum voor industriële Archeologie en Textiel)**2**DV**X**

Liste alphabétique des hôtels
Alfabetische lijst van hotels
Alphabetische liste der Hotels
Index of hotels

BELGIQUE

Liste alphabétique des restaurants
Alfabetische lijst van restaurants
Alphabetische liste der restaurants
Index of restaurants

BELGIQUE

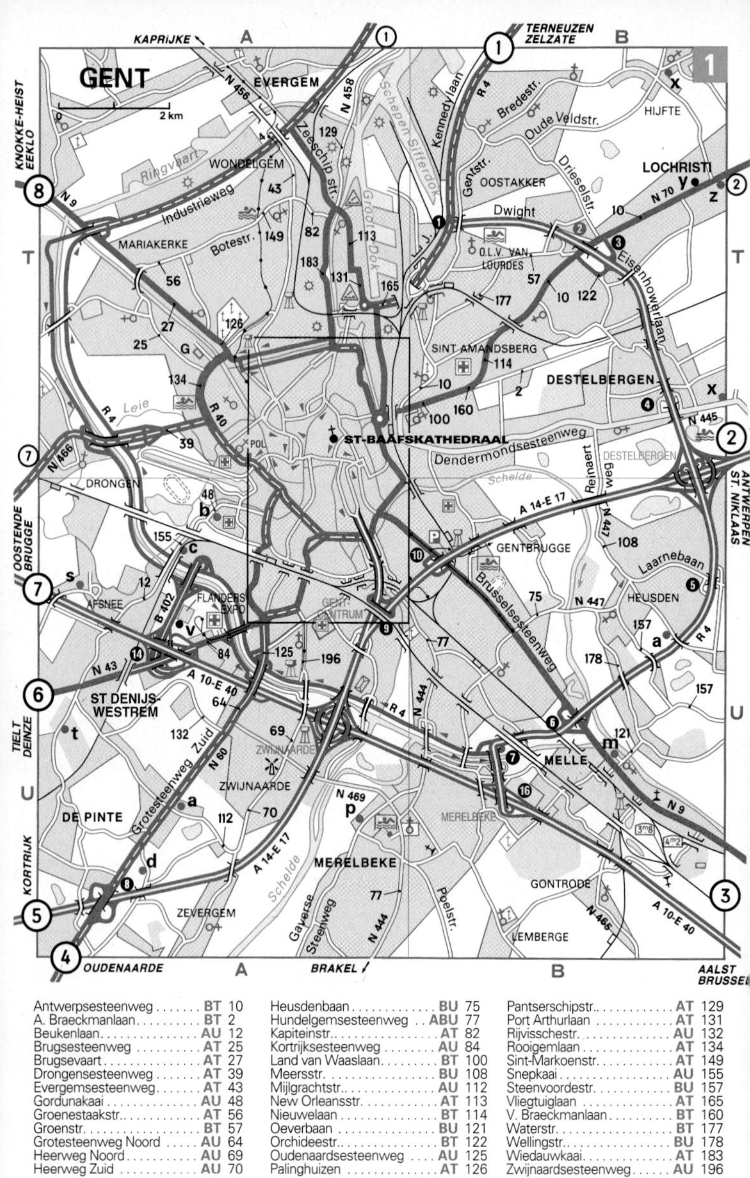

Antwerpsesteenweg	BT	10	Heusdenbaan	BU	75	Pantserschipstr.	AT	129
A. Braeckmanlaan	BT	2	Hundelgemsesteenweg	ABU	77	Port Arthurlaan	AT	131
Beukenlaan	AU	12	Kapiteinstr.	AT	82	Rijvisschestr.	AU	132
Brugsesteenweg	AT	25	Kortrijksesteenweg	AU	84	Rooigemlaan	AT	134
Brugsevaart	AT	27	Land van Waaslaan	BT	100	Sint-Markoenstr.	AT	149
Drongensesteenweg	AT	39	Meersstr.	BU	108	Snepkaai	AU	155
Evergemsesteenweg	AT	43	Mijlgrachtstr.	AU	112	Steenvoordestr.	BU	157
Gordunakaai	AU	48	New Orleansstr.	AT	113	Vliegtuiglaan	AT	165
Groenestaakstr.	AT	56	Nieuwelaan	BT	114	V. Braeckmanlaan	BT	160
Groenstr.	BT	57	Oeverbaan	BU	121	Waterstr.	BT	177
Grotesteenweg Noord	AU	64	Orchideestr.	BT	122	Wellingstr.	BU	178
Heerweg Noord	AU	69	Oudenaardsesteenweg	AU	125	Wiedauwkaai	AT	183
Heerweg Zuid	AU	70	Palinghuizen	AT	126	Zwijnaardsesteenweg	AU	196

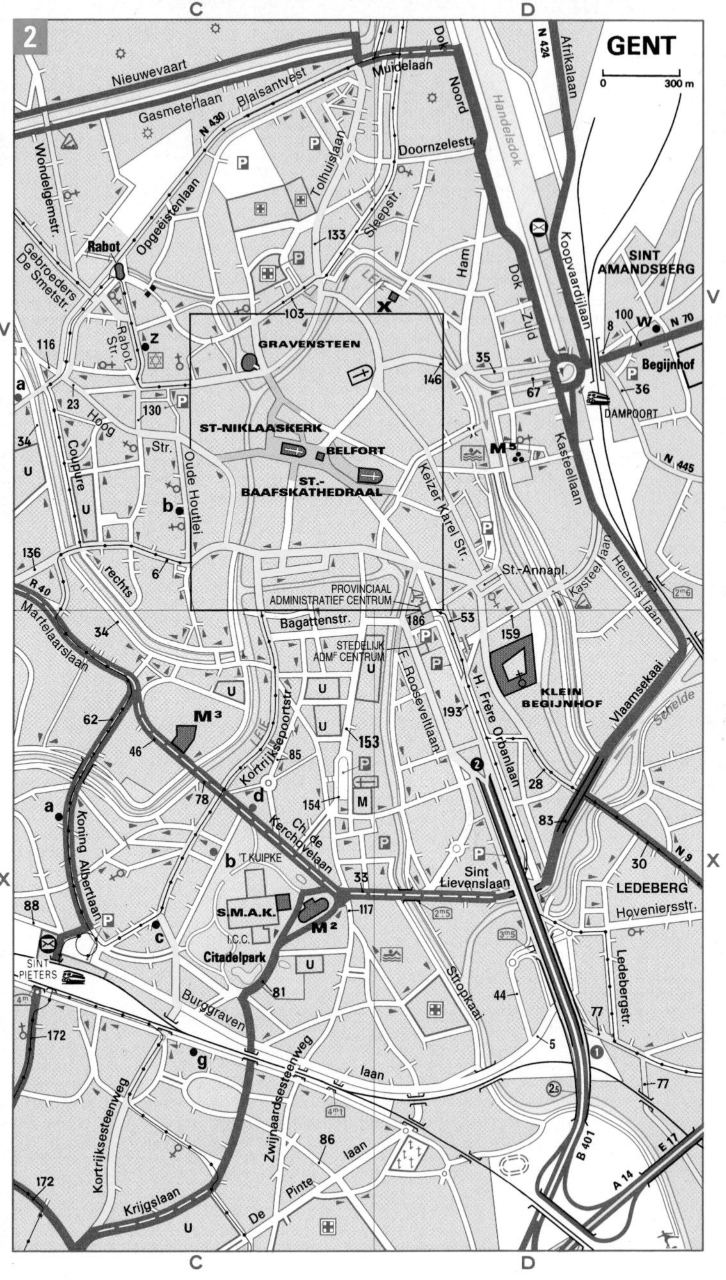

2
GENT
0
300 m
C
D
V
X
Nieuwevaart
Blaisantvest
Gasmeterlaan
Muidelaan
Dok Noord
N 424
Afrikalaan
Handelsdok
N 430
Wondelgemstr.
Opgeëistenlaan
Tolhuislaan
Doornzelestr.
Sleepstr.
Rabot
Gebroeders De Smetstr.
Ham
Dok Zuid
Koopvaardijlaan
SINT AMANDSBERG
N 70
Begijnhof
DAMPOORT
GRAVENSTEEN
ST-NIKLAASKERK
BELFORT
ST.-BAAFSKATHEDRAAL
Rabot Str.
Hoog Str.
Oude Houtlei
Coupure
rechts
Keizer Karel Str.
Kasteellaan
N 445
St.-Annapl.
Heernislaan
PROVINCIAAL ADMINISTRATIEF CENTRUM
Bagattenstr.
STEDELIJK ADMF CENTRUM
F. Rooseveltlaan
H. Frère Orbanlaan
KLEIN BEGIJNHOF
Vlaamsekaai
Schelde
R 40
Martelaarslaan
Koning Albertlaan
Kortrijksepoortstr.
Ch. de Kerchovelaan
'T KUIPKE
S.M.A.K.
I.C.C.
Citadelpark
Sint Lievenslaan
LEDEBERG
Hovenierstr.
N 9
Ledebergstr.
SINT PIETERS
Burggraven laan
Stropkaai
Zwijnaardsesteenweg
Kortrijksesteenweg
Krijgslaan
De Pinte laan
B 401
E 17
A 14
M3
M2
M5

GENT

Street	Grid	No.
Annonciadenstr.	CV	6
Antwerpenpl.	DV	8
A. Heyndrickxlaan	DX	5
Biezekapelstr.	FY	17
Botermarkt	FY	19
Brugsepoortstr.	CV	23
Brusselsepoortstr.	DX	28
Brusselsesteenweg	DX	30
Cataloniëstr.	EY	32
Citadellaan	CDX	33
Coupure links	CVX	34
Dampoortstr.	DV	35
Dendermondsesteenweg	DV	36
Emile Braunpl.	EFY	41
Gaston Crommenlaan	DX	44
Gebr. Vandeveldestr.	EZ	45
Godshuizenlaan	CX	46
Gouvernementstr.	FZ	51
Graaf van Vlaanderenpl.	DX	53
Grasbrug	EY	54
Groot Brittanniëlaan	CX	62
Hagelandkaai	DV	67
Hoofdbrug	EY	76
Hundelgemse steenweg	DX	77
IJzerlaan	CX	78
Joz. Wauterstr.	CX	81
Keizervest	DX	83
Koekoeklaan	CX	86
Koningin Fabiolalaan	CX	88
Korenmarkt	EY	89
Kortemunt	EY	92
K. van Hulthemstr.	CX	85
Land van Waaslaan	DV	100
Langemunt	EY	
Lange Steenstr.	CV	103
Limburgstr.	FZ	104
Noordstr.	CV	116
Normaalschoolstr.	CX	117
Peperstr.	CV	130
Rodelijvekensstr.	CV	133
Rozemarijnstr.	CV	136
Schouwburgstr.	EZ	137
Sint-Baafspl.	FYZ	140
Sint-Joriskaai	DV	146
Sint-Michielspl. en-str.	EY	151
Sint-Pietersnieuwstr.	CX	153
Sint-Pietersspl.	CX	154
Tweebruggenstr.	DVX	159
Veldstr.	EZ	
Vleeshuisbrug	EY	163
Vogelmarkt	FZ	167
Voskenslaan	CX	172
Woodrow Wilsonpl.	DX	186
Zuidparklaan	DX	193

Quartiers du Centre

Marriott
Korenlei 10, (accès par Drabstraat) – 0 9 233 93 93 – www.ghentmarriott.be
150 ch – 149/265 € 169/265 €, 23 € – 1 suite – ½ P 204 € **3**EY**c**
Rest – *(fermé dimanche soir)* Lunch 35 € bc – Menu 45/59 € – Carte 51/72 €
◆ De prachtige designhal van dit moderne luxehotel is helemaal van glas, terwijl de achterkant bestaat uit een rij oude gevels. Kamers, junior suites en suites. Trendy loungebar. Modern ingericht restaurant in een van de 16de-eeuwse koopmanshuizen aan de kade van de Leie.
◆ Le hall de ce palace moderne s'abrite sous une superbe verrière design, tandis qu'une rangée de façades anciennes forme l'arrière. Chambres, junior suites et suites. Lounge-bar "in". Table au cadre actuel aménagée dans l'une des maisons de marchands (16es.) donnant sur le quai de la Lys.

NH Belfort rest,
Hoogpoort 63 – 0 9 233 33 31 – www.nh-hotels.com **3**FY**b**
174 ch – 99/250 € 99/250 €, 21 € – 1 suite
Rest – Lunch 15 € bc – Menu 35/45 € – Carte 31/67 €
◆ Centrale ligging, moderne kamers (lady's room op aanvraag), uitgebreide congresfaciliteiten, gewelfde kelderverdieping voor banqueting en bar met stadssfeer. Brasserie met patio. Internationale kaart.
◆ Emplacement central, chambres modernes (lady room sur demande), infrastructure congressiste importante, caves voûtées où se passent les banquets, ambiance urbaine au bar. Restaurant de type brasserie, complété par un patio-terrasse. Carte internationale.

BELGIQUE

Novotel Centrum rest, rest,
Gouden Leeuwplein 5 – 0 9 224 22 30 – www.novotel.com **3**EY**a**
114 ch – 89/169 € 89/169 €, 20 € – 3 suites
Rest – Lunch 15 € – Menu 29/39 € – Carte 35/46 €
◆ Ketenhotel tegenover het belfort. Lobby met glasdak, eigentijdse kamers en grote bar. Binnenplaats met zwembad en gewelfde kelderverdieping voor partijen. Modern restaurant met patio. Internationale keuken.
◆ Hôtel de chaîne face au beffroi. Lobby à verrière, chambres actuelles, grand bar, cour avec piscine d'été, salles de séminaires, banquets sous les vieilles voûtes de la cave. Cuisine intercontinentale servie dans un cadre moderne ou dehors, dans le patio.

NH Sint Pieters sans rest
Koning Albertlaan 121 – 0 9 222 60 65 – www.nh-hotels.com **2**CX**a**
47 ch – 75/145 € 75/145 €, 17 € – 2 suites
◆ Dit hotel buiten het centrum maar bij het station valt op door zijn neoclassicistische gevel. De kamers zijn heel comfortabel en liggen op drie verdiepingen.
◆ Une façade néoclassique distingue cet établissement proche de la gare mais un peu éloigné du centre. Chambres où l'on a ses aises, réparties sur trois étages.

Ghent-River-Hotel sans rest
Waaistraat 5 – 0 9 266 10 10 – www.ghent-river-hotel.be **3**FY**x**
77 ch – 109/179 € 109/179 €, 20 € – ½ P 134 €
◆ Origineel hotel in een voormalige spinnerij aan de Leie. In de kamers zijn soms de oorspronkelijke materialen hergebruikt. Moderne ontbijtzaal in de stijl van een loft.
◆ Hébergement original tirant parti d'une ancienne filature en bord de Lys. Chambres réutilisant parfois des matériaux d'origine et salle de breakfast moderne façon "loft".

Hotel de Flandre sans rest
Poel 1 – 0 9 266 06 00 – www.hoteldeflandre.be **3**EY**v**
46 ch – 109/189 € 109/189 €, 20 € – 1 suite
◆ Herenhuis (1804) met de beste kamers in het oudste deel. Ontbijtbuffet in een prettige modern-klassieke ruimte. Sfeervolle bar. Fietsen beschikbaar.
◆ Hôtel particulier (1804) cossu, dont certaines chambres du rez-de-chaussée ouvrent sur la cour. Agréable petit-déjeuner servi sous forme de buffet. Vélos à disposition.

Chamade sans rest
Koningin Elisabethlaan 3 – ☎ 0 9 220 15 15 – www.chamade.be – fermé Noël-nouvel an **2**CX**c**
45 ch ☕ – 🚹87/128 € 🚹🚹122/145 €
◆ Hoekpand tussen het station en de musea (Citadelpark). Moderne zitkamer met leeshoek naast de receptie, functionele gerenoveerde kamers, ontbijtruimte op de 6de verdieping.
◆ Immeuble d'angle entre gare et musées (Citadelpark). Salon-bibliothèque moderne côtoyant la réception, chambres fonctionnelles rajeunies, espace breakfast perché au 6e étage.

Astoria sans rest
Achilles Musschestraat 39 – ☎ 0 9 222 84 13 – www.astoria.be **2**CX**g**
25 ch ☕ – 🚹79/139 € 🚹🚹89/159 €
◆ Dit volledig gerenoveerde hotel, gelegen in het Gentse kunstenkwartier, behoort tot één van de weinige familiaal gerunde hotels in Gent. Ontbijt in de wintertuin of 's zomers op het terras.
◆ Charmante maison de maître du Quartier d'Art, abritant un hôtel familial. Le petit déjeuner (buffet) est servi dans la véranda ou au jardin, près d'un joli bassin zen.

Erasmus sans rest
Poel 25 – ☎ 0 9 224 21 95 – www.erasmushotel.be – fermé 23 décembre-10 janvier **3**EY**e**
12 ch ☕ – 🚹69/90 € 🚹🚹79/160 €
◆ Hotel in een schitterend 16de-eeuws pand met een Franse tuin, vlak bij het Designmuseum. Retro-ambiance, kamers met stijlmeubelen en ontbijtruimte met ouderwetse charme.
◆ Ravissante maison du 16e s. dissimulant un jardin à la française. Ambiance rétro, chambres meublées de style, espace breakfast au charme suranné, musée du Design à deux pas.

Verhaegen sans rest
Oude Houtlei 110 – ☎ 0 9 265 07 60 – www.hotelverhaegen.be – fermé 2 au 16 janvier et 24 juillet-9 août **2**CV**b**
5 ch – 🚹195 € 🚹🚹195 €, ☕ 18 €
◆ Dit 18de-eeuwse herenhuis in Franse stijl is een geslaagde mix van het behouden antieke decor en moderne kunst. De salons, kamers en fraai begroeide binnenplaats zijn echte juweeltjes!
◆ Somptueux hôtel particulier à la française (18e s.) agrémenté d'œuvres contemporaines. Lustres en cristal, cheminées en marbre et trumeaux, magnifique jardin… Un bijou !

Chambreplus sans rest
Hoogpoort 31 – ☎ 0 9 225 37 75 – www.chambreplus.be **3**EY**q**
3 ch ☕ – 🚹85/115 € 🚹🚹105/175 €
◆ Dit sfeervolle B&B ligt achter een winkel in het voetgangersgebied. Themakamers, geweldig ontbijt, bonbonatelier en toegewijde eigenaren. Duplex in de tuin, met jacuzzi, patio en waterpartij.
◆ Maison d'hôte de charme cachée en secteur piétonnier, derrière une boutique. Chambres à thèmes, super breakfast, atelier chocolat, propriétaires dévoués. Duplex au jardin, avec whirlpool, patio et pièce d'eau.

De Waterzooi sans rest
Sint-Veerleplein 2 – ☎ 0 475 43 61 11 – www.dewaterzooi.be **3**EY**k**
3 ch ☕ – 🚹160/185 € 🚹🚹160/185 €
◆ Logeren met zicht op het Gravensteen in een B&B die Waterzooi (voor de buitenlandse gast: een lokaal gerecht) heet: Gentser kan niet! De nostalgische suites komen mooi tot hun recht op dit middeleeuwse pleintje, vlak bij het Patershol.
◆ Un B&B répondant au nom de la spécialité de la ville (pour les non initiés : le waterzoï est un plat en sauce), sur une placette médiévale proche du Patershol. Un concentré de Gand ! Dans ce contexte, les chambres distillent un joli esprit d'antan…

Verzameld Werk sans rest
Onderstraat 23a – 0 9 224 27 12 – www.verzameldwerk.be **3FYc**
3 ch – 85/105 € 95/130 €
Kamers en designappartement met split-level (met kitchenette en voor het ontbijt gevulde ijskast), atelier en kunstgalerie: een leuk concept voor liefhebbers van avant-garde.
♦ Chambres et duplex au design épuré (avec kitchenette et frigo garni pour le petit-déj'), atelier d'art et galerie : un concept original qui ravira les amateurs d'avant-garde.

Atlas sans rest
Rabotstraat 40 – 0 9 233 49 91 – www.atlasbenb.be – fermé 23 décembre-1er janvier
4 ch – 57/72 € 73/93 € **2CVz**
Herenhuis uit 1865 met vier mooie kamers in verschillende stijlen: Europees (Toscaans), Amerikaans (fifties), Aziatisch en Afrikaans. Klassieke eetzaal met art-decomeubilair.
♦ En cette maison bourgeoise (1865), les chambres invitent à voyager dans le temps et dans l'espace : "Toscane", "Fifties", "Afrique", etc. Mobilier Art déco dans la salle à manger.

Jan Van den Bon
Koning Leopold II laan 43 – 0 9 221 90 85 – www.janvandenbon.be – fermé 1 semaine Pâques, 18 juillet-10 août, fin décembre-début janvier, jours fériés, samedi midi, dimanche et lundi **2CXb**
Rest – Lunch 45 € – Menu 68/98 € – Carte 86/102 €
Spéc. Anguille en ragoût d'oseille et sauge, vinaigrette de carotte (mai-septembre). Fine salade d'écrevisses aux poireaux, estragon et crêpe à l'oignon rouge (mai-septembre). Pintade et flan de moutarde à la sarriette.
In dit herenhuis tegenover het park van het museum voor hedendaagse kunst kunt u echte kunstwerkjes proeven! Behalve de presentatie zijn de verfijnde gerechten zelf ook verrassend door de bijzondere combinatie van smaken.
♦ Savourez de véritables œuvres d'art dans cette maison de maître face au parc du musée d'Art contemporain! Outre la présentation, les plats préparés avec grande finesse surprennent également par leurs combinaisons de saveurs.

Patyntje
Gordunakaai 91 – 0 9 222 32 73 – www.patyntje.be **1AUb**
Rest – Carte 31/57 €
Villa in koloniale stijl aan de Leie. Witte eetzalen met een bronzen olifantskop en terras met pergola. Brasseriekaart met streekgerechten en wijn in karaf.
♦ Villa de style colonial bordée par la Lys. Salle aux murs immaculés, où trône une tête d'éléphant en bronze. Cuisine de brasserie et plats régionaux ; vin en carafe.

Allegro Moderato
Korenlei 7 – 0 9 233 23 32 – www.restoallegro.com – fermé 2 premières semaines d'août, dimanche et lundi **3EYz**
Rest – Lunch 20 € – Menu 35/58 € – Carte 38/66 €
Karakteristiek 18e-eeuws pand aan de Leie met een romantisch interieur. Klassieke keuken, mooie salons, terras aan de kade. Behalve op zaterdagavond wordt hier een interessant marktmenu geserveerd.
♦ En plein cœur de Gand, cette élégante maison de maître du 18e s. semble flotter au bord de la Lys... Salons romantiques, terrasse : le cadre rêvé pour savourer une cuisine classique raffinée. Intéressant menu du marché (sauf le samedi soir).

volta.
Nieuwe Wandeling 2b – 0 9 324 05 00 – www.voltagent.be – fermé 3 au 7 avril, 17 juillet-6 août, 30 octobre-3 novembre, 23 au 26 décembre, dimanche et lundi
Rest – Lunch 24 € – Menu 60 € – Carte 48/72 € **2CVa**
Dit is een huis met drive, en dat voel je. Vanop uw stoel in dit voormalige elektriciteitsstation ziet u de brigade in de weer in de open keuken. Ze bereiden er eerlijke gerechten gebaseerd op topproducten, het liefst à la minute bereid.
♦ Dans une ancienne centrale électrique... C'est dire si le courant passe bien entre la clientèle et l'équipe à l'œuvre aux fourneaux – d'autant que les cuisines sont ouvertes sur la salle. À la carte, des mets savoureux, à base de produits de qualité, pour la plupart préparés minute.

Belga Queen

Graslei 10 – ✆ 0 9 280 01 00 – www.belgaqueen.be **3**EY**t**

Rest – *(ouvert jusqu'à 23 h)* Lunch 18 € – Menu 35/46 € – Carte 38/76 €

◆ Dit voormalige pakhuis is door Antoine Pinto omgetoverd in een trendy brasserie. Kaart met Belgische specialiteiten, biermenu en vismenu. Veel biersoorten van het vat. Jazzy lounge.

◆ Ex-entrepôt relooké en brasserie branchée sous la baguette magique d'Antoine Pinto. Carte belgo-belge, menus "brasseur" et "pêcheur", de nombreuses bières au fût, lounge jazzy.

Pakhuis

Schuurkenstraat 4 – ✆ 0 9 223 55 55 – www.pakhuis.be – fermé 14 au 25 juillet et dimanche **3**EYZ**b**

Rest – *(ouvert jusqu'à 23 h)* Lunch 14 € – Menu 26/43 € – Carte 30/61 €

◆ Een mooie mezzanine en glaskoepel bekronen dit monumentale pakhuis, nu een neoretro-brasserie, waar het hele jaar oesters te krijgen zijn. Succesmenu's, levendige ambiance en fijn terras.

◆ Une belle mezzanine et une coupole couronnent cet entrepôt monumental reconverti en brasserie-écailler néo-rétro. Huîtres toute l'année, menus à succès, ambiance animée, terrasse invitante.

Cafe Theatre

Schouwburgstraat 5 – ✆ 0 9 265 05 50 – www.cafetheatre.be – fermé mi-juillet-mi-août et samedi midi **3**EZ**c**

Rest – *(ouvert jusqu'à minuit)* Lunch 16 € – Carte 35/60 €

◆ Druk bezochte, moderne brasserie met een uitstekende keuken bij een theater. Eetzaal met mezzanine, toneelspots als verlichting, chique clientèle en knappe serveersters.

◆ Brasserie moderne fort courtisée, côtoyant un théâtre monumental. Mezzanine en salle, éclairage par des spots de scène, cuisine maîtrisée, clientèle BCBG et jolies serveuses.

Grade

Charles de Kerchovelaan 81 – ✆ 0 9 224 43 85 – www.grade.be – fermé 14 au 21 juillet, dimanche et lundi **2**CX**d**

Rest – Carte 42/55 €

◆ Trendy brasserie tegenover het museum voor moderne kunst. Veranda, loungebar en terras. Veel schotels ook in kleinere porties verkrijgbaar. Specialiteit: kreeft en foie gras.

◆ Brasserie "hype" face au musée d'Art contemporain. Véranda, lounge-bar et terrasse agréables. Spécialités de homard et foie gras. Nombreux plats en portion normale ou réduite.

C-Jean

Cataloniëstraat 3 – ✆ 0 92 23 30 40 – www.c-jean.be – fermé 24 décembre-5 janvier, 11 au 24 avril, 14 juillet-6 août, jours fériés, dimanche et lundi

Rest – *(nombre de couverts limité, prévenir)* Lunch 35 € – Menu 45/84 € – Carte 73/85 € **3**EY**h**

◆ Karakteristiek trapgevelpand bij de kerk. Sober interieur en omheind terrasje vooraan. Pladijs met gedroogde ham en structuren van bloemkool, gemarineerde rabarber met geitenkaasijs: de nieuwe chef wil duidelijk een hedendaagse keuken brengen.

◆ Cette authentique maison à pignon cache un agréable restaurant au décor contemporain. Plie au jambon séché et structures de chou-fleur, rhubarbe marinée et glace au fromage de chèvre : le nouveau chef s'inspire pleinement de la cuisine actuelle.

Domestica

Onderbergen 27 – ✆ 0 9 223 53 00 – www.domestica.be – fermé 2 semaines en janvier, fin juillet-début août, lundi midi, samedi midi et dimanche **3**EZ**b**

Rest – Lunch 28 € – Menu 45/70 € – Carte 36/61 €

◆ Dit prachtige gerenoveerde herenhuis (19de eeuw) beschikt over een prettige bar en twee moderne eetzalen met een ommuurd terras.

◆ Cette superbe maison de notable (19e s.) relookée intérieurement abrite un bar plaisant et deux salles à manger dans l'air du temps complétées par une terrasse close de murs.

The House Of Eliott

Jan Breydelstraat 36 – ✆ 0 9 225 21 28 – www.thehouseofeliott.be – fermé 15 février-3 mars, 6 au 22 septembre, jeudi midi, mardi et mercredi
Rest – Menu 46/59 € – Carte 47/58 € **3**EY**u**

◆ Eigentijds eten in een jarendertiginterieur of op het terras aan het water. Kaart met een voorliefde voor kreeft. Twee menu's, waarin dit schaaldier ook aan bod komt.

◆ Repas au goût du jour dans un décor Entre-deux-guerres ou sur la terrasse près du canal. La carte "en pince" pour le homard. Duo de menus où entre aussi le roi des crustacés.

Le Grand Bleu

Snepkaai 15 – ✆ 0 9 220 50 25 – www.legrandbleu.be – fermé après 20 h 30
Rest – *(réservation indispensable)* Lunch 13 € – Menu 35/56 € **1**AU**c**
– Carte 32/69 €

◆ De kreeft die op de voorgevel prijkt, geeft vast een voorproefje van de kaart waarop dit schaaldier een prominente plaats inneemt. Levendige ambiance en bistro-interieur.

◆ Le homard dessiné sur la façade laisse aisément deviner l'orientation de la carte, où ce noble crustacé tient toujours la vedette. Décor "bistrot" et atmosphère vivante.

A Food Affair

Korte Meer 25 – ✆ 0 9 224 18 05 – www.afoodaffair.be – fermé 9 juillet-1er août, mardi midi, mercredi midi, samedi midi, dimanche et lundi
Rest – Menu 47 € – Carte 37/51 € **3**EZ**d**

◆ East meets West is het devies van het huis! Gerechten met Thaise en Japanse invloeden. Het interieur is minimalistisch, exotisch en modern tegelijk. Wijn per glas.

◆ "East meets West" est la devise de la maison ! Mets aux influences thaïlandaises et japonaises à apprécier dans un cadre à la fois minimaliste, exotique et moderne. Vins au verre.

BELGIQUE

Bord'eau

Sint-Veerleplein 5 – ✆ 0 9 223 20 00 – www.bordeau.be – fermé dimanche soir
Rest – Lunch 15 € – Menu 35 € – Carte 41/73 € **3**EY**d**

◆ De oude vismijn kreeg een nieuwe bestemming en werd gerenoveerd tot een megabrasserie. Het resultaat is indrukwekkend en komt prachtig tot zijn recht langs het water in het historische hart van de stad. Ongecompliceerde brasseriegerechten.

◆ L'ancien marché aux poissons a été reconverti en brasserie et même en... méga-brasserie ! L'établissement impressionne par ses volumes, sans déparer nullement dans le cœur historique de la ville... au bord de l'eau bien sûr.

De Vitrine

Brabantdam 134 – ✆ 0 9 336 28 08 – www.de-vitrine.be – fermé 24 juillet-6 août, samedi midi, dimanche et lundi **3**FZ**a**
Rest – *(réservation conseillée) (menu unique)* Lunch 25 € – Menu 45 €

◆ Topchef Kobe Desramaults is op de trein van de bistronomie gesprongen, en Gent zal het geweten hebben! In deze oude beenhouwerij wordt gekookt met een hart voor de natuur en het pure product. De keuken is in handen van vertrouwelingen uit de equipe van het moederhuis In De Wulf, de zus van Desramaults staat in de zaal.

◆ Le grand chef Kobe Desramaults s'est laissé séduire par le concept de la bistronomie ! Direction Gand, dans cette ancienne boucherie reconvertie, confiée aux soins d'une équipe de fidèles issus de la maison mère, In De Wulf (à Dranouter). À la carte : une cuisine naturelle et authentique. La propre sœur de Kobe Desramaults assure le service.

Amatsu

Hoogpoort 29 – ✆ 0 9 224 47 06 – www.amatsu.be – fermé samedi midi, dimanche et lundi **3**EY**f**
Rest – Lunch 18 € – Menu 28/75 € – Carte 28/63 €

◆ Authentieke Japanse keuken, verse producten en mooi evenwicht van smaken en kruiding. Sake suggesties. Sober kader, opgefleurd met karakteristieke elementen; persoonlijke ontvangst.

◆ Authentique cuisine nippone servie dans un cadre zen. Produits frais, saveurs subtiles et raffinées ; beau choix de sakés. Accueil avenant.

Quartier Ancien (Patershol)

Harmony sans rest
Kraanlei 37 – ✆ 0 9 324 26 80 – www.hotel-harmony.be **3**EY**w**
25 ch – 137/162 € 152/187 €

◆ Oud herenhuis met harmonieus ingerichte kamers en studio's in moderne stijl. Verzorgde ontbijtruimte en bar. Hooggelegen binnenplaats met planten en verbazingwekkend zwembad.

◆ Ancien hôtel particulier aux chambres et studios harmonieusement décorés dans le goût moderne. Espace breakfast et bar soignés ; cour-jardin "perchée" et piscine surprenante.

De Blauwe Zalm
Vrouwebroersstraat 2 – ✆ 0 9 224 08 52 – www.deblauwezalm.be – fermé 18 juillet-16 août, 25 décembre-5 janvier, lundi midi, samedi midi et dimanche
Rest – Menu 32/59 € – Carte 48/62 € **3**EY**r**

◆ Creatieve visgerechten, geserveerd in twee zalen met originele verlichting of bij mooi weer op de patio. Kaart met een persoonlijke toets. Twee menu's op zaterdagavond.

◆ Saveurs de la mer déclinées sur un mode créatif et servies dans deux salles éclairées avec originalité ou l'été au patio. Carte personnalisée. Le samedi soir, duo de menus.

Le Baan Thaï
Corduwaniersstraat 57 – ✆ 0 9 233 21 41 – fermé dernière semaine de décembre-première semaine de janvier, dernière semaine de juillet-première semaine d'août et lundi **3**EY**s**
Rest – *(dîner seulement sauf dimanche)* Menu 27/35 € – Carte 31/39 €

◆ Dit Thaise restaurant ligt verscholen op de binnenplaats van een groep patriciërshuizen. De uitgebreide kaart is typerend voor dit soort restaurants.

◆ Restaurant thaïlandais dissimulé dans la cour intérieure d'un ensemble de maisons patriciennes. La carte, typique du genre, est bien détaillée, et offre un choix étendu.

De 3 Biggetjes
Zeugsteeg 7 – ✆ 0 9 224 46 48 – www.de3biggetjes.com – fermé semaine de Pâques, 2 semaines en août, 25 décembre-1er janvier, samedi midi, dimanche et mercredi
Rest – Menu 32/45 € – Carte 41/66 € **3**EY**g**

◆ Een wandelingetje door de charmante straatjes van het Patershol brengt u in dit schilderachtige oude pand. De klassiek geïnspireerde keuken is nog altijd erg in trek en er heerst hier dan ook vaak een gezellige drukte. Heerlijk meerkeuzemenu.

◆ Une balade à travers les charmantes ruelles du Patershol vous conduira à cette bâtisse pittoresque. Ici, la tradition et le classicisme sont bien vivants et même pleins de goût ; la ville ne s'en lasse pas ! Intéressante formule.

Karel de Stoute
Vrouwebroersstraat 5 – ✆ 0 9 224 17 35 – www.restkareldestoute.be – fermé 1 semaine en mars, 2 semaines en septembre, samedi midi, dimanche et lundi
Rest – Lunch 25 € – Menu 43/59 € – Carte 50/73 € **3**EY**y**

◆ Leuk pandje (1516) met een gemoderniseerd interieur en sfeervolle patio. Kleine kaart en aantrekkelijk menu door de week.

◆ Jolie maisonnette du 16e s. dissimulant une salle à manger au décor sobre et contemporain (murs taupe et tableaux abstraits). Petite carte et menu attractif proposé en semaine.

PÉRIPHÉRIE

à Afsnee – Ⓒ Gent – ✉ 9051

Fontein Kerse
Broekkantstraat 52 – ✆ 0 9 221 53 02 – www.fonteinkerse.be – fermé 2 dernières semaines de janvier, 2 dernières semaines de juillet, dimanche soir, mardi et mercredi
Rest – Lunch 25 € – Menu 38/57 € bc – Carte 40/63 € **1**AU**s**

◆ Modern restaurant met een verfijnde eigentijdse keuken. Mooie trendy eetzaal en tuin met terras. Bistrokaart door de week en menuformule in het weekend; uitstekende wijnen (ook per glas).

◆ Bâtisse moderne où se conçoit une cuisine actuelle élaborée. Belle salle design et terrasse au jardin. Carte bistrot en semaine, menus "gastro" le week-end. Bons vins au verre.

BELGIQUE

à Sint-Amandsberg – [C] Gent – ✉ 9040

Chambres d'Ami(e)s sans rest

Schoolstraat 14 – ✆ 09 238 43 47 – www.chambresdamies.be **2DVw**
3 ch – 50/60 € 78/88 €

◆ Dit herenhuis met ommuurde tuin aan de rand van de stad is nu een Bed & Breakfast. De knusse kamers hebben elk een eigen thema (de opera, het belfort van Gent en de Leie).

◆ En périphérie, maison de maître transformée en "bed and breakfast" aux douillettes chambres à thèmes (l'opéra, le beffroi de Gand, la Lys). Jardin bichonné clos de murs.

à Sint-Denijs-Westrem – [C] Gent – ✉ 9051

Holiday Inn Expo

rest,

Maaltekouter 3 – ✆ 09 220 24 24 – www.holidayinn.com/gent-expo
169 ch – 68/193 € 68/193 €, 21 € – ½ P 103 € **1AUv**
Rest – Carte 36/52 €

◆ Modern hotelcomplex bij de snelweg en de hallen van Flanders Expo, met allerlei faciliteiten voor de zakenwereld. Ruime kamers en junior suites met actueel en functioneel comfort. Het restaurant met atrium is ideaal voor een kleine zakenmaaltijd.

◆ Un complexe hôtelier moderne, proche de l'autoroute et du Flanders Expo. Chambres et junior suites spacieuses et confortables, adaptées à une clientèle d'affaires. Restaurant en forme d'atrium, idéal pour les repas d'affaires.

BELGIQUE

à Zwijnaarde – [C] Gent – ✉ 9052

De Klosse

Grotesteenweg Zuid 49 (sur N 60) – ✆ 09 222 21 74 – www.deklosse.be – fermé vacances de carnaval, 15 juillet-8 août, samedi midi, dimanche et lundi
Rest – Lunch 30 € – Menu 55/80 € bc – Carte env. 65 € **1AUa**

◆ Geen gespin in dit kanten huisje dat een verjongingskuur heeft ondergaan. Eetzaal met zwart-wit foto's rond culinair thema, aparte kamer voor een intiemer diner. De lunch is al jaren een succes!

◆ Une petite ferme merveilleusement rénovée où l'on peut choisir entre une élégante salle lambrissée ou un recoin plus intime. Cuisine française et formule lunch.

Environs

à Beervelde – [C] Lochristi 21 617 h. – ✉ 9080

Renard

Dendermondesteenweg 19 – ✆ 09 355 77 77 – www.renard-beervelde.be – fermé 22 juillet-10 août, dimanche soir, lundi et mardi **1BTx**
Rest – Lunch 28 € – Menu 65 € bc/110 € bc – Carte 48/88 €

◆ Weelderig complex bestaande uit een huis met rieten dak, een oud pand en een aparte banquetingruimte. Actuele kaart, lekker menu, salon met open haard en tuin met terras.

◆ Plusieurs demeures anciennes (dont l'une à façade blanche et toit de chaume) composent cet établissement stylé. Cuisine actuelle, salon au coin du feu et terrasse.

à Heusden – [C] Destelbergen 17 670 h. – ✉ 9070

Rooselaer

Berenbosdreef 18 (par R4, sortie ⑤) – ✆ 09 231 55 13 – www.rooselaer.be – fermé 2 semaines en septembre, mardi soir et mercredi **1BUa**
Rest – Lunch 24 € – Menu 35/85 € bc – Carte 44/67 €

◆ Modern interieur in dit familielandhuis met serre en terras in de tuin. Het restaurant bestaat al ruim 30 jaar en de zonen des huizes werken nu ook in het bedrijf. Specialiteiten zijn kreeft en grillades op houtvuur.

◆ Manoir familial au cadre moderne avec verrière et une terrasse au jardin. La maison existe depuis plus de 30 ans et les fils ont rejoint leurs parents dans l'affaire. Spécialités de homard et grillades saisies au feu de bois.

à Lochristi – 21 386 h. – ✉ 9080

Arriate sans rest

Antwerpse Steenweg 92 – ✆ 0 9 326 83 00 – www.hotelarriate.be **1**BT**y**

8 ch ☕ – 🛉77/82 € 🛉🛉98 €

◆ Gemoderniseerd pand uit het interbellum, waar de bezoekers van dit tuindersdorp comfortabel kunnen logeren, ondanks de doorgaande weg. Lekker ontbijtbuffet.

◆ Au bord d'une chaussée passante, maison de l'Entre-deux-guerres modernisée pour accueillir en toutes commodités les visiteurs de cette localité horticole. Buffet matinal.

XXX **Leys**

Dorp West 89 (N 70) – ✆ 0 9 355 86 20 – www.restaurantleys.be – fermé carnaval, 2 semaines en septembre, lundi soir, mardi soir, mercredi et après 20 h 30 **1**BT**z**

Rest – Lunch 33 € – Menu 47/62 € – Carte 54/75 €

◆ Landhuis uit de vroege 20ste eeuw met een klassiek maar kleurrijk interieur. Terras met wingerd. Traditionele kookstijl met een moderne inslag. Aantrekkelijke menu's.

◆ Une carte traditionnelle enrichie de nuances actuelles dans le décor classique, élégant et coloré d'une maison datant du début du 20e s. Agréable terrasse. Menus intéressants.

XX **D'Oude Pastorie**

Hijfte-Center 40 – ✆ 0 9 360 84 38 – www.doudepastorie.com – fermé samedi midi, dimanche soir, mardi soir et mercredi **1**BT**x**

Rest – Lunch 40 € – Menu 55/90 € bc – Carte 66/75 €

◆ Deze oude pastorie ziet er na de renovatie weer fris uit. Sprankelende eigenaresse, moderne eetzaal met veel rood, mooie terrastuin, eigentijdse kaart en populaire menu's.

◆ Ex-presbytère relooké avec fraîcheur. Patronne pétillante à l'accueil, salle moderne où domine le rouge, mignonne terrasse-jardin assortie, carte actuelle et menus courtisés.

BELGIQUE

De prijzen voor het symbool 🛉 komen overeen met de laagste prijs in laag seizoen en daarna de hoogste prijs in hoog seizoen voor een éénpersoonskamer. Hetzelfde principe voor het symbool 🛉🛉 hier voor een tweepersoonskamer.

à Melle – 10 774 h. – ✉ 9090

Lepelbed

Brusselsesteenweg 100 (sur N 9) – ✆ 0 9 231 14 10 – www.lepelbed.be

19 ch ☕ – 🛉80/85 € 🛉🛉95/120 € – ½ P 73 € **1**BU

Rest – *(dîner pour résidents seulement)*

◆ Veel profwielrenners hebben een trui als souvenir achtergelaten in dit hotelletje dat uitgebaat wordt door een broer en een zus.

◆ De nombreux coureurs cyclistes pros ont laissé des souvenirs (maillots) de leur passage dans ce petit hôtel exploité entre frère et sœur.

X **De Branderij**

Wezenstraat 34 – ✆ 0 9 252 41 66 – www.restaurantdebranderij.be – fermé 3 au 13 avril, 21 août-6 septembre, samedi midi, dimanche soir et lundi

Rest – Menu 35/55 € **1**BU**m**

◆ In dit ouderwetse pand met hek en blauweregen werd vroeger koffie gebrand. Intieme eetzaal en beschutte tuin met terras. Geen kaart, maar heerlijke menu's, in 2009 al 20 jaar!

◆ Maison rétro où l'on torréfiait le café. Grille et glycine en façade, salle intime et terrasse-jardin abritée. Pas de carte mais menus goûteux. 20 ans de bonne chère en 2009 !

à Merelbeke – 23 117 h. – ✉ 9820

XX **De Blauwe Artisjok**

Gaversesteenweg 182 – ✆ 0 9 231 79 28 – www.deblauweartisjok.be – fermé samedi midi, mardi soir et mercredi 1AU**p**

Rest – Lunch 29 € – Menu 30/65 € bc – Carte 52/67 €

◆ Villa met een moderne eetzaal en ronde glazen uitbouw die uitkijkt op de tuin met terras. Klassieke gerechten met een eigentijds sausje.

◆ Villa dont la salle moderne dotée de chaises à médaillon cérusées se prolonge par une rotonde donnant sur le jardin et sa terrasse. Mets classiques dressés de façon actuelle.

à De Pinte – 10 227 h. – ✉ 9840

XX **Il Mondo Di Miccoli**

Baron de Gieylaan 112 – ✆ 0 9 222 23 75 – www.ilmondodimiccoli.be – fermé 22 décembre-1er janvier, vacances de Pâques, août, samedi midi, dimanche et lundi 1AU**t**

Rest – Lunch 25 € – Menu 56/80 € bc – Carte 43/94 €

◆ Deze oude hoeve met glazen veranda biedt een smakelijke Italiaanse keuken op basis van verse producten. Ontspannen ambiance en vlotte bediening.

◆ Cette ancienne ferme, ornée de grandes baies vitrées en façade, propose une goûteuse cuisine italienne à base d'ingrédients frais. Atmosphère décontractée et service rapide.

à Zevergem – C De Pinte 10 295 h. – ✉ 9840

XX **De kok en zijn vrouw**

Grote Steenweg 88 – ✆ 0 9 220 39 59 – www.de-kok-en-zijn-vrouw.be – fermé 1 semaine en mars, 3 semaines en septembre, lundi soir, mardi et mercredi

Rest – Lunch 30 € – Menu 44/54 € – Carte 43/67 € 1AU**d**

◆ Laat u verwennen door "de kok en zijn vrouw" in dit villaatje bij de snelweg. Cosy eigentijds interieur, uitnodigend terras, traditionele Franse keuken en goed doordachte menu's.

◆ Laissez-vous dorloter par "le chef et sa femme" dans cette jolie petite maison en brique rouge. Le cadre est cosy et contemporain, et la cuisine inspirée par la tradition française. Agréable terrasse.

BELGIQUE

GENVAL – Brabant Wallon – C Rixensart 22 016 h. – **533** L18, **534** L18 et **716** G3 – ✉ 1332 **3** B2

▶ Bruxelles 22 – Wavre 10 – Leuven 28 – Namur 47

Château du Lac

av. du Lac 87 – ✆ 0 2 655 71 11 – www.martinshotels.com

122 ch – †99/425 € ††134/455 €

Rest ***Genval.les.Bains*** – voir la sélection des restaurants

◆ Au creux d'un vallon boisé, magnifique hôtel dont les chambres offrent tout le confort moderne. Perspective imprenable sur le lac. Spécialité "maison" : les séminaires.

◆ Prachtig hotel in een beboste vallei, met een adembenemend uitzicht op het meer. De kamers bieden modern comfort. Deze locatie is zeer geschikt voor congressen.

XX **L'Amandier**

r. Limalsart 9 (près du lac) – ✆ 0 2 653 06 71 – www.amandier.be – fermé première semaine de janvier, 2 dernières semaines d'août, samedi midi, dimanche soir et mercredi

Rest – *(nombre de couverts limité, prévenir)* Lunch 25 € bc – Menu 37/55 € – Carte env. 51 €

◆ Une petite villa nichée parmi les arbres, parfaite pour une halte gourmande près du lac. Ambiance intime, dans un décor clair et élégant. Cuisine française mettant en valeur de beaux produits.

◆ Gastronomische halte bij het meer, in een kleine villa tussen de bomen. Charmant onthaal, smaakvol interieur met een vrouwelijke touch, aanlokkelijke kaart met veel aandacht voor de producten en verleidelijke menu's.

XX **Genval.les.Bains** – Hôtel Château du Lac

av. du Lac 87 – ✆ 0 2 655 73 73 – www.martinshotels.com

Rest – *(ouvert jusqu'à minuit)* Lunch 19 € – Menu 48/60 € bc – Carte 39/59 €

◆ Brasserie smart genre "gentlemen's club" au look colonial. Service masculin aimable, éclairage à variations chromatiques, grande carte variée, vue lacustre et belle terrasse.

◆ Trendy brasserie in de stijl van een koloniale herensociëteit. Vriendelijke mannelijke bediening, lampen in verschillende kleuren, gevarieerde kaart en mooi terras met uitzicht op het meer.

à Rixensart Est : 4 km – 21 668 h. – ✉ 1330

Lido sans rest

r. Limalsart 20 (près du lac de Genval) – ✆ 0 2 634 34 34 – www.martinshotels.com – fermé 2 dernières semaines de juillet et fin décembre

27 ch – †60/190 € ††70/200 €, ☕ 15 €

◆ Lieu de séjour estimé des congressistes, cette accueillante bâtisse à colombages et son étang forment un petit havre de paix à quelques ricochets du lac de Genval.

◆ Dit aantrekkelijke vakwerkhuis met vijver is een oase van rust en ligt op een steenworp afstand van het meer van Genval. Zeer populair bij congresgangers.

GERAARDSBERGEN (GRAMMONT) – Oost-Vlaanderen – 533 I18 et 716 E3 – 32 033 h. – ✉ 9500 — 17 C3

▶ Bruxelles 43 – Gent 44 – Aalst 29 – Mons 42

ℹ Stadhuis, ✆ 0 54 43 72 89, www.geraardsbergen.be

👁 Site★

XX **'t Grof Zout**

Gasthuisstraat 20 – ✆ 0 54 42 35 46 – www.grofzout.be – fermé vacances de carnaval, 2 dernières semaines d'août-première semaine de septembre, samedi midi, dimanche soir et lundi

Rest – Menu 50 € bc/72 € bc – Carte 57/65 €

◆ Restaurant in een mooi pand buiten het centrum, gerund door een echtpaar. Modern interieur, bloemrijke patio, en een menu op basis van dagverse producten.

◆ Jolie maison de maître gentiment tenue en couple, à l'écart du centre-ville. Intérieur actuel et frais, ou patio fleuri, pour faire connaissance avec un bon menu du marché.

GESVES – Namur – 533 P20, 534 P20 et 716 I4 – 6 764 h. – ✉ 5340 — 15 C1

▶ Bruxelles 81 – Namur 29 – Dinant 30 – Liège 53

XX **La Pineraie**

r. Pineraie 2 – ✆ 0 83 67 73 46 – www.lapineraie.be – fermé semaine de carnaval, 2 dernières semaines d'août-première semaine de septembre, samedi midi, dimanche soir, lundi et mardi

Rest – Lunch 25 € – Menu 33/60 € bc – Carte 47/59 €

◆ Une jolie bâtisse en pierre et un intérieur chaleureux, pour découvrir les saveurs subtiles d'une cuisine moderne d'inspiration française. Ce lieu dégage une vraie générosité et l'on s'y sent bien.

◆ Proef het werk van een chef die u graag doordachte, actuele gerechten wil voorschotelen. Zijn Fransgeïnspireerde keuken is er een van gulheid en rijke smaken. De eetzaal straalt dezelfde genereuze charme uit.

GHISLENGHIEN (GELLINGEN) – Hainaut – 533 I19, 534 I19 et 716 E4 – voir à Ath

GINGELOM – Limburg – **533** P18 et **716** I3 – 8 121 h. – ✉ 3890 **10** A3

Bruxelles 65 – Hasselt 28 – Leuven 44 – Maastricht 74

Kamerijck sans rest

Kamerijkstraat 1 – ☎ 0 11 88 10 64 – www.kamerijck.be – fermé 1er au 11 septembre

6 ch – ♦80/100 € ♦♦100/120 €

◆ Bent u een stadsmus die op zoek is naar een portie authentiek plattelandsleven? Strijk dan neer op de hoeve van familie Lejeune, waar asperges geteeld worden die u in de restaurants in de omgeving kunt proeven. Zeer ruime en rustige kamers.

◆ La ferme de la famille Lejeune ravira plus d'un amateur de vie rurale authentique. Chambres spacieuses, au grand calme, et table d'hôte sur demande. Les asperges sont l'une des spécialités de la maison, qui fournit de nombreux restaurants de la région !

GITS – West-Vlaanderen – **533** D17 et **716** C3 – voir à Roeselare

GOOIK – Vlaams Brabant – **533** J18 et **716** F3 – 9 015 h. – ✉ 1755 **3** A2

Bruxelles 22 – Leuven 60 – Aalst 22 – Mons 45

Het hof van Petronilla sans rest

Lindestraat 15 – ☎ 0 54 56 78 39 – www.hethofvanpetronilla.be

6 ch – ♦60/70 € ♦♦80/100 €

◆ Boerderij in hartje Pajottenland, waarvan de schuren tot sfeervolle gastenkamers zijn verbouwd. Kamers met een mineraal thema: robijn, amethist, topaas, enz. Goed onthaal.

◆ En plein Payottenland, domaine agricole dont les ex-granges se sont recyclées en maison d'hôte de caractère. Chambres à thème "minéral" : ruby, améthyste, topaze... Bon accueil.

à Oetingen Sud : 4 km – Ⓒ Gooik – ✉ 1755

't Kreukeltje

Lenniksestraat 65 – ☎ 0 54 56 81 07 – www.tkreukeltje.be – fermé vacances de carnaval, 21 juillet-15 août, vacances de la Toussaint, samedi midi, dimanche soir, mardi et mercredi

Rest – Menu 35/65 € – Carte 52/80 €

◆ Achter een gele gevel huist dit restaurant met een vriendelijke, landelijke inrichting. Harmonieuze en gulle keuken, à la carte of menu.

◆ Derrière une façade jaune, découvrez ce restaurant à la décoration campagnarde très sympathique qui propose une cuisine harmonieuse et généreuse à la carte ou dans un menu.

GOSSELIES – Hainaut – **533** L20, **534** L20 et **716** G4 – voir à Charleroi

GOUY-LEZ-PIÉTON – Hainaut – Ⓒ Courcelles 30 340 h. – **533** K20, **534** K20 et **716** F4 – ✉ 6181 **7** D2

Bruxelles 51 – Mons 34 – Namur 43 – Wavre 47

Le Mont-à-Gourmet

pl. Communale 12 – ☎ 0 71 84 74 15 – www.lemontagourmet.be – fermé dimanche soir, lundi et mardi

Rest – Lunch 26 € – Menu 33/50 € – Carte 46/70 €

◆ Produits frais et... désir de surprendre : depuis huit ans qu'il œuvre ici, le chef renouvelle son menu tous les deux mois environ. Une véritable prouesse, avec un excellent rapport qualité-prix ! Décor soigné.

◆ De kaart op basis van kraakverse producten verraadt de ambitie van een chef die vooruit wil : hier blijft geen gerecht langer dan 8 weken op het menu staan, en dat al acht jaar! De prijs-kwaliteitverhouding is bovendien zeer goed. Stijlvol interieur.

GRÂCE-HOLLOGNE – Liège – **533** R19, **534** R19 et **716** J4 – voir à Liège, environs

GRAMMONT – Oost-Vlaanderen – voir Geraardsbergen

GRANDHAN – Luxembourg – **533** R21, **534** R21 et **716** J5 – voir à Durbuy

GRANDRIEU - Hainaut - 534 K21 et 716 F5 - voir à Beaumont

's GRAVENVOEREN (FOURON-LE-COMTE) - Limburg - C Voeren 11 D3

4 203 h. - 533 T18 et 716 K3 - ✉ 3798

Bruxelles 119 - Hasselt 59 - Liège 28 - Maastricht 15

Kerkplein 212, ☎ 0 4 381 07 36

De Kommel

Kommel 1 - ☎ 0 4 381 01 85 - www.dekommel.be - fermé 3 semaines en janvier et 2 semaines en juillet

16 ch - 70/80 € 85/95 € - ½ P 119 €

Rest ***De Kommel*** - voir la sélection des restaurants

◆ Dit hotel-restaurant ligt op een heuvel en kijkt prachtig uit over het nabijgelegen dorp. Eigenaars Wendy en Paul houden niet van stilzitten en zijn voortdurend in de weer om hun zaak nog beter te maken.

◆ Juché sur une colline, cet hôtel-restaurant offre une belle vue sur le village voisin. Toutes les chambres ont été rénovées. Belle salle à manger classique aux accents contemporains, avec terrasse panoramique. Petite carte actuelle avec des menus soigneusement composés.

Altembrouck

Altenbroek 4 - ☎ 0 4 268 03 36 - www.altembrouck.net

27 ch - 75/195 € 115/265 €, 18 € - ½ P 125/245 €

Rest - Menu 50/75 €

◆ Als uit een prentenboek: een kasteel met boerderij, een groene vallei in de Voerstreek: de weldaad van de natuur, de ultieme rust. Binnen harmonieert de statigheid van het decor perfect met de uitstraling van de landerijen. Het restaurant maakt gebruik van de troeven van het domein, met zelfgekweekt wagyurund en meer!

◆ Dans la région frontalière des Fourons, au sein d'une vallée verdoyante, ce château et sa ferme semblent tout droit sortis d'un livre d'images... Les bienfaits de la nature et la tranquillité à l'état pur ! À l'intérieur, la noblesse du décor est en parfaite harmonie avec l'environnement champêtre. Le restaurant tire parti des ressources du domaine qui élève - fait rare - des bœufs wagyu, dont la viande persillée est mythique au Japon.

De Kommel - Hôtel De Kommel

Kommel 1 - ☎ 0 4 381 01 85 - www.dekommel.be - fermé 3 semaines en janvier, 2 semaines en juillet et dimanche

Rest - *(dîner seulement)* Menu 35/70 €

◆ De chef laat u graag zijn creatieve kooktalent proeven in zijn menu Laura, genoemd naar de dochter van de eigenaars. Andere leden van de familie bedienen de gasten in de klassieke eetzaal of op het terras met uitzicht op de groene omgeving.

◆ Le menu "Laura", du nom de la fille des propriétaires, vous permettra de découvrir tout le talent d'un chef créatif. Le reste de la famille assure le service en salle, ou sur la terrasse entourée de verdure.

The Golden Horse

Bovendorp 15 - ☎ 0 4 381 02 29 - www.thegoldenhorse.be - fermé 1 semaine en juillet, 1 semaine en septembre, lundi midi, vendredi midi, samedi midi et jeudi

Rest - Menu 35/82 € bc - Carte 59/78 €

◆ Plezierig restaurant met een modern-klassieke keuken en dito interieur, dat door een familie wordt gerund. In de keuken staat een oude rot in het vak; goede wijnkelder. Patio.

◆ Cuisine classico-actuelle et décor intérieur assorti pour cette engageante table tenue en famille et dirigée par une vétérane des fourneaux. Cour-terrasse en teck. Bonne cave.

's GRAVENWEZEL - Antwerpen - 533 M15 et 716 G2 - voir à Antwerpen, environs

GRIMBERGEN - Vlaams Brabant - 533 L17 et 716 G3 - voir à Bruxelles, environs

GROBBENDONK - Antwerpen - 533 N15 et 716 H2 - 10 975 h. - ✉ 2280 — 2 C2

Bruxelles 81 – Antwerpen 35 – Leuven 89 – Baarle-Nassau 46

't Hemelryck sans rest

Floris Primsstraat 50 – ☎ 0 14 51 81 18 – www.themelryck.be – fermé 1 semaine en janvier et 21 au 24 août

7 ch – †96/116 € ††115/145 €

◆ Een platanendreef leidt naar deze charmante villa met een romantische inrichting in Engelse stijl, een creatie van Tilly Cambré. Verzorgd ontbijtbuffet.

◆ Villa charmante accessible par une allée de platanes. Communs et chambres aux décors "romantico-british" signés Tilly Cambré. Buffet matinal bien soigné.

GROOT-BIJGAARDEN - Vlaams Brabant - 533 K17 et 716 F3 - voir à Bruxelles, environs

GULLEGEM - West-Vlaanderen - 533 E17 et 716 C3 - voir à Wevelgem

HAALTERT - Oost-Vlaanderen - 533 J17 et 716 F3 - 17 668 h. - ✉ 9450 — 17 C3

Bruxelles 29 – Gent 35 – Aalst 6 – Mons 59

Apriori (Kristof Coppens)

Sint-Goriksplein 19 – ☎ 0 53 83 89 54 – www.a-priori.be – fermé 20 au 30 décembre, 1er janvier, 2 juillet, 3 semaines en août, samedi midi, mardi et mercredi

Rest – Lunch 52 € bc – Menu 60/92 € bc – Carte 66/119 €

Spéc. Langoustine et tartare de bœuf au caviar belge, pommade de chou-fleur. Sole et lard laqué, purée d'oignons et graines de moutarde croustillantes. Moelleux au chocolat et sorbet de pamplemousse.

◆ Moderne gevel van aluminium, trendy eetzaal met glazen gang, open keuken en terras aan de achterkant naast een park. De creatieve chef-kok laat zich inspireren door de avant-garde.

◆ Façade moderne en alu, salle au décor "tendance" accessible par un couloir vitré, cuisines à vue, terrasse arrière jouxtant un parc et chef créatif inspiré par l'avant-garde.

BELGIQUE

De HAAN - West-Vlaanderen - 533 D15 et 716 C2 - 12 401 h. - Station balnéaire★ - ✉ 8420 — 18 B1

Bruxelles 113 – Brugge 21 – Oostende 12

Tramstation, ☎ 0 59 24 21 35

Koninklijke baan 2B, ☎ 0 59 23 32 83

Stadsplattegrond op volgende bladzijde

Manoir Carpe Diem sans rest

Prins Karellaan 12 – ☎ 0 59 23 32 20 – www.manoircarpediem.com – fermé janvier BY**p**

14 ch – †135/165 € ††150/180 € – 3 suites

◆ Het bekende gezegde 'pluk de dag' is gemakkelijk in praktijk te brengen in deze mooie villa op een duin bij de Noordzee. Prachtige kamers, salons en tuin. Heerlijk ontbijt en stijlvolle ontvangst.

◆ Mettez en pratique la fameuse maxime horacienne en cette villa au charme balnéaire posée sur sa dune. Chambres, salons et jardin ravissants, délicieux petits-déjeuners, accueil et service très distingués.

Duinhof sans rest

Leeuwerikenlaan 23 – ☎ 0 59 24 20 20 – www.duinhof.be AZ**n**

12 ch – †115/145 € ††135/165 € – 3 suites

◆ Warm, gastvrij en gezellig: dit rustig gelegen bakstenen gebouw bij een 18de-eeuwse boerderij ontbreekt het niet aan charme. Tuin met zwembad. Sauna en vergaderruimte.

◆ Chaleur, sens de l'accueil et chambres cosy : elle ne manque pas de charme, cette paisible bâtisse en briques prolongeant une ferme du 18e s. Piscine au jardin. Sauna et salle de réunions.

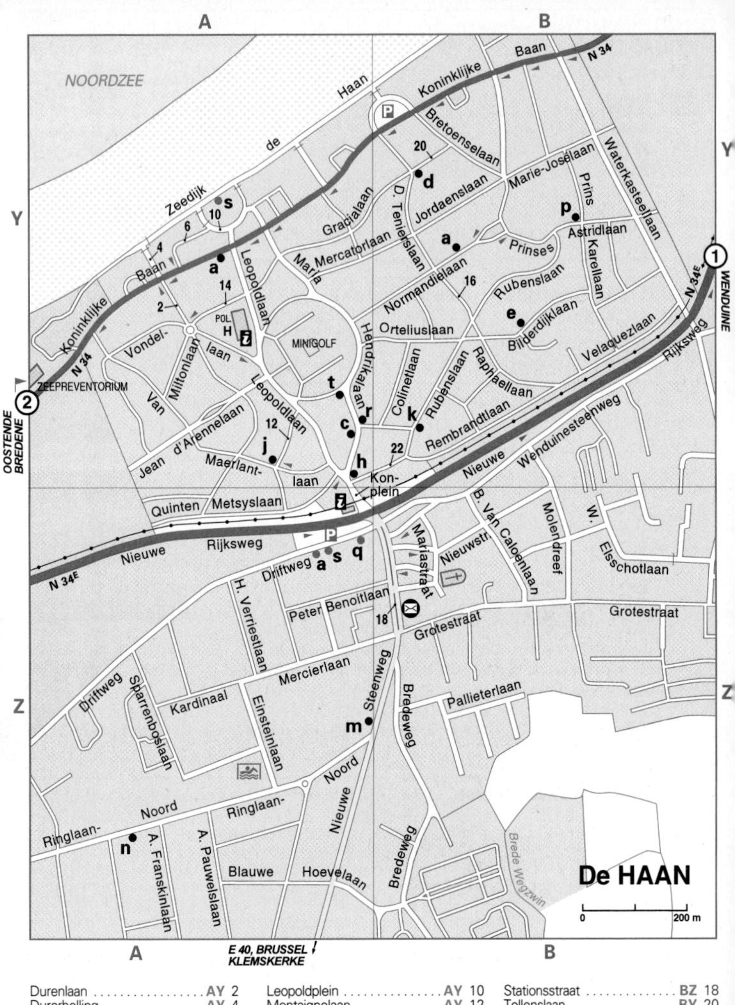

Durenlaan . . . . AY 2
Durerhelling . . . . AY 4
J. Ensorlaan . . . . AY 6
Leopoldplein . . . . AY 10
Montaignelaan . . . . AY 12
Murillolaan . . . . AY 14
Schillerlaan . . . . BY 16
Stationsstraat . . . . BZ 18
Tollenslaan . . . . BY 20
Van Eycklaan . . . . BY 22

Rubens sans rest

Rubenslaan 3 – ✆ 0 59 24 22 00 – www.hotel-rubens.be
– fermé 20 novembre-10 décembre BY**k**

9 ch – 80/104 € 92/104 € – 1 suite

◆ Deze mooie villa in een rustige woonwijk wordt door een familie gerund. Goede opgeknapte kamers voor een zacht prijsje, aangename ontbijtzaal, terras en zwembad. Opmerkelijke troef: in de tuin staat een sauna in de vorm van een ton.

◆ Une jolie villa dans un secteur résidentiel. Ici, on travaille en famille ! Les chambres sont confortables et fraîches, à prix doux ; on peut aussi profiter de la terrasse, de la piscine et de l'étonnant sauna… en forme de tonneau au milieu du jardin.

Grand Hotel Belle Vue rest,

Koninklijk Plein 5 – 0 59 23 34 39 – www.hotelbellevue.be AY**h**
28 ch – 75/95 € 105/180 € – 5 suites – ½ P 107/137 €
Rest – *(fermé mercredi) (dîner seulement)* Menu 35/95 € bc

◆ Monumentaal hotel in Anglo-Normandische stijl uit 1910, dat als een echt instituut een plekje heeft veroverd in de harten van alle inwoners van de stad. De kamers worden in etappen gerenoveerd; de recentste verdienen de voorkeur. Eigentijdse gerechten geserveerd in de eetzaal in bistrostijl of op het beschutte terras.

◆ Une véritable institution locale que cet établissement de style anglo-normand (1910). Esprit balnéaire face à la mer, sur la terrasse ; confort et quiétude dans les chambres, peu à peu rénovées dans un style contemporain sobre et feutré…

Apostrophe sans rest

Maria-Hendrikalaan 12 – 0 59 24 24 99 – www.hotelapostrophe.be – fermé 8 janvier-10 février et mardi et mercredi du 27 février au 30 mars et du 14 octobre au 11 novembre AY**t**
8 ch – 80 € 110 €

◆ Met Apostrophe heeft De Haan er een knap hotel bij. Voor een eerlijke prijs logeert u er in een verzorgde kamer ingericht in harmonie met zee en zand dicht bij het strand.

◆ Un bel hôtel à prix doux, aux chambres coquettes décorées en harmonie avec le sable et la mer. La plage est si proche…

BELGIQUE

Bonne Auberge sans rest

Maria-Hendrikalaan 10 – 0 59 23 31 61 – www.hotelbonneauberge.be – fermé 15 novembre-15 décembre AY**c**
12 ch – 85/115 € 99/125 €

◆ Al gehoord van het woord "rebelmantique"? Wat hiermee wordt bedoeld, kunt u ervaren in dit hotel. Het brengt namelijk graag een rebelse aanpak samen met een romantisch verblijf (en vice versa), met iPod-aansluitingen die uw kamer doen swingen.

◆ Cette jolie villa Belle Époque se veut "rebelmantique"… à la fois rebelle et romantique ! Cheminées, portes et pavages anciens distillent un authentique cachet ; l'aménagement contemporain soigné et inspiré (jusqu'aux prises iPod dans les chambres) crée une vraie atmosphère bohème ! L'esprit d'une époque.

Arcato sans rest

Nieuwe Steenweg 210 – 0 59 23 57 77 – fermé vacances de Noël
14 ch – 55/65 € 70/84 € AZ**m**

◆ Modern en comfortabel hotel met rustige, zonnige kamers die allemaal aan de achterkant liggen en voorzien zijn van een mooi balkon. Velen zijn uitgerust met een kitchenette.

◆ Hôtel moderne bien pensé, adjoignant une kitchenette à la plupart de ses chambres. Calmes et ensoleillées, toutes donnent sur l'arrière et disposent d'un balcon meublé.

Alizee sans rest

Tollenslaan 1 – 0 59 23 34 75 – www.hotelalizee.be – fermé janvier
11 ch – 100/135 € 120/150 € BY**d**

◆ Mooie oude badvilla, waar men nog gevoel voor gastvrijheid heeft. Kamers in zacht beige en lichtgrijs. Ontbijt in de serre of op het terras. Tuin met zwembad en sauna.

◆ Belle villa balnéaire rétro où l'on a le sens de l'accueil. Chambres aux douces teintes beiges et gris clair. Petit-déj' en véranda ou en terrasse. Piscine et sauna au jardin.

Verwar de bestekjes en de sterren niet! De bestekjes geven een categorie van confort en service aan. De ster bekroont alleen de kwaliteit van de keuken, welke ook de standing van het huis is.

Bon Accueil rest, rest,

Montaignelaan 2 – 0 59 23 31 14 – www.bon-accueil.be – ouvert 4 février-14 novembre AY**j**

15 ch – 55/70 € 80/90 € – ½ P 81/106 €

Rest – *(dîner pour résidents seulement)*

◆ In een rustige woonwijk bevinden zich deze twee retrohuizen waar u goed wordt verwelkomd. Familiekamers. Ontbijt binnen of buiten. De halfpensiongasten kunnen elke avond (behalve zondag) dineren in de bistro, die ook voor anderen op vrijdag- en zaterdagavond open is.

◆ Dans un quartier résidentiel calme, deux maisons rétro vous réservant un "bon accueil". Chambres familiales. Breakfast dedans ou dehors. Le restaurant propose une formule demi-pension pour ses résidents. Les vendredis et samedis soirs, la clientèle extérieure peut elle aussi profiter de la cuisine.

Bilderdijk sans rest

Bilderdijklaan 4 – 0 59 23 62 00 – www.hotelbilderdijk.be BY**e**

8 ch – 69/77 € 77/89 €

◆ De pluspunten van dit hotelletje? Rustige ligging in een woonwijk, enthousiaste eigenaresse, huiselijke sfeer, fijne tuin en goed onderhouden kamers in twee verschillende maten.

◆ Petit hôtel situé dans un joli quartier résidentiel. La maîtresse des lieux est prévenante et l'ambiance familiale. Chambres bien tenues et jardinet pour se délasser.

BELGIQUE

Escapade

Koninklijke baan 30 – 0 59 23 33 86 – www.hotel-escapade.be – fermé 24 et 25 décembre AY**a**

25 ch – 60/65 € 90/95 € – ½ P 85/90 €

Rest – *(fermé mercredi) (dîner seulement sauf samedi et dimanche)*

Menu 22/37 € – Carte 22/45 €

◆ Goed vakantiehotelletje met een vriendelijke familie aan het hoofd. Kamers van respectabel formaat. Diner in een contemporain decor, alles huisgemaakt.

◆ Un bon petit hôtel de vacances gentiment exploité en famille. Chambres de tailles respectables. Préparations ménagères proposées au dîner dans un cadre contemporain.

Het Zonnehuis sans rest

Normandiëlaan 18 – 0 475 71 98 65 – www.zonnehuis.eu BY**a**

3 ch – 115/150 € 125/165 € – 1 suite

◆ Engels landhuis voor een rustig verblijf in een Britse ambiance, "so cosy". Kamers met een persoonlijke touch, verzorgd ontbijt en kunstig gesnoeide tuin met zwembad.

◆ Tranquillité et ambiance britannique très "cosy" en cette jolie villa plagiant un manoir anglais. Chambres personnalisées, breakfast soigné, piscine et buis taillés au jardin.

Maison Rabelais rest,

Normandiëlaan 4 – 0 478 30 70 61 – www.maisonrabelais.be AY**r**

5 ch – 100/130 € 100/130 € – ½ P 170/200 €

Rest – *(dîner pour résidents seulement)*

◆ Maison Rabelais, dat is kalmte en karakter op een boogscheut van het strand. Deze recente villa is dankzij de grote gemeenschapppelijke ruimtes ook erg geschikt om incentives te organiseren. Op zaterdagavond kunt u aanschuiven aan de table d'hôtes voor een gastronomische maaltijd tegen een goede prijs.

◆ Caractère et calme à quelques pas de la plage… Spacieuse et bien équipée, cette villa moderne est aussi parfaite pour l'organisation de séminaires. Le samedi soir, n'hésitez pas à profiter de la table d'hôte, pour un repas gastronomique à bon prix.

Villa Rabelais

Maria-Hendrikalaan 3 – www.villarabelais.be

3 ch – 95/130 € 95/130 € – ½ P 165/195 €

◆ De kamers van deze annex zijn genoemd naar personages van de Franse schrijver Rabelais. U kunt het huis ook volledig afhuren.

◆ Les chambres de cette annexe sont nommées d'après des personnages de Rabelais. À noter : la maison peut être louée entièrement.

XX **Casanova**

Zeedijk 15 – ✆ 0 59 23 45 55 – www.casanova-dehaan.com – fermé jeudi
Rest – *(déjeuner seulement du 11 novembre à avril sauf week-end)* AY**s**
Lunch 19 € – Menu 36/65 € – Carte 43/62 €

◆ Casanova zorgt ervoor dat iedereen hier graag over de vloer komt: klassiekers als sole meunière vindt u altijd op de kaart, voor iets hedendaagsers is er het marktmenu. Wat ook uw goesting moge zijn, wat op uw bord komt, is steeds vers, van goede kwaliteit en bovendien gul geserveerd.

◆ Casanova a l'art et la manière de satisfaire… les gourmets et les gourmands ! De l'intemporelle sole meunière cuisinée dans les règles de l'art au menu du marché, il vous concocte des plats bien copieux avec un mot d'ordre : fraîcheur et qualité.

XX **L'Espérance**

Driftweg 1 – ✆ 0 59 32 69 00 – fermé 9 au 25 janvier, 25 juin-7 juillet, 17 au 29 septembre, mardi et mercredi AZ**q**
Rest – *(réservation indispensable)* Menu 35/49 €

◆ Gebouw met een mooie gevel uit 1903 bij een tramstation uit dezelfde tijd. Moderne eetzaal met parket en Lloyd Loom-stoelen. Open keuken van waaruit de chef u mondeling zijn menu van de dag voorstelt. Eigentijdse kookstijl.

◆ Maison dont la belle façade de 1903 est braquée vers une gare de tram de la même époque. Salle moderne parquetée et meublée en Lloyd Loom, cuisine du moment, chef actif à vue.

XX **Au Bien Venu**

Driftweg 14 – ✆ 0 59 23 32 54 – www.aubienvenu.be – fermé mardi et mercredi
Rest – Lunch 25 € – Menu 32/55 € – Carte 43/59 € AZ**a**

◆ Reserveer een tafel in de serre die uitkijkt op een plein met fonteinen en een schattig tramstationnetje. De eetzaal daarachter is klassieker.

◆ Réservez votre table dans la véranda donnant sur la place égayée de fontaines avec, pour toile de fond, une charmante gare de tram. Arrière-salle plus classiquement installée.

XX **Markt XI**

Driftweg 11 – ✆ 0 59 43 44 44 – www.markt11.be – fermé 10 au 20 juin, 10 au 20 novembre, mardi midi et lundi AZ**s**
Rest – *(nombre de couverts limité, prévenir)* Lunch 29 € – Menu 39/85 € bc – Carte 56/89 €

◆ Naar de opening van deze zaak werd reikhalzend uitgekeken, en de chef stelt niet teleur. Hij brengt de stijl die u in de grote huizen vindt op een toegankelijke manier met een hedendaagse keuken die puurheid hoog in het vaandel voert.

◆ L'ouverture de ce restaurant était très attendue, et l'on n'est pas déçu. Le chef a su créer une grande maison avec simplicité et ouverture. Un trait distinctif de sa cuisine ? La pureté.

à Klemskerke Sud : 5,5 km – C De Haan – ✉ 8420

XX **De Kruidenmolen**

Dorpsstraat 1 – ✆ 0 59 23 51 78 – www.kruidenmolen.be – fermé 30 mars-12 avril, semaine de la Toussaint, mercredi et jeudi
Rest – Lunch 29 € – Menu 35/43 € – Carte 43/50 €

◆ Deze oude molenaarswoning is nu een gastronomische bistro met een licht en rustiek interieur. Creatieve klassieke keuken, heerlijk menu, redelijk geprijsde wijnen en vriendelijke bediening. Geen creditcards!

◆ Ex-logis de meunier devenu un "bistrot-gastro" au cadre rustique clair. Appétissant choix classico-créatif, délicieux menu, jolis vins à prix raisonnables et service féminin tout sourire. Attention : cartes de crédit refusées !

à Vlissegem Sud-Est : 6,5 km – C De Haan – ✉ 8421

XX **Vijfwege**

Brugsebaan 12 (N 9) – ✆ 0 59 23 31 96 – fermé 3 premières semaines de mars, 19 septembre-14 octobre, mardi et mercredi
Rest – *(réservation indispensable)* Menu 25/35 € – Carte 30/49 €

◆ Smulpapen zijn dol op de paling en het ribstuk van het huis. Voor de lunch is het verstandig te reserveren, want leeg is het hier nooit! Goede bourgognes voor geen geld.

◆ Adresse où l'anguille (puisée au vivier) et la côte à l'os font la joie des gourmets. Pour déjeuner, pensez à réserver, car ça ne désemplit pas ! Jolis bourgognes à bon prix.

HABAY-LA-NEUVE – **Luxembourg** – **C Habay 8 216 h.** – **534** S24 **et** **716** J6 – ✉ **6720** 13 C3

Bruxelles 185 – Arlon 14 – Bastogne 37 – Bouillon 55

à l'Est **2 km par N 87, lieu-dit Pont d'Oye :**

Les Ardillières

r. Pont d'Oye 6 – ☎ 0 63 42 22 43 – www.lesforges.be – fermé 1er au 17 janvier, 3 au 11 septembre et lundi

9 ch – 90/155 € 98/165 € – 1 suite – ½ P 110 €

Rest ***Les Plats Canailles de la Bleue Maison*** – voir la sélection des restaurants

♦ Charmant hôtel en pierres du pays blotti au creux d'un vallon boisé, dont la jolie vue profite à toutes les chambres. Accueil aux petits soins.

♦ Sfeervol hotel van natuursteen in een bosrijk dal, waarop alle kamers uitkijken. Attente service.

Les Plats Canailles de la Bleue Maison – Hôtel Les Ardillières

r. Pont d'Oye 7 – ☎ 0 63 42 42 70 – www.lesforges.be – fermé 1er au 17 janvier, 3 au 12 septembre, lundi et mardi

Rest – Lunch 19 € – Menu 35/64 € bc – Carte 50/73 €

♦ Sémillante maison ancienne vous régalant de ses "canailleries" dans un joli décor néo-rustique. Cheminée en salle et véranda côté ruisseau. Bonne cave bien conseillée.

♦ Vrolijk oud pandje met een neorustiek interieur, waar lekkere streekgerechten worden geserveerd. Eetzaal met schouw en veranda met uitzicht op de beek. Goede wijnadviezen.

BELGIQUE

HAINE-SAINT-PAUL – **Hainaut** – **533** K20, **534** K20 **et** **716** F4 – **voir à La Louvière**

HAINE-SAINT-PIERRE – **Hainaut** – **533** K20, **534** K20 **et** **716** F4 – **voir à La Louvière**

HALLE (HAL) – **Vlaams Brabant** – **533** K18, **534** K18 **et** **716** F3 – **36 000 h.** – ✉ **1500** 3 B2

Bruxelles 18 – Leuven 59 – Charleroi 47 – Mons 41

Historisch Stadhuis Grote Markt 1, ☎ 0 2 356 42 59, www.toerisme-halle.be

Basilique★★ (Basiliek) X

Les Eleveurs avec ch — rest, rest,

Suikerkaai 1a – ☎ 0 2 361 13 40 – www.les-eleveurs.be Ya

16 ch – 105/145 € 125/165 € – ½ P 125/145 €

Rest – *(fermé première semaine de janvier, samedi midi, dimanche et lundi)* Menu 50/85 € – Carte 47/153 €

♦ Lady chef Sofie Dumont houdt de teugels in handen in de keuken van deze zaak, die z'n naam dankt aan zijn verleden als trefpunt van paardenfokkers. Ze schotelt u een actuele keuken met ambitie voor, de bekroonde sommelier zorgt voor de wijn. Comfortabele kamers.

♦ Cette auberge, où les éleveurs de chevaux avaient leurs habitudes, existe depuis 1897. La "Lady-Chef 2009" Sophie Dumont caracole en cuisine et le patron tient les rênes de la cave et de la dégustation. Deux générations de chambres offrant le même confort. Breakfast soigné.

't Kriekske

Kapittel 10 (Sud-Est : 4 km direction Hallerbos) – ☎ 0 2 380 14 21 – fermé 19 décembre-17 janvier, lundi et mardi

Rest – Carte 18/47 €

♦ In de rust van het Halse bos wordt u hartelijk ontvangen in een eenvoudig maar gezellig pand. De keuken is degelijk en smaakvol: traditioneel en vooral uitgesproken Belgisch. Probeer als dessert eens de ingemaakte kersen met vanille-ijs, maar opgepast voor de tanden: de kersen zijn niet ontpit!

♦ Dans la tranquillité de la forêt halloise, cet édifice simple mais charmant réserve un accueil chaleureux. La carte est traditionnelle, bien tournée et… résolument belge ! En dessert, laissez-vous tenter par les cerises marinées (avec glace vanille), mais attention aux dents : elles ne sont pas dénoyautées !

HALLE

Albertstr. . . . . Z 2
Basiliekstr. . . . . Y
Beestenmarkt . . . . X 3
Bergensesteenweg . . . . Y, Z 4
Brusselsesteenweg. . . . . X, Z 8
Dekenstr. . . . . X 12
Edingensesteenweg . . . . Z 13
E. Nerincxstr. Z 15
Grote Markt . . . . X 16
Jean Jacminstr. . . . . Z 17
Jean Laroystr. . . . . X 19
Jozef Michelstr. . . . . X 20
Klinkaert . . . . X 21
Kluisbos . . . . Z 23
Leopoldstr. . . . . Z 24
Louis Theunckensstr. . . . . Y 27
Louis van Beverenstr. . . . . X 25
Maandagmarkt . . . . Y 29
Melkstr. . . . . X 31
Mgr Senciestr. . . . . X 32
Nederhem. X, Z 33
Nijverheidstr. . . . . Y 34
Oudstrijderspl. . . . . Y 36
O. de Kerchove d'Exaerdestr. . . . . Z 35
Possozpl. . . . . Y 38
Rodenemweg . . . . Z 40
R. Deboecklaan . . . . Y 39
St. Rochusstr. . . . . Y 41
van de Maelestr. . . . . X 28
Vondel. . . . . Y 45
Vuurkruisenstr. . . . . Y 47
V. Baetensstr. . . . . Y 44
v. d. Peereboomstr. . . . . Y, Z 37
Zuster Bernardastr. . . . . X 49

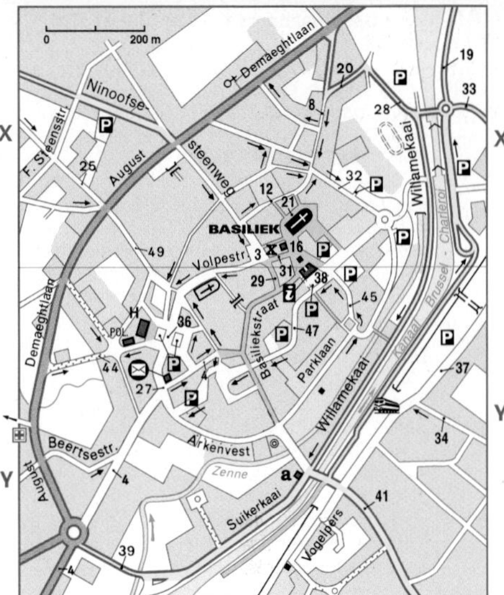

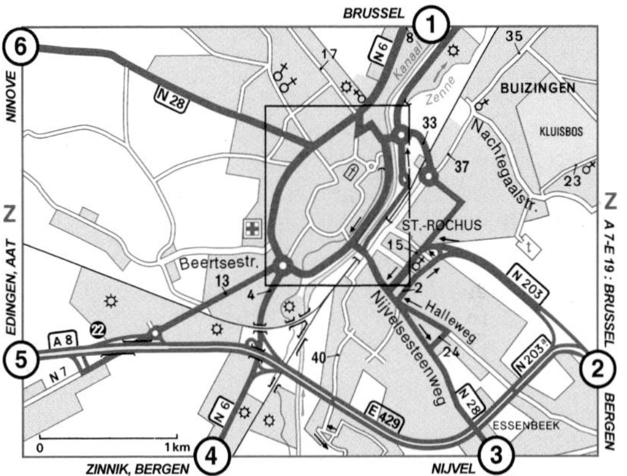

Goesting

Grote Markt 12 – ✆ 0 2 360 25 12
– www.restogoesting.be
– fermé mercredi soir, dimanche et lundi

Rest – Lunch 25 € – Menu 35 € – Carte env. 40 €

◆ Dit voormalige café heeft een verjongingskuur ondergaan en waagt zich nu aan de gastronomie met een goed opgeleide chef-kok. De kaart is een mix van traditioneel en modern.

◆ Cet ancien café a reçu une cure de jouvence et s'aventure sur la scène gourmande grâce à un chef formé dans de bonnes maisons. Cadre actuel, carte entre tradition et modernité.

HAMME - Oost-Vlaanderen - **533** N18 et **716** F2 - **23 900 h.** - ✉ **9220** **17** D2

Bruxelles 38 - Gent 36 - Antwerpen 29

Het Zoete Water sans rest

Damstraat 64 - ✆ 0 52 47 00 92 - www.hetzoetewater.be - fermé vacances de Noël

8 ch - 80/95 € 100/120 €, 10 €

◆ Dit art-decogebouw is vanbinnen met smaak gerenoveerd. Persoonlijk onthaal, aangename lounge, goed geëquipeerde kamers met mooie badkamers. 's Zomers ontbijt buiten.

◆ Bâtisse Art déco rénovée intérieurement avec goût. Accueil personnalisé, salon agréable, chambres avenantes équipées de jolies salles d'eau, breakfast à l'extérieur en été.

De Plezanten Hof

Driegoten 97 (près de l'Escaut-Schelde) - ✆ 0 52 47 38 50 - www.deplezantenhof.com - fermé fin décembre-début janvier, 2 semaines en septembre, mardi de septembre à avril, dimanche soir et lundi

Rest - Lunch 58 € bc - Menu 80 € bc/105 € bc - Carte 73/95 €

◆ Traditioneel pand in fermette stijl aan de Schelde, met een romantische tuin, waar men 's zomers heerlijk kan tafelen. Vernieuwende en persoonlijke kookstijl; prestigieuze wijnkelder.

◆ En bord d'Escaut, belle maison d'aspect traditionnel agrémentée d'un jardin romantique servant de restaurant d'été. Cuisine novatrice et personnalisée ; cave prestigieuse.

Un important déjeuner d'affaires ou un dîner entre amis ?
Le symbole vous signale les salles à manger privées.

HAMOIR - Liège - **533** S20, **534** S20 et **716** J4 - **3 702 h.** - ✉ **4180** **8** B2

Bruxelles 82 - Liège 27 - Namur 53 - Maastricht 57

Hostellerie de la Poste

r. Poste 32 - ✆ 0 86 38 83 24 - www.hotel-laposte.be - fermé 17 au 26 février

6 ch - 70/90 € 70/100 € - ½ P 70 €

Rest - *(fermé jeudi soir, mardi soir et mercredi)* Lunch 20 € - Menu 35/50 € - Carte 27/45 €

◆ Une hostellerie ardennaise à deux pas de la gare, proposant des chambres à thème. Deux options pour se restaurer : la brasserie ou le restaurant, où l'on peut déguster le homard "mère Jeanne", une recette transmise depuis trois générations !

◆ Een Ardense hostellerie in de buurt van het station met gepersonaliseerde themakamers. Eten kunt u zowel in de brasserie als in het restaurant, waar u onder meer de kreeft "mère Jeanne", een recept dat al drie generaties meegaat, kunt proeven.

Le Clos Vieux Mayeur

r. Vieux Mayeur 2 - ✆ 0 86 40 13 02 - www.leclosvieuxmayeur.be - fermé samedi midi, dimanche soir, lundi et mardi

Rest - *(nombre de couverts limité, prévenir)* Lunch 24 € - Menu 35/45 € - Carte 40/57 €

◆ Amour paternel... Un père a restauré lui-même cette grange du 17e s. pour permettre à sa fille et à son compagnon de réaliser leur rêve gastronomique. La cuisine apporte des idées fraîches au répertoire classique, à base de produits soigneusement sélectionnés. Merci papa !

◆ Vader restaureerde eigenhandig deze 17e-eeuwse schuur zodat dochterlief u het hier samen met haar man gastronomisch naar uw zin kan maken. Ze brengen een frisse benadering van het klassieke repertoire op basis van zorgvuldig gekozen producten.

HAMONT-ACHEL - Limburg - **533** S15 et **716** J2 - **14 094 h.** - ✉ **3930** **11** C1

Bruxelles 107 - Hasselt 43 - Eindhoven 28

Villa Christina

Stad 4 – ✆ 0 11 57 55 84 – www.villachristina.be
15 ch – 65/95 € 85/115 €
Rest *Villa Christina* – voir la sélection des restaurants

◆ Villa Christina is van alle markten thuis: het is een B&B, een plek om wijn te proeven en te kopen én een hotel, verspreid over drie historische, Teutoonse panden. Nostalgische sfeer, authentieke decoratieve elementen en klassiek Italiaans meubilair in de gemeenschappelijke ruimten en kamers.

◆ La Villa Christina aime l'éclectisme : restaurant, un lieu où l'on peut déguster et acheter du vin et hôtel sont répartis dans trois bâtiments historiques de l'époque teutonique. Ambiance nostalgique, décor authentique, mobilier italien classique... On propose des vins de la Botte à la dégustation.

Villa Christina – Hôtel Villa Christina

Stad 4 – ✆ 0 11 57 55 84 – www.villachristina.be – fermé dimanche soir d'octobre à avril, samedi midi et lundi
Rest – Lunch 25 € – Menu 35/60 € – Carte 45/76 €

◆ De charme en klasse van het hotel waar het bij hoort, zorgt ook hier voor een uiterst aangename setting. Deze zaak blinkt vooral uit met zijn menu's die u hedendaags Franse gerechten aanbieden voor een interessante prijs.

◆ Un restaurant chic et charmant, bien à l'image de l'hôtel où il prend ses aises. À la carte, des saveurs françaises et contemporaines. Les menus, comme les prix, sont très attrayants.

à Achel Ouest : 4 km – C Hamont-Achel – ✉ 3930

Koeckhofs

Michielsplein 4 – ✆ 0 11 64 31 81 – www.koeckhofs.be – fermé 1er au 10 janvier et dimanche
16 ch – 75/80 € 105 € – ½ P 105/110 €
Rest *Koeckhofs* – voir la sélection des restaurants

◆ Chic hotel-restaurant in een dorp net over de grens, dat bekend is om zijn abdij, trappistenbier en geitenkaas. Goede kamers, moderne (glas)kunst in het restaurant en op de patio.

◆ Hôtellerie chic au sein d'un bourg frontalier connu pour son abbaye et sa bière trappiste. Salles de réunions, bonnes chambres, art moderne (pâtes de verre) côté resto et côté patio. Gastronomie contemporaine dans un décor classique ou en plein air. Menu intéressant.

Koeckhofs – Hôtel Koeckhofs

Michielsplein 4 – ✆ 0 11 64 31 81 – www.koeckhofs.be – fermé 1er au 10 janvier, samedi midi, dimanche et lundi
Rest – Lunch 35 € – Menu 40/75 € – Carte 56/73 €

◆ Eigentijdse gastronomie die graag met de seizoenen meegaat, in het voorjaar staat alles hier in het teken van asperges; ook naar het wild wordt elk jaar reikhalzend uitgekeken. Interessante formules die de trouwe gasten in hun hart hebben gesloten.

◆ Ici, la cuisine évolue au fil des saisons avec, en vedettes, l'asperge printanière et le gibier d'automne. Les menus, alléchants, on su conquérir le cœur des habitués.

HANNUT (HANNUIT) – **Liège** – **533** P18, **534** P18 **et 716** I3 – **15 173 h.** **8** A1 – ✉ **4280**

Bruxelles 60 – Liège 43 – Hasselt 38 – Namur 32

rte de Grand Hallet 19a, ✆ 0 19 51 30 66

Le P'tit Gaby

r. Tirlemont 5 – ✆ 0 19 63 37 72 – www.le-ptit-gaby.be – fermé 1 semaine fin janvier, dernière semaine de juillet-première semaine d'août, samedi midi, dimanche soir, lundi et mardi
Rest – Lunch 21 € – Menu 35/42 € – Carte 50/58 €

◆ Préparations actuelles teintées d'exotisme, à choisir en confiance dans le menu 4 services qui change toutes les 6 semaines. Cadre moderne jouant la sobriété. Patio pour l'été.

◆ Exotisch getinte hedendaagse gerechten die worden verwerkt in een 4-gangenmenu dat om de 6 weken wordt gewijzigd. Sobere moderne inrichting. Patio voor in de zomer.

HANSBEKE - Oost-Vlaanderen - C Nevele 11 942 h. - 533 G16 et 716 D2 - ✉ 9850 — 16 A2

Bruxelles 75 - Gent 18 - Brugge 37

XX Onder de toren

Hansbekedorp 24 - ☎ 0 9 233 00 09 - www.resto-onderdetoren.be - fermé samedi midi, lundi et mardi

Rest - Lunch 26 € - Menu 47/75 € bc - Carte 41/55 €

◆ Prachtig oud huis uit 1648 in het centrum van het dorp. Hedendaagse keuken, goed op smaak gekookt, met zorg bereid en licht vernieuwend. Gezellig interieur, kalme uitstraling. Goede prijs-kwaliteitsverhouding.

◆ La décoration de cette maison de 1648 surmontée d'une tour est un modèle d'élégance rustique. Goûteuse cuisine au goût du jour, discrètement inventive. Bon rapport qualité-prix.

HAN-SUR-LESSE - Namur - 534 Q22 et 716 I5 - voir à Rochefort

HARELBEKE - West-Vlaanderen - 533 E17 et 716 C3 - 26 577 h. - ✉ 8530 — 19 C3

Bruxelles 90 - Brugge 53 - Gent 45 - Kortrijk 4

X Scalini

Gulden-Sporenstraat 84 - ☎ 0 56 40 35 00 - www.scalini.tk - fermé vacances de carnaval, 21 juillet-15 août, samedi midi, lundi et après 20 h 30

Rest - Menu 30/50 € - Carte 43/66 €

◆ Dit sobere restaurant is prima voor een eenvoudige, maar lekkere maaltijd. Kaart met veel vis, kreeftmenu het hele jaar door en keuzemenu van de markt.

◆ Ce restaurant au cadre sobre est une adresse à retenir pour un repas simple et bon. Carte à dominante marine, menu homard toute l'année et menu-choix selon le marché.

HASSELT - P Limburg - 533 Q17 et 716 I3 - 73 067 h. - ✉ 3500 — 10 B2

Bruxelles 82 - Antwerpen 77 - Liège 42 - Eindhoven 59

Stadhuis Lombaardstraat 3, ☎ 0 11 23 95 40, www.toerisme.hasselt.be

Fédération provinciale de tourisme Universiteitslaan 3, ☎ 0 11 30 55 00

9 Golfweg 1b, au Sud-Est : 9 km à Lummen, ☎ 0 13 52 16 64

18 Golfstraat 1, au Nord : 12,5 km à Houthalen, ☎ 0 89 38 35 43

18 Donckstraat 30, au Nord-Ouest : 19 km à Paal, ☎ 0 13 61 89 50

27 Vissenbroekstraat 15, ☎ 0 11 26 34 82

Musées : national du genièvre ★ (Nationaal Jenevermuseum) Y **M**[1] • Het Stadsmus ★ Z

par ⑦ : Bokrijk ★ : Domaine récréatif ★ et Openluchtmuseum ★ (Musée de plein air)

Radisson Blu

Torenplein 8, (via Capucijnenstraat) - ☎ 0 11 77 00 00 - www.radissonblu.com/hotel-hasselt — Z**b**

124 ch - †120/195 € ††135/195 € - 2 suites - ½ P 152 €

Rest - *(dîner seulement)* Carte 38/63 €

◆ Deze torenflat uit de jaren 1970 is verbouwd tot een lekker strak en eigentijds hotel. Vanuit de Sky Lounge op de 19e verdieping torent u boven de stad uit. In Koper worden eigentijdse gerechten geserveerd in een sfeervolle trendy ambiance.

◆ Cet hôtel moderne situé en centre-ville est taillé sur mesure pour vos séjours d'affaires et vos réunions professionnelles. Chambres tout confort, salles de séminaires et fitness. Restaurant surtout fréquenté par la clientèle logeuse.

HASSELT

Badderijstr. . . . . Y 2
Banneuxstr. . . . . V 3
Boerenkrijgsingel. . . . . . . X 6
Botermarkt. . . . . Y 7
Demerstr. . . . . Y
de Schiervellaan. . . . . Z 43
Diesterstr. . . . . YZ 8
Dorpstr. . . . . Y 10
Genkersteenweg . . . . . . V 12
Gouverneur
Roppesingel. . . . . X 15
Gouverneur
Verwilghensingel. . . . . V 16
Grote Markt . . . . Z
Havermarkt . . . . Z 18
Hendrik
van Veldekesingel . . . . V 19
Herkenrodesingel . . . . . . V 21
Hoogstr. . . . . Y 22
Kapelstr. . . . . Z 23
Kempische
Steenweg . . . . V, Y 24
Kolonel Dusartpl. . . . . Y 26
Koningin Astridlaan. . . V, Y 30
Koning Albertstr. . . . . Z 27
Koning
Boudewijnlaan . . . . V, Y 28
Kunstlaan . . . . Z 32
Kuringersteenweg . . . . . V 31
Lombaardstr. . . . . Y 34
Maastrichtersteenweg V, Y 35
Maastrichterstr. . . . . YZ 36
Prins
Bisschopsingel . . . . . . X 38
Ridder Portmanstr. . . . . . . Z 39
Runkstersteenweg . . . VX 40
Salvatorstr. . . . . X 42
St-Jozefstr. . . . . Z 44
St-Lambrechts
Herkstr. . . . . X 46
St-Truidersteenweg. . . . . X 47
Universiteitslaan . . . . . . V 49
Windmolenstr. . . . . Z 50
Zuivelmarkt . . . . Y 51

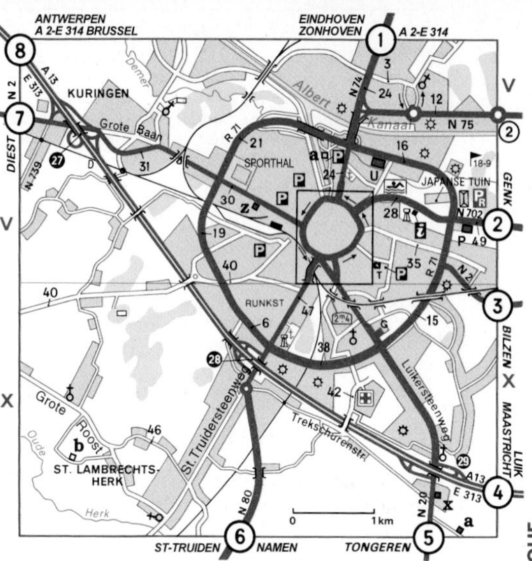

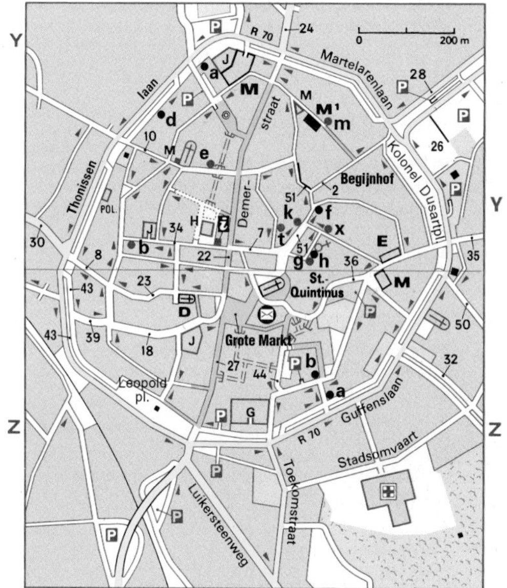

BELGIQUE

Holiday Inn

Kattegatstraat 1 – ✆ 0 11 24 22 00 – www.holiday-inn-hasselt.be Y**a**

107 ch – 99/199 € 99/199 € – ½ P 126 €

Rest – *(fermé samedi midi)* Lunch 27 € – Menu 49 € bc/58 € bc – Carte 30/53 €

◆ Dit ketenhotel ligt naast het Modemuseum en ook vlak bij het Jenevermuseum. Grote lobby, standaardkamers, zwembad, fitnessruimte en vergaderzalen. Restaurant met 's middags en 's avonds een groot buffet of à la carte.

◆ Cet hôtel voisin du musée de la mode est également proche du musée du Genièvre. Vaste lobby, chambres typiques de la chaîne, piscine, fitness et installations pour se réunir. Restaurant dressant midi et soir un grand buffet ; on peut aussi y manger à la carte.

Hassotel

St-Jozefstraat 10 – ✆ 0 11 23 06 55 – www.hassotel.be Z**a**

35 ch – 85/350 € 110/350 € – ½ P 117 €

Rest – Lunch 17 € – Menu 32/40 € – Carte env. 66 €

◆ De kamers ondergingen een facelift en zullen in de smaak vallen bij liefhebbers van een uitgepuurd design. Knappe penthousesuites met privéterras.

◆ Les chambres ont bénéficié d'un "lifting" qui ravira les amateurs de design épuré ! Également de jolis et luxueux appartements avec terrasse privée.

De Groene Hendrickx

Zuivelmarkt 25 – ✆ 0 11 28 82 10 – www.lodge-hotels.be – fermé 24 et 25 décembre

22 ch – 95/125 € 115/145 € **Rest** – Menu 28 € – Carte 28/49 € Y**f**

◆ Deze oude jeneverstokerij is trots op wat Limburg te bieden heeft: de trendy themakamers zijn een eerbetoon aan Hendrik Van Veldeke, jenever en andere toeristische troeven. Een geslaagde mix van ouderwetse charme en modern design.

◆ Cette ancienne distillerie est fière d'offrir ce que le Limbourg a de mieux : les chambres, design et branchées, rendent hommage à Hendrik van Veldeke, au genièvre et aux autres attraits touristiques de la région. Un mariage réussi de charme suranné et des dernières tendances.

BELGIQUE

Holiday Inn Express sans rest

Thonissenlaan 37 – ✆ 0 11 37 93 00 – www.hiexpress.com/exhasselt

89 ch – 75/129 € 75/129 € Y**d**

◆ Frisse en nette kamers met goed functioneel comfort in dit gestandaardiseerde budgethotel vlak bij de ringweg. Voor meer rust reserveert u bij voorkeur aan de achterkant.

◆ Un établissement de chaîne implanté au bord du ring, avec des chambres d'un bon petit confort fonctionnel, à prix très raisonnables. Les plus calmes se distribuent à l'arrière.

Chambres b'Hôtes sans rest

Kempische Kaai 68, (Le Fabuleux Destin) – ✆ 0 476 23 29 41

– www.chambresbhotes.be – fermé dimanche et lundi V**a**

4 ch – 155 € 185 €

◆ Oude aak in het Albertkanaal, met 4 kleine moderne gastenkamers. Designinterieur, superservice, luxe-ontbijt en origineel zwembad. Special touch: bij uw aankomst krijgt u een paar slippers cadeau, schoenen zijn niet toegelaten aan boord!

◆ Quatre petites chambres modernes ont pris place dans cette péniche ancienne amarrée à la berge du canal Albert. Déco design, service super, breakfast de luxe et piscine originale.

Bloonwinning

Oosterbeekstraat 60 – ✆ 0 496 99 38 11 – www.bloonwinning.be X**b**

6 ch – 80/95 € 114/165 € – ½ P 110 €

Rest – *(fermé dimanche et lundi) (dîner seulement) (prévenir) (menu unique)*
Menu 41 € bc/50 € bc

◆ Terwijl zijn ouders buiten de akkers bewerken, ontfermt Ralf Ballet zich over zijn charmante "bloonwinning", een samenstelling van de Hasseltse woorden voor merel en hoeve. De rust die eigen is aan een boerderij te midden van de weilanden, krijgt u er gratis bij. Marktmenu op reservatie, ook voor wie hier niet logeert.

◆ "Bloonwinning", un nom composé de deux termes signifiant "merle" et "ferme" en dialecte local. Venez profiter de la tranquillité de cette maison d'hôtes entourée de prairies. Pas besoin d'être résident pour profiter du menu du marché, mais il faut réserver !

't Hemelhuys sans rest

Hemelrijk 15 – 0 11 35 13 75 – www.hemelhuys.be Yh

5 ch – 80/100 € 90/120 €

◆ Limburgse gastvrijheid en de warmte van de Provence: Ann en Liesbet bewijzen dat de twee wonderwel samengaan. Terracottategeltjes, antieke meubels, aardse kleuren, etc.: de charme van het zuiden in het centrum van de stad Hasselt!

◆ Ann et Liesbeth prouvent que l'hospitalité limbourgeoise et la chaleur provençale peuvent se marier à merveille. Tuiles en terre cuite, meubles anciens, couleurs chaudes… le charme du Midi au cœur de Hasselt !

Le Refuge

rest,

Kiewitstraat 247, (Kiewit) (Nord : 4,5 km) – 0 11 33 26 64 – www.lerefugekiewit.be

4 ch – 80/90 € 90/110 € – ½ P 120/130 €

Rest – *(dîner pour résidents seulement)*

◆ De ultieme rust, de geneugten van de natuur, en dat in de "achtertuin" van Hasselt: de zusters Ursulinen, die dit pand als vakantieklooster gebruikten, hadden het slim bekeken! De gepersonaliseerde kamers bieden luxe en rustieke flair.

◆ Un îlot de tranquillité et de nature à deux pas de Hasselt. Les ursulines avaient vu juste en utilisant ce bâtiment comme couvent de vacances... Les chambres mêlent harmonieusement luxe et charme rustique.

Bij Lieve & Jos sans rest

Heidestraat 51 (Nord-Est : 4 km) – 0 11 22 10 85 – www.bijlieveenjos.be

6 ch – 50/55 € 80/90 €

◆ Als telg uit een gezin van 14 was Lieve voorbestemd om een sociale gastvrouw te worden. De B&B, met neobarok decor en palmbomen aan het zwembad, die ze samen met haar man uitbaat, is hen dan ook op het lijf geschreven. Rustig gelegen, maar met de bus staat u in geen tijd gratis in het centrum.

◆ Issue d'une famille très nombreuse, Lieve était prédestinée à devenir maîtresse de maison. Avec son époux, elle a créé ces belles chambres d'hôtes : décor néobaroque, piscine, palmiers… et grand calme. Si vous souhaitez faire un tour en ville, un bus gratuit vous y mènera en un rien de temps.

BELGIQUE

De prijzen voor het symbool komen overeen met de laagste prijs in laag seizoen en daarna de hoogste prijs in hoog seizoen voor een éénpersoonskamer. Hetzelfde principe voor het symbool hier voor een tweepersoonskamer.

Figaro

Mombeekdreef 38 – 0 11 27 25 56 – www.figaro.be – fermé 1er au 20 août, lundi et mercredi Xa

Rest – Lunch 42 € – Menu 65/80 € – Carte 70/91 €

◆ Deze villa is een lust voor het oog: stijlvolle modern-klassieke zalen, mooie tuin en romantisch terras. De kaart gaat van traditie naar avant-garde. Goede wijnen en prima service.

◆ Jardin bichonné, élégantes salles classico-modernes, terrasse romantique, accueil impeccable : cette villa est pétrie de charme ! Carte entre tradition et avant-garde. Vins choisis.

JER (Wim Schildermans)

Persoonstraat 16 – 0 11 26 26 47 – www.jer.be – fermé samedi midi, lundi et mardi Yx

Rest – Lunch 60 € bc – Menu 60/75 € – Carte 65/107 €

Spéc. Cabillaud aux asperges blanches et crevettes grises. Filet de veau aux navet et girolles. Fraîcheur de melon et citron.

◆ JER staat voor Just Eat Right! Moderne keuken met eersteklasingrediënten, mooie spijs-wijncombinaties, intieme eetzalen met sfeerlicht, vakkundige bediening en groen terras aan de achterkant.

◆ JER pour "Just Eat Right" ! Cuisine moderne à base de produits choisis, beaux accords mets-vins, salles intimes à l'éclairage tamisé, terrasse arrière au vert, service pro assuré par les patrons.

Aan Tafel bij Luc Bellings

Luikersteenweg 358 – ℰ 0 11 22 84 88 – www.lucbellings.be – fermé 1er au 9 janvier, 22 avril-2 mai, 15 juillet-2 août, 28 octobre-5 novembre, jours fériés, samedi midi, dimanche et lundi Xx

Rest – *(réservation indispensable)* Lunch 45 € – Menu 70/115 € – Carte 100/130 €

Spéc. Pigeonneau aux légumes bio et truffes. Turbot, chou-fleur en deux préparations, jambon Belotta et vinaigrette. Trio de desserts.

◆ Deze villa in Franse classicistische stijl is gerenoveerd om de echte fijnproever nog meer te verwennen. Modern interieur met veel kunst, open keuken, verrukkelijke eigentijdse creaties en talloze attenties, van het aperitief tot de koffie.

◆ Villa classique à la française rajeunie pour le plus grand plaisir des vrais gourmets. Cadre moderne parsemé d'œuvres d'art, cuisines ouvertes sur la salle, délicieuses créations contemporaines et attentions nombreuses, tant à l'apéritif qu'avec le café.

't Claeverblat

Lombaardstraat 34 – ℰ 0 11 22 24 04 – www.claeverblat.be – fermé samedi midi, dimanche et jeudi Yb

Rest – Lunch 55 € bc – Menu 80 € bc/115 € bc – Carte 70/103 €

◆ Een nieuwe chef toont hier zijn interpretatie van de Franse keuken: met asperges à la flamande "nieuwe stijl", bijvoorbeeld, geserveerd met een slaatje van kreeft. Door de week is er een vast menu, in het weekend een beperkt à-la-cartemenu.

◆ Un nouveau chef donne ici son interprétation de la cuisine française. Un exemple ? Les asperges à la flamande "nouveau style", servies avec une petite salade de homard. Menu unique en semaine et petit choix à la carte le week-end.

't Kleine Genoegen

Raamstraat 3 – ℰ 0 11 22 57 03 – www.kleinegenoegen.be – fermé 3 dernières semaines de juillet, dimanche et lundi Yt

Rest – Lunch 22 € – Menu 45/57 € – Carte 47/65 €

◆ Een levendig adresje, helder interieur en een verzorgde kaart: 3 goede redenen om de Franse gerechten hier persoonlijk te komen inspecteren. Scherp uw eetlust aan met een aperitiefje in Bubbles, de champagnebar die bij het restaurant hoort.

◆ De l'animation, un intérieur lumineux et une cuisine française soignée : trois bonnes raisons de choisir cette adresse ! Aiguisez votre appétit au préalable avec un apéritif au Bubbles, le bar à champagne attenant.

't Kleine Fornuis

Kuringersteenweg 80 – ℰ 0 11 87 37 28 – www.hetkleinefornuis.be – fermé dimanche midi en juillet-août, mercredi soir, samedi midi et dimanche soir

Rest – Lunch 27 € – Menu 35/70 € bc – Carte 48/69 € Vz

◆ Achter de gevel van dit herenhuis schuilt een kleine, gerieflijke, sfeervolle eetzaal in grijze en donkerrode tinten. Traditioneel-klassieke kaart. Terras aan de achterkant op de patio.

◆ Maison de maître dissimulant une petite salle à manger confortable et chaleureuse, dans les tons gris et bordeaux, ainsi qu'une terrasse arrière. Carte classico-traditionnelle.

De Kwizien

Jeneverplein – ℰ 0 11 24 23 44 – www.dekwizien.be – fermé samedi midi, mardi et mercredi Ym

Rest – Lunch 32 € – Menu 44/79 €

◆ Gastronomieminnend Hasselt is erg verheugd met deze nieuwkomer. De chef, de voormalige rechterhand van Luc Bellings, brengt een keuken van harmoniërende smaken in meticuleus uitgevoerde composities, hedendaags maar met klassieke inslag.

◆ Hasselt la gastronome se réjouit de ce nouveau venu. L'ancien bras droit de Luc Bellings propose une cuisine aux saveurs harmonieuses et aux compositions soignées, à la fois modernes et d'inspiration classique.

XX **'t Kookpunt**

Hemelrijk 13 – ✆ 0 11 72 79 69 – www.kookpunt.be – fermé 15 au 30 juillet, lundi soir, samedi midi et dimanche Y**g**

Rest – Menu 38 € bc/90 € bc – Carte 46/69 €

◆ Gebakken kabeljauw met avocado, grijze garnaaltjes in limoen-botersaus of Black Agnus met crispy ossenstaart: hedendaagse gerechten op een klassieke basis waarmee restaurant 't Kookpunt graag uw smaakpapillen wil plezieren.

◆ Cabillaud poêlé à l'avocat, crevettes grises au beurre de citron vert ou du Black Angus et croustillant de queue de bœuf : ce sont les recettes actuelles sur une base classique qui titillerons vos papilles gustatives au restaurant 't Kookpunt.

X **Taratata**

Minderbroedersstraat 5 – ✆ 0 11 23 47 67 – www.taratata.be – fermé mercredi midi et dimanche Y**e**

Rest – Lunch 21 € – Menu 38/45 €

◆ Gerechten met intercontinentale invloeden, geserveerd in een strak en modern interieur met een sfeervolle gashaard en kaarslicht. Voordelig menu door de week.

◆ Préparations aux influences intercontinentales servies dans un décor "fashion" jouant l'épure. Cheminée au gaz en salle. Ambiance bougies le soir. Menu à bon prix en semaine.

X **De Goei Goesting**

Zuivelmarkt 18 – ✆ 0 11 32 52 82 – www.degoeigoesting.be Y**k**

Rest – Lunch 22 € – Menu 28/52 € – Carte 41/79 €

◆ Alleen al voor de uitgelezen ligging -op de Botermarkt, perfect voor people watching vanop het verwarmde terras- zou u hierheen komen. Dat de keuken ook op zichzelf kan overtuigen, maakt deze brasserie al helemaal een aanrader.

◆ On pourrait y venir rien que pour le cadre : sur la rue du Marché-au-Beurre, sa terrasse est idéale pour admirer le va-et-vient des badauds. Mais on y revient toujours pour la cuisine, car c'est avant tout une bonne brasserie !

BELGIQUE

à Stevoort par ⑦ : 5 km jusqu'à Kermt, puis rte à gauche – 🄲 Hasselt – ✉ 3512

Het Koetshuis sans rest

Sint-Maartenplein 56 – ✆ 0 11 74 44 78 – www.koetshuis.be – fermé janvier

5 ch – †55 € ††90 €

◆ Dit oude koetshuis in een dorp tussen de Kempen en Haspengouw is mooi verbouwd tot gastenverblijf. Moderne studio's met authentiek gebinte. Grote tuin.

◆ Dans un village entre Campine et Hesbaye, ex-remise à chariots promue maison d'hôte au terme d'une rénovation soignée. Studios modernes avec charpente ancienne. Grand jardin.

à Wimmertingen par ⑤ : 6 km – 🄲 Hasselt – ✉ 3501

Abeljano sans rest

Smetstraat 36 – ✆ 0 495 53 24 27 – www.bedandbreakfasthasselt.com

4 ch – †80 € ††110 €

◆ Wie na een culinair verwenmoment bij Luc Bellings nog niet klaar is om met beide voeten op de grond te komen, kan in dit stijlvolle B&B verder komen genieten. Gastvrouw Agnes zorgt met haar passie voor gastvrijheid voor een heerlijk verblijf.

◆ Faites-vous plaisir dans cette élégante maison d'hôtes située en pleine nature, à quelques kilomètres de villages pittoresques. Votre hôtesse, Agnès, saura vous recevoir avec la plus grande hospitalité, pour un séjour particulièrement agréable.

XX **Vous lé Vous** avec ch

Wimmertingenstraat 76 – ✆ 0 11 74 81 85 – www.vouslevous.be – fermé carnaval, semaine de Pâques, 2 juin et vacances bâtiment

5 ch ☕ – 🚹75/150 € 🚹🚹85/170 €

Rest – *(fermé mercredi midi, samedi midi, dimanche, lundi et après 20 h 30) (menu unique)* Menu 35/75 €

◆ De jonge chef-kok in dit gerenoveerde boerderijtje heeft onder andere ervaring opgedaan aan de zijde van Peter Goossens in het Hof van Cleve. Moderne open keuken. Het aanbod is beperkt tot één menu. Comfortabele B&B; elke kamer heeft zelfs een privéterras.

◆ Le jeune chef qui anime cette fermette relookée a entre autres acquis de l'expérience aux côtés de Peter Goossens au Hof van Cleve. Cuisine moderne ouverte sur la salle. Offre réduite à un menu. Bed and breakfast d'un bon petit confort ; chaque chambre a même sa propre terrasse.

HASTIÈRE-LAVAUX – **Namur** – Ⓒ **Hastière 5 658 h.** – **533** N21, **534** N21 **et 716** H5 – ✉ **5540** — **14** B2

▶ Bruxelles 100 – Namur 42 – Dinant 10 – Philippeville 25

X **Le Chalet des grottes** avec ch

rte d'Inzemont 1 – ✆ 0 82 64 41 86 – www.chaletdesgrottes.be

6 ch ☕ – 🚹55/75 € 🚹🚹65/95 €

Rest – *(fermé lundi soir, mardi et mercredi)* Lunch 18 € – Menu 38/48 €

◆ Située dans la vallée tout près des grottes, cette maison authentique a été entièrement rénovée. Salle à manger contemporaine et petite carte à bon prix, qui change toutes les cinq semaines. Chambres fraîches et nettes.

◆ Dit authentieke restaurant in het dal nabij de grotten is compleet gerenoveerd. Eigentijdse eetzaal en kleine betaalbare kaart die elke vijf weken wisselt. Gerenoveerde keurige kamers.

BELGIQUE

HÉBRONVAL – **Luxembourg** – **533** T21 **et 534** T21 – **voir à Vielsalm**

HEIST – **West-Vlaanderen** – **533** E14 **et 716** C1 – **voir à Knokke-Heist**

HEIST-OP-DEN-BERG – **Antwerpen** – **533** N16 **et 716** H2 – **39 866 h.** – ✉ **2220** — **2** C3

▶ Bruxelles 60 – Antwerpen 42 – Schaerbeek 58 – Anderlecht 57

🏠 **Villa Monte** sans rest

Bergstraat 124 – ✆ 0 15 76 80 00 – www.villamonte.be – fermé 24 décembre-2 janvier

21 ch ☕ – 🚹88/98 € 🚹🚹103/113 €

◆ Voormalig notarishuis uit de vroege 20ste eeuw in het centrum. Spiksplinternieuwe, functionele kamers voor een redelijke prijs. Wintertuin voor het ontbijt.

◆ En centre-ville, cette ancienne maison de notaire (début 20e s.) propose des chambres fonctionnelles et confortables. Petit-déjeuner dans le jardin d'hiver.

HEKELGEM – **Vlaams Brabant** – Ⓒ **Affligem 12 476 h.** – **533** J17 **et 716** F3 – ✉ **1790** — **3** A2

▶ Bruxelles 22 – Leuven 54 – Aalst 6 – Charleroi 75

XXX **Anobesia**

Brusselbaan 216 (N 9) – ✆ 0 53 68 07 69 – www.anobesia.be – fermé 1 semaine Pâques, 2 dernières semaines d'août-début septembre, samedi midi, dimanche soir, lundi et mardi

Rest – Menu 55 € bc/87 € – Carte 60/79 €

◆ Chef Geert Gheysels voelt zich helemaal thuis in de hedendaagse keuken, en presenteert u graag zijn doordachte combinaties van topproducten als kreeft-soja-koriander of asperge-langoustine-zuring. Deftig interieur in een statige villa.

◆ La cuisine contemporaine va comme un gant au chef, Geert Gheysels, qui se fera un plaisir de vous proposer ses associations originales de produits de premier choix : homard-soja-coriandre ou asperges-langoustines-oseille, par exemple. Le décor chic de cette superbe villa des années 1930 ajoute à votre ravissement.

HERBEUMONT – Luxembourg – **534** Q24 et **716** I6 – 1 563 h. – ✉ 6887 **12** B3

Bruxelles 170 – Arlon 55 – Bouillon 24 – Dinant 78

Château ≤★★

à l'Ouest : 11 km, Roches de Dampire ≤★

Hostellerie du Prieuré de Conques

r. Conques 2 (Sud : 2,5 km) ✉ 6820 Sainte-Cécile – ℘ 0 61 41 14 17 – www.conques.be – fermé 15 novembre-12 décembre sauf week-end, janvier-11 mars et 29 août-10 septembre

17 ch – †108/125 € ††127/157 € – ½ P 145/162 €

Rest *Le Prieuré de Conques* – voir la sélection des restaurants

◆ Dans un paysage de collines et de forêts, cet ancien prieuré, achevé en 1732, a su conserver tout son charme historique et propose (au Prieuré ou à la Résidence) des chambres personnalisées.

◆ Oude priorij (1732) met park temidden van heuvels en bossen, aan de oever van de Semois met een 400 jaar oude linde. Kamers met een persoonlijke toets.

XXX **Le Prieuré de Conques** – Hôtel Hostellerie du Prieuré de Conques

r. Conques 2 (Sud : 2,5 km) ✉ 6820 Sainte-Cécile – ℘ 0 61 41 14 17 – www.conques.be – fermé 15 novembre-12 décembre sauf week-end, janvier-11 mars, 29 août-10 septembre, mercredi midi et mardi

Rest – Lunch 38 € – Menu 47/60 € – Carte 52/66 €

◆ Anguilles au vert, écrevisses à la bordelaise et gibier sont à la carte de cet élégant restaurant avec une salle voûtée.

◆ Paling in het groen, rivierkreeftjes 'bordelaise' en wild staan op de kaart van dit elegante restaurant met een gewelfd plafond.

BELGIQUE

HERENTALS – Antwerpen – **533** O15 et **716** H2 – 26 759 h. – ✉ 2200 **2** C2

Bruxelles 70 – Antwerpen 30 – Hasselt 48 – Turnhout 24

Grote Markt 35, ℘ 0 14 21 90 88, www.uitinherentals.be

Haarlebeek 3, au Nord : 8 km à Lille, ℘ 0 14 55 19 30

Witbos, au Sud : 5 km à Noorderwijk, Witbos, ℘ 0 14 26 21 71

Eglise Ste-Waudru (St-Waldetrudiskerk) : retable★

Karmel sans rest

Grote Markt 39 – ℘ 0 14 28 60 20 – www.hotelkarmel.be

27 ch – †109 € ††129 €

◆ Geen gestrengheid meer maar comfortabele luxe in dit voormalige karmelietessenklooster. De geest van vroeger waart hier nog altijd rond dankzij de respectvolle restauratie die oud en nieuw succesvol verenigt. Centraal gelegen op de Grote Markt.

◆ Quand la sobriété et l'épure contemporaines rencontrent l'esprit monastique… Cet hôtel original a été créé dans un ancien couvent de carmélites ! Minimal mais chic – avec des clins d'œil à l'histoire sacrée –, le décor séduit les tenants d'une nouvelle religion… les branchés ! Situation centrale sur la Grand-Place.

De Zalm

Grote Markt 21 – ℘ 0 14 28 60 00 – www.dezalm.be

24 ch – †81 € ††96 € – ½ P 68 €

Rest *De Zalm* – voir la sélection des restaurants

◆ Gerenoveerd oud pand met enkele herinneringen uit het verleden, zoals het ouderwetse café. Eigentijdse kamers en terras met pergola aan de Grote Markt.

◆ Bien que rénovée, cette bâtisse ancienne a su conserver quelques jolies traces du passé, comme son café rétro. Chambres actuelles et terrasse avec pergola face au Grote Markt.

X **'t Ganzennest**

Watervoort 68 (direction Lille : 5 km, puis à droite) – ✆ 0 14 21 64 56 – www.ganzennest.be – fermé 25 juillet-4 août, samedi midi, lundi et mardi

Rest – Lunch 20 € – Menu 27/65 € bc – Carte 31/57 €

◆ Een zacht nest voor een etentje met vrienden en familie. Rustiek interieur, mooi tuinterras, verscheidenheid op de kaart met traditionele gerechten en eenvoudige schotels.

◆ Un doux "nid d'oie" à essayer entre amis ou en famille : cadre rural et cosy, terrasse-jardin sympa, choix bien diversifié, avec des mets de tradition et des plats simples.

X **De Zalm** – Hôtel De Zalm

Grote Markt 21 – ✆ 0 14 28 60 00 – www.dezalm.be – fermé samedi midi

Rest – Lunch 20 € – Menu 35/55 € – Carte 41/58 €

◆ In de couleur locale van De Zalm eet u eenvoudige snacks of iets uitgebreidere suggesties, vaak de klassiekers van bij ons. Scherp geprijsd menu op zondag.

◆ De Zalm propose une variété de snacks et des suggestions plus élaborées, souvent classiques régionales et ceci dans une ambiance très couleur locale. Menu à prix plancher servi le dimanche.

HERGENRATH – Liège – C Kelmis 10 936 h. – 533 V18 et 716 L3 – ✉ 4728

9 C1

▶ Bruxelles 134 – Liège 43 – Namur 110 – Maastricht 57

XX **Saveurs du Tilleul**

Asteneter Str. 19 – ✆ 0 87 46 36 46 – www.saveurs-du-tilleul.be – fermé dernière semaine de juillet-2 premières semaines d'août, mardi et mercredi

Rest – Lunch 28 € – Menu 40/65 € – Carte 48/65 €

◆ Ancien traiteur, le chef de ce restaurant est ravi de pouvoir à nouveau travailler à la carte. Avec d'excellents produits joliment accommodés, il compose une cuisine classique, à prix doux. Cadre moderne.

◆ De chef van dit restaurant was vroeger actief als traiteur en is dolblij dat hij opnieuw à la carte mag werken. Tegen een eerlijke prijs stelt hij u een klassieke kaart voor vol goede producten in correcte bereidingen. Actueel kader.

HERMALLE-SOUS-ARGENTEAU – Liège – C Oupeye 24 168 h. – 533 T18 et 716 K3 – ✉ 4681

8 B1

▶ Bruxelles 106 – Liège 15 – Namur 81 – Maastricht 21

XX **Au Comte de Mercy**

r. Tilleul 6 – ✆ 0 4 379 30 79 – www.aucomtedemercy.be – fermé semaine carnaval, 10 au 15 septembre, samedi midi, dimanche soir et lundi

Rest – Menu 35/40 € – Carte 42/57 €

◆ La réputation de Robert Lesenne dépasse largement les frontières de la Wallonie. Une bonne ambiance règne dans son auberge-restaurant, où il aime venir à la rencontre de ses hôtes. Le menu de saison offre un excellent rapport qualité-prix.

◆ Restaurant van Robert Lesenne, culinaire celebrity in Wallonië en ver daarbuiten, in een sfeervolle herberg. Lesenne himself komt af en toe in de zaal en houdt van contact met zijn gasten. Seizoengebonden menu met een voorbeeldige prijs-kwaliteitverhouding.

HERSTAL – Liège – 533 S18, 534 S18 et 716 J3 – voir à Liège, environs

---

HERTSBERGE – West-Vlaanderen – 533 E16 et 716 C2 – voir à Brugge, environs

---

Het – voir au nom propre

HEURE – Namur – C Somme-Leuze 4 880 h. – 533 Q21, 534 Q21 et 716 I5 – ✉ 5377

15 D2

▶ Bruxelles 102 – Namur 41 – Dinant 35 – Liège 54

18 au Nord : 8 km à Méan, Château-Ferme du Grand Scley, ✆ 0 86 32 32 32

Le Fou est belge (Daniel Van Lint)

rte de Givet 24 – ✆ 0 86 32 28 12 – www.lefouestbelge.be – fermé 16 décembre-15 janvier, 19 au 27 février, 24 juin-18 juillet, 28 octobre-5 novembre, jeudi soir, dimanche et lundi

Rest – Menu 38/88 € bc – Carte 56/87 €

Spéc. Croquettes fondantes aux crevettes grises. Boudin noir au foie gras d'oie, sauce fumée aux raisins secs. Pain perdu aux pommes caramélisées, glace vanille.

♦ Les plaisirs d'un savoureux repas traditionnel actualisé, dans un cadre rustique léger. Patron cuisinant à vue, terrasse au calme et cave française riche de quelque 800 références. Petits délices belgo-belges à la carte. Généreux menu "détente" en trois actes.

♦ Genieten van een smakelijke, traditionele maaltijd met een moderne touch. Licht rustiek interieur met open keuken, rustig terras en wijnkelder met zo'n 800 flessen! Typisch Belgische heerlijkheden op de kaart. Rijkelijk driegangenmenu.

HEUSDEN – **Oost-Vlaanderen** – **533** H16 **et 716** E2 – **voir à Gent, environs**

HEUSY – **Liège** – **533** U19, **534** U19 **et 716** K4 – **voir à Verviers**

HEVERLEE – **Vlaams Brabant** – **533** N17 **et 716** H3 – **voir à Leuven**

HOEGAARDEN – **Vlaams Brabant** – **533** O18 **et 716** H3 – **6 546 h.** – ✉ **3320** **4** D2

Bruxelles 49 – Leuven 27 – Antwerpen 83 – Hasselt 44

à Outgaarden **Est : 3 km** – Ⓒ **Hoegaarden** – ✉ **3321**

L'Epicurie sans rest

Hoogstraat 13 – ✆ 0 488 26 33 18 – www.lepicurie.be

5 ch – ♦70/95 € ♦♦70/95 €

♦ Zoals het een B&B in het bierdorp Hoegaarden betaamt, staat alles in deze voormalige boerderij in het teken van epicurisme. Voor zakenlieden is er bovendien een vergaderzaal voor brainstormsessies, achteraf zorgen de wijnsuggesties voor wat welverdiende ontspanning.

♦ Cette maison d'hôtes nichée dans le village de la bière Hoegaarden est placée sous le signe de l'épicurisme. Les hommes d'affaires peuvent profiter de la belle salle de réunion, puis se détendre autour d'une dégustation de vins.

HOEI – **Liège** – **voir Huy**

HOEILAART – **Vlaams Brabant** – **533** L18 **et 716** G3 – **voir à Bruxelles, environs**

HOEKE – **West-Vlaanderen** – **533** F15 – **voir à Damme**

HOESELT – **Limburg** – **533** R17 **et 716** J3 – **9 516 h.** – ✉ **3730** **11** C3

Bruxelles 102 – Hasselt 20 – Maastricht 17

De Vrijheerlyckheid sans rest

Vrijhernstraat 33 – ✆ 0 12 21 51 76 – www.devrijheerlyckheid.be

4 ch – ♦70/80 € ♦♦110/120 €

♦ Wie Haspengouw zegt, zegt fruitbomen: in dit B&B slaapt u te midden van de boomgaarden en ervaart u de streek dan ook ten volle. Voor wie na een lange wandeling even heerlijk wil relaxeren, is er de gratis sauna, hamam en jacuzzi.

♦ Qui dit Hesbaye dit arbres fruitiers. Dans cette maison d'hôtes au beau milieu des vergers, vous profiterez pleinement de la région. Et pour vous détendre après une balade dans les environs, rien de tel que le sauna, le hammam et le jacuzzi, en libre accès !

à Romershoven Ouest : 2 km – Ⓒ Hoeselt – ✉ 3730

XXX **Ter Beuke**

Romershovenstraat 148 – ✆ 0 89 51 18 81 – www.terbeuke.com – fermé 22 juillet-5 août, samedi midi, dimanche soir et mercredi

Rest – Menu 39/69 € – Carte 52/77 €

◆ Bakstenen gebouw in een dorpje. Klassieke en eigentijdse gerechten, goede bourgognes, eetzalen met een warme, rustieke chic en terras met uitzicht op de Engelse tuin.

◆ Bâtisse en briques nichée dans un petit village. Recettes classiques et du moment, bons bourgognes, salles au chic rustique-cosy et terrasse prolongée par un jardin paysagé.

à Sint-Huibrechts-Hern Sud : 4 km sur N 730 – Ⓒ Hoeselt – ✉ 3730

De Tommen

Tommenstraat 17 – ✆ 0 12 45 88 37 – www.detommen.be

4 ch – †40/50 € ††65/75 € – ½ P 61/71 €

Rest – *(fermé lundi et mardi)* Carte 21/40 €

◆ Nieuw gebouw met beneden een café-restaurant en boven een maison d'hôtes. Frisse, nette kamers in eigentijdse stijl. Traditionele maaltijd in een eetzaal met bakstenen muren en houten meubelen zoals in een café. Verwarmd terras.

◆ Construction récente cumulant les fonctions de taverne-restaurant (en bas) et de maison d'hôtes (au-dessus). Chambres fraîches et nettes, de style actuel. Cuisine traditionnelle servie dans une brasserie aux murs en brique, meublée avec simplicité. Terrasse chauffée en hiver.

HOLLAIN – Hainaut – **533** F19, **534** F19 et **716** D4 – voir à Tournai

---

HOOGSTRATEN – Antwerpen – **533** N14 et **716** H1 – 19 754 h. – ✉ 2320 **2** C1

Bruxelles 88 – Antwerpen 37 – Turnhout 18

Stadhuis Vrijheid 149, ✆ 0 3 340 19 55, www.hoogstraten.be

XXX **Noordland**

Lodewijk De Koninckklaan 276 – ✆ 0 3 314 53 40 – www.noordland.be – fermé 2 semaines en février, 2 semaines en septembre et mardis et mercredis non fériés

Rest – Menu 50 € bc/68 €

◆ Karakteristiek pand tussen de bomen, met een fraai beplant terras aan de tuinzijde. Vader en zoon staan achter het fornuis en serveren een klassieke kaart. Leuk nieuws voor de goede eters: uw hoofdgerecht wordt een keertje bijgevuld!

◆ Dans cette bâtisse de caractère entourée d'arbres, père et fils œuvrent à quatre mains, faisant profession de classicisme. Bonne nouvelle pour les gourmands : on sert une repasse du plat principal ! Jolie terrasse face au jardin.

XX **Armiaen**

Heilig Bloedlaan 299 – ✆ 0 3 314 85 99 – www.armiaen.be – fermé première semaine de janvier, 1 semaine en mai, 2 semaines en juillet, samedi midi et dimanche

Rest – Lunch 35 € – Menu 52/93 € bc – Carte 61/76 €

◆ Sober en modern interieur met open keuken, waar de chef-kok creatieve eigentijdse gerechten bereidt. Kwaliteitswijnen per glas verkrijgbaar.

◆ La scénographie du lieu se veut moderne et épurée, avec cuisine ouverte sur la salle, où le chef prépare des recettes bien dans leur époque. Vins de qualité proposés au verre.

HOUFFALIZE – Luxembourg – **534** T22 et **716** K5 – 4 988 h. – ✉ 6660 **13** C1

Bruxelles 164 – Arlon 63 – Liège 71 – Namur 97

pl. Janvier 45 2, ✆ 0 61 28 81 16, www.houffalize.be

l'Ermitage

r. La Roche 32 (Ouest sur N 280 : 2 km) – 0 61 28 81 40 – www.hotelermitage.be – fermé 15 février-1er mars, 24 juin-6 juillet et 2 au 12 septembre

10 ch – 68/78 € 78/85 € – ½ P 96 €

Rest – *(fermé mardi)* Lunch 25 € – Menu 32/42 € – Carte 41/58 €

◆ Une auberge ardennaise typique, au milieu des sapins, face à l'Ourthe. Un escalier en bois mène aux chambres (plusieurs catégories au choix) ; préférez celles situées à l'arrière du bâtiment. Cuisine traditionnelle à base de produits régionaux.

◆ Klassieke Ardeense herberg tegenover de Ourthe. Heel netjes en gedeeltelijk gebouwd met natuursteen. Toegang tot de kamers (verschillende groottes) via een houten trap, de beste aan de achterzijde. Traditionele klassieke keuken, goed aangepast aan de plek.

L'Air du Temps

r. Ville basse 25 – 0 473 36 38 73 – www.air-du-temps.be

5 ch – 60/85 € 70/95 € **Rest** – *(dîner pour résidents seulement)*

◆ Maison de notable (1870) où l'on s'endort dans des chambres personnalisées suivant divers styles. Salons et salle à manger classiques modernisés ; véranda et terrasse.

◆ Herenhuis (1870) met kamers in verschillende stijlen. De klassieke salons en eetzaal zijn gemoderniseerd. Serre en terras.

La Fleur de Thym

rte de Liège 34 – 0 61 28 97 08 – www.lafleurdethym.net – fermé 2 semaines en janvier, 2 semaines en juin, 2 semaines en septembre, lundi et mercredi

Rest – Lunch 23 € – Menu 30/58 € – Carte 45/63 €

◆ Nouvelle adresse – dans la même rue – pour ce restaurant : les murs ont changé, mais la cuisine reste toujours aussi ensoleillée et d'un bon rapport qualité-prix.

◆ Sinds kort vindt u deze zaak op een nieuw adres in de dezelfde straat, de zonnige keuken is echter geen haar veranderd. Ook de prijs-kwaliteitverhouding is nog steeds even interessant.

BELGIQUE

à Wibrin Nord-Ouest : 9 km – C Houffalize – 6666

Le Cœur de l'Ardenne sans rest

r. Tilleul 7 – 0 61 28 93 15 – www.lecoeurdelardenne.be – fermé 8 au 27 janvier

5 ch – 60/65 € 65/75 €, 10 €

◆ Petit hôtel familial mettant à profit l'ex-école d'un village du parc naturel des Deux-Ourthes. Chambres proprettes, salon-cheminée, salle à manger classique, terrasse-jardin.

◆ Familiehotelletje in een oude dorpsschool in het Natuurpark van de Deux-Ourthes. Keurige kamers, salon met open haard, klassieke eetzaal en tuin met terras.

HOUSSE – Liège – **533** T18 et **534** T18 – voir à Blegny

HOUTAIN-LE-VAL – Brabant Wallon – C Genappe 14 910 h. – **533** L19 , **534** L19 et **716** G4 – 1476 **3** B3

Bruxelles 44 – Wavre 33 – Charleroi 33 – Mons 46

r. Emile François 31, au Nord-Est : 5 km à Ways, 0 67 77 15 71

La Meunerie

r. Patronage 1a – 0 67 77 28 16 – www.lameunerie.be – fermé samedi midi, dimanche soir, lundi, mardi et après 20 h 30

Rest – Lunch 23 € – Menu 31/75 € bc

◆ Dans les murs d'une ex-meunerie, restaurant de campagne proposant de la cuisine actuelle où entrent des produits du terroir. Vieilles meules exposées en salle ; terrasse.

◆ Plattelandsrestaurant in een oude meelfabriek met een eigentijdse streekkeuken. Oude molenstenen in de eetzaal; terras.

HOUTAVE – West-Vlaanderen – C Zuienkerke 2 766 h. – **533** D15 et **716** C2 – 8377 **19** C1

Bruxelles 109 – Brugge 31 – Oostende 16

De Roeschaert

Kerkhofstraat 12 – ☎ 0 50 31 95 63 – www.deroeschaert.be – fermé 2 dernières semaines d'août-première semaine de septembre, vacances de Noël, lundi, mardi et après 20 h 30

Rest – *(déjeuner seulement sauf vendredi et samedi)* Menu 35/52 € – Carte 35/51 €

◆ Restaurant pal naast de kerk van een polderdorpje. Fleurige inrichting, mooi gedekte tafels, meergangenmenu en een speciale aandacht voor zoete wijnen. Terras met veel groen.

◆ Restaurant familial adossé à l'église d'un village poldérien. Déco printanière, belle mise de table, terrasse verte, carte-menu selon le marché et bon choix de vins moelleux.

HOUTHALEN – Limburg – Houthalen-Helchteren 30 349 h. – 533 R16 et 716 J2 – ✉ 3530 **10** B2

Bruxelles 83 – Hasselt 12 – Diest 28 – Maastricht 40

Vredelaan 36, ☎ 0 11 60 06 50, www.houthalen-helchteren.be

Golfstraat 1, ☎ 0 89 38 35 43

The Lodge

ch, ch,

Guldensporenlaan 1 – ☎ 0 11 60 36 36 – www.lodge-hotels.be

17 ch – 80 € 100 € – ½ P 70 €

Rest – Lunch 12 € – Menu 20/45 € – Carte 23/43 €

◆ Dit etablissement tegenover de kerk biedt praktische en eigentijdse kamers, verdeeld over drie verdiepingen van een modern gebouw. Grote brasserie met een traditionele kaart en suggesties.

◆ En face de l'église, établissement où vous logerez dans des chambres pratiques de style actuel réparties sur trois étages d'une bâtisse moderne et dans une maison voisine. Grande brasserie misant sur une carte traditionnelle augmentée de suggestions.

Innesto - Domein De Barrier (Koen Verjans) avec ch

rest, rest,

Grote Baan 9 – ☎ 0 11 52 55 25 – www.innesto.be

10 ch – 110/140 € 110/140 €, 20 € – ½ P 185/240 €

Rest – *(fermé 25 décembre-2 janvier, 1er au 9 avril, 10 au 24 juillet, samedi midi, dimanche et lundi)* Lunch 38 € – Menu 70/95 € bc – Carte 64/103 €

Spéc. Saint-Jacques et joue de veau aux légumes oubliés. Barbue et homard aux morilles, sauce bisquée au verjus. Chocolat, banane et caramel.

◆ Prestigieus adres, zowel voor privé- en zakenetentjes als banketten. Weelderige zalen en salons, moderne kunst, patio met arcaden, terras en mooi park. Uiterst aangename kamers met modern comfort en designbadkamers.

◆ Adresse de prestige où l'on soigne vos repas d'affaires ou privés tout comme vos banquets. Salles et salons cossus, art contemporain, patio à arcades, terrasse et joli parc. Côté hébergement, ambiance cosy, confort moderne et installations sanitaires design.

HOUYET – Namur – 534 P21 et 716 I5 – 4 566 h. – ✉ 5560 **15** C2

Bruxelles 110 – Namur 54 – Bouillon 66 – Dinant 34

Tour Léopold-Ardenne 6, ☎ 0 82 66 62 28

au Nord : 10 km à Celles : église romane St-Hadelin : dalle funéraire★

à Celles Nord : 10 km – Houyet – ✉ 5561

Auberge de la Lesse

Gare de Gendron 1, (Gendron) (N 910 : 4 km) – ☎ 0 82 66 73 02 – www.aubergedelalesse.be – fermé 3 semaines en janvier, 2 semaines en juin, 2 semaines en octobre et lundis et mardis non fériés sauf vacances scolaires

14 ch – 55 € 75/85 € – ½ P 78 €

Rest *Auberge de la Lesse* – voir la sélection des restaurants

◆ Auberge de style régional, proche de la Lesse, une rivière que vous pourrez descendre en kayak (location sur place). Sauna et solarium payants. Piscine en été.

◆ Karakteristieke herberg bij de Lesse, die met een kajak kan worden bevaren (verhuur ter plaatse). Sauna en solarium tegen betaling, 's zomers is er een zwembad.

BELGIQUE

La Clochette avec ch
r. Vêves 1 – 0 82 66 65 35 – www.laclochette.be – fermé 16 février-7 mars, fin juin-début juillet et mercredis non fériés
7 ch – 60 € 75/80 €
Rest – *(fermé lundis midis et mercredis non fériés et après 20 h 30)*
Menu 30/45 € – Carte 32/59 €
♦ Une auberge pittoresque, nichée dans l'un des plus beaux villages de Wallonie. Au menu, plats classiques et spécialités de la région, comme la truite, évidemment extrafraîche. Pour l'étape, des chambres agréablement tenues.
♦ Een pittoreske herberg die helemaal op z'n plaats is in een van de mooiste dorpjes van Wallonië. Op het menu: klassieke gerechten en specialiteiten van de streek, zoals forel die spartelvers wordt geserveerd. Frisse, tijdloze kamers.

Auberge de la Lesse – Hôtel Auberge de la Lesse
Gare de Gendron 1, (Gendron) (N 910 : 4 km) – 0 82 66 73 02 – www.aubergedelalesse.be – fermé 3 semaines en janvier, 2 semaines en juin, 2 semaines en octobre et lundis et mardis non fériés sauf vacances scolaires
Rest – Menu 32/35 € – Carte 23/41 €
♦ Une auberge typique, où carte et décor déclinent les délices de la tradition et du terroir. Par temps frais, un feu ouvert saura vous réchauffer.
♦ Een typische herberg, die zowel op de kaart als in de zaal traditie en terroir uitstraalt. Als het buiten guur is, zorgt het open haardvuur voor welkome warmte.

à Custinne Nord-Est : 7 km – C Houyet – ✉ 5562

Hostellerie "Les Grisons" avec ch
rte de Neufchâteau 30 (N 94) – 0 82 66 79 84 – www.lesgrisons.be – fermé 1 semaine fin mai, 1 semaine début août, lundi, mardi et mercredi
4 ch – 85/95 € 95/105 €
Rest – Lunch 30 € – Menu 48 € bc/62 € bc – Carte 63/82 €
♦ Bâtisse de caractère abritant une table classico-traditionnelle par sa déco et sa petite carte alléchante. Beau menu axé produits nobles. Terrasse verte. Chambres calmes et pimpantes dans le grand chalet du jardin, où se dissimule aussi une parcelle de vigne.
♦ Karaktervol gebouw met een traditioneel-klassiek restaurant, zowel qua inrichting als qua keuken. Kleine, maar aantrekkelijke kaart en menu met adelijke producten. "Groen" terras. Rustige leuke kamers in het grote chalet. Tuin met wijngaard.

BELGIQUE

HUIZINGEN – Vlaams Brabant – 533 K18 et 716 F3 – voir à Bruxelles, environs

La HULPE (TERHULPEN) – Brabant Wallon – 533 L18, 534 L18 et 716 G3 – 7 485 h. – ✉ 1310 3 B2

Bruxelles 25 – Wavre 14 – Charleroi 44 – Leuven 40

Parc★ du domaine Solvay, ferme du château abrite la fondation Folon★

Dolce
chaussée de Bruxelles 135 – 0 2 290 98 00 – www.dolcelahulpe.com
263 ch – 95/395 € 95/395 €, 22 € – 1 suite
Rest – Lunch 40 € – Menu 55/70 € – Carte 38/68 €
♦ Vaste complexe hôtelier dans un environnement boisé, idéal pour le tourisme comme pour les voyages d'affaires. Équipement high-tech dans les chambres ; les suites offrent de belles baies vitrées. Deux formules de restauration sont proposées, dont un buffet 7j/7.
♦ Luxehotel in een groot park voor congressen en ontspanning. Moderne kamers en junior suites met meubelen van exotisch houtfineer. Informeer naar de twee restaurantformules waaronder een buffet 7d/7.

XX **La Salicorne**

r. Pierre Broodcoorens 41 – ☎ 0 2 654 01 71 – www.lasalicorne.be – fermé 1 semaine carnaval, 4 au 27 juillet, 1 semaine à la Toussaint, dimanche et lundi

Rest – Lunch 18 € – Menu 35/48 € bc

◆ À la périphérie de La Hulpe, belle villa où l'on mange avec le même plaisir en salle, de style classique-contemporain, qu'à l'extérieur, près de la pièce d'eau et sa fontaine.

◆ Mooie villa aan de rand van Terhulpen, waar u kunt kiezen of u in de klassiek-moderne eetzaal of buiten bij de fontein uw maaltijd wilt gebruiken.

XX **Nanoo's**

r. Combattants 110 – ☎ 0 2 653 10 61 – fermé lundi soir, samedi midi et dimanche

Rest – Lunch 16 € – Menu 35/40 € bc – Carte 39/49 €

◆ Accueil de charme par la patronne, atmosphère de brasserie moderne, préparations consistantes aux saveurs franches et à la tarification de velours : comment résister ?

◆ Charmant onthaal door de eigenaresse, sfeer van een moderne brasserie, stevige gerechten met eerlijke smaken en fluweelzachte prijzen. Wat wil een mens nog meer?

BELGIQUE

HULSHOUT – Antwerpen – 533 N16 et 716 H2 – 9 864 h. – ✉ 2235 — 2 C3

▶ Bruxelles 51 – Antwerpen 40 – Mechelen 27 – Turnhout 37

XX ✿ **Hof Ter Hulst** (Johan Schroven)

Kerkstraat 19 – ☎ 0 15 25 34 40 – www.hofterhulst.be – fermé 2 premières semaines de janvier, fin juillet-début août, samedi midi, lundi et mardi

Rest – Lunch 35 € – Menu 42/59 € – Carte 62/104 €

Spéc. Timbale de macaroni aux pointes d'asperges et cappuccino de morilles (avril-mai). Bar de ligne à l'étuvée de chou-fleur et jambon Serrano, jets de houblons et œuf poché. Gigotin d'agneau de lait aux flageolets tomatés et à la sarriette.

◆ Zowel het interieur als de gerechten verraden dat de chef traditie naar waarde weet te schatten. In deze rustieke Kempense boerderij bereidt hij voor u klassieke gerechten met fond, harmonieus en rijk van smaak. Interessante menuformules.

◆ Le chef sait cultiver les traditions, en temoignent le charmant décor de cette ferme campinoise et… l'assiette ! Plats classiques savoureux, préparés avec justesse ; menus attractifs.

HUY (HOEI) – Liège – 533 Q19, 534 Q19 et 716 I4 – 20 789 h. – ✉ 4500 — 8 A2

▶ Bruxelles 83 – Liège 33 – Namur 35

ℹ Quai de Namur 1, ☎ 0 85 21 29 15, www.pays-de-huy.be

⛳9 Stud 52, au Sud-Ouest : 11 km à Andenne, Ferme du Moulin, ☎ 0 85 84 34 04

👁 collégiale Notre-Dame★ : trésor★Z • Fort★ : ≤★★Z. Musée : communal : Le Beau Dieu de Huy (Christ★ du 13e s.) ZM

par N 617 : 7,5 km à Amay : Collégiale St-Georges et Ste-Odechâsse★ et sarcophage mérovingien★ • par N 617 : 10 km à Jehay-Bodegnée : château★ de Jehay

Sirius sans rest

quai de Compiègne 47 (par N 617 : 1,5 km) – ☎ 0 85 21 24 00 – www.hotelsirius.be – fermé 21 décembre-8 janvier et 1er au 15 août.

26 ch ☕ – 🚶85/180 € 🚶🚶95/200 €

◆ Hôtel confortable sur les rives de la Meuse. Toutes les chambres, modernes et lumineuses, sont identiques ; celles situées en façade donnent sur le fleuve.

◆ Comfortabel hotel aan de rand van de stad. De moderne, lichte kamers zijn allemaal gelijk, maar die aan de voorkant kijken uit op de Maas.

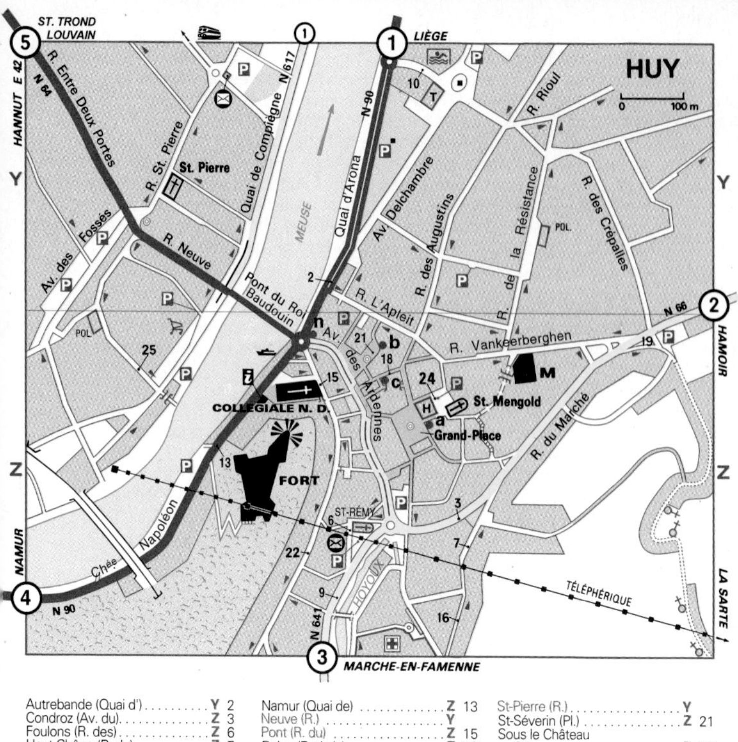

Autrebande (Quai d') .... Y 2
Condroz (Av. du) .... Z 3
Foulons (R. des) .... Z 6
Haut Chêne (R. du) .... Z 7
Hoyoux (Av. du) .... Z 9
Joseph-Lebeau (Av.) .... Y 10
Namur (Quai de) .... Z 13
Neuve (R.) .... Y
Pont (R. du) .... Z 15
Reine (R. de la) .... Z 16
Rôtisseurs (R. des) .... Z 18
St-Denis (Pl.) .... Z 19
St-Pierre (R.) .... Y
St-Séverin (Pl.) .... Z 21
Sous le Château (R.) .... Z 22
Verte (Pl.) .... Z 24
Vieux Pont (R. du) .... Z 25

Li Cwerneu (Arabelle Meirlaen)

Grand'Place 2 – ✆ 0 85 25 55 55 – www.licwerneu.be – fermé dimanche et lundi
Rest – *(dîner seulement) (prévenir) (menu unique)* Z**a**
Menu 50/85 €

Spéc. Asperges de Hesbaye, avocat, crumble et fleurs de la cueillette. Saumon bio à l'aubergine et fenouil, chou vert à l'ail des ours et citron. Pigeonneau aux petits pois, mousserons et jus aux aromates.

◆ Cette vieille maisonnette se blottit contre l'hôtel de ville. Petite salle moderne éclairée design, cuisine féminine dite "intuitive", où plantes sauvages et produits fermiers se combinent avec audace. Patron expert en vins.

◆ Dit oude pandje ligt tegen het stadhuis. Kleine moderne eetzaal met designlampen. Vrouwelijke, "intuïtieve" kaart, met gedurfde combinaties van wilde planten en boerderijproducten. De eigenaar is een wijnkenner.

Le Sorgho Rouge

quai Dautrebande 1/01 – ✆ 0 85 21 41 88 – fermé mardi Z**n**
Rest – Menu 18/39 € – Carte 16/47 €

◆ Une table asiatique de confiance, au 1er étage d'un immeuble tourné vers la Meuse. Spécialités de diverses régions de Chine et bons menus tout en fraîcheur. Accueil gentil.

◆ Betrouwbaar Aziatisch restaurant op de eerste etage van een pand aan de Maas. Specialiteiten uit verschillende Chinese provincies en superverse menu's. Aardige bediening.

Les Caves Gourmandes

pl. Saint Séverin 5a – ✆ 0 85 21 26 23 – www.lescavesgourmandes.be – fermé 2 au 11 janvier, 11 au 29 juillet, mercredi et jeudi Z**b**

Rest – Lunch 19 € – Menu 29/58 € bc – Carte 40/51 €

◆ Cette cave est un peu cachée, ce qui fait d'ailleurs son charme. Surprise en entrant : l'ambiance est conviviale et animée ! Formé à bonne école, Christophe Durand propose une cuisine généreuse et soignée, où il impose son style.

◆ Hij ligt een beetje verborgen, de "cave" waar het attente zaalpersoneel u verwacht, maar daarin schuilt net de charme. In een gemoedelijke sfeer, met de stemmen van uw uitgelaten collega-bourgondiërs op de achtergrond, proeft u er de keuken van chef Christophe Durand: klassiek maar bijdetijds, gul maar verzorgd.

La Bouteille à la Mer

r. Rôtisseurs 4 – ✆ 0 85 23 60 02 – fermé première semaine de janvier, semaine de Pâques, 1 semaine en juillet, première semaine de novembre, dimanche et lundi Z**c**

Rest – Lunch 39 € – Menu 55/69 € – Carte 44/65 €

◆ L'adresse a récemment déménagé et en a profité pour élargir son horizon culinaire, puisque la viande s'invite désormais au menu. À ne pas manquer : vous pouvez choisir le vin vous-même à la cave !

◆ Met de verhuizing kwam ook een verruiming van de culinaire horizonten voor deze zaak: vanaf nu kunt u hier ook vlees eten. U kunt nog steeds zelf uw wijn kiezen in de kelder.

BELGIQUE

à Wanze par ⑤ : 4 km – 13 072 h. – ✉ 4520

Lucana

chaussée de Tirlemont 118 – ✆ 0 85 24 08 00 – www.lucana.be – fermé 3 dernières semaines de juillet, samedi midi, mardi et mercredi

Rest – Menu 35/65 € – Carte 44/54 €

◆ Ce restaurant italien est très plaisant ! Non seulement la cuisine, très actuelle, y est appétissante, mais la carte des vins est riche et bien ficelée. Et l'été, on paresse tranquillement sur la terrasse…

◆ Modern Italiaans restaurant met een flamboyante gastheer. Eigentijdse keuken en ruime selectie van goede wijnen. Interessante menukaart. Terras aan de achterkant.

Een klassering in het rood brengt de charme van het bedrijf naar voren 🏠 XXX.

IEPER (YPRES) – West-Vlaanderen – 533 C17 et 716 B3 – 34 962 h. – ✉ 8900 **18** B3

■ Bruxelles 125 – Brugge 52 – Kortrijk 32 – Dunkerque 48

ℹ Grote Markt 34, ✆ 0 57 23 92 20, www.ieper.be

⛳9 Albert Dehemlaan 24, ✆ 0 57 21 66 88

⛳18 Eekhofstraat 14, au Sud-Est : 7 km à Hollebeke, ✆ 0 57 20 04 36

◉ Halles aux draps★(Lakenhalle)ABX. Musée : In Flanders Fields Museum★★ABX**M**[4]

Ariane

Slachthuisstraat 58 – ✆ 0 57 21 82 18 – www.ariane.be – fermé 22 décembre-3 janvier AX**e**

58 ch – ♂103/174 € ♂♂129/189 € – ½ P 133 €

Rest – *(fermé samedi midi)* Lunch 15 € – Menu 41/70 € bc – Carte 41/54 €

◆ Modern hotelcomplex met een verzorgde tuin. Prima ontvangst, comfortabele kamers en aangename ontbijtruimte. Receptie met herinneringen aan de Eerste Wereldoorlog. Eigentijds restaurant met oranjerie en mooi terras met waterpartij.

◆ Ensemble moderne dissimulant un jardin soigné. Accueil de qualité, souvenirs de la Grande Guerre à la réception, chambres confortables et plaisant espace breakfast. Restaurant au goût du jour complété par une orangerie et une jolie terrasse avec pièce d'eau.

IEPER

Adj. Masscheleinlaan . . . . . BX 2
Arsenaalstr. . . . . AY 4
A. Stoffelstr. . . . . BX 5
A. Vandenpeereboompl. . . . AX 6
Bollingstr. . . . . BX 7
Boterstr. . . . . AX 8
de Montstr. . . . . AY 29
Diksmuidestr. . . . . BX
Grote Markt . . . . BX 9
G. de Stuersstr. . . . . AX
Hoge Wieltjesgracht . . . . . ABX 10
J. Capronstr. . . . . AX 12
J. Coomansstr. . . . . AX 13
J. Picanollaan . . . . BY 14
Kalfvaartstr. . . . . BX 15
Kanonweg . . . . BY 17
Kauwekijnstr. . . . . BX 18
Lange Torhoutstr. . . . . BX 22
Maarschalk Fochlaan . . . . . . AX 23
Maarschalk
Frenchlaan . . . . BX 24
Meensestr. . . . . BX 26
Meenseweg . . . . BX 27
Oude Houtmarktstr. . . . . . . BX 30
Patersstr. . . . . AX 31
Poperingseweg . . . . AX 32
Rijselsestr. . . . . BXY
Rijselseweg . . . . BY 33
Stationsstr. . . . . AXY 35
Surmont
de Volsbergestr. . . . . ABX 36
Tempelstr. . . . . AX 38
Wateringsstr. . . . . BY 40

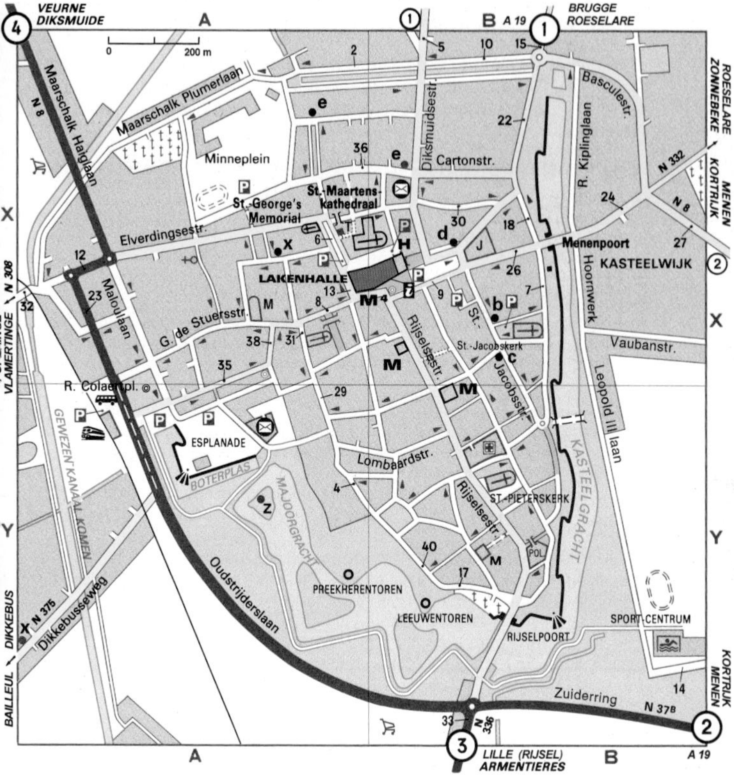

Novotel

Sint-Jacobsstraat 15 – ✆ 0 57 42 96 00 – www.novotel.com BX**b**

122 ch – †62/162 € ††62/162 €, ☕ 20 € – ½ P 87 €

Rest – Lunch 13 € – Menu 25/40 € bc

◆ Modern ketenhotel met functionele standaardkamers in een oud klooster. Grote hal, vergaderzalen, fitnessruimte en speciale aandacht voor gezinnen. Restaurant in moderne brasseriestijl.

◆ Cet hôtel de chaîne moderne, doté de chambres fonctionnelles standardisées, a remplacé un couvent. Vaste hall, salles de réunions, fitness et attentions pour les familles. Restaurant dans le genre brasserie moderne.

Albion sans rest

Sint-Jacobsstraat 28 – ✆ 0 57 20 02 20 – www.albionhotel.be – fermé 24 décembre-14 janvier BX**c**

23 ch ☕ – †88/98 € ††113/123 € – ½ P 19 €

◆ In dit fiere gebouw met trapgevel logeert u in grote kamers die er spic en span uitzien en te bereiken zijn met de lift of een mooie art-decotrap.

◆ Au cœur des remparts, cette grande bâtisse couronnée d'un pignon à redans abrite des chambres classiques bien tenues. Cage d'escalier Art déco.

Gasthof 't Zweerd

Grote Markt 2 – ☎ 0 57 20 04 75 – www.gasthof-tzweerd.be – fermé 2 dernières semaines de novembre BX**d**

17 ch – 65 € 75 € – ½ P 78 €

Rest – *(fermé mardi)* Lunch 12 € – Menu 65 € bc – Carte 20/67 €

◆ Deze traditionele herberg aan de Grote Markt is al sinds 1983 in handen van dezelfde familie. Nette, eenvoudige kamers. Klassiek ingericht restaurant met een koepel. Traditionele kaart en voordelige menu's. Kleine kaart in de taverne aan de voorkant.

◆ Chambres simples et nettes dans cette auberge de tradition, tenue en famille depuis 1983 face au Grote Markt. Carte traditionnelle et menus à bon prix proposés sous la coupole d'une salle classique. Petite restauration à la taverne établie sur le devant.

Charlotte's House sans rest

Sint-Jansstraat 14 – ☎ 0 477 33 91 83 – www.charlotteshouse.be AX**x**

3 ch – 70/80 € 75/85 €

◆ Dit oude pand op 500 m van de kathedraal werd in 2007 omgetoverd in een prettig B&B met een sobere, eigentijdse inrichting. Handig om van hieruit de "Kattenstad" te verkennen.

◆ À 500 m de la cathédrale, maison ancienne transformée, depuis 2007, en un plaisant "bed and breakfast" de style contemporain épuré. Commode pour découvrir la Cité des Chats.

BELGIQUE

Camalou sans rest

Dikkebusseweg 351 (Sud-Ouest : 5 km) – ☎ 0 57 20 43 42 – www.camalou.com – fermé 23 décembre-15 janvier et dimanche AY

4 ch – 58/64 € 74/80 €

◆ Charmante kamers, een goed onthaal en leuke toeristische tips staan u te wachten in dit 19de-eeuwse gebouw bij de vijvers van Dikkebus, halverwege Ieper en het Heuvelland.

◆ Chambres charmantes, bon accueil et conseils touristiques avisés dans cette bâtisse du 19e s. côtoyant les étangs de Dikkebus, à mi-chemin d'Ypres et des monts de Flandre.

Een goede maaltijd voor een schappelijke prijs? Zoek de Bib Gourmand.

De Vier Koningen

Dikkebusseweg 148 – ☎ 0 57 44 84 46 – www.devierkoningen.be – fermé 16 février-3 mars, mercredi et jeudi AY**x**

Rest – Lunch 18 € – Menu 33/65 € bc – Carte 39/64 €

◆ Sober en eigentijds restaurant in een fraai oud pand. Aparte loungebar, banquetingzaal en terras aan de achterkant. Het culinaire repertoire houdt de traditie in ere.

◆ Cadre actuel sobre et registre culinaire traditionnel pour cette table installée dans une belle demeure ancienne. Lounge-bar séparé, terrasse arrière et salle de banquets.

Pacific Eiland

Eiland 2 – ☎ 0 57 20 05 28 – www.pacificeiland.be – fermé 2 dernières semaines de février, dernière semaine d'octobre-première semaine de novembre, lundi soir et mardi AY**z**

Rest – Lunch 16 € – Menu 35/50 € – Carte env. 83 €

◆ Dit etablissement houdt de wacht op een van de vestingen die vroeger Ieper verdedigden. Gastronomisch restaurant en druk café met terras en speelweide aan het water (bootjes).

◆ Établissement retranché sur un ancien îlot défensif. Table gastronomique et taverne sympa à l'ambiance familiale. Terrasse près de l'eau, canotage, aire de jeux et promenades.

X **De Stoove**

Surmont de Volsbergestraat 12 – ☎ 0 479 22 92 33 – www.destoove.be – fermé troisième semaine de janvier, dernière semaine de juillet-2 premières semaines d'août, samedi midi, mardi soir et mercredi BX**e**

Rest – Lunch 19 € – Menu 49 € bc/55 € bc – Carte 35/57 €

◆ In dit gemoderniseerde oude pandje bij de Grote Markt worden eenvoudige klassiek-traditionele gerechten geserveerd. Kleine kaart zonder poespas, driegangenlunch en weekendmenu.

◆ Près du Grote Markt, une petite maison ancienne entièrement transformée. Cuisine très simple (salades, viande rouge) et menus le week-end.

à Elverdinge **Nord-Ouest : 5 km – C Ieper – ✉ 8906**

XXX **Hostellerie St-Nicolas** (Franky Vanderhaeghe)

✿✿ *Veurnseweg 532 (sur N 8) – ☎ 0 57 20 06 22 – www.hostellerie-stnicolas.com – fermé 2 au 10 janvier, 9 au 18 avril, 6 au 24 août, jours fériés soirs, dimanche, lundi et après 20 h 30*

Rest – Lunch 48 € bc – Menu 55/100 € – Carte 92/145 €

Spéc. Foie gras sublimé en trois façons. Préparations aux langoustines et Saint-Jacques (septembre-mai). Turbot grillé à la mousseline d'herbes.

◆ Restaurant met een creatieve klassieke keuken, waar alleen de beste producten op tafel komen. Eigentijds chique interieur en mooi terras aan de tuin met waterpartij. De geïnspireerde chef-kok doet de juiste concessies aan de nieuwe kooktechnieken.

◆ Délices classico-créatifs où n'entrent que les meilleurs produits, intérieur actuel chic et belle terrasse d'été face au jardin agrémenté d'une longue pièce d'eau moderne. Le chef, bien inspiré, sacrifie juste ce qu'il faut aux nouvelles techniques culinaires.

Nicolas

Veurnseweg 510 (sur N 8) – www.hotel-nicolas.com – fermé 2 au 10 janvier, 9 au 18 avril, 6 au 24 août, dimanche et lundi

4 ch – †90/150 € ††110/170 €, ☕ 18 €

◆ Verzorgde kamers in een moderne, strak ingerichte villa op een steenworp van het restaurant.

◆ Chambres soignées dans une villa moderne à un jet de pierre du restaurant.

à Zillebeke **par ③ : 3 km – C Ieper – ✉ 8902**

XX **De Steenen Haene**

Komenseweg 21 – ☎ 0 57 20 54 86 – www.desteenenhaene.be – fermé 2 au 4 janvier, 20 februari-7 mars, 20 août-5 septembre, mardi et mercredi

Rest – Lunch 35 € bc – Menu 40/55 € – Carte 42/80 €

◆ In dit boerderijtje kunt u lekker met de hele familie eten in een gezellig rustiek interieur. Op houtskool geroosterd vlees in de eetzaal. Tuin met terras en speeltoestellen.

◆ Fermette typique où l'on ripaille agréablement en famille, dans un décor rustique chaleureux. Rôtissoire au feu de bois en salle. Terrasse d'été côté jardin et jeux d'enfants.

ITTRE (ITTER) – **Brabant Wallon** – **533** K19,, **534** K19 **et 716** F4 – **6 315 h.** **3** B3 – ✉ **1460**

Bruxelles 28 – Wavre 37 – Mons 46 – Nivelles 10

XX **Le Chabichou**

Grand'Place 3 – ☎ 0 67 56 02 11 – www.chabichou.be – fermé 24 décembre-1er janvier, 9 au 30 juillet, samedi midi, dimanche soir et lundi

Rest – Lunch 18 € – Menu 35/65 € bc – Carte 43/60 €

◆ On le sent, Philippe et Séverine Painblanc aiment partager leur amour de la gastronomie. Aux fourneaux, Philippe fait preuve d'un sens de l'invention maîtrisé et réfléchi. En salle, Séverine se montre aussi soucieuse des clients que son compagnon !

◆ Philippe en Severine Painblanc willen hun liefde voor fijn tafelen maar al te graag met u delen. Philippe kookt hedendaags en stelt u gerechten voor waar duidelijk over nagedacht is. Severine neemt de zaal voor haar rekening, en voelt zich daar duidelijk even thuis als haar echtgenoot achter het fornuis.

BELGIQUE

IVOZ-RAMET – Liège – **533** R19, **534** R19 et **716** J4 – voir à Liège, environs

IXELLES (ELSENE) – Bruxelles-Capitale – voir à Bruxelles

IZEGEM – West-Vlaanderen – 533 E17 et 716 C3 – 27 111 h. – ✉ 8870 19 C3

Bruxelles 103 – Brugge 36 – Kortrijk 13 – Roeselare 7

Parkhotel sans rest

Papestraat 3 – ☎ 0 51 33 78 20 – www.parkhotel-izegem.be
31 ch – †85/115 € ††95/125 €

◆ Designgebouw in een moderne wijk aan de rand van de stad. Openbare ruimten in eigentijdse stijl, net als de functionele kamers. Het hotel is prima onderhouden.

◆ Immeuble contemporain aux façades très design, dans un quartier un peu excentré. Chambres fonctionnelles à la décoration épurée.

La Durée (Angelo Rosseel)

Leenstraat 28 – ☎ 0 51 31 00 31 – www.laduree.be – fermé fin décembre-début janvier, 2 semaines vacances de Pâques, 2 premières semaines d'août, dimanche et lundi

Rest – Lunch 48 € bc – Menu 95 € bc/135 € bc – Carte 84/198 €

Spéc. Bouillabaisse de la Mer du Nord (été). Faisan fumé à la crème de pop corn, crispy cèpes et foie gras (automne). Tartelette chaude de chèvre, salade d'abricots et glace à la lavande et lait d'amandes (printemps-été).

◆ Een culinaire tempel in een mooi gerenoveerde villa. Fijne en lichte keuken, waarin smaak, textuur en geur succesvol worden gecombineerd. Modern interieur in grijs en bruin, waar de charmante gastvrouw waakt over uw bestelling. Tuin met terras.

◆ Un temple de la gastronomie dans une villa joliment rénovée. Cuisine fine et légère, combinant saveurs, textures et parfums avec beaucoup de réussite. Cadre moderne dans les tons gris et brun, patronne charmante aux commandes, terrasse côté jardin.

Ter Weyngaerd

Burg. Vandenbogaerdelaan 32 – ☎ 0 51 30 95 41 – www.terweyngaerd.be – fermé 9 au 19 avril, 23 juillet-16 août, dimanche soir, lundi soir, mardi soir et mercredi

Rest – Lunch 26 € bc – Menu 30/68 € bc – Carte 46/60 €

◆ Dit oude herenhuis aan de rand van het centrum is in neoretrostijl opgeknapt. Suggesties, keuzemenu van de markt en gastronomisch menu. Gezellige ambiance. Tuin met terras.

◆ À l'approche du centre, maison de maître ancienne relookée dans le goût néo-rétro. Suggestions, menu-choix du marché et menu "gastro". Ambiance chaleureuse. Terrasse-jardin.

Retro

Meensestraat 159 – ☎ 0 51 30 03 06 – www.restaurantretro.be – fermé 5 au 12 février, 20 août-10 septembre, samedi midi, dimanche soir et lundi

Rest – Menu 24 € bc/75 € bc – Carte 50/67 €

◆ Verzorgde klassieke menu's in deze villa uit de jaren 1950 met veranda. 's Zomers is het fijn tafelen aan de rand van het water in de tuin. Eetzalen met Lloyd Loom-meubilair.

◆ Soigneux menus de base classique dans cette villa "fifties" dont la véranda ouvre sur un jardin où l'on mange en été au bord d'une pièce d'eau. Salles meublées en Lloyd Loom.

De Smaak

Gentsestraat 27 – ☎ 0 51 32 14 75 – www.desmaak.be – fermé dernière semaine de juillet-2 premières semaines d'août, fin décembre-début janvier, jours fériés soirs, samedi midi, mardi soir et mercredi

Rest – Lunch 20 € – Menu 43/55 € – Carte 45/57 €

◆ Dit restaurant is gevestigd in een statig huis in het centrum. Licht en strak interieur. Open keuken met eigentijdse gerechten.

◆ Dans cette maison de maître du centre-ville, tout est une affaire de goût : goût pour l'épure dans la décoration et pour une cuisine tendance utilisant des produits simples (lapin, poisson…).

Villared

Leenstraat 51 – ✆ 0 51 30 38 58 – www.villared.be – fermé 2 premières semaines d'août, vacances de Noël, mercredi soir, samedi midi et dimanche
Rest – Lunch 25 € bc – Menu 35/65 € bc – Carte 39/57 €

◆ Charmante ontvangst, heerlijk en betaalbaar menu en een trendy inrichting met originele verlichting. Deze moderne villa van rode baksteen hoort absoluut op uw lijstje met favoriete smuladresjes!

◆ Accueil féminin charmant, délicieux menu tarifé avec retenue et cadre "trendy" originalement éclairé : cette villa moderne en briques rouges mérite de figurer dans votre carnet d'adresses gourmandes !

JABBEKE – West-Vlaanderen – 533 D15 et 716 C2 – 13 624 h. – ✉ 8490 — 19 C1

Bruxelles 102 – Brugge 13 – Kortrijk 57 – Oostende 17

Musée : Permeke★(Provinciaal Museum Constant Permeke)

à Stalhille Nord : 3 km – Ⓒ Jabbeke – ✉ 8490

De Waterkant sans rest

Vaartdijk Noord 13 – ✆ 0 50 67 38 49 – www.dewaterkantjabbeke.be
3 ch – 85/100 € 85/100 €

◆ Dit mooie B&B met veel kunst (Cobra) ligt tussen twee kanalen. Pico bello kamers, oranjerie in retrostijl en terras met fontein. Paardrijden mogelijk.

◆ Près d'un canal, une maison d'hôtes pleine de charme… Chambres agréables, décorées de peintures du 20e s. (Botero, mouvement Cobra), orangerie rétro et terrasse agrémentée d'un bassin. Équitation sur demande.

JALHAY – Liège – 533 U19, 534 U19 et 716 K4 – 8 189 h. – ✉ 4845 — 9 C2

Bruxelles 130 – Liège 40 – Eupen 12 – Spa 13

Le Vinâve

Solwaster 90 (sortie ⑨ sur E 19, Est : 4 km, lieu-dit Solwaster) – ✆ 0 87 47 48 69 – www.levinave.be – fermé décembre-janvier sauf week-end, première semaine de septembre, lundi midi et mercredi en février-mars, lundi soir et mardi
Rest – Menu 25/33 € – Carte 28/47 €

◆ La mission que s'est donnée Chantal Fransolet : faire partager sa passion pour la région et ses délicieux produits. Lorsque vous aurez goûté à ses savantes préparations, vous ne pourrez que lui donner raison !

◆ Vrouw des huizes Chantal Fransolet is een vrouw met een missie: de passie voor haar streek en de heerlijke producten die er te vinden zijn, delen met haar gasten. Wie haar vakkundig bereide gerechten proeft, kan niet anders dan besluiten: mission accomplished!

JAMBES – Namur – 533 O20, 534 O20 et 716 H4 – voir à Namur

JODOIGNE (GELDENAKEN) – Brabant Wallon – 533 O18 et 716 H3 – 12 978 h. – ✉ 1370 — 4 D2

Bruxelles 54 – Wavre 31 – Charleroi 52 – Hasselt 50

Aux petits oignons

chaussée de Tirlemont 260 – ✆ 0 10 76 00 78 – www.auxpetitsoignons.be – fermé 3 premières semaines de janvier, 1 semaine en septembre, samedi midi, mardi soir et mercredi
Rest – Lunch 19 € – Menu 32/45 € – Carte 51/63 €

◆ "Aux petits oignons" : une expression qui colle bien à ce jeune resto gentiment tenu en couple, même si la fameuse plante potagère n'y est pas mise à toutes les sauces ! Bons menus à prix rikiki, décor actuel en deux coups de cuiller à pot, terrasse sympa.

◆ 'Aux petits oignons' (piekfijn) is een goedgekozen naam voor dit jonge restaurant dat door een vriendelijk stel wordt gerund. Seizoengebonden Franse keuken, lekkere menu's voor een zacht prijsje, hedendaags interieur en aangenaam terras.

BELGIQUE

X **Schun Ming**

chaussée de Hannut 8 – ✆ 0 10 88 17 28
– fermé lundis non fériés
Rest – *(ouvert jusqu'à 23 h)* Menu 18/48 € – Carte 17/50 €

◆ Un restaurant chinois authentique, décoré de lampions et dont le personnel vous accueille en tenue traditionnelle. Large choix de menus.

◆ Authentiek Chinees restaurant op de hoek van een drukke straat. Plafond met lampions en personeel in oosterse kledij. Overvloed aan menu's.

à Mélin (Malen) **Nord-Ouest : 5 km – C Jodoigne – ✉ 1370**

XXX **La Villa du Hautsart**

r. Hussompont 29 – ✆ 0 10 81 40 10 – www.lavilladuhautsart.com
– fermé dimanche soir, lundi et mardi
Rest – Lunch 20 € – Menu 30/55 €

◆ Restaurant aménagé dans une ancienne ferme en pierres du pays isolée à la campagne. Repas au goût du jour dans un cadre classique modernisé. Menus particulièrement attrayants.

◆ Restaurant in een oude boerderij van steen uit de streek, afgelegen op het platteland. Eigentijdse keuken in een gemoderniseerd klassiek interieur. Zeer aantrekkelijke menu's.

à Piétrain (Petrem) **Est : 4 km – C Jodoigne – ✉ 1370**

XX **Le Damison**

r. Longue 167 (sortie 26 sur E 40, 1,5 km par N 279)
– ✆ 0 10 81 35 22 – www.ledamison.be
– fermé 20 au 30 septembre et lundis, mardis et mercredis non fériés
Rest – Lunch 22 € – Menu 39/50 € – Carte 46/55 €

◆ Passez le porche de cette jolie ferme du 13e s. située au cœur d'une vallée pittoresque ! Tables dans le jardin d'hiver et sous les arbres fruitiers aux beaux jours. Séduisants menus gastronomiques.

◆ Mooie boerderij uit de 13de eeuw midden in een schilderachtig dal. Tafels in de wintertuin en bij mooi weer onder de fruitbomen. Verleidelijke gastronomische menu's.

Il fait beau ? Savourez le plaisir de manger en terrasse :

JUPILLE – **Luxembourg** – **534** S21 – **voir à La Roche-en-Ardenne**

JUPILLE-SUR-MEUSE – **Liège** – **533** S19, **534** S19 **et 716** J4 – **voir à Liège, périphérie**

JUPRELLE – **Liège** – **C Oupeye 24 168 h.** – **533** S18 **et 716** J3 – **✉ 4450** **8** B1
Juprelle

Bruxelles 94 – Liège 19 – Namur 70 – Maastricht 38

XX **Ô de vie**

chaussée de Tongres 98 ✉ 4451 Voroux-lez-Liers
– ✆ 0 4 246 41 24 – www.odevie-restaurant.be
– fermé 12 au 26 juillet, samedi midi, dimanche et lundi
Rest – Menu 28/115 €

◆ Le chef, Olivier Massart, est fasciné par les techniques gastronomiques innovantes ; il vous fait partager sa passion futuriste à travers des créations culinaires raffinées. Côté décor, l'élégance contemporaine est également de mise.

◆ Chef Olivier Massart is gefascineerd door nieuwe technieken, deze futuristische toets vindt u dan ook in de verfijnde creaties terug. Ook het interieur is strak en bijdetijds.

KANNE - Limburg - Riemst 16 227 h. - **533** T18 et **716** K3 - ✉ 3770 11 C3

Bruxelles 118 - Hasselt 37 - Liège 30 - Maastricht 6

Limburgia

Op 't Broek 4 – 0 12 45 46 00 – www.hotellimburgia.be

19 ch – 70/75 € 90/95 € **Rest** – *(résidents seulement)*

◆ Dit hotel uit 1936 bij de grens met Nederland wordt al 3 generaties door dezelfde familie gerund en werd aan het einde van de 20ste eeuw gemoderniseerd. Frisse, nette kamers.

◆ Près de la frontière belgo-néerlandaise, hôtel créé en 1936 et modernisé à la fin du 20ᵉs. Chambres fraîches et nettes ; accueil par la même famille depuis trois générations.

Huize Poswick sans rest

Muizenberg 7 – 0 12 45 71 27 – www.hotelposwick.be

6 ch – 125 € 145 €, 13 €

◆ Oud kloostergebouw in een mooi dorp aan de grens. Nostalgisch ingerichte kamers, binnenplaats met terras en verzorgde tuin.

◆ Dans un joli village frontalier, bâtisse séculaire à vocation autrefois monastique, abritant aujourd'hui des chambres au décor nostalgique. Cour-terrasse et jardin soigné.

KAPELLEN - Antwerpen - **533** L15 et **716** G2 - voir à Antwerpen, environs

KASTERLEE - Antwerpen - **533** O15 et **716** H2 - 18 136 h. - ✉ 2460 2 C2

Bruxelles 77 - Antwerpen 49 - Hasselt 47 - Turnhout 9

Markt 13, 0 14 84 85 19, www.toerisme-kasterlee.be

De Watermolen

Houtum 61 (par Geelsebaan) – 0 14 85 23 74 – www.watermolen.be – fermé 26 december-13 janvier et 20 août-8 septembre

18 ch – 99/165 € 105/170 €, 17 € – ½ P 129 €

Rest *De Watermolen* Rest *Brasserie De Brustele* – voir la sélection des restaurants

◆ Oude watermolen aan een lieflijk riviertje. Onberispelijke kamers, verzorgde tuin, rustige en luxueuze ambiance, geschikt voor management meetings.

◆ Ancien moulin au bord d'une une rivière charmante. Chambres sans reproche, jardin soigné, ambiance calme et cossue propice aux petits séminaires managériaux.

Den en Heuvel

Geelsebaan 72 – 0 14 85 04 97 – www.denenheuvel.be – fermé 1er janvier

24 ch – 65/95 € 85/110 €, 15 € – ½ P 99 €

Rest *Den en Heuvel* – voir la sélection des restaurants

◆ Comfortabel gebouw, zowel geschikt voor toeristen als voor zakenmensen, die hier over uitstekende faciliteiten beschikken. Gunstig gelegen in de Antwerpse Kempen.

◆ Établissement confortable, convenant aussi bien aux touristes qu'à la clientèle d'affaires (cadre et prestations sont en effet parfaitement adaptés aux séminaires). Idéalement situé dans la Campine anversoise.

Noah

Lichtaartsebaan 51 – 0 14 21 10 46 – www.noahhotel.be

10 ch – 115 € 115 €, 15 € – ½ P 145 €

Rest – *(fermé mardi midi, samedi midi et lundi)* Lunch 19 € – Menu 30/49 € – Carte 40/62 €

◆ Ga aan boord van deze ark en beleef een heerlijke nachtrust in uw elegante kamer. Het hele hotel straalt een zengevoel uit en is prettig gelegen aan de rand van een bos. In de wijnbar wordt een ruime selectie wijnen per glas geserveerd.

◆ Embarquez sur cette arche et partez pour une nuit agréable… Les chambres sont élégantes et inspirent un vrai sentiment de quiétude. La situation de l'établissement, à l'orée du bois, n'y est pas pour rien. Joli choix de vins au verre au bar à vins.

XXX **De Watermolen** – Hôtel De Watermolen

Houtum 61 (par Geelsebaan) – ☏ 0 14 85 23 74
– www.watermolen.be – fermé 26 december-13 janvier et 20 août-8 septembre
Rest – Lunch 42 € – Menu 55/85 € – Carte 61/111 €

◆ Moderne lounge met gashaard, chique eetzaal met ronde tafels en grote ramen die uitkomen op een tuinterras. De dynamische chef-kok combineert traditie met vernieuwing.

◆ Lounge moderne avec feu au gaz, salle chic aux tables rondes espacées et aux grandes baies ouvrant sur la terrasse-jardin, chef dynamique conciliant tradition et évolution.

XX **Potiron**

Geelsebaan 73 – ☏ 0 14 85 04 25 – www.potiron.be
– fermé 15 au 30 janvier, 15 au 30 juillet, samedi midi, mercredi et jeudi
Rest – Lunch 25 € – Menu 35/40 € – Carte 39/56 €

◆ Het ambitieuze koppel achter deze zaak gaat voluit voor vakmanschap, en dat proeft u. Het ijs smaakt er artisanaal, de zalm huisgerookt en in de groenten proeft u de liefde waarmee ze geteeld werden in de eigen groententuin.

◆ Aux commandes du Potiron ? Un couple soucieux de bien faire et témoignant d'un vrai savoir-faire. La glace est artisanale, le saumon est fumé sur place et les légumes sont cultivés avec amour dans le potager !

XX **Helsen**

Pastorijstraat 29 – ☏ 0 14 72 92 02 – www.restauranthelsen.be
– fermé 1 semaine de carnaval, samedi midi, dimanche, lundi et jours fériés
Rest – Lunch 30 € – Menu 44/62 € – Carte 54/90 €

◆ Dankzij Helsen heeft het pompoendorp Kasterlee fijnproevers nu nog meer te bieden. Met een amuse van tartaar van makreel met groene appel, radijs en jonge scheuten bekent de chef meteen kleur: zijn keuken is er een van creativiteit, versheid en veel garnituur. Ook de prijs is om van te watertanden.

◆ Une bonne occasion de s'arrêter à Kasterlee, village de la citrouille. Un tartare de maquereau, pomme verte, radis et jeunes pousses donne le ton d'emblée : la cuisine est pleine de créativité et de fraîcheur. Les prix, eux aussi, sont alléchants !

XX **Brasserie De Brustele** – Hôtel De Watermolen

Houtum 61 (par Geelsebaan) – ☏ 0 14 85 23 74
– www.watermolen.be – fermé 26 december-13 janvier et 20 août-8 septembre
Rest – Menu 20/32 € – Carte 43/72 €

◆ Een snelle hap of gezellig tafelen: deze brasserie in het groen is voor allebei even geschikt. In de lounge kunt u terecht voor een glaasje of zoetigheid. Reserveren aanbevolen.

◆ Pour un en-cas rapide comme pour un repas plus festif, cette brasserie "au vert" est tout indiquée… Et pour un verre ou une petite douceur, on peut profiter du lounge. Réservation conseillée.

XX **Den en Heuvel** – Hôtel Den en Heuvel

Geelsebaan 72 – ☏ 0 14 85 04 97 – www.denenheuvel.be – fermé 1er janvier
Rest – Menu 40/60 € – Carte 49/75 €

◆ Een klassieke keuken, die u in het modern ingerichte restaurant of in de brasserie kunt proeven. U vindt ook kreeft, in verschillende bereidingen, op het menu.

◆ Une cuisine classique, à déguster dans un cadre agréable et contemporain, ou côté brasserie. Au menu : thème et variations autour du homard, entre autres. De quoi mettre l'eau à la bouche…

X **Louis**

Lichtaartsebaan 48 – ☏ 0 14 23 05 55 – www.restolouis.be – fermé dernière semaine de décembre-première semaine de janvier, 3 semaines vacances bâtiment, dimanche et lundi
Rest – Lunch 28 € – Menu 43 € – Carte 50/60 €

◆ Uit eten gaan moet plezant zijn, daar zijn ze bij Louis van overtuigd. Hier geen stijve bedoening, maar een losse sfeer en een frisse kijk op de klassieke keuken.

◆ Une sortie au restaurant doit avant tout rester un plaisir. L'équipe du Louis l'a bien compris, en alliant ambiance décontractée et nouveau regard sur la cuisine.

à Lichtaart Sud-Ouest : 6 km – 🄲 Kasterlee – ✉ 2460

XXX **De Pastorie** (Carl Wens) avec ch
✿ *Plaats 2 – ✆ 0 14 55 77 86 – www.restaurantdepastorie.be – fermé fin décembre-début janvier, vacances de Pâques et 2 dernières semaines d'août*
4 ch – †122 € ††122 €, ☕ 16 €
Rest – *(fermé dimanche soir, lundi et mardi)* Lunch 43 € – Menu 79/85 € – Carte 86/112 €
Spéc. Filet de bœuf à l'oxtail et croquette de la queue aux truffes. Homard de l'Escaut à la marinade de légumes aigre-doux. Chevreuil au textures de rhubarbe (automne-hiver).
◆ Oude pastorie met terras en een schitterende tuin. Vernieuwende gerechten, hemels bereid, net als de inrichting (Louis XV-stoelen en religieuze kunst). Tegenover het restaurant staat Résidence Glorius met twee prachtige vierkamerappartementen in moderne stijl.
◆ Ancien presbytère et sa terrasse donnant sur un jardin magnifique. Cuisine évolutive dîvinement réalisée, à l'image de la déco (sièges Louis XV, art sacré). Face au restaurant, la résidence Glorius abrite deux superbes appartements modernes contenant chacun quatre chambres.

KEERBERGEN – Vlaams Brabant – **533** M16 et **716** G2 – **12 643 h.** – ✉ **3140** 4 C1

▶ Bruxelles 34 – Leuven 20 – Antwerpen 36
⛳18 Vlieghavenlaan 50, ✆ 0 15 22 68 78

XXX **The Paddock**
R. Lambertslaan 4 – ✆ 0 15 51 19 34 – www.thepaddock-keerbergen.be – fermé 13 février-7 mars, 16 juillet-8 août, jeudi midi de septembre à février, mardi et mercredi
Rest – Lunch 44 € – Menu 50/85 € – Carte 69/95 €
◆ In deze weelderige villa tussen het groen wacht u een klassieke maaltijd volgens het boekje. Bij mooi weer kunt u tafelen op het rustgevende terras bij het pijnbomenbos.
◆ L'agrément d'une villa cossue nichée dans un havre de verdure et d'une table d'un classicisme rigoureux. L'été, profitez du cadre reposant de la terrasse côté pinède.

XXX **Hof van Craynbergh**
Mechelsebaan 113 – ✆ 0 15 51 65 94 – www.hofvancraynbergh.be – fermé 9 juillet-2 août, 26 décembre-4 janvier, vacances scolaires sauf week-end, mercredi midi, samedi midi, dimanche soir, lundi et mardi
Rest – Menu 85 € bc/105 € bc – Carte 73/89 €
◆ Glooiende tuin op een heuvel, sfeervolle orangerie en terras, spontane ontvangst door de eigenaresse, huiselijke ambiance, vermaak voor de kleintjes en culinair genieten voor de groten!
◆ Une belle demeure sur la colline, agrémentée d'un délicieux jardin, d'une terrasse et d'une orangerie. Tout est fait pour que l'on se sente bien et de nombreuses activités – y compris culinaires – sont proposées aux enfants !

KEMMEL – West-Vlaanderen – 🄲 Heuvelland 8 004 h. – **533** B18 et **716** B3 – ✉ **8956** 18 B3

▶ Bruxelles 133 – Brugge 63 – Ieper 11 – Lille 33
ℹ Reningelststraat 11, ✆ 0 57 45 04 55, www.heuvelland.be

XXX **Hostellerie Kemmelberg** avec ch
Kemmelbergweg 34 – ✆ 0 57 45 21 60 – www.kemmelberg.be – fermé 2 janvier-9 février
16 ch ☕ – †72/120 € ††84/140 €
Rest – *(fermé dimanche soir, lundi et mardi)* Lunch 50 € bc – Menu 35/75 € – Carte 60/95 €
◆ Weelderig etablissement op de top van de Kemmelberg. Klassieke eetzaal met lambrisering, salon met schouw en panoramaterras. De keuken verraadt een vrouwelijke hand. Rustige, knusse kamers, waarvan acht met balkon en weids uitzicht.
◆ Établissement cossu juché sur le mont Kemmel. Fascinante vue flandrienne, cuisine féminine, salle classique parée de boiseries, salon-cheminée et terrasse-belvédère. Chambres paisibles et douillettes ; balcon panoramique pour 8 d'entre elles.

In de Zon

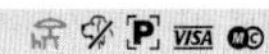

Dikkebusstraat 80, (Klijte) (Nord-Ouest : 3 km) ✉ 8952 Heuvelland – ☎ 0 57 21 26 26 – www.indezon.be – fermé samedi midi, lundi et mardi
Rest – Lunch 16 € – Menu 45/53 € bc – Carte 30/54 €

♦ Dit rustieke eettentje, waar vroeger veel wielrenners kwamen, heeft een kleine traditionele kaart met regionale invloeden. Terras met uitzicht op het platteland.

♦ Une petite carte traditionnelle-régionale s'emploie à combler votre faim dans cet estaminet rustique naguère très prisé des cyclistes. Terrasse tournée vers la campagne.

KLEINE-BROGEL – Limburg – 533 R15 et 716 J2 – voir à Peer

KLEMSKERKE – West-Vlaanderen – 533 D15 et 716 C2 – voir à De Haan

KLUISBERGEN – Oost-Vlaanderen – 533 G18 et 716 D3 – 6 436 h. – ✉ 9690 16 A3

Bruxelles 67 – Gent 39 – Kortrijk 24 – Valenciennes 75

BELGIQUE

Auberge l'Entrecôte

Pontstraat 39 – ☎ 0 55 20 80 69 – www.auberge-lentrecote.be
10 ch – 95/105 € 120/130 €
Rest – *(fermé vendredis midis, mardis, mercredis et jeudis non fériés)*
Carte 47/58 €

♦ De bronzen stier op het parkeerterrein verraadt het vorige beroep van de eigenaar, een voormalig vleeshandelaar. Nu houdt hij tien verschillende en gezellig ingerichte kamers. Alleraardigst tafelen met een kaart die uiteraard een ode brengt aan rundvlees.

♦ Avant de tenir cette auberge, le propriétaire était boucher : en témoigne son totem, un taureau en bronze. On se laisse attendrir par les chambres aux lits moelleux... La table est charmante et rend, bien évidemment, hommage à la viande de bœuf.

Deauville

Bloemenlaan 1, (Berchem) – ☎ 0 55 20 88 17 – www.restaurantdeauville.be – fermé 23 décembre-4 janvier, 1er au 17 avril, 22 juillet-7 août, *dimanche et lundi*
Rest – Lunch 23 € – Menu 35/84 € bc – Carte 58/80 €

♦ Een nieuwe chef en een nieuw geluid, of beter smaak in dit geval: in de keuken zet men nu koers richting creatieve gastronomie, op de wijnkaart springen vooral de bordeaux in het oog. Elegante setting. Interessante lunchformule.

♦ Un nouveau chef planche dans ce Deauville. Au programme : originalité et créativité, pour des plaisirs gastronomiques renouvelés. La carte des vins fait la part belle aux bordeaux. À noter : une intéressante formule déjeuner. Cadre élégant.

sur le Kluisberg (Mont de l'Enclus) **Sud : 4 km – Ⓒ Kluisbergen – ✉ 9690 Kluisbergen**

La Sablière

Bergstraat 40 – ☎ 0 55 38 95 64 – www.lasabliere.be – fermé 20 au 24 février, 20 au 31 août et décembre
14 ch – 100/120 € 130/150 € – ½ P 135/155 €
Rest ***La Sablière*** – voir la sélection des restaurants

♦ In dit aardige hotel boven op de Kluisberg wacht u een warm en vriendelijk onthaal. Kamers in verschillende categorieën die met zorg zijn ingericht.

♦ Cette hôtellerie familiale charmante, perchée au sommet du Mont-de-l'Enclus, vous réserve un accueil affable et spontané. Diverses catégories de chambres agencées avec soin.

XXX **La Sablière** - Hôtel La Sablière

Bergstraat 40 – ✆ 0 55 38 95 64 – www.lasabliere.be – fermé 20 au 24 février, 20 au 31 août, décembre, samedi midi, mardi midi et vendredi

Rest – Menu 66/94 € bc – Carte 38/76 €

◆ Het sierlijke interieur van restaurant La Sablière verwacht u voor een klassieke maaltijd. De vrouw des huizes staat zelf achter het fornuis. 18e-eeuwse wijnkelder.

◆ Un décor soigné, une cuisine classique : la Sablière cultive la tradition. C'est la maîtresse de maison qui dirige les fourneaux. Cave à vin datant du 18e s.

KNESSELARE - Oost-Vlaanderen - 533 F16 et 716 D2 - 8 164 h. 16 A2 - ✉ 9910

Bruxelles 83 – Gent 31 – Brugge 17 – Lille 79

Prélude sans rest

Knokseweg 23 (N 44) – ✆ 0 9 374 32 34 – www.hotelprelude.be

10 ch – †75 € ††95 €

◆ Dit hotelletje ligt niet ver van de weg van Brugge naar Gent. Kamers met modern comfort, heerlijk rustig bij het Drongengoedbos. Een goede uitvalsbasis om de streek te verkennen.

◆ Non loin de la route qui relie Bruges à Gand, un petit hôtel qui propose des chambres au confort moderne, bien au calme, près de la forêt Drongengoed. Une bonne base pour découvrir la région.

KNOKKE-HEIST - West-Vlaanderen - 533 E14 et 716 C1 - 33 825 h. 19 C1 - Station balnéaire★★★ - Casino AY , Zeedijk-Albertstrand 509 ✆ 0 50 63 05 00 - ✉ 8300

Bruxelles 108 – Brugge 18 – Gent 49 – Oostende 33

Zeedijk 660, ✆ 0 50 63 03 80, www.knokke-heist.info

Knokkestraat 22, ✆ 0 50 63 03 80

Caddiespad 14, à Het Zoute, ✆ 0 50 60 12 27

le Zwin★ EZ

Stadsplattegronden op volgende bladzijden

à Knokke - ✉ 8300 Knokke-Heist

Hôtel des Nations sans rest

Zeedijk 704 – ✆ 0 50 61 99 11 – www.hoteldesnations.be – ouvert 30 mars-14 novembre BY**f**

36 ch – †150/250 € ††150/250 € – 4 suites

◆ Modern hotel aan de dijk. Openbare ruimten in art deco, grote kamers (de meeste aan de strandzijde), mooie ontbijtruimte, beautycenter en vergaderzaal met zeezicht.

◆ Hôtel moderne tenu en famille face à la digue. Communs Art déco, grandes chambres souvent côté plage, bel espace breakfast, soins esthétiques, salle de réunion avec vue sur mer.

Van Bunnen sans rest

Van Bunnenlaan 50 – ✆ 0 50 62 93 63 – www.hotelvanbunnen.be BY**u**

18 ch – †88/119 € ††104/134 €

◆ Dit art-decopand is vanbinnen gerenoveerd. Goed onderhouden kamers en lichte ontbijtzaal. De ontvangst door de eigenaren verdient een pluim!

◆ Maison Art déco rajeunie au-dedans. Lumineuse salle des petits-déjeuners et chambres aussi bien tenues qu'entretenues. Mention spéciale pour l'accueil des propriétaires.

Adagio sans rest

Van Bunnenlaan 12 – ✆ 0 50 62 48 44 – www.hoteladagio.be BY**q**

20 ch – †70/145 € ††90/145 €

◆ Comfortabel hotel dat door twee vriendelijke en voorkomende zussen wordt gerund. Ruime kamers en ontbijt in de serre. Sauna en hamam. Garage.

◆ Un hôtel moderne, tenu par deux sœurs fort accueillantes. Bien situé, dans un quartier animé, il propose quelques chambres avec vue sur la mer. Copieux petit-déjeuner sous la véranda ; sauna et hammam.

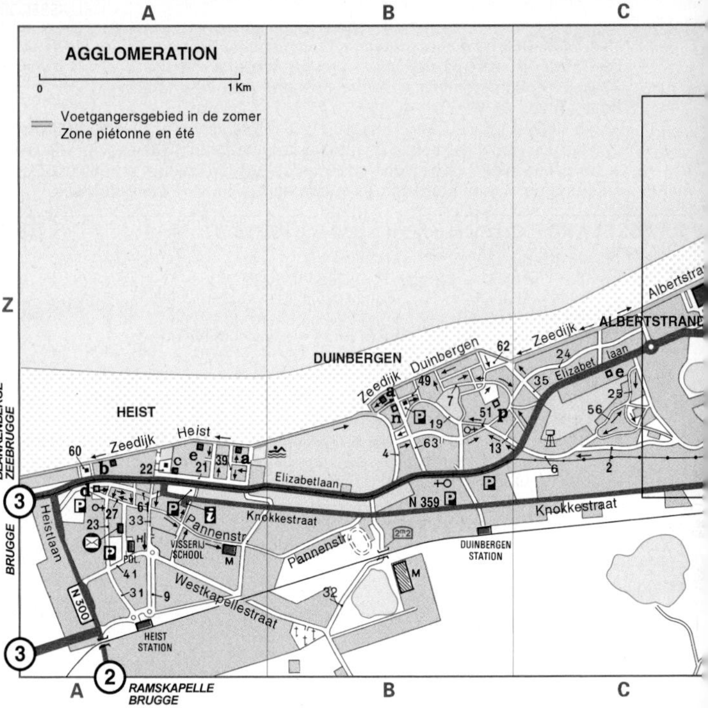

AGGLOMERATION

0 — 1 Km

Voetgangersgebied in de zomer
Zone piétonne en été

HEIST · DUINBERGEN · ALBERTSTRAND · BLANKENBERGE ZEEBRUGGE · BRUGGE · RAMSKAPELLE BRUGGE · HEIST STATION · DUINBERGEN STATION · VISSERIJ SCHOOL

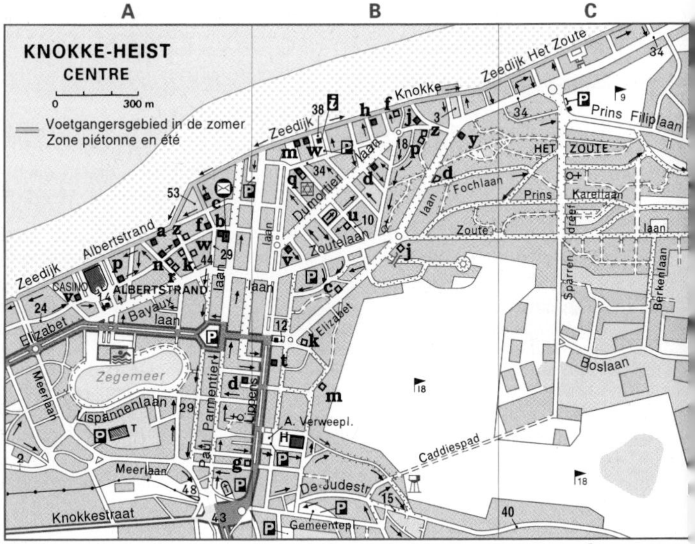

KNOKKE-HEIST CENTRE

0 — 300 m

Voetgangersgebied in de zomer
Zone piétonne en été

ALBERTSTRAND · HET ZOUTE · CASINO · Zegemeer · A. Verweepl.

BELGIQUE

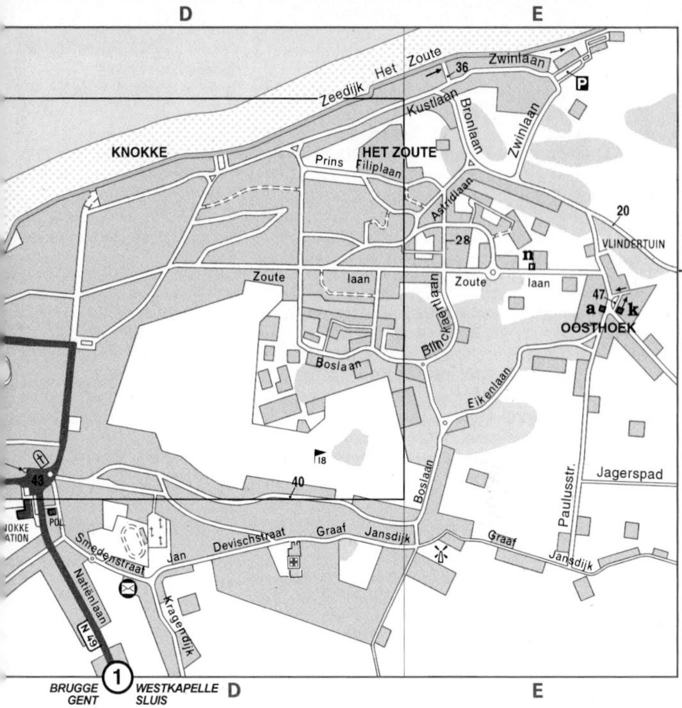

KNOKKE-HEIST

ˌcacialaan . . . . CZ 2
ˌlbertpl. . . . . BY 3
ˌnemonenlaan . . . . BZ 4
ˌrkadenlaan . . . . CZ 6
ˌergdreef . . . . BZ 7
ˌondgenotenlaan. . . . . AZ 9
ˌurgemeester Frans
Desmidtpl. . . . . BY 12
ˌanada Square . . . . AY 14
ˌharles de Costerlaan . . . . BY 15
ˌe Wandelaar. . . . . BZ 62
ˌriehoekspl. . . . . BY 18
ˌuinbergenlaan. . . . . BZ 19
ˌumortierlaan . . . . BY
Graaf Leon Lippensdreef . . EZ 20
Graaf d'Ursellaan . . . . AZ 21
Heldenpl. . . . . AZ 22
Hermans-Lybaertstr. . . . . . AZ 23
Jozef Nellenslaan . . . . CZ 24
Kapellaan . . . . CZ 25
Kerkstr. . . . . AZ 27
Konijnendreef . . . . EZ 28
Koningslaan. . . . . AY 29
Koudekerkelaan . . . . AZ 31
Krommedijk. . . . . BZ 32
Kursaalstr. . . . . AZ 33
Kustlaan . . . . BCY 34
Leeuwerikenlaan . . . . CZ 35
Lekkerbekhelling. . . . . EZ 36
Lichttorenpl. . . . . BY 38
Lippenslaan . . . . ABY
Louis Parentstr.. . . . . AZ 39
Magere Schorre . . . . DZ 40
Marktstr. . . . . AZ 41
Maurice
Lippenspl. . . . . AY 43
Meerminlaan. . . . . AY 44
Oosthoekpl. . . . . EZ 47
Pastoor Opdedrinckpl. . . . . AY 48
Patriottenstr. . . . . BZ 49
Poststr. . . . . BZ 51
Rubenspl. . . . . AY 53
Theresialaan . . . . CZ 56
Van Bunnenlaan . . . . BY 10
Van Cailliedreef . . . . BZ 13
Vissershuldepl. . . . . AZ 60
Vlamingstr. . . . . AZ 61
Zeegrasstr.. . . . . BZ 63

Prins Boudewijn sans rest

Lippenslaan 35 – ✆ 0 50 60 10 16
– www.hotelprinsboudewijn.com ABY**g**

50 ch ☕ – 🚹75/90 € 🚹🚹90/105 €

◆ Dit hotel aan de belangrijkste winkelstraat van Knokke bevindt zich niet ver van het station. Functionele kamers, die aan de voorkant (Lippenslaan) wat kleiner zijn dan achteraan.

◆ Pas loin de la gare, sur la grande avenue commerçante, chambres fonctionnelles en deux formats : un peu plus réduit dans la partie avant (Lippenslaan) que dans l'aile arrière.

La Croisette

Van Bunnenplein 24 – ✆ 0 50 61 28 39 – fermé fin janvier-début février, fin juin-début juillet, fin septembre-début octobre, lundi soir sauf en juillet-août, mardi et mercredi BY**q**

Rest – Lunch 25 € – Menu 35/45 €

◆ Achter de hemelsblauwe gevel surfen de menu's over de golven met een goede prijs-kwaliteitsverhouding. Warm en intiem interieur in oker-oranje tinten, kroonluchter, gashaard. Vriendelijk onthaal door de eigenaresse.

◆ Enseigne azuréenne où les menus surfent sur la vague du bon rapport qualité-prix. Chaleur et intimité dans la déco : teintes ocre-orange, lustre à pendeloques, cheminée à gaz... Accueil agréable de la patronne.

De Savoye

Dumortierlaan 18 – ✆ 0 50 62 23 61 – www.desavoye.be – fermé 2 dernières semaines de juin, 1er au 25 décembre, 31 décembre-1er janvier, mercredi soir sauf vacances scolaires et jeudi de Pâques à octobre BY**v**

Rest – Lunch 27 € – Menu 52/63 € – Carte 46/119 €

◆ Menu's op de stroom van de getijden en moderne inrichting met maritieme accenten, waaronder afbeeldingen van vissen. Kabeljauw, tarbot en paling zijn de specialiteiten van het huis.

◆ On célèbre ici les produits de la mer, aussi bien sur la carte que dans la décoration. Parmi les spécialités : homard, turbot sauce hollandaise ou anguilles au vert.

BELGIQUE

Escabèche

Dumortierlaan 94 – ✆ 0 50 60 76 50 – www.escabeche.be – fermé 1 semaine en mars, fin juin-début juillet, 2 dernières semaines de novembre, mardi et mercredi

Rest – Lunch 45 € bc – Carte 77/114 € BY**d**

◆ Dit restaurant, dat in 2008 opende, heeft beslist culinair potentieel. De vaste gasten zijn al overtuigd door de kleine aantrekkelijke kaart en de trendy, cosy sfeer.

◆ Petite carte attractive proposée dans une atmosphère "trendy-cosy" : cette table née en 2008 ne manque pas de potentiel gourmand et a déjà conquis sa clientèle d'habitués.

Panier d'Or

Zeedijk 659 – ✆ 0 50 60 31 89 – www.panierdor.com – fermé mi-novembre à mi-décembre et mardi sauf vacances scolaires BY**w**

Rest – Lunch 19 € – Menu 29 € – Carte 30/64 €

◆ Deze veteraan van de plaatselijke horeca is al ruim 50 jaar op de zeedijk gevestigd. Eetzaal en terras met zeezicht, maritieme ambiance, traditionele kaart.

◆ Un vétéran de la restauration locale, avec plus de 50 ans de présence sur la digue. Salle et terrasse braquées vers la mer, ambiance balnéaire, choix traditionnel.

Le Chardonnay

Swolfsstraat 7 – ✆ 0 50 62 04 39 – www.chardonnay.be – fermé fin novembre-mi-décembre et mercredi et jeudi d'octobre à Pâques BY**h**

Rest – Lunch 19 € – Menu 52 € bc/70 € bc – Carte env. 81 €

◆ Dit restaurantje staat al 20 jaar bekend om zijn hartelijkheid en zilte smaken. Mosselen en kreeft in het seizoen en daarbij natuurlijk een goede chardonnay!

◆ Petit resto connu depuis 20 ans pour sa cordialité et ses saveurs océanes. Patron au feu. Moules et homard en saison, à déguster naturellement en compagnie d'un bon chardonnay !

Bel-Étage

Guldenvliesstraat 13 – ✆ 0 50 62 77 33 – www.bel-etage.be – fermé dernière semaine de juin, 2 dernières semaines de novembre et mercredi

Rest – *(dîner seulement) (nombre de couverts limité, prévenir)* AY**d**

Menu 49/69 € – Carte 56/75 €

◆ Eigentijdse keuken in een intieme, cosy 'bel-etage' met een beperkt aantal couverts. De eigenaar kookt in het zicht op zijn Molteni en bedient ook. Voordelige wijnen. Ouderwets rooksalon.

◆ Cuisine du moment et intimité d'un "bel-étage" cosy, limité à 16 couverts. Le patron pianote à vue sur son Molteni et fait aussi le service. Vins à bons prix. Salon-fumoir rétro.

Le Tire Bouchon

Kustlaan 37 – ✆ 0 50 62 23 40
– fermé 2 dernières semaines de juin, 2 premières semaines de décembre, lundi soir d' octobre à avril, mardi soir et mercredi BY**j**

Rest – Lunch 18 € – Menu 30/35 € bc – Carte 35/69 €

◆ Eenvoud, dat kan smaken, daar hoeft u het echtpaar achter dit restaurant alvast niet van te overtuigen. Vol toewijding runnen ze met hun tweeën deze gezellige zaak, waar u lekker eet tegen een nog lekkerdere prijs. Dagvers is hier het motto: producten die zo smakelijk zijn dat ze ook in simpele bereidingen overtuigen.

◆ Saveur et simplicité seraient incompatibles ? Ce sympathique restaurant prouve assurément le contraire ! À sa tête, un couple de passionnés, obsédés par la fraîcheur des produits... révélés avec un maximum de naturel. Pourquoi faire compliqué quand c'est bon ?

l'Orchidée

Lippenslaan 130 – ✆ 0 50 62 38 84 – www.orchideethai.be
– fermé 5 novembre-5 décembre et mercredi AY**t**

Rest – *(dîner seulement sauf dimanche; ouvert jusqu'à minuit)* Menu 38/54 € bc – Carte 28/66 €

◆ Dit heerlijke adresje neemt u mee naar het Land van de Glimlach. Karakteristieke kaart met veel vis, Thaise eigenaresse achter de woks, goede wijnkelder, exotische inrichting.

◆ Délicieuse adresse vous emmenant au Pays du Sourire. Choix typique axé poissons, patronne thaïlandaise aux woks, jolies cuvées en cave, nouvelle déco d'un exotisme chaleureux.

Open Fire

Zeedijk 658 – ✆ 0 50 60 17 26 – www.openfire.be – fermé mardis non fériés hors saison et lundis non fériés sauf vacances scolaires BY**m**

Rest – Lunch 20 € – Menu 35/53 € – Carte 41/81 €

◆ Dat je met broederliefde mooie dingen kan bereiken, merkt u in deze vriendelijke moderne bistro. De broers Maes staan hier in voor een vriendelijke ontvangst, een interessant menu en klassieke gerechten zoals u ze aan de kust verwacht.

◆ L'amour fraternel peut produire des merveilles, vous le constaterez dans ce sympathique bistrot contemporain. Les frères Maes y assurent un accueil chaleureux, qui sied bien à la cuisine, naviguant entre tradition et… produits de la mer. Le menu est intéressant.

à Albertstrand – ✉ 8300 Knokke-Heist

Binnenhof sans rest

Jozef Nellenslaan 156 – ✆ 0 50 62 55 51 – www.binnenhof.be AY**n**

25 ch – †85/190 € ††95/200 €

◆ Gunstig gelegen hotel op 150 m van het strand. Kamers met een persoonlijke touch, vaak met balkon. Goed verzorgd ontbijt tot 12 uur. Orangerie, multimediazaal en rookruimte.

◆ Choisissez cet hôtel pour son emplacement résidentiel proche de la plage (150m), ses chambres personnalisées, souvent avec balcon, et son breakfast soigné assuré jusqu'à 12h. Orangerie, salle multimedia et espace fumeurs.

Atlanta

rest,

Jozef Nellenslaan 162 – ✆ 0 50 60 55 00 – www.atlantaknokke.be
– fermé 10 janvier-9 février AY**k**

33 ch – †77/95 € ††90/150 € – ½ P 73/98 €

Rest – *(fermé après 20 h)* Lunch 12 € – Menu 28/52 € bc

◆ Betrouwbaar adres voor een gezinsvakantie aan het strand. Moderne gemeenschappelijke ruimten, prettige kamers (sommige voor 5 pers.) en ontbijt tot een laat tijdstip. 's Avonds kunnen de hotelgasten genieten van de klassieke keuken.

◆ Hébergement fiable pour un séjour balnéaire familial. Communs modernes, chambres avenantes (certaines peuvent accueillir 5 personnes) et petit-déj' jusqu'à une heure tardive. Au dîner, choix classique adapté aux attentes de la clientèle résidente.

Parkhotel rest,

Elizabetlaan 204 ✉ 8301 – ☎ 0 50 60 09 01 – www.parkhotelknokke.be – fermé 3 janvier-11 février CZ**e**

14 ch – †95/120 € ††100/150 € – ½ P 128/153 €

Rest – *(fermé mercredi et jeudi) (dîner seulement jusqu'à 20 h)* Menu 28/44 € – Carte 43/55 €

◆ Familiebedrijf aan een doorgaande weg bij de zeedijk. Extra rust en ruimte in de kamers achter, maar ook uitzicht op het duingebied Park 58. Traditioneel eten in de sfeervolle eetzaal, serre of buiten. 's Middags bistrokaart.

◆ Hôtel tenu en famille au bord d'un axe passant, pas très loin de la digue. Supplément de calme et d'espace dans les chambres de l'arrière, mais aussi vue sur le Parc 58. Repas traditionnel dans une salle feutrée, côté véranda ou dehors. Carte bistro à midi.

Nelson's rest, rest,

Meerminlaan 36 – ☎ 0 50 60 68 10 – www.nelsonshotel.be – ouvert mars-septembre, vacances scolaires et week-ends AY**z**

63 ch – †50/135 € ††100/160 € – 6 suites – ½ P 75/160 €

Rest – *(fermé après 20 h)* Lunch 12 € – Menu 25/50 €

◆ Sinds 40 jaar ontvangt de familie u welwillend in dit hoekpand op twee minuten lopen van de zee. Lobby in maritieme stijl, eigentijdse kamers en gezinssuites.

◆ On vous reçoit en famille et avec le sourire depuis plusieurs décennies dans cet établissement du front de mer. Chambres doubles et suites familiales.

BELGIQUE

Lido rest,

Zwaluwenlaan 18 – ☎ 0 50 60 19 25 – www.lido-hotel.be AY**r**

38 ch – †55/105 € ††94/125 € – ½ P 70/120 €

Rest – *(dîner pour résidents seulement)*

◆ Hotel op 250 m van de eerste zandkastelen. Moderne lounge met schouw, functionele kamers (3 voor gezinnen), vergaderzalen, goed ontbijtbuffet en fietsen ter beschikking.

◆ À 250 m des premiers châteaux de sable. Salon-cheminée moderne, chambres fonctionnelles (3 familiales), salle de réunions, bon buffet matinal, terrasse et vélos à disposition.

Albert Plage sans rest

Meerminlaan 22 – ☎ 0 50 60 59 64 – www.hotelalbertplage.be – fermé 3 premières semaines de décembre AY**w**

16 ch – †55/125 € ††75/130 €

◆ Praktische uitvalsbasis voor de fans van het Albertstrand, in een rustige straat naar de dijk. Prima kamers voor een zacht prijsje, vooral in het laagseizoen. Gratis fietsen.

◆ Point de chute pratique pour les fans d'Albert-Plage, dans une rue paisible menant à la digue. Chambres pimpantes à prix souriant, surtout en basse saison. Vélos à emprunter.

Jardin Tropical (Christophe Van den Berghe)

Zwaluwenlaan 12 – ☎ 0 50 61 07 98 – www.jardintropical.be – fermé 2 semaines en mars, fin juin-début juillet, 2 semaines en octobre, mercredi soir sauf en juillet-août, mercredi midi et jeudi AY**n**

Rest – Lunch 39 € – Menu 68/92 € – Carte 86/120 €

Spéc. Pomme de terre aux crevettes grises épluchées main, beurre à l'échalote. Homard en cocotte, compote de tomates, scarmoza et tortellini. Cabillaud préparé selon la saison.

◆ Licht en chic restaurant met veranda. Modern-klassieke keuken met de smaak van de Noordzee, soms een tikje gewaagd. De stralende gastvrouw waakt charmant en met schwung over de eetzaal. Tapasformule bij de lunch.

◆ Restaurant-véranda lumineux et smart, où l'on se régale de préparations classico-évolutives aux parfums de Mer du Nord, parfois teintées d'audace. Patronne rayonnante veillant sur la salle avec peps et charme. Formule "tapas" au déjeuner.

XXX **Esmeralda**

Jozef Nellenslaan 161 – ✆ 0 50 60 33 66 – www.restaurantesmeralda.be – fermé 20 au 30 juin, 20 au 30 septembre, 20 décembre-20 janvier, lundi et mardi

Rest – Lunch 22 € – Menu 32/50 € – Carte 67/108 € AY**p**

◆ Al sinds 1975 een betrouwbaar adres. Grote klassieke keuze met veel vis. Dezelfde eersteklas basisproducten worden op verschillende manieren bereid. Genereuze keuken.

◆ Une adresse de confiance, depuis 1975. Grand choix classique à l'ancrage littoral. Mêmes produits de base triés sur le volet et cuisinés de diverses manières, avec générosité.

XXX **Cédric**

Koningslaan 230a – ✆ 0 50 60 77 95 – www.restaurant-cedric.be – fermé lundis et mardis non fériés AY**b**

Rest – Lunch 40 € bc – Menu 38/56 € bc – Carte 43/95 €

◆ Dit restaurant heeft een moderne achterzaal achter met een intieme ambiance en sfeerverlichting (spotjes, mooie kroonluchters) en een mooie serre aan de voorkant.

◆ Ambiance intime dans une arrière-salle confortablement installée, à la fois moderne et romantique (éclairage tamisé, lustres en cristal) ou dans la belle orangerie à l'avant.

XX **Lispanne**

Jozef Nellenslaan 201 – ✆ 0 50 60 05 93 – www.lispanne.be – fermé 16 janvier-2 février, 25 juin-5 juillet, 1er au 11 octobre, mardi et mercredi

Rest – Lunch 18 € – Menu 27/48 € bc – Carte 35/66 € AY**z**

◆ Gezelligheid en classicisme worden hier verenigd, zowel op de kaart als in het decor. Gillardeau-oesters en variaties rond Belgische asperges als specialiteiten.

◆ Un savant mélange de convivialité et de beau classicisme... dans le décor comme dans l'assiette ! Spécialités d'huîtres Gillardeau et variations autour de l'asperge belge.

XX **Bistro Christof**

Jozef Nellenslaan 229 – ✆ 0 50 62 25 61 – www.bistrochristof.be – fermé jeudi et vendredi AY**f**

Rest – Lunch 22 € – Menu 43/58 € – Carte 40/72 €

◆ Restaurantje met een gezellige, intieme bistrosfeer. Suggesties op een lei, meerkeuzelunch en viergangenmenu inclusief champagneaperitief.

◆ Ici règne une jolie ambiance de bistrot intime. Suggestions à l'ardoise et menus variés, dont un menu de quatre plats avec... champagne à l'apéritif.

XX **Il Trionfo**

Zeedijk 580, (Rubensplein) – ✆ 0 50 60 40 80 – www.iltrionfo.be – fermé dernière semaine de juin, dernière semaine de septembre, jeudi du 15 novembre à mars, mardi et mercredi AY**c**

Rest – Lunch 25 € – Menu 55/65 € – Carte 50/70 €

◆ Dit authentieke Italiaanse restaurant is een echte familiesage: mama en zoon 'al forno', papa en dochter 'nella sala'. À la carte of menu volgens het marktaanbod; wijnen per glas.

◆ Une table italienne authentique et une vraie histoire de famille : la mamma et le fils aux fourneaux, le père et la fille en salle ! Tous les grands classiques à la carte : carpaccio, raviolis aux truffes, osso buco...

XX **Les Flots Bleus**

Zeedijk 538 – ✆ 0 50 60 27 10 – www.lesflotsbleus.be – fermé 27 février-15 mars, 19 novembre-6 décembre, mardi sauf vacances scolaires et mercredi AY**a**

Rest – Lunch 27 € – Menu 44/54 € – Carte 40/85 €

◆ Dit restaurant op de zeedijk vernieuwt zijn kaart regelmatig, maar kabeljauw en kreeft uit het homarium ontbreken vrijwel nooit. Terras met uitzicht op de 'blauwe golven'.

◆ Ce resto de la digue recompose souvent sa carte, mais le cabillaud ne manque presque jamais à l'appel, ni d'ailleurs le homard, puisé au vivier. Vue sur les "flots" en terrasse.

XX **Olivier**

Jozef Nellenslaan 159 – ✆ 0 50 60 55 70 – fermé mercredi sauf en juillet-août
Rest – Lunch 26 € – Menu 37/52 € bc – Carte 41/55 € AY**v**

◆ Niet alleen zee en zand, maar ook gastronomie is een troef van Knokke. Olivier doet deze reputatie eer aan en bewijst dat onze klassiekers niet voor niets klassiekers zijn geworden. Populaire lunch en menu. Specialiteiten: kwartel en kreeft.

◆ Knokke, c'est le sable, la mer et... la gastronomie. Olivier justifie cette réputation en défendant les classiques avec beaucoup de conviction. Spécialités : caille et homard. La formule déjeuner et le menu sont très prisés.

à Duinbergen – C Knokke-Heist – ✉ 8301 Heist

Monterey sans rest

Bocheldreef 4 – ✆ 0 50 51 58 65 – www.monterey.be – fermé janvier-février sauf week-ends BZ**p**
8 ch – †85/100 € ††93/150 €

◆ Vriendelijke ontvangst, rust en polderuitzicht bepalen de sfeer van deze villa in de heuvels. Kamers met parketvloer, tuintje, serre en panoramaterras voor het ontbijt.

◆ Gentil accueil, calme et vue poldérienne font le charme de cette villa en hauteur. Jardinet, chambres toutes parquetées, serre et terrasse-belvédère pour vos breakfast d'été.

Hôtel Du Soleil rest,

Patriottenstraat 15 – ✆ 0 50 51 11 37 – www.hoteldusoleil.be – fermé 5 novembre-20 décembre BZ**n**
27 ch – †50/120 € ††70/160 € – 6 suites – ½ P 75/145 €
Rest – *(dîner seulement jusqu'à 20 h 30)* Menu 25/30 € – Carte 26/48 €

◆ Aardig strandhotel uit 1932, genre familiepension, dat sinds 1962 in handen is van dezelfde familie. Veel 3- en 4-persoonskamers. Speeltuin voor de allerkleinsten. Visrestaurant met open keuken en tuin, waar 's zomers kan worden getafeld.

◆ La famille Cosyn tient cet hôtel proche de la plage depuis des générations. Chambres simples, "comme à la maison" (quelques appartements). Aire de jeux pour les enfants. Repas basé sur la pêche du jour, avec les cuisines en point de mire, ou l'été au jardin.

XX **Sel Gris** (Frederik Deceuninck)

Zeedijk 314 – ✆ 0 50 51 49 37 – www.restaurantselgris.be – fermé 9 au 19 janvier, 14 au 29 mars, 27 juin-5 juillet, 8 au 25 octobre, mercredi et jeudi BZ**a**
Rest – Lunch 49 € bc – Menu 65/85 € – Carte 80/110 €
Spéc. Marbré de foie gras, petite roussette et pomme verte. Grosse gambas à la tomate-mozzarella et pâtes au basilic. Dame blanche "Sel Gris".

◆ Sober en modern restaurant aan de zeedijk, waar een jonge chef-kok pure en verfijnde gerechten bereidt. Bepaald exquise producten worden subtiel in verschillende bereidingen verwerkt. Mooi menu "Essentie en Smaken".

◆ En front de mer, un refuge gourmand sobre et moderne, où un jeune chef pratique une cuisine à la fois épurée et sophistiquée. Certaines recettes présentent plusieurs variations délicates autour d'un même produit d'excellence. Beau menu "Essence et Saveurs".

à Heist – C Knokke-Heist – ✉ 8301

XXX **Bartholomeus** (Bart Desmidt)

Zeedijk 267 – ✆ 0 50 51 75 76 – www.restaurantbartholomeus.be – fermé fin décembre-début janvier, 2 semaines en mars, 2 semaines en juin, 2 semaines en septembre, mardi, mercredi et jeudi AZ**e**
Rest – Lunch 35 € – Menu 61/127 € – Carte 79/186 €
Spéc. Tartare de bœuf Wagyu à l'huître, tomate et moutarde. Turbot aux haricots verts, soja et curry (printemps-été). Veau de lait à la cébette, marsala et citron.

◆ Schuif aan tafel bij de grote ramen langs de zeedijk en proef de creaties van Bart. Voor wie een overzicht van zijn kookkunst wil proeven is het feestmenu "Terre et Mer" een aanrader. Voorkomende gastvrouw, attente bediening en schitterende wijnkelder.

◆ Prenez place près des baies, le long de la digue, et partez à la rencontre des créations de Bart. Pour un délicieux aperçu de son savoir-faire, le menu festif "Terre et Mer" est à conseiller. Patronne prévenante à l'accueil, équipe de salle dévouée, superbe cave.

XX **De Waterlijn**

Zeedijk 173 – ✆ 0 50 51 35 28 – www.dewaterlijn.be – fermé jeudi soir, mardi, mercredi et après 20 h 30 AZ**b**

Rest – Lunch 21 € – Menu 39/68 € bc

◆ Leuk restaurant op de dijk, dat sinds 1976 in dezelfde handen is. Warm interieur, terras met zeezicht, modern-klassieke keuken en diner dansant op maandag.

◆ Adresse sympathique tenue en famille depuis 1976 sur la digue. Cadre chaleureux, terrasse face à la mer, choix classico-actuel et dîner dansant le lundi.

Residentie De Laurier

Vlamingstraat 45 – ✆ 0 50 51 10 51 – www.residentie-delaurier.be AZ**d**

18 ch – †95/165 € ††95/165 €

◆ Comfortabele kamers en juniorsuites in een bijgebouw op 500 m afstand van restaurant De Waterlijn (het hoofdgebouw), waar ook het ontbijt wordt geserveerd.

◆ Bonnes chambres et junior suites tout confort dans une annexe située à 500m du restaurant De Waterlijn (la maison-mère) où se passe aussi le service breakfast.

XX **Bristol**

Zeedijk 291 – ✆ 0 50 51 21 12 – www.brasseriebristol.be – fermé mercredi et jeudi

Rest – Carte 42/74 € AZ**a**

◆ Chique brasserie die in 1927 begon als hotel. De kaart heeft twee kanten: suggesties van het moment en standaardgerechten van de Belgische kust. Licht interieur in neoretrostijl.

◆ Brasserie sélecte dont l'origine remonte à 1927 : c'était alors un hôtel. Carte à deux volets : suggestions du moment et standards de la côte belge. Cadre néo-rétro bien clair.

BELGIQUE

X **Old Fisher**

Heldenplein 33 – ✆ 0 50 51 11 14 – www.oldfisher.be – fermé première semaine de juillet, 2 premières semaines d'octobre, mardi hors saison, jeudi en juillet-août et mercredi AZ**c**

Rest – Lunch 23 € – Menu 35/61 € – Carte 40/78 €

◆ Moderne, lichte eetzaal in maritieme stijl, waar het grote glas-in-loodraam met een afbeelding van een vis verwijst naar de aanlokkelijke kaart en menu's. Open keuken.

◆ Lumineuse salle de restaurant au décor moderne résolument maritime, ornée d'un grand vitrail montrant un poisson, ce qui n'est pas sans rapport avec le contenu de l'alléchante carte et des menus. Cuisine à vue.

à Ramskapelle par ② : 6 km – Ⓒ Knokke-Heist – ✉ 8301

Huyshoeve sans rest

Spelemanstraat 154 – ✆ 0 50 51 51 25 – www.huyshoeve.com

14 ch – †90/150 € ††100/150 €

◆ Een hoeve waar u zich dankzij het moderne comfort en de romantische sfeer meteen thuis voelt. Buiten de toeristische drukte, maar op een korte rit van de kust.

◆ On se sent chez soi dans cette ferme romantique qui a su se doter de tout le confort moderne. Une situation idéale, à l'écart de l'agitation touristique, et pourtant si proche de la côte.

XXX **'t Kantientje**

Ramskapellestraat 61 – ✆ 0 50 60 54 11 – www.kantientje.be – fermé 12 au 23 mars, 25 juin-7 juillet, 21 novembre-9 décembre, jeudi midi sauf vacances de Pâques et juillet-août, mardi et mercredi

Rest – Carte 41/80 €

◆ Na 20 jaar in Knokke is 't Kantientje nu opgedoken in dit kleine dorp bij de beroemde badplaats. Puur ambachtelijke, traditionele keuken. Dorpsterras.

◆ Après deux décennies gourmandes au cœur de Knokke, 't Kantientje refait surface dans cette petite bourgade proche de la station balnéaire. Cuisine "tradition", très artisanale. Terrasse villageoise.

à Westkapelle par ① : 3 km – 🄲 Knokke-Heist – ✉ 8300

XX **Charl's** avec ch

Kalvekeetdijk 137 – ✆ 0 50 60 80 23 – www.charls.be – fermé lundis non fériés sauf vacances scolaires et mardi
3 ch – 120/210 € 135/225 €
Rest – Lunch 16 € – Menu 29/37 €

◆ Deze grote villa is nu een moderne brasserie. Traditionele kaart, eetzalen met veranda, loungebar, banqueting en tuin met terras. Drie smaakvol ingerichte en comfortabele junior suites: Red Sea, Blue Ocean en Paradise Island.

◆ Grande villa réaménagée en brasserie moderne. Carte traditionnelle, salles à manger avec véranda, lounge-bar, terrasse au jardin et espace pour banquets. "Red Sea", "Blue Ocean", "Paradise Island" : trois junior suites tout confort, décorées avec raffinement.

à Het Zoute – ✉ 8300 Knokke-Heist

Manoir du Dragon sans rest

Albertlaan 73 – ✆ 0 50 63 05 80
– www.manoirdudragon.be – fermé 15 novembre-20 décembre BY**m**
10 ch – 250/260 € 250/300 € – 6 suites

◆ Chique en romantisch landhuis tussen het groen, naast een golfterrein. Kamers en suites met veel glamour, allen voorzien van balkon of terras. Royaal ontbijtbuffet en gedistingeerd onthaal.

◆ Atmosphère romantique, accueil distingué et théâtre de verdure pour ce manoir huppé contigu à un golf. Chambres et suites "glamour", toutes dotées d'un balcon ou d'une terrasse. Fastueux buffet matinal.

Lugano

Villapad 14 – ✆ 0 50 63 05 30 BY**p**
25 ch – 160/270 € 160/270 €
Rest – Carte 41/159 €

◆ Dit hotel op 200 m van het strand is al sinds 1939 in handen van dezelfde dynastie. Kamers van verschillende grootte en decor. Champagnes en tapas aan de bar. Tuin met terras. Intiem en gestileerd restaurant voor een klassieke lunch of romantisch diner.

◆ À 200 m du rivage, un lieu de séjour entre les mains de la même dynastie hôtelière depuis 1939. Chambres variant taille et déco. Champagnes et tapas au bar. Terrasse au jardin. Resto intime et stylé pour déjeuner classiquement ou dîner les yeux dans les yeux.

Britannia sans rest

Elizabetlaan 85 – ✆ 0 50 62 10 62 – www.hotelbritannia.be
– fermé 7 janvier-13 février et 15 novembre-22 décembre BY**c**
30 ch – 85/100 € 120/185 €

◆ Anglo-Normandisch badplaatshotel uit 1927 met een ouderwets cachet en Britse chic. Cosy lounge (schouw, bibliotheek), vergaderzalen en kamers met zithoek.

◆ Cet hôtel de 1927 au look balnéaire anglo-normand garde son cachet rétro et son chic "British". Lounge cosy (cheminée, bibliothèque), salle de réunion, chambres avec coin salon.

Golf

Zoutelaan 175 – ✆ 0 50 61 16 14 – www.golfhotelzoute.be EZ**n**
26 ch – 95/110 € 120/220 € – ½ P 95/145 €
Rest *Duc de Bourgogne* – voir la sélection des restaurants

◆ Hotel tussen de golfbaan en het Zwin. Rustige kamers met parket (5 voor gezinnen) en inrichting in cottagestijl van Flamant. Bij mooi weer ontbijt op het terras.

◆ Maison ouvrant sur un pré à chevaux, entre golf et Zwin. Calmes chambres parquetées (5 familiales), à la déco de style "cottage" signé Flamant. Breakfast d'été en terrasse.

Rose de Chopin sans rest

Elizabetlaan 94 – ✆ 0 50 63 05 30
– www.hotellugano.be BY**k**

9 ch – 205/300 € 205/300 €

Knusse villa in een woonwijk, handig gelegen op 50 m van een winkelstraat. De kamers zijn verschillend ingedeeld en hebben beneden een terras. Lekker ontbijtbuffet in de serre of buiten.

♦ Villa cosy aux chambres diversement agencées. Terrasse pour celles du bas. Bon buffet p'tit-déj' en véranda ou dehors. Secteur résidentiel, mais un axe commerçant à 50m : commode !

Les Arcades sans rest

Elizabetlaan 50 – ✆ 0 50 60 10 73 – www.hotellesarcades.be – fermé 28 janvier-15 février et 15 au 30 novembre BY**j**

10 ch – 100/180 € 140/180 €

Rustige badvilla die al 3 generaties van dezelfde familie zijn deuren opent voor gasten. Lounge, terras, goed onderhouden kamers, ontbijtbuffet met "à la minute" eierbereidingen. Kids welkom.

♦ Villa tranquille où la même famille vous reçoit gentiment depuis 3 générations. Salon, terrasse, chambres bien à jour, buffet matinal avec recettes d'œuf minute. Kids bienvenus.

De Oosthoek (Stefan Billiau)

Oosthoekplein 25 – ✆ 0 50 62 23 33 – www.deoosthoek.be – fermé 1 semaine en mars, 1 semaine fin juin, mi-novembre-début décembre, mardi et mercredi EZ**k**

Rest – Lunch 35 € – Menu 55/90 € – Carte 70/130 €

Spéc. Crabe royal aux jets de houblon à la truffe (février-avril). Anguille au jus d'épices et couscous (mai-juillet). Asperges et langoustine au jus d'agrumes (avril-mai).

Stijlvol modern interieur in een contrasterend spel van rood, zwart en wit, attente bediening, vernieuwende keuken en fraai opgemaakte borden. Het Paul Klein-menu verandert om de drie weken. Aantrekkelijke lunch.

♦ Élégant décor moderne jouant sur le contraste du rouge, du blanc et du noir, accueil et service soignés, séduisante cuisine novatrice et assiettes dressées avec un grand souci d'esthétisme. Menu "Paul Klein" revu toutes les trois semaines. Lunch attractif.

Aquilon

Elizabetlaan 6 – ✆ 0 50 60 12 74 – www.aquilon.be – fermé 2 dernières semaines de janvier-première semaine de février, 1 semaine en juin, 2 premières semaines de décembre, lundi soir de septembre à avril, mercredi sauf en juillet-août et mardi BY**y**

Rest – *(réservation conseillée)* Lunch 21 € – Menu 29/58 € – Carte 42/79 €

Sinds 1967 blijft alles in de familie in dit restaurant, van de ontvangst tot de bereiding van de spijzen. Lekkere klassieke Frans-Belgische menu's. Erg aangenaam interieur en beschut terras.

♦ Depuis 1967, tout se passe en famille dans ce restaurant, en salle comme aux fourneaux. La cuisine, classique, mêle spécialités françaises et belges. Cadre agréable, avec une terrasse abritée.

Le Bistro de la Mer

Oosthoekplein 2 – ✆ 0 50 62 86 98 – fermé 20 juin-7 juillet, 20 novembre-8 décembre, mardi et mercredi

Rest – Lunch 25 € – Carte 50/68 € EZ**a**

Twee eetzalen met parket en een warme, intieme ambiance. Roze geruite tafelkleedjes met bijpassende stoelen en bankjes. Traditionele keuken met een vleugje modern.

♦ Ambiance intime dans deux chaleureuses salles parquetées. Mise de table en vichy rose ; chaises et banquettes de même. Carte traditionnelle actualisée. Cuisinière au piano.

BELGIQUE

XX **Duc de Bourgogne** - Hôtel Golf

Zoutelaan 175 – ☎ 0 50 61 16 14 – www.golfhotelzoute.be – fermé janvier sauf week-end, mardi et mercredi EZ**n**

Rest – Lunch 25 € – Menu 35 € – Carte 44/78 €

◆ In een deftig kader in het chique Zoute smaakt kreeft, een van de specialiteiten van het huis, nog zo lekker. De kaart verraadt daarnaast ook een voorliefde van de chef voor vis. U kunt ook buiten van uw maaltijd genieten. Mooi keuzemenu.

◆ Dans ce cadre distingué, en plein quartier chic du Zoute, un produit noble comme le homard – la spécialité de la maison – est dans son élément ! La carte trahit également le penchant du chef pour le poisson. Menu attractif.

KOKSIJDE – West-Vlaanderen – 533 A16 et 716 A2 – 21 832 h. – Station balnéaire★ – ✉ 8670 **18** A2

Bruxelles 135 – Brugge 50 – Oostende 31 – Veurne 7

Musée : de l'Abbaye Ten Duinen 1138★AXY

XX **Ten Bogaerde** (lain Wittevrongel)

✿ *Ten Bogaerdelaan 10 (par ② : 3 km, en face de l'aéroport militaire) – ☎ 0 58 62 00 00 – www.tenbogaerde.be – fermé 2 semaines carnaval, 2 semaines en juin, 2 semaines en octobre, dimanche soir, lundi et mardi*

Rest – Lunch 29 € – Menu 37/62 € – Carte 54/94 €

Spéc. Langoustines poêlées, œuf en cocotte aux morilles et jus de cèpes. Turbot aux asperges des dunes et carottes. Chibouste au citron, meringue, jus de rhubarbe et sorbet fraise.

◆ Deze 12e-eeuwse kloosterboerderij tussen de akkers is nu een eigentijds restaurant in een historische setting. Ook op het bord vindt u zo een heerlijk harmonieus huwelijk: het klassieke repertoire wordt meesterlijk modern geïnterpreteerd. Mooi zomerterras.

◆ Parmi les champs, ferme abbatiale fondée au 12e s., souvent remaniée et convertie en table au cadre historico-contemporain. Côté assiette, le marriage est aussi tout-à-fait harmonieux: le répertoire classique est adapté magistralement d'une façon moderne. Belle terrasse d'été.

BELGIQUE

à Koksijde-Bad Nord : 1 km – Ⓒ Koksijde – ✉ 8670

Gemeentehuis Zeelaan 303, ☎ 0 58 51 29 10, www.koksijde.be

Casino

Maurice Blieckstraat 4 – ☎ 0 58 51 41 51 – www.casinohotel.be – fermé 9 janvier-9 février C**z**

40 ch – †77/170 € ††90/200 € – ½ P 70/125 €

Rest *Mozart* – voir la sélection des restaurants

◆ Als u in Casino verblijft, zal het u aan niets ontbreken. Dit centrale hotel is geschoeid op de leest van de moderne veeleisende gast, die wanneer het weer te wensen over laat het strand inruilt voor de wellness (te reserveren). Familiekamers.

◆ Tapis ! Si vous logez dans ce Casino, ne misez pas sur l'absence de confort... Rien n'y manque et, si le soleil joue à la roulette russe, vous pourrez échanger la plage contre l'espace bien-être (sur réservation). Quelques chambres familiales.

Apostroff sans rest

Lejeunelaan 38 – ☎ 0 58 52 06 09 – www.apostroff.be C**c**

47 ch – †78/127 € ††85/149 €

◆ Apostroff denkt aan iedereen: volwassenen vermaken zich in de lounge met biljart, de kinderen kunnen zich uitleven op de tafelspelen in de kelder. Ligweide, ontbijtterras, mooi zwembad met glazen overkapping en tuin. Bistro met kleine kaart.

◆ Bâtisse moderne et son extension vitrée abritant un lounge avec snooker. Grandes chambres, fitness, spa, belle piscine à verrière et jardin. Petite restauration au bistrot.

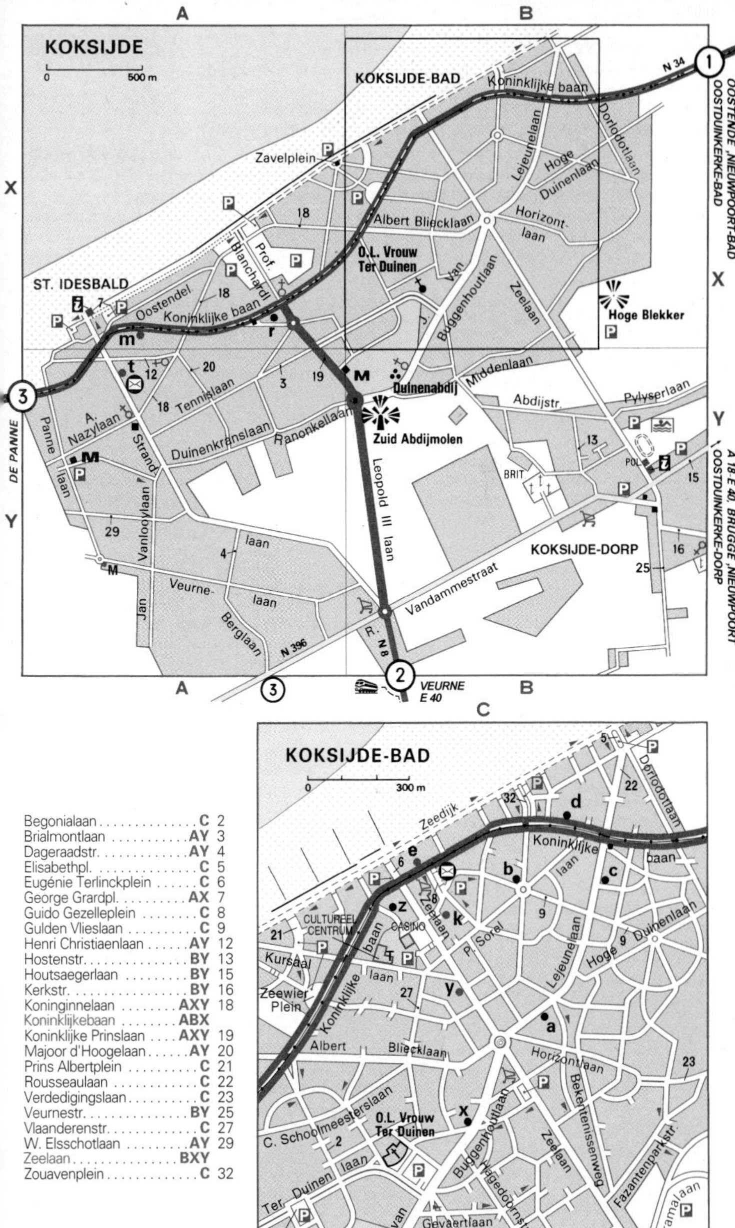
KOKSIJDE
0
500 m
KOKSIJDE-BAD
Koninklijke baan
N 34
OOSTENDE, NIEUWPOORT-BAD
OOSTDUINKERKE-BAD
Zavelplein
Lejeunelaan
Hoge Duinenlaan
Dorlodotlaan
Albert Bliecklaan
Horizontlaan
O.L. Vrouw
Ter Duinen
Prof. Blanchardl
ST. IDESBALD
Oostendel
Koninklijke baan
J. Van Buggenhoutlaan
Zeelaan
Hoge Blekker
Middenlaan
Duinenabdij
Abdijstr.
Pylyserlaan
Tennislaan
A. Nazylaan
Strand
Duinenkranslaan
Ranonkellaan
Zuid Abdijmolen
Leopold III laan
BRIT
POL.
A 18-E 40, BRUGGE, NIEUWPOORT
OOSTDUINKERKE-DORP
DE PANNE
Panne laan
Vanlooylaan
KOKSIJDE-DORP
Vandammestraat
Veurne-laan
Berglaan
Jan
R. N 8
N 396
VEURNE
E 40
KOKSIJDE-BAD
0
300 m
Zeedijk
Dorlodotlaan
Koninklijke baan
Zeelaan
CULTUREEL CENTRUM
CASINO
Kursaal
Zeewier Plein
P. Sorel
Lejeunelaan
Hoge Duinenlaan
Albert Bliecklaan
Horizontlaan
Bekenterissenweg
C. Schoolmeesterslaan
O.L. Vrouw
Ter Duinen
Ter Duinen laan
Buggenhoutlaan
Hagedoornstr.
Zeelaan
Fazantenparkstr.
Panoramalaan
Marktpl.
Jaak Van
Gevaertlaan

Carnac

Koninklijke Baan 62 – ✆ 0 58 51 27 63 – www.hotelcarnac.be – fermé 15 novembre-15 décembre Cd

12 ch – 80/90 € 85/95 € – ½ P 110/120 €

Rest – *(fermé mardi, mercredi et après 20 h 30)* Carte 33/55 €

◆ Ruime en lichte kamers, allen identiek, behalve de 4 junior suites voor gezinnen. Traditioneel-klassiek restaurant met een eigentijds interieur. Goed beschut terras aan de voorkant. Het hele jaar door kreeft uit het homarium.

◆ Chambres spacieuses et claires, identiquement agencées, à l'exception de quatre junior suites formatées pour les familles. Table classico-traditionnelle au cadre actuel, devancée par une terrasse urbaine protégée. Homards puisés au vivier toute l'année.

Rivella

rest,

Zouavenlaan 1 – ✆ 0 58 51 31 67 – www.hotelrivella.be – ouvert Pâques- fin septembre, week-ends et vacances scolaires Cb

27 ch – 72/82 € 83/100 € – ½ P 71/77 €

Rest – *(dîner pour résidents seulement)*

◆ Hotel met ronde gevel die de vorm van de rotonde waaraan het gelegen is, nabootst. Kamers op twee verdiepingen, lounge met schouw en verzorgde eetzaal. Goed onthaal door de charmante eigenares.

◆ Bon accueil de la charmante patronne en cet hôtel à façade incurvée épousant la forme du rond-point d'en face. Deux étages de chambres, salon-cheminée, salle à manger soignée.

BELGIQUE

Oxalis

Lejeunelaan 12 – ✆ 0 58 52 08 79 – www.hoteloxalis.be – fermé 5 au 25 janvier

9 ch – 89 € 120 € – ½ P 85/114 € Ca

Rest – *(fermé lundi) (dîner seulement sauf dimanche)* Menu 40 € – Carte 31/53 €

◆ Dit is meer dan een B&B, Oxalis is samen met annex Loxley een heus concept van gastvrije adresjes in cottagestijl in Koksijde-Bad. Voor het diner kunnen gasten bij Oxalis terecht, voor de lunch wordt u in de annex verwacht.

◆ Plus qu'un simple B&B, un vrai concept d'hébergement… d'esprit cottage ! On se sent un peu comme à la maison à l'Oxalis – et son annexe Loxley. Pour la convivialité, déjeuner dans une bâtisse et dîner dans l'autre.

Apropos

Jaak van Buggenhoutlaan 26 – ✆ 0 58 51 52 53 – www.aproposkoksijde.be – fermé mercredi soir et jeudi Cx

Rest – Lunch 20 € – Menu 55 € bc/80 € bc – Carte 45/68 €

◆ Villa uit de jaren 1930 om in een sfeervol, trendy interieur in eigentijdse stijl te tafelen, of bij mooi weer buiten (terrasmenu en maaltijdsalades in het zomerseizoen).

◆ Villa des années 1930 où l'on mange sur le mode contemporain dans un cadre "trendy-cosy" ou en plein air par beau temps (menu-terrasse et salades-repas disponibles en saison).

De Kelle

Zeelaan 265 – ✆ 0 58 51 18 55 – www.dekelle.be – fermé vacances carnaval, 22 juin-7 juillet, dimanche soir, lundi soir et mardi Cy

Rest – Lunch 27 € – Menu 60 € bc/95 € bc – Carte 52/92 €

◆ Leuk restaurant met een weelderige patio, waar de chef-kok zijn kruiden plukt. Als kind van de streek legt hij het accent natuurlijk op de zee, maar groenten worden niet vergeten.

◆ Resto sympa doté d'un joli patio inondé de verdure, où le chef cueille herbes et condiments. En digne enfant du pays, il favorise naturellement la marée, mais aussi les légumes.

Hoe kiezen tussen twee adressen van dezelfde categorie in een gemeente ? Weet dat in ieder categorie de bedrijven geranschikt zijn volgens voorkeur : de beste adressen eerst.

Villa Pinot Blanc

Mariastraat 2 – ✆ 0 58 51 53 10 – www.pinotblanc.be – fermé 13 au 24 juin, 28 novembre-10 décembre, dimanche soir, mardi et mercredi C**k**

Rest – Menu 38 € – Carte 55/65 €

◆ Cosy cottage met intieme inrichting, relaxte sfeer, rotanmeubelen en dagsuggesties op een leitje. 's Zomers wordt er onder de pergola of in de zuilengalerij geserveerd.

◆ Ardoise selon le marché, ambiance relax, cadre intime et confort rotin en ce "cosy cottage" rétro. L'été, réservez sous la pergola couverte de vigne ou à l'abri de la galerie.

De Huifkar

Koninklijke Baan 142 – ✆ 0 58 51 16 68 – www.restaurantdehuifkar.be – fermé 9 au 26 janvier, 25 juin-5 juillet, lundi soir et mardi soir du 15 novembre à Pâques, mercredi soir sauf vacances scolaires et jeudi C**e**

Rest – Lunch 9 € – Menu 32/55 € bc – Carte 33/62 €

◆ Visgerechten en ook enkele vleesschotels voor wie even genoeg heeft van de schatten van de zee. Sober, eigentijds interieur en levendige ambiance.

◆ Spécialités littorales et, pour les palais blasés des trésors de la mer, mets issus du plancher des vaches, à savourer dans un cadre actuel épuré et une ambiance vivante.

Mozart – Hôtel Casino

Maurice Blieckstraat 6 – ✆ 0 58 51 41 51 – www.mozart.be – fermé 9 janvier-9 février, lundi soir, mardi et mercredi C**z**

Rest – Menu 20/40 € – Carte 32/68 €

◆ Restaurant Mozart, dat is een symfonie van marktproducten waarin vis vaak een solo voor zijn rekening mag nemen. Het publiek is duidelijk enthousiast, deze bistro draait dan ook goed.

◆ Mozart, c'est une véritable symphonie de produits du marché – parmi lesquels le poisson chante de beaux solos. Le public applaudit à tout rompre : ce bistrot joue souvent à guichets fermés !

BELGIQUE

à Sint-Idesbald – C Koksijde – ✉ 8670 Koksijde

Zeedijk 26a, ✆ 0 58 51 39 99

Musée : Paul Delvaux★

Soll Cress rest, rest, ch,

Koninklijke Baan 225 – ✆ 0 58 51 23 32 – www.sollcress.be – fermé 9 au 19 janvier et 24 septembre-24 octobre AX**r**

43 ch – †65/80 € ††85/99 € – ½ P 91/106 €

Rest – *(fermé lundi soir et mardi soir sauf vacances scolaires, dimanche soir en hiver, mardi midi et après 20 h 30)* Lunch 15 € – Menu 25/50 € – Carte env. 42 €

◆ No stress in Soll Cress: hier komt u om onbezorgd te genieten met het hele gezin. Al sinds 1969 is dit pension in handen van dezelfde familie. Restaurant met een traditionele kaart, voordelige menu's en een ruime keuze aan whisky's.

◆ No stress au Soll Cress ! Depuis 1969, cette pension est tenue par la même famille, qui s'y connaît quand il s'agit d'accueillir parents et enfants. Côté restaurant, carte traditionnelle et grand choix de whiskys.

Oh

Koninklijke Baan 289 – ✆ 0 58 52 05 72 – www.oh-restaurant.be – fermé vacances de carnaval, 28 juin-8 juillet, mardis non fériés sauf vacances scolaires et lundi AX**m**

Rest – Lunch 35 € – Menu 50/115 € bc – Carte 59/83 €

◆ Een topadres aan onze Belgische kust! Gepocheerd ei met garnalen en crumble van aardpeer: de gerechten combineren het vertrouwde met het vernieuwende en bevatten het beste van wat de regio te bieden heeft. Vooral in de week zijn de menu's interessant geprijsd.

◆ Une adresse incontournable sur la côte belge ! Œuf poché aux crevettes ou crumble de topinambours : la cuisine allie valeurs sûres et inédits, tout en mettant en valeur ce que la région offre de meilleur. Les menus sont d'un rapport qualité-prix intéressant, surtout en semaine.

8chef

Strandlaan 266 – ✆ 0 473 98 53 27 – www.8chef.be – fermé vacances de carnaval, 1 semaine en juin, 1 semaine en septembre, lundi et mardi
Rest – *(dîner seulement , ouvert jusqu'à minuit) (prévenir)* AY**t**
Carte 20/38 €

◆ Geen typische tapa's bij 8chef, maar originele kleine bereidingen met een Belgische inslag en hier en daar kosmpolitische invloeden. Net als de keuken zorgt ook het interieur met z'n loungesfeer en loftstijl voor een originele, frisse manier van uit eten gaan.

◆ Au 8Chef, on déguste des tapas originales, entre tradition belge et saveurs cosmopolites. Le décor va bien à cette cuisine, avec son air de loft lounge... très international. Pour une sortie pas ordinaire, on dit : "Oui, chef !"

KONINGSHOOIKT – **Antwerpen** – **533** M16 **et 716** G2 – **voir à Lier**

KORBEEK-DIJLE – **Vlaams Brabant** – **533** M17 – **voir à Leuven**

KORTRIJK (COURTRAI) – West-Vlaanderen – 533 E18 et 716 C3 19 C3

– **74 911 h.** – ✉ **8500**

Bruxelles 90 – Brugge 51 – Gent 45 – Oostende 70

Begijnhofpark, ✆ 0 56 27 78 40, www.kortrijk.be

Hôtel de Ville (Stadhuis) : salle des Échevins★(Schepenzaal), ancienne salle du Conseil★(Oude Raadzaal)CZ**H** • Église Notre-Dame★(O.L. Vrouwekerk) : statue de Ste-Catherine★, Élévation de la Croix★DY • Béguinage★(Begijnhof)DZ. Musée : National du Lin et de la Dentelle★(Nationaal Vlas- , Kant- en Linnenmuseum)BX**M**

BELGIQUE

Stadsplattegronden op volgende bladzijden

Broel

Broelkaai 8 – ✆ 0 56 21 83 51 – www.sandton.EU DY**e**
70 ch – 120/160 € 120/160 €
Rest *Bistro* – voir la sélection des restaurants

◆ Luxehotel tegenover de Leie en de torens van Broel. Openbare ruimten met Bourgondische natuursteen, grote kamers, vergaderzalen, trendy loungebar, zwembad, fitness en sauna.

◆ Hôtel de luxe face à la Lys et aux tours du Broel. Communs en pierre de Bourgogne, grandes chambres, salles de réunions, lounge-bar trendy, jolie piscine, fitness et sauna.

Messeyne

Groeningestraat 17 – ✆ 0 56 21 21 66 – www.messeyne.com – fermé 22 décembre-2 janvier DY**t**
25 ch – 120/200 € 135/220 € – 3 suites
Rest *Messeyne* – voir la sélection des restaurants

◆ Dit sfeervolle hotel is gevestigd in een met zorg gerenoveerde patriciërswoning. Moderne inrichting met authentieke elementen, zoals het fraai bewerkte houtwerk in de lounge. Studios voor langer verblijf.

◆ Demeure patricienne transformée avec succès en un luxueux "boutique hotel". Vieilles poutres, riches boiseries et lustres de cristal cohabitent avec un mobilier contemporain minimaliste. Studios pour les longs séjours.

Parkhotel

Stationsplein 2 – ✆ 0 56 22 03 03 – www.parkhotel.be CZ**r**
98 ch – 93/129 € 93/129 €
Rest *Parkhotel* – voir la sélection des restaurants

◆ Wie comfortabel wil logeren, vlak bij het station, vindt in Parkhotel een goede thuis. Dankzij de relaxruimte vertrekt u de volgende dag weer vol energie.

◆ Devant la gare, un hôtel au cadre moderne, avec deux catégories de chambres, plus jeunes à l'annexe, mais un peu moins amples. Espace détente, coin kids et salles de réunions.

Street	Map square	No.
Aalbeeksesteenweg	ABV	2
Ambassadeur Baertlaan	BX	3
Baliestr.	AX	4
Beneluxlaan	BX	5
Burgemeester Gillonlaan	BX	8
Cannaertstr.	ABX	9
Deerlijksestr.	BV	10
Doornikserijksweg	BX	12
Doorniksesteenweg	BX	13
Elleboogstr.	BX	14
Gentsesteenweg	BV	16
Guido Gezellelaan	AV	17
Gullegemsesteenweg	AV	18
Gullegemsestr.	AV	20
Harelbeeksestr.	BV	21
Hellestr.	AX	22
Kloosterstr.	AX	24
Koning Leopold III laan	BV	25
Kortrijksesteenweg	BV	26
Kortrijksestr.	AV	28
Moorseelsestr.	AV	29
Oudenaardsesteenweg	BVX	32
Oude Ieperseweg	AV	30
President Kennedylaan	BX	33
Stasegemsesteenweg	BV	34
Torkonjestr.	AX	35

Damier sans rest

Grote Markt 41 – ✆ 0 56 22 15 47 – www.hoteldamier.be – fermé 23 décembre-2 janvier CZ**a**

49 ch ☕ – †99/210 € ††119/230 € – 1 suite – ½ P 119 €

◆ Een rococogevel (1769) met twee vergulde leeuwen markeert dit historische pand uit 1398. Kamers in verschillende stijlen. Moderne kunstexpo in de openbare ruimten.

◆ Hôtel cossu et chargé d'histoire (1398), repérable aux lions dorés ornant sa façade rococo (1769). Chambres de divers styles. Expo d'art moderne dans les parties communes.

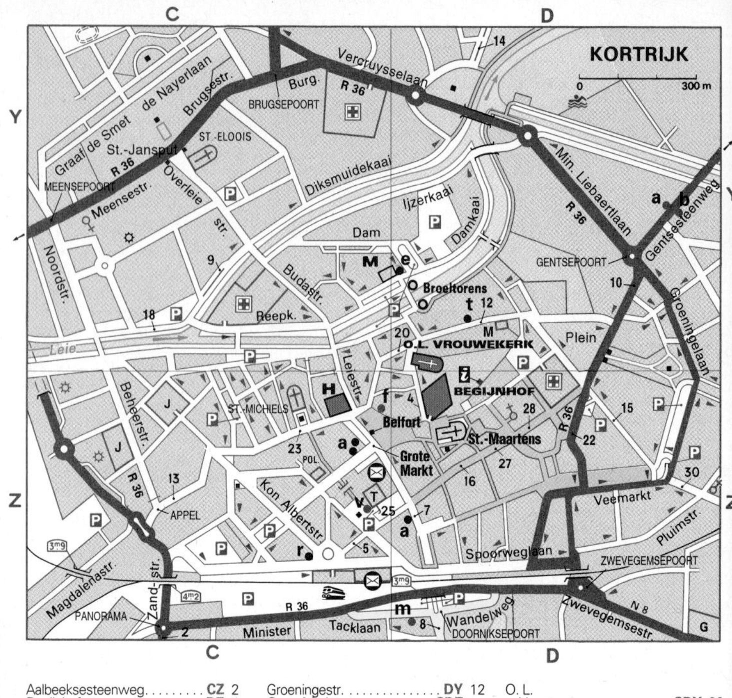

Center sans rest

Graanmarkt 6 – ✆ 0 56 21 97 21 – www.centerhotel.be
– fermé 24 décembre-1er janvier CZ**a**

28 ch – †65/90 € ††75/90 €, ☕ 12 €

◆ Aardig hotel in het centrum, te herkennen aan de groene gevel en gerund door een echtpaar. Moderne kamers in modekleuren, vooral de eenpersoons zijn heel trendy.

◆ Ce sympathique hôtel du centre, reconnaissable à sa façade verte, est exploité en couple. Chambres actuelles aux coloris du moment, singles au look très tendance.

Ibis sans rest

Doorniksestraat 26 – ✆ 0 56 25 79 75
– www.ibishotel.com DZ**a**

82 ch – †75/85 € ††75/85 €, ☕ 13 €

◆ Dit ketenhotel was vroeger een winkelcentrum en ligt centraal bij de schouwburg. Nieuwe kamers van verschillend formaat. Ontbijtbuffet.

◆ Un emplacement central à deux pas du théâtre pour cet hôtel de chaîne au passé de surface commerciale. Chambres neuves à géométrie variable. Buffet matinal en libre-service.

Une bonne table sans se ruiner ? Repérez les Bib Gourmand ☺.

Full House sans rest
Burgemeester Pyckestraat 35b – ✆ 0 56 21 00 59 – www.full-house.be
8 ch – 78/88 € 90/100 € BX**z**
◆ Alle kamers zijn ingericht rond het thema snoep: Bounty, Fruitella, Cuberdon, enz. in het hotel, of Chocotoff, Babelutte, Napoléon in het B&B 200 m verderop.
◆ Chambres décorées sur le thème de la confiserie, à choisir côté hôtel (Bounty, Fruitella, Cuberdon, etc.) ou bed & breakfast (Chocotoff, Babelutte, Napoléon), 200m plus loin.

St.-Christophe
Minister Tacklaan 5 – ✆ 0 56 20 03 37 – www.stcristophe.be – fermé dernière semaine de février, 2 premières semaines d'août, mardi soir, dimanche soir et lundi DZ**m**
Rest – Lunch 30 € – Menu 49 € bc/145 € bc – Carte 63/139 €
◆ Dit herenhuis heeft heel wat te bieden: creatieve keuken, toegewijd personeel, goed wijnadvies, klassiek interieur met eigentijdse accenten en mooie tuin met terras.
◆ Maison de maître vous conviant à un repas créatif dans trois pièces classiques (plafonds à caissons, ornements en stuc, lustres en cristal) ou sur la terrasse-jardin intime.

Messeyne – Hôtel Messeyne
Groeningestraat 17 – ✆ 0 56 21 21 66 – www.messeyne.com – fermé 22 décembre-2 janvier, 27 juillet-6 août, samedi midi et dimanche
Rest – Lunch 35 € – Menu 50/75 € bc – Carte 55/77 € DY**t**
◆ Chef Klaas Lauwers trekt met zijn hedendaags Franse keuken een publiek van Kortrijkse gourmandiërs. Statig interieur, zoals je het in deze chique stad verwacht.
◆ La cuisine française au goût du jour de Klaas Lauwers attire de nombreux gastronomes courtraisiens. Intérieur raffiné, à l'image de la ville.

Le Bistro du Chef
Gentsesteenweg 26 – ✆ 0 56 20 19 49 – www.bistroduchef.be – fermé 1 semaine début janvier, 2 premières semaines de mai, dernière semaine de juillet-2 premières semaines d'août, dimanche et lundi DY**b**
Rest – Lunch 21 € – Menu 45/60 € – Carte 57/70 €
◆ Karaktervolle bistro waar een ervaren chef u eenvoudige, zeer smakelijke gerechten voorschotelt in een intieme, gepatineerde zaal. Patioterras (voor drankjes).
◆ Bistrot de caractère où un vétéran des fourneaux vous prépare une vigoureuse cuisine bourgeoise, servie dans une salle intime et patinée. Patio-terrasse (boissons).

Oud Walle
Walle 199 – ✆ 0 56 22 65 53 – www.oudwalle.be – fermé première semaine de janvier, 23 juillet-9 août, dernière semaine de décembre, samedi midi dimanche soir et mercredi BX**c**
Rest – Lunch 32 € – Menu 58/80 € bc – Carte 57/74 €
◆ Beeldig boerderijtje in een doodlopende straat bij de snelweg. Keuze tussen de neorustieke eetzaal met wit gelakte balken of het terras.
◆ Jolie fermette chaleureuse (poutres, cheminée) et élégamment meublée. Le chef élabore une cuisine créative, à base de produits frais.

Table d'Amis
Walle 184 – ✆ 0 56 32 82 70 – www.tabledamis.be – fermé fin décembre-début janvier, 1 semaine à Pâques, 2 premières semaines d'août, samedi midi, dimanche et lundi BX**a**
Rest – Lunch 34 € – Menu 65/85 € – Carte 68/125 €
◆ Wie hier komt genieten, kan niet anders dan als een vriend van het goed geoliede team van tafel gaan. Chef Matthieu Beudaert biedt dan ook een keuken op niveau, verzorgd en helemaal met zijn tijd mee. De bediening hoeft niet onder te doen: gastvrouw Sofie en haar vrouwelijke maître zijn uiterst charmant en attent!
◆ Vous n'oublierez pas de sitôt la convivialité de cette belle maison où l'on s'attable… entre amis. La cuisine de Matthieu Beudaert est à la fois actuelle et raffinée, tandis que le service, soigné et charmant, doit beaucoup à Sofie, la maîtresse des lieux.

Brasserie César

Grote Markt 2 – ✆ 0 56 22 22 60 – fermé 21 juillet-15 août, dimanche soir et mardi
Rest – Menu 17 € – Carte 46/74 € CZ**f**

◆ Grote moderne brasserie, waar u niet voor verrassingen komt te staan. Typische brasseriekaart en dito bediening in een ontspannen sfeer. Terras aan de Grote Markt met belfort.

◆ Grande brasserie moderne où l'on s'attable en toute confiance. Terrasse tournée vers le Grote Markt et son beffroi, ambiance décontractée, carte et service typiques du genre.

Kwizien Céline

Gentsesteenweg 29 – ✆ 0 56 20 05 03 – www.kwizienceline.be – fermé 1 semaine en février, 2 semaines en août, lundi soir, mardi et mercredi
Rest – Lunch 15 € – Menu 34 € – Carte 36/45 € DY**a**

◆ Goed restaurant in een gerenoveerd herenhuis aan de rand van de stad, langs een drukke weg. Lekker menu voor een zacht prijsje. De leukste tafels zijn op de gelijksvloer.

◆ Aux portes de Courtrai, le long d'un axe passant, repaire gourmand prisé pour son menu soigné à petit prix. Cadre d'une maison de maître rajeunie. Réservez votre table en bas.

Bistro Botero

Schouwburgplein 12 – ✆ 0 56 21 11 24 – www.botero.be – fermé 1er au 17 août, dimanche et jours fériés CZ**v**
Rest – Lunch 15 € – Menu 25/65 € bc – Carte 32/59 €

◆ Grote bistro met een mooie gevel uit 1900 en meerdere verdiepingen. Eetzalen met art-deco-elementen, muurschilderingen, trompe-l'œils en reproducties van Botero.

◆ Derrière une façade de 1900, grand bistrot dont les salles superposées, aux touches Art déco, s'égayent de peintures murales, de trompe-l'œil et de reproductions de toiles de Botero.

Bistro – Hôtel Broel

Broelkaai 8 – ✆ 0 56 21 83 51 – www.sandton.eu – fermé samedi midi
Rest – Lunch 16 € – Menu 47/69 € bc – Carte 34/66 € DY**e**

◆ Traditionele gerechten, bistroschotels en een verfijnd maandmenu, geserveerd in een modern-rustiek interieur (gewelven, natuursteen en rode bankjes) of buiten aan de rivier.

◆ Choix mi-traditionnel mi-bistrotier et menu mensuel élaboré, proposés dans un décor rustico-moderne (voûtes, pierre de France, banquettes rouges) ou dehors, face à la rivière.

Parkhotel – Hôtel Parkhotel

Stationsplein 2 – ✆ 0 56 22 03 03 – www.parkhotel.be CZ**r**
Rest – Lunch 18 € – Menu 50 € bc/60 € bc – Carte 39/56 €

◆ Na een trendy aperitief bij Bar Jules kunt u in het restaurant aanschuiven voor een klassiek gerecht. Het interieur is modern en strak maar toch uitnodigend.

◆ Après un apéritif au Jules, le bar branché de l'établissement, rendez-vous à la "bodega", dont le cadre moderne et élégant n'en reste pas moins accueillant. Carte variée et beau choix de menus.

au Sud

Hostellerie Klokhof avec ch

St-Anna 2 – ✆ 0 56 22 97 04 – www.klokhof.be – fermé carnaval, 18 juillet-11 août, dimanche soir et lundi AX**a**
9 ch – 113 € 123 € – 1 suite
Rest – *(fermé samedi midi, dimanche soir et lundi)* Lunch 55 € bc – Menu 95 € bc – Carte 45/66 €

◆ Volledig verbouwde hoeve. Moderne eetzaal met Lloyd Loom-stoelen en ronde tafels met veel ruimte ertussen. Banqueting en terras met platanen. Lichte, moderne kamers met parket.

◆ Ex-métairie entièrement métamorphosée. Salle à manger moderne dotée de sièges en Lloyd Loom et de tables rondes bien espacées, équipements pour banquets, platanes en terrasse. Chambres claires et modernes, revêtues de parquet.

BELGIQUE

à Aalbeke par ⑤ : 7 km – 🄲 Kortrijk – ✉ 8511

St-Cornil

Aalbeke Plaats 15 – ☎ 0 56 41 35 23
– fermé août, samedi et dimanche
Rest – Menu 35 € bc – Carte 23/35 €
◆ Traditionele herberg met Vlaamse schouw, waar het ribstuk uit eigen slagerij favoriet is. Overvloedig menu (incl. drank) en redelijk geprijsde bordeaux.
◆ Auberge de longue tradition, où la côte à l'os (de la boucherie familiale) a ses fervents. Généreux menu boissons incluses, bordeaux à prix justes, cheminée flamande en salle.

à Bellegem par ④ : 5 km – 🄲 Kortrijk – ✉ 8510

Troopeird

Doornikserijksweg 74 – ☎ 0 56 22 26 85 – www.troopheird.be – fermé 1er au 5 janvier et 15 juillet-10 août
14 ch – 80/120 € 100/140 €
Rest – *(dîner pour résidents seulement)*
◆ Grote Vlaamse villa aan een doorgaande weg. Fleurige, comfortabele kamers, ontspanningsruimte voor het hele gezin en rustieke eetzaal met open haard.
◆ Grande villa flamande sur une chaussée passante. Pimpantes chambres de bon confort, espace détente et relaxation pour toute la famille, salle à manger campagnarde avec âtre.

à Bissegem – 🄲 Kortrijk – ✉ 8501

Langue d'oc

Meensesteenweg 155 – ☎ 0 56 35 44 85 – www.languedoc.be – fermé dimanche soir, mardi et mercredi AV**a**
Rest – Lunch 25 € – Menu 40/85 € bc – Carte 52/86 €
◆ Zuid-Frans eten met lekkere languedocs, naar keuze geserveerd in de grote eetzaal, het intieme souterrain, de serre of buiten. Spontaan onthaal, omheinde tuin en kids welkom.
◆ Beaucoup de charme dans ce restaurant qui célèbre la cuisine méridionale. Foie gras, loup de mer et vins du Languedoc se dégustent aussi en terrasse, au milieu d'un grand jardin.

David Selen

Meensesteenweg 199 – ☎ 0 56 37 41 05 – www.davidselen.com – fermé dimanche soir, mercredi et jeudi AV**x**
Rest – Lunch 34 € bc – Menu 57 € bc/195 € bc – Carte 57/89 €
◆ Smaakvol restaurant met verschillende zalen, waar smakelijke schotels worden geserveerd. Interessante menuformules met onder andere gerechten op basis van truffel en kaviaar.
◆ Restaurant élégant doté de plusieurs salles, où l'on peut savourer une cuisine actuelle. Menus intéressants proposant entre autres des plats à base de truffe et de caviar.

à Kuurne par ① : 3,5 km – 12 902 h. – ✉ 8520

Bourgondisch Kruis

Brugsesteenweg 400 – ☎ 0 56 70 24 55 – www.het-bourgondisch-kruis.be – fermé 2 semaines Pâques, samedi midi, dimanche soir, mardi soir, jeudi soir et mercredi
Rest – Lunch 50 € bc – Menu 70 € bc/85 € bc – Carte 53/85 €
◆ Aan een drukke weg. Eigentijds menu, geserveerd in een lichte en moderne eetzaal met veel Bourgondische natuursteen. Mooie schouw en rustiek salon in het souterrain.
◆ Au bord d'une voie fréquentée. Menu de notre temps servi dans un cadre actuel et clair où règne la pierre de Bourgogne. Belle cheminée allumée en saison. Cave-salon rustique.

à Marke – Ⓒ Kortrijk – ✉ 8510

XXX **Villa Marquette** avec ch rest, rest, P

Cannaertstraat 45 – ✆ 0 56 20 18 16 – www.villamarquette.com AXc

9 ch – †85/95 € ††120/145 €, ☐ 15 € – 1 suite – ½ P 200 €

Rest – *(fermé dimanche soir, lundi et mardi) (dîner seulement sauf dimanche)* Menu 56/105 € – Carte 49/142 €

◆ Chique herberg om te genieten van de Franse gastronomie. Actuele en klassieke gerechten, stijlvol interieur, mooi terras met zuilengalerij en banquetingzaal. Moderne kamers met karakter en rustgevende tuin.

◆ Cette demeure de charme cultive un certain goût du luxe... Un chef français œuvre en cuisine et fait la part belle au poisson et aux produits d'exception. Salons de réception. Chambres modernes de caractère et jardin de repos.

Adressen met gastenkamers geven niet dezelfde diensten als een hotel. Zij onderscheiden zich vaak door hun onthaal en decor, die vooral de persoonlijkheid van de eigenaars naar voren brengt. Deze vermeld in het rood zijn het meest aangenaam.

KRAAINEM – Vlaams Brabant – 533 L17 et 716 G3 – voir à Bruxelles, environs

KRUIBEKE – Oost-Vlaanderen – 533 K15 et 716 F2 – 15 820 h. 17 D1 – ✉ 9150

▶ Bruxelles 49 – Gent 53 – Antwerpen 12 – Sint-Niklaas 19

XXX **De Ceder** P

Molenstraat 1 – ✆ 0 3 774 30 52 – www.restaurantdeceder.be – fermé 2 au 12 janvier, 25 mars-2 avril, 15 juillet-6 août, 29 octobre-4 novembre, samedi midi, dimanche et lundi

Rest – Lunch 30 € – Menu 35/62 € – Carte 53/77 €

◆ Eigentijds restaurant met een licht en modern interieur. 's Zomers wordt er geserveerd in de achterste zaal, die als serre is ingericht, of op de patio met bloemen. Heerlijk Waasland-menu.

◆ Restaurant au goût du jour et au cadre clair et moderne. L'été, on s'attable dans l'arrière-salle agencée à la façon d'une véranda et sur la cour-jardin pavée et fleurie. Délicieux menu "Waasland".

KRUISHOUTEM – Oost-Vlaanderen – 533 G17 et 716 D3 – 8 145 h. 16 A3 – ✉ 9770

▶ Bruxelles 73 – Gent 29 – Kortrijk 25 – Oudenaarde 9

XXX **Hof van Cleve** (Peter Goossens) ≤ P

✿✿✿ *Riemegemstraat 1 (près N 459, autoroute E 17 - A 14, sortie ⑥) – ✆ 0 9 383 58 48 – www.hofvancleve.com – fermé 1 semaines vacances de Pâques, dernière semaine de juillet-2 premières semaines d'août, 1 semaine à la Toussaint, fin décembre-début janvier, mardi midi, dimanche et lundi*

Rest – Menu 150 € bc/310 € bc – Carte 140/265 €

Spéc. Langoustines de Guilvinec au curry, avocat et kalamansi. Pigeonneau d'Anjou à la mousseline de pommes de terre, truffes et lard croustillant. Raviole de joue de bœuf aux champignons, roquette et estragon.

◆ Dit boerderijtje op het platteland is een culinaire topper met een eigentijdse inrichting. De chef is op de top van zijn kunnen en de belichaming van het nieuwe elan van de Belgische gastronomie. Jong en getalenteerd team, creatieve kaart en mooie selectie wijnen. Kortom: de reis waard!

◆ Cette fermette isolée au milieu des champs abrite un exceptionnel atelier gourmand au décor contemporain. Le chef, au sommet de son art, incarne le renouveau de la gastronomie belge. Jeune équipe talentueuse, carte créative et vins choisis. Mérite le voyage !

à Wannegem-Lede Sud-Est : 3 km – Ⓒ Kruishoutem – ✉ 9772

't Huis van Lede (Frederick Dhooge)
Lededorp 7 – ✆ 0 9 383 50 96 – www.thuisvanlede.be
– fermé 20 décembre-11 janvier, 3 au 12 avril, 17 juillet-2 août, dimanche et lundi
Rest – Lunch 39 € – Menu 50/80 € – Carte 50/77 €
Spéc. Bouchée à la reine de poularde et ris de veau aux crevettes, sauce mousseline. Caille laquée au soja, ail et miel, purée de pommes de terre et salade d'herbes fraîches. Râble de lièvre aux airelles, croquettes et sauce au vin rouge (octobre-décembre).
◆ Klassiek repertoire met een eigentijds sausje in dit hedendaags ingerichte restaurant naast de klokkentoren. Pure kookstijl zonder poespas. Terras met mooie olijfbomen.
◆ Le répertoire classique est remis à la sauce du jour en cette maison de bouche côtoyant le clocher. La cuisine va à l'essentiel et évite ainsi toute fioriture. Cadre actuel. Beaux oliviers en terrasse.

KUURNE – West-Vlaanderen – **533** E17 et **716** C3 – voir à Kortrijk

---

La – voir au nom propre

LAARNE – Oost-Vlaanderen – **533** I16 et **716** E2 – 12 135 h. – ✉ 9270 **17** C2

Bruxelles 51 – Gent 14 – Aalst 29
Château★ : collection d'argenterie★

't Groene Genoegen sans rest
Termstraat 43 – ✆ 0 9 366 66 16 – www.groenegenoegen.be
4 ch – 75 € 100 €
◆ Familiale, knusse B&B in een landelijke omgeving met redelijk ruime kamers in charmante cottage stijl. Aangelegde tuin; individueel te huren sauna in de kelder.
◆ Véritable havre de verdure, cette maison d'hôtes familiale propose des chambres spacieuses et reposantes. Grand jardin, sauna et espace de relaxation.

Kasteel van Laarne
Eekhoekstraat 7 (dans les dépendances du château) – ✆ 0 9 230 71 78 – www.kasteelvanlaarne-rest.be – fermé 1 semaine en janvier, 3 dernières semaines de juillet, dimanche soir, lundi et mardi
Rest – Lunch 32 € – Menu 52/62 € – Carte 56/108 €
◆ Klassiek restaurant in een bijgebouw van het kasteel, dat goed te zien is vanaf het terras bij de slotgracht. Eetzaal met hedendaagse chic: balken, vloertegels en oude schouw.
◆ Dépendance du château sur lequel une terrasse en bord de douves ménage une jolie vue. Salle au chic contemporain avec poutres, tomettes et cheminée anciennes. Choix classique.

LACUISINE – Luxembourg – **534** Q24 et **716** I6 – voir à Florenville

---

LAETHEM-SAINT-MARTIN – Oost-Vlaanderen – **533** G16 et **716** D2 – voir Sint-Martens-Latem

---

LAFORÊT – Namur – **534** O23 – voir à Vresse-sur-Semois

LANAKEN – Limburg – **533** S17 et **716** J3 – 25 341 h. – ✉ 3620 **11** C2

Bruxelles 108 – Hasselt 29 – Liège 34 – Maastricht 8
Koning Albertlaan 110, ✆ 0 89 72 24 67

BELGIQUE

Eurotel
Koning Albertlaan 264 (Nord : 2 km sur N 78) – 0 89 72 28 22 – www.eurotel-lanaken.be
79 ch – 80/120 € 80/120 €, 16 € – ½ P 81/111 €
Rest *Bien Soigné* – voir la sélection des restaurants
◆ Dit hotel aan de rand van Lanaken biedt zorgvuldig gemoderniseerde kamers, vergaderzalen en faciliteiten als een zwembad, sauna en fitness.
◆ Cet hôtel implanté aux portes de Lanaken abrite des chambres modernes rénovées avec soin, des salles de réunions et plusieurs distractions (piscine, fitness, sauna...).

Bien Soigné – Hôtel Eurotel
Koning Albertlaan 264 (Nord : 2 km sur N 78) – 0 89 72 28 22 – www.eurotel-lanaken.be
Rest – Lunch 19 € – Menu 35/55 € – Carte 27/64 €
◆ Bij Bien Soigné kunt u zowel terecht voor de kleine honger als voor uitgebreidere, klassieke gerechten. Uitgebreid grillbuffet op vrijdag- en zaterdagavond.
◆ Bien Soigné porte avantageusement son nom, pour les petits comme pour les grands appétits ! Carte classique ; à noter : joli buffet de grillades les vendredi et samedi soirs.

à Neerharen Nord : 3 km sur N 78 – Lanaken – 3620

Hostellerie La Butte aux Bois
Paalsteenlaan 90 – 0 89 73 97 70 – www.labutteauxbois.be
40 ch – 105/275 € 130/299 €, 20 € – 1 suite – ½ P 135/310 €
Rest *La Source* Rest *Het Binnenhof* – voir la sélection des restaurants
◆ In dit sfeervolle landhuis, romantisch gelegen tussen het groen, staan u en uw comfort centraal. De tuin met vijver en prieeltjes, de aangename kamers, het bekroonde wellnesscentrum Aquamarijn en het heerlijke ontbijt: een totaalervaring om nooit te vergeten. Magnifiek, een sprookje!
◆ En pleine nature, ce charmant manoir est empreint de romantisme avec son beau jardin, son étang et ses petits pavillons... Chambres douillettes et confortables, espace bien-être "Aquamarijn" et délicieux petit-déjeuner : on aimerait tant rester !

La Source – Hôtel Hostellerie La Butte aux Bois
Paalsteenlaan 90 – 0 89 73 97 70 – www.labutteauxbois.be – fermé 19 février-1er mars, 10 au 30 juillet, samedi midi, dimanche et lundi
Rest – Menu 30/85 € bc – Carte 82/104 €
◆ Tafelen zoals u het in een landhuis verwacht: hier wordt u ontvangen met alle egards en culinair in de watten gelegd. De chef weet te verrassen met zijn weloverwogen gebruik van moderne technieken: zijn gerechten verbazen zonder te bruuskeren.
◆ Une table qui correspond exactement à ce joli manoir. Vous y êtes reçu avec tous les égards et le chef vous surprendra gentillement avec des mets élaborés usant des nouvelles techniques culinaires.

Het Binnenhof – Hôtel Hostellerie La Butte aux Bois
Paalsteenlaan 90 – 0 89 73 97 70 – www.labutteauxbois.be
Rest – Menu 35/75 € – Carte 53/81 €
◆ In dit prestigieuze hotelcomplex staat restaurant Binnenhof garant voor een klassieke keuken, met de mooiste producten uit de streek, in een deftig decor.
◆ Au sein du prestigieux complexe hôtelier, le Binnenhof allie cadre raffiné et cuisine classique, réalisée avec les meilleurs produits de la région.

LANGDORP – **Vlaams Brabant** – **533** O17 **et 716** H3 – **voir à Aarschot**

LANKLAAR – **Limburg** – **533** T16 – **voir à Dilsen**

Se régaler sans se ruiner ? Repérez les Bib Gourmand. Ils vous aideront à dénicher les bonnes tables sachant marier cuisine de qualité et prix ajustés !

LASNE - **Brabant Wallon** - **533** L18, **534** L18 **et 716** G3 - **13 976 h.** **3** B2
- ✉ **1380**

Bruxelles 34 - Wavre 35 - Charleroi 41 - Mons 54

Vieux Chemin de Wavre 50, au Nord : 1 km à Ohain, ☎ 0 2 633 18 50

XX **Le Petit-Fils**

r. Abbaye 13a - ☎ 0 2 633 41 71 - www.lepetitfils.be
- fermé dimanche et lundi

Rest - Lunch 19 € - Menu 34/70 € - Carte 58/83 €

♦ Petite maison nichée derrière l'abbaye. On s'attable dans une salle colorée, sous la véranda ou en terrasse et l'on savoure une cuisine classique et raffinée. Formule lunch très appréciée.

♦ Achter een voormalige poort van de abdij ligt dit charmant huisje met verzorgd decor, een landelijke en een moderne zaal, met veranda en mooi terras. Harmonieuze keuken, populaire lunch.

à Plancenoit **Sud-Ouest : 5 km - Ⓒ Lasne - ✉ 1380**

XX **Le Vert d'Eau**

r. Bachée 131 - ☎ 0 2 633 54 52
- fermé semaine de carnaval, 2 premières semaines de juillet, samedi midi, lundi soir et mardi

Rest - Lunch 17 € - Menu 35/45 € - Carte 49/72 €

♦ Maisonnette pimpante vous régalant dans un intérieur moderne ou l'été au vert. Carte-menu bien ficelée, généreux menu "tradition" et lunch à bon compte, dans un registre classique revisité par petites touches.

♦ In dit leuke restaurantje tafelt u in een modern interieur of 's zomers buiten in het groen. Evenwichtig à la carte menu, royaal "traditioneel" menu en heel betaalbare lunch, klassiek met een vernieuwende toets.

BELGIQUE

LAUWE - **West-Vlaanderen** - Ⓒ **Menen 32 951 h.** - **533** E18 **et 716** C3 **19** C3
- ✉ **8930**

Bruxelles 102 - Brugge 54 - Kortrijk 10 - Lille 31

XXX **Culinair**

Dronckaertstraat 508 - ☎ 0 56 42 67 33 - www.restaurantculinair.be - fermé 20 février-1er mars, 20 août-6 septembre, samedi midi, dimanche soir, mercredi soir et lundi

Rest - Lunch 35 € - Menu 50/115 € bc - Carte 67/87 €

♦ Charmant onthaal door de vrouw des huizes, licht vernieuwende en persoonlijke kookstijl, aangename eetzaal met serre en mooi terras. In deze villa weet men wat leven is!

♦ Accueil charmant de la patronne, cuisine évolutive personnalisée, agréable salle à manger-véranda ouverte sur le jardin et sa belle terrasse : on sait vivre dans cette villa !

XX **De Mangerie**

Wevelgemstraat 37 - ☎ 0 56 42 00 75 - www.demangerie.be
- fermé dernière semaine de février-première semaine de mars, 2 premières semaines d'août, samedi midi, dimanche soir et lundi

Rest - Lunch 40 € bc - Menu 45/85 € bc - Carte 56/77 €

♦ Comfortabel herenhuis. Mooie art-decozaal met open keuken. Uitgebreide eigentijdse kaart, menu's en lunch met ruime keuze. Uitnodigend groen terras.

♦ Une confortable maison de maître. Salle à manger Art déco où le chef cuisine à vue, terrasse-jardin invitante, grande carte au goût du jour, menus et lunch à choix multiple.

LAVAUX-SAINTE-ANNE - **Namur** - Ⓒ **Rochefort 12 403 h.** **15** C2
- **534** P22 **et 716** I5 - ✉ **5580**

Bruxelles 112 - Namur 50 - Bouillon 64 - Dinant 34

XXX **Lemonnier** (Eric et Tristan Martin) avec ch rest, P
r. Baronne Lemonnier 82 – ✆ 0 84 38 88 83 VISA AE
– www.lemonnier.be – fermé 17 décembre-11 janvier, 12 au 19 avril, 18 au 28 juin, 3 au 13 septembre, mardi et mercredi
9 ch – †95/120 € ††95/120 €, ☐ 12 € – ½ P 108/135 €
Rest – Lunch 35 € – Menu 52/68 € – Carte 82/104 €
Spéc. Ris de veau et tartare de langoustine au yuzu, pomme maxime et pois mange-tout. Foie gras de canard poêlé, fraîcheur de radis, fenouil et pomme verte, sauce au syrah. Soufflé chaud au chocolat.

♦ Maison de caractère et son extension moderne en verre dissimulant une belle terrasse braquée vers le jardin et sa pièce d'eau. Cuisine classico-évolutive faite par le patron et son fils, avec les meilleurs produits régionaux. Chambres actuelles colorées.

♦ Karakteristiek pand met moderne glazen uitbouw waarachter een mooi terras schuilgaat dat uitzicht biedt op de tuin en de vijver. Klassieke gerechten met een modern tintje, op basis van de beste streekproducten bereid door de eigenaar en zijn zoon. Kleurrijke kamers in hedendaagse stijl.

Le, Les – voir au nom propre

LÉAU – Vlaams Brabant – voir Zoutleeuw

LEEST – Antwerpen – **533** L16 et **716** G2 – voir à Mechelen

BELGIQUE

LEMBEKE – Oost-Vlaanderen – C Kaprijke 6 306 h. – **533** G15 et **716** D2 – ✉ 9971 **16** B1

Bruxelles 75 – Gent 19 – Antwerpen 63 – Brugge 35

XX **Hostellerie Ter Heide** avec ch P VISA AE
Tragelstraat 2 – ✆ 0 9 377 19 23 – www.ter-heide.be
9 ch – †92 € ††98 €, ☐ 14 €
Rest – Lunch 32 € – Menu 47/85 € bc – Carte 50/67 €

♦ Knusse zaak in een chique woonwijk, waar u kunt eten in een koloniaal interieur of op het terras van de verzorgde tuin. Rustige, comfortabele kamers.

♦ Dans un agréable quartier résidentiel, cuisine et cadre raffinés. Très beau jardin, où l'on peut s'attabler à la belle saison. Chambres confortables, dans une atmosphère propice au repos.

LEUVEN (LOUVAIN) – P Vlaams Brabant – **533** N17 et **716** H3 – **95 463 h.** – ✉ **3000** **4** C2

Bruxelles 27 – Antwerpen 48 – Liège 74 – Namur 53

Stadhuis Naamsestraat 1, ✆ 0 16 20 30 20, www.leuven.be

Fédération provinciale de tourisme Provincieplein 1, ✉ 3010, ✆ 0 16 26 76 20, www.toerismevlaamsbrabant.be

9 Hertswegenstraat 59, au Sud-Ouest : 15 km à Duisburg, ✆ 0 2 769 41 62

18 Leuvensesteenweg 252, à l'Est : 13 km à Sint-Joris-Winge, ✆ 0 16 63 40 53

Hôtel de Ville★★★(Stadhuis)BYZ**H** • Eglise St-Pierre★(St-Pieterskerk) : musée d'Art religieux★★, Cène★★, Tabernacle★, Tête de Christ★, Jubé★BY**A** • Grand béguinage★★(Groot Begijnhof)BZ • Abbaye du parc(Abdij van't Park) : plafonds★DZ**B** • Eglise St-Michel (St-Michielskerk): façade★BZ**C**. Musée : M★ (M van Museum Leuven)BY**M**

par N 253 : 7 km à Korbeek-Dijle : église St-Barthélemy (St-Batholomeüskerk), retable★DZ

Stadsplattegronden op volgende bladzijden

Klooster sans rest

Predikherenstraat 22 (accès par Minderbroederstraat et par O.-L.-Vrouwstraat) – ✆ 0 16 21 31 41 – www.martinshotels.com BY**a**

39 ch – †99/215 € ††99/315 €

♦ Laat u verleiden door de subtiele harmonie van deze sfeervolle accommodatie: designinterieur in een oud klooster, waarvan sommige gedeelten uit de 17e en 18e eeuw dateren.

♦ Laissez-vous séduire par l'harmonie subtile de cet hébergement intimiste au cadre design "reclus" dans un ancien cloître dont certaines parties datent des 17e et 18e s.

Begijnhof sans rest

Tervuursevest 70 – ✆ 0 16 29 10 10 – www.bchotel.be BZ**g**

69 ch – †99/245 € ††125/265 €

♦ Modern gebouw dat past bij de architectuur van het aangrenzende Groot Begijnhof. Rustige omgeving, grote gemeenschappelijke ruimten, mooie kamers en verzorgde tuin.

♦ Construction moderne dont le style s'harmonise à l'architecture du grand béguinage qu'il jouxte. Environnement calme, communs amples, chambres avenantes et jardin soigné.

Binnenhof sans rest

Maria-Theresiastraat 65 – ✆ 0 16 20 55 92 – www.hotelbinnenhof.be CY**a**

60 ch – †140/160 € ††150/170 €

♦ Hotel bij het station, met moderne kamers in 2 formaten, maar voor dezelfde prijs. Mooi ontbijtbuffet met dagverse producten en champagne!

♦ À 300 m de la gare de Louvain, cet hôtel abrite des chambres confortables et fonctionnelles. Petit-déjeuner au champagne.

Novotel rest,

Vuurkruisenlaan 4 – ✆ 0 16 21 32 00 – www.accorhotels.com CY**z**

139 ch – †69/195 € ††74/195 €, 20 €

Rest – Carte 34/51 €

♦ Ketenhotel naast een brouwerij, waar een van de favoriete dranken van de Belgen wordt gemaakt. Moderne kamers, vergaderzalen, fitness en ondergrondse parking. Moderne brasserie met een internationale keuken. Designbar.

♦ Hôtel de chaîne voisin d'un site brassicole d'où sort l'une des boissons favorites des Belges. Chambres actuelles, salles de réunions, fitness et parking souterrain commode. Brasserie envoyant de la cuisine internationale dans un cadre moderne. Bar design.

Theater sans rest

Bondgenotenlaan 20 – ✆ 0 16 22 28 19 – www.theaterhotel.be – fermé 23 décembre-2 janvier BY**v**

21 ch – †80/225 € ††80/245 €

♦ Herenhuis aan de hoofdstraat met standaard- en splitlevelkamers over meerdere verdiepingen. In de galerie met moderne Afrikaanse kunst wordt het ontbijt gebruikt.

♦ Sur l'axe principal, chambres standard et duplex réparties sur les étages d'une maison de maître tournée vers un théâtre. Galerie d'art moderne zimbabwéen utilisée au petit-déj'.

New Damshire sans rest

Pater Damiaanplein-Schapenstraat 1 – ✆ 0 16 74 52 45 – www.hotelnewdamshire.be – fermé 22 au 31 décembre BZ**m**

34 ch – †80/160 € ††90/170 € – 1 suite

♦ Vanuit dit hotel ligt Leuven aan uw voeten. Centrale ligging en functionele kamers: ideaal voor zakenlui maar ook uiterst geschikt voor citytrippers!

♦ Depuis cet hôtel situé en plein centre, Louvain s'étend à vos pieds. Les chambres, fonctionnelles, conviendront tant aux hommes d'affaires qu'aux amateurs de balades citadines.

Ibis sans rest

Brusselsestraat 52 – ☎ 0 16 29 31 11 – www.ibishotel.com BY**b**

75 ch – 🚹75/125 € 🚹🚹75/125 €, ☕ 14 €

◆ Typisch Ibishotel in een gebouw uit de jaren 1990, volledig gerenoveerd. Gunstige ligging in het centrum. Handige parking en garage.

◆ Prestation hôtelière en phase avec les préceptes Ibis dans cette bâtisse des années 1990, entièrement rénovée et bien située en centre-ville. Parking et garage pratiques.

Wilt u een partij organiseren of een maaltijd met zakenrelaties ? Kijk dan naar de restaurants met het symbool ⛶.

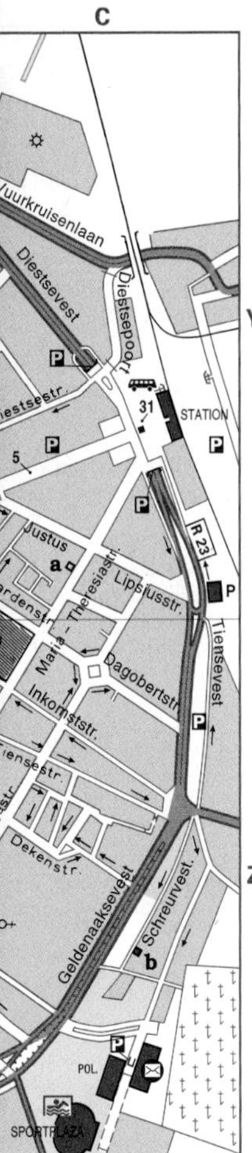

LEUVEN

Aarschotsesteenweg . . BY 2
Bierbeekpleindreef . . . . DZ 3
Bondgenotenlaan . . . . BCY 5
Borstelstr. . . . . DZ 6
Boudewijnlaan . . . . DZ 7
Brusselsestr. . . . . ABY
Celestijnenlaan . . . . DZ 8
Diestsesteenweg . . . . . DZ 9
Dirk Boutslaan . . . . BY 10
Eenmeilaan . . . . DZ 11
Geldenaaksebaan . . . . . DZ 15
Grote Markt . . . . BY 16
Grote Molenweg . . . . . DZ 18
Holsbeeksesteenweg . DZ 19
Jean Baptiste van Monsstr. . . . . . . BCY 20
Kapeldreef . . . . DZ 21
Kapucijnenvoer . . . . AZ 22
Kard. Mercierlaan . . . . . DZ 23
Karel v. Lotharingenstr. . BY 24
Leopold I-str. . . . . BY 27
Leopold Vanderkelenstr. BY 28
Maarschalk Fochpl. . . . . BY 29
Margarethapl. . . . . BY 30
Martelarenpl. . . . . CY 31
Mgr Ladeuzepl. . . . . BY 33
Muntstr. . . . . BYZ 34
Naamsesteenweg . . . . DZ 35
Naamsestr. . . . . BZ
Nieuwe Mechelsesteenweg . DZ 36
Oude Markt . . . . BZ 37
Oud-Heverleestr. . . . . . DZ 12
Pakenstr. . . . . DZ 39
Petermannenstr. . . . . . . AY 40
Redingenstr. . . . . ABZ 41
Rijschoolstr. . . . . BY 42
Smolderspl. . . . . BY 44
Tiensesteenweg . . . . . . DZ 45
Tiensestr. . . . . BCZ
Vaartstr. . . . . BY 47
Vismarkt . . . . BY 48
Vital Decosterstr. . . . . . BY 50
Waversebaan . . . . DZ 51

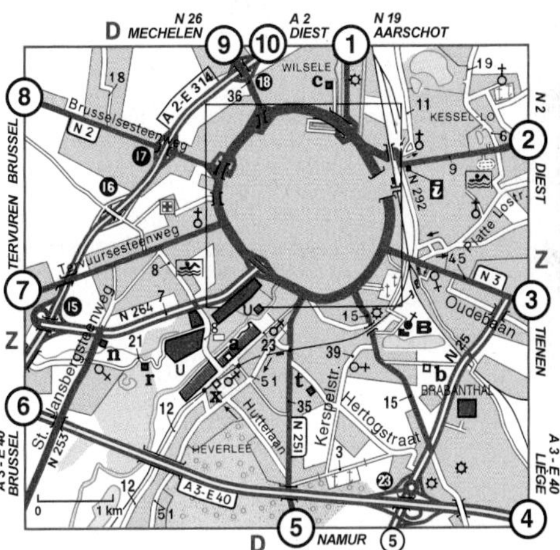

Gasthof De Pastorij sans rest
Sint-Michielsstraat 5 – ✆ 0 16 82 21 09 – www.depastorij.be – fermé dernière semaine de décembre-première semaine de janvier BZ**d**
7 ch – 95/125 € 110/145 €

◆ Engeltjes en andere religieuze interieurelementen zorgen hier voor de pastorale toets, de warme ontvangst en gezellige huiselijkheid is echter helemaal down-to-earth.

◆ Le décor religieux de cet hôtel lui apporte une touche sacrée, mais l'accueil chaleureux et l'atmosphère douillette vous ramèneront sur terre en douceur.

Les bonnes adresses à petit prix ? Suivez les Bibs : «Bib Gourmand» rouge pour les tables, et «Bib Hôtel» bleu pour les chambres.

Huis aan 't Water sans rest 

Mechelsestraat 86 – ✆ 0 16 24 14 20 – www.huisaantwater.be BY**t**

3 ch – 95/125 € 95/125 €

◆ Na een fietstocht terug naar uw B&B terugvaren in een kajak, lijkt het u wat? Dankzij de prachtige ligging van dit huis vol karakter is het mogelijk! Wie de traditionele vergaderzalen in hotels moe is, vindt hier een inspirerend alternatief.

◆ Après une balade à vélo, que diriez-vous d'une petite sortie en kayak ? Dans cette maison de caractère, fort bien située, c'est possible… Une alternative vivifiante pour organiser un séminaire si l'on est lassé des hôtels d'affaires !

Faculty Club

Groot Begijnhof 14 – ✆ 0 16 32 95 00 – www.facultyclub.be – fermé 8 au 15 avril, 21 juillet-15 août, samedi, dimanche et jours fériés BZ**b**

Rest – Menu 47/56 € – Carte env. 48 €

◆ Dit voormalige hospitaal van het Groot Begijnhof is een populaire locatie voor banketten. U kunt de klassieke keuken ook à la carte proeven, tegen een vaste prijs per gang.

◆ Cet ancien hôpital du Grand Béguinage, souvent prisé pour les banquets, propose une cuisine classique ; à la carte, toutes les entrées, comme les plats et desserts, s'affichent au même prix… pour avoir moins de difficulté à choisir !

Trente

Muntstraat 36 – ✆ 0 16 20 30 30 – www.trente.be – fermé 24 décembre-2 janvier, dimanche et lundi BZ**a**

Rest – *(menu unique)* Lunch 30 € – Menu 55/70 €

◆ Een gastronomische ontdekking in een voetgangersstraat waar het wemelt van de eettentjes. Dat is te danken aan het trendy interieur, maar vooral aan de frisse keuken die bekende ingrediënten op een fijnzinnige manier interpreteert. Reserveren aangeraden!

◆ Parmi tous les restaurants qui jalonnent cette rue piétonne, celui-ci vous séduira tout particulièrement, d'abord par son décor, tendance, ensuite – et surtout – par sa cuisine, qui réinterprète les classiques de manière subtile. Réservation conseillée.

Zarza

Bondgenotenlaan 92 – ✆ 0 16 20 50 05 – www.zarza.be – fermé 18 juillet-17 août, dimanche et jours fériés CY**x**

Rest – Lunch 24 € – Menu 44/59 € – Carte 31/87 €

◆ De chef durft te experimenteren, maar waakt erover dat elke creatie smaakvol en mooi gepresenteerd is. Naast wijn kunt u hier ook ambachtelijke bieren drinken. Deze hotspot is zo hot dat u er ook 's namiddags terechtkunt voor iets eenvoudigers.

◆ Le chef ne craint pas d'expérimenter de nouveaux accords, mais veille toujours aux saveurs et à la présentation de chacune de ses créations. Beau choix de bières artisanales. L'endroit est si branché qu'on peut y manger l'après-midi !

à Blanden par ⑤ : 9 km – **Oud-Heverlee 11 007 h. – ✉ 3052**

Meerdael

Naamsesteenweg 90 (N 25) – ✆ 0 16 40 24 02 – www.meerdael.be – fermé carnaval, août, Noël-nouvel an, samedi midi, dimanche et lundi

Rest – Lunch 38 € – Menu 59/84 € bc – Carte 49/87 €

◆ Klassieke keuken in een neorustiek interieur (vloertegels, balken, gepleisterde muren, schouw, Lloyd Loom-stoelen, mezzanine) of in de tuin. Meneer kookt en mevrouw bedient.

◆ Cuisine classique proposée dans un cadre néo-rustique (tomettes, poutres, crépi, cheminée, sièges en Lloyd Loom, mezzanine) ou côté jardin. Patron au feu ; madame à l'accueil.

à Heverlee – C Leuven – ✉ 3001

The Lodge
Kantineplein 3 – ☎ 0 16 50 95 09 – www.lodge-hotels.be
– fermé 24 décembre-1er janvier DZ**x**
25 ch – 110/139 € 120/155 €
Rest – Lunch 16 € – Carte 25/58 €
♦ In de voormalige bijgebouwen van het kasteel van Arenberg bevinden zich grote kamers met een smaakvol interieur van oude en moderne elementen. Eigentijds taverne-restaurant met serre. 's Zomers kan er op het terras (met teakhout bemeubeld) worden gegeten.
♦ De grandes chambres combinant avec bonheur des éléments décoratifs modernes et anciens ont été aménagées dans ces anciennes dépendances du château d'Arenberg. Taverne-restaurant de style contemporain dont la véranda côtoie une terrasse d'été meublée en teck.

Boardhouse sans rest
Jules Vandenbemptlaan 6 – ☎ 0 16 31 44 44 – www.boardhouse.be – fermé fin décembre-début janvier et 2 dernières semaines d'août DZ**a**
12 ch – 95/115 € 95/115 €, 12 €
♦ Even uw hoofd leegmaken na een academisch congres of uitrusten na een dag sightseeing: in dit moderne hotel, net buiten het centrum, bent u aan het juiste adres.
♦ Pour se détendre après un séminaire ou une journée de balade, rien de tel que cet hôtel moderne et confortable, proche du centre.

Park sans rest
Abdijstraat 56 – ☎ 0 16 40 53 83 – www.parkbedandbreakfast.net DZ**b**
4 ch – 63/70 € 70/80 €
♦ Bed and breakfast bij de vijvers van de abdij van Park-Heverlee. Moderne kamers, lounge en ontbijtzalen met design. Minizwembad in de tuin en gratis fietsen.
♦ Maison d'hôte proche des étangs de l'abbaye de Park-Heverlee. Chambres modernes, salon et salles des petits-déjeuners design, minipiscine au jardin, vélos prêtés gracieusement.

Arenberg (Lieven Demeestere)
Kapeldreef 46 – ☎ 0 16 22 47 75 – www.restaurantarenberg.be
– fermé 1er au 4 janvier, 10 au 14 avril, 24 juillet-18 août, 30 octobre-6 novembre, 26 décembre, mercredi soir, dimanche et lundi
Rest – Lunch 55 € – Menu 71/83 € – Carte 73/87 € DZ**r**
Spéc. Cou de porc braisé, laitue acidulée et copeaux de foie gras. Langoustines saisies en barigoule d'artichaut, tomate confite et olives (été). Noisettes de chevreuil à la crème de girolles, chou-rave glacé et jus au madère (été).
♦ In deze verbouwde boerderij schittert al 10 jaar een ster. Reserveer een tafel bij de grote ramen van de oranjerie of op het mooie terras bij de siertuin. Vernieuwde klassieke keuken, ruim gesorteerde wijnkelder en goede bediening.
♦ Une étoile scintille depuis 10 ans dans cette ferme réaménagée. Réservez votre table près des grandes baies de l'orangerie ou sur la belle terrasse tournée vers le jardin d'apparat. Gastronomie classique renouvelée, riche choix de vins et bon service.

Het land aan de Overkant
L. Schreursvest 85 – ☎ 0 16 22 61 81 – www.hetlandaandeoverkant.be – fermé 1 semaine début septembre, samedi midi, dimanche et lundi CZ**b**
Rest – Lunch 29 € – Menu 44/68 € – Carte 65 €
♦ Hier kunnen fijnproevers terecht in een comfortabele en moderne ronde eetzaal of op het mooie terras aan de tuinzijde. Mediterrane smaken en uitgelezen wijnen.
♦ Ce restaurant soigne les gourmets dans une rotonde moderne bien confortable ou sur sa jolie terrasse côté jardin. Saveurs méditerranéennes et vins choisis.

XXX **Couvert couvert** (Laurent et Vincent Folmer)

St-Jansbergsesteenweg 171 – 0 16 29 69 79 – www.couvertcouvert.be – fermé 31 décembre-10 janvier, 3 au 17 avril, 14 au 28 août, jours fériés, dimanche et lundi DZ**n**

Rest – Lunch 41 € – Menu 72/87 € – Carte 91/123 €

Spéc. Asperges blanches, crevettes grises et oignons fumés (avril-juin). Lard au foin, langoustines et ravioli de potiron (novembre-février). Framboises tièdes, glace aux feuilles de figuier (août-octobre).

◆ Designinterieur, modern terras en fijne creatieve keuken van twee broers die de smaken harmonieus weten te beheersen. Ga zuinig met uw eetlust om en eet in het begin niet te veel van het heerlijke huisgemaakte brood! Attente ontvangst en bediening.

◆ Intérieur design, terrasse moderne braquée vers les prés et fine cuisine créative faite entre frères. Ménagez votre appétit et n'abusez pas du délicieux pain maison en début de repas ! Harmonie des saveurs bien maîtrisée. Accueil et service avenants.

XX **Den Bistro**

Hertogstraat 160 – 0 16 40 54 88 – www.denbistro.be – fermé 10 au 27 avril, 23 août-13 septembre, 26 décembre-14 janvier, samedi midi, mardi et mercredi

Rest – Menu 39 € – Carte 41/62 € DZ**t**

◆ Restaurantje in een woonwijk met de sfeer van een rustieke bistro, maar wel met tafellinnen. Het terras achter doet zuidelijk aan. Traditionele kaart met een vleugje modern.

◆ En secteur résidentiel, petit resto au chaleureux décor de bistrot rustique, mais avec des tables nappées. Terrasse arrière à l'ambiance "Sud". Choix traditionnel actualisé.

BELGIQUE

à Korbeek-Dijle par N 253 : 10 km – C Bertem 9 568 h. – ✉ 3060

Vallis Dyliae sans rest

Nijvelsebaan 258 – 0 16 48 73 73 – www.vallisdyliae.be

4 ch – 92/107 € 119/134 €

◆ De druivenroute begint vlak bij dit huis dat naar de huidige smaak en met oog voor detail is ingericht. Kamers met een persoonlijke touch. Oude druivenkassen in de tuin.

◆ La route du raisin débute à deux pas de cette maison d'hôtes décorée dans le goût actuel, avec le souci du détail. Chambres personnalisées. Vieilles serres viticoles au jardin.

à Neerijse Sud-Ouest : 10 km par N 253 – C Huldenberg 9 469 h. – ✉ 3040

Baron's House sans rest

Kapelweg 6 – 0 16 28 49 38 – www.baronshouse.be

7 ch – 125/195 € 145/205 €

◆ In dit historische pand, gevestigd in een koetshuis van een kasteeldomein dat werd omgetoverd tot een luxueus designpareltje, wordt de B van Baron in uw hele verblijf doorgetrokken: een bijzonder B&B, ook bijzonder geschikt voor Business, met Behaaglijke Bedden en een Bekoorlijk Breakfast. Een Buitengewone Belevenis dus.

◆ L'ancienne remise du domaine s'est métamorphosée en un petit bijou de design. Une vraie maison de baron, avec ses chambres confortables, son petit-déjeuner délicieux, et – parce que le baron sait être studieux – des salles de réunion très bien équipées...

à Oud-Heverlee par ⑤ : 9 km – 11 043 h. – ✉ 3050

XX **Spaans Dak**

Maurits Noëstraat 2, (Zoet Water) – 0 16 47 33 33 – www.spaansdak.be – fermé lundi, mardi et après 20 h 30

Rest – Menu 35/54 € – Carte 62/78 €

◆ Intiem familierestaurant in een 16e-eeuws landhuis aan een vijver. Verzorgd interieur met een fraai terras en gastronomische, inventieve keuken.

◆ Table intime tenue en famille dans les vieux murs de pierre (16e s.) d'un manoir chargé d'histoire, près d'un étang. Déco rajeunie, jolie terrasse, cuisine vivant avec son temps.

à Vaalbeek par ⑤ : 10 km – Ⓒ Oud-Heverlee 11 007 h. – ✉ 3054

XXX **De Bibliotheek** avec ch rest, ch, ch, VISA AE

Gemeentestraat 12 – ☎ 0 16 40 05 58 – www.debibliotheek.be – fermé 15 au 22 février et 19 juillet-4 août

4 ch – †79/99 € ††79/99 €, ☐ 10 €

Rest – *(fermé samedi midi, mardi et mercredi)* Lunch 34 € bc – Menu 47 € bc/ 84 € bc – Carte 56/80 €

◆ Restaurant met een warme inrichting en veel boeken. Klassieke kaart en ook meer eigentijdse suggesties. Moderne zaal voor groepen op de bovenverdieping.

◆ Des bibliothèques chargées de livres pour une atmosphère résolument cosy. Évidemment, on ne vient pas ici pour relire ses classiques, mais pour savourer une cuisine justement... classique, ainsi que quelques suggestions plus actuelles, façon nouveau roman !

à Wilsele – Ⓒ Leuven – ✉ 3012

XXX **Luzine** VISA AE

Kolonel Begaultlaan 15/6 – ☎ 0 16 89 08 77 – www.restaurantluzine.be – fermé 2 au 8 avril, 16 juillet-7 août, 19 au 25 décembre, samedi midi, dimanche et lundi DZ**c**

Rest – Lunch 35 € – Menu 60/95 € – Carte 64/79 €

◆ Bijzonder restaurant in een fraai verbouwde conservenfabriek. Eigentijdse gerechten en kwaliteitswijnen, geserveerd in een behaaglijk interieur in chique boudoirstijl.

◆ Conserverie habilement recyclée en un lieu de bouche aussi classieux qu'inattendu. Mets évolutifs et vins de qualité à déguster dans une atmosphère voluptueuse, en style boudoir.

BELGIQUE

LEUZE-EN-HAINAUT – Hainaut – 533 G19, 534 G19 et 716 D4 – 13 407 h. – ✉ 7900 — 6 B1

▶ Bruxelles 76 – Mons 39 – Kortrijk 49 – Gent 56

XXX **Le Chalet de la Bourgogne** VISA

chaussée de Tournai 1 – ☎ 0 69 66 19 78 – fermé mercredi

Rest – *(déjeuner seulement sauf vendredi et samedi)* Lunch 20 € – Menu 38/78 € bc – Carte 55/63 €

◆ Plaisante table où un chef-patron "Ch'ti" adapte à la sauce du jour le répertoire classique français, avec le respect des saisons. Cadre chaleureux et cosy ; service attentif.

◆ Plezierig restaurant, waar de Franse chef-kok zijn vaderlandse klassieke repertoire aan de smaak van nu en het seizoen aanpast. Warm en cosy interieur; attente bediening.

LIBIN – Luxembourg – 534 Q23 et 716 I6 – 4 795 h. – ✉ 6890 — 12 B2

▶ Bruxelles 125 – Namur 67 – Arlon 61 – Charleville-Mézières 83

La Grange de Juliette rest, VISA

r. Périgeay 125 – ☎ 0 61 65 55 74 – www.lagrangedejuliette.be – fermé 31 décembre-12 janvier et 24 juin-5 juillet

10 ch ☐ – †70/80 € ††80/105 € – ½ P 67 €

Rest – *(fermé dimanche soir et lundi) (dîner seulement sauf jeudi, vendredi et dimanche) (prévenir)* Lunch 15 € – Menu 27/45 € – Carte 27/44 €

◆ Maison de pays où vous vous endormirez dans de charmantes chambres au nouveau look "néo-rural", dotées de salles d'eau modernes. Espace breakfast bien sympa. Terrasse au jardin. Cuisine familiale de nos grands-mères, mitonnée à partir de produits du terroir.

◆ Karakteristiek landhuis met sfeervolle kamers in neorustieke stijl en moderne badkamers. Prettige ontbijtruimte. Tuin met terras. Lekker eten uit grootmoeders tijd op basis van streekproducten.

LIBRAMONT - Luxembourg - Ⓒ Libramont-Chevigny 10 482 h. **12** B2
- **534** R23 et **716** J6 - ✉ 6800

▶ Bruxelles 143 - Arlon 52 - Bouillon 33 - Dinant 68

Le 13

r. Alliés 17 - ☎ 0 61 27 81 32 - www.le13.be - fermé fin août-début septembre, samedi midi, dimanche soir et lundi

Rest - Lunch 18 € - Menu 47 € bc/75 € bc - Carte 48/72 €

◆ Maison de maître au sobre décor contemporain : chaises Panton, parquet à grosses lattes, dominante de gris, noir et blanc. Cuisine du marché proposée à l'ardoise.

◆ Herenhuis in een nieuw trendy jasje: Panton-stoelen, designlampen en modekleuren. Eigentijdse keuken en menu à la carte. Terras met uitzicht op het station.

à **Recogne** Sud-Ouest : 1 km - Ⓒ Libramont-Chevigny - ✉ 6800

L'Amandier

av. de Bouillon 70 - ☎ 0 61 22 53 73 - www.lamandier.be

24 ch - †75 € ††98/100 € - ½ P 74 €

Rest - *(fermé samedi midi et dimanche soir)* Lunch 25 € - Menu 34/42 €

◆ Hôtel des années 1980 disposant de chambres fonctionnelles. Fitness, sauna, billard, salles de réunion et vélos à disposition. Brasserie et restaurant au nouveau décor actuel. Formule buffets tout compris le samedi soir et le dimanche midi.

◆ Gebouw uit de jaren 1980 met functionele kamers, fitnessruimte, sauna en vergaderzalen. Fietsen ter beschikking. Brasserie en restaurant met een eigentijdse inrichting. All-in buffetten op zaterdagavond en zondagmiddag.

LICHTAART - Antwerpen - **533** O15 et **716** H2 - voir à Kasterlee

LICHTERVELDE - West-Vlaanderen - **533** D16 et **716** C2 - voir à Torhout

LIÈGE *Luik*

8 B1

🅿 – **Liège** – **192 504 h.** – ✉ **4000** – **533** S19, **534** S19 **et 716** J4

▶ Bruxelles 97 – Amsterdam 242 – Antwerpen 119 – Köln 122

Office de Tourisme

Féronstrée 92, ✆0 4 221 92 21, www.liege.be
Fédération provinciale de tourisme bd de la Sauvenière 77, ✆0 4 237 95 26
Gare des Guillemins, ✆0 4 252 44 19

Aéroport

✈ ✆0 4 234 84 11

Quelques golfs

⛳9 r. Bernalmont 2, ✆0 4 227 44 66
⛳18 rte du Condroz 541, au Sud : 8 km à Angleur, ✆0 4 336 20 21
⛳18 r. Gomzé 30, au Sud-Est : 18 km à Gomzé-Andoumont, Sur Counachamps, ✆0 4 360 92 07

A VOIR

Citadelle ≤ ★★★ **3**DW • Vieille ville★★ • Palais des Princes-Évêques★ : grande cour★★ **4**EY, le perron★ **4**EY**A** • Eglise St-Barthélemy : cuve baptismale★★★ **4**FY • Cathédrale St-Paul : trésory, reliquaire de Charles-le-Téméraire★★ **4**EZ • Église St-Jacques★★ : voûtes de la nef★★ **4**EZ • Eglise St-Denis : retable★ **4**EY • Eglise St-Jean (Statues★ en bois du calvaire et Sedes Sapientiae★) **4**EY • Gare des Guillemins★ **3**CX

Musées : d'Art Moderne et d'Art Contemporain★ **3**DX**M**[7] • de la Vie wallonne★★ **4**EY • d'Art religieux et d'Art mosan★ **4**FY**M**[5] • Grand Curtius ★★ : Évangéliaire de Notger★★★, département d'archéologie★ **4**FY**M**[1] • d'Armes★ **4**FY**M**[3] • d'Ansembourg★ **4**FY**M**[2]

Environs : par ① 20 km : Blégny-Trembleur★★ • par ⑥ 27 km : Eglise★ de St-Séverin pour ses fonts baptismaux★ • par ① : 17 km à Visé : Eglise collégiale : châsse de St-Hadelin★

Liste alphabétique des hôtels
Alfabetische lijst van hotels
Alphabetische liste der Hotels
Index of hotels

BELGIQUE

Liste alphabétique des restaurants
Alfabetische lijst van restaurants
Alphabetische liste der restaurants
Index of restaurants

BELGIQUE

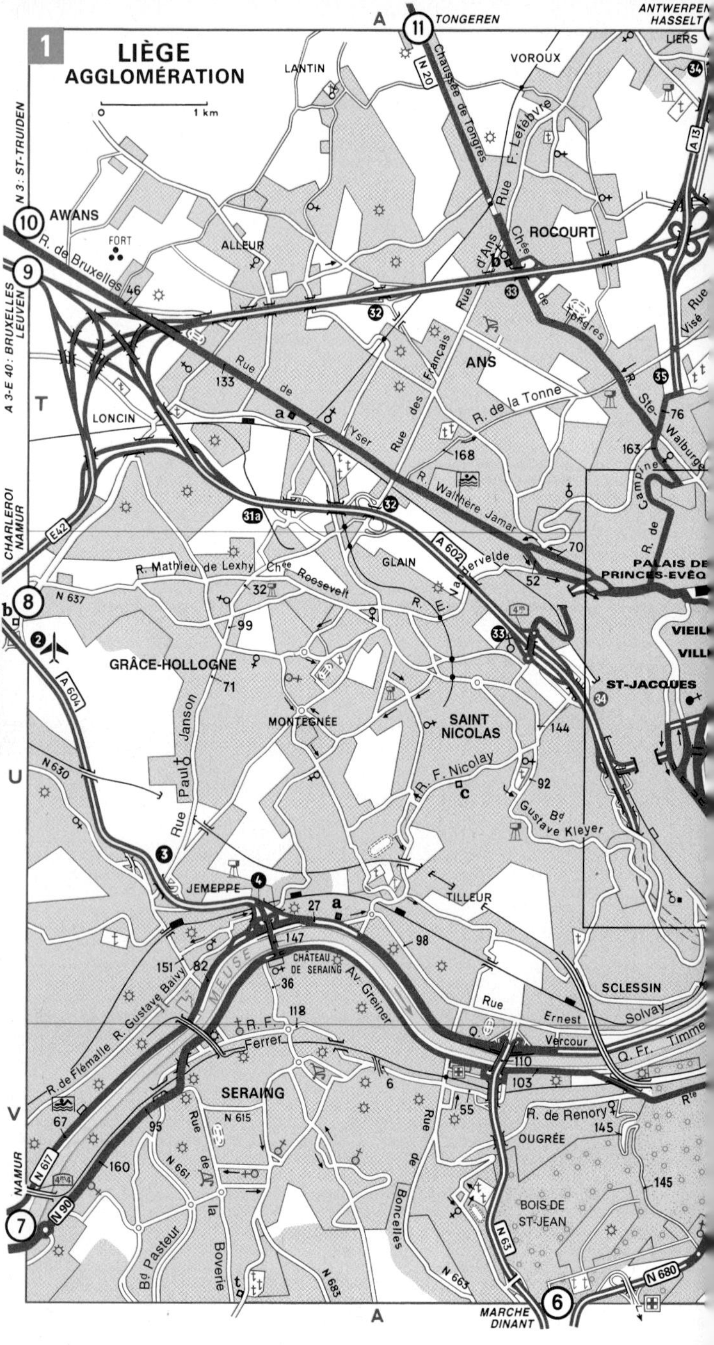

1 LIÈGE AGGLOMÉRATION

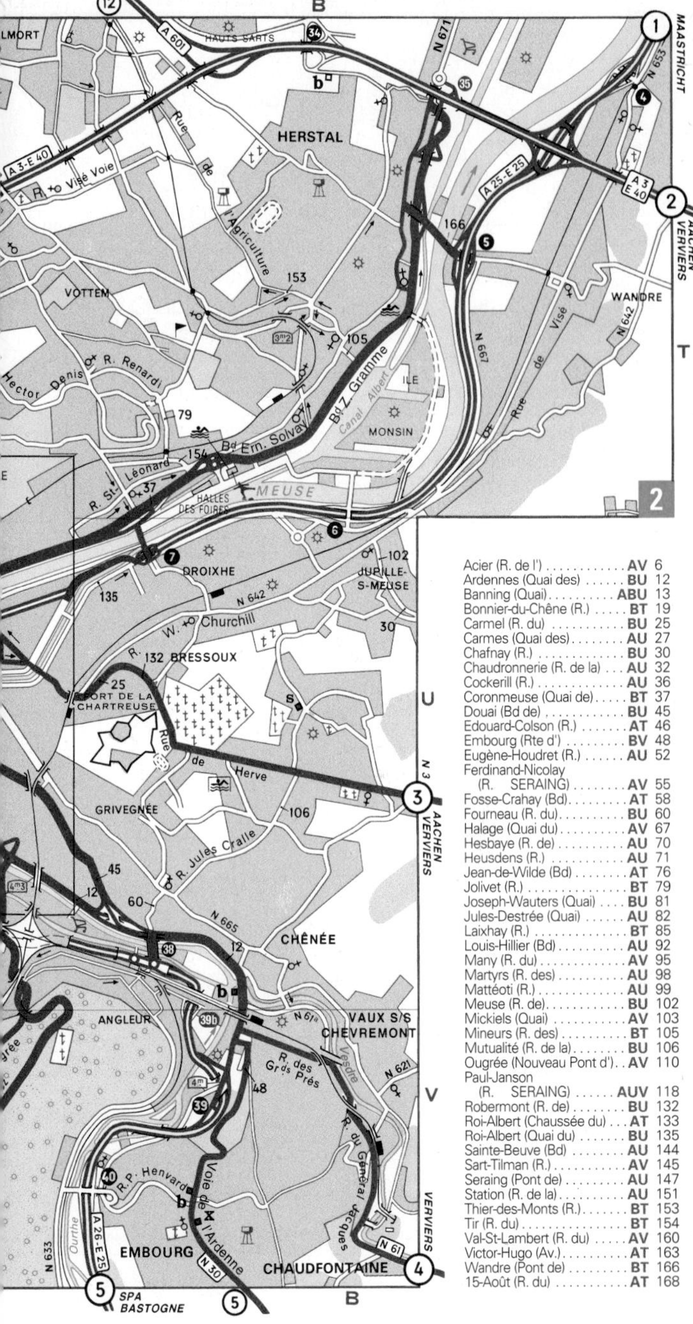

Acier (R. de l') . . . . **AV** 6
Ardennes (Quai des) . . . . . . **BU** 12
Banning (Quai). . . . . **ABU** 13
Bonnier-du-Chêne (R.) . . . . . **BT** 19
Carmel (R. du) . . . . **BU** 25
Carmes (Quai des). . . . . **AU** 27
Chafnay (R.) . . . . **BU** 30
Chaudronnerie (R. de la) . . . **AU** 32
Cockerill (R.) . . . . **AU** 36
Coronmeuse (Quai de). . . . . **BT** 37
Douai (Bd de) . . . . **BU** 45
Edouard-Colson (R.) . . . . **AT** 46
Embourg (Rte d') . . . . **BV** 48
Eugène-Houdret (R.) . . . . . . **AU** 52
Ferdinand-Nicolay
(R. SERAING) . . . . **AV** 55
Fosse-Crahay (Bd). . . . . **AT** 58
Fourneau (R. du). . . . . **BU** 60
Halage (Quai du). . . . . **AV** 67
Hesbaye (R. de) . . . . **AU** 70
Heusdens (R.) . . . . **AU** 71
Jean-de-Wilde (Bd) . . . . **AT** 76
Jolivet (R.) . . . . **BT** 79
Joseph-Wauters (Quai) . . . . **BU** 81
Jules-Destrée (Quai) . . . . . . **AU** 82
Laixhay (R.) . . . . **BT** 85
Louis-Hillier (Bd) . . . . **AU** 92
Many (R. du) . . . . **AV** 95
Martyrs (R. des) . . . . **AU** 98
Mattéoti (R.) . . . . **AU** 99
Meuse (R. de). . . . . **BU** 102
Mickiels (Quai) . . . . **AV** 103
Mineurs (R. des) . . . . **BT** 105
Mutualité (R. de la). . . . . **BU** 106
Ougrée (Nouveau Pont d'). . **AV** 110
Paul-Janson
(R. SERAING) . . . . . . **AUV** 118
Robermont (R. de) . . . . **BU** 132
Roi-Albert (Chaussée du) . . . **AT** 133
Roi-Albert (Quai du) . . . . **BU** 135
Sainte-Beuve (Bd) . . . . **AU** 144
Sart-Tilman (R.) . . . . **AV** 145
Seraing (Pont de) . . . . **AU** 147
Station (R. de la). . . . . **AU** 151
Thier-des-Monts (R.). . . . . . . **BT** 153
Tir (R. du) . . . . **BT** 154
Val-St-Lambert (R. du) . . . . . **AV** 160
Victor-Hugo (Av.). . . . . **AT** 163
Wandre (Pont de) . . . . **BT** 166
15-Août (R. du) . . . . **AT** 168

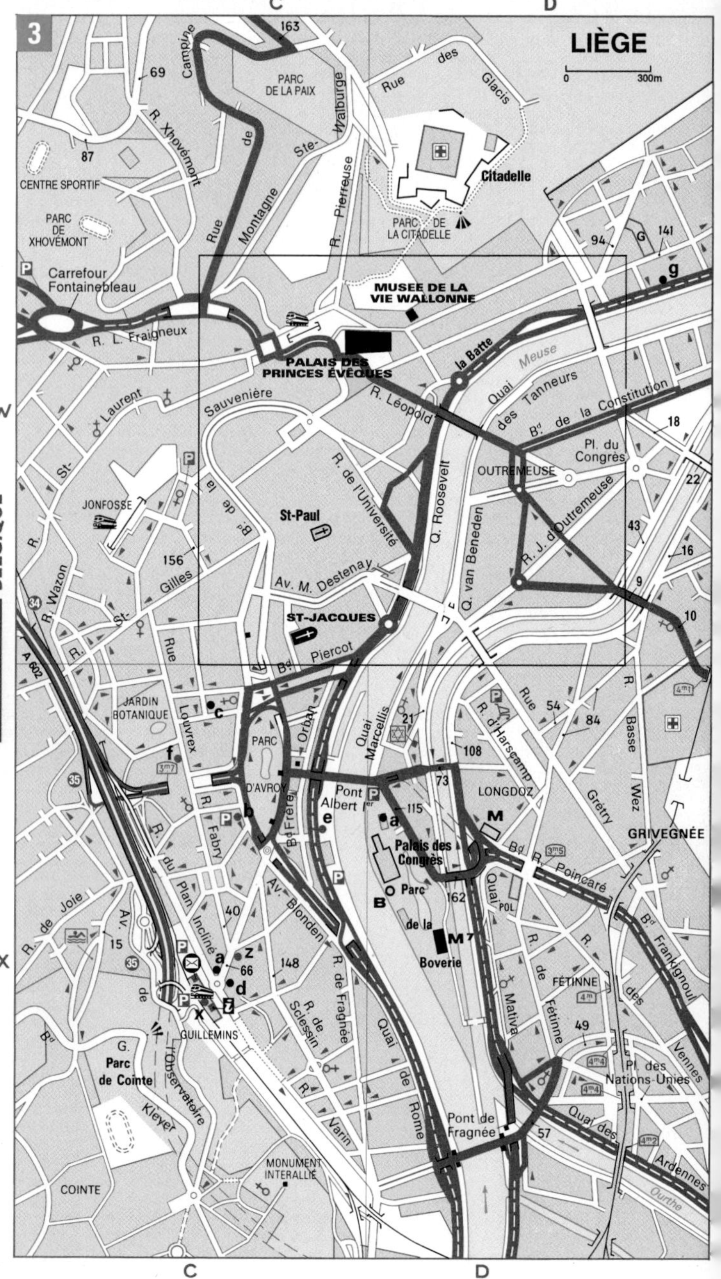
3
LIÈGE
0
300m
C
D
W
X
BELGIQUE
PARC DE LA PAIX
Citadelle
PARC DE LA CITADELLE
MUSEE DE LA VIE WALLONNE
PALAIS DES PRINCES ÉVÊQUES
St-Paul
ST-JACQUES
Carrefour Fontainebleau
CENTRE SPORTIF
PARC DE XHOVÉMONT
JONFOSSE
JARDIN BOTANIQUE
PARC D'AVROY
Palais des Congrès
Parc de la Boverie
OUTREMEUSE
LONGDOZ
GRIVEGNÉE
FÉTINNE
GUILLEMINS
Parc de Cointe
COINTE
MONUMENT INTERALLIÉ
Meuse
Ourthe

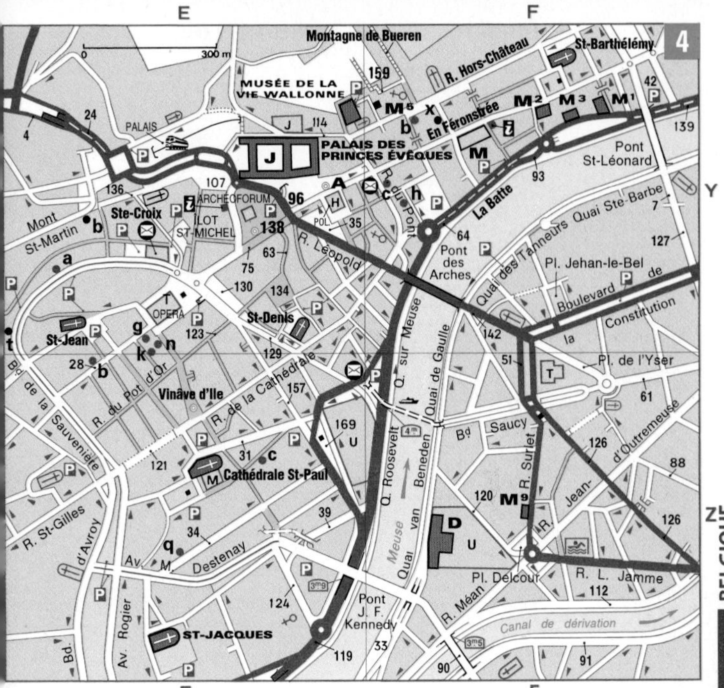

Académie (R. de l')	EY	4
Adolphe-Maréchal (R.)	FY	7
Amercœur (Pont d')	DW	9
Amercœur (R. d')	DW	10
Bois-l'Evêque (R.)	CX	15
Bonaparte (Quai)	DW	16
Bonnes Villes (R. des)	DW	18
Boverie (Quai de la)	DX	21
Bressoux (Pont de)	DW	22
Casquette (R. de la)	EYZ	28
Cathédrale (R. de la)	EZ	
Charles-Magnette (R.)	EZ	31
Churchill (Quai)	FZ	33
Clarisses (R. des)	EZ	34
Commissaire Maigret (Pl. du)	EY	35
Croisiers (R. des)	EZ	39
Dartois (R.)	CX	40
Déportés (Pl. des)	FY	42
Dérivation (Quai de la)	DW	43
Emile-de-Laveleye (Bd.)	DX	49
En Féronstrée	FY	
Est (Bd de l')	FYZ	51
Fer (R. du)	DX	54
Fétinne (Pont de)	DX	57
Gérardrie (R.)	EY	63
Goffe (Quai de la)	FY	64
Guillemins (R. des)	CX	66
Hauteurs (Bd des)	CW	69
Huy (Pont de)	DX	73
Joffre (R.)	EY	75
Lairesse (R.)	DX	84
Léon-Philippet (Bd)	CW	87
Léopold (R.)	EFY	
Liberté (R. de la)	FZ	88
Longdoz (Pont de)	FZ	90
Longdoz (Quai de)	FZ	91
Maastricht (Quai de)	FY	93
Maghin (R.)	DW	94
Marché (Pl. du)	EY	96
Notger (Square)	EY	107
Orban (Quai)	DX	108
Ourthe (Quai de l')	FZ	112
Palais (R. du)	EY	114
Parc (R. du)	DX	115
Paul van Hoegaerden (Quai)	EZ	119
Pitteurs (R. des)	FZ	120
Pont d'Avroy (R.)	EZ	121
Pont d'Ile	EY	123
Prémontrés (R. des)	EZ	124
Puits en Sock (R.)	FZ	126
Ransonnet (R.)	FY	127
Régence (R. de la)	EYZ	129
Rép. Française (Pl.)	EY	130
Saint-Etienne (Place)	EY	134
Saint-Gilles (R.)	EZ	
Saint-Hubert (R.)	EY	136
Saint-Lambert (Pl.)	EY	138
Saint-Léonard (Quai)	FY	139
Saint-Léonard (R.)	DW	141
Saint-Pholien (R. et Pl.)	FY	142
Serbie (R. de)	CX	148
Trappé (R.)	CW	156
Université (R. de l')	EZ	157
Ursulines (Imp. des)	FY	159
Vennes (Pont des)	DX	162
Victor-Hugo (Av.)	CW	163
Vinâve d'Ile	EZ	
20-Août (Pl. du)	EZ	169

RÉPERTOIRE DES RUES DE LIÈGE

Académie (R. de l') . . . . **EY** 4
Acier (R. de l') . . . . **AV** 6
Adolphe-Maréchal (R.) . . . . **FY** 7
Agriculture (R. de l') . . . . . . **BT**
Albert-1er (Pont) . . . . **CX**
Amercœur (Pont d') . . . . . **DW** 9
Amercœur (R. d') . . . . **DW** 10
Ans (R. d') . . . . **AT**
Arches (Pont des) . . . . **FY**
Ardennes (Quai des) . **DX, BU** 12
Avroy (Bd d') . . . . **EZ**
Banning (Quai) . . . . **ABU** 13
Basse Wez (R.) . . . . **DX**
Batte (La) . . . . **FY**
Beneden (Quai van) . . . . . . **FZ**
Blonden (Av.) . . . . **CX**
Bois-l'Evêque (R.) . . . . **CX** 15
Bonaparte (Quai) . . . . **DW** 16
Boncelles (R. de) . . . . **AV**
Bonnes Villes (R. des) . . . . **DW** 18
Bonnier-du-Chêne (R.) . . . . **BT** 19
Boverie (Quai de la) . . . . . . **DX** 21
Boverie (R. de la) . . . . **AV**
Bressoux (Pont de) . . . . . . **DW** 22
Bruxelles (R. de) . . . . **AT**
Campine (R. de) . . . . . **AT, CW**
Carmel (R. du) . . . . **BU** 25
Carmes (Quai des) . . . . **AU** 27
Casquette (R. de la) . . . . . **EYZ** 28
Cathédrale (R. de la) . . . . . . **EZ**
Chafnay (R.) . . . . **BU** 30
Charles-Magnette (R.) . . . . **EZ** 31
Chaudronnerie (R. de la) . . **AU** 32
Churchill (Quai) . . . . **FZ** 33
Clarisses (R. des) . . . . **EZ** 34
Cockerill (R.) . . . . **AU** 36
Commissaire Maigret (Pl. du) . . . . **EY** 35
Condroz (Rte du) . . . . **ABV**
Congrès (Pl. du) . . . . **DW**
Constitution (Bd de la) . . . . **FY**
Coronmeuse (Quai de) . . . . **BT** 37
Croisiers (R. des) . . . . **EZ** 39
Dartois (R.) . . . . **CX** 40
Delcour (Pl.) . . . . **FZ**
Déportés (Pl. des) . . . . **FY** 42
Dérivation (Quai de la) . . . **DW** 43
Destenay (Av.) . . . . **EZ**
Douai (Bd de) . . . . **BU** 45
Edouard-Colson (R.) . . . . . . **AT** 46
Embourg (Rte d') . . . . **BV** 48
Emile-de-Laveleye (Bd.) . . . **DX** 49
Emile-Vandervelde (R.) . . . **AU**
Emile-Zola (Quai) . . . . **AV**
En Féronstrée . . . . **FY**
Ernest-Solvay (Bd) . . . . **BT**
Ernest-Solvay (R.) . . . . **AU**
Est (Bd de l') . . . . **FYZ** 51
Eugène-Houdret (R.) . . . . . **AU** 52
Fabry (R.) . . . . **CX**
Ferdinand-Nicolay (R. SERAING) . . . . **AV** 55
Ferdinand-Nicolay (R. ST-NICOLAS) . . . . **AU**
Fer (R. du) . . . . **DX** 54
Fétinne (Pont de) . . . . **DX** 57
Fétinne (R. de) . . . . **DX**
Flémalle (R. de) . . . . **AV**
Fontainebleau (Carrefour) . **CW**
Fosse-Crahay (Bd) . . . . **AT** 58
Fourneau (R. du) . . . . **BU** 60
Fragnée (Pont de) . . . . **DX**
Fragnée (R. de) . . . . **CX**
Français (R. des) . . . . **AT**
Francisco-Ferrer (R.) . . . . **AUV**
François-Lefebvre (R.) . . . . **AT**
Frankignoul (Bd) . . . . **DX**
Frère-Orban (Bd) . . . . **CX**
Gaulle (Quai de) . . . . **FYZ**
Général-Jacques (R. du CHAUDFONTAINE) . . . . **BV**
Général-Jacques (R. du EMBOURG) . . . **BV**
Georges-Simenon (R.) . . . . **FZ** 61
Gérardrie (R.) . . . . **EY** 63
Glacis (R. des) . . . . **DW**
Goffe (Quai de la) . . . . **FY** 64
Gramme (Bd) . . . . **BT**
Grands Prés (R. des) . . . . . **BV**
Greiner (Av.) . . . . **AU**
Grétry (R.) . . . . **DX**
Guillemins (R. des) . . . . **CX** 66
Gustave-Baivy (R.) . . . . . . **AUV**
Gustave-Kleyer (Bd) . . . . . . **AU**
Halage (Quai du) . . . . **AV** 67
Harscamp (R. d') . . . . **DX**
Hauteurs (Bd des) . . . . **CW** 69
Hector-Denis (Bd) . . . . **BT**
Herve (R. de) . . . . **BU**
Hesbaye (R. de) . . . . **AU** 70
Heusdens (R.) . . . . **AU** 71
Hors Château (R.) . . . . **FY**
Huy (Pont de) . . . . **DX** 73
Jean-de-Wilde (Bd) . . . . **AT** 76
Jean-d'Outremeuse (R.) . . . **FZ**
Jehan-le-Bel (Pl.) . . . . **FY**
Joffre (R.) . . . . **EY** 75
Joie (R. de) . . . . **CX**
Jolivet (R.) . . . . **BT** 79
Joseph-Wauters (Quai) . . . **BU** 81
Jules-Cralle (R.) . . . . **BU**
Jules-Destrée (Quai) . . . . . **AU** 82
J. F.-Kennedy (Pont) . . . . . **EFZ**
Kleyer (Bd G.) . . . . **CX**
Lairesse (R.) . . . . **DX** 84
Laixhay (R.) . . . . **BT** 85
Léon-Philippet (Bd) . . . . . . **CW** 87
Léopold (R.) . . . . **EFY**
Liberté (R. de la) . . . . **FZ** 88
Longdoz (Pont de) . . . . **FZ** 90
Longdoz (Quai de) . . . . **FZ** 91
Louis-Fraigneux (R.) . . . . . **CW**
Louis-Hillier (Bd) . . . . **AU** 92
Louis-Jamme (R.) . . . . **FZ**
Louvrex (R.) . . . . **CWX**
Maastricht (Quai de) . . . . . . **FY** 93
Maghin (R.) . . . . **DW** 94
Many (R. du) . . . . **AV** 95
Marcellis (Quai) . . . . **DX**
Marché (Pl. du) . . . . **EY** 96
Martyrs (R. des) . . . . **AU** 98
Mathieu-de-Lexhy (R.) . . . . **AU**
Mativa (Quai) . . . . **DX**
Mattéoti (R.) . . . . **AU** 99
Méan (R.) . . . . **FZ**
Meuse (Quai sur) . . . . **FYZ**
Meuse (R. de) . . . . **BU** 102
Mickiels (Quai) . . . . **AV** 103
Mineurs (R. des) . . . . **BT** 105
Montagne-de-Bueren . . . . **EFY**
Montagne Ste-Walburge . **CW**
Mont Saint-Martin . . . . **EY**
Mozart (Quai) . . . . **DX**
Mutualité (R. de la) . . . . **BU** 106
Nations Unies (Pl. des) . . . **DX**
Notger (Square) . . . . **EY** 107
Observatoire (Av. de l') . . . . **CX**
Orban (Quai) . . . . **DX** 108
Ougrée (Nouveau Pont d') . **AV** 110
Ougrée (Rte d') . . . . **ABV**
Ourthe (Quai de l') . . . . **FZ** 112
Palais (R. du) . . . . **EY** 114
Parc (R. du) . . . . **DX** 115
Pasteur (Bd) . . . . **AV**
Paul-Janson (R. GRACE-HOLLOGNE) . . . . **AU**
Paul-Janson (R. SERAING) . . . . **AUV** 118
Paul van Hoegaerden (Quai) **EZ** 119
Piercot (Bd) . . . . **CWX**
Pierreuse (R.) . . . . **CW**
Pierre-Henvard (R.) . . . . **BV**
Pitteurs (R. des) . . . . **FZ** 120
Plan Incliné (R. du) . . . . **CX**
Pont d'Avroy (R.) . . . . **EZ** 121
Pont d'Ile . . . . **EY** 123
Pont (R. du) . . . . **FY**
Pot d'Or (R. du) . . . . **EZ**
Prémontrés (R. des) . . . . . . **EZ** 124
Puits en Sock (R.) . . . . **FZ** 126
Ransonnet (R.) . . . . **FY** 127
Raymond-Poincaré (Bd) . . . **DX**
Régence (R. de la) . . . . . . **EYZ** 129
Rénardi (R.) . . . . **BT**
Renory (R. de) . . . . **AV**
Rép. Française (Pl.) . . . . **EY** 130
Robermont (R. de) . . . . **BU** 132
Rogier (Av.) . . . . **EZ**
Roi-Albert (Chaussée du) . . **AT** 133
Roi-Albert (Quai du) . . . . . . **BU** 135
Rome (Quai de) . . . . **DX**
Roosevelt (Chaussée) . . . . **AU**
Roosevelt (Quai) . . . . **FZ**
Sainte-Barbe (Quai) . . . . . . **FY**
Sainte-Beuve (Bd) . . . . **AU** 144
Sainte-Walburge (R.) . . . . . . **AT**
Saint-Etienne (Place) . . . . . **EY** 134
Saint-Gilles (R.) . . . . . . **CW, EZ**
Saint-Hubert (R.) . . . . **EY** 136
Saint-Lambert (Pl.) . . . . **EY** 138
Saint-Laurent (R.) . . . . **CW**
Saint-Léonard (Pont) . . . . . . **FY**
Saint-Léonard (Quai) . . . . . . **FY** 139
Saint-Léonard (R.) . . . **BT, DW** 141
Saint-Pholien (R. et Pl.) . . . . **FY** 142
Sart-Tilman (R.) . . . . **AV** 145
Saucy (Bd) . . . . **FZ**
Sauvenière (Bd de la) . . . . . **EZ**
Sclessin (R. de) . . . . **CX**
Seraing (Pont de) . . . . **AU** 147
Serbie (R. de) . . . . **CX** 148
Station (R. de la) . . . . **AU** 151
Surlet (R.) . . . . **FZ**
Tanneurs (Quai des) . . . . . . **FY**
Thier-des-Monts (R.) . . . . . . **BT** 153
Timmermans (Quai) . . . . **AUV**
Tir (R. du) . . . . **BT** 154
Tongres (Chée de) . . . . **AT**
Tonne (R. de la) . . . . **AT**
Trappé (R.) . . . . **CW** 156
Université (R. de l') . . . . **EZ** 157
Ursulines (Imp. des) . . . . . . **FY** 159
Val-St-Lambert (R. du) . . . . **AV** 160
Varin (R.) . . . . **CX**
Vennes (Pont des) . . . . **DX** 162
Vennes (R. des) . . . . **DX**
Vercour (Quai) . . . . **AV**
Victor-Hugo (Av.) . . . . . **AT, CW** 163
Vinâve d'Ile . . . . **EZ**
Visé-Voie (R.) . . . . **ABT**
Visé (R. de) . . . . **BT**
Walthère-Jamar (R.) . . . . . . **AT**
Wandre (Pont de) . . . . **BT** 166
Wazon (R.) . . . . **CW**
Winston-Churchill (R.) . . . . **BU**
Xhovémont (R.) . . . . **CW**
Yser (Pl. de l') . . . . **FZ**
Yser (R. de l') . . . . **AT**
15-Août (R. du) . . . . **AT** 168
20-Août (Pl. du) . . . . **EZ** 169

Quartiers du Centre

Crowne Plaza

Mont Saint-Martin 11 – ✆ 0 4 222 94 94 – www.crowneplazaliege.be **4**EY**b**

126 ch – †150/280 € ††150/280 €

Rest *Ô Cocottes* – voir la sélection des restaurants

◆ Un complexe hôtelier flambant neuf (2011) qui fait grand bruit à Liège. Chambres luxueuses et superbes suites, sans oublier l'impressionnante salle de bal. Assurément, le Crowne Plaza promet un séjour inoubliable dans la "Cité ardente".

◆ Dit nieuwe prestigieuze project doet de Luikse horeca op haar grondvesten daveren. Met luxueuze kamers in het nieuwe gedeelte en suites in twee historische panden (authentieke balzaal inclus) staat het dan ook garant voor een onvergetelijk verblijf in "la cité ardente".

Ramada Plaza

ch,

quai St-Léonard 36 – ✆ 0 4 228 81 11 – www.ramadaplaza-liege.com **3**DW**g**

149 ch – †99/134 € ††99/134 €, 15 € – ½ P 105/115 €

Rest – *(fermé samedi midi et dimanche midi)* Carte 39/58 €

◆ Un hôtel de facture contemporaine, idéal pour la clientèle d'affaires. Au restaurant (une salle voûtée du 17e s.), carte internationale.

◆ Volledig gerenoveerd ketenhotel aan een drukke kade, ideaal voor een businesstrip. Het restaurant met een 17e-eeuws gewelf biedt een internationale kaart.

Palais des Congrès sans rest

Esplanade de l'Europe 2 ✉ 4020 – ✆ 0 4 349 20 00 – www.alliance-hotel-liege.com **3**DX**a**

214 ch – †100/350 € ††100/350 €, 16 € – 5 suites

◆ Un hôtel bien pratique, à quelques minutes à pied du palais des congrès. Touche sympathique : le copieux petit-déjeuner.

◆ Vanuit dit hotel staat u (na een uitgebreid ontbijt) op enkele minuten te voet in het congrescentrum.

Mercure sans rest

bd de la Sauvenière 100 – ✆ 0 4 221 77 11 – www.mercure.com **4**EY**t**

103 ch – †170/250 € ††170/250 €, 16 € – 2 suites

◆ Excellent confort, tout près du quartier animé du Carré et du centre historique.

◆ Prima comfort en vlak bij de uitgaanswijk Carré en het historische centrum.

Hôtel de la Couronne sans rest

pl. des Guillemins 11 – ✆ 0 4 340 30 00 – www.hotelhusadelacouronne.be **3**CX**d**

77 ch – †75/155 € ††75/155 €, 15 €

◆ Face à la nouvelle et impressionnante gare des Guillemins, bâtisse hôtelière ancienne, réaménagée intérieurement dans un style contemporain tendance design. Chambres pimpantes.

◆ Tegenover het nieuwe en imposante station Luik-Guillemins staat dit oude hotelgebouw, dat vanbinnen is gerenoveerd in een trendy designstijl. De kamers zien er pico bello uit.

Hors Château

r. Hors-Château 62 – ✆ 0 4 250 60 68 – www.hors-chateau.be **4**FY**x**

9 ch – †78 € ††95 €, 12 €

Rest *El Pica Pica* – voir la sélection des restaurants

◆ Cette bâtisse du 18e s., joliment métamorphosée en hôtel contemporain, compte parmi les chouchoutes des magazines de décoration. Charme et élégance en plein cœur du quartier historique : on comprend cet engouement !

◆ Dit 18e-eeuwse pand, verscholen in een steegje in het historische centrum, stond in verscheidene interieurbladen met zijn zeer geslaagde transformatie tot een sfeervol modern hotel.

Univers sans rest

r. Guillemins 116 – ☎ 0 4 254 55 55 – www.univershotel.be **3**CX**a**

51 ch – ♦69/105 € ♦♦79/150 €

◆ Peur de rater votre train ? À deux pas de la gare TGV-Guillemins, vous pourrez dormir sur vos deux oreilles ! En prime, les chambres sont parfaitement insonorisées et climatisées.

◆ Bang om de hst te missen? Dit hotel staat vlak bij het station Luik Guillemins: u kan dus op uw twee oren slapen! Geluiddichte kamers met airco. Ontbijt in bistrosfeer.

Le Cygne d'Argent sans rest

r. Beeckman 49 – ☎ 0 4 223 70 01 – www.cygnedargent.be **3**CX**c**

21 ch – ♦70/77 € ♦♦80/87 €, 9 €

◆ Cette maison de maître, tenue par la même famille depuis 1975, se trouve dans une rue paisible, entre le jardin botanique et le parc d'Avroy. Les chambres, de facture traditionnelle, sont soignées.

◆ Dit herenhuis, uitgebaat door dezelfde familie sinds 1975, staat in een rustige straat tussen de botanische tuin en het Avroypark. Keurige, traditionele kamers.

Héliport (Frédéric Salpetier)

Esplanade Albert Ier 7, (bd Frère Orban 37z) (bord de Meuse) – ☎ 0 4 252 13 21 – www.restaurantheliport.be – fermé carnaval, mi-juillet-mi-août, samedi midi, dimanche et lundi **3**CX**e**

Rest – Lunch 42 € – Menu 57/72 € – Carte env. 112 €

Spéc. Pigeon au ragoût de légumes verts à la sarriette et morilles, gnocchis au parmesan. Homard et charlotte d'asperges aux morilles, jus de poulette. Snacké de langoustine marinée aux aromates, salade de légumes printaniers.

◆ Cette institution liégeoise au chic nautique offre les plaisirs d'une cuisine moderne recherchée, d'un beau choix de vins et d'une terrasse côté Meuse. Suggestions de crustacés en hiver. Parking aisé, même en hélico !

◆ Dit Luikse begrip met chique maritieme uitstraling valt in de smaak vanwege de moderne, geraffineerde kookstijl, de goede wijnen en het terras aan de Maas. Schaaldieren in de winter. Parkeerterrein, ook als u per helikopter komt!

Le Jardin des Bégards

bd de la Sauvenière 70b (r. des Bégards : escaliers) – ☎ 0 4 222 92 34 – www.lejardindesbegards.be – fermé 2 semaines à Pâques, 1 semaine en octobre, fin décembre, samedi midi, dimanche et lundi **4**EY**a**

Rest – Menu 60/70 € – Carte 68/83 €

◆ Le chef – un autodidacte passionné – prépare des mets italiens aussi recherchés que délicieux ; sa cuisine est raffinée et surprenante tout à la fois et l'on se régale ! Quant au cadre, tout en bois, il se révèle chaleureux et moderne… Une jolie expérience.

◆ Sterk, dat een chef die begonnen is als autodidact zulke knappe gerechten aflevert. Zijn Italiaanse keuken is er een van verfijning en topkwaliteit die bovendien af en toe weet te verrassen. Een houten interieur, warm en modern, maakt de ervaring compleet.

Folies Gourmandes

r. Clarisses 48 – ☎ 0 4 223 16 44 – fermé 2ème semaine de Pâques, mi-août-début septembre, dimanche soir et lundi **4**EZ**q**

Rest – Lunch 15 € – Menu 29/51 € bc – Carte env. 45 €

◆ Les Folies Gourmandes, une maison de maître aux airs de noble conservatoire du classicisme à la française. Cela fait plus de vingt ans que les Burton servent avec passion la gastronomie, autour d'un menu attractif et de quelques délicieuses suggestions du marché.

◆ Het echtpaar Burton serveert in hun uitnodigende herenhuis al meer dan 20 jaar een klassieke Franse keuken met een interessant menu maar ook lekkere marktverse suggesties.

BELGIQUE

Ô Cocottes - Hôtel Crowne Plaza
r. Mont Saint-Martin 11 – ✆ 0 4 222 94 94 – www.crowneplazaliege.be
Rest – Menu 35/45 € – Carte 37/50 € **4**EY**b**
♦ Une brasserie luxueuse, ultra trendy et hyper branchée… rien de moins ! Au menu, une cuisine plutôt contemporaine, avec… les incontournables boulets à la liégeoise (boulettes de viande).
♦ Überhip, hypertrendy; zo valt deze luxebrasserie het beste te beschrijven. Op het menu: een contemporaine brasseriekeuken, waar uiteraard de befaamde boulets de Liège niet mogen in ontbreken! Uiteraard worden verschillende gerechten hier geserveerd in ... Cocottes!

Sottopiano
r. Louvrex 78 – ✆ 0 4 234 79 34 – www.sottopiano.be – fermé mardi soir, samedi midi et dimanche **3**CX**f**
Rest – Carte 37/54 €
♦ En sous-sol… Le Sottopiano surprend et se révèle à la fois intime et raffiné. Les assiettes respirent la Méditerranée, tel le vitello tonato, un classique italien à découvrir.
♦ Een strak en uitgekiend interieur, maar gerechten die stralen van de zuiderse gemoedelijkheid : vitello tonato is maar een van de Italiaanse klassiekers die hier lekker worden bereid.

El Pica Pica - Hôtel Hors Château
r. Hors-Château 62 – ✆ 0 4 221 39 74 – www.elpicapica.be – fermé samedi midi, dimanche et lundi **4**FY**x**
Rest – *(réservation indispensable)* Lunch 25 € – Menu 35/47 € – Carte 48/66 €
♦ Une clientèle branchée, une ambiance conviviale : El Pica Pica est le dernier lieu dont on parle à Liège. À juste titre ! Le chef a fait ses classes dans des établissements de renom et revisite les tapas avec énormément de goût.
♦ De Pica Pica, met z'n interieur dat tegelijk hip en gezellig is, is de "talk of the town" in Luik. En terecht: de chef, met een mooi parcours langs verschillende sterrenzaken, vindt de tapa heruit op een eigentijdse manier die doet watertanden!

Enoteca
r. Casquette 5 – ✆ 0 4 222 24 64 – www.enoteca.be – fermé samedi midi et dimanche **4**EY**g**
Rest – *(réservation conseillée) (menu unique)* Lunch 21 € – Menu 23/35 €
♦ La dolce vita ! Simplicité et gastronomie à des prix imbattables : voilà une adresse qui ne saurait rester secrète. Aussi est-il préférable de réserver. Dès l'entrée, la cuisine ouverte aiguise l'appétit...
♦ La dolce vita! Eenvoud en smaak tegen onklopbare prijzen: een formule die moeilijk geheim te houden valt; u kunt dan ook maar beter reserveren. Modern interieur met open keuken.

Les Petits Plats Canailles du Beurre Blanc
r. Pont 5 – ✆ 0 4 221 22 65 – www.beurreblanc.be – fermé mercredi soir et dimanche **4**FY**c**
Rest – Lunch 24 € – Menu 37/52 € bc – Carte 30/60 €
♦ Le chef, Willy, a un bien joli parcours gastronomique ; la cuisine française n'a donc plus de secret pour lui. En salle, sa femme vous réserve un accueil chaleureux… Une petite France en plein Liège !
♦ Na zoveel jaren métier kent de Franse keuken geen geheimen meer voor chef Willy: hij bereidt ze, zijn vrouw serveert ze, en dat in een intiem restaurant in hartje Luik.

Le Bistrot d'en Face
r. Goffe 8 – ✆ 0 4 223 15 84 – www.lebistrotdenface.be – fermé samedi midi, lundi et mardi **4**FY**h**
Rest – Lunch 25 € bc – Menu 55 € bc – Carte 33/45 €
♦ Un vrai "bouchon lyonnais"… à Liège ! Le cadre respire la tradition (tout de bois et pierre), l'accueil se montre chaleureux et la cuisine se fait généreuse (petit camembert fermier rôti, escargots de Bourgogne, etc.).
♦ Treed binnen in een echte "bouchon lyonnais", een typische bistro waar ouderwetse gezelligheid centraal staat. Wie hier komt eten, merkt meteen dat de hartelijkheid hier in even grote porties geserveerd wordt als het eten zelf. De chef is dan ook erg gul, en serveert een hartverwarmende, klassieke keuken.

Frédéric Maquin

r. Guillemins 47 – ☎ 0 4 253 41 84 – www.fredericmaquin.be – fermé 2 semaines en janvier, fin juillet-début août, samedi midi, lundi et mardi **3**CX**z**

Rest – *(nombre de couverts limité, prévenir)* Lunch 18 € bc – Menu 35/85 € bc – Carte 44/54 €

◆ Intérieur contemporain sans tape-à-l'œil, ambiance sereine et menu-carte à prix fixes, dans un registre actuel... Un appréciable restaurant de quartier à un saut de la gare !

◆ Onopvallend modern interieur, rustige sfeer, geactualiseerd à la carte-menu tegen een vaste prijs. Een goed buurtrestaurant vlak bij het station.

Le Danieli

r. Hors-Château 46 – ☎ 0 4 223 30 91 – www.restaurantedanieli.com – fermé dimanche et lundi **4**FY**b**

Rest – Lunch 15 € – Menu 29 € – Carte env. 35 €

◆ Un bel Italien contemporain… qui fait la joie de ses fidèles depuis plus de vingt ans ! Les mets du chef, Daniel Dumolin, sont savoureux et généreux, et les prix savent rester doux.

◆ Bij deze Italiaan komen de gasten al 20 jaar graag terug. De gerechten van chef Daniel Dumolin zijn dan ook smakelijk, genereus en aantrekkelijk geprijsd. Eigentijds interieur.

Wang

r. Casquette 24 – ☎ 0 4 223 46 00 – www.restaurantwang.be – fermé 3 semaines en juillet et mardi **4**EZ**b**

Rest – Lunch 17 € – Carte 23/53 €

◆ Vous cherchez un bon restaurant chinois au cœur de Liège ? Pas de doute, c'est chez Wang qu'il faut aller. Dans un cadre chic et reposant, vous savourerez des plats traditionnels cuisinés avec raffinement. Un véritable moment de plaisir et de détente !

◆ Voor wie in het centrum van Luik op zoek is naar een degelijk Chinees restaurant, biedt meneer Wang eerlijke gerechten in een interieur zonder al te veel franjes.

L'Écailler

r. Dominicains 26 – ☎ 0 4 222 17 49 – www.lecailler.be **4**EY**n**

Rest – Carte 43/61 €

◆ Depuis 1983, la marée alimente chaque jour cet écailler à dénicher en secteur piétonnier, entre Opéra et Carré. Ambiance parisienne, grande carte (pas de menu).

◆ Deze Parijse brasserie in de voetgangerszone tussen de Opera en Carré krijgt dagelijks verse schaal- en schelpdieren aangevoerd. Grote kaart (geen menu).

l'Air Ému

bd d'Avroy 254/4, (1er étage) – ☎ 0 4 253 07 37 – www.airemu.be – fermé 9 au 27 juillet, 22 décembre-2 janvier, samedi, dimanche et jours fériés **3**CX**b**

Rest – Lunch 24 € – Menu 28/45 € bc

◆ L'Air Ému ? Un nom curieux, qui coule de source quand on connaît les lieux : au rez-de-chaussée se trouve la Royal Motor Union… ou RMU. Une belle palette de plats vous y attend : magret de canard tandoori, cassolette de homard ou jarret de veau, glace aux spéculoos et bien d'autres gourmandises… Avec, en prime, une belle vue sur le parc Savoy.

◆ Wie de naam Air Emu hardop uitspreekt, begrijpt dat het z'n naam ontleent aan de RMU (Royal Motor Union) waar het boven gevestigd is. Eendenborst tandoori, stoofpotje van kreeft en kalfsschenkel, speculaasijs en meer… Met zicht op het Savoy park.

Chez Silvano

En Bergerue 13 – ☎ 0 4 223 40 60 – www.chez-silvano.be – fermé 2 dernières semaines de juillet-première semaine d'août, dimanche et lundi **4**EYZ**k**

Rest – Lunch 27 € – Menu 37 € – Carte env. 46 €

◆ Votre hôtesse, italienne, vous emmène en voyage… gustatif pour vous faire découvrir la cuisine authentique de la Botte, en particulier des Abruzzes et du Frioul : crostini de polenta, minestra, etc. Le décor allie sobriété et intimité.

◆ Hier tovert de Italiaanse gastvrouw de smaak van de Italiaanse keuken, voornamelijk van de Abruzzen en Friuli, op uw bord: crostini van polenta, minestra, etc. Strak interieur.

Côté Goût

r. Sœurs de Hasque 12 – ☎ 0 4 222 23 50 – www.cotegout.be – fermé 2 premières semaines de juillet, 22 décembre-3 janvier, samedi midi, dimanche et lundi

Rest – Menu 25/37 € **4**EZ**c**

◆ Juste derrière la cathédrale Saint-Paul, ce restaurant propose principalement des menus contemporains. Belle carte des vins.

◆ Net achter de Sint-Paulkathedraal vindt u deze bistro, waar de actuele kaart vooral in menuvorm in trek is. Interessante wijnselectie.

Grand Café de la Gare

Gare des Guillemins 20, (arrière-salle) – ☎ 0 4 222 43 59 – www.grandcafedelagare.be **3**CX**x**

Rest – Lunch 17 € – Carte 28/67 €

◆ Une brasserie-restaurant de luxe dans une gare futuriste : le pari réussi d'un couple expérimenté, qui propose une savoureuse cuisine à la fois classique et inventive.

◆ Een luxebrasserie/restaurant in het futuristische stationsgebouw: de verwachtingen waren hooggespannen, maar worden moeiteloos ingelost. Een ervaren horecakoppel engageert zich om hier een smakelijke, klassieke keuken te serveren.

PÉRIPHÉRIE

à Angleur – C Liège – ✉ 4031

BELGIQUE

Le Temple du Goût

rte du Condroz 457 – ☎ 0 4 239 28 85 – www.letempledugout.be **2**BV**t**

Rest – Lunch 16 € – Menu 25/45 € – Carte 27/67 €

◆ Entrez dans ce "temple" pour découvrir une véritable cuisine de chef… chinois. Dans un décor contemporain raffiné, les mets traditionnels sont à l'honneur : dimsum, gambas à l'ail et au gingembre, canard laqué, et bien d'autres encore.

◆ Om een vakkundig bereide Chinese keuken te proeven, trekt u naar deze hedendaags vormgegeven 'smaaktempel'… Klassiekers als dimsum, gamba met look en gember, gelakte eend, etc.

à Chênée – C Liège – ✉ 4032

Le Ponticino

r. Station 2 – ☎ 0 4 365 03 63 – www.leponticino.be – fermé samedi midi et lundi

Rest – Lunch 20 € – Menu 36 € – Carte 36/49 € **2**BU**b**

◆ Après avoir œuvré dans la pizzeria de ses parents, le jeune chef a réalisé son rêve avec cette adresse, où il concocte de délicieux mets italiens. Ses pâtes fraîches ravissent, en particulier les raviolis au chorizo, une merveille de simplicité et de saveur. Service jusqu'à 23h le week-end. Ambiance lounge le samedi soir.

◆ Na de pizzeria van z'n ouders achter zich te hebben gelaten, maakt hier een jonge chef zijn droom waar met appetijtelijke Italiaanse kost. Proef zijn versgemaakte pasta (de chorizoravioli is heerlijk in zijn eenvoud)! Zaterdagavond is loungeavond, bediening tot 23 uur.

à Jupille-sur-Meuse – C Liège – ✉ 4020

Donati

r. Bois de Breux 264 – ☎ 0 4 365 03 49 – fermé samedi midi et lundi

Rest – Lunch 25 € – Menu 40 € – Carte 35/48 € **2**BU**s**

◆ On vient pour les petits plats italiens, simples et bons ; on revient pour le sourire de l'hôtesse, Carole Donati, et pour ses trouvailles œnologiques.

◆ U komt hierheen voor de eenvoudige Italiaanse keuken, maar blijven terugkomen doet u door de glimlach van gastvrouw Carole Donati en de interessante vinologische vondsten.

Une bonne table sans se ruiner ? Repérez les Bib Gourmand.

à Rocourt – 🄲 Liège – ✉ 4000

XX **Le Sumo-Éléphant**

chaussée de Tongres 319 – ✆ 0 4 247 28 47 – www.lesumoelephant.be – fermé lundi **1**AT**b**

Rest – Lunch 25 € – Menu 35/45 € – Carte 33/52 €

♦ Pour prendre le chemin du Japon en passant par la Thaïlande, empruntez la sortie n° 33 sur l'autoroute E40/E42. Le chef Trink sait mêler ces deux cuisines en un mariage parfait. Essayez donc le tiramisu à la mangue : un vrai délice !

♦ Dicht bij afrit 33 van de E40/E42 vindt u de oprit naar Japan en Thailand. Chef Trink bewijst dat deze keukens wonderwel samengaan; de tiramisu van mango is een aanrader!

Environs

à Ans – 27 638 h. – ✉ 4430

XX **La Fontaine de Jade**

r. Yser 321 – ✆ 0 4 246 49 72 – www.lafontainedejade.com – fermé 3 premières semaines d'octobre et mardi **1**AT**a**

Rest – *(ouvert jusqu'à 23 h)* Lunch 15 € – Menu 20/40 € – Carte 20/37 €

♦ Une cuisine chinoise gastronomique soignée dans un cadre luxueux et exotique. Fumoir et belle cave à vins.

♦ Goed verzorgde Chinese gastronomie in een luxueus exotisch interieur. Rookkamer en goede wijnkelder.

BELGIQUE

à Barchon par ② : 13,5 km – 🄲 Blegny 13 199 h. – ✉ 4671

XX **La Pignata**

rte de Légipont 20 (A 3-E 40, sortie 36) – ✆ 0 4 362 31 45 – www.lapignata.be – fermé samedi midi

Rest – Menu 28/35 € – Carte 27/37 €

♦ Une pause revigorante sur la E30/E42, à l'abri du trafic ? Faites halte dans ce restaurant rustique ; vous y goûterez une cuisine italienne inventive et bonne. La terrasse est bien agréable et vous n'aurez peut-être plus envie de repartir…

♦ Een verkwikkende pitstop langs de E40/E42 zonder de drukte van de autosnelweg? U vindt het in dit rustieke restaurant dat een Italiaans geïnspireerde keuken brengt. Fijn terras.

à Boncelles par ⑥ : 10 km – 🄲 Seraing 63 299 h. – ✉ 4100

XX **La Villa**

rte du Condroz 94 – ✆ 0 4 336 74 65 – www.lavillaboncelles.be – fermé lundi et mardi

Rest – Lunch 16 € – Menu 35/45 € – Carte 28/60 €

♦ Tout près du quartier commerçant de Boncelles, une villa rénovée dans un style contemporain. Lounge bar, restaurant gastronomique ou brasserie ? Il y en a pour tous les goûts… à prix tout à fait démocratique !

♦ Deze villa aan de rand van de winkelwijk van Boncelles is eigentijds gerenoveerd en biedt voor elk wat wils: loungebar, gastronomisch restaurant en brasserie; en dit alles voor een democratische prijs.

XX **Les Grands Sarts**

r. Beauregard 3 – ✆ 0 4 336 21 81 – www.lesgrandssarts.com – fermé 1 semaine fin février, 27 août-13 septembre et lundis, mardis et mercredis non fériés

Rest – Menu 36/46 € – Carte env. 52 €

♦ À l'orée d'un bois (à proximité de la route du Condroz), ne manquez pas ce restaurant fréquenté par bon nombre d'habitués. Demandez-leur pourquoi ! Une cuisine classique, de bon goût, qui ne déçoit jamais…

♦ De habitués van dit traditionele restaurant aan de rand van een bos (langs de Route du Condroz) weten waarom ze hier komen: de oerdegelijke gerechten die niet teleurstellen!

à Embourg – 🄲 Chaudfontaine 20 994 h. – ✉ 4053

Robertissimo

Voie de l'Ardenne 58b, (Ferme des Croisiers) – ✆ 0 4 365 72 12 **2**BV**b**

Rest – Lunch 24 € – Menu 34 € – Carte 35/46 €

◆ Un Robertissimo successo ! La clientèle, jeune et familiale, est friande de ses mets italiens et… de ses prix attrayants.

◆ Succesvolle Italiaanse formule die door z'n aantrekkelijke prijzen erg in trek is bij een jong cliëntèle en bij gezinnen.

L'Atelier Cuisine

Voie de l'Ardenne 99 – ✆ 0 4 371 31 62 – www.ateliercuisinembourg.be – fermé samedi midi et lundi **2**BV**x**

Rest – Lunch 23 € – Menu 35 € – Carte 31/56 €

◆ Dans son atelier d'artiste culinaire, le chef prépare de bien jolis plats franco-italiens... Qui sait, l'inspiration est peut-être communicative ? Cerise sur le gâteau : le décor est romantique et soigné.

◆ Door de Frans-Italiaanse gerechten die de chef voor u bereidt in zijn culinaire atelier raakt u ongetwijfeld ook zelf geïnspireerd. Romantisch, stijlvol kader.

à Grâce-Hollogne – 21 820 h. – ✉ 4460

Park Inn

ch,

r. Aéroport 14, (Hollogne-aux-Pierres) – ✆ 0 4 241 00 00 – www.parkinn.com/airporthotel-liege **1**AU**b**

100 ch – 🚹105/280 € 🚹🚹118/293 €

Rest – Carte 30/55 €

◆ Un des meilleurs hôtels d'affaires de la région liégeoise, non loin de l'aéroport Bierset. Équipements high-tech, chambres bien insonorisées, centre de fitness... et restaurant proposant une cuisine internationale.

◆ Een van de beste zakenhotels in de omgeving van Luik, vlak naast Bierset Airport. Moderne openbare ruimten en kamers met geluidsisolatie, fitnessruimte met uitzicht op de taxibaan. Internationale kaart in het restaurant Spirit of Saint Louis.

BELGIQUE

à Herstal – 38 219 h. – ✉ 4040

Post

rest, rest,

r. Hurbize 160 (par E 40 - A 3 , sortie 34) – ✆ 0 4 264 64 00 – www.posthotel.be **2**BT**b**

98 ch – 🚹108/127 € 🚹🚹128/172 € – ½ P 132 €

Rest – Lunch 19 € – Menu 24 € – Carte 27/51 €

◆ Salles de réunions, chambres confortables et équipements de remise en forme, à seulement 10 min. du centre de Liège, près de l'autoroute E40 et des Hauts-Sarts (parc industriel). Restaurant traditionnel à la carte et espaces pour les repas de groupe.

◆ Vergaderzalen, wellness en comfortabele kamers op slechts 10 min. rijden van het centrum van Luik, bij de E40 en het knooppunt Hauts-Sarts (industrieterrein). Traditioneel restaurant à la carte en aparte ruimte voor groepen.

à Ivoz-Ramet par ⑦ : 16 km – 🄲 Flémalle 25 331 h. – ✉ 4400

Chez Cha-Cha

pl. François Gérard 10 – ✆ 0 4 337 18 43 – fermé lundi soir, mardi soir, samedi midi et dimanche

Rest – Carte 26/48 €

◆ Cela fait trente ans que Cha-Cha (Camille Chafette) prépare ses grillades et ses plats traditionnels. Un pur plaisir pour tous les gourmands gourmets, et vice versa !

◆ Al ruim 30 jaar bereidt Cha-Cha (Camille Chafette) geroosterd vlees en stevige traditionele kost. Een genot voor wie van veel en lekker eten houdt!

à Liers par ⑫ : 8 km – 🄲 Herstal 38 755 h. – ✉ 4042

X **La Bartavelle**

r. Provinciale 138 – ✆ 0 4 278 51 55 – www.labartavelle.be
– fermé 20 au 30 septembre, 24 au 30 décembre, samedi midi et dimanche
Rest – *(déjeuner seulement sauf vendredi et samedi)* Lunch 30 €
– Menu 35/60 € bc – Carte 40/52 €

◆ Cuisine féminine chantant la Provence, bons vins du Sud de la France, art contemporain en salle et au jardin, terrasse sympa vous invitant à la douce nonchalance méridionale.

◆ Provençaals geïnspireerde keuken met een vrouwelijke touch, lekkere Zuid-Franse wijnen, hedendaagse kunst en tuin met een leuk terras en nonchalante zuidelijke ambiance.

à Saint-Nicolas – 22 774 h. – ✉ 4420

Le Château de Saint-Nicolas sans rest

r. Ferdinand Nicolay 227 – ✆ 0 4 235 01 80
– www.chateaudesaintnicolas.be **1AUc**
8 ch – †79/99 € ††79/99 €

◆ A 5 km du centre de Liège, ce château du 19e s. s'épanouit au milieu d'un beau parc. Les chambres sont confortables et le lieu se révèle idéal pour organiser des séminaires, réunions ou autres festivités.

◆ Op 5 km van het centrum van Luik staat dit 19e-eeuwse kasteeltje, te midden van een mooie tuin. U vindt er niet alleen comfortabele kamers, maar kunt er ook evenementen organiseren.

Ne confondez pas les couverts X et les étoiles ✿ ! Les couverts définissent une catégorie de confort et de service. L'étoile couronne uniquement la qualité de la cuisine, quel que soit le standing de la maison.

à Seraing – 62 698 h. – ✉ 4100

XX **Au Moulin à Poivre**

r. Plainevaux 30 – ✆ 0 4 336 06 13
– www.aumoulinapoivre.be
– fermé première quinzaine d'août, dimanche soir, lundi et mardi **1AVt**
Rest – Lunch 27 € – Menu 53 € bc/68 € bc

◆ Décor classique, belle terrasse avec vue sur le parc... L'ambiance est très romantique et c'est peut-être ce qui a séduit le charmant couple qui préside aux destinées de ce restaurant depuis 1982 ?

◆ Het klassieke interieur en het mooie terras, met zicht op een park, zorgen hier voor een romantische sfeer. Zij in de zaal en hij achter het fornuis, een succesformule sinds 1982!

à Tilff au Sud : 12 km par N 633 – 🄲 Esneux 13 169 h. – ✉ 4130

X **L'Olivier des Sens**

av. Laboulle 18 – ✆ 0 4 227 68 00 – www.loliviердessens.com – fermé samedi midi et mardi
Rest – Lunch 35 € bc – Menu 75 € bc/95 € bc – Carte 44/76 €

◆ Le Sud dans votre assiette ! Le chef, originaire de Narbonne, aime le poisson et les crustacés... Son plat de prédilection ? La paëlla, qu'il se fera un plaisir de vous faire découvrir.

◆ Hier proeft u de touch van de Zuid-Franse chef uit Narbonne op uw bord. Hij houdt van vis en schaaldieren, en laat u ook met plezier meegenieten van zijn voorliefde voor paëlla.

L'Aubergine

r. Damry 11 – ✆ 04 278 37 77 – www.resto-aubergine.be – fermé 1 semaine en janvier, 2 semaines en novembre, 24 et 25 décembre, samedi midi, dimanche soir et mardi

Rest – Lunch 25 € – Menu 35 € – Carte 38/66 €

♦ Le soleil dans votre assiette ! Ici, la cuisine est méditerranéenne et les produits excellents. Avec un peu de chance, vous pourrez également apprécier le soleil sur la jolie terrasse qui borde l'Ourthe.

♦ In dit restaurant proeft u de zon op uw bord: de chef kookt mediterraans en met goede producten. Nog meer zon vindt u (hopelijk) op het leuke terras met zicht op de Ourthe.

à Tilleur – C **Saint-Nicolas 23 200 h.** – ✉ **4420**

Chez Massimo

quai du Halage 78 – ✆ 04 233 69 27 – www.chezmassimo.be – fermé 3 dernières semaines d'août, Noël-début janvier, samedi midi, dimanche, lundi et jours fériés **1**AU**a**

Rest – Menu 35/65 €

♦ Ici, ni carte ni même ardoise. Faites donc comme les habitués : écoutez les suggestions du chef ! Massimo veillera à ce que vous en gardiez un souvenir mémorable : depuis 1969, il fait briller le soleil de la Sicile dans ses délicieuses créations culinaires.

♦ Hier geen kaart, zelfs geen krijtbord: doe zoals de ingewijden en vertrouw op de suggesties die u mondeling worden gegeven. Chef Massimo zorgt ervoor dat u het zich niet zult beklagen: al sinds 1969 laat hij hier met z'n heerlijke gerechten de Siciliaanse zon schijnen.

BELGIQUE

LIER (LIERRE) – Antwerpen – 533 M16 et 716 G2 – 33 930 h. – ✉ 2500 1 B3

Bruxelles 45 – Antwerpen 22 – Mechelen 15

Stadhuis Grote Markt 57, ✆ 03 800 05 55, www.toerismelier.be

Moor 16, au Nord : 10 km à Broechem, Kasteel Bossenstein, ✆ 03 485 64 46

Église St-Gommaire★★(St-Gummaruskerk) : jubé★★, verrière★Z • Béguinage★ (Begijnhof)Z • Tour Zimmer : horloge astronomique★Z

Stadsplattegrond op volgende bladzijde

Florent

Florent Van Cauwenberghstraat 45 – ✆ 03 491 03 10 – www.hotelflorent.be

23 ch – †105 € ††120 € – ½ P 125 € Z**a**

Rest – Carte 32/50 €

♦ Alsof u bij haar thuis te gast was, ontvangt de uitbaatster u in haar comfortabele hotel dat piekfijn onderhouden wordt: onmiskenbaar een telg van een echte horecafamilie! Ook in de keuken van het Grand Café staat ze voor u klaar, met snacks en klassieke bereidingen.

♦ Issue d'une famille d'hôteliers, la propriétaire vous reçoit comme des invités ! Son établissement se révèle confortable et particulièrement bien tenu. Même soin dans la cuisine du Grand Café, que ce soit pour une collation ou un repas (savoureuse carte classique).

Hof van Aragon

Aragonstraat 6 – ✆ 03 491 08 00 – www.hofvanaragon.be Z**d**

20 ch – †75/107 € ††87/119 € – ½ P 65 €

Rest – *(dîner pour résidents seulement)*

♦ Gerenoveerd hotel in een aantal oude huizen in een rustig straatje bij de Vismarkt. Vergaderzalen en twintig moderne kamers, variërend van small tot extra large.

♦ Au calme, près du Vismarkt, ensemble ancien rajeuni pour accueillir une vingtaine de chambres modernes à géométrie et taille variables, du "Small" au "XL"! Salles de réunions.

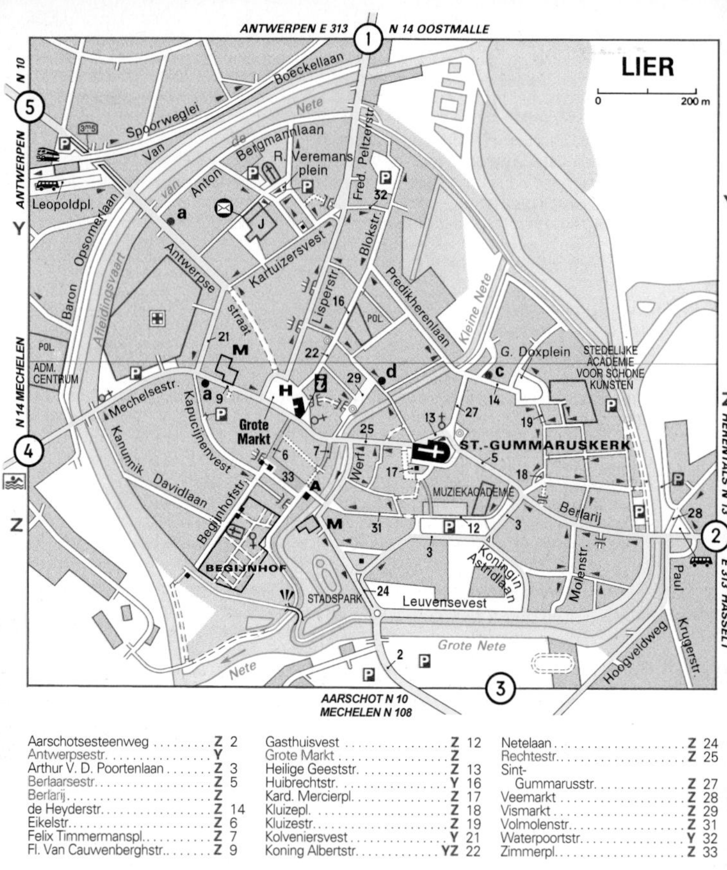

Aarschotsesteenweg	Z 2	Gasthuisvest	Z 12	Netelaan	Z 24
Antwerpsestr.	Y	Grote Markt	Z	Rechtestr.	Z 25
Arthur V. D. Poortenlaan	Z 3	Heilige Geeststr.	Z 13	Sint-Gummarusstr.	Z 27
Berlaarsestr.	Z 5	Huibrechtstr.	Y 16	Veemarkt	Z 28
Berlarij	Z	Kard. Mercierpl.	Z 17	Vismarkt	Z 29
de Heyderstr.	Z 14	Kluizepl.	Z 18	Volmolenstr.	Z 31
Eikelstr.	Z 6	Kluizestr.	Z 19	Waterpoortstr.	Y 32
Felix Timmermanspl.	Z 7	Kolveniersvest	Y 21	Zimmerpl.	Z 33
Fl. Van Cauwenberghstr.	Z 9	Koning Albertstr.	YZ 22		

Soetemin

Schollebeekstraat 4 (Sud par N 10 : 2 km) – ✆ 0 3 480 52 42 – www.soetemin.be
6 ch ☕ – 🚹78 € 🚹🚹98 € – ½ P 98 €
Rest – *(dîner seulement)* Menu 30/35 € – Carte 35/60 €

◆ Dit nieuwe hotelletje met een gezellig restaurant ademt de gemoedelijke sfeer van een pension uit. Mooie en ruime kamers, waarvan zes op de benedenverdieping. Volledig toegankelijk voor gehandicapten. Eenvoudige gerechten in een bistrosfeer of op het terras. De keuken houdt rekening met de desiderata van de klanten.

◆ Charmante atmosphère de maison d'hôtes dans ce petit hôtel récent et son sympathique restaurant. Chambres agréables et de bonne taille. Accès pour les personnes handicapées. Plats familiaux servis dans un cadre bistrotier ou en terrasse. Desiderata alimentaires des clients respectés.

Numerus Clausus

Keldermansstraat 2 – ✆ 0 3 480 51 62 – www.numerusclausus.be – fermé début janvier, samedi midi, dimanche et lundi **Zc**
Rest – *(réservation conseillée à midi)* Lunch 32 € – Menu 35/53 € bc – Carte 44/67 €

◆ Door sterke gerechten die correct worden uitgevoerd aan een relatief lage prijs aan te bieden, vestigde dit huis zijn reputatie als een betrouwbaar adresje. Romantisch interieur.

◆ Une adresse bien établie, qui doit sa réputation à la qualité de sa cuisine, et ce à un prix abordable. Le décor est romantique...

XX **Cuistot**
Antwerpsestraat 146 – ☎ 0 3 488 46 56 – www.restaurantcuistot.be – fermé samedi midi, lundi et mardi Ya
Rest – Lunch 28 € – Menu 48/80 €
◆ Vernieuwende gerechten, die op zilveren plateaus door obers met witte handschoenen worden geserveerd in drie trendy eetzalen of 's zomers op het ommuurde terras.
◆ Gastronomie évolutive à apprécier dans trois pièces "fashion" et en été sous les canisses de la terrasse arrière close de murs. Service sur plateau d'argent, en gants blancs !

à Broechem Nord : 10 km – 🄲 Ranst 18 801 h. – ✉ 2520

Bossenstein
Moor 16 (au golf, Nord : 2 km, direction Oelegem) – ☎ 0 3 485 64 46 – www.bossenstein.be
16 ch – 🚹120 € 🚹🚹135/175 €
Rest – *(fermé 22 décembre-18 janvier et lundi)* Lunch 40 € – Menu 45/105 € bc – Carte 42/58 €
◆ Dit landhuis hoort bij een golfbaan rondom een mooi fort uit de 14de eeuw. Ruime en comfortabele kamers. De receptie is 's avonds gesloten. Terras aan de green en eetzaal met zuilengalerij voor een eigentijdse maaltijd.
◆ Cet établissement de type manoir s'intègre à un golf aménagé autour d'une jolie forteresse du 14es. Ampleur et bon confort dans les chambres. Réception fermée en soirée. Terrasse face au green et salle de restaurant à colonnades, pour un repas de notre temps.

XX **Ter Euwen**
Gemeenteplein 20 – ☎ 0 3 225 58 25 – www.tereuwen.be – fermé août, Noël-nouvel an, samedi, dimanche et jours fériés
Rest – Menu 35/57 € – Carte 50/76 €
◆ Eerlijke en vakkundig bereide klassieke gerechten, geserveerd in een oud herenhuis. De kerk ertegenover is beroemd om zijn orgel. Tuinterras voor het aperitief.
◆ Préparations classiques franches et maîtrisées, servies dans une ancienne maison de notable, face à une église réputée pour son buffet d'orgues. Terrasse-jardin (boissons).

à Koningshooikt Sud-Est : 5 km – 🄲 Lier – ✉ 2500

Domus Silva sans rest
Bossen 16 – ☎ 0 479 37 98 32 – www.domussilva.be
3 ch – 🚹90 € 🚹🚹105 €
◆ "Lierke Plezierke" laat zich maar al te graag ontdekken vanuit deze voormalige boerderij: overdag geniet u van de sfeer in de stad, 's avonds trekt u zich terug op uw ruime themakamer, midden in de rust van het platteland.
◆ Depuis cette ancienne ferme transformée en maison d'hôtes, vous pourrez explorer la sympathique ville de Lierre et revenir profiter, le soir, de la tranquillité de la campagne. Spacieuses chambres à thème.

LIERS – Liège – **533** S18 et **534** S18 – voir à Liège, environs – ✉ 4042

LIGNEUVILLE – Liège – voir Bellevaux-Ligneuville

LIGNY – Namur – 🄲 Sombreffe 8 140 h. – **533** M19, **534** M19 et **716** G4 **14** B1 – ✉ 5140
Bruxelles 57 – Namur 25 – Charleroi 22 – Mons 51

X **Le Coupe-Choux**
r. Pont Piraux 23, (centre Général Gérard) – ☎ 0 71 88 90 51 – www.lecoupechoux.be – fermé mercredi et après 20 h 30
Rest – *(déjeuner seulement sauf vendredi et samedi)* Lunch 25 € – Menu 34/42 €
◆ Table généreuse et soignée, dans une ancienne grange jouxtant un musée consacré à la bataille de Ligny. Patronne affable. L'été, cap sur les tables de la cour.
◆ Verzorgde en gulle maaltijd in een oude schuur naast het museum over de slag bij Ligny. Vriendelijke eigenaresse, eigentijds interieur en 's zomers lekker buiten eten.

BELGIQUE

LILLOIS-WITTERZÉE – Brabant Wallon – C Braine-l'Alleud 38 564 h. – 533 L19, 534 L19 et 716 G4 – ✉ 1428 3 B3

Bruxelles 33 – Wavre 36 – Mons 47 – Namur 66

XX **Georges et Louis Tichoux**

Grand'Route 491 – ✆ 0 67 21 65 33 – fermé mi-juillet-première semaine d'août, samedi midi et dimanche soir

Rest – Lunch 20 € – Menu 35/100 € bc – Carte 35/67 €

◆ Copieuse cuisine classique servie dans un décor célébrant la nature (brique, pierre bleue et bois). Charmante terrasse donnant sur le jardin.

◆ In dit gebouw uit de jaren 1980 kunt u smikkelen in een heel "natuurlijk" interieur van steen en hout of op het landelijke terras in de tuin. Copieuze klassieke maaltijd.

X **Christophe Moniquet**

Grand Route 121 – ✆ 0 2 346 68 89 – www.christophemoniquet.be – fermé 1 semaine Noël, 1 semaine Pâques, 2 dernières semaines de juillet-2 premières semaines d'août, mardi soir, dimanche et lundi

Rest – Lunch 17 € – Menu 55 € bc/70 € bc – Carte 47/63 €

◆ Cuisine raffinée (foie gras poêlé, homard en tartare de concombre...) et menu "Max ou Juliette" recueillant les faveurs des habitués. Belle carte des vins.

◆ Net als de stamgasten kunt u kiezen voor het menu Max of Juliette met bijpassende wijnen. Leuk interieur en terrasje achter.

BELGIQUE

LIMELETTE – Brabant Wallon – C Ottignies-Louvain-la-Neuve 31 024 h. – 533 M18, 534 M18 et 716 G3 – ✉ 1342 4 C2

Bruxelles 35 – Wavre 6 – Charleroi 41 – Namur 41

18 r. A. Hardy 68, à l'Est : 1 km à Louvain-la-Neuve, ✆ 0 10 45 05 15

Château de Limelette

r. Charles Dubois 87 – ✆ 0 10 42 19 99 – www.chateau-de-limelette.be

88 ch – 90/235 € 105/255 € – ½ P 130 €

Rest *Saint-Jean-des-Bois* – voir la sélection des restaurants

◆ Élégant manoir anglo-normand ressuscité dans les années 1980. Chambres de bon ton, installations pour séminaires, centre de remise en forme, terrasses, jardins et cascades.

◆ Kasteeltje in Anglo-Normandische stijl, dat in de jaren 1980 in zijn oorspronkelijke luister is hersteld. Smaakvolle kamers, faciliteiten voor congressen, fitnessruimte, terrassen, tuinen en watervallen.

XX **Saint-Jean-des-Bois** – Hôtel Château de Limelette

r. Charles Dubois 87 – ✆ 0 10 42 19 99 – www.chateau-de-limelette.be

Rest – Menu 35/55 € bc

◆ Le château de Limelette, ses jardins, son orangerie... un cadre romantique ! Carte classique et formule rapide pour les hommes (et femmes) d'affaires.

◆ Genesteld in een orangerie in de tuinen van Château de Limelette, een romantische setting om te proeven van een klassieke kaart. Snelle zakenkaart beschikbaar.

LINKEBEEK – Vlaams Brabant – 533 L18 et 716 G3 – voir à Bruxelles, environs

LISOGNE – Namur – 533 O21, 534 O21 et 716 H5 – voir à Dinant

LISSEWEGE – West-Vlaanderen – C Brugge 117 210 h. – 533 E15 et 716 C2 – ✉ 8380 19 C1

Bruxelles 107 – Brugge 11 – Knokke-Heist 12

Abbaye de Ter Doest : Grange abbatiale★

XXX **De Goedendag**

Lisseweegsvaartje 2 – ✆ 0 50 54 53 35 – www.degoedendag.be – fermé mardi soir et mercredi

Rest – Lunch 29 € – Menu 50/52 €

◆ Deze fiere herberg in typisch Vlaamse stijl biedt het genoegen van een klassieke maaltijd in een rustiek interieur dat met de tijd steeds meer karakter heeft gekregen.

◆ Cette auberge-relais à fière allure, de style typiquement flamand, vous convie aux plaisirs d'un repas classique dans un cadre rustique soigné et bien patiné par le temps.

X **Hof Ter Doest** avec ch

Ter Doeststraat 4 (Sud : 2 km, à l'ancienne abbaye) – ✆ 0 50 54 40 82 – www.terdoest.be

6 ch – 110/130 € 130/150 € – 2 suites – ½ P 150 €

Rest – Carte 31/70 €

◆ Een 17de-eeuwse kloosterboerderij en een 13de-eeuwse tiendschuur vormen de fraaie setting van dit landelijke grillrestaurant. Sinds 1962 is hier al de 3de generatie aan het werk. Modern-rustieke kamers en wellnessruimte.

◆ Une ferme monastique (17^e^s.) et sa grange dîmière (13e) font un écrin chargé d'histoire à ce resto de campagne. Viandes régionales grillées à vue. 3^e^génération en place depuis 1962. Chambres d'esprit contemporain et épuré, avec quelques touches rustiques (pierres et poutres apparentes). Espace bien-être.

LIVES-SUR-MEUSE – **Namur** – **533** O20 **et 534** O20 – **voir à Namur**

LO – **West-Vlaanderen** – Ⓒ **Lo-Reninge 3 320 h.** – **533** B17 **et 716** B3 – ✉ **8647** **18** B2

▶ Bruxelles 142 – Brugge 66 – Kortrijk 51 – Veurne 13

X **De Hooipiete**

Fintele 7 – ✆ 0 58 28 89 09 – www.hooipiete.be – fermé 2 semaines en janvier, 2 semaines en septembre, mardi et mercredi

Rest – Lunch 29 € – Menu 53 €

◆ Traditioneel café-restaurant met terras, landelijk gelegen tussen het Lo-kanaal en de IJzer, dat al sinds 1979 door dezelfde familie wordt gerund. De specialiteit is paling.

◆ Taverne-restaurant traditionnelle œuvrant depuis 1979 en famille dans un site agreste, à la jonction de l'Yser et du canal de Lo. Spécialité d'anguille. Terrasse verte.

LOBBES – **Hainaut** – **533** K20, **534** K20 **et 716** F4 – **5 619 h.** – ✉ **6540** **7** D2

▶ Bruxelles 60 – Mons 29 – Charleroi 22 – Maubeuge 35

au Nord-Ouest : 3 km à Thuin : site★

à Mont-Sainte-Geneviève Nord : 5 km – Ⓒ **Lobbes** – ✉ **6540**

XXX **l'Etang Bleu**

r. Binche 8 – ✆ 0 71 59 34 35 – www.letangbleu.be – fermé 1er au 5 janvier, 9 au 16 avril, 24 au 31 décembre, samedi midi, dimanche soir et lundi

Rest – Lunch 27 € – Menu 35/72 € – Carte 62 €

◆ Stéphane et Geoffroy ont le sens de l'élégance : leur Étang Bleu distille de jolies touches sixties et, dans l'assiette, on découvre de bien jolies créations culinaires...

◆ Stéphane en Geoffrey ontvangen u met stijl: niet alleen in hun moderne interieur met sixties-elementen, maar ook met de kleurrijke fraaie creaties op het bord.

LOCHRISTI – **Oost-Vlaanderen** – **533** I16 **et 716** E2 – **voir à Gent, environs**

LOENHOUT – **Antwerpen** – Ⓒ **Wuustwezel 19 383 h.** – **533** M14 **et 716** G1 – ✉ **2990** **1** B1

▶ Bruxelles 88 – Antwerpen 35 – 's-Hertogenbosch 70

Galge Veld sans rest

Hoogstraatseweg 209 (sortie ②sur E 19, 1 km direction Hoogstraten) – ✆ 03 314 48 43 – www.galgeveld.be

4 ch – 45/50 € 70/80 €

◆ Dit landbouwbedrijf, dat nog steeds actief is, richt zich sinds kort ook op een andere markt. De kleine gastenkamers met bloemennamen zijn rustig, comfortabel en bovendien interessant geprijsd. Praktisch gelegen nabij de autosnelweg.

◆ Cette exploitation agricole a récemment diversifié ses activités en proposant de bonnes petites chambres. Chacune arbore un nom de fleur, les prix sont doux… confort rime avec quiétude ! Situation commode, non loin de l'autoroute.

LOKEREN – Oost-Vlaanderen – 533 J16 et 716 E2 – 39 174 h. – ✉ 9160 17 C2

Bruxelles 41 – Gent 28 – Aalst 25 – Antwerpen 38

Markt 2, ✆ 09 340 94 74, www.lokeren.be

Biznis

Zelebaan 100 (sortie ⑫ sur E 17 - A 14) – ✆ 09 326 85 00 – www.biznishotel.be – fermé 2 semaines en juillet et fin décembre

34 ch – 105/170 € 130/195 € – 1 suite

Rest *Brouwershof* – voir la sélection des restaurants

◆ Nieuw en trendy hotel in de Durmestad, dat mikt op een "biznis"-cliëntèle. Grote kamers, loungebar, vergaderzalen en ultramoderne voorzieningen.

◆ Ce nouvel hôtel dédié à la clientèle "biznis" a été conçu dans un esprit très contemporain. Grandes chambres, lounge-bar, salles de réunions et équipements high-tech.

't Vier Emmershof

Krommestraat 1 (par Karrestraat : 3 km) – ✆ 09 348 63 98 – www.vieremmershof.be – fermé 1er au 10 septembre, dimanche soir, lundi et mardi

Rest – Menu 53 € bc/85 € bc

◆ Moderne villa in een woonwijk met veel groen. Fijn terras aan de tuinzijde. Geen kaart, maar dagelijks wisselende suggesties die de patron mondeling doorgeeft.

◆ Villa moderne nichée dans un quartier résidentiel verdoyant et dotée d'une terrasse au jardin. Pas de carte, mais des suggestions du jour que le patron dévoile oralement.

Brouwershof – Hôtel Biznis

Zelebaan 100 (sortie ⑫ sur E 17 - A 14) – ✆ 09 326 85 00 – www.biznishotel.be – fermé 2 semaines en juillet et fin décembre

Rest – Menu 35/60 € – Carte 32/61 €

◆ Klassieke kaart, à-la-carte of in een van de verschillende menuformules, waaronder ook een speciaal "Lokerse Feesten-menu" (op tijd klaar voor het 1e optreden!).

◆ Ce restaurant classique propose, outre sa carte et plusieurs formules, un menu spécial "Lokerse Feesten" à l'occasion des Fêtes de Lokeren (parfait pour arriver à temps à chaque concert !).

Bistro Vienna

Stationsplein 6 – ✆ 09 349 03 02 – www.bistro-vienna.be – fermé 1 semaine en février, 1 semaine en septembre et jeudi

Rest – Lunch 22 € – Menu 45/55 €

◆ Moderne bistro in een herenhuis bij het station. Eetzaal in hedendaagse kleuren met parket en patio.

◆ Néobistrot installé dans une maison de maître jouxtant la gare. Parquet, murs taupe et crème, lustres colorés : un lieu dans l'air du temps.

à Daknam Nord : 2 km – Ⓒ Lokeren – ✉ 9160

Tiecelijn

Daknam-dorp 34 – ✆ 09 348 00 59 – www.tiecelijn.be – fermé 23 au 27 février, 16 au 27 août, samedi midi, mardi, mercredi et après 20 h 30

Rest – Lunch 35 € – Menu 55/90 € – Carte 54/98 €

◆ Landelijk restaurant met een trendy interieur, dat intiemer en zachter is geworden. Eigentijdse keuken. Prachtig tuinterras met platanen, struiken en waterpartijen.

◆ Cuisine au goût du jour servie dans une salle contemporaine, tout de prune et beige vêtue. Agréable jardin, où il est plaisant de se restaurer : platanes, buissons et bassins.

LOMMEL - Limburg - **533** Q15 et **716** I2 - **32 917 h.** - ✉ **3920** **10** B1

Bruxelles 93 - Hasselt 37 - Eindhoven 30

Dorp 14, ✆ 0 11 54 02 21, www.toerismelommel.be

Seringenstraat 7, au Sud : 15 km à Leopoldsburg, ✆ 0 11 39 17 80

Corbie sans rest

Hertog Janplein 68 – ✆ 0 11 34 90 90 – www.corbiehotel.com – fermé fin décembre-début janvier

33 ch – 104 € 140 €

◆ Ruime kamers in een modern flatgebouw op de esplanade bij het gemeentehuis. Uitzicht op de stad vanaf de bovenste verdiepingen.

◆ Chambres spacieuses dans cet hôtel moderne sur l'esplanade même de la maison communale. Des étages supérieurs, on domine la ville…

Carré rest,

Dorperheide 31 (Ouest : 3 km sur N 712) – ✆ 0 11 54 60 23 – www.hotel-restaurantcarre.be

11 ch – 55/65 € 55/65 € – ½ P 71/81 €

Rest – *(fermé dimanche soir)* Menu 16/50 € – Carte 27/51 €

◆ Klein hotel dat door een familie wordt gerund, aan de grote weg, op 2 minuten van het centrum. Functionele kamers voor een zacht prijsje; de rustigste liggen achteraan. Traditioneel restaurant met zomerterras.

◆ À 2 min. du centre-ville, en bord de grand-route, petit hôtel familial aux chambres fonctionnelles cédées à prix d'ami. Choisissez de préférence celles côté jardin. Salle de restaurant gentiment bourgeoise, complétée par une terrasse estivale.

Lommel Broek

Kanaalstraat 91, (Kerkhoven) (Sud : 9 km) – ✆ 0 11 39 10 34 – www.lommelbroek.be – fermé mercredi

7 ch – 56 € 76 € – ½ P 75 €

Rest – Menu 15/30 € – Carte 17/55 €

◆ Hotel met grote, goed onderhouden kamers in een recent gebouw bij het kanaal van Beverlo en het natuurreservaat het Kattenbos. Café-restaurant met een ongedwongen sfeer, waar fietsers en wandelaars graag even uitblazen. Terras aan voor- en achterkant.

◆ Près du canal de Beverlo et du Kattenbos (réserve naturelle), construction récente vous logeant dans de vastes chambres bien tenues. Taverne-restaurant décontractée où cyclistes et promeneurs se repaissent volontiers. Terrasses avant et arrière.

De Haeghe sans rest

Werkplaatsen 47 – ✆ 0 11 55 45 06 – www.dehaeghelommel.be

3 ch – 40/45 € 70/80 €

◆ In deze villa uit 1904 wordt u vriendelijk ontvangen door een Nederlands stel. Romantische kamers en appartement. Tuin met mooie waterpartij.

◆ Un couple néerlandais vous accueille avec gentillesse dans cette villa de 1904 s'agrémentant d'un jardin doté d'une jolie pièce d'eau. Chambres romantiques et appartement.

St Jan

Koning Leopoldlaan 94 – ✆ 0 11 54 10 34 – www.restaurant-st-jan.be – fermé 2 dernières semaines de juillet, dimanche et lundi

Rest – Lunch 30 € – Menu 36/56 € – Carte 43/63 €

◆ Klassiek Frans à la carte, meer vernieuwing vindt u bij de menu's. Eetzaal in art-nouveaustijl, goede Margaux in de kelder en groot terras. De chef-kok werkt hier sinds 1975!

◆ Recettes du répertoire classique français, confortable salle à manger d'esprit Art nouveau, tables soignées, bons margaux en cave, grande terrasse. Chef aux becs depuis 1975 !

XX **Cuchara**

Lepelstraat 3 – ✆ 0 11 75 74 35 – www.cuchara.be – fermé samedi midi, dimanche et lundi

Rest – *(réservation indispensable) (menu unique)* Menu 30/65 €

◆ Een keuken die lijkt op z'n chef : jong en creatief, gevormd door toppers als In de Wulf en Het Gebaar. Technische snufjes halen er niet de bovenhand, maar ondersteunen de heerlijke harmonie van de gerechten. Hier proeft u het werk van een jong talent! Hier werkt men met een vaste menukaart en een kleine à-la-cartelunch.

◆ Jeunesse et création… une cuisine à l'image de son chef, formé dans de grandes maisons comme De Wulf ou Het Gebaar. Sa signature : d'intéressantes trouvailles techniques toujours au service de compositions d'une belle harmonie.

LOMPRET – **Hainaut** – **534** L22 **et** **716** G5 – **voir à Chimay**

LONDERZEEL – **Vlaams Brabant** – **533** K16 **et** **716** F2 – **17 655 h.** – ✉ **1840** 3 B1

▶ Bruxelles 23 – Leuven 46 – Antwerpen 28 – Gent 60

XX **'t Notenhof**

Meerstraat 113 – ✆ 0 52 31 15 00 – www.notenhof.be – fermé carnaval, 2 dernières semaines de juillet, samedi midi, mardi et mercredi

Rest – Lunch 29 € – Menu 40/65 € – Carte 41/80 €

◆ Hier geniet u van de klassieke keuken en uw kinderen van de tuin met speeltuin: iedereen tevreden! Het enthousiaste koppel dat deze zaak uitbaat, zorgt bovendien voor een prettige ontvangst.

◆ Les adultes apprécient la cuisine, tout en classicisme, pendant que les petits s'amusent sur l'aire de jeux. Le couple des propriétaires, très impliqué, vous réservera un accueil des plus chaleureux.

à Malderen **Nord-Ouest : 6 km** – 🄲 **Londerzeel** – ✉ **1840**

XX **'t Vensterke**

Leopold Van Hoeymissenstraat 29 – ✆ 0 52 34 57 67 – www.vensterke.be – fermé deuxième semaine vacances de Pâques, 2 dernières semaines d'août, samedi midi, dimanche soir, lundi et mardi

Rest – Lunch 38 € – Menu 50/75 € – Carte 64/98 €

◆ Modern restaurant in lichtgrijze tinten, serre en verzorgd terras. De wijnkelder is vanuit de salon te zien. Eigentijdse, seizoengebonden gerechten die de baas zelf bereidt.

◆ Salle moderne dans les tons gris clair, cave à vins visible près du salon, véranda et terrasse soignée. Cuisine du moment faite par le patron à partir de produits de saison.

LOOZ – **Limburg** – **voir Borgloon**

LOTENHULLE – **Oost-Vlaanderen** – **533** F16 **et** **716** D2 – **voir à Aalter**

LOUVAIN – **Vlaams Brabant** – **voir Leuven**

LOUVAIN-LA-NEUVE – **Brabant Wallon** – 🄲 **Ottignies-Louvain-la-Neuve 31 024 h.** – **533** M18, **534** M18 **et** **716** G3 – ✉ **1348** 4 C2

▶ Bruxelles 32 – Wavre 8 – Leuven 28 – Namur 38

⛳18 r. A. Hardy 68, ✆ 0 10 45 05 15

◉ dans le musée : legs Charles Delsemme★. Musée Hergé★★

Mercure rest, rest, rest,

bd de Lauzelle 61 – ✆ 0 10 45 07 51 – www.mercure.com/2200

77 ch – †69/139 € ††79/149 € – ½ P 84 €

Rest – *(fermé dimanche midi et samedi)* Lunch 25 € – Menu 15/45 €

◆ Cet établissement, appartenant à une grande chaîne hôtelière, accueille de nombreux séminaires et dispose de chambres fonctionnelles.

◆ Dit Mercurehotel heeft een congrescentrum en telt vier verdiepingen met functionele kamers.

Loungeatude
av. du Jardin Botanique (derrière la Ferme du Biéreau) – 0 10 45 64 62 – www.loungeatude.be – fermé samedi midi et dimanche
Rest – Carte env. 40 €
♦ Le concept : trois espaces lounge ("salon", "salle à manger", "business"), où l'on déguste une cuisine actuelle (volaille et crème de coco, lasagnes de tourteau…).
♦ We kenden al de "lounge-attitude" en de afgeleide "loungytude", maar dit is een subtiele variant: de "loungeatude"! Moderne keuken, trendy ambiance en vrij flashy interieur. Businessruimte met walking lunch/dinner.

La LOUVIÈRE – Hainaut – 533 K20, 534 K20 et 716 F4 – 78 071 h. 7 D2 – ✉ 7100

Bruxelles 52 – Mons 28 – Binche 10 – Charleroi 26
pl. Mansart 21, 0 64 26 15 00, www.lalouviere.be

Tristar rest,
pl. Maugretout 5 – 0 64 23 62 60 – www.hoteltristar.be
25 ch – 65/83 € 75/90 € – 2 suites – ½ P 110/140 €
Rest – *(ouvert jusqu'à 23 h)* Lunch 15 € – Menu 20/45 € bc – Carte 23/39 €
♦ Un hôtel récent et central, avec des chambres fonctionnelles – certaines avec jacuzzi ! – et plus calmes sur l'arrière… Cuisine franco-italienne au restaurant.
♦ Modern, centraal gelegen flatgebouw met functionele kamers (waarvan sommige met bubbelbad!). De rustigste kamers bevinden zich aan de achterzijde van het gebouw. Eenvoudige Frans-Italiaanse kaart in het restaurant.

La Louve sans rest
r. Sylvain Guyaux 37 – 0 64 31 08 80 – www.hotelalouve.be
10 ch – 64/80 € 69/94 €
♦ À la recherche d'un hôtel impeccable, central et facile d'accès ? La Louve vous propose un séjour confortable dans un décor contemporain où domine le rouge…
♦ U zoekt een keurig hotel dat makkelijk bereikbaar is? La Louve biedt u een comfortabel verblijf, in een interieur waar rood de boventoon voert.

à Haine-Saint-Paul Sud-Ouest : 2 km – C La Louvière – ✉ 7100

La Table d'Or avec ch
chaussée de Jolimont 124 – 0 64 84 80 82 – www.latabledor.com – fermé samedi midi, dimanche soir, lundi et mardi
3 ch – 115/160 € 115/160 €, 15 € – ½ P 95/160 €
Rest – Lunch 20 € – Menu 28/130 € bc – Carte 51/73 €
♦ Maison de maître située sur la traversée du bourg. Plafond peint, tableaux, bibelots et chaises à médaillon en salles. Offre classique renouvelée avec mesure ; service pro.
♦ Herenhuis aan de hoofdweg van het dorp. Eetzalen met plafondschilderingen, doeken, snuisterijen en medaillonstoelen. Licht vernieuwd klassiek repertoire en bekwaam personeel.

La Table de la Villa
r. Déportation 63 – 0 64 22 81 60 – www.latabledelavilla.be – fermé samedi midi, dimanche soir et lundi
Rest – Lunch 27 € – Menu 40 € bc/73 € bc – Carte env. 55 €
♦ Cédric Manderlier est dans son élément : une cuisine française pleine de fraîcheur, bien en phase avec son époque. Et il peut faire confiance à son équipe enthousiaste ! Menu intéressant au déjeuner.
♦ Het team achter deze zaak laat hun chef vol vertrouwen zijn koers varen: Cédric Manderlier leeft zich uit in de Franse keuken, die hij met jeugdig enthousiasme infuseert en bijdetijds presenteert. Interessante lunchformule.

BELGIQUE

à Haine-Saint-Pierre Sud : 2 km – La Louvière – ✉ 7100

XX **Ugo**

chaussée de Redemont 179 – ✆ 0 64 28 48 00 – fermé mercredi soir, jeudi soir, lundi soir et mardi

Rest – *(réservation conseillée)* Lunch 33 € – Menu 55/75 € – Carte 41/75 €

♦ Depuis trois générations, on déguste ici une cuisine savoureuse et ce n'est pas près de s'arrêter. Ugo Meli a su donner un nouveau souffle (très tendance) au restaurant familial... Soupe de chou-rave avec espuma au romarin, tempura de langoustine au pesto : fraîcheur !

♦ Ugo Meli blaast dit restaurant, dat al drie generaties in de familie is, nieuw leven in. De keuken is, net als het interieur, smaakvol en modern: soepje van koolrabi met espuma van rozemarijn, tempura van langoustine met pesto.

LUIK – Liège – voir Liège

LUSTIN – Namur – **533** O20, **534** O20 et **716** H4 – voir à Profondeville

---

MAARKE-KERKEM – Oost-Vlaanderen – **533** G18 – voir à Oudenaarde

---

BELGIQUE

MAASEIK – Limburg – **533** T16 et **716** K2 – 24 570 h. – ✉ 3680 **11** D1

Bruxelles 118 – Hasselt 41 – Maastricht 33 – Roermond 20

Stadhuis Markt 1, ✆ 0 89 81 92 90, www.maaseik.be

Van Eyck rest,

Markt 48 – ✆ 0 89 86 37 00 – www.hotel-vaneyck.be – fermé semaine de carnaval et 24 décembre

33 ch – †99/139 € ††99/139 €

Rest – Lunch 28 € – Menu 35 € – Carte 37/69 €

♦ Dit hotel heeft een grote moderne lobby met glasdak waaronder het geboortehuis van de gebroeders Van Eyck ligt. Comfortabele kamers en junior suites. Vergaderzalen en fitness. Restaurant en brasserie met een sober, gestileerd interieur. Terras op de Markt.

♦ Hôtel dont le lobby moderne sous verrière abrite la maison natale des frères Van Eyck. Chambres et junior suites confortables, à la déco épurée. Salles de réunions et fitness. Resto chic et sobre complété par une brasserie du même genre et une terrasse sur le Markt.

Kasteel Wurfeld

Kapelweg 60, (Wurfeld) – ✆ 0 89 56 81 36 – www.kasteelwurfeld.be

33 ch – †90/105 € ††130/148 € – ½ P 128/143 €

Rest *De Wintertuin* – voir la sélection des restaurants

♦ Imposant gebouw aan de rand van Maaseik, omringd door een Franse tuin. Weelderige salons, klassieke kamers en terras bij de slotgracht, waarlangs trompetbomen staan.

♦ Aux portes de Maaseik, belle demeure rétro rayonnant sur un parc-jardin à la française. Salons cossus, chambres classiques et terrasse près des douves bordées de catalpas.

Aldeneikerhof

Hamontweg 103, (Aldeneik) (Est : 2 km) – ✆ 0 89 56 67 77 – www.aldeneikerhof.be – fermé février

8 ch – †90 € ††120 € – ½ P 132 €

Rest – *(dîner pour résidents seulement)*

♦ Vriendelijk onthaal in dit 19e-eeuwse herenhuis naast de romaans-gotische kerk in een dorpje dicht bij Maaseik. De kamers zijn zowel rustig als comfortabel.

♦ Ancienne maison de notable jouxtant l'église romano-gothique d'un hameau proche de Maaseik. Chambres aussi paisibles que confortables. Accueil familial aimable.

Frères et sœur

Bosstraat 84 – ✆ 0 89 86 54 44 – www.freres-et-soeur.be
6 ch – 80/105 € 100/125 € **Rest** – Carte 30/47 €

◆ Fris en nagelnieuw, dit hotel in het centrum van Maaseik. De kamers zijn comfortabel, en voor uw gemak kunt u uw auto gratis kwijt in de nabijgelegen parking. De trendy "foodbar" heeft een uitgebreid repertoire van copieuze, verzorgde gerechten.

◆ Un hôtel flambant neuf au cœur de Maaseik. Chambres confortables, parking gratuit à proximité. Le "Foodbar", très branché, joue sur un vaste répertoire de plats copieux et soignés.

Het Agnetenklooster sans rest

Sionstraat 17 – ✆ 0 89 56 43 27 – www.hetagnetenklooster.be
3 ch – 80/110 € 110 € – 2 suites

◆ Even tot rust komen in de peis en vree van een voormalig klooster? Gastvrouw Patricia Indekeu stemde er haar ongedwongen B&B op af, met karaktervolle kamers en een fijne tuin.

◆ Détente assurée... Patricia Indekeu a installé sa maison d'hôtes dans le cadre paisible d'un ancien monastère. Chambres de caractère et joli jardin.

't Goedhof sans rest

Heppeneert 29 – ✆ 0 472 93 13 43 – www.goedhof.be
5 ch – 70 € 90 €

◆ Vier sterren voor deze B&B aan de wandeldijk, iets waar Maaseik trots op is! Ideaal vertrekpunt om te fietsen of te wandelen, maar ook op uw privéterrasje (alle kamers zijn gelegen op de benedenverdieping) kunt u de dag heerlijk laten voorbijkabbelen.

◆ Quatre étoiles pour cette maison d'hôtes située sur la promenade de Maaseik. Un point de départ idéal pour une balade à pied ou à vélo… directement de sa terrasse privée, car chaque chambre se trouve au rez-de-chaussée !

Oude Eycke sans rest

Aldeneikerweg 82, (Aldeneik) (Est : 2 km) – ✆ 0 89 69 99 65 – www.oude-eycke.be
10 ch – 75 € 90 €

◆ Limburgse gezelligheid in een voormalige vierkantshoeve. Ruime kamers en een zaal met ontspanningsmogelijkheden (tafelvoetbal, tafeltennis, etc) zorgen voor een fijn verblijf.

◆ Le confort limbourgeois dans une belle ferme du 19e s. remarquablement aménagée. Les chambres spacieuses et la salle de détente vous feront passer un séjour des plus agréables.

Aen de Roderburgh sans rest

Leugenbrugweg 30, (Aldeneik) (Est : 2 km) – ✆ 0 89 56 31 84 – www.roderburgh.be
5 ch – 70 € 90 €

◆ B&B met themakamers, aan de rand van de weilanden, gerund door een echtpaar zonder capsones. Goed gelegen om de Limburgse Maasvallei met de fiets te verkennen.

◆ Cette maison d'hôtes, tenue par un couple discret, propose de jolies chambres thématiques dans la campagne limbourgeoise. Une situation idéale pour découvrir la vallée de la Meuse à vélo.

De Loteling

Willibrordusweg 5, (Aldeneik) (Est : 2 km) – ✆ 0 89 56 35 89 – www.deloteling.be – fermé mardi, mercredi et après 20 h
Rest – *(réservation conseillée)* Lunch 35 € – Menu 30/48 € – Carte 50/70 €

◆ Dit restaurant in een mooi Maasdorp wordt al meer dan 20 jaar zonder bombarie door een echtpaar gerund. Traditionele eetzaal met openslaande deuren naar het tuinterras vol bloemen.

◆ Resto à l'ambiance sereine, discrètement tenu en couple, depuis 20 ans, dans un joli village mosan. Salle bourgeoise ouvrant ses portes vitrées sur la terrasse-jardin fleurie.

BELGIQUE

XX **Bienvenue**

Markt 20 – 0 89 85 28 82 – www.restaurant-bienvenue.com – fermé dernière semaine de septembre-première semaine d'octobre, samedi midi, mardi et mercredi

Rest – Lunch 29 € – Menu 35/63 € bc – Carte 54/69 €

◆ De jonge patron John Van Leerzem plaatst het product voorop, maar de bereidingswijze hinkt zeker niet achterop: eenvoudig, maar origineel gepresenteerd en vooral vol van smaak! U kunt de gerechten uit de à-la-cartekaart tegen een vaste prijs tot een menu combineren.

◆ Le jeune chef John van Leerzem met avant tout l'accent sur les produits. Tout son savoir-faire s'exprime avec simplicité dans des présentations originales et délicieuses. Un plus : les plats de la carte peuvent se combiner en plusieurs menus à prix fixe.

XX **Tiffany's**

Markt 19 – 0 89 56 40 89 – www.tiffanysmaaseik.blogspot.com – fermé samedi midi et lundi

Rest – *(menu unique)* Menu 29/35 €

◆ In de kleine eetzaal houdt een elegante en spontane gastvrouw alles nauwlettend in de gaten. Aanbod beperkt tot één lekker menu van de markt. Terras op het plein.

◆ Petite salle placée sous la vigilance d'une patronne élégante et spontanée, offre réduite à un bon menu de saison en fonction des opportunités du marché, terrasse sur la place.

BELGIQUE

XX **De Wintertuin** – Hôtel Kasteel Wurfeld

Kapelweg 60, (Wurfeld) – 0 89 56 81 36 – www.kasteelwurfeld.be – fermé lundi midi, mardi midi, mercredi midi et samedi midi

Rest – Lunch 30 € – Menu 38/58 € bc – Carte 46/53 €

◆ Deftig restaurant met veranda en eigentijdse keuken. Wie graag verrast wordt, kan ervan proeven in een surprisemenu. Internationaal georiënteerde wijnkaart.

◆ Un décor chic (avec véranda) pour une cuisine résolument contemporaine ; le menu surprise est incontournable pour les plus audacieux ! Choix de vins internationaux.

MAASMECHELEN – Limburg – 533 T17 et 716 K3 – 36 937 h. – 3630 — 11 C2

Bruxelles 106 – Hasselt 30 – Aachen 42 – Maastricht 15

De Taller-Hoeve

Grotestraat 289, (Kotem) (Est : 4 km) – 0 478 92 72 79 – www.de-tallerhoeve.be

4 ch – †80/100 € ††80/120 €, 15 € – ½ P 105/125 €

Rest – *(fermé mercredi)* Carte 32/45 €

◆ Spring van uw fiets de brasserie in, kom op krachten en trek er opnieuw op uit in het groen langs de Maas. Na uw sportieve dag wacht uw boxspring u op voor een verkwikkende nachtrust, 's ochtends roepen de kerkklokken u naar het ontbijt.

◆ Avant de repartir à bicyclette le long de la Meuse, reprenez des forces dans cette ancienne ferme, à la fois maison d'hôtes et brasserie. Les chambres, modernes et confortables, vous accorderont un repos bien mérité.

à Opgrimbie Sud : 5 km – C Maasmechelen – 3630

XX **La Strada**

Rijksweg 634 – 0 89 76 69 12 – www.restaurantlastrada.be – fermé 27 décembre-1er janvier, 17 juillet-2 août, samedi midi, dimanche midi et lundi

Rest – Lunch 29 € – Menu 49 € – Carte 37/69 €

◆ Toscaanse smaken, vernieuwde Italiaanse recepten en truffelgerechten uit Umbrië, waar de eigenaar-kok vandaan komt. Charmante ontvangst door zijn vrouw. Modern interieur en terras.

◆ Saveurs toscanes, recettes évolutives explorant la Botte et mets à la truffe d'Ombrie, dont le chef-patron est originaire. Accueil charmant par son épouse. Décor mode. Terrasse.

XX **Il Fiore**

Rijksweg 560 – ✆ 0 89 70 45 66 – www.ilfiore.be – fermé mercredi midi, samedi midi et mardi

Rest – *(ouvert jusqu'à 23 h)* Lunch 39 € – Menu 59/69 € – Carte 40/75 €

♦ Sober, eigentijds interieur met open keuken, waar de 'capocuoco' zijn eigen interpretatie geeft aan de Italiaanse keuken, terwijl zijn partner de service verzorgt.

♦ Cadre contemporain épuré, avec cuisine à vue où le "capocuoco" donne son interprétation personnelle de la gastronomie transalpine, tandis que sa compagne soigne le service.

MAILLEN – **Namur** – **C Assesse 6 659 h.** – **533** O20, **534** O20 **et 716** H4 **15** C1 – ✉ **5330**

Bruxelles 78 – Namur 19 – Liège 77 – Wavre 51

 **Château de la Poste**

Ronchinne 25 – ✆ 0 81 41 14 05 – www.chateaudelaposte.be

42 ch – †70/160 € ††70/160 €, ☕ 18 €

Rest – *(dîner pour résidents seulement)*

♦ Au sommet d'une colline verdoyante, ce château de la fin du 19ᵉs. mêle élégamment classique et design. Décoration soignée dans les chambres ; forêt et jardin paysager. Grand restaurant au rez-de-chaussée. Balcon et terrasse avec vue sur l'ensemble de la vallée.

♦ Dit kasteel, op een heuvel in een van de mooiste dorpen van het land, werd gebouwd in opdracht van Napoleon voor zijn neef. Kamers in de authentieke vertrekken. Het interieur is een mix van klassiek en modern. Groot restaurant beneden. Balkon en terras met uitzicht over het hele dal.

BELGIQUE

MAISIÈRES – **Hainaut** – **533** I20, **534** I20 **et 716** E4 – **voir à Mons**

MALDEGEM – **Oost-Vlaanderen** – **533** F15 **et 716** D2 – **22 791 h.** **16** A1 – ✉ **9990**

Bruxelles 87 – Gent 29 – Antwerpen 73 – Brugge 17

Cleythil sans rest

Kleitkalseide 193 (près N 44) – ✆ 0 50 30 01 00 – www.cleythil.be – fermé 15 au 24 juin et 22 au 30 décembre

17 ch ☕ – †75/83 € ††95 € – 2 suites

♦ Oude kloosterboerderij in een mooie groene tuin. De kamers zijn eigentijds en sober ingericht. Ontbijt op de veranda. Vergaderzalen, sauna en fietsen beschikbaar.

♦ Ancienne ferme monastique dans un beau jardin verdoyant. On loge dans des chambres au décor sobre et contemporain. Petit-déjeuner sous la véranda. Salles de réunion, sauna et vélos à disposition.

XX **Elckerlijc**

Kraailokerkweg 17, (Kleit) (Sud : 4 km par N 44, puis direction Ursel) – ✆ 0 50 71 52 63 – www.elckerlijc.be – fermé mercredi

Rest – Carte 38/80 €

♦ Volg de pijlen naar dit landelijk restaurant, waarvan de eigenaar kampioen barbecuen is. Het vlees wordt geroosterd op wijnstokken of whiskyvaten. Warme en levendige ambiance.

♦ Depuis qu'il a obtenu le titre de champion du monde du barbecue en 2003 à la Jamaïque, le patron voit la vie en rose, mais aussi en rouge et bleu. Cuissons maîtrisées et grillades savoureuses dans une ambiance chaleureuse et animée.

MALDEREN – **Vlaams Brabant** – **533** K16 **et 716** F2 – **voir à Londerzeel**

MALEN – **Brabant Wallon** – **voir Mélin**

MALINES – **Antwerpen** – **voir Mechelen**

MALLE – Antwerpen – 533 N15 et 716 H2 – 14 531 h. – ✉ 2390 1 B2

Bruxelles 75 – Antwerpen 30 – Turnhout 18

à Oostmalle Est : 2 km – Ⓒ Malle – ✉ 2390

XXX **De Eiken**

Lierselei 173 (Sud : 2 km sur N 14) – ☎ 0 3 311 52 22 – www.de-eiken.be – fermé vacances scolaires sauf 3 premières semaines de juillet et 3 dernières semaines d' août, samedi midi, dimanche soir, lundi, mardi et après 20 h 30

Rest – Menu 55 € bc/95 € bc – Carte 85/100 €

♦ Villa in een rustige woonwijk. Seizoengebonden menu's tussen traditie en evolutie, geserveerd in twee gerieflijke eetzalen of in de tuin met vijver en bomen eromheen.

♦ Villa située en secteur résidentiel. Menus saisonniers entre tradition et évolution, servis dans deux pièces bien confortables, ou au jardin, près d'un étang entouré d'arbres.

XX **Haute Cookure**

Herentalsebaan 30 – ☎ 0 3 322 94 20 – www.hautecookure.be – fermé vacances de Pâques, août, vacances de Noël, samedi midi, mardi et mercredi

Rest – Lunch 30 € – Menu 52/118 € bc – Carte 61/76 €

♦ Defilé van spijzen die verfijning niet schuwen. Onthaal door de attente eigenaresse. Mooie eetzalen achter elkaar en kleine oranjerie met uitzicht op het terras.

♦ "Haute Cookure" : pour un défilé de mets ne fuyant pas la sophistication. Patronne prévenante à l'accueil. Jolies salles en enfilade et petite orangerie donnant sur la terrasse.

BELGIQUE

MALMÉDY – Liège – 533 V20, 534 V20 et 716 L4 – 12 161 h. – ✉ 4960 9 C2

Bruxelles 156 – Liège 57 – Eupen 29 – Clervaux 57

pl. du Châtelet 9, ☎ 0 80 79 96 35, www.malmedy.be

Site★

au Nord : Hautes Fagnes★★, Sentier de découverte nature★ • au Sud-Ouest : 6 km, Rocher de Falize★ • au Nord-Est : 6 km, Château de Reinhardstein★

L'Esprit Sain rest,

Chemin Rue 46 – ☎ 0 80 33 03 14 – www.espritsain.be – fermé 1 semaine en mars, 1 semaine en juin et 3 semaines en octobre

11 ch – †80/95 € ††92/118 €

Rest – *(fermé lundi)* Lunch 15 € – Menu 25/35 € – Carte 28/56 €

♦ L'esprit "sain" des lieux s'exprime dans l'atmosphère authentique qui règne dans cet hôtel, idéalement situé au cœur de Malmédy. Les chambres sont à la fois simples et accueillantes ; au restaurant, on sert de bonnes préparations maison.

♦ Hier staat het gezond verstand centraal: in het hotelgedeelte ligt de klemtoon op functionele kamers, handig gelegen in het centrum van de stad. Het restaurant zet in op een eenvoudige keuken die aangeboden wordt tegen een scherpe prijs.

L'Horizon sans rest

rte du Monument 8, (Baugnez) (Est : 4 km) – ☎ 0 80 33 93 44

5 ch – †60/70 € ††60/70 €

♦ Maison dont les chambres proprettes à prix souriant bénéficient, au même titre que le jardin et la salle des petits-déj', d'une vue dégagée sur le plateau des Hautes Fagnes.

♦ Goed B&B met nette kamers, die net als de tuin en de ontbijtzaal een onbelemmerd uitzicht bieden op het plateau van de Hoge Venen.

Se régaler sans se ruiner ? Repérez les Bib Gourmand. Ils vous aideront à dénicher les bonnes tables sachant marier cuisine de qualité et prix ajustés !

XX **Plein Vent** avec ch rest,

rte de Spa 44, (Burnenville) (Ouest : 7 km sur N 62) – 0 80 33 05 54 – www.pleinvent.be – fermé fin décembre-début janvier et mardi

7 ch – 74/82 € 82/90 €

Rest – *(fermé mercredi soir, lundi soir, mardi et apres 20 h 30)* Menu 35/60 € – Carte 45/82 €

◆ Villa entourée de verdure, près du circuit de vitesse. Accueil familial et beau panorama ardennais, pour une table actuelle parfois inspirée par l'Italie, tout comme la cave. Chambres fonctionnelles avec lambris et mobilier en pin clair. Terrasse d'été.

◆ Een klassiek restaurant met functionele kamers in het groen van de Hoge Venen. Van het uitgestrekte Ardense panorama alleen al zou u uren kunnen genieten, maar de nabije omgeving biedt nog veel meer: de thermen van Spa en het circuit van Franchorchamps zijn vlakbij.

XX **Albert Ier** avec ch ch,

pl. Albert Ier 40 – 0 80 33 04 52 – www.hotel-albertpremier.be – fermé 1 semaine carnaval, 5 au 18 juillet et jeudi

6 ch – 75 € 95 € **Rest** – *(fermé mercredi et jeudi)* Carte 54/64 €

◆ Restaurant feutré régalant depuis plus de 25 ans en centre-ville. Recettes franco-transalpines et très beau choix de vins de la Botte. Patron aux bouchons ; patronne aux becs. Chambres nettes pour loger au cœur de la cité du "Cwarmé" (carnaval local).

◆ Dit stijlvolle restaurant in het centrum is een vaste waarde in Malmédy. Frans-Italiaanse spijzen en uitstekende selectie Italiaanse wijnen. Mevrouw kookt en meneer bedient. Kraakheldere kamers in het hart van de stad van het 'Cwarme' (carnaval).

X **À la Truite Argentée**

Bellevue 3 (par av. Monbijou : 2 km direction Waimes) – 0 80 78 61 73 – fermé mercredi et jeudi

Rest – Lunch 20 € – Menu 32/45 € – Carte 33/53 €

◆ Cette auberge tenue en couple est "la" bonne adresse malmédienne pour se régaler de truites. Des viviers du jardin, elles n'ont qu'un saut à faire pour se coucher dans la poêle ! Généreux menu traditionnel.

◆ Deze herberg wordt gerund door een familie. Het is het adres in de streek bij uitstek om te genieten van forel die zo vanuit de kweekvijver in de pan springt! Royaal traditioneel menu.

à Bévercé Nord : 3 km – Malmédy – 4960

Maison Geron sans rest

rte de la Ferme Libert 4 – 0 80 33 00 06 – www.geron.be

13 ch – 55/90 € 75/110 €

◆ Adorable hôtel rural tirant parti d'une maison de maître rénovée sans lui ôter son âme. Cadre intime et chaleureux, chambres personnalisées et breakfast bien comme il faut.

◆ Heel aardig 'countryhotel' in een gerenoveerd herenhuis, waarvan de ziel onaangetast is. Intieme, warme inrichting, kamers met een persoonlijke touch en goed ontbijt.

La Boulinière

Chemin du Château 9 , (Arimont) – 0 80 77 15 39 – www.labouliniere.be

3 ch – 69/79 € 69/119 €

Rest – *(fermé deuxième semaine de janvier, 2 premières semaines de juillet, lundi et mardi)* Lunch 27 € – Menu 30/50 € bc – Carte 33/45 €

◆ Trois en un ! Une ancienne fermette en pierre de taille transformée en maison d'hôtes dans l'esprit ardennais, un restaurant style bistro bien sympathique et, au-dessus, une boutique de décoration : une association que les propriétaires appellent "resto-déco-dodo".

◆ Een pittoresk stenen huis dat door de eigenaars is omgetoverd tot een B&B dat Ardense flair uitademt. Naast het gezellige bistrorestaurant vindt u er ook een decoratiezaak op de eerste verdieping, een combinatie die de eigenaars omschrijven als "resto, deco, dodo".

MALONNE – **Namur** – **533** N20, **534** N20 **et 716** H4 – **voir à Namur**

BELGIQUE

MANAGE – Hainaut – **533** K19, **534** K19 et **716** F4 – 22 227 h. – ✉ 7170 **7** D2

Bruxelles 47 – Mons 25 – Charleroi 24

XXX **Le Petit Cellier**

Grand'rue 88 – ☎ 0 64 55 59 69 – www.lepetitcellier.be – fermé juillet, dimanche soir et lundi

Rest – Menu 50 € bc/85 € bc – Carte 39/78 €

♦ La fine équipe ! Ici on œuvre depuis trente ans avec un seul souci : régaler les gourmets d'une belle cuisine classique… Nostalgie garantie avec des oranges à la turque comme on n'en trouve plus guère !

♦ Een hecht team maakt het hier al 30 jaar de gasten naar hun zin. U vindt er een smakelijke, Franse keuken… Met "oranges à la Turque" zoals je ze maar zelden meer vindt!

MARCHE-EN-FAMENNE – Luxembourg – **533** R21, **534** R21 et **716** J5 – 17 175 h. – ✉ 6900 **12** B1

Bruxelles 107 – Arlon 80 – Liège 56 – Namur 46

r. Brasseurs 7, ☎ 0 84 31 21 35, www.marche-tourisme.be

Quartier Latin rest,

r. Brasseurs 2 – ☎ 0 84 32 17 13 – www.quartier-latin.be

75 ch – 95/135 € 105/145 €, 18 € – ½ P 105/125 €

Rest – Lunch 18 € – Menu 35/85 € bc – Carte 27/77 €

♦ Hôtel bâti à l'emplacement d'un Collège des Jésuites. Chambres tout confort, salles de conférences, spa et lounge-bar "cosy". Église baroque (1731) convertie en grande brasserie-restaurant à touches Art déco. Beau brunch-buffet tout compris le dimanche midi.

♦ Hotel op de plek van een oud Jezuïetencollege. Kamers met alle comfort, goede congresfaciliteiten, spa en gezellige loungebar. De barokkerk (1731) is nu een grote brasserie met art-deco-elementen. Lekker brunchbuffet (alles inbegrepen) op zondagmiddag.

Château d'Hassonville rest, rest,

rte d'Hassonville 105 (Sud-Ouest : 4 km par N 836) – ☎ 0 84 31 10 25 – www.hassonville.be – fermé 3 au 14 janvier

20 ch – 115/165 € 130/180 €, 20 € – ½ P 175/230 €

Rest – *(fermé lundi et mardi)* Lunch 47 € bc – Menu 55/75 € – Carte 68/91 €

♦ Superbe château (1687) agrémenté d'un parc avec étang. Chambres romantiques dans le corps de logis et ses dépendances. Breakfast dans la serre. Au restaurant, cadre classique et cuisine raffinée. Belle cave.

♦ Prachtig kasteel (1687) in een park met vijver. Romantische kamers in het hoofdgebouw en de bijgebouwen. Ontbijt in de serre. Verfijnde maaltijd in een modern paviljoen, waarvan de tafels aan de zijkant een mooi uitzicht bieden. Rijke wijnkelder en menu-formules inclusief wijn.

XX **Les 4 Saisons**

r. Bastogne 108, (Hollogne) (Sud-Est : 2 km) – ☎ 0 84 32 18 10 – fermé 1 semaine carnaval, dimanche soir, mardi soir et mercredi

Rest – Lunch 30 € – Menu 35/67 € bc – Carte 53/64 €

♦ Cuisine actuelle, que l'on savoure dans une salle à manger chaleureuse ou sous la véranda donnant sur le jardin.

♦ Restaurant met een gezellige, eigentijdse eetzaal en een moderne serre die uitkijkt op de tuin met terras en waterpartij. Mooie moderne bar. Up-to-date culinair register en bijpassende wijnen.

XX **La Gloriette**

r. Bastogne 18 – ☎ 0 84 37 98 22 – www.lagloriette.net – fermé 1 semaine en janvier, dernière semaine d'août- première semaine de septembre, mercredi soir et lundi

Rest – Lunch 22 € – Menu 35/55 € – Carte 42/67 €

♦ Dans le très beau jardin à la française de cette maison de maître se tient une jolie gloriette… Un cadre idéal pour savourer une cuisine classique revisitée.

♦ Dit herenhuis nodigt u uit voor een creatieve maaltijd in een licht, modern-rustiek decor. Mooi prieeltje (gloriette) onder een essenboom. Spontane eigenaresse.

X **Tête à tête avec le chef**

Rempart des Jésuites 3 – ✆ 0 84 31 65 44 – fermé 2 semaines en juillet, semaine de Noël, mardi soir et mercredi
Rest – Lunch 19 € – Menu 27/38 € – Carte 30/51 €
◆ Un agréable comptoir fait face à la cuisine... On s'y attable autour de bons plats de brasserie, tout en observant le chef qui s'active aux fourneaux.
◆ Geniet van een klassieke bistrokeuken op z'n Frans terwijl u tegenover de chef zit aan een van de zes tafels rond de open keuken. Interessante formule.

MARENNE – **Luxembourg** – Ⓒ **Hotton 5 597 h.** – **533** R21, **534** R21 **et 716** J5 – ✉ **6990** **12** B1

Bruxelles 109 – Arlon 84 – Dinant 44 – Liège 64

au Nord-Est : 4 km à Hotton : Grottes★★

XX **Les Pieds dans le Plat**

r. Centre 3 – ✆ 0 84 32 17 92 – www.lespiedsdansleplat.be – fermé mercredis soirs, jeudis soirs, lundis et mardis non fériés
Rest – Lunch 25 € – Menu 33/95 € bc – Carte 41/73 €
◆ Bâtisse en pierres du pays (ex-école du village) agrandie par une véranda moderne. Carte et menus appétissants, chaleureux décor rustique-contemporain, repas au jardin en été.
◆ Oude dorpsschool van steen uit de streek met een moderne serre. Aanlokkelijke kaart en menu's, warm modern-rustiek interieur en tuin om 's zomers buiten te eten.

MARIAKERKE – **West-Vlaanderen** – **533** C15 **et 716** B2 – **voir à Oostende**

MARKE – **West-Vlaanderen** – **533** E18 **et 716** C3 – **voir à Kortrijk**

MARTELANGE – **Luxembourg** – **534** T24 **et 716** K6 – **1 618 h.** – ✉ **6630** **13** C2

Bruxelles 168 – Arlon 18 – Bastogne 21 – Diekirch 40

XX **Le Vertige des Saveurs** avec ch rest, rest,

r. Roche Percée 1 (Nord : 2 km sur N 4) – ✆ 0 63 60 04 28 – www.vertige-des-saveurs.com
10 ch – †74/84 € ††74/84 €, ☕ 8 €
Rest – *(fermé dimanche soir et lundi)* Lunch 24 € – Menu 60 € bc/86 € bc – Carte 48/67 €
◆ Carte à deux volets (classique et évolutif) présentée à l'étage, dans un cadre traditionnel. Réservez votre table près des fenêtres pour le coup d'œil sur la verte Ardenne. Chambres parquetées, à préférer à l'annexe car un peu plus spacieuses. Tenue familiale.
◆ Kaart met twee kanten: klassiek en modern. Reserveer een tafel bij het raam om te genieten van het uitzicht op de groene Ardennen. Kamers met parket die in het bijgebouw het ruimst zijn. Familiebedrijf.

MATER – **Oost-Vlaanderen** – **533** H17 – **voir à Oudenaarde**

MECHELEN (MALINES) – **Antwerpen** – **533** L16 **et 716** G2 – **80 940 h.** – ✉ **2800** **1** B3

Bruxelles 30 – Antwerpen 26 – Leuven 24

Hallestraat 2, ✆ 0 70 22 28 00, www.toerismemechelen.be

Cathédrale St-Rombaut★★(St. Romboutskathedraal): tour★★★AY • Grand-Place★ (Grote Markt) ABY **26** • Hôtel de Ville★(Stadhuis)BY**H** • Pont du Wollemarkt (Marché aux laines) ≤★AY**F** • Trois maisons anciennes pittoresques★ sur le quai aux Avoines (Haverwerf)AY. Musée : Manufacture Royale de Tapisseries Gaspard De Wit★(Koninklijke Manufactuur van Wandtapijten Gaspard De Wit)AY**M**[1]

par ③ : 3 km à Muizen : Parc zoologique de Planckendael★★

Stadsplattegronden op volgende bladzijden

BELGIQUE

MECHELEN

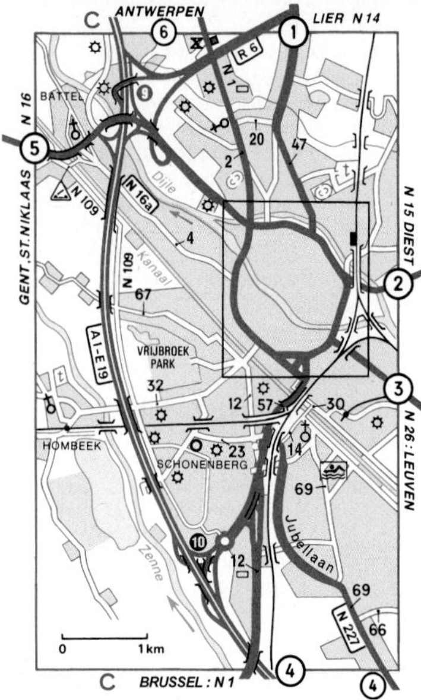

Patershof sans rest

Karmelietenstraat 4 – ✆ 0 15 46 46 46
– www.martinshotels.com AZ**a**
79 ch – †99/245 € ††119/265 €, ☕ 20 €

• Dit nieuwe hotel met een kloosterverleden is zeer geslaagd, van de design lobby-bar tot de moderne kamers, waarin authentieke elementen zijn verwerkt, zoals glas-in-loodramen.

• Ce nouvel hôtel au passé de monastère est une réussite, du lobby-bar design aux chambres modernes, où subsistent parfois des éléments de l'ancienne église, comme les vitraux.

Vé sans rest

Vismarkt 14 – ✆ 0 15 20 07 55
– www.hotelve.com AY**z**
36 ch ☕ – †79/239 € ††99/259 €

• Zakenhotel met een arty designinterieur in een voormalige haringrokerij aan een levendig plein. Lobby in loftstijl, moderne kamers, exposities en vaste evenementen. Trendy bar.

• Cet ancien fumoir à hareng accueille un hôtel d'esprit loft : sols en béton ciré, mobilier design, expositions régulières d'artistes contemporains.

Gulden Anker

Brusselsesteenweg 2 – ✆ 0 15 42 25 35
– www.guldenanker.be AZ**u**
34 ch ☕ – †76/126 € ††86/146 € – ½ P 104 €
Rest *Gulden Anker* – voir la sélection des restaurants

• Businesshotel, gerund door een familie, tegenover een ophaalbrug over de vaart en bij een stadspoort. Behaaglijke kamers, loungebar, sauna en fitnessruimte.

• Hôtel faisant face au pont-levis du canal, près d'une ancienne porte de la ville. Chambres douillettes et fonctionnelles ; sauna et fitness.

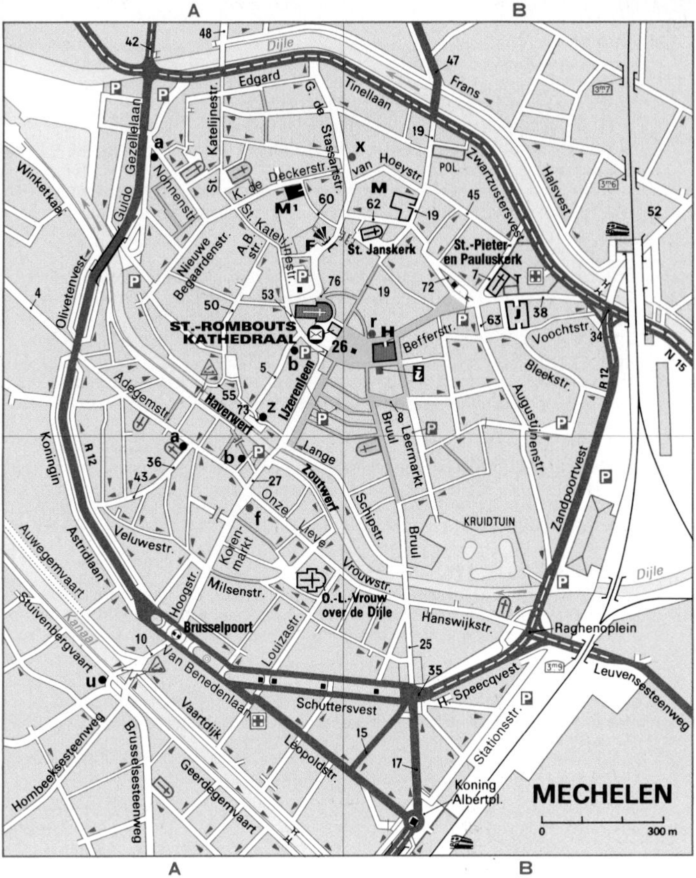

MECHELEN

Novotel rest,

Van Beethovenstraat 1 – ✆ 0 15 40 49 50 – www.novotel.com AZ**b**

121 ch – †69/179 € ††69/179 €, ☕ 20 € – 1 suite

Rest – Lunch 31 € – Menu 31/65 € – Carte 34/53 €

◆ Modern hotel in het centrum met kamers en andere ruimten in eigentijdse stijl. Tevens voorzieningen om te vergaderen en aan de conditie te werken. Brasserie met een hedendaagse inrichting.

◆ Hôtel de chaîne moderne situé en centre-ville. Communs et chambres de style contemporain, salles de conférences et équipements pour soigner sa forme. Restaurant de type brasserie au décor de notre temps.

Malcot sans rest

Leuvensesteenweg 236 (par ③ : 2 km) – ✆ 0 15 45 10 00 – www.hotelmalcot.be

10 ch – 🚹75/110 € 🚹🚹100/180 €, ☕ 10 €

◆ Dit logies aan de rand van het centrum bevindt zich niet ver van de weg naar Leuven en wordt door een familie gerund. Comfortabele kamers en ontbijt in de zitkamer met open haard.

◆ Maison tenue en famille à l'approche du centre-ville, en léger retrait de la chaussée de Louvain. Chambres de confort très convenable et salon-cheminée utilisé au petit-déj'.

Het Anker rest,

Guido Gezellelaan 49 – ✆ 0 15 28 71 41 – www.hetanker.be – fermé Noël et nouvel an AY**a**

22 ch ☕ – 🚹74/78 € 🚹🚹84/97 €

Rest – Carte 28/46 €

◆ Hotel in een voormalige 15de-eeuwse pand, de brouwerij van het beroemde Carolus bier. Functionele kamers, waarvan sommige op de binnenplaats uitkomen.

◆ L'hôtel occupe une ancienne brasserie du 15e s., au cœur du site produisant la bière Carolus. Chambres fonctionnelles, dont certaines donnent sur la cour intérieure.

BELGIQUE

3 Paardekens sans rest

Begijnenstraat 3 – ✆ 0 15 34 27 13 – www.3paardekens.be AY**b**

33 ch – 🚹60/138 € 🚹🚹62/158 €, ☕ 10 €

◆ Als er een prijs werd uitgereikt voor mooiste uitzicht bij het ontbijt, dan viel dit keurige hotel vast in de prijzen: in de ontbijtzaal wenst de Sint-Romboutskathedraal u een statige goedemorgen. Comfort van nu tegen de prijs van vroeger.

◆ Si l'on devait décerner un prix pour la plus belle vue au petit-déjeuner, ce charmant hôtel l'emporterait haut la main : il invite littéralement la cathédrale Saint-Rombaut à votre table ! Confort moderne à prix… d'autrefois.

D'Hoogh (Erik D'Hoogh)

Grote Markt 19, (1er étage) – ✆ 0 15 21 75 53 – www.dhoogh.be – fermé 2 semaines à Pâques, 3 premières semaines d'août, samedi midi, dimanche soir, lundi et mardi BY**r**

Rest – *(prévenir)* Lunch 60 € bc – Menu 88 € bc/110 € bc – Carte 74/88 €

Spéc. Asperges régionales (avril-janvier). Préparations de gibier saisonnier (octobre-janvier). Pot au feu de ris de veau, pieds de porc et truffes d'hiver (hiver).

◆ In dit monument uit 1902 verzorgen twee broers en hun vrouwen klassieke maaltijden in een stijlkamer met cassetteplafond, marmeren schouw, kristallluchters en Mechels meubilair. Zet deze zaak zeker op uw to do-lijstje want wellicht zal dit mooie liedje niet zo lang meer duren!

◆ Monument de 1902 où deux frères et leurs épouses régalent classiquement dans un décor d'époque : plafonds à caissons, cheminées en marbre, lustres en cristal, meubles malinois. Cette adresse doit être une de vos priorités cette année car elle ne durera plus très longtemps!

Folliez

Korenmarkt 19 – ✆ 0 15 42 03 02 – www.folliez.be – fermé mi-juillet-mi-août, vacances de Noël, samedi et dimanche AZ**f**

Rest – Lunch 40 € – Menu 65/95 € – Carte 81/140 €

Spéc. Asperges et langoustine au parmesan. Dorade royale en croûte de sel, huile d'olive et tomate. Bœuf wagyu, pommes Pont-neuf et salade de cresson.

◆ Warm en modern interieur, gevoel voor gastvrijheid, topproducten op klassieke of vernieuwende wijze bereid, goede wijnadviezen van de eigenaar. Laat u verleiden door de menu's!

◆ Cadre moderne chaleureux, sens de l'accueil, produits d'excellence travaillés de façon évolutive ou plus classique, et beaux vins bien conseillés par le patron. Laissez-vous tenter par les menus !

XX **Gulden Anker** – Hôtel Gulden Anker

Brusselsesteenweg 2 – ✆ 0 15 42 25 35 – www.guldenanker.be – fermé juillet, samedi midi et dimanche soir AZ**u**

Rest – Lunch 29 € bc – Menu 42/59 € – Carte 46/64 €

◆ Wie hier voor anker gaat, kan zich verwachten aan een keuken die de Franse gastronomie laat samengaan met klassiekers van bij ons. Ook geschikt voor recepties.

◆ Pour celui qui jette l'ancre ici, il peut s'attendre à une cuisine qui marie les recettes classiques françaises aux spécialités bien de chez nous. Pour un petit ou un grand équipage.

X **Frida & de Henri's**

Goswin De Stassartstraat 60 – ✆ 0 15 33 92 67 – www.fridaendehenris.be – fermé fin décembre-début janvier, août, samedi midi, dimanche et lundi BY**x**

Rest – Lunch 26 € – Menu 44/49 €

◆ Leuk, prikkelend en zonder franje, iets wat zowel over de keuken als de zaal kan gezegd worden. Het menu oogt een beetje klassiek, maar elk gerecht wordt creatief vertolkt. De maneblussers zijn er helemaal weg van!

◆ Sans chichis, amusant et même mordant, en salle comme en cuisine. Le menu, d'apparence classique, cache en réalité des plats interprétés avec une certaine créativité. Une table très appréciée des "Maneblussers" (surnom des Malinois) !

à Leest par ⑤ : 5 km – Ⓒ Mechelen – ✉ 2811

X **'t Witte Goud**

Dorpstraat 5 – ✆ 0 15 63 62 75 – www.twittegoud.be – fermé samedi midi et lundi

Rest – *(nombre de couverts limité, prévenir)* Lunch 32 € – Menu 52/84 € bc – Carte 50/70 €

◆ Het witte goud, dat zijn niet alleen asperges en hoppescheuten, maar het is ook het culinaire geesteskind van Bruno Iwens. Op het ritme van de seizoenen bereidt hij hedendaagse gerechten als kwartel op carpaccio van ananas.

◆ "'t Witte Goud", littéralement "l'or blanc", ne désigne pas seulement les asperges et les jets de houblon de la région, mais également le talent culinaire de Bruno Iwens. Au rythme des saisons, il concocte des plats actuels, une caille sur carpaccio d'ananas par exemple. Un régal !

à Rijmenam par ② : 8 km – Ⓒ Bonheiden 14 689 h. – ✉ 2820

In den Bonten Os rest,

Rijmenamseweg 214 – ✆ 0 15 52 04 50 – www.bontenos.be – fermé 29 décembre-7 janvier

23 ch – †85/130 € ††95/155 € – 1 suite

Rest – *(fermé dimanche soir) (dîner seulement sauf dimanche)* Menu 53 € bc/ 72 € bc – Carte 49/74 €

◆ Deze kleine hostellerie in Franse stijl wordt al sinds 1875 door dezelfde familie gerund! Kamers en faciliteiten voor zakenmensen en congresgangers. Boomrijke omgeving. Luxueuze eetzaal in retrostijl en actuele keuken. Champagnebrunch op de 1ste zondag van de maand.

◆ Petite hostellerie "à la française" exploitée en famille depuis 1875 ! Chambres et facilités pour vos séjours d'affaires et vos séminaires. Environnement arboré. Cuisine actuelle servie dans une salle rétro et cossue. Brunch au champagne le 1er dimanche du mois.

Adressen met gastenkamers geven niet dezelfde diensten als een hotel. Zij onderscheiden zich vaak door hun onthaal en decor, die vooral de persoonlijkheid van de eigenaars naar voren brengt. Deze vermeld in het rood zijn het meest aangenaam.

à Sint-Katelijne-Waver Nord-Ouest : 7 km – 20 149 h. – ✉ 2860

XX ✿ **Centpourcent** (Axel Colonna-Cesari)
Antwerpsesteenweg 1 – ✆ 0 15 63 52 66 – www.centpourcent.be – fermé 2 dernières semaines de juillet, dimanche et lundi Cx
Rest – Lunch 38 € – Menu 65/105 € bc – Carte 61/76 €
Spéc. Foie d'oie poêlé, salade de petits pois à la menthe et huile d'amande. Daurade royale en croûte de sel, raviolis de tomate confite, artichauts et sauce vierge. Pigeonneau, anchois et pain brulé, tapenade d'olive et fleur de courgette frite, jus de cuisson.
◆ Chef Axel en gastvrouw Anneleen leenden de voorbije jaren hun talent uit aan toprestaurants en luxueuze cruiseschepen, nu bundelen ze hun krachten om de culinaire meerwaardezoeker in Mechelen gelukkig te maken. Sterke producten in hedendaagse bereidingen, origineel maar nooit gezocht. Een aanrader, voor de volle 100%.
◆ Après avoir exercé leurs talents dans de grands restaurants ou sur des croisières de luxe, Axel (le chef) et Anneleen ont posé leurs valises dans ce restaurant joliment cosy. Leur credo : vous régaler d'une cuisine contemporaine originale et 100% soignée.

MEISE – **Vlaams Brabant** – **533** K17 **et 716** F3 – **18 382 h.** – ✉ **1860** **3** B1
Bruxelles 14 – Leuven 37 – Antwerpen 35 – Gent 58
Jardin botanique★★

BELGIQUE

Sterckxhof sans rest
Kardinaal Sterckxlaan 17, (Oppem) (Ouest : 1 km) – ✆ 0 2 269 90 36 – www.sterckxhof.be
6 ch – †65/135 € ††85/135 €
◆ Sfeervol logies in een oude boerderij naast een kerkje. Mooie kamers met de originele decoratieve elementen en ontbijtkamer in nostalgische sfeer.
◆ Maison d'hôte charmante tirant parti d'une ancienne ferme voisine d'une petite église. Jolies chambres dotées d'éléments décoratifs anciens ; salle de breakfast nostalgique.

XXX **Hof ter Imde**
Beekstraat 32, (Imde) (Nord-Ouest : 4 km) ✉ 1861 – ✆ 0 52 31 01 01 – www.hofterimde.be – fermé 1er au 3 janvier, 10 au 18 avril, 7 au 21 août, samedi midi, dimanche soir et lundi
Rest – Lunch 35 € – Menu 70 € bc/95 € bc – Carte 50/68 €
◆ Deze oud-Brabantse boerderij is nu een comfortabel restaurant. Moderne eetzaal, klassiek à-la-cartemenu, feestzaal in het bijgebouw en terras met uitzicht op de boomgaard. Menu met een vaste prijs per gang aangevuld met all-in-formules.
◆ Exit la vieille ferme brabançonne... place à ce restaurant confortable et moderne, où l'on sert une cuisine classique. Petits plus : la terrasse donnant sur le verger et la salle des fêtes dans l'annexe.

MÉLIN – **Brabant Wallon** – **533** O18 **et 716** H3 – **voir à Jodoigne**

MELLE – **Oost-Vlaanderen** – **533** H17 **et 716** E2 – **voir à Gent, environs**

MEMBRE – **Namur** – **534** O23 **et 716** H6 – **voir à Vresse-sur-Semois**

MENEN (MENIN) – **West-Vlaanderen** – **533** D18 **et 716** C3 – **32 530 h.** – ✉ **8930** **19** C3
Bruxelles 106 – Brugge 58 – Ieper 24 – Kortrijk 13

Ambassador sans rest
Wahisstraat 34 – ✆ 0 56 31 32 72 – www.ambassadorhotel.be
34 ch – †68/187 € ††86/207 €
◆ Dit hotel wordt gewaardeerd om zijn rust en ruime, functionele kamers die gericht zijn op de zakenwereld. Leeszaal en bar. Parkeerruimte op de binnenplaats.
◆ Hôtel dont on apprécie le calme et l'ampleur des chambres, fonctionnelles, pensées pour la clientèle d'affaires. Salon de lecture et bar. Parking dans la cour intérieure.

à Rekkem Est : 4 km – Ⓒ Menen – ✉ 8930

XXX **La Cravache**
Gentstraat 215 (Sud-Est : 4 km sur N 43) – ☎ 0 56 42 67 87 – www.lacravache.com – fermé carnaval, 16 août-1er septembre, dimanche soir, lundi soir et mardi
Rest – Lunch 58 € bc – Menu 85 € bc/95 € bc – Carte 81/148 €
◆ Weelderige villa in een landelijke omgeving met een eigentijdse keuken. 's Zomers is het heerlijk toeven op het teakhouten terras in de tuin. Aantrekkelijk lunchmenu.
◆ Villa cossue en pleine nature. L'été venu, installez-vous sur la charmante terrasse en teck et contemplez le magnifique jardin arboré. Cuisine classique et raffinée.

MERELBEKE – Oost-Vlaanderen – **533** H17 et **716** E3 – voir à Gent, environs

MERENDREE – Oost-Vlaanderen – Ⓒ Nevele 11 942 h. – **533** G16 et **716** D2 – ✉ 9850 **16** B2
▶ Bruxelles 68 – Gent 13 – Brugge 41 – Kortrijk 57

XXX **'t Aards Paradijs**
Merendreedorp 65 – ☎ 0 9 371 57 56 – www.aardsparadijs.be – fermé 20 décembre-10 janvier, 11 juillet-4 août, samedi midi, lundi, mardi et mercredi
Rest – Menu 50/125 € – Carte 59/78 €
◆ Grote mediterrane villa, waar gasten worden onthaald op een creatieve keuken met het accent op zuidelijke smaken.
◆ Grande villa d'esprit méditerranéen, où l'on se régale d'une cuisine créative aux savoureux accents du Sud.

MIDDELKERKE – West-Vlaanderen – **533** B15 et **716** B2 – 18 636 h. – Station balnéaire – Casino Kursaal, Zeedijk 116/Z ☎ 0 59 31 95 95 – ✉ 8430 **18** B1
▶ Bruxelles 124 – Brugge 37 – Oostende 8 – Dunkerque 43
ℹ Dr J. Casselaan 4, ☎ 0 59 30 03 68, www.middelkerke.be

Excelsior sans rest
A. Degreefplein 9a – ☎ 0 59 30 18 31 – www.hotelexcelsior.be – fermé janvier
39 ch – †50/115 € ††75/125 €
◆ Hotel aan de rand van de badplaats, gunstig gelegen tussen de duinen en het strand. Identieke kamers met bescheiden comfort, maar goed onderhouden. Die aan de straatkant hebben het meeste lichtinval en een stukje zeezicht.
◆ Cet hôtel jouit d'une situation privilégiée, entre dunes et plage, à proximité de la station balnéaire. Les chambres sont simples, mais bien tenues. Côté rue, elles sont plus lumineuses et offrent même une petite vue sur la mer.

Hostellerie Renty
L. Logierlaan 51 (près du château d'eau Krokodil) – ☎ 0 59 31 20 77 – www.renty.be – fermé 25 juin-6 juillet, 10 au 20 décembre et mercredi
8 ch – †73 € ††83/103 € – ½ P 77/88 €
Rest *Hostellerie Renty* – voir la sélection des restaurants
◆ Hostellerie Renty staat voor modern, aantrekkelijk geprijsd logies op een steenworp van de zeedijk. De kamers zijn genoemd naar beroemde wijndomeinen. Goed ontbijt.
◆ L'Hostellerie Renty, c'est du moderne, assez proche du bord de mer et proposé à un prix très attrayant. De célèbres domaines viticoles donnent leurs noms aux chambres. Bon petit-dèj.

XX **Chaplin**
Leopoldlaan 95 – ☎ 0 59 31 06 38 – www.restaurantchaplin.be – fermé mercredi et jeudi
Rest – Lunch 20 € – Menu 45/65 € bc – Carte 45/77 €
◆ Het interieur brengt hulde aan Chaplin, de keuken aan de traditionele gastronomie: deze zaak kent haar klassiekers! U bent hier getuige van echt teamwork: de patron staat met zijn vrouw in de zaal, zijn zus achter het fornuis. Specialiteit: bouillabaisse.
◆ Le décor rend hommage à Chaplin, la cuisine à la gastronomie traditionnelle. Ici, on connaît ses classiques ! Un vrai travail d'équipe… et de famille : le patron et sa compagne en salle, sa sœur aux fourneaux. En spécialité, la bouillabaisse.

BELGIQUE

XX **De Vlaschaard**

Leopoldlaan 246 – ✆ 0 59 30 18 37 – www.de-vlaschaard.be – fermé mardi et mercredi sauf vacances scolaires

Rest – Lunch 28 € bc – Menu 65 € bc/100 € bc – Carte 56/150 €

◆ Gezellig restaurant, genoemd naar een roman van Streuvels. De gerechten evolueerden naar een creatiever repertoire: de zoon van de chef zorgt voor jong geweld in de keuken. Klassiekers als kreeft en mosselen blijven wel op de kaart.

◆ Cet agréable restaurant doit son nom à un roman de Stijn Streuvels. Un nouveau chapitre s'écrit depuis l'arrivée du fils du chef, qui ouvre la carte au répertoire contemporain. Des choix pleins d'allant, même si on ne se lasse pas des classiques homards et moules...

XX **La Tulipe**

Leopoldlaan 81 – ✆ 0 59 30 53 40 – www.latulipe.be – fermé 2 premières semaines d'octobre, dimanches soirs non fériés, lundi soir et mardi

Rest – Menu 25/89 € bc – Carte 43/78 €

◆ Geactualiseerde traditionele kaart met bouillabaisse als specialiteit en 5 menu's. Intiem en cosy interieur. Mevrouw staat in de keuken en meneer in de zaal.

◆ Carte traditionnelle actualisée, spécialité de bouillabaisse et 5 menus pour se régaler dans un cadre intime et cosy. Cuisinière au piano, son mari en salle.

XX **Honfleur** avec ch

ch,

P. de Smet de Naeyerstraat 19 – ✆ 0 59 30 11 88 – www.hotel-honfleur.be – fermé 20 au 27 février et 26 novembre-7 décembre

13 ch – †65 € ††75/90 €

Rest – *(fermé dimanche soir et lundi)* Lunch 20 € – Menu 35 € – Carte 40/72 €

◆ Comfortabel restaurant met een fashionable interieur in de belangrijkste winkelstraat. Lekker seizoengebonden menu met veel keuze. Op de bovenverdiepingen goed onderhouden, functionele kamers (vraag -tegen dezelfde prijs- naar 1 van de nieuwe).

◆ Dans l'artère commerçante, confortable resto au goût du jour et à la jolie déco "fashion" où vous ferez connaissance avec un bon menu saisonnier à choix multiple. Aux étages, chambres fonctionnelles bien tenues, d'ampleur disparate. Sauna.

BELGIQUE

XX **Hostellerie Renty** – Hôtel Hostellerie Renty

L. Logierlaan 51 (près du château d'eau Krokodil) – ✆ 0 59 31 20 77 – www.renty.be – fermé 25 juin-6 juillet, 10 décembre-7 janvier, lundi soir et jeudi soir d'octobre à mi-mars, mardi, mercredi et après 20 h 30

Rest – Menu 35/62 € bc – Carte 34/72 €

◆ Restaurant in een typisch Belgische badvilla bij de watertoren. Huiselijke ambiance, verzorgde visgerechten, wijnkeuze op de tafelkleden geprint.

◆ Villa "mer du Nord" à l'ombre d'un château d'eau. Ambiance familiale, préparations littorales soignées, choix de vins imprimé sur les nappes.

MILLEN – Limburg – 533 S18 et 716 J3 – voir à Riemst

MIRWART – Luxembourg – C Saint-Hubert 5 714 h. – 534 Q22 et 716 I5 – ✉ 6870 — 12 B2

Bruxelles 129 – Arlon 71 – Bouillon 55 – Marche-en-Famenne 26

Le Beau Site sans rest

pl. Communale 5 – ✆ 0 84 36 62 27 – www.le-beau-site.be – fermé dimanche et mardi

9 ch – †72/80 € ††81/90 €

◆ Auberge rustique dont l'annexe voisine abrite des chambres calmes dotées d'une terrasse ou d'un balcon tourné vers le jardin et la vallée boisée. Accueil au café, très typé.

◆ Rustieke herberg met rustige kamers in de dependance, allen voorzien van terras of balkon met uitzicht op de tuin en het bosrijke dal. Ontvangst in het karakteristieke café.

XX **Auberge du Grandgousier** avec ch

r. Staplisse 6 – ✆ 0 84 36 62 93 – www.grandgousier.be – fermé 2 janvier-16 février, 25 juin-12 juillet, 27 août-13 septembre, mardi sauf en juillet-août, mercredi et après 20 h 30

9 ch – 65/70 € 80/85 € – ½ P 72/80 €

Rest – Menu 34/59 € bc – Carte 44/69 €

◆ Cette auberge familiale en moellons et colombages vous convie à un repas de saison sous les poutres d'une salle rustique. Bon choix de menus, spécialité de gibier, truite au bleu en direct du vivier, comme le homard. Chambres bien tenues ; planchers sonores.

◆ Familieherberg met breukstenen en vakwerk. In de rustieke eetzaal met balken worden seizoensgebonden gerechten geserveerd. Diverse menu's, wild, forel en kreeft uit het homarium. Goed onderhouden kamers; krakende vloer.

MODAVE – Liège – 533 Q20, 534 Q20 et 716 I4 – 3 865 h. – ✉ 4577 8 B2

Bruxelles 97 – Liège 38 – Marche-en-Famenne 25 – Namur 46

Château★ : ≤★

au Sud : 6 km à Bois-et-Borsu, église romane : fresques★

XXX **La Roseraie** avec ch

rte de Limet 80 – ✆ 0 85 41 13 60 – www.laroseraiemodave.com – fermé dimanche soir, lundi, mardi et mercredi

4 ch – 75 € 95 €

Rest – *(fermé après 20 h 30)* Lunch 38 € – Menu 49/59 € – Carte 54/71 €

◆ Le chef Trignon aime prendre son temps… Vous l'en remercierez lorsque vous serez à table : sa cuisine classique, mitonnée à la minute, reçoit le plus grand soin et mérite bien une petite attente. Excellent rapport qualité-prix.

◆ Chef Trignon neemt graag zijn tijd. Als u zijn gerechten proeft, begrijpt u waarom: een minutieus uitgevoerde klassieke keuken die met zijn tijd meegaat, vraagt hierom, zeker als alles à la minute wordt gemaakt. Zeer goede prijs-kwaliteitsverhouding.

BELGIQUE

Een goede maaltijd voor een schappelijke prijs? Zoek de Bib Gourmand.

MOERBEKE – Oost-Vlaanderen – 533 I15 et 716 E2 – 6 012 h. – ✉ 9180 17 C1

Bruxelles 54 – Gent 26 – Antwerpen 38

XX **'t Molenhof**

Heirweg 25 – ✆ 0 9 346 71 22 – www.tmolenhof.be – fermé 6 au 24 septembre, 24 décembre-3 janvier, mercredi soir d'octobre à avril, dimanche soir, lundi et mardi

Rest – Menu 50 € bc/90 € bc

◆ Boerderijtje met een rustieke inrichting, omringd door weilanden. Het terras kijkt uit op de landelijke tuin. Rijke klassieke keuken en wild in het jachtseizoen.

◆ Dans cette fermette perdue au milieu des prés, vous pourrez déguster une cuisine classique. En saison, la carte fait la part belle au gibier.

MOESKROEN – Hainaut – voir Mouscron

MOL – Antwerpen – 533 P15 et 716 I2 – 34 114 h. – ✉ 2400 2 D2

Bruxelles 78 – Antwerpen 54 – Hasselt 42 – Turnhout 23

Markt 1a, ✆ 0 14 33 07 85, www.toerisme.gemeentemol.be

Kiezelweg 78 (Rauw), ✆ 0 14 81 62 34

Steenovens 89 (Postel), ✆ 0 14 37 36 61

XXX **Hippocampus** avec ch

St-Jozeflaan 79, (Wezel) (Est : 9 km) – ✆ 0 14 81 08 08 – www.hippocampus.be – fermé 2 dernières semaines d'août, dimanche soir et lundi
6 ch – †96/136 € ††124/166 €
Rest – Lunch 36 € – Menu 36/61 € – Carte 53/76 €

◆ Mooi landhuis van een captain of industry in een romantisch park. De kaart en menu's zijn een mix van traditie en modern. Eetzalen met een Engelse chic, whiskybar en terras. Elke kamer cultiveert zijn verschil, maar allemaal bieden ze rust, karakter en comfort.

◆ Joli manoir de capitaine d'industrie, dans un parc romantique. Carte et menus conciliant tradition et modernité, salles au chic anglais, bar à whiskies et terrasse agréable. Chaque chambre cultive sa différence, mais toutes offrent calme, caractère et confort.

XX **Bouffard**

Adolf Reydamslaan 24 – ✆ 0 14 31 40 70 – fermé 1 semaine en février, 2 premières semaines de septembre, samedi midi et mardi
Rest – Lunch 25 € – Menu 49/70 € – Carte 54/63 €

◆ Het jonge team achter Bouffard is met zijn culinaire filosofie helemaal mee met zijn tijd: ze laten het product primeren en houden van eerlijke smaken. Het sappige dialect van de ober zet de toon voor een smakelijke ervaring. Fleurig interieur.

◆ À la tête du Bouffard, une jeune équipe qui adopte une approche bien de notre époque : avant toute chose, priorité au produit – et au produit de qualité. Dans ce décor guilleret, le sommelier et son savoureux discours donnent aussi le ton...

BELGIQUE

MOLENBEEK-SAINT-JEAN (SINT-JANS-MOLENBEEK) – Bruxelles-Capitale – voir à Bruxelles

MOMIGNIES – Hainaut – 534 J22 et 716 F5 – voir à Chimay

MONS (BERGEN) – P Hainaut – 533 I20, 534 I20 et 716 E4 – 91 759 h. 7 C2 – ✉ 7000

Bruxelles 67 – Charleroi 36 – Namur 72 – Tournai 48

Grand'Place 22, ✆ 0 65 33 55 80, www.monsregion.be

Fédération provinciale de tourisme r. Clercs 31, ✆ 0 65 36 04 64, www.opt.be

18 r. Mont Garni 3, au Nord-Ouest : 6 km à Baudour, ✆ 0 65 62 27 19

27 r. de la Verrerie 2, au Nord : 6 km à Erbisœul, ✆ 0 65 22 02 00

Grand-Place★★DY • Collégiale Ste-Waudru★★ : statues allégoriques★ • Beffroi★★CY**D**. Musée : François Duesberg★: collection de pendules★★CY**M5**

par ④ : 9,5 km à Hornu : Le Grand-Hornu★★ • à l'est: 20 km à Blaugies, canal du centre★ : ascenseurs hydrauliques★

Plans pages suivantes

Lido sans rest

r. Arbalestriers 112 – ✆ 0 65 32 78 00 – www.lido.be DY**b**
73 ch – †99/185 € ††99/185 €

◆ Un hôtel de facture récente, près de la porte de Nimy... Les chambres sont confortables et soignées et le petit-déjeuner servi sous forme de copieux buffet.

◆ In dit moderne hotel bij de Porte de Nimy wacht u een comfortabel verblijf in perfect onderhouden kamers. Uitgebreid Amerikaans ontbijtbuffet.

St James sans rest

pl. de Flandre 8 – ✆ 0 65 72 48 24 – www.hotelstjames.be DY**c**
21 ch – †83 € ††83 €, 12 €

◆ Près de la Porte d'Havré, une authentique maison de maître relevée de touches design. Les chambres, bien équipées, se répartissent entre le bâtiment principal et une annexe. Parking gratuit.

◆ Herenhuis met designelementen aan de Porte de Havré. Goed onderhouden kamers in het hoofdgebouw en de dependance. Gratis afgesloten parking.

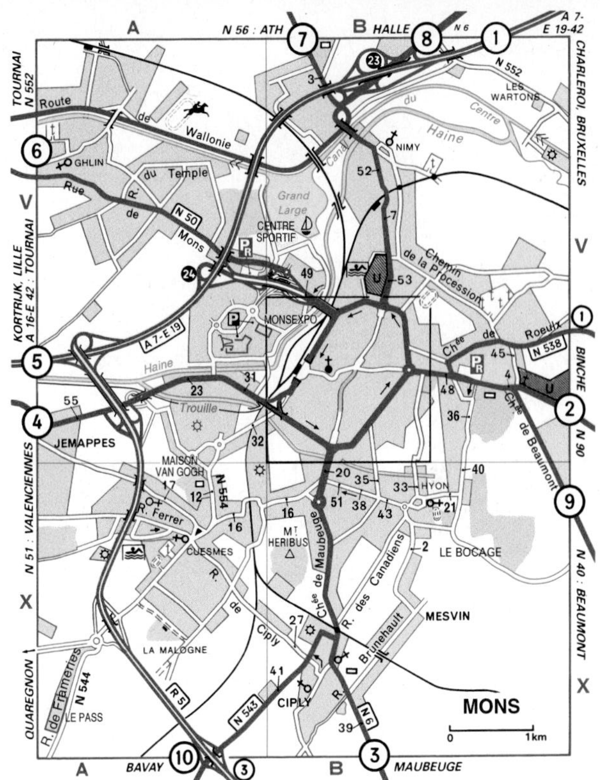

Infotel sans rest

r. Havré 32 – ✆ 0 65 40 18 30 – www.hotelinfotel.be DY**s**

31 ch – †65/109 € ††65/109 €, ☕ 12 €

◆ Non loin de la Grand-Place, et à la fois au calme d'une cour, derrière une façade classée… Parking gratuit.

◆ Hotel met een beschermde gevel op een boogscheut van de Grote Markt in de rust van een binnenplaats. Gratis parking.

XX **La 5e saison**

r. Coupe 25 – ✆ 0 65 72 82 62 – fermé semaine de Pâques, 2 premières semaines d'août, semaine de la Toussaint et dimanches et lundis non fériés DY**x**

Rest – *(nombre de couverts limité, prévenir)* Lunch 29 € – Menu 49/75 € – Carte 38/72 €

◆ Derrière une discrète façade, une cuisine qui se remarque : le chef connaît son terroir et respecte les produits comme les saisons. Pas étonnant que de nombreux habitués aient jeté leur dévolu sur son restaurant…

◆ Achter een bescheiden gevel vindt u een keuken van niveau: de chef kent zijn terroir en kookt met de seizoenen mee. Geen wonder dat de locals deze plek in hun hart hebben gesloten.

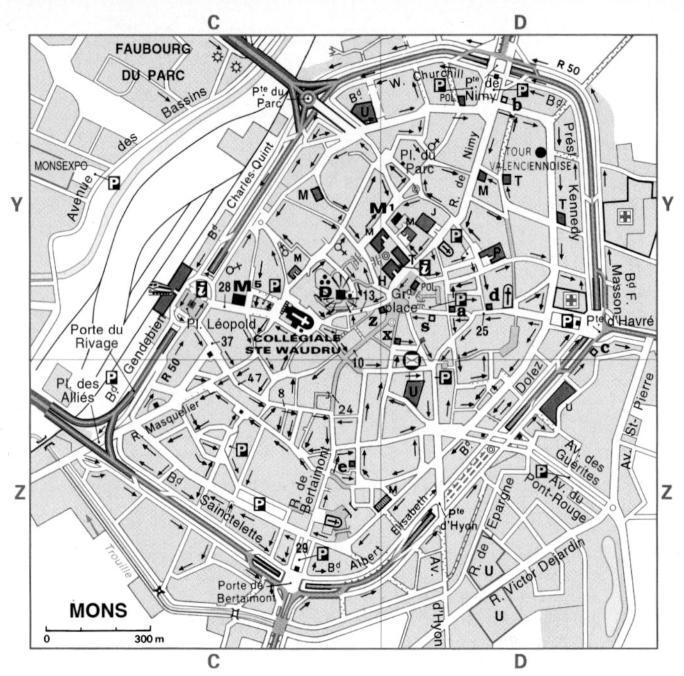

Capucins (R. des)	CZ	8	Grand Rue	CZ	24	Jean-d'Avesnes (Av.)	CZ	29
Chaussée (R. de la)	CY	10	Havré (R. d')	DY	25	Léopold-II (R.)	CY	37
Clercs (R. des)	CY	13	Houssière (R. de la)	CY	28	Pte Guirlande (R.)	CZ	47

La Table des Matières

r. Grand Trou Oudart 16
– ✆ 0 65 84 17 06
– www.tablemat-resto.be
– fermé mi-juillet-mi-août, samedi midi, dimanche soir et mercredi CZ**e**

Rest – Lunch 28 € – Menu 30/45 € – Carte 42/68 €

♦ L'Italie s'invite à table dans cette maison au passé de couvent (1790) à débusquer parmi les rues de la ville basse. Décor actuel en salle ; invitante cour-terrasse abritée.

♦ In dit voormalige klooster (1790) in de benedenstad verschijnt Italië aan tafel. Moderne eetzaal en uitnodigend terras op de binnenplaats.

L'art des mets

r. Clercs 9 – ✆ 0 65 88 51 00
– www.artdesmets.net
– fermé 2 au 16 janvier, 23 juillet-13 août, jours fériés soirs, samedi midi, dimanche soir et lundi CDY**z**

Rest – Lunch 25 € – Menu 52/72 € – Carte 54/85 €

♦ Trois pièces intimes et cosy, dévolues à "l'art des mets". Carte actuelle au penchant français, lunch prisé, menu-plaisir, souci de bien faire, tant en cuisine qu'à l'accueil.

♦ Drie sfeervolle eetzalen, gewijd aan de hogere kookkunst of 'art des mets'. Actuele kaart met Franse invloeden, populaire lunch, lekker menu en de wil om alles goed te doen.

La Table du Boucher

r. Havré 49 – ✆ 0 65 31 68 38 – www.lucbroutard.be DY**a**

Rest – *(ouvert jusqu'à 23 h)* Menu 35 € – Carte env. 40 €

♦ Un must pour tout amateur de viande ! Le patron ne travaille que des produits de qualité, et vous pouvez lui faire confiance ! Steak tartare préparé devant vous, grillades délicieusement tendres...

♦ Brasseriekeuken in haar smakelijkste vorm. Een keuze maken uit het verleidelijke suggestiebord of menu is dan ook geen sinecure. Naast enkele vissuggesties, staan hier vleesgerechten op het menu om van te watertanden. Patron Luc Broutard is gepassioneerd door vlees en heeft dezelfde leveranciers als de legendarische chef Robuchon.

Les Gribaumonts

r. Havré 95 – ✆ 0 65 75 04 55 – www.restaurantlesgribaumonts.be – fermé 31 juillet-14 août, 25 décembre-3 janvier, samedi midi, dimanche et lundi

Rest – Lunch 45 € bc – Menu 66 € bc/120 € bc – Carte 40/69 € DY**d**

♦ Lisa, aux fourneaux, et Nicolas, en salle, poursuivent désormais leur aventure culinaire à Mons. Cuisine gastronomique traditionnelle, revisitée avec talent et accompagnée des meilleures suggestions de vins par votre hôte.

♦ Nicolas en Lisa zetten hun horecaverhaal verder in de stad en gaan op hetzelfde elan voort: een traditionele keuken met hedendaagse toetsen in een laagdrempelige setting.

à Baudour par ⑥ : 12 km – Ⓒ Saint-Ghislain 22 975 h. – ✉ 7331

d'Eugénie à Emilie (Eric Fernez)

pl. de la Résistance 1 – ✆ 0 65 61 31 70 – www.eugenie-emilie.com – fermé samedi midi, dimanche soir, mercredi soir, lundi et mardi

Rest – Lunch 35 € – Menu 49/85 € – Carte 62/89 €

Spéc. Saint-Jacques reçues en coquillages, préparation au choix. Côte de veau en cocotte, le ris en gratin et légumes glacés. Le trio de mini crêpes aux fruits.

♦ Ici, on discute directement avec le chef pour se concocter des assiettes sur mesure ! Une véritable expérience culinaire, généreuse et authentique, dans l'esprit de la cuisine d'antan... Un voyage empreint de nostalgie dont on se souviendra longtemps.

♦ Hier overlegt u vooraf met de maître hoe u uw gerecht precies bereid wilt hebben. Wat hierop volgt, is een smaaksensatie met de generositeit en authenticiteit van weleer. Een heerlijke nostalgietrip die u zich nog lang zult heugen!

Le Faitout

av. Louis Goblet 161 – ✆ 0 65 64 48 57 – www.lefaitout-fernez.com

Rest – Menu 30/35 € – Carte 31/56 €

♦ Vous aimez la viande et possédez un joli coup de fourchette ? Cette adresse est la vôtre ! Délicieuses grillades au feu de bois et mets traditionnels généreux, servis en terrasse, près de la rôtissoire ou dans l'arrière-salle moderne et colorée.

♦ Zin in een mals stuk vlees? Dan bent u hier aan het goede adres! Op houtskool geroosterd vlees en genereuze traditionele gerechten, naar keuze geserveerd op het terras, bij het spit, of in de moderne en vrolijk gekleurde achterzaal.

à Frameries par ⑩ : 6 km – 20 997 h. – ✉ 7080

L'Assiette au Beurre

r. Industrie 278 – ✆ 0 65 67 76 73 – www.assietteaubeurre.be – fermé 15 juillet-5 août, mercredi soir, dimanche soir, lundi et après 20 h 30

Rest – Menu 30/52 € – Carte 52/74 €

♦ Le resto officiel du festival du film d'Amour de Mons ! Souvenirs "pipoles" dans le hall, jolie vaisselle en faïence du pays, menus de saison, carte avec les "indétrônables".

♦ Het officiële restaurant van het Bergense Liefdesfilmfestival! Souvenirs van sterren in de hal, mooi aardewerk uit de streek, seizoengebonden menu's, kaart met vaste items.

à Maisières par ③ : 3 km sur N 6 – Ⓒ Mons – ✉ 7020

XXX **L'Impératif**

r. Grande 208 – ✆ 0 65 35 52 55 – fermé 27 juillet-4 août, jeudi soir, samedi midi, dimanche soir et mardi
Rest – Lunch 38 € – Menu 55/70 € – Carte 72/92 €
◆ L'un des "must" du grand Mons en termes d'expériences culinaires ! Chef s'illustrant dans les recettes de poissons et crustacés. Lunch-écriteau qui fait plaisir ; prestation encore plus élaborée au dîner.
◆ Voor wie op zoek is naar een bijzondere culinaire ervaring is dit een must! De chef-kok blinkt uit in vis- en schaaldiergerechten. De lunch op het schoolbord is al een genot, maar het diner is nog veel verfijnder.

à Nimy par ⑦ : 6 km – Ⓒ Mons – ✉ 7020

Mercure

ch, rest,

r. Fusillés 12 – ✆ 0 65 72 36 85 – www.mercure.com
53 ch – 109 € 109 €, 16 €
Rest – *(fermé samedi et dimanche)* Menu 30 € – Carte 34/51 €
◆ Dans un site forestier, hôtel offrant tout l'éventail des facilités et prestations de la chaîne Mercure. Communs et chambres modernes. Importante activité congressiste. Restaurant au cadre contemporain clair.
◆ Dit hotel in een bosrijke omgeving biedt het hele scala aan faciliteiten van de Mercure-keten. Moderne kamers en openbare ruimten. Er vinden vaak congressen plaats. Licht en eigentijds restaurant.

BELGIQUE

MONTAIGU – Vlaams Brabant – voir Scherpenheuvel

MONTIGNIES-SAINT-CHRISTOPHE – Hainaut – Ⓒ Erquelinnes — 7 C2
9 747 h. – **533** K21, **534** K21 et **716** F5 – ✉ **6560**

▶ Bruxelles 70 – Mons 25 – Charleroi 30 – Maubeuge 20

XXX **Lettres Gourmandes**

rte de Mons 52 – ✆ 0 71 55 56 22 – www.lettresgourmandes.be – fermé 22 décembre-12 janvier, 16 au 27 juillet, dimanche soir, lundi soir, mardi soir, mercredi et jeudi
Rest – Lunch 20 € – Menu 35/48 € – Carte 55/64 €
◆ Près du pont romain, villa arrangée dans un style actuel sobre et coloré. Patron n'employant que du frais. Salle placée sous l'aimable vigilance de son épouse. Carte-souvenir.
◆ Bij de Romeinse brug staat deze sober, kleurig en modern ingerichte villa. De patron gebruikt alleen verse producten voor de gerechten die door zijn vrouw worden opgediend.

MONTIGNY-LE-TILLEUL – Hainaut – **533** L20, **534** L20 et **716** G4 – voir à Charleroi

---

MONT-SAINTE-GENEVIÈVE – Hainaut – **533** K20, **534** K20 et **716** F4 – voir à Lobbes

---

MONT-SUR-MARCHIENNE – Hainaut – **533** L20, **534** L20 et **716** G4 – voir à Charleroi

---

MOORSEL – Oost-Vlaanderen – **533** J17 et **715** F3 – voir à Aalst

---

MORESNET – Liège – Ⓒ Plombières 9 885 h. – **533** U18 et **716** K3 — 9 C1
– ✉ **4850**

▶ Bruxelles 132 – Liège 42 – Namur 104 – Maastricht 56

X **le Grégalin**

Bambusch 69 – ✆ 0 87 33 86 65 – www.legregalin.be
– fermé 2 semaines en janvier, 2 semaines en septembre, lundi et mardi

Rest – *(nombre de couverts limité, prévenir)* Lunch 29 € – Menu 50 € – Carte 45/79 €

◆ Laissez-vous surprendre par la cuisine inventive du jeune chef Grégory Willems : gambas à l'orange et au chocolat, croquettes de crevettes au coulis de paprika… Un enthousiasme contagieux chez lui, un savoir-faire indéniable chez sa mère qui œuvre également en cuisine : un duo gagnant ! Idem pour le décor, qui allie modernité et murs en pierres apparentes.

◆ Chef Grégory Willems verrast met zijn eerlijke keuken met een non-conformistisch kantje: gamba's met sinaas en chocolade, garnaalkroket met paprikacoulis, etc. Het jonge geweld van de chef wordt gecomplementeerd door de kunde van zijn moeder die mee in de keuken staat. Moderne inrichting met authentieke stenen muren.

MOUSCRON (MOESKROEN) – **Hainaut** – **533** E18, **534** E18 **et 716** C3 — **6** A1
– **54 651 h.** – ✉ **7700**

Bruxelles 101 – Mons 71 – Kortrijk 13 – Tournai 23

pl. Gérard Kasiers 15, ✆ 0 56 86 03 70, www.mouscron.be

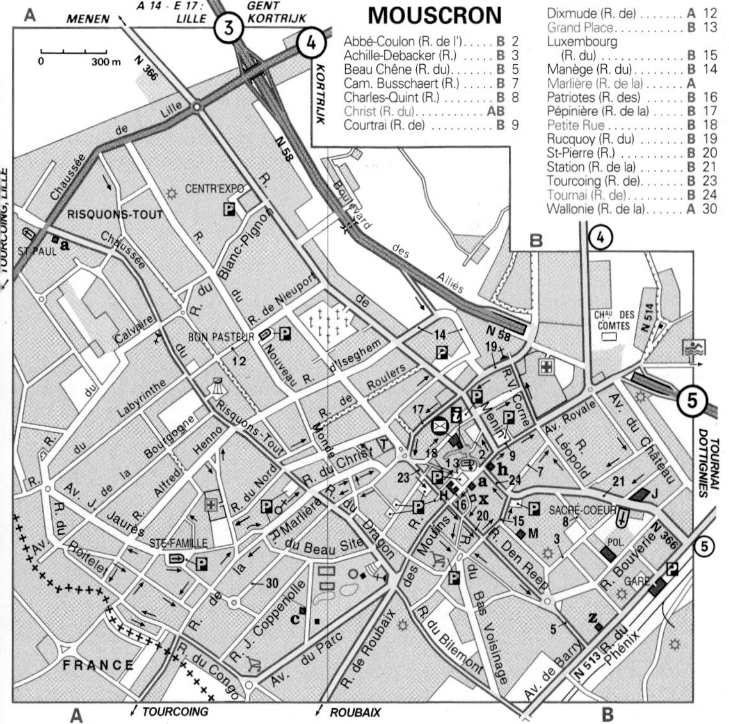

Alize sans rest
Passage Saint-Pierre 34 – ✆ 0 56 56 15 61 – www.hotelalize.be B**x**
58 ch – 70/192 € 88/212 €
◆ Bâtisse hôtelière moderne dans les parages de la Grand Place. Facilités de parking, salles de séminaires, fitness, sauna et chambres d'un bon confort fonctionnel.
◆ Modern hotel in de buurt van de Grote Markt. Parking, congreszalen, fitnessruimte, sauna en kamers met goed en functioneel comfort.

Au Petit Château
bd des Alliés 243, (Luingne) (par ⑤ : 2 km sur N 58) – ✆ 0 56 33 22 07 – www.aupetitchateau.be – fermé 16 février-4 mars, fin juillet-début août, dimanche soir, lundi soir, mardi soir et mercredi
Rest – Lunch 17 € – Menu 33/62 € – Carte 49/78 €
◆ C'est plus une grande villa qu'un "petit château", mais l'effort apporté aux menus fait pardonner l'exagération ! Service appliqué dirigé par une patronne qui a de la personnalité.
◆ Hoewel het meer een ruime villa is dan een "petit château"(kasteeltje) maken de goed verzorgde menu's deze overdrijving ruimschoots goed! Attente bediening onder leiding van een gastvrouw met karakter.

Madame
r. Roi Chevalier 17 – ✆ 0 56 34 43 53 – www.restaurant-madame.be – fermé 14 juillet-14 août et dimanches soirs, lundis, mardis et mercredis non fériés
Rest – Lunch 28 € – Menu 35/68 € bc – Carte 34/56 € A**c**
◆ Une cuisinière dirige les fourneaux de cette maison tournée vers le parc municipal. Intérieur classieux et lumineux, choix traditionnel alléchant, généreux menus boissons incluses.
◆ Restaurant bij het stadspark en een vrouw aan het hoofd van de keukenbrigade. Chique en licht interieur, aantrekkelijke traditionele kaart en genereuze menu's incl. drank.

Carpe Diem
chaussée du Risquons-Tout 585 – ✆ 0 56 34 65 72 – www.restocarpediem.com – fermé mardi soir, samedi midi, dimanche soir et lundi A**a**
Rest – Menu 34/44 €
◆ Table frontalière ayant retrouvé l'éclat du neuf en 2009. Patron au piano ; son aimable épouse aux plateaux. Terrasse où mettre en œuvre la fameuse maxime qui sert d'enseigne.
◆ Dit restaurant bij de grens heeft sinds 2009 een frisse look. De patron roert in de pannen en zijn aardige vrouw jongleert met de borden. Fijn terras om 'de dag te plukken'.

Nano
Grand'Place 34 – ✆ 0 56 84 13 13 – www.nano-resto.be – fermé 9 au 31 juillet, samedi midi et dimanche B**a**
Rest – Lunch 17 € – Menu 40/54 € bc – Carte 36/52 €
◆ Ici, on se restaure dans une ambiance lounge branchée ou en prenant place dans une cabine de plage chauffée dans le patio ! Formule "Nano" en portions dégustation, classiques revisités et bar à vins.
◆ Supertrendy lounge-ambiance, gerechten in proefformaat die zich gewillig laten combineren (Nanoformule), vernieuwde "classics", maandmenu en wijn per glas – Nano is tevens een wijnbar. Overdekte patio met verwarmde strandcabines.

Mets gusta
r. Phenix 29 – ✆ 0 56 34 49 55 – www.metsgusta.be – fermé semaine de carnaval, dernière semaine de juillet-première semaine d'août, samedi midi, mardi soir et mercredi B**z**
Rest – Lunch 19 € – Menu 35/50 € – Carte 39/67 €
◆ Repaire gourmand design et branché, dont le succès ne faiblit pas depuis son ouverture. Cuisine moderne à composantes cosmopolites, intérieur exotique, bambous en terrasse.
◆ Uitstekend restaurant met een trendy design, dat sinds de opening een groot succes is. Moderne, kosmopolitische keuken, exotisch interieur en terras met bamboe.

X **Dar el Siam**

chaussée de Dottignies 93, (Luingne) (par ⑤ : 2 km sur N 58) – ✆ 0 56 33 48 11 – www.darelsiam.be – fermé samedi midi, mardi soir et mercredi

Rest – Lunch 18 € – Menu 39 € – Carte 28/47 €

◆ Une petite adresse pour oublier la grisaille hennuyère ! Carte aux parfums de Thaïlande, déco à l'exotisme chaleureux, façon "Mille et une Nuits", terrasse parée de bambous.

◆ Leuk adresje om de somberheid van deze vroegere mijnstreek te vergeten! Kaart met Thaise spijzen, interieur in de stijl van Duizend-en-een-nacht en terras vol bamboe.

X **La Cloche**

r. Tournai 9 – ✆ 0 56 85 50 30 – www.lacloche-resto.be Bh

Rest – Lunch 13 € – Menu 20/34 € – Carte 21/48 €

◆ Flamands, Wallons, Français… tous se rassemblent ici dans le même but : profiter d'un agréable repas traditionnel à bon compte. On ne peut qu'être charmé par les lieux : nappes en damier rouge et blanc, poutres en bois… Nostalgie, nostalgie !

◆ Wie hier binnenstapt, kan niet anders dan gecharmeerd te zijn door de wit-rood-geblokte tafelkleedjes, de doorleefde houten balken, kortweg de gezelligheid van vroeger. Ook de chef neemt u mee naar grootmoeders tijd, met genereuze traditionele gerechten waar u een fris, regionaal gebrouwen biertje bij kunt drinken.

NADRIN – **Luxembourg** – **Ⓒ Houffalize 5 023 h.** – **534** T22 **et 716** K5 **13** C1 – ✉ **6660**

Bruxelles 140 – Arlon 68 – Bastogne 29 – Bouillon 82

Belvédère des Six Ourthe★★, Le Hérou★★

Hostellerie du Panorama ch,

r. Hérou 41 – ✆ 0 84 44 43 24 – www.hotel-nadrin.be – ouvert Pâques-mi-novembre et week-ends; fermé janvier-mi-février

4 ch – †50 € ††70 €, 12 € – 4 suites – ½ P 75/100 €

Rest – *(fermé mercredi) (dîner seulement)* Menu 40/60 €

◆ Paisible établissement blotti dans un grand jardin et surplombant la vallée de l'Ourthe. Sur les terrasses (chambres de l'annexe) ou dans la salle à manger, vous jouissez d'un panorama superbe. Cuisine traditionnelle.

◆ Rustige hostellerie in een grote tuin boven het dal van de Ourthe. Het restaurant en de terrassen van de kamers in het bijgebouw bieden een schitterend weids uitzicht. Traditionele maaltijd.

La Gentilhommière

r. Hérou 51 – ✆ 0 84 44 51 85 – www.lagentilhommiere.be – fermé 14 septembre-5 octobre

4 ch – †69/75 € ††73/82 €

Rest *La Plume d'Oie* – voir la sélection des restaurants

◆ Villa dont les murs de briques rouges se mirent à la surface d'une belle piscine. Chambres calmes et "cosy", avec terrasse ou balcon. Jardin de repos et vue sur la vallée.

◆ De rode bakstenen muren van deze villa worden in het mooie zwembad weerspiegeld. Rustige, knusse kamers met terras of balkon. Rustgevende tuin met uitzicht op het dal.

XX **La Plume d'Oie** – Hôtel La Gentilhommière

pl. du Centre 3 – ✆ 0 84 44 44 36 – www.plumedoie.be – fermé 2 premières semaines de juillet, mardi soir et mercredi

Rest – Lunch 29 € – Menu 39/80 € bc

◆ Cadre rustique-moderne soigné, accueil charmant, menus évolutifs proposés oralement, salon-mezzanine et miniterrasse avant enrobée de verdure.

◆ Verzorgd modern-rustiek interieur, charmant onthaal, licht vernieuwende menu's, mezzanine met zitjes en groen miniterrasje aan de voorzijde.

NALINNES – **Hainaut** – **533** L21, **534** L21 **et 716** G5 – **voir à Charleroi**

BELGIQUE

NAMUR *Namen*

15 C1

© Eurasia Press/Photononstop

BELGIQUE

P – **Namur** – **108 950 h.** – ✉ **5000** – **533** O20, **534** O20 **et** **716** H4

Bruxelles 64 – Charleroi 38 – Liège 61 – Luxembourg 158

Office de Tourisme

Square Leopold, ✆0 81 24 64 49, www.namurtourisme.be
r. Pont 21, ✆0 81 24 64 48
Fédération provinciale de tourisme av. Reine Astrid 22, ✆0 81 77 69 81, www.paysdesvallees.be

Aéroport

✆0 81 55 93 55

Casino

BZ, av. Baron de Moreau 1 ✆0 81 22 30 21

Golf

Ferme du Moulin, Sud 52, à l'Est : 22 km à Andenne, ✆0 85 84 34 04

A VOIR

Citadelle★, ❋★★BZ • Trésor★★ du prieuré d'Oignies aux sœurs de Notre-DameBCZ**K** • Église St-Loup★BZ • Le Centre★

Musées : Archéologique★BZ**M2** • des Arts Anciens du Namurois★BY**M3** • Diocésain et trésor de la cathédrale★BYZ**M4** • de Groesbeek de Croix★BZ**M5** • Félicien Rops★BZ**M6**

Environs : par ⑤ : 11 km à Floreffe : stalles★ de l'église abbatiale

Quartiers du Centre

Les Tanneurs
r. Tanneries 13 – ✆ 0 81 24 00 24 – www.tanneurs.com CZ**x**
32 ch – 60/225 € 75/240 €, 12 € – ½ P 110 €
Rest *L'Espièglerie* Rest *Le Grill des Tanneurs* – voir la sélection des restaurants
♦ Bonnes chambres diversement agencées, dans un ensemble de caractère (11 maisons du 17ᵉs.) au passé de tannerie.
♦ Hotelcomplex van elf 17de-eeuwse huizen, waarin vroeger de leerlooiers woonden waar het zijn naam aan ontleent. Prima kamers die verschillend zijn ingericht.

Grand Hôtel de Flandre sans rest
pl. de la Station 14 – ✆ 0 81 23 18 68 – www.hotelflandre.be BY**a**
33 ch – 65/129 € 65/129 €
♦ Idéalement situé, cet hôtel inauguré en 1904 fait rimer confort moderne et charme rétro. Chambres fonctionnelles et douillettes.
♦ Dit praktische hotel tegenover het station opende in 1904 zijn deuren en werd in 2000 weer op de rails gezet. Goede kamers met huidig comfort.

Ibis sans rest
r. Premier Lanciers 10 – ✆ 0 81 25 75 40 – www.ibishotel.com CY**a**
92 ch – 69/99 € 69/99 €
♦ Les habitués de l'enseigne IBIS retrouveront tout de suite leurs repères dans cet hôtel de chaîne dont les atouts sont la situation bien centrale et la présence d'un garage.
♦ De vaste gasten van de Ibisketen zullen zich snel vertrouwd voelen in dit centraal gelegen hotel. Parkeergarage.

BELGIQUE

L'Espièglerie – Hôtel Les Tanneurs
r. Tanneries 13 – ✆ 0 81 24 00 24 – www.tanneurs.com – fermé samedi midi et dimanche soir CZ**x**
Rest – Menu 23/90 € – Carte 65/86 €
♦ Salles cossues rythmées par des arcades en pierre, gastronomie classico-évolutive et beau choix de bordeaux : cette table très select est la fierté de l'hôtel Les Tanneurs.
♦ Dit zeer selecte restaurant is de trots van hotel Les Tanneurs. Weelderige eetzalen met arcaden, gastronomische keuken in evolutieve klassieke stijl en uitstekende bordeauxs.

La Petite Fugue
pl. Chanoine Descamps 5 – ✆ 0 81 23 13 20 – www.lapetitefugue.be – fermé 2 semaines à Pâques et 2 dernières semaines d'août BZ**f**
Rest – Lunch 16 € bc – Menu 29/55 € – Carte 42/60 €
♦ Sur une place animée les soirs d'été, table estimée pour ses menus au goût du jour et les bons millésimes (bourgognes et bordeaux) de sa cave. Cadre moderne très réussi.
♦ Restaurant met een zeer geslaagd modern interieur aan een plein dat op zomeravonden heel levendig is. Eigentijdse menu's en grote bourgognes en bordeauxs in de kelder.

Les Embruns
r. La Tour 2 – ✆ 0 81 22 74 41 – www.les-embruns.be – fermé 17 décembre-12 janvier, 11 au 25 septembre, dimanche, lundi et après 20 h 30 BZ**a**
Rest – *(déjeuner seulement de novembre au 19 avril sauf vendredi et samedi)* Lunch 18 € – Menu 38 € – Carte 34/74 €
♦ Menu-carte à prix muselé, produits hyper-frais, bel assortiment de vins blancs et terrasse urbaine chauffée : cette poissonnerie-restaurant a conquis le cœur des namurois.
♦ Dit restaurant annex viszaak biedt een voordelig à la carte menu, superverse producten, goed assortiment witte wijn en verwarmd terras. Geen wonder dat het zo'n populair adres is!

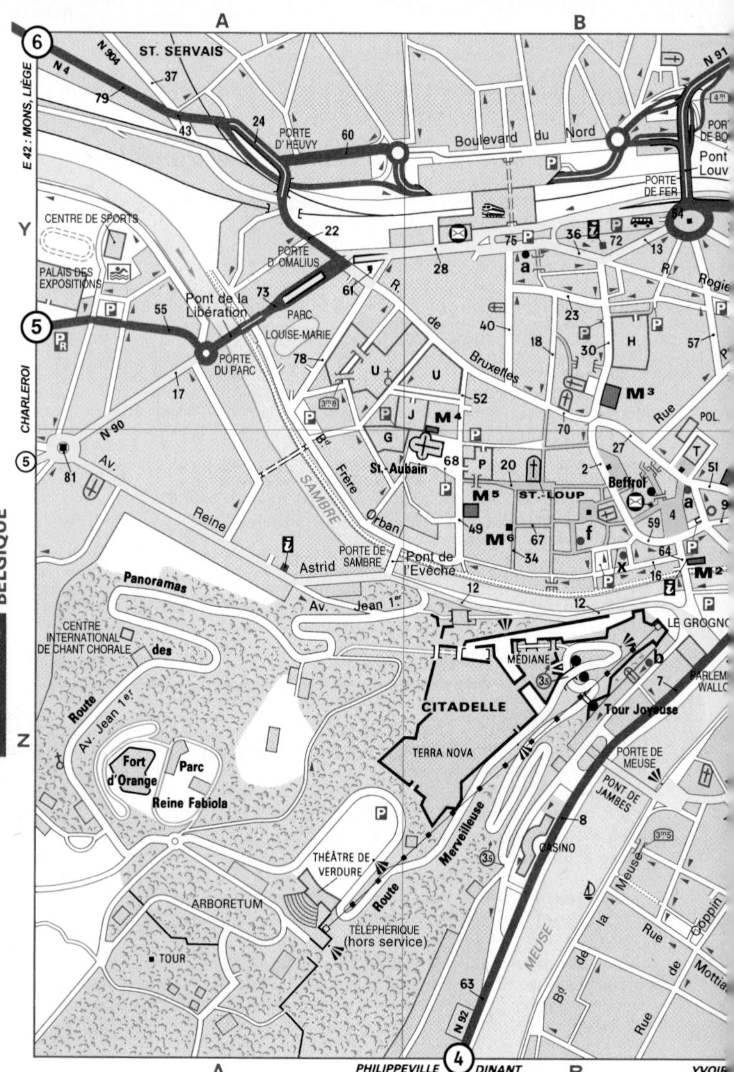

Parfums de cuisine

VISA MC AE

r. Bailly 8 – ✆ 0 81 22 70 10 – www.parfumsdecuisine.be – fermé 23 décembre-4 janvier, 1er au 10 avril, 5 au 21 août, dimanche et lundi BZ**x**

Rest – Lunch 24 € – Menu 35/46 € – Carte 45/66 €

◆ Ici, on se délecte d'une cuisine classique de bistrot (ris de veau, homard aux asperges, pigeonneau, crème brûlée...) élaborée par un chef très expérimenté.

◆ De geuren uit de open keuken van deze nieuwe gastronomische bistro wekken de eetlust op. Kleine verfijnde kaart met menu, waarin het sterrenparcours van de chef-kok te herkennen is.

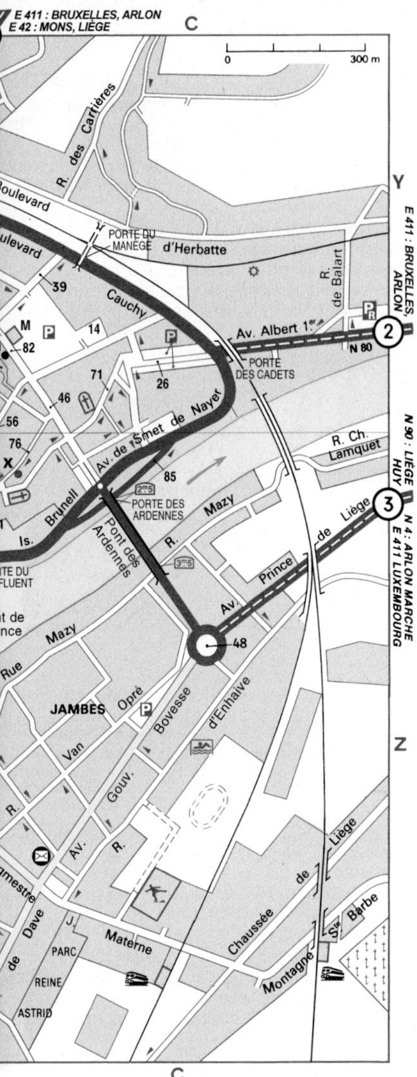

NAMUR

Ange (R. de l')	BZ	2
Armes (Pl. d')	BZ	4
Baron-de-Moreau (Av.)	BZ	8
Baron-L.-Huart (Bd)	BZ	7
Bas de la Place (R.)	BZ	9
Bord de l'Eau (R. du)	BZ	12
Borgnet (R.)	BY	13
Bourgeois (R. des)	CY	14
Brasseurs (R. des)	BZ	16
Cardinal-Mercier (Av.)	AY	17
Carmes (R. des)	BY	18
Célestines (Pl. des)	CY	19
Collège (R. du)	BZ	20
Combattants (Av. des)	AY	22
Croisiers (R. des)	BY	23
Croix du Feu (Av. des)	AY	24
Dewez (R.)	BCY	25
École des Cadets (Pl. de l')	CY	26
Emile-Cuvelier (R.)	BYZ	27
Ernest-Mélot (Bd)	BY	28
Fernand-Golenvaux (Av.)	BZ	31
Fer (R. de)	BY	30
Fumal (R.)	BZ	34
Gare (Av. de la)	BY	36
Gembloux (R. de)	AY	37
Général-Michel (R.)	CY	39
Godefroid (R.)	BY	40
Gravière (R. de)	CZ	41
Hastedon (Pl. d')	AY	43
Ilon (Pl. l')	CZ	44
Joséphine-Charlotte (Pl.)	CZ	48
Joseph-Saintraint (R.)	BZ	49
Julie-Billiard (R.)	BZ	51
J.-B.-Brabant (R.)	CY	46
Lelièvre (R.)	BY	52
Léoplod-II (Av.)	AY	55
Léopold (Pl.)	BY	54
Léopold (Sq.)	BY	72
Lombard (R. du)	CYZ	56
Lucien-Namèche (R.)	BY	57
Marchovelette (R. de)	BZ	59
Merckem (Bd de)	AY	60
Omalius (Pl. d')	AY	61
Plante (Av. de la)	BZ	63
Pont (R. du)	BZ	64
Rupplémont (R.)	BZ	67
St-Aubain (Pl.)	BZ	68
St-Jacques (R.)	BY	70
St-Nicolas (R.)	CY	71
Stassart (Av. de)	AY	73
Station (Pl. de la)	BY	75
Tanneries (R. des)	CYZ	76
Vierge (Rempart de la)	AY	78
Waterloo (Chaussée de)	AY	79
Wiertz (Pl.)	AZ	81
1er-Lanciers (R. du)	CY	82
4-Fils-Aymon (R. des)	CZ	85

BELGIQUE

X **Le Grill des Tanneurs** – Hôtel Les Tanneurs P VISA MC AE

r. Tanneries 13 – ✆ 0 81 24 00 24
– www.tanneurs.com CZ**x**

Rest – Lunch 10 € – Menu 28/50 € – Carte 32/55 €

◆ Ce restaurant rustique est réputé à Namur pour ses viandes rôties directement en salle. Le menu de Tante Jeanne est un must... à prix doux, ce qui ne gâche rien.

◆ Rustiek restaurant, in heel Namen bekend om zijn in de eetzaal geroosterde vlees. Het menu van Tante Jeanne is een echte aanrader en bovendien scherp geprijsd.

direction citadelle (le Grognon)

Cuisinémoi (Benoit Van den Branden)
r. Notre-Dame 44 – ✆ 0 81 22 91 81 – www.cuisinemoi.be – fermé samedi midi, dimanche et lundi BZ**b**
Rest – *(prévenir)* Lunch 33 € – Menu 40/65 € – Carte 72/90 €
Spéc. Langoustine du Guilvinec, grillon de ris de veau et risotto au chorizo. Pigeonneau de Racan, raviole d'épinard et ricotta, légumes de saison. Moelleux au chocolat coulant, sorbet cuberdon et miettes de crumble.
◆ Une table élégante et sobre (carrelage rétro, murs crème et bois) à deux pas du Parlement. Le chef, jeune et talentueux, ne ménage pas ses efforts et prépare une cuisine actuelle avec de bons produits choisis.
◆ Goed restaurant bij het parlement, waar de jonge talentvolle chef een eigentijdse maaltijd bereidt op basis van eersteklasproducten. Lange, smalle eetzaal met een originele inrichting.

à Bouge par ② : 3 km – 🄲 Namur – ✉ 5004

La Ferme du Quartier
pl. Ste Marguerite 4 – ✆ 0 81 21 11 05 – fermé juillet, 20 au 31 décembre et dimanche
14 ch – †50/60 € ††70/80 € – ½ P 120/140 €
Rest *La Ferme du Quartier* – voir la sélection des restaurants
◆ Cette ferme du 17e s., tout en pierre, a été transformée en hôtel en 1964. Les chambres, très bien tenues, ont été rénovées avec une pointe d'originalité.
◆ Deze 17e-eeuwse boerderij van natuursteen is sinds 1964 een hotel. De kamers zijn ingericht met een persoonlijke touch en worden keurig onderhouden.

La Ferme du Quartier – Hôtel La Ferme du Quartier
pl. Ste Marguerite 4 – ✆ 0 81 21 11 05 – fermé juillet, 22 au 31 décembre et dimanche
Rest – Menu 28/40 € – Carte 29/42 €
◆ Table traditionnelle tenue entre frères : l'un aux marmites, l'autre au service. Découpes en salle (côtes à l'os et gibiers). Terrasse verte.
◆ Traditioneel restaurant met twee broers aan het roer (de ene in de keuken, de andere in de bediening). Ribstuk en wild worden aan tafel versneden. Groen terras.

à Jambes – 🄲 Namur – ✉ 5100

La Plage d'Amée
r. Peupliers 2 (5 km par r. Dave ; avant voie ferrée première rue à droite) – ✆ 0 81 30 93 39 – www.laplagedamee.be – fermé fin décembre-début janvier, 1 semaine à Pâques, 1 semaine en septembre, dimanche midi de novembre à Pâques, dimanche soir et lundi
Rest – Lunch 35 € – Menu 35/48 € – Carte 52/65 €
◆ Ce grand pavillon aux allures de paquebot offre une vue splendide sur la Meuse. Belle terrasse sur pilotis. La carte, simple et savoureuse, change très régulièrement.
◆ Het succesrecept van dit restaurant in een paviljoen aan de Maas is de combinatie van het designinterieur, het mooie terras aan het water en het lekkere wekelijks wisselende viergangenmenu.

à Lives-sur-Meuse par ③ : 9 km – 🄲 Namur – ✉ 5101

La Bergerie (Guy Lefevere)
r. Mosanville 100 – ✆ 0 81 58 06 13 – www.bergerielives.be – fermé fin février-début mars, fin août-début septembre, lundis midis et mardis midis non fériés, dimanche soir, lundi soir et mardi soir
Rest – Lunch 45 € – Menu 60 € bc/125 € bc – Carte 85/97 €
Spéc. Le foie d'oie poêlé. L'agneau élevé sur place, rôti et laqué au miel. Gâteau de crêpes soufflées.
◆ Un bel écrin de verdure ajoute au charme de cette élégante maison de bouche familiale bordée de pièces d'eau. Mets classico-traditionnels généreux. Sélection de vins belges.
◆ De groene omgeving en waterpartijen dragen zeker bij tot de charme van dit stijlvol huis. Statige traditioneel-klassieke keuken en ook Belgische wijnen.

à Malonne par ⑤ : 8 km – Ⓒ Namur – ✉ 5020

XX **Alain Peters 'Le Pot-au-Feu'**

Trieux des Scieurs 22 – ✆ 0 81 44 03 32 – www.lepotaufeu.be – fermé 28 mars-4 avril, 5 au 19 septembre, dimanche soir, lundi et mardi

Rest – Lunch 25 € – Menu 32/50 € – Carte 55/67 €

◆ Resto sympa habitant une villa. Déco remise à jour, terrasse-jardin, cuisine "tradition" à composantes locales, lunch "canaille" changeant chaque jour et menus qui donnent envie.

◆ Leuk restaurant in een villa. Geactualiseerd interieur, tuinterras, traditionele keuken met lokale elementen, dagelijks wisselende lunch en menu's om van te watertanden.

à Temploux par ⑥ : 7 km – Ⓒ Namur – ✉ 5020

XXX **l'Essentiel** (Raphaël Adam)

r. Roger Clément 32 (2,5 km par Chemin du Moustier) – ✆ 0 81 56 86 16 – www.lessentiel.be – fermé fin décembre-début janvier, 1 semaine à Pâques, 8 au 23 juillet, dimanche et lundi

Rest – Lunch 32 € – Menu 48/62 € – Carte env. 68 €

Spéc. Parmentier de ris de veau et homard. Baluchon de pigeonneau et foie poêlé. Croustillant de riz au lait vanillé et framboises.

◆ Ex-tannerie au cachet fort bâtie en pierres et briques. Jardin d'agrément, charmantes salles rustico-modernes, cuisine évolutive, service prévenant et bons accords mets-vins.

◆ Deze ex-looierij van natuur- en baksteen heeft cachet. Siertuin, sfeervolle modern-rustieke eetzalen, evolutieve keuken, voorkomende bediening en goede spijs-wijncombinaties.

BELGIQUE

à Wépion par ④ : 4,5 km – Ⓒ Namur – ✉ 5100

Villa Gracia sans rest

chaussée de Dinant 1455 – ✆ 0 81 41 43 43 – www.villagracia.com

8 ch – †95/154 € ††123/172 €, ☕ 10 €

◆ Jolie gentilhommière mosane (1923) élevée pour un général nommé Gracia. Chambres amples et douillettes, quelquefois avec terrasse-balcon tournée vers le jardin et le rivage.

◆ Dit landhuis werd in 1923 in de stijl van het Maasland gebouwd voor generaal Gracia. Ruime, knusse kamers, sommige met terras of balkon aan de kant van de tuin en de rivier.

XX **Chez Chen**

chaussée de Dinant 873 – ✆ 0 81 74 74 41 – www.chezchen.be – fermé mi-février-début mars et mardi

Rest – Lunch 18 € – Menu 30/50 € – Carte 19/56 €

◆ Restaurant chinois "new style" établi en bord de Meuse. Salle lumineuse et moderne, au design asiatique épuré, offrant une superbe vue fluviale par ses grandes baies vitrées.

◆ Chinees restaurant in nieuwe stijl aan de Maas. Lichte, moderne eetzaal met een sobere Aziatische inrichting en grote ramen met prachtig uitzicht op de rivier.

à Wierde par ③ : 9 km – Ⓒ Namur – ✉ 5100

XXX **Le D'Arville**

r. D'Arville 94 – ✆ 0 81 46 23 65 – www.ledarville.be – fermé 1er au 15 janvier, 15 septembre-1er octobre, samedi midi, dimanche soir et lundi

Rest – Lunch 26 € – Menu 40/119 € bc – Carte 55 €

◆ Jolie ferme du 19e s. où savourer une cuisine créative. Élégante salle à manger (brique rouge et poutres) ; mezzanine et jolie terrasse donnant sur la pièce d'eau. Menu du mois très abordable.

◆ Creatieve keuken in deze 19de-eeuwse boerderij van rode baksteen met een modern-rustiek interieur en mezzanine. Terras met waterpartij en landelijk uitzicht. Het maandmenu (5 gangen) met veel keuze biedt een uitstekende prijs-kwaliteitsverhouding.

NASSOGNE – Luxembourg – **534** R22 et **716** J5 – **5 210 h.** – ✉ **6950** **12** B1

▶ Bruxelles 121 – Arlon 75 – Bouillon 56 – Dinant 45

Beau Séjour

r. Masbourg 30 – ☎ 0 84 21 06 96 – www.lebeausejour.be
– fermé 9 au 26 janvier, 25 juin-5 juillet et 27 août-14 septembre

23 ch – †85/105 € ††105/115 €

Rest ***Le Jardin des Senteurs*** – voir la sélection des restaurants

◆ Un charmant hôtel en pierre apparente situé au cœur du village et tenu par la même famille depuis 1962. Chambres confortables ; joli jardin et piscine couverte.

◆ Dit hotel in een karakteristiek pand wordt al sinds 1962 door een familie gerund. Actuele kamers met goed comfort. Ligging in het centrum van het dorp.

Le Jardin des Senteurs – Hôtel Beau Séjour

r. Masbourg 30 – ☎ 0 84 21 06 96 – www.lebeausejour.be – fermé 9 au 26 janvier, 25 juin-5 juillet, 27 août-14 septembre, mercredi et jeudi

Rest – Lunch 25 € – Menu 40/60 € – Carte 52/71 €

◆ Dans ce Jardin s'épanouit une cuisine empreinte de simplicité, au service des saveurs les plus naturelles. Un bouquet bien contemporain.

◆ "In de keuken moet je het simpel houden en de pure smaak van de producten laten spreken." Trouw aan dit devies serveert men hier een hedendaagse productkeuken.

La Gourmandine avec ch

r. Masbourg 2 – ☎ 0 84 21 09 28 – www.lagourmandine.com – fermé 2 semaines début janvier, 1 semaine début juillet, dimanche soir, lundi et mardi

6 ch – †82/92 € ††90/100 €

Rest – Lunch 25 € – Menu 52/60 € bc – Carte 49/71 €

◆ Foie gras de canard cuit au torchon, pigeonneau royal d'Anjou, fourme d'Ambert… une cuisine et des produits de tradition française. Véranda et grand jardin où s'attabler l'été. Chambres chaleureuses offrant toutes les commodités. Bon accueil de la patronne.

◆ In dit huis in regionale stijl kunt u heerlijk tafelen in een rustige sfeer. Eetzaal met serre en terras in de tuin onder een treurwilg. De recepten zijn geheel van deze tijd. Gezellige en gerieflijke kamers met een goed onthaal door de bazin.

Le Barathym

r. Parvis 10 – ☎ 0 84 31 44 84 – www.lebarathym.be – fermé 8 au 20 janvier, 29 août-15 septembre, mercredi et jeudi

Rest – Lunch 20 € – Menu 34 €

◆ Bonne cuisine classique dans cet établissement d'esprit maison de campagne (vaisselier en bois ciré, lambris blanc et poutres) disposant d'une jolie terrasse à l'ombre du clocher.

◆ Traditionele kaart met een snufje modern, schotels voor jonge lekkerbekken, menu voor een vriendenprijsje, rustiek neoretro-decor en terras in de schaduw van de kerktoren.

NEDERZWALM – Oost-Vlaanderen – C Zwalm 8 100 h. – **533** H17 et **716** E3 – ✉ **9636** **16** B3

▶ Bruxelles 51 – Gent 26 – Oudenaarde 9

't Kapelleke

Neerstraat 39 – ☎ 0 55 49 85 29 – www.kapelleke.be – fermé 2 premières semaines de janvier, dernière semaine de juillet-première semaine d'août, jeudi soir, dimanche soir, lundi et mardi

Rest – Menu 37 € bc/75 € bc – Carte 50/61 €

◆ Een ontwijd kapelletje vormt de entree van dit restaurant met huiselijke ambiance. Terras in een schitterende tuin met 1999 gesnoeide buxussen. Mooie all-in menu's, geen kaart in het weekend.

◆ Dans cette grande maison, une chapelle désacralisée tient lieu de hall. Superbe jardin qui compterait 1999 buis taillés ! Menus de saison et formules tout compris.

NEERGLABBEEK – Limburg – C Meeuwen-Gruitrode 12 928 h. – **533** S16 – ✉ **3670** **11** C2

▶ Bruxelles 107 – Hasselt 35 – Maastricht 53

Orshof

Heymansweg 2 – ✆ 0 89 81 08 00 – www.orshof.be
Rest – Lunch 17 € – Menu 38/53 € bc – Carte 25/60 €

◆ Temidden van groen en bossen, in het prachtige Limburgse land, vindt u Orshof, waar u een hedendaagse kaart gepresenteerd wordt. De eigenares heeft ook enkele winkels in decoratiemateriaal, en dat merkt u aan het interieur.

◆ Entouré de vert et de bois, dans ce petit coin du Limbourg, vous trouverez Orshof ou l'on vous présentera une carte des mets actuelle. La patronne gère également quelques boutiques de décoration d'intérieur, et cela se remarque dès l'entrée.

NEERHAREN – Limburg – 533 T17 et 716 K3 – voir à Lanaken

NEERIJSE – Vlaams Brabant – 533 M18 et 716 G3 – voir à Leuven

NEERPELT – Limburg – 533 R15 et 716 J2 – 16 448 h. – ✉ 3910 — 10 B1

Bruxelles 108 – Hasselt 40 – Antwerpen 86 – Eindhoven 24

Au Bain Marie

Heerstraat 34 – ✆ 0 11 66 31 17 – www.aubainmarieneerpelt.be – fermé samedi midi, dimanche soir et lundi
Rest – Lunch 30 € – Menu 32/37 € – Carte 42/50 €

◆ Hier geen gekunsteldheid, maar eerlijke gerechten, geserveerd in een interieur zonder poespas. De eigenaar staat in de keuken en zijn echtgenote ontvangt de gasten.

◆ Ici, aucun maniérisme, mais des assiettes qui vont à l'essentiel, envoyées dans un cadre exempt de branchitude. Patron au "bain-marie", secondé à l'accueil par son épouse.

NEUFCHÂTEAU – Luxembourg – 534 R23 et 716 J6 – 7 019 h. – ✉ 6840 — 12 B2

Bruxelles 153 – Arlon 36 – Bouillon 41 – Dinant 71

La Potinière

Haut-Faing 11, (Offaing) – ✆ 0 61 27 70 71 – www.potiniere.be
3 ch – †50/60 € ††50/60 €, ☕ 10 € – ½ P 85/95 €
Rest – *(dîner pour résidents seulement)*

◆ Dans un petit village, maison d'hôte à façade jaune abritant des chambres cédées à bon prix. Cuisine actuelle faite par le patron qui a longtemps œuvré au fourneau de son propre restaurant à Neufchâteau. Salle à manger campagnarde.

◆ In dit B&B met gele gevel in een dorpje kunt u voordelig overnachten. De patron, die jarenlang een ander restaurant in Neufchâteau had, bereidt eigentijdse gerechten die in de rustieke eetzaal worden opgediend.

NEUPRÉ – Liège – 533 R19, 534 R19 et 716 J4 – 9 748 h. – ✉ 4120 — 8 B2

Bruxelles 112 – Namur 81 – Liège 18 – Maastricht 58

l'Apropos

r. Bonry 146 (angle N 63) – ✆ 0 4 382 13 00 – www.lapropos.be – fermé lundi et mardi
Rest – Lunch 26 € – Menu 33/75 € bc – Carte 35/50 €

◆ Dans ce restaurant gastronomique, la cuisine respire la passion de la Méditerranée (de l'Italie à l'Afrique du Nord), avec aussi quelques incursions en Asie. Le sens du partage ! Décor trendy et accueil sympathique. Formule intéressante.

◆ Dit gastronomische restaurant getuigt van grote liefde voor de mediterrane eetcultuur gecombineerd met een hart voor Azië en Noord-Afrika. Aanlokkelijk meergangenmenu, net als de inrichting heel modieus. Vriendelijk onthaal door de eigenares.

à Neuville-en-Condroz Est : 2 km – 🄲 Neupré – ✉ 4121

XXX **Le Chêne Madame**

av. de la Chevauchée 70 (Sud-Est : 2 km sur N 63, dans le bois de Rognac) – ✆ 0 4 371 41 27 – www.lechenemadame.be – fermé 8 au 12 avril, 30 juillet-16 août, 25 au 30 décembre, jeudi soir, dimanche soir et lundi
Rest – Menu 70 € bc/110 € bc – Carte 64/150 €

♦ Dans cette villa chic du bois de Rognac, une femme chef vous propose une cuisine traditionnelle riche en saveurs. Le propriétaire des lieux assure le service, très soigné. Beau décor contemporain.

♦ In deze chique villa midden in het Bois du Rognac bereidt de vrouwelijke chef-kok zuivere, klassieke gerechten. Mooi eigentijds interieur en gedistingeerde bediening door de eigenaar.

NEUVILLE-EN-CONDROZ – Liège – **533** R19, **534** R19 et **716** J4 – voir à Neupré

NIEUWERKERKEN – Limburg – **533** Q17 et **716** I3 – voir à Sint-Truiden

NIEUWKERKEN-WAAS – Oost-Vlaanderen – **533** K15 et **716** F2 – voir à Sint-Niklaas

NIEUWPOORT – West-Vlaanderen – **533** B16 et **716** B2 – **11 267 h.** – Station balnéaire – ✉ 8620 **18** B2

Bruxelles 131 – Brugge 44 – Oostende 19 – Veurne 13

Stadhuis Marktplein 7, ✆ 0 58 22 44 44, www.nieuwpoort.be

Martinique

Brugse Steenweg 7 (à l'écluse sur N 367) – ✆ 0 58 24 04 08 – www.hotelmartinique.be – fermé janvier
6 ch – 75/80 € 110/120 € – 1 suite – ½ P 100/105 €
Rest – *(dîner pour résidents seulement)*

♦ Grote villa in cottagestijl bij de sluis. Kamers en duplex met tropische accenten, sommige met jacuzzi. Exotische terrassen en tuin met waterpartij. Restaurant met klassiek decor, eigentijdse keuken en Creoolse specialiteiten.

♦ Grande villa façon "cottage" proche des écluses. Chambres et duplex aux accents tropicaux (parfois avec jacuzzi), terrasses exotiques et pièce d'eau au jardin. Restaurant au décor classique ; carte au goût du jour panachée de spécialités créoles.

Gemeente Huis

rest,

Sint-Jorisplein 11, (Sint-Joris) (Est : 1 km par N 367) – ✆ 0 58 23 63 35 – www.hotelgemeentehuis.be – fermé 5 au 21 mars
6 ch – 110 € 110 €
Rest – *(fermé mardi et mercredi sauf vacances scolaires)* Menu 33 € – Carte 32/49 €

♦ Aan een groen plein ligt dit charmehotelletje op u te wachten. De kamers zijn ruim en op-en-top verzorgd. Erg handig is dat ze bovendien allemaal op de gelijkvloerse verdieping liggen en elk over een fijn terras beschikken. Eenvoudige gerechten in de bistro.

♦ Cet hôtel de charme se dresse tout près d'une place verdoyante. Les chambres, spacieuses et impeccables, sont toutes au rez-de-chaussée et ouvrent… sur de jolies terrasses individuelles ! Bistrot pour les petites faims.

Ter Zilte sans rest

Marktstraat 19 – ✆ 0 58 24 33 74 – www.terzilte.be – fermé 13 novembre-22 décembre et dimanche et lundi sauf vacances scolaires
6 ch – 90/114 € 90/114 €

♦ In dit gerenoveerde karakteristieke pand met trapgevel huist een sympathiek hotelletje. De mooie kamers met parket zijn allemaal anders ingericht, vaak in bonte kleuren en 's nachts ziet u van in uw bed de sterren. Ontbijten kan in de tuin.

♦ Derrière une façade typique avec ses pignons à redents, un petit hôtel sympathique et jeune d'esprit, avec des chambres toutes différentes et souvent colorées. Par temps clair, on peut admirer les étoiles depuis son lit… et prendre le petit-déjeuner dans le jardin ! Charmant.

Suite 17 sans rest
Ieperstraat 17 – ✆ 0 479 47 47 22 – www.suite17.be
4 ch – 75/95 € 90/115 €
De naam is een knipoog naar een ter ziele gegane hippe nachtclub uit Gent, een referentie die meteen de toon zet: Suite 17 is het werk van een jong koppel dat er zin in heeft. Dat zie je aan het minimalistische vintagedesign en de huiselijkheid die ze in hun concept weten te brengen. Patioterras en kleine zwemvijver.
◆ Le nom de cet hôtel, clin d'œil à une boîte de nuit branchée de Gand, donne immédiatement le ton. À sa tête, un jeune couple dynamique, qui a poussé son concept jusqu'au bout et avec soin, entre esprit vintage et minimalisme pointu !

't Vlaemsch Galjoen
Watersportlaan 11, (dans le port de plaisance, 1er étage) – ✆ 0 58 23 54 95 – www.galjoen.be – fermé 1er au 18 décembre et lundi
Rest – Lunch 18 € – Menu 33/75 € bc – Carte 39/72 €
De haven van Nieuwpoort komt prachtig tot haar recht vanuit deze panoramische eetzaal op de eerste verdieping. Op het menu: klassiekers en enkele up-todate recepten. Laagdrempelige brasserie op de gelijkvloerse verdieping.
◆ Direction l'étage ! La salle panoramique y offre une belle vue sur le port de Nieuwpoort. À la carte, se mêlent classiques et recettes actuelles. Brasserie au rez-de-chaussée.

Grand Cabaret
Kaai 12 – ✆ 0 493 72 96 51 – www.grandcabaret.be – fermé 2 semaines en juin, dernière semaine de novembre-première semaine de décembre, mercredi et jeudi
Rest – Lunch 25 € – Menu 35/81 € – Carte 51/104 €
Hernieuwde traditionele recepten op basis van plaatselijke ingrediënten in een fantasievol bistro-interieur: behang van oude kranten, oude affiches en vertoning van oude comedy's.
◆ Dans ce bistrot fantaisiste (vieux journaux en guise de papier peint, affiches rétro et projection de vieux films burlesques), on savoure une cuisine frivole qui revisite les saveurs classiques !

BELGIQUE

Au Bistro
Kaai 23 – ✆ 0 58 24 14 84 – www.aubistro-laurestes.be – fermé janvier, lundi et mardi
Rest – Lunch 16 € – Menu 30 € – Carte 40/64 €
Welkom in het restaurant van de meester. U bent hier te gast bij Stefaan Gheys, leraar aan de hotelschool, die zijn leerlingen ervaring laat opdoen bij zijn chef. Bij hem leren ze de kneepjes van de klassieke keuken met hedendaagse accenten kennen. De tongschar is een aanrader. Resultaat: geslaagd met onderscheiding!
◆ Oui, maître ! Stefaan Gheys est professeur à l'école hôtelière et ici, il permet à ses élèves d'apprendre toutes les ficelles du métier "en vrai" – des incontournables classiques aux recettes plus pointues (la limande est un must). Une bonne école… Résultat : reçu avec les honneurs !

Laurestes
Albert I-laan 1 – ✆ 0 58 23 60 62 – www.laurestes.be – fermé janvier
4 ch – 80 € 90/100 €
Aan de weg richting Nieuwpoort-Bad kunt u logeren in deze aangename villa met een mooi terras. Een van de kamers heeft uitzicht op de plezierhaven, allemaal zijn ze actueel ingericht. Table d'hôtes met hedendaagse gerechten in het weekend.
◆ Sur la route de Nieuwpoort-Bad, une agréable villa flanquée d'une belle terrasse. Les chambres arborent une décoration moderne ; l'une d'elles avec une vue sur le port de plaisance. Table d'hôte le week-end (cuisine contemporaine).

à Nieuwpoort-Bad (Nieuport-les-Bains) Nord : 1 km – Ⓒ Nieuwpoort – ✉ 8620

Cosmopolite
Albert I-laan 141 – ✆ 0 58 23 33 66 – www.cosmopolite.be
128 ch – 75/95 € 100/135 € – 1 suite
Rest *Comilfo* – voir la sélection des restaurants
Dit hotel wordt al heel lang door een familie gerund en heeft een kleurige, eigentijdse stijl. Meerdere vleugels met moderne kamers.
◆ Cet hôtel, tenu en famille de très longue date, a été entièrement remis à neuf ces dernières années, dans un style contemporain coloré. Plusieurs ailes de chambres actuelles.

Blanches Voiles sans rest
Albert I-laan 320 – ☎ 0 58 62 04 29 – www.blanchesvoiles.be
6 ch – 100/160 € 100/160 €
◆ Rust, zeezicht en designelementen (Panton, Starck, Wanders, enz.) kenmerken deze bed and breakfast aan de zeedijk. Terrassen, strandcabine en ligstoelen. Verzorgd onthaal.
◆ Calme, vue sur mer et objets design (Panton, Starck, Wanders...) en cette maison d'hôtes côté digue. Terrasses et cabine de plage. Chaises longues disponibles. Accueil soigné.

Charlie's dinner
Albert I-laan 326a – ☎ 0 58 24 29 40 – www.charliesdinner.be – fermé 2 semaines en janvier, 2 semaines en mai, 2 semaines en octobre, lundi et mardi
Rest – *(dîner seulement) (prévenir)* Carte 48/63 €
◆ Dit restaurant met een kleine, trendy eetzaal wordt door een familie gerund. De keuken is typerend voor de Belgische kust en biedt dagverse producten. Moderne kunstexpo.
◆ Cuisine typique du littoral belge, valorisant la pêche du jour, à apprécier dans une petite salle moderne et "trendy". Expo d'art contemporain ; fonctionnement familial.

Comilfo – Hôtel Cosmopolite
Albert I-laan 141 – ☎ 0 58 23 33 66 – www.restocomilfo.be
Rest – Lunch 23 € – Menu 45/65 € bc – Carte 56/91 €
◆ De chef van Comilfo serveert u graag een wereldkeuken in een eigentijds interieur. In brasserie Carrousel moet u zijn voor iets ongecompliceerders, in een decor dat opgeluisterd wordt met draaimolenpaarden.
◆ Esprit contemporain au Comilfo, où le décor comme la cuisine épousent le goût international. On peut également opter pour plus de simplicité avec la brasserie Carrousel, ornée évidemment... de chevaux de bois.

NIJVEL – **Brabant Wallon** – **voir Nivelles**

NIMY – **Hainaut** – **533** I20, **534** I20 **et 716** E4 – **voir à Mons**

NINOVE – Oost-Vlaanderen – 533 J17 et 716 F3 – 36 675 h. – ✉ 9400 17 C3

Bruxelles 24 – Gent 46 – Aalst 15 – Mons 47
Centrumlaan 100, ☎ 0 54 31 32 85, www.ninove.be
Eglise abbotiale : boiseries★

Hof ter Eycken (Philippe Vanheule)
Aalstersesteenweg 298 (Nord-Est : 2 km par N 405, 2e feu à droite) – ☎ 0 54 33 70 81 – www.hoftereycken.be – fermé vacances de carnaval, 2 dernières semaines de juillet-première semaine d'août, samedi midi, mardi et mercredi
Rest – Lunch 52 € bc – Menu 90 € bc/101 € bc – Carte 80/93 €
Spéc. Salade de homard à la vinaigrette et jus de truffe, terrine de foie gras. Préparations aux langoustines et Saint-Jacques. Les gibiers de saison.
◆ Al meer dan 10 jaar schittert een ster in dit elegante en sfeervolle plattelandsrestaurant in een voormalige stoeterij tussen de velden. Eigentijdse kaart met harmonieuze spijs-wijncombinaties. Mooi terras aan de tuinzijde.
◆ Une étoile scintille depuis plus de 10 ans dans ce restaurant de campagne élégant et feutré, mettant à profit l'ex-écurie d'un haras entouré de champs. Carte actuelle, accords mets-vins harmonieux, belle terrasse côté jardin.

De Lavendel
Lavendelstraat 11 – ☎ 0 54 33 32 03 – www.delavendel.be – fermé dernière semaine d'août-2 premières semaines de septembre, dimanche soir et lundi
Rest – Lunch 12 € – Menu 42/60 € bc – Carte 36/64 €
◆ Dit restaurantje in de stijl van een moderne bistro wordt door een koppel gerund in de winkelstraat. Aan de achterzijde terras met wijnstokken en uitzicht op de abdijkerk.
◆ Cuisine classique franco-belge dans une ambiance néobistrot. Cour bordée de vigne avec vue sur l'église abbatiale des Prémontrés.

NIVELLES (NIJVEL) – **Brabant Wallon** – **533** L19, **534** L19 **et 716** G4 **3** B3
– **26 047 h.** – ✉ **1400**

Bruxelles 36 – Wavre 34 – Charleroi 28 – Mons 35

r. Saintes 48, ☎ 0 67 84 08 64, www.tourisme-nivelles.be

r. Jumerée 1, à l'Est : 14 km à Sart-Dames-Avelines, ☎ 0 71 87 72 67

Bruyère d'Hulencourt 15, au Nord-Est : 10 km à Vieux-Genappe, ☎ 0 67 79 40 40

r. Châtelet 62, à l'Est : 17 km à Villers-la-Ville, ☎ 0 71 87 77 65

Chemin de Baudemont 21, ☎ 0 67 89 42 66

Collégiale Ste-Gertrude★★ : Vierge de l'Annonciation★

à l'Ouest : 9 km, Plan incliné de Ronquières★

Nivelles-Sud

rest,

chaussée de Mons 22 (E 19 - A 7, sortie 19) – ☎ 0 67 21 87 21
– www.hotelnivellessud.be

115 ch – 70/85 € 85/95 €, 11 €

Rest – Lunch 11 € – Menu 27/34 € – Carte 40/63 €

◆ Aux portes de Nivelles, près de l'autoroute, hôtel de chaîne abritant cinq catégories de chambres bien tenues, tournées vers la piscine ou une parcelle de vigne. Une carte internationale est présentée au restaurant, lequel se complète de plusieurs terrasses.

◆ Dit hotel aan de rand van Nijvel ligt bij de snelweg en maakt deel uit van een keten. Goed onderhouden kamers in vijf categorieën, met uitzicht op het zwembad of de wijngaard. Restaurant met verscheidene terrassen en een internationale spijskaart.

BELGIQUE

La Ferme des Églantines

Chemin de Fontaine-l'Évêque 8 – ☎ 0 67 84 10 10 – www.fermedeseglantines.be

5 ch – 65 € 75 € – ½ P 90 € **Rest** – *(dîner pour résidents seulement)*

◆ Au cœur de la campagne brabançonne, ferme restaurée égayée par un agréable jardin. Chambres avec vue sur la nature environnante ou sur la cour. Table d'hôtes sur réservation.

◆ In deze oude boerderij logeert u in comfortabele kamers met uitzicht op het platteland of de binnenplaats. Goede mix van gezinnen en zakenlui. "Table d'hôtes" op reservering.

dis-moi où ?

r. Sainte Anne 5 – ☎ 0 67 64 64 64 – www.dis-moiou.be – fermé samedi midi, dimanche et lundi

Rest – Lunch 15 € – Menu 30 € – Carte 31/48 €

◆ Ce sympathique restaurant propose une cuisine copieuse et savoureuse, avec même une jolie pointe de raffinement. Les produits sont d'une grande fraîcheur et les accompagnements délicieux. Dis-moi où ? Nulle part ailleurs !

◆ Dit gezellige restaurantje verwelkomt u voor een keuken die niet alleen gul en smakelijk is, maar ook verfijnd uit de hoek kan komen. In sommige van de klassiek geïnspireerde gerechten zijn de producten zo vers en de garnituur en saus zo smakelijk, dat u zich misschien zult moeten inhouden om geen 2e portie te bestellen!

Divino Gusto

Square des Nations Unies 4a – ☎ 0 67 55 58 09 – www.divinogusto.be
– fermé 1er au 15 juillet, samedi midi et dimanche

Rest – *(déjeuner seulement sauf jeudi, vendredi et samedi)* Lunch 16 €
– Menu 35/60 € bc – Carte 47/57 €

◆ Divino Gusto, le "goût divin" dans un cadre d'une belle simplicité. La cuisine est à l'image des propriétaires, souriante, soignée et généreuse. Ici, pas de chichi, mais des plats bien dans leur époque, joliment exécutés et présentés. Pour le vin, des suggestions originales.

◆ Divino Gusto, de goddelijke smaak: verheven van naam maar down-to-earth qua sfeer. De glimlach van de goedgemutste uitbaters schemert door in de doordachte, genereuze keuken. Hier geen franje, maar een hedendaagse keuken die goed gemaakt en mooi gepresenteerd wordt. Verrassende wijnsuggesties.

La Cave à Jules

r. Étuve 2 – ✆ 0 67 21 37 10 – www.lacaveajules.be – fermé samedi et dimanche
Rest – Lunch 19 € – Menu 32/42 € – Carte 45/66 €

◆ Ici, on déguste une bonne cuisine de marché dans une atmosphère feutrée et conviviale. Plat du jour à l'ardoise et excellente sélection de plus de 200 vins français.

◆ Dit sfeervolle adresje biedt de keuze tussen een menu en de marktsuggesties die op bordjes worden aangekondigd. Voortreffelijke selectie van meer dan 200 Franse wijnen tegen een goede prijs.

NIVEZÉ – Liège – 534 U20 – voir à Spa

NOIREFONTAINE – Luxembourg – Bouillon 5 464 h. – 534 P24 et 716 I6 – ✉ 6831 — 12 B2

Bruxelles 154 – Arlon 67 – Bouillon 8 – Dinant 59

à l'Ouest : 7 km, Belvédère de Botassart ★★

Auberge du Moulin Hideux

rte du Moulin Hideux 1 (Sud-Est : 2,5 km par N 865) – ✆ 0 61 46 70 15 – www.moulinhideux.be – ouvert 23 mars-16 décembre; fermé mercredi
10 ch – †175/225 € ††250/270 €, 20 € – 2 suites
Rest *Le Moulin Hideux* – voir la sélection des restaurants

◆ Cette somptueuse maison du 17[e]s. tient son nom du wallon "l'y deux molins" (les deux moulins), qui rappelle sa vocation passée. Ici règne un esprit gentilhommière. Parc luxuriant.

◆ De naam van deze verbouwde molen komt van het Waalse "l'y deux molins" (de 2 molens). Kamers met een personal touch, terras, rokerssalon, sauna en zwembad.

BELGIQUE

Le Moulin Hideux (Julien Lahire) – Hôtel Auberge du Moulin Hideux

rte du Moulin Hideux 1 (Sud-Est : 2,5 km par N 865) – ✆ 0 61 46 70 15 – www.moulinhideux.be – ouvert 23 mars-16 décembre; fermé jeudi midi et mercredi
Rest – Lunch 38 € – Menu 65/95 € – Carte 62/93 €
Spéc. Selle de chevreuil de nos forêts, sauce poivrade. Canette Miéral au tabac de la Semois. Ravioles de soupions, gingembre frais et tomates marinées.

◆ L'étoile y brille depuis plus de cinquante ans ! Le chef Julien Lahire porte avec ferveur cette tradition de haute gastronomie, sélectionnant toujours les meilleurs produits, déclinant le raffinement selon les dernières tendances et... signant des assiettes d'une élégance intemporelle.

◆ Al meer dan vijftig jaar schittert deze ster tussen de bossen, chef Julien Lahire zet deze traditie van topgastronomie onverdroten verder, en brengt topproducten in hedendaagse bereidingen, verfijnd en elegant gepresenteerd.

NOSSEGEM – Vlaams Brabant – 533 M17 et 716 G3 – voir à Bruxelles, environs

---

NOVILLE-SUR-MEHAIGNE – Namur – 533 O19 et 534 O19 – voir à Éghezée

---

NUKERKE – Oost-Vlaanderen – Maarkedal 6 456 h. – 533 G18 et 716 D3 – ✉ 9681 — 16 B3

Bruxelles 78 – Gent 35 – Lille 60 – Roubaix 57

Den Eglantier

Nukerkestraat 15, (dorp) – ✆ 0 55 21 41 28 – www.den-eglantier.be – fermé 3 au 11 janvier, 20 au 29 février, 16 juillet-1er août , mardi et mercredi
Rest – Lunch 20 € bc – Menu 34/39 € – Carte 41/69 €

◆ Oude boerderij bij de klokkentoren van een rustig dorp. Rustiek kader, binnenplaats met terras, traditionele kaart met seizoensmenu en menu van de maand.

◆ Pour savourer une sympathique cuisine de saison, faites halte dans ce petit restaurant. Joli jardin, où il est bien agréable de s'attabler aux beaux jours.

OCQUIER – Liège – Clavier 4 435 h. – 533 R20, 534 R20 et 716 J4 – ✉ 4560 — 8 B2

Bruxelles 107 – Liège 41 – Dinant 40 – Marche-en-Famenne 21

Le Castel du Val d'Or

Grand'Rue 62 – ☎ 0 86 34 41 03 – www.castel-valdor.be – fermé 4 au 24 janvier et première semaine de juillet

15 ch – 59/86 € 81/106 €, 14 € – ½ P 94 €

Rest ***Le Castel du Val d'Or*** – voir la sélection des restaurants

◆ Cet ancien relais de poste (17es) conservant son charme délicieusement rustique est établi dans l'un des "plus beaux villages du Condroz". Chambres de bon séjour.

◆ Dit 17e-eeuwse relais heeft zijn rustieke charme bewaard en is gevestigd in een van de "mooiste dorpen van de Condroz". De kamers garanderen een prettig verblijf.

Le Castel du Val d'Or – Hôtel Le Castel du Val d'Or

Grand'Rue 62 – ☎ 0 86 34 41 03 – www.castel-valdor.be – fermé 4 au 24 janvier et première semaine de juillet, lundi et mardi

Rest – Menu 35/85 € bc – Carte 37/75 €

◆ Bienvenue au château... Un décor tout trouvé pour apprécier une cuisine empreinte de classicisme. À noter : l'établissement est très prisé pour les banquets et les séminaires.

◆ De sfeer van dit kasteeltje nodigt uit om te genieten van de klassieke keuken die er geserveerd wordt. Erg in trek voor banketten en seminaries.

OEDELEM – **West-Vlaanderen** – **533** F15 **et 716** D2 – **voir à Beernem**

OETINGEN – **Vlaams Brabant** – **533** J18 **et 716** F3 – **voir à Gooik**

OHAIN – **Brabant Wallon** – C **Lasne 14 074 h.** – **533** L18, **534** L18 **et 716** G3 – ✉ **1380** **3** B2

Bruxelles 32 – Wavre 33 – Charleroi 39 – Namur 70

Vieux Chemin de Wavre 50, ☎ 0 2 633 18 50

Auberge de la Roseraie

rte de la Marache 4 – ☎ 0 2 633 13 74 – www.aubergedelaroseraie.be – fermé 12 août-3 septembre, fin décembre-début janvier, dimanche soir et lundi

Rest – Lunch 14 € – Menu 38 € – Carte 45/56 €

◆ Ce restaurant aménagé dans une ancienne fermette (19e s.) plaît pour ses menus, son décor actuel teinté de rusticité et sa terrasse verte blottie à l'ombre du clocher.

◆ Dit restaurant in een 19de-eeuws boerderijtje valt in de smaak vanwege de menu's, het eigentijdse interieur met rustieke accenten en het groene terras bij de kerktoren.

OIGNIES-EN-THIÉRACHE – **Namur** – C **Viroinval 5 915 h.** – **534** M22 **et 716** G5 – ✉ **5670** **14** B3

Bruxelles 120 – Namur 81 – Chimay 30 – Dinant 42

Au Sanglier des Ardennes avec ch

r. J.-B. Périquet 4 – ☎ 0 60 39 90 89 – www.ausanglierdesardennes.be – fermé 16 février-15 mars, 22 août-8 septembre et dimanches soirs, lundis et mardis non fériés

8 ch – 50/61 € 56/89 €, 15 € – ½ P 90 €

Rest – Lunch 25 € – Menu 40 € bc/85 € – Carte env. 47 €

◆ Visitez en saison de vénerie cette typique auberge nichée au cœur d'un village entouré de forêts giboyeuses. Succulent menu "chasse". Ambiance, déco et cave en rapport. Chambres sobres, à l'exception d'une, dite romantique, s'autorisant quelques frivolités.

◆ Karakteristieke jachtherberg midden in een dorpje omringd door wildrijke bossen. Heerlijk jachtmenu in het wildseizoen met bijpassende wijnen. Sobere kamers op eentje na, de romantische, die wat frivoler is.

OISQUERCQ – **Brabant Wallon** – **533** K18 **et 534** K18 – **voir à Tubize**

OLEN – **Antwerpen** – **533** O16 **et 716** H2 – **11 749 h.** – ✉ **2250** **2** C2

Bruxelles 67 – Antwerpen 33 – Hasselt 46 – Turnhout 27

Witbos, à l'Ouest : 1,5 km à Noorderwijk, ☎ 0 14 26 21 71

Pot au Feu

Dorp 34 – ✆ 0 14 27 70 56 – www.brasseriepotaufeu.be – fermé vacances de carnaval, dernière semaine de juillet-première semaine d'août, lundi et mardi
Rest – Lunch 24 € – Menu 35 € – Carte 34/55 €

◆ Leuke brasserie in een art-decovilla. Trendy interieur met retrodetails, mooie bar en gezellige oranjerie, die uitkijkt op de tuin met terras in de schaduw van een apenboom.

◆ Accueillante brasserie occupant une villa Art déco. Intérieur "trendy" aux détails rétro, joli bar et orangerie sympa donnant sur la terrasse-jardin à l'ombre d'un araucaria.

OMAL – Liège – C Geer 3 197 h. – 533 Q19 et 534 Q19 – ✉ 4252 **8** A1

Bruxelles 73 – Liège 33 – Namur 48 – Maastricht 62

L'Isola

chaussée Romaine 18 – ✆ 0 19 58 77 27 – www.lisola.be – fermé 15 août-11 septembre, lundi, mardi et mercredi
Rest – *(dîner seulement sauf dimanche)* Menu 35/48 € – Carte 42/54 €

◆ Derrière la pizzeria du père (attention, ne vous trompez pas de porte !), vous découvrirez l'œuvre d'un chef qui apporte à la cuisine française moderne une belle touche méditerranéenne.

◆ Achter de pizzeria van z'n vader (let op dat u zich niet van deur vergist) proeft u hier het werk van een chef die de moderne Franse keuken van een mediterrane toets voorziet.

OOSTDUINKERKE – West-Vlaanderen – C Koksijde 21 990 h. – 533 B16 et 716 B2 – Station balnéaire★ – ✉ 8670 **18** A2

Bruxelles 133 – Brugge 48 – Oostende 24 – Veurne 8

Beachhouse sans rest

Pylyserlaan 158 – ✆ 0 474 56 71 76 – www.beachhouse.be
5 ch – †70/95 € ††85/105 €

◆ Autoliefhebbers die met hun oldtimer willen cruisen in de mooie landschappen rond Oostduinkerke appreciëren zeker de privéparking, sportievelingen de huurfietsen en ruiters de manège naast de deur. Voor ieders wat wils dus!

◆ Un parking privé pour les amateurs de voitures anciennes qui aiment se balader dans les jolis paysages de la région d'Oostduinkerke, des vélos à louer pour les sportifs, et un manège à proximité pour les cavaliers. Tout le monde s'y retrouve !

Villa Elsa sans rest

Leopold II-laan 56 – ✆ 0 476 40 91 62 – www.villaelsa.be
3 ch – †85/90 € ††95/100 €

◆ Koken en vakantie combineren? Het kan in de B&B van Elsa! In het ene huisje verzorgt ze kookworkshops, in het andere kunt u wegdromen in het nostalgische boudoirdecor. Het schilderachtige kader verraadt dat de uitbaatster ook decoratrice is.

◆ Combiner la cuisine et les vacances, c'est possible au B&B d'Elsa. Vous pourrez suivre un atelier de cuisine, avant de vous reposer en profitant du caractère des lieux qui évoquent… un boudoir empreint de nostalgie. La propriétaire est aussi décoratrice !

à Oostduinkerke-Bad Nord : 1 km – C Koksijde – ✉ 8670

Astridplein 6, ✆ 0 58 51 13 89

Hof ter Duinen

Albert I-laan 141 – ✆ 0 5 851 32 41 – www.hofterduinen.be – fermé 2 janvier-10 février
21 ch – †100/150 € ††100/150 € – ½ P 40 €
Rest *Eglantier* – voir la sélection des restaurants

◆ Gezellig familiehotel langs de weg tussen de badplaatsen. Mooie kamers, relaxruimte en ontbijt met uitzicht op de tuin. Gastronomische weekends.

◆ Hotel familial cosy au bord de la route qui relie les localités balnéaires. Belles chambres, espace relaxation, breakfast côté jardin, week-ends "gastro".

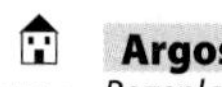

Argos

Rozenlaan 20 – ✆ 0 58 52 11 00 – www.hotel-argos.be
6 ch – 58 € 90 € – ½ P 60/73 €
Rest – *(fermé mercredi et jeudi) (dîner seulement jusqu'à 20 h 30)* Menu 40 €
◆ Sfeervol hotel in cottagestijl van een vriendelijk echtpaar. De moderne kamers doen warm aan en zien er tiptop uit. Moderne eetzaal (gasfornuis, gevlochten stoelen) en tuin met terras. Keuzemenu bij wijze van kaart.
◆ En secteur résidentiel calme, "cottage hotel" avenant tenu par un couple aimable. Chambres actuelles aussi chaleureuses que coquettes. Salle à manger moderne (foyer au gaz, chaises en fibre végétale tressée) et terrasse au jardin. Menu-choix en guise de carte.

Albert I sans rest

Astridplein 11 – ✆ 0 58 52 08 69 – www.hotel-albert.be
22 ch – 65/99 € 76/118 €
◆ Tweederde van de kamers van dit flatgebouw aan de boulevard kijken op zee uit. Grote foto's van margrieten en levendige kleuren in de ontbijtzaal.
◆ Deux tiers des chambres de cet immeuble du front de mer ont leurs fenêtres braquées vers le rivage. Grandes photos de marguerites et déco en blanc et vert fluo au petit-déj'.

XX **Eglantier** – Hôtel Hof ter Duinen

Albert I-laan 141 – ✆ 0 58 51 32 41 – www.restauranteglantier.be – fermé 2 janvier-2 février, lundi et mardi sauf vacances scolaires et après 20 h 30
Rest – Lunch 25 € – Menu 35/55 € – Carte 49/70 €
◆ Verzorgd restaurant dat bij een hotel hoort. De lekkere menu's worden in een soort moderne wintertuin met Lloyd Loom-stoelen geserveerd of bij goed weer buiten.
◆ Table soignée incorporée à un hôtel bien accueillant. Bons menus servis dans une salle moderne façon "jardin d'hiver", pourvue de chaises en Lloyd Loom, ou l'été en plein air.

BELGIQUE

OOSTENDE (OSTENDE) – **West-Vlaanderen** – **533** C15 et **716** B2 **18** B1 – **69 064 h.** – **Station balnéaire★★** – **Casino Kursaal** CYZ , **Oosthelling 12** ✆ **0 59 70 51 11** – ✉ **8400**

Bruxelles 115 – Brugge 27 – Gent 64 – Dunkerque 55

Liaison maritime Oostende-Ramsgate : Transeuropa Ferries, Slijkensesteenweg 2, ✆ 0 59 34 02 60

Monacoplein 2, ✆ 0 59 70 11 99, www.visitoostende.be

Sportstraat 48, ✆ 0 59 32 08 34

Koninklijke baan 2, au Nord-Est : 9 km à De Haan, ✆ 0 59 23 32 83

Musée : Mu. ZEE★(Kunstmuseum aan Zee)CZ

Stadsplattegronden op volgende bladzijden

Andromeda

Kursaal Westhelling 5 – ✆ 0 59 80 66 11 – www.andromedahotel.be
91 ch – 106/186 € 131/246 €, 17 € – 1 suite CZ**t**
Rest *Gloria* – voir la sélection des restaurants
◆ Gebouw dat uittorent boven het strand en het casino. Bijna de helft van de grote kamers kijkt op zee uit. Tentoonstelling van kunstwerken, wellness en balneotherapie.
◆ Immeuble dominant plage et casino. Expo d'œuvres d'art, grandes chambres, dont près de la moitié ont vue sur mer, wellness et balnéothérapie.

Thermae Palace

Koningin Astridlaan 7 – ✆ 0 59 80 66 44 – www.thermaepalace.be A**a**
159 ch – 75/170 € 75/170 €, 18 € – ½ P 105 €
Rest *Bistro Paddock* – voir la sélection des restaurants
◆ Luxehotel met grote kamers aan de boulevard, vlak bij de renbaan. Reserveer een kamer met uitzicht op zee. Congrescentrum. Klassieke kaart en Art decokader in restaurant Périgord (dineren bij kaarslicht in het weekend).
◆ Palace du front de mer voisinant avec l'hippodrome. Grandes chambres à choisir de préférence face aux brise-lames. Centre de congrès. Carte classique et cadre Art déco au restaurant Périgord (dîner aux chandelles le week-end).

OOSTENDE

Acacialaan . . . . A 2
Blauwkasteelstr. . . . . B 3
Derbylaan . . . . A 5
Fortstr. . . . . B 6
Mariakerkelaan. . . . . AB 8
Nieuwelangestr. . . . . B 10
Paul Michielslaan . . . . A 9
Prins Albertlaan. . . . . B 13
Sint-Catharinapl. . . . . A 15
Slijkensesteenweg . . . . B 16
Troonstr. . . . . A 18
Verenigde
Natieslaan . . . . B 19
Zandvoordeschorredijkstr.. . B 20
Zandvoordestr. . . . . B 22

Europe sans rest

Kapucijnenstraat 52 – ✆ 0 59 70 10 12 – www.europehotel.be CY**q**

82 ch – 70/130 € 95/160 €

◆ Hotel in het centrum, op 400 m van het strand. Comfortabele junior suites en kamers in een spiksplinternieuwe vleugel. Sommige kamers in het oude gedeelte zijn eenvoudiger.

◆ En centre-ville, mais à 400m de la plage. Junior suites et chambres tout confort dans une aile moderne flambant neuve. Hébergement plus simple dans la partie ancienne.

Golden Tulip Bero sans rest

Hofstraat 1a – ✆ 0 59 70 23 35 – www.hotelbero.be CY**t**

69 ch – 87/140 € 105/160 € – 3 suites

◆ Gunstig gelegen hotel met executive rooms en junior suites. Whiskybar, zwembad, fitness en sauna om te ontspannen. Een ideale plek voor gezinnen die van een week(end)je zee en zand willen genieten.

◆ Quatre types de chambres (executive, junior suite, superior et standard) dans cet hôtel proche de tout. Côté distractions : bar à whiskies, piscine, squash, fitness, sauna.

Die Prince sans rest

Albert I Promenade 41 – ✆ 0 59 70 65 07 – www.hotel-dieprince.be CY**n**

60 ch – 56/80 € 72/108 €

◆ De meeste kamers in dit flatgebouw aan de promenade kijken uit op zee, maar die op de hoek bieden meer ruimte. Er zijn ook familiekamers beschikbaar. Moderne lounge.

◆ Immeuble situé sur la promenade : la plupart des chambres bénéficient ainsi d'une vue sur mer. Celles réparties à l'angle du bâtiment offrent plus d'ampleur. Salon moderne.

OOSTENDE

Adolf Buylstr. . . . . CY 2
Alfons Pieterslaan. . . . . CZ
Edith Cavellstr. . . . . CZ 4
Ernest Feyspl.. . . . . CZ 6
Filip Van
Maestrichtpl. . . . . CZ 8
Graaf de Smet
de Naeyerlaan . . . . CZ 9
Groentemarkt . . . . CY 10
Hendrik Serruyslaan . . . . . CZ 13
Kanunnik Dr Louis
Colensstr. . . . . CZ 14
Kapellestr.. . . . . CZ
Koninginnelaan . . . . CZ 18
Nieuwpoortsesteenweg. . CZ 22
Oesterbankstr. . . . . CZ 24
Sir Winston Churchill
Kaai . . . . CY 27
Stockholmstr. . . . . CZ 28
Vlaanderenstr.. . . . . CY 30
Wapenpl. . . . . CY 32
Warschaustr.. . . . . CZ 33
Wellingtonstr. . . . . CZ 35
Wittenonnenstr. . . . . CZ 36

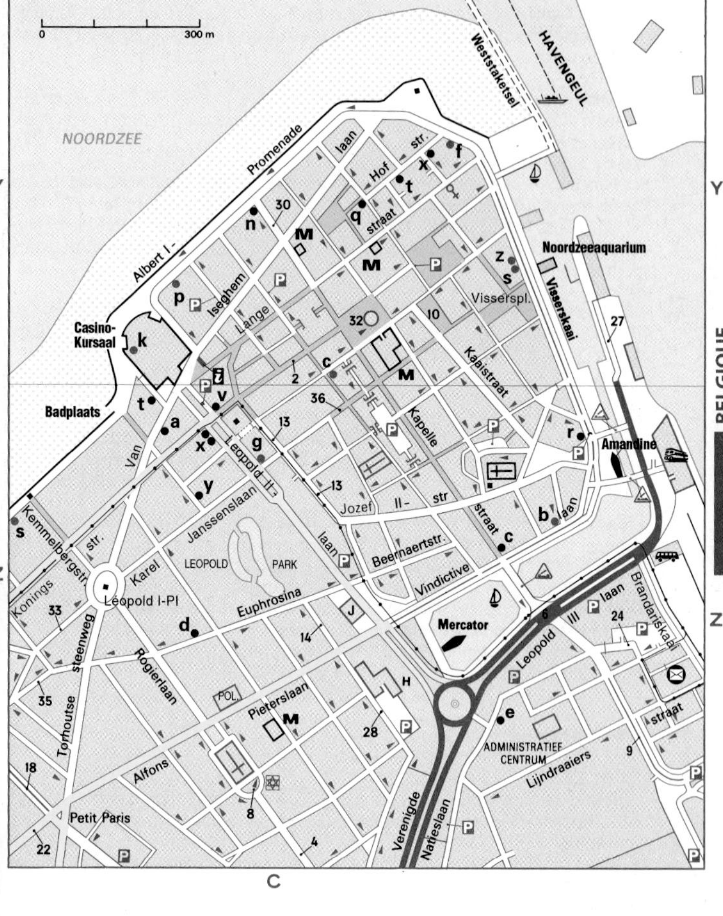

Pacific sans rest
Hofstraat 11 – ✆ 0 59 70 15 07
– www.pacifichotel.com CY**r**
53 ch – 60/95 € 75/150 €
◆ Familiebedrijf in het gezellige centrum. Het hotel wordt voortdurend up-to-date gehouden om uw verblijf zo comfortabel mogelijk te maken. Gezellige bar.
◆ Cet établissement familial du centre animé vous loge dans des chambres rénovées par étapes et dotées d'une bonne literie. Buffet matinal dans une salle aux boiseries blondes.

Glenmore rest, rest,
Hofstraat 25 – ☎ 0 59 70 20 22 – www.hotelglenmore.be
– fermé 2 janvier-17 février CY**x**
41 ch – ♦65/80 € ♦♦100/180 € – ½ P 100/115 €
Rest – *(dîner pour résidents seulement)*

◆ Hotel bij de zeedijk en de haven. Comfortabele kamers en een health center op de zesde verdieping, waar ook het panoramaterras te vinden is.

◆ Hôtel familial situé à quelques enjambées de la digue et du port. Chambres confortables et espace de bien-être et de relaxation au 6ᵉétage, donnant sur une terrasse perchée.

Prado sans rest
Leopold II-laan 22 – ☎ 0 59 70 53 06 – www.hotelprado.be – fermé 3 dernières semaines de janvier CZ**x**
28 ch – ♦85/150 € ♦♦95/160 €

◆ Functionele standaardkamers in dit gunstig gelegen hotel met alles bij de hand: strand, winkels, uitgaanswijk, taxistandplaats, tram- en bushalten.

◆ Chambres fonctionnelles uniformément agencées dans cet hôtel bien commode car proche de tout : plage, casino, commerces, quartiers de sorties, arrêts de tram, bus et taxi.

Impérial sans rest
Van Iseghemlaan 76 – ☎ 0 59 80 67 67 – www.hotel-imperial.be CZ**a**
61 ch – ♦70/110 € ♦♦80/160 €

◆ Dit hotel tegenover het casino is sinds de oprichting in 1954 in handen van dezelfde familie. In het bibliotheekje naast de receptie kunt u de plannen van de dag op punt stellen of ontspannen een boek lezen. Degelijke kamers.

◆ Face au casino, hôtel tenu par la même famille depuis sa fondation en 1954. Toutes les chambres, la salle de breakfast et le lounge ont récemment retrouvé l'éclat du neuf.

BELGIQUE

Ramada rest,
Leopold II-laan 20 – ☎ 0 59 70 76 63 – www.ramada-ostend.com CZ**x**
90 ch – ♦70/180 € ♦♦70/200 €, 16 € **Rest** – Carte env. 30 €

◆ Een ketenhotel waar u alles vindt voor een prettig verblijf in het centrum van Oostende. Goed nieuws voor sportievelingen: u kunt gratis gebruik maken van een fitnesscentrum in de buurt. Eenvoudige kaart in het restaurant.

◆ Cet hôtel de chaîne ne manque pas d'atouts pour un agréable séjour au cœur d'Ostende. Les plus sportifs pourront même profiter de l'accès libre à une salle de fitness du quartier. Service de restauration.

De Hofkamers sans rest
IJzerstraat 5 – ☎ 0 59 70 63 49 – www.dehofkamers.be – fermé 9 au 31 janvier
27 ch – ♦65/75 € ♦♦85/125 € CZ**y**

◆ Rustig familiebedrijf tussen het Leopoldpark, het levendige centrum en de dijk. Knusse kamers en goed ontbijt. Relaxcentrum en panoramaterras op de 7e verdieping.

◆ Hôtel familial installé au calme, entre parc Léopold, centre animé et digue. Chambres "cosy" et petit-déjeuner de qualité. Au 7ᵉ étage, relax-center avec terrasse-belvédère.

Hôtel Du Bassin
Visserskaai 1 – ☎ 0 59 70 33 83 – www.hoteldubassin.be – fermé 15 janvier-2 février CZ**r**
21 ch – ♦59/69 € ♦♦79/109 € – ½ P 82/92 €
Rest *Grand Café Du Bassin* – voir la sélection des restaurants

◆ Hotel tegenover de vaargeul en de Amandine, het laatste Vlaamse vissersschip dat de Noordelijke IJszee bevoer. De kamers aan de voorkant kijken uit op de ferry's.

◆ Hôtel faisant face au chenal du port et à l'Amandine (dernier navire flamand ayant pêché en mer d'Islande). Les chambres de l'avant assistent aussi au ballet des ferries.

Burlington sans rest
Kapellestraat 90 – 0 59 55 00 30 – www.hotelburlington.be CZ**c**
42 ch – 55/85 € 75/125 €
Flatgebouw hoog boven de rede met het opleidingsschip Mercator. Kamers, sommige gerenoveerd, aan de kant van de haven, winkels of woonflats. Terras op de 10e verdieping.
♦ Immeuble surplombant le bassin du navire-école Mercator. Chambres côté port, commerces ou buildings résidentiels. Préférez celles remises à neuf. Terrasse au 10e étage.

Du Parc sans rest
Marie-Joséplein 3 – 0 59 70 16 80 – www.hotelduparc.be – fermé 8 au 26 janvier
53 ch – 56/80 € 69/107 € CZ**v**
Hotelgebouw in de stijl van de jaren 1930 aan een zeer centraal gelegen plantsoen. Gerenoveerde functionele kamers en mooie art-decotaverne (andere eigenaar).
♦ Bâtisse hôtelière typique des années 1930, contiguë à un petit square très central. Chambres fonctionnelles rajeunies et belle taverne Art déco (exploitation séparée).

Melinda rest,
Mercatorlaan 21 – 0 59 80 72 72 – www.melinda.be CZ**e**
47 ch – 55/85 € 70/125 € – ½ P 79/109 €
Rest – Lunch 13 € – Menu 18/35 € – Carte 27/47 €
De toegankelijke prijzen en de ligging, buiten de drukte van het centrum maar toch vlakbij, trekken een publiek aan dat van de rust van de kust wil genieten. Brasserie met traditionele keuken. De driemaster Mercator ligt op een boogscheut.
♦ Non loin du centre-ville, près du port de plaisance, une bonne adresse où jeter l'ancre. Chambres simples et contemporaines. Brasserie envoyant de la cuisine traditionnelle dans un cadre moderne.

BELGIQUE

Cardiff
St-Sebastiaanstraat 4 – 0 59 70 28 98 – fermé mi-novembre-mi-décembre et mardi hors saison CY**c**
15 ch – 46/50 € 68/80 € – ½ P 68/72 €
Rest – *(fermé après 20 h 00)* Lunch 18 € – Menu 21/34 € – Carte 28/39 €
Dit hotel is net als zijn uitbaters: een vaste waarde die in de loop der jaren een heel eigen stijl ontwikkelde, waar ook het eclectische decor van getuigt. In de keuken zweert men bij het tijdloze repertoire. Kinderen welkom vanaf 7 jaar.
♦ Au cœur de la ville, une valeur sûre tenue par le même couple depuis de nombreuses années. Au fil des années, ils ont créé un hôtel original, au décor très éclectique. La cuisine elle aussi cultive le goût du passé... Les enfants sont les bienvenus à partir de 7 ans.

Huyze Elimonica sans rest
Euphrosina Beernaertstraat 39 – 0 479 67 07 09 – www.elimonica.be
3 ch – 140 € 150/170 € CZ**d**
Met zijn charmante belle époque-uitstraling is Huyze Elimonica een echte 'grande dame' in de koningin der badsteden. Filip en Marc richtten hun geklasseerde herenhuis in met oog voor detail, en ook het ontbijt is tot in de puntjes verzorgd.
♦ Au cœur de la fameuse cité balnéaire, cette maison de maître (1899) distille un charme très Belle Époque ! Filip et Marc en ont repensé l'aménagement avec un raffinement exquis – jusqu'au petit-déjeuner très soigné.

Savarin
Albert I Promenade 75 – 0 59 51 31 71 – www.savarin.be – fermé 6 au 10 février, 3 au 21 décembre et lundis non feriés CZ**s**
Rest – Lunch 34 € – Menu 44/60 € – Carte 60/92 €
Een jonge chef kreeg carte blanche om in Savarin zijn culinaire goesting te doen, en dat doet de zaak duidelijk deugd. Hij gelooft in de kracht van nobele producten in bijdetijdse gerechten die trouw blijven aan de klassieke basis. Dit elegante restaurant is een uitgelezen plek om van de zonsondergang te genieten.
♦ Pari tenu pour le Savarin et son jeune chef qui a reçu carte blanche ! Il a su imprimer sa propre personnalité à la cuisine, sans cesser de respecter les règles classiques et tout en puisant aux saveurs authentiques des produits les plus nobles. Cet élégant restaurant est aussi le lieu idéal pour apprécier le coucher du soleil...

XX **Auteuil**

Albert I Promenade 54 – ✆ 0 59 70 00 41 – www.auteuil.be – fermé mardi midi, mercredi et jeudi CY**p**

Rest – Lunch 32 € – Menu 49/59 € – Carte 60/71 €

◆ Seizoengebonden gerechten met een zuidelijk vleugje, intiem en sfeervol interieur, moderne kunst en zeezicht. De bazin ruilde de keuken voor de zaal maar een energieke lady chef zorgt nog steeds voor de female touch achter het fornuis.

◆ Un cadre intime et feutré, des expositions d'art, une vue sur la mer… et des mets de saison aux parfums du Sud. La propriétaire a troqué ses casseroles pour la salle, mais la nouvelle chef, pleine d'énergie, maintient la touche féminine en cuisine !

XX **Marina**

soir

Albert I Promenade 9 – ✆ 0 59 70 35 56 – www.resto-marina.be – fermé 15 au 30 juin et jeudis non feriés CY**f**

Rest – Lunch 32 € – Menu 45/100 € bc – Carte 38/105 €

◆ Met de glimlach en met vaste hand, zo runt chef Domenico zijn zaak, al meer dan 35 jaar een sterkhouder in Oostende. Doe zoals de habitués, en ga voor een carpaccio, die aan uw tafel wordt afgewerkt. Uitzicht op de pier en de haven.

◆ Gastronomie transalpine goûtée depuis 1973 ! Belle salle éclairée par des lustres en cristal, avec l'estacade et l'entrée du port en toile de fond. Bon choix de vins d'Italie.

XX **Au Vieux Port**

Visserskaai 32 – ✆ 0 59 70 31 28 – www.auvieuxport.be – fermé 14 au 22 juin, 13 novembre-2 décembre, lundi et mardi CY**z**

Rest – Menu 27/55 €

◆ Lekker restaurantje bij de vissershaven met een modern interieur en een maritieme toets (foto's, zeilbootmaquette en glas-in-loodraam). Kaart typerend voor de Belgische kust.

◆ Face au port de pêche, petit repaire gourmand au cadre actuel ponctué d'évocations balnéaires (clichés rétro, maquette de voilier, vitrail). Carte typique de la côte belge.

XX **Le Grillon**

Visserskaai 31 – ✆ 0 59 70 60 63 – www.legrillon.be – fermé octobre, mercredi soir et jeudi CY**s**

Rest – Menu 29/115 € bc – Carte 32/101 €

◆ Iedereen wil eten bij Willy! De succesformule die hem al sinds 1969 een vast clienteel oplevert? Een huiselijke sfeer en genereuze, traditionele maaltijden in alle eenvoud. Probeer zeker de rog.

◆ Ambiance familiale, généreux repas traditionnels à la bonne franquette et patron cordial dirigeant un service dynamique et prévenant. Clientèle de vieux habitués, depuis 1969 !

XX **Agua Del Mar**

Kursaal Westhelling, (rez-de-chaussée du casino) – ✆ 0 59 29 50 52 – www.aguadelmar.be – fermé 24 décembre CY**k**

Rest – Lunch 29 € – Carte 39/58 €

◆ De ligging van deze trendy place to be is niet te evenaren: een terras naast het strand, een prachtig uitzicht op de dijk en de zee. Het interieur doet niet onder en ademt de sfeer van een hippe loungebar. Klassieke keuken en tapaformule.

◆ On ne pouvait rêver meilleur emplacement pour un tel établissement "trendy" : au bord de la plage, avec vue sur la digue et la mer… La terrasse est bien exposée, donc, et la salle est aussi lounge et branchée. Cuisine classique et formule tapas.

XX **Gloria** – Hôtel Andromeda

Kursaal Westhelling 5 – ✆ 0 59 80 66 11 – www.restaurantgloria.be – fermé 3 au 13 décembre, mercredi et jeudi CZ**t**

Rest – Menu 42/59 € bc – Carte 49/88 €

◆ Als gastronomisch restaurant van een van de betere hotels in de stad, serveert Gloria u graag een hedendaagse keuken op basis van dagverse producten. Brasserie De Renommee neemt het eenvoudigere repertoire voor haar rekening.

◆ Situé dans l'un des meilleurs hôtels de la ville, ce restaurant gastronomique propose une cuisine assez moderne soucieuse de fraîcheur. Autre option, plus simple : la brasserie De Renommee. Une bonne étape.

BELGIQUE

Bistro Mathilda

Leopold II-laan 1 – ✆ 0 59 51 06 70 – www.bistromathilda.be – fermé 6 au 21 février, 11 au 26 juin, 22 octobre-6 novembre, lundi et mardi CZ**g**

Rest – Menu 34/55 € – Carte 44/65 €

◆ Moderne taverne-bistro die vooral 's middags zeer in trek is (reserveren). Drieledige kaart: klassieke gerechten (steak tartaar), eigentijdse recepten en maaltijdsalades.

◆ Taverne-bistrot moderne plébiscitée à midi (réserver). Carte à trois volets : classiques maison (spécialité de steak tartare), petites folies au goût du jour et salades-repas.

Plassendale

Oudenbergsesteenweg 123, (près de l'écluse) (Est : 9,5 km par N 358) – ✆ 0 59 26 70 35 – www.restaurant-plassendale.be – fermé vacances de Pâques, 2 dernières semaines d'août, vacances de Noël, mercredi soir, dimanche et lundi

Rest – *(réservation conseillée)* Lunch 28 € – Menu 42/52 € – Carte 34/67 €

◆ Sole meunière, garnaalkroketten, ... Het zijn van die klassiekers waar je sowieso al heerlijk van kunt genieten, maar in dit lieflijke huisje aan de sluis is de belevenis helemaal compleet. Traditioneel genieten voor een aantrekkelijke prijs!

◆ Sole meunière, croquettes de crevettes, etc. : quelques-uns des classiques proposés par cette charmante maison, dressée au bord d'une écluse. Un cadre idéal pour profiter d'une cuisine traditionnelle à prix doux.

Bistro Paddock – Hôtel Thermae Palace

Koningin Astridlaan 7 – ✆ 0 59 61 03 03 – www.thermaepalace.be A**a**

Rest – Lunch 19 € – Menu 36/45 € bc – Carte 37/49 €

◆ Warme chocomelk of een ijskoffie: in elk seizoen kunt u hier op krachten komen na een strandwandeling. Snacks en dagmenu's tegen een aantrekkelijke prijs.

◆ Un chocolat chaud ou un café glacé ? À chaque saison ses plaisirs, après une promenade sur la plage. Petite restauration et menu du jour à prix doux.

BELGIQUE

De Bistronoom

Vindictivelaan 22 – ✆ 0 473 73 48 01 – www.debistronoom.be – fermé mardi et mercredi CZ**b**

Rest – Lunch 20 € – Menu 33/75 € bc – Carte 43/65 €

◆ Een echte bistronoom die weet: geen mooier huwelijk dan dat tussen bier en spijs. Bier is hier dan ook de rode draad: in uw glas, in uw gerecht (tot in het ijs toe!) en in het winkeltje achteraan. Proef ook de Belle Cies, het huisbier.

◆ L'antre d'un vrai "Bistronome", expert dans l'art de marier… mets et bières. Vous retrouverez ce divin breuvage dans votre verre, bien sûr, mais aussi dans votre assiette (jusqu'en glace au dessert !), ainsi que dans la boutique attenante. À découvrir : la Belle Cies, la bière maison.

Grand Café Du Bassin – Hôtel Du Bassin

Visserskaai 1 – ✆ 0 59 70 33 83 – www.hoteldubassin.be – fermé 15 janvier-2 février CZ**r**

Rest – Lunch 15 € – Menu 42/50 € – Carte 31/54 €

◆ In de 'Ostendsche Gazette' leest u het gevarieerde aanbod van dit grand café: snacks, klassiekers en enkele gerechten met een hedendaagse inslag. Terrassen aan de levendige Visserskaai.

◆ Le menu se présente sous la forme d'une gazette ostendaise… Une manière originale de découvrir le large choix proposé par ce grand café : en-cas, classiques, plats plus actuels, etc. La terrasse ouvre sur le Visserskaai, le port de pêche très animé.

à Mariakerke – C Oostende – ✉ 8400 Oostende

Au Grenache

Aartshertogstraat 80 – ✆ 0 59 70 76 85 – fermé lundi et mardi A**r**

Rest – Lunch 45 € bc – Menu 65/80 € – Carte 66/84 €

◆ Gastronomen komen sinds 1986 aan hun trekken in dit sfeervolle pand, dat naar een druivensoort is genoemd en waar de liefde voor de druif van de muren spat. Een plaatselijke schilder heeft het wijnboek geïllustreerd.

◆ Il règne une ambiance agréable dans cet établissement qui fait le bonheur des gastronomes depuis 1986. On n'y voit pas le temps passer ! Autre constante, sous le vocable du grenache : l'amour de la vigne, confirmé par la carte des vins, illustrée par un peintre de la région.

OOSTKAMP – West-Vlaanderen – 533 E16 et 716 C2 – voir à Brugge, environs

OOSTKERKE – West-Vlaanderen – 533 E15 et 716 C2 – voir à Damme

OOSTMALLE – Antwerpen – 533 N15 et 716 H2 – voir à Malle

OPGLABBEEK – Limburg – 533 S16 et 716 J2 – 10 053 h. – ✉ 3660 11 C2

▶ Bruxelles 94 – Hasselt 25 – Antwerpen 79 – Eindhoven 53

XXX ✿✿ **Slagmolen** (Bert Meewis)

Molenweg 177 (Nord-Est : 3 km, direction Opoeteren, puis 2e rue à droite) – ☎ 0 89 85 48 88 – www.slagmolen.be – fermé 1er au 13 janvier, 1 semaine après Pâques, 13 août-1er septembre, 29 octobre-3 novembre, samedi midi, mardi et mercredi

Rest – Lunch 45 € – Menu 85/110 € – Carte 90/140 €

Spéc. Salade de homard aux pommes. Râble de lièvre Arlequin (octobre-décembre). Dame blanche.

◆ Sfeervolle terrassen tussen het groen en modern-rustieke eetzaal met zicht op de machinerie van deze mooie molen aan de Bosbeek. Liefhebbers van authentieke klassieke recepten op traditionele wijze bereid, zijn hier aan het goede adres!

◆ Charmantes terrasses au vert et salle rustique-moderne laissant entrevoir la machinerie de ce beau moulin dont la roue est entraînée par le Bosbeek. Amateurs d'authentiques recettes classiques préparées dans la grande tradition, vous frappez à la bonne porte !

OPGRIMBIE – Limburg – 533 T17 et 716 K3 – voir à Maasmechelen

OPWIJK – Vlaams Brabant – 533 K17 et 716 F3 – 13 270 h. – ✉ 1745 3 A1

▶ Bruxelles 24 – Leuven 49 – Aalst 19 – Antwerpen 44

XXX **Le Saisonnier**

Klei 85 (N 211) – ☎ 0 52 37 52 38 – www.lesaisonnier.be – fermé 20 au 26 février, 9 au 16 avril, 9 au 30 juillet, samedi midi, mardi et mercredi

Rest – Lunch 29 € – Menu 35/84 € – Carte 57/90 €

◆ Geniet van een genereuze actuele maaltijd in de setting die u verkiest: de rustieke eetzaal, de serre of de weelderig begroeide tuin. Krachtige smaken en verzorgde presentatie.

◆ Fermette conjuguant trois ambiances : rustique en salle, plus moderne côté véranda ou végétale au jardin. Repas actuel généreux. Saveurs bien marquées et présentations soignées.

OTTIGNIES – Brabant Wallon – C Ottignies-Louvain-la-Neuve 31 024 h. – 533 M18, 534 M18 et 716 G3 – ✉ 1340 4 C2

▶ Bruxelles 37 – Wavre 8 – Charleroi 36 – Leuven 50

18 r. A. Hardy 68, à l'Est : 8 km à Louvain-la-Neuve, ☎ 0 10 45 05 15

à l'Est : 8 km à Louvain-la-Neuve★, dans le musée: legs Charles Delsemme★

XX **Le Chavignol**

r. Invasion 99 – ☎ 0 10 45 10 40 – www.lechavignol.com – fermé dimanche soir, mardi et mercredi

Rest – Menu 28/49 € – Carte env. 50 €

◆ Draperies, tons beiges et pierre de Bourgogne composent un décor de bon goût, en osmose avec l'assiette. Menu "raison" ou "passion" et suggestions, dans un registre actuel.

◆ Siergordijnen, beige kleuren en Bourgondische steen vormen een smaakvol interieur, in harmonie met het eten. Menu "raison" of "passion" en suggesties in een actueel register.

OUDEGEM – Oost-Vlaanderen – 533 J16 et 715 F2 – voir à Dendermonde

OUDENAARDE (AUDENARDE) – **Oost-Vlaanderen** – **533** G17 **et** **716** D3 – **29 702 h.** – ✉ **9700** **16** B3

Bruxelles 61 – Gent 29 – Kortrijk 28 – Valenciennes 61

Hoogstraat, ✆ 0 55 31 72 51, www.oudenaarde.be

Kortrijkstraat 52, au Sud-Est : 5 km à Wortegem-Petegem, ✆ 0 55 31 41 61

Hôtel de Ville★★★(Stadhuis)Z • Église N.-D. de Pamele★(O.L. Vrouwekerk van Pamele)Z

Hostellerie La Pomme d'Or rest, rest, VISA AE

Markt 62 – ✆ 0 55 31 19 00 – www.pommedor.be Z**c**

10 ch – 80/100 € 90/115 €

Rest – *(fermé 21 juillet-16 août)* Lunch 20 € – Menu 35/46 € – Carte env. 59 €

♦ Een tweede jeugd voor dit historische poststation, een van de oudste van België (1484), met uitzicht op de Markt en het mooie stadhuis. Prettige kamers. Chique bistro in neoretrostijl (lambrisering, glas-in-lood, parket, stijlmeubelen). Patio en weekendrestaurant.

♦ Seconde jeunesse pour ce relais historique – l'un des plus vieux du pays (1484) – tourné vers le Markt et son bel hôtel de ville. Chambres avenantes. Bistrot néo-rétro chic (boiseries, vitraux, parquet, sièges de style), cour-terrasse, restaurant de week-end.

OUDENAARDE

Aalststr. Z
Achterburg Z 2
Achter de Wacht Y 3
Baarstr. Z
Bekstr. Y
Bergstr. Z
Beverestr. Y 4
Bourgondiëstr. Z 7
Broodstr. Z 9
Burg Z 10
Burgschelde Z 14
Dijkstr. Y
Doornikstr. Z
Eindrieskaai Y
Einestr. YZ
Fortstr. Y
Gevaertsdreef Y
Grote Markt Z
Hoogstr. YZ 17
Jezuïetenpl. Z 18
Kasteelstr. Z 21
Kattestr. Y
Krekelput Z 23
Louise-Mariekaai Z 26
Margaretha van Parmastr. Z 32
Marlboroughlaan YZ
Matthijs Casteleinstr. Z
Meerspoortplein Z 33
Minderbroedersstr. Z 34
Nederstr. YZ 35
Parkstr. Y
Prins Leopoldstr. Y
Remparden Z
Simon de Paepestr. Y 37
Stationsstr. Y
Tacambaropl. Y 38
Tussenbruggen Z 40
Tussenmuren Z
Voorburg Z 42
Wijngaardstr. Y 46
Woeker Y

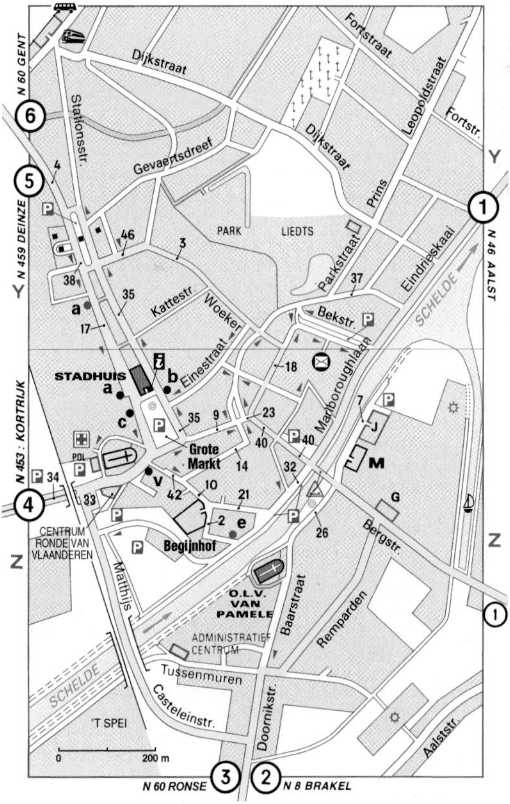

De Zalm

Hoogstraat 4 – 0 55 31 13 14 – www.hoteldezalm.be – fermé 10 juillet-1er août et 24 au 31 décembre Z**a**

9 ch – 80/100 € 100/120 € – ½ P 98/118 €

Rest – *(fermé jeudi soir, dimanche soir et lundi)* Lunch 15 € – Menu 35/42 € – Carte 30/48 €

◆ Dit hotel staat naast het schitterende raadhuis (1530). Goed onderhouden kamers; de twee mooiste zijn nieuw en heel modern ingericht. Balken, lambrisering, kaarsluchters en open haard geven het restaurant een warme sfeer. Traditionele keuken.

◆ Établissement voisinant avec le superbe hôtel de ville (1530). Chambres bien tenues ; les deux plus belles sont neuves et ont un décor très contemporain. Poutres, lambris, lustres-bougies et cheminée réchauffent l'atmosphère du restaurant. Cuisine bourgeoise.

César

rest,

Markt 6 – 0 55 30 13 81 – www.hotel-cesar.be Z**b**

9 ch – 70/80 € 90/105 € – 1 suite – ½ P 125/145 €

Rest – *(fermé soirs du 24 et 31 décembre)* Lunch 13 € – Menu 20/120 € bc – Carte 31/62 €

◆ Achter de sierlijke victoriaanse gevel op de Grote Markt gaat een tiental ruime, functionele kamers schuil, plus een suite met kitchenette en stadsgezicht. Brasserie met een voor dat genre typerende kaart en suggesties van de markt. Terras voor.

◆ Sur la place du marché, élégante façade victorienne abritant une dizaine de chambres fonctionnelles spacieuses ainsi qu'une suite avec cuisinette et vue urbaine. À la brasserie, carte typique du genre et suggestions de saison selon le marché. Terrasse avant.

BELGIQUE

Steenhuyse sans rest

Markt 37 – 0 55 23 23 73 – www.steenhuyse.info Z**v**

7 ch – 100/115 € 115/130 €

◆ In dit geklasseerde, monumentale pand (16de eeuw) kleurt Deens design de ruime kamers, het salon met kleine bibliotheek en de vergaderruimte. Ontbijtbuffet met verse bereidingen.

◆ Vaste demeure classée (16e s.) rénovée avec élégance (murs colorés, design danois). Agréable salon-bibliothèque et salle de réunion. Copieux petit-déjeuner buffet.

De Rantere avec ch

Jan Zonder Vreeslaan 8 – 0 55 31 89 88 – www.derantere.be – fermé 14 juillet-5 août Z**e**

28 ch – 85 € 125 €

Rest – *(fermé dimanche et jours fériés)* Lunch 35 € – Menu 40/120 € bc – Carte 57/111 €

◆ Franse seizoengebonden keuken, royaal geserveerd in een comfortabele en pas opgeknapte eetzaal of 's zomers op de patio. Functionele kamers op de bovenverdiepingen en in het bijgebouw voor een rustige nacht bij de Scheldekaden. Vergaderzalen.

◆ Cuisine française de saison, souvent servie avec largesse, dans un cadre confortable et récemment rafraîchi, ou l'été côté cour. Derrière une façade moderne, chambres fonctionnelles et calmes près des quais de l'Escaut. Salles de réunion.

Wine & Dine

Hoogstraat 34 – 0 55 23 96 97 – www.wine-dine.be – fermé vacances de carnaval, dernière semaine de juillet-2 premières semaines d'août, dimanche et lundi Y**a**

Rest – Carte 43/66 €

◆ Dit herenhuis in het centrum is verbouwd tot designbistro. Traditionele keuze op de kaart en sobere eetzalen in grijze en donkerbruine tinten zowel boven als beneden.

◆ Un bistrot qui cultive le paradoxe : en cette ancienne maison de notable, on sert une cuisine très traditionnelle dans un décor design (tons sombres, mobilier épuré).

à Maarke-Kerkem **Sud-Est : 4 km sur N 60, puis N 457 – Ⓒ Maarkedal 6 456 h. – ✉ 9680**

XX **Het Genot op den Berg**

Bovenstraat 4, (Kerkem) – ☎ 0 55 30 35 56 – www.genotopdenberg.be – fermé 2 dernières semaines de février, 1 semaine en juillet, 1 semaine en septembre, 2 dernières semaines de décembre-2 janvier, lundi, mardi et mercredi

Rest – Lunch 29 € – Menu 45/88 € bc – Carte 42/79 €

◆ Deze oude vakwerkboerderij met een mooi dak van riet en pannen staat afgelegen op een heuvel midden op het platteland. Rustieke eetzaal en panoramaterras. Uitgelezen wijnen.

◆ Esseulée sur une butte en pleine campagne, cette ancienne ferme à colombages se coiffe d'un toit de chaume et de tuiles. Salle rustique et terrasse panoramique. Vins choisis.

à Mater **par ② : 4 km sur N 8 – Ⓒ Oudenaarde – ✉ 9700**

X **Zwadderkotmolen**

Zwadderkotstraat 2 (par Kerkgatestraat : 1 km, puis à gauche) – ☎ 0 55 49 84 95 – www.zwadderkotmolen.be – fermé 19 décembre-13 janvier, 28 août-21 septembre, mardi et mercredi

Rest – Menu 35/60 € bc – Carte 33/58 €

◆ Oude watermolen (1807) verscholen in een landelijk dal in de Vlaamse Ardennen. Rustieke inrichting, op de mezzanine is het raderwerk te zien. Terras met uitzicht op de weilanden. Trekpleister: menu is inclusief drank.

◆ Vieux moulin à eau (1807) blotti au creux d'un vallon agreste des Ardennes flamandes. Déco campagnarde, engrenages visibles en mezzanine et terrasse face aux pâturages. Cheval de bataille : les menus boissons incluses.

BELGIQUE

OUDERGEM – **Bruxelles-Capitale – voir Auderghem à Bruxelles**

OUD-HEVERLEE – **Vlaams Brabant – 533** N17 **et 716** H3 **– voir à Leuven**

OUD-TURNHOUT – **Antwerpen – 533** O15 **et 716** H2 **– voir à Turnhout**

OUFFET – **Liège – 533** R20, **534** R20 **et 716** J4 **– 2 677 h. – ✉ 4590** **8** B2

Bruxelles 104 – Liège 33 – Huy 22 – Namur 58

Carpe Diem

Grand'Place 2 – ☎ 0 86 36 74 45 – www.lecarpediem.be – fermé 5 au 20 juillet

11 ch – †65/80 € ††85/120 € – ½ P 100 €

Rest ***Carpe Diem*** – voir la sélection des restaurants

◆ Un jeune couple énergique dirige cet établissement : derrière la façade en brique rouge se cachent des chambres et des suites douillettes et modernes.

◆ Een jong en energiek stel runt dit logies in een dorpshuis. Behaaglijke kamers in het bijgebouw aan de tuinzijde. U kunt hier ook terecht voor uw feesten.

XX **Carpe Diem** – Hôtel Carpe Diem

Grand'Place 2 – ☎ 0 86 36 74 45 – www.lecarpediem.be – fermé 5 au 20 juillet, samedi midi, lundi, mardi et après 20 h 30

Rest – Lunch 30 € – Menu 35/45 €

◆ Le cadre intime, la terrasse et le délicieux menu vous permettront de mettre en pratique la maxime d'Horace : "Profite du jour présent." Cuisine actuelle.

◆ Intieme eetzaal, terras en lekker à-la-cartemenu om de spreuk van Horatius (carpe diem) in praktijk te brengen. Eigentijdse keuken. Interessante menuformule.

OUREN – **Liège – 533** V22, **534** V22 **et 716** L5 **– voir à Burg-Reuland**

OUTGAARDEN – **Vlaams Brabant – 533** O18 **et 716** H3 **– voir à Hoegaarden**

OUWEGEM – **Oost-Vlaanderen – 533** G17 **et 716** D3 **– voir à Zingem**

OVERIJSE – **Vlaams Brabant – 533** M18 **et 716** G3 **– voir à Bruxelles, environs**

OVERPELT – Limburg – 533 R15 et 716 J2 – 14 054 h. – ✉ 3900 10 B1

Bruxelles 108 – Hasselt 40 – Antwerpen 84 – Eindhoven 28

De Floreffe

Lindelsebaan 248 – ✆ 0 11 81 83 00 – www.defloreffe.be
10 ch – 65/75 € 90/110 € – ½ P 95/105 €
Rest – *(dîner pour résidents seulement)*

◆ 's Ochtends bij het uitgebreide ontbijtbuffet waant u zich even in een groot tophotel, maar de persoonlijke toewijding waarmee de gastvrouw u ontvangt, verraadt de charme van een B&B. De kamers achteraan zijn het rustigst.

◆ La propriétaire vous reçoit en ami et cela fait tout le charme de sa maison d'hôtes… Et en goûtant au copieux petit-déjeuner, on se croirait dans un grand hôtel de luxe : l'art de l'accueil, indéniablement. Préférez les chambres sur l'arrière, plus au calme.

PAAL – Limburg – Ⓒ Beringen 43 259 h. – 533 Q16 et 716 I2 – ✉ 3583 10 A2

Bruxelles 76 – Hasselt 21 – Eindhoven 61 – 's-Hertogenbosch 102

Villa Nostra sans rest

Holststraat 25 – ✆ 0 475 58 73 76 – www.villa-nostra.com
3 ch – 90/120 € 120/150 € – 1 suite

◆ Gastvrouw Sandra Verwimp weet van aanpakken: met verschillende ruime kamers en arrangementen beantwoordt haar weelderige B&B aan ieders wens. Rustig gelegen naast een goflterrein en een fietsroutenetwerk, voor meer doetips helpt de gastvrouw u graag verder.

◆ La maison de Sandra Verwimp sait combler toutes les envies : chambres spacieuses, environnement calme, séjours thématiques, terrain de golf et pistes cyclables à proximité... Votre hôtesse s'y entend à merveille pour vous renseigner sur les nombreuses activités proposées dans la région.

BELGIQUE

Penja

Donckstraat 30 – ✆ 0 13 61 89 53 – www.penjabytzilte.be – fermé 23 juillet-5 août, 23 au 30 décembre, dimanche soir et lundi
Rest – Menu 45/60 € – Carte env. 70 €

◆ Wilt u de sfeer van een clubhouse opsnuiven? Eventjes deel uitmaken van het genetwerk op deze golfclub? Dan slaat u met een maaltijd in Penja 2 vliegen in een klap, want de ambiance is in de prijs van uw maaltijd inbegrepen. Hedendaagse keuken.

◆ Vous aimez l'atmosphère des clubhouses ? Vous y élargissez toujours le cercle de vos partenaires de golf – sans manquer d'étoffer votre carnet d'adresses ? Au Penja, vous ferez d'une pierre deux coups, car l'ambiance chaleureuse est comprise dans le prix du repas. Cuisine actuelle.

PALISEUL – Luxembourg – 534 P23 et 716 I6 – 5 159 h. – ✉ 6850 12 B2

Bruxelles 146 – Arlon 65 – Bouillon 18 – Dinant 55

Auberge La Hutte Lurette avec ch

r. Station 64 – ✆ 0 61 53 33 09 – www.lahuttelurette.be – fermé 16 février-28 mars, 30 juin-6 juillet et mercredi
7 ch – 50/60 € 70/75 €
Rest – *(fermé mardi, mercredi et après 20 h 30)* Lunch 17 € – Menu 25/50 € – Carte 31/54 €

◆ En cette auberge rurale des Ardennes, tout ou presque est fait maison ! À chaque menu son ambiance : salle aux teintes claires, véranda moderne ou terrasse côté jardin. Quelques chambres simples, pratiques pour une étape dans la région.

◆ Plattelandsherberg waar de eigenaresse traditioneel kookt. Drie menu's, drie sferen: eetzaal met lichte kleuren, moderne veranda en terras aan de tuinzijde. Sobere kamers op de verdieping.

à Our, Nord : 8 km **par N 899 puis direction Opont - ✉ 6852 Maissin**

XX **La Table de Maxime** (Maxime Collard) avec ch

Our 23 – ✆ 0 61 23 95 10 – www.tabledemaxime.be – fermé 1er au 17 janvier, 25 juin-10 juillet, lundi et mardi
8 ch – 90/110 € 100/130 € – ½ P 80/95 €
Rest – Lunch 28 € – Menu 35/60 € – Carte 57/71 €
Spéc. Chevreuil en croûte de cèpes aux légumes et fruits de saison. Truite de nos rivières au foie d'oie poêlé et anguille fumée. Suprêmes de pigeon d'Anjou, les cuisses confites et salade liégeoise.

♦ Le jeune chef Maxime Collard exerce désormais dans cette jolie maison rénovée dans un petit village ardennais. Belle cuisine gastronomique réalisée avec délicatesse. Chambres design bien équipées ; suites junior et duplex dans l'annexe avec vue sur l'Our.

♦ De jonge chef Maxime Collard is tegenwoordig aan het werk in dit mooie gerenoveerde huis in een Ardens dorpje. De mooie gastronomische keuken wordt stijlvol gepresenteerd. Volledig uitgeruste designkamers. Junior suites en duplex in het bijgebouw met zicht op de Our.

Een goede maaltijd voor een schappelijke prijs? Zoek de Bib Gourmand.

De PANNE (La PANNE) – **West-Vlaanderen** – **533** A16 **et 716** A2 **18** A2
– **10 614 h.** – **Station balnéaire★** – **✉ 8660**

Bruxelles 143 – Brugge 55 – Oostende 31 – Veurne 6

Gemeentehuis Zeelaan 21, ✆ 0 58 42 18 18, www.depanne.be

Plage★

Stadsplattegrond op volgende bladzijde

Donny rest,
Donnylaan 17 – ✆ 0 58 42 10 00 – www.hoteldonny.com A**d**
43 ch – 75/105 € 100/115 € – 2 suites – ½ P 105/135 €
Rest – *(fermé dimanche)* Lunch 20 € – Menu 30/40 €

♦ Bij Donny staat alles in het teken van ontspannen. Het enige stressy moment? De moeilijke keuze tussen de verschillende relaxmogelijkheden: het strand, het sanocenter of even het verstand op nul in de fitness.

♦ Dans cet hôtel, tout est réuni pour la détente. Le seul moment de stress véritable ? Faire son choix parmi les multiples possibilités de relaxation : la plage, le centre de soins, le fitness, etc. Pour faire le vide...

Villa Escale
Zeedijk 73 – ✆ 0 58 41 18 00 – www.hoteldonny.com – fermé janvier-carnaval
6 ch – 85/125 € 85/175 € A**a**

♦ Wil u kunst en kust combineren? Dan apprecieert u ongetwijfeld de Belgische kunstwerken waar de kamers van Villa Escale mee gedecoreerd zijn. Gelegen langs de dijk, 3 kamers met frontaal zeezicht.

♦ Vive les bains de mer ! Pour une jolie escale au bord de la plage, des chambres décorées d'œuvres d'artistes belges – dont trois offrant une pleine vue sur les flots.

Iris sans rest
Duinkerkelaan 41 – ✆ 0 58 41 51 41 – www.hotel-iris.be A**n**
21 ch – 75/112 € 96/136 € – 2 suites

♦ Dit hotel bestaat uit twee delen; de nieuwste en rustigste kamers bevinden zich in de moderne vleugel en hebben een jacuzzi. Mooie ontbijtzaal, lounge en terras in de tuin. Een van de betere adressen in De Panne!

♦ Cet hôtel se compose de deux ailes : à chacune sa génération de chambres (les plus contemporaines – avec jacuzzi – se trouvant dans l'aile récente). L'espace petit-déjeuner est agréable au réveil – et le salon et la terrasse sur le jardin, à toute heure. L'une des meilleures adresses de la station.

BELGIQUE

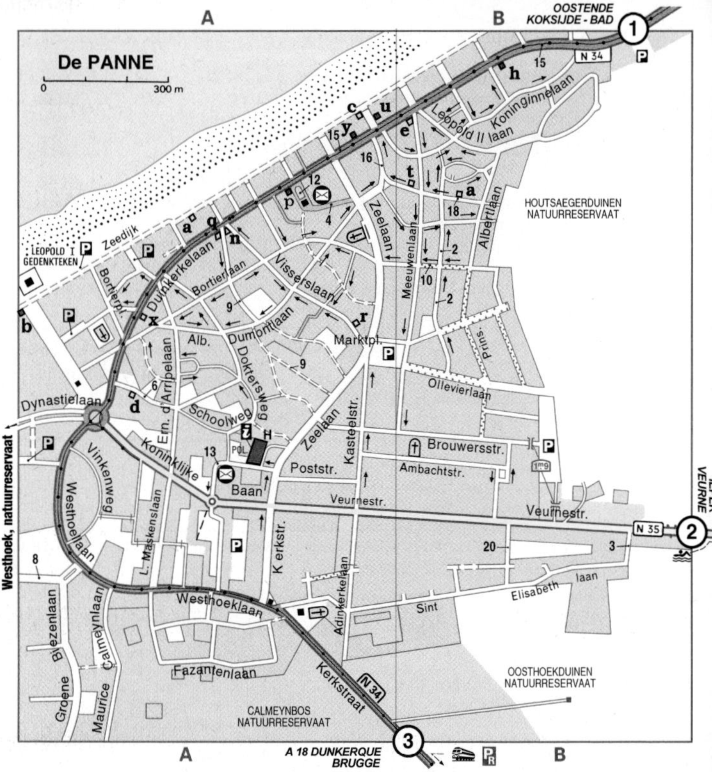

Barkenlaan	B 2	Hoge Duinenlaan	A 9	Nieuwpoortlaan	B 15
Blauwe Distelweg	B 3	J. Demolderlaan	B 10	Sloepenlaan	AB 16
Bonzellaan	A 4	Koning Albertpl.	A 12	Toeristenlaan	B 18
Donnylaan	A 6	Lindelaan	A 13	Wielewaalstr.	B 20
Egelantierlaan	A 8			Zeelaan	A

Villa Select

Walckierstraat 7 – ✆ 0 58 42 99 00 – www.hotelvillaselect.be – fermé 9 janvier-10 février — A**c**

12 ch ☕ – †80/150 € ††100/150 € – ½ P 85/110 € **Rest** – Menu 35/85 € bc

◆ Sierlijke villa uit 1920 aan de zeedijk met een elegant modern interieur. De zee is vanuit de meeste kamers te bewonderen en ook vanuit het restaurant hebt u een onbelemmerd uitzicht. Marktmenu, suggesties of een kaasassortiment met brood.

◆ Cette demeure de 1920 domine la digue… On y évolue dans un décor élégant, moderne, avec pour toile de fond un large panorama sur la mer (dans la plupart des chambres et au restaurant). Une petite faim ? Menu du marché ou assortiment de fromages.

Ambassador

Duinkerkelaan 43 – ✆ 0 58 41 16 12 – www.hotel-ambassador.be – ouvert 14 février-7 novembre — A**q**

26 ch ☕ – †68/100 € ††93/108 € – ½ P 93 €

Rest – *(fermé mercredi) (dîner seulement jusqu'à 20 h)* Menu 29 € bc

◆ Persoonlijk onthaal, huiselijke sfeer, kinderhoek en goed ontbijt in dit gerenoveerde hotel bij het strand. Vriendelijk geprijsde kamers. Privésauna.

◆ Cet "ambassadeur" délivre un sympathique message : la plage est à deux pas, l'ambiance est familiale (espace de jeux pour les enfants), le petit-déjeuner de qualité et les prix… d'amis ! Sauna privé.

Maxim sans rest
Toeristenlaan 7 – 0 58 42 14 57 – www.hotelmaxim.be Bt
20 ch – 65 € 90 €
In een rustige residentiële buurt vindt u Maxim, een hotel dat garant staat voor een verzorgd verblijf op wandelafstand van het strand.
Dans un quartier résidentiel paisible, l'hôtel Maxim se prête à un séjour agréable, non loin de la plage, facilement accessible à pied.

Onder de Pannen sans rest
Toeristenlaan 13 – 0 486 15 05 00 – www.onderdepannen.be Ba
3 ch – 55/90 € 70/105 €
Mooie badvilla in retrostijl met ouderwetse serre. De kamers hebben een persoonlijke touch, de grootste met de klaproos als decoratief thema. Zonneterras en tuin met uitzicht op de plaatselijke petanquebaan.
Dans un secteur résidentiel, cette villa distille un bel esprit rétro. Chaque chambre a été soigneusement décorée – la plus grande d'entre elles sur le thème du coquelicot… Autres agréments : la serre ancienne et la terrasse ensoleillée qui donne sur un terrain de pétanque.

Esprit de Mer sans rest
Visserslaan 10 – 0 58 41 46 56 – www.espritdemer.be Ar
3 ch – 65/85 € 80/100 €
Een typische kustvilla in de Dumontwijk, dicht bij het strand en de Grote Markt: een uitgelezen locatie om van De Panne te komen genieten. De uitbaatster biedt u graag een Blond Panneschuim aan voor een bruisend begin van uw verblijf.
Esprit balnéaire… Cette villa typique se trouve dans le joli quartier Dumont, près de la plage et de la grand'place : une situation idéale pour profiter de La Panne. Pour bien débuter votre séjour, pourquoi ne pas déguster une bière de la région proposée par la propriétaire des lieux ?

Hostellerie Le Fox (Stephane Buyens) avec ch
Walckierstraat 2 – 0 58 41 28 55 – www.hotelfox.be – fermé 15 au 25 janvier, 3 au 16 mai, 25 au 29 juin, 30 septembre-15 octobre, 10 au 18 décembre, mardi soir sauf en juillet-août, mardi midi et lundi Au
11 ch – 90/100 € 110/150 €, 18 €
Rest – Lunch 50 € – Menu 80/100 € – Carte 90/148 €
Spéc. Toast canibale de langoustines au caviar, tomates confites. Turbot en croûte au basilic, tomates et épinards, beurre nantais. Saint-Jacques grillées, caramel de witlof, truffes et jus de foie (octobre-mars)
Intiem restaurant met een verleidelijk modern-klassieke aanbod, ook van streekgerechten, en prestigieuze wijnen. Originele amuses en zoete lekkernijen bij de koffie. Prima kamers om na het diner te overnachten.
Une table intime qui séduit par son délicieux répertoire classico-actuel assorti de mets régionaux et par sa prestigieuse cave bien conseillée. Mises en bouches originales. Belle déclinaison de douceurs avec le café. Chambres pimpantes pour l'étape gastronomique.

Le Flore
Duinkerkelaan 19b – 0 58 41 22 48 – www.leflore.be – fermé 2 semaines en janvier, fin novembre-début décembre, mercredi sauf vacances scolaires et mardi Ap
Rest – Lunch 25 € – Menu 35/64 € – Carte 53/74 €
Dit restaurant met art deco-interieur staat onder de bezielende leiding van het echtpaar Colonna-Césari. De keuken, waar een jonge creatieve kok achter het fornuis staat, is mediterraan van signatuur. Goede wijnadviezen en attente bediening.
Une Flore… méditerranéenne, née d'une bonne graine : l'inspiration du couple Colonna-Césari, cultivée par un jeune chef créatif. En prime : des accords mets-vins avisés, un cadre d'esprit Art déco et un service aux petits soins.

XX **Imperial**

Leopold I Esplanade 9 – ✆ 0 58 41 42 28 – www.imperialdepanne.com – fermé 12 janvier-6 février, jeudi d'octobre à mars et mercredi A**b**

Rest – Menu 45/55 € – Carte 49/60 €

◆ Modern etablissement aan de rand van de dijk. De specialiteiten zijn kreeft en bouillabaisse. Expositie van moderne kunst, mooi terras, seminariezaal en organisatie van evenementen. Dit huis van vertrouwen viert in 2012 zijn zilveren jubileum!

◆ Pour déguster, en bord de mer, spécialités de homard et bouillabaisse… Le cadre est moderne (expositions d'art), avec une jolie terrasse. À noter : une salle de séminaire qui accueille régulièrement des événements. Cette table digne de confiance fête ses 25 ans en 2012.

XX **Lotus** avec ch

ch,

Duinkerkelaan 83 – ✆ 0 58 42 06 44 – www.lotusdepanne.be – fermé 2 semaines en février et 2 semaines en novembre A**x**

8 ch – †65/100 € ††85/120 € – ½ P 97/132 €

Rest – *(fermé dimanche soir et lundi)* Menu 32/52 € – Carte 54/79 €

◆ De patron zelf staat aan het roer in de keuken, waar hij koers zet richting de smakelijke klassiekers, met uiteraard een voorliefde voor vis. In de zaal is het zijn vriendelijke echtgenote die alles in goede banen leidt. Functionele kamers.

◆ Chef de sa propre affaire, le patron œuvre lui-même aux fourneaux et concocte une savoureuse cuisine, classique, avec une prédilection pour le poisson. Son épouse assure un service sympathique en salle. Chambres fonctionnelles pour l'étape.

XX **La Coupole**

Nieuwpoortlaan 9 – ✆ 0 58 41 54 54 – www.la-coupole.be – fermé 3 dernières semaines de janvier, première semaine de juillet, 1 semaine en novembre, vendredi midi sauf vacances scolaires, mercredi d'octobre à mars et jeudi A**y**

Rest – Lunch 16 € – Menu 23/58 € – Carte env. 52 €

◆ Minimalistisch eigentijds interieur, trendy atmosfeer en kaart met veel vis. Verse kreeft gans het jaar. Kwaliteitswijnen van Chili en Californië.

◆ Le décor, contemporain et minimaliste, crée une atmosphère typiquement… "trendy". La carte valorise les produits de la pêche, mais aussi du vivier (homard toute l'année). À noter : d'excellents vins chiliens et californiens.

X **Cajou** avec ch

Nieuwpoortlaan 42 – ✆ 0 58 41 13 03 – www.cajou.be B**e**

32 ch – †55/70 € ††80/95 € – ½ P 78/93 €

Rest – Lunch 15 € – Menu 25/65 €

◆ Cajou legt zich toe op de traditionele keuken, vooral de kreeft is erg in trek. De functionele kamers zijn populair voor groepsreizen. Gelegen langs een drukke weg vlak bij de zee.

◆ Le homard joue la vedette au Cajou, et plus largement la tradition ! Côté hôtel : des chambres fonctionnelles, très prisées par les groupes. L'établissement borde une route très fréquentée, près de la mer.

X **Bistrot Merlot**

Nieuwpoortlaan 70 – ✆ 0 58 41 40 61 – fermé 19 mars-5 avril et vendredis midis et jeudis non fériés sauf vacances scolaires B**h**

Rest – Menu 23/40 € bc – Carte 38/58 €

◆ Oergezellige bistro met overdekt terras. Heerlijke zelfgemaakte frietjes en stoofschotels: lamsragout, kalfsragout, konijn met pruimen, Vlaamse stoofkarbonade, enz.

◆ Un bistrot bien sympa ! Excellentes frites maison et spécialités mijotées : navarin d'agneau, blanquette de veau, lapin aux pruneaux, carbonades flamandes... Terrasse couverte.

PEER – Limburg – **533** R16 et **716** J2 – **16 157 h.** – ✉ **3990** **10** B1

Bruxelles 99 – Hasselt 30 – Antwerpen 78 – Eindhoven 33

Sogni D'Oro

Bomerstraat 24 – ☎ 0 11 63 71 78 – www.lunocollaltro.be – fermé 22 août-9 septembre et 19 décembre-5 janvier

5 ch – 110 € 110/160 €

Rest *L'Uno Coll'Altro* – voir la sélection des restaurants

◆ Neobarok maison d'hôtes met rustige, romantische kamers die elk hun eigen sfeer hebben. Serre en terras om te ontbijten; siertuin.

◆ Maison d'hôtes néo-baroque où vous passerez des nuitées calmes dans des chambres romantiques personnalisées. Véranda et terrasse utilisées au petit-déj' ; jardin d'apparat.

Fleurie

Baan naar Bree 27 – ☎ 0 11 63 26 33 – www.fleurie.be – fermé 2 semaines en juillet, samedi midi, mardi soir et mercredi

Rest – Menu 53 € bc/95 € bc – Carte 54/69 €

◆ Aangenaam restaurant aan de rand van Peer. Modern-klassiek interieur, beschut terras, verzorgde bediening door de bazin en eigentijdse keuken.

◆ Plaisante table située à l'entrée de Peer. Accueil et service soignés par la patronne, salle classico-actuelle, belle terrasse moderne à l'abri des regards, cuisine du moment.

Het Fornuisje

Kerkstraat 20 – ☎ 0 11 61 23 70 – fermé samedi midi et jeudi

Rest – Menu 50/85 € – Carte 45/87 €

◆ In deze voormalige notariswoning, van buiten even statig en klassiek als binnenin, trekt ook de keuken de traditionele kaart met zeetong à l'Ostendaise, carpaccio van zalm, etc.

◆ Vous êtes dans une ancienne maison de notaire, et cela se voit ! Imposante et classique à l'extérieur comme à l'intérieur. Côté papilles, une belle carte traditionnelle à l'unisson du lieu : sole à l'ostendaise, carpaccio de saumon, etc.

L'Uno Coll'Altro – Hôtel Sogni D'Oro

Bomerstraat 22 – ☎ 0 11 63 71 78 – www.lunocollaltro.be – fermé 22 août-9 septembre, 19 décembre-5 janvier, samedi midi, lundi, mardi et mercredi

Rest – Menu 30/55 € – Carte 31/60 €

◆ Het markante interieur brengt u meteen in de sfeer voor een ongekunstelde Italiaanse maaltijd. Geen vaste kaart -behalve de lunchkaart- maar suggesties met vondsten van de markt.

◆ Cuisine transalpine servie à côté, dans une grande salle italianisante. Pas de carte mais suggestions du marché.

à Kleine-Brogel Nord : 3 km – Ⓒ Peer – ✉ 3990

Casa Ciolina sans rest

Zavelstraat 17 – ☎ 0 11 72 40 24 – www.casaciolina.be

7 ch – 95/130 € 155/200 €

◆ Deze oude boerderij is nu een sfeervol gastenverblijf. Prima ontvangst, kamers met een eigen karakter, cocooning ambiance, binnenplaats vol groen en wellness.

◆ Ancienne ferme réaménagée avec bonheur en maison d'hôtes d'un genre assez charmant. Accueil impec, chambres personnalisées, ambiance "cocooning", belle cour-jardin et wellness.

PEPINSTER – Liège – **533** T19, **534** T19 et **716** K4 – **9 669 h.** – ✉ **4860** **9** C2

Bruxelles 126 – Liège 26 – Verviers 6

r. Belle-Vue 2, ☎ 0 87 22 24 10

au Sud-Ouest : Tancrémont, statue★ du Christ dans la chapelle

BELGIQUE

Hostellerie Lafarque avec ch

Chemin des Douys 20, (Goffontaine) (Ouest : 4 km par N 61) – ✆ 0 87 46 06 51 – www.hostellerie-lafarque.com – fermé 3 janvier-3 février, mardi et mercredi

8 ch – †180/235 € ††180/235 €, ☕ 20 €

Rest – Lunch 38 € – Menu 60/115 € – Carte env. 112 €

Spéc. Chartreuse d'asperges vertes au crabe, gelée de langoustines et glace à l'ail noir. Filets de grosse sole, oignons cébettes fondants, patates douces et jus de coquillages au curry. Duo de parfaits de fraise et fleur de sureau, sablé breton et opaline de chocolat.

♦ Sur les hauteurs, dans un parc sublime, élégante construction à colombages rappelant les manoirs anglo-normands. Fine cuisine trouvant parfois son inspiration du côté du Jura, dont le chef est originaire. Service jeune et appliqué. Hébergement calme dans des chambres cosy.

♦ Sierlijk vakwerkhuis in Anglo-Normandische stijl met een prachtig park op een heuvel. Fijne keuken met invloeden uit de Jura, waar de chef-kok vandaan komt. Jonge en toegewijde bediening. Rustig logies in knusse kamers.

Au Pot de Beurre avec ch

r. Neuve 116 – ✆ 0 87 46 06 43

3 ch ☕ – †55 € ††75 €

Rest – *(fermé 2 au 11 janvier, 27 août-5 septembre, mardi soir et mercredi)* Lunch 21 € – Menu 32/65 € bc – Carte 35/51 €

♦ Une adresse bien connue de la clientèle locale. Dans le centre de Pepinster, cette maison familiale au décor rustique revisite avec succès la cuisine traditionnelle. L'accueil y est chaleureux et le service attentionné. Vous pourrez prolonger votre séjour dans l'une des belles chambres sous les combles.

♦ De plaatselijke bevolking komt graag in dit familiebedrijf in het centrum van Pepinster. Neorustiek interieur, opgefriste traditionele keuken, hartelijk onthaal en dito bediening. Mooie kamers met parket onder het zadeldak met veluxraam.

BELGIQUE

PERWEZ (PERWIJS) – **Brabant Wallon** – **533** N19, **534** N19 **et** **716** H4 – **7 953 h.** – ✉ **1360** **4** C3

▶ Bruxelles 51 – Wavre 22 – Charleroi 42 – Leuven 38

La Frairie (Laurent Martin)

av. de la Roseraie 9 – ✆ 0 81 65 87 30 – www.lafrairie.be – fermé fin décembre-début janvier, 1 semaine à Pâques, fin juillet-début août, jours fériés, mardi soir, dimanche et lundi

Rest – Lunch 32 € – Menu 40/75 €

Spéc. Sardine légèrement fumée, aubergine confite et variété de tomates. Carrelet de ligne, texture de chou-fleur et riz soufflé. Abricot à la vanille, gâteau de crème d'amandes et sorbet fraises.

♦ Maison en briques au décor élégant (teintes tabac, cheminée) avec une terrasse verdoyante. Les menus "équilibre" et "vertige" proposent une fine gastronomie contemporaine.

♦ Huis van baksteen met smaakvol interieur (tabak tinten, haard) en groen terras. Verfijnde eigentijdse menu's ("équilibre" en "vertige").

PETIT-RECHAIN – **Liège** – **533** U19, **534** U19 **et** **716** K4 – **voir à Verviers**

PETREM – **Brabant Wallon** – **voir Piétrain à Jodoigne**

PHILIPPEVILLE – **Namur** – **534** M21 **et** **716** G5 – **8 856 h.** – ✉ **5600** **14** B2

▶ Bruxelles 88 – Namur 44 – Charleroi 26 – Dinant 29

ℹ r. Religieuses 2, ✆ 0 71 66 89 85

⛳ Base J. Offenberg, au Nord-Est : 10 km à Florennes, ✆ 0 71 68 26 50

Auberge des 4 Bras

r. France 49 – ☎ 0 71 66 72 38 – www.4bras.be – fermé 20 février-6 mars, 6 au 21 septembre, 24 au 31 décembre, dimanche soir et lundi

Rest – Lunch 17 € – Menu 26/40 € – Carte 37/56 €

♦ En face d'un rond-point, auberge où la même famille vous reçoit avec égards depuis 1976. Patronne charmante, copieuse cuisine actualisée, décor traditionnel et taverne à côté.

♦ In deze herberg bij een rotonde worden de gasten sinds 1976 uiterst vriendelijk ontvangen door dezelfde familie. Copieuze eigentijdse keuken, traditioneel interieur en café ernaast.

PIÉTRAIN (PETREM) – **Brabant Wallon** – **533** O18 – **voir à Jodoigne**

De PINTE – **Oost-Vlaanderen** – **533** G17 **et 716** D3 – **voir à Gent, environs**

PLANCENOIT – **Brabant Wallon** – **533** L19, **534** L19 **et 716** G4 – **voir à Lasne**

POLLEUR – **Liège** – Ⓒ **Theux 12 013 h.** – **533** U19, **534** U19 **et 716** K4 **9** C2
– ✉ **4910**

Bruxelles 129 – Liège 38 – Namur 98 – Maastricht 52

Hostellerie le Val de Hoëgne

av. Félix Deblon 1 – ☎ 0 87 22 44 26 – www.valdehoegne.be – fermé janvier

17 ch – 60 € 80/97 € – ½ P 85 €

Rest – *(dîner pour résidents seulement)*

♦ Petite hostellerie de tradition en bord de Hoëgne, à l'entrée du village. Plusieurs sortes de chambres (préférez les neuves). Breakfast sous véranda. Jeux d'enfants au jardin. Restaurant avec serre et terrasse. Menu traditionnel offrant 3 choix à chaque service.

♦ Kleine traditionele hostellerie aan de oevers van de Hoëgne, aan de rand van het dorp. Verschillende kamers (de nieuwe zijn het best). Ontbijt in de veranda. Speeltuintje. Restaurant met serre en terras. Traditioneel menu met 3 keuzes bij elke gang.

POPERINGE – **West-Vlaanderen** – **533** B17 **et 716** B3 – **19 960 h.** **18** A3
– ✉ **8970**

Bruxelles 134 – Brugge 64 – Kortrijk 41 – Oostende 54

Grote Markt 1, ☎ 0 57 34 66 76, www.toerismepoperinge.be

Manoir Ogygia

Veurnestraat 108 – ☎ 0 57 33 88 38 – www.ogygia.be – fermé 31 décembre-9 janvier et 26 août-7 septembre

9 ch – 110 € 140/210 € – ½ P 135 €

Rest – *(dîner pour résidents seulement)*

♦ Charmant hotel in een ommuurd park met een oud kasteeltje en een nieuw landhuis. Mooie kamers met een persoonlijk tintje. Spa. Diner voor de hotelgasten in het kasteeltje.

♦ Un véritable hôtel de charme ! Les chambres, décorées avec soin, se répartissent entre un petit château ancien et un manoir plus récent. Environnement bucolique, espace bien-être. Dîner pour les clients dans le cadre luxueux du château (trumeaux, lustres en cristal).

Recour

Guido Gezellestraat 7 – ☎ 0 57 33 57 25 – www.pegasusrecour.be

19 ch – 75/270 € 85/270 €, 18 €

Rest *Pegasus* – voir la sélection des restaurants

♦ Dit 18e-eeuwse herenhuis is nu een sfeervol hotel met een geslaagde mix van klassiek en modern. Alle vertrekken staan vol snuisterijen en antieke voorwerpen en achteraan vindt u een moderne bijbouw met strak ingerichte kamers en high-tech wellnessfaciliteiten.

♦ Maison de notable du 18e s. transformée en hôtel cosy alliant classicisme et bon goût contemporain. Chambres et communs soignés, parsemés de bibelots et d'objets anciens et sur l'arrière une annexe moderne vous propose des chambres design et un espace bien-être hightech.

BELGIQUE

Amfora

Grote Markt 36 – ✆ 0 57 33 94 05 – www.hotelamfora.be – fermé 19 novembre-13 décembre

8 ch – 65/85 € 75/85 €, 14 € – ½ P 80 €

Rest *Amfora* – voir la sélection des restaurants

◆ Oud pand met een fraaie Vlaamse trapgevel aan de Grote Markt in de hoofdstad van de hoppeteelt. De ligging is ideaal om de geschiedenis van WO I en II te ontdekken.

◆ Sur la Grand-Place, une demeure ancienne dont la jolie façade s'anime de pignons à redans. Une bonne option pour séjourner dans la capitale du houblon, si marquée par les deux guerres mondiales.

Pegasus – Hôtel Recour

Guido Gezellestraat 7 – ✆ 0 57 33 57 25 – www.pegasusrecour.be – fermé vacances de Pâques, 2 premières semaines de septembre, vacances de Noël, dimanche et lundi

Rest – Lunch 35 € – Menu 55/75 € – Carte 57/106 €

◆ Het gevleugelde paard der dichters markeert de ingang van dit 18de-eeuwse herenhuis. Eigentijdse kaart, fijne desserts, eetkamers met lambrisering en oude tegels, mooi terras.

◆ Pégase prend son envol à l'entrée de ce restaurant occupant une demeure du 18e s. Carte actuelle, délicieux desserts, lambris et carrelages anciens en salles, belle terrasse.

D'Hommelkeete

Hoge Noenweg 3 (Sud : 3 km par Zuidlaan) – ✆ 0 57 33 43 65 – www.hommelkeete.com – fermé 2 dernières semaines de juillet, Noël-nouvel an, dimanche soir, lundi, mardi et mercredi

Rest – Lunch 32 € – Menu 55 € bc/80 € bc – Carte 49/91 €

◆ Mooi boerderijtje met een schitterende tuin en waterpartij. Eetzaal met rustieke accenten. Hopscheuten zijn in het voorjaar de specialiteit van het huis.

◆ Jolie fermette agrémentée d'un jardin exquis, avec pièce d'eau. Salle à manger aux accents rustiques. Les jets de houblon sont, en saison, la grande spécialité de la maison.

Gasthof De Kring avec ch

rest, ch,

Burg. Bertenplein 7 – ✆ 0 57 33 38 61 – www.dekring.be – fermé 6 au 28 février et 24 juillet-14 août

7 ch – 64/66 € 88/92 €

Rest – *(fermé dimanche soir et lundi)* Lunch 12 € – Menu 26/52 € – Carte 37/59 €

◆ Aardig hotel-restaurant bij de St-Bertinuskerk. Ook geschikt voor feesten en partijen. Klassieke, lichte eetzaal en een mooi terras. Praktische kamers met standaardcomfort.

◆ À l'ombre de St-Bertin, aimable hostellerie où l'on soigne aussi bien vos réceptions que vos repas individuels. Salle à manger classique et claire. Jolies terrasses. Chambres simples et fonctionnelles.

Amfora – Hôtel Amfora

Grote Markt 36 – ✆ 0 57 33 94 05 – www.hotelamfora.be – fermé 19 novembre-13 décembre, mardi et mercredi

Rest – Lunch 13 € – Menu 42/55 € bc – Carte 32/57 €

◆ Weelderige klassieke eetzalen (waaronder een serre) en romantisch terras in de tuin. Lokale specialiteiten en een maandmenu met klassieke gerechten.

◆ Un décor classique (avec une véranda) et une terrasse romantique face au jardin... Un bel endroit pour déguster spécialités régionales et plats de tradition (menu du mois).

à Roesbrugge-Haringe Est : 8 km par N 308 – Poperinge – ✉ 8972

Sint-Maartens Tuin sans rest

Haringestraat 85, (Haringe) – ✆ 0 57 36 33 19 – www.sintmaartenstuin.be

4 ch – 90/100 € 105/115 €

◆ Verzorgd B&B in een voormalige boerderij en hooischuur met rieten dak bij de klokkentoren. Modern-rustieke inrichting, landelijke omgeving en mooie rozentuin.

◆ Près du clocher, bed and breakfast soigné tirant parti d'une ancienne ferme et sa grange à toit de chaume. Cadre rustique-moderne, paysage agreste et jolie roseraie au jardin.

PROFONDEVILLE - Namur - 533 O20, 534 O20 et 716 H4 15 C1
- 11 598 h. - ✉ 5170

Bruxelles 74 - Namur 14 - Dinant 17

Chemin du Beau Vallon 45, ☎ 0 81 41 14 18

Site★

au Sud-Ouest : 5 km à Annevoie-Rouillon : Parc★★ du Domaine • à l'Est : 5 km à Lustin : Rocher de Frênes★, ≤★

La Cuisine d'un Gourmand

av. Général Gracia 8 – ☎ 0 81 57 07 75 – www.lacuisinedungourmand.be – fermé 2 semaines en décembre, samedi midi, dimanche soir et lundi

Rest – Lunch 14 € – Menu 35/48 € – Carte 48/67 €

◆ Une maison au bord de la Meuse, dans un cadre bucolique, où les assiettes se parent de belles couleurs. Cuisine créative, jouant avec les goûts et les textures. Bon rapport qualité-prix.

◆ Een huisje langs de Maas, in een bucolisch kader, waar de borden kleurrijk getooid zijn. Creatieve keuken die speelt met smaken en texturen. Goede prijs-kwaliteitsverhouding.

La Sauvenière

chaussée de Namur 57 – ☎ 0 81 41 33 03 – www.lasauveniere.be – fermé lundi et mardi

Rest – *(déjeuner seulement sauf samedi et dimanche)* Lunch 19 € bc – Menu 25/53 € – Carte 38/59 €

◆ Belle villa mosane vous conviant à un repas au goût du jour teinté de créativité. Patronne à l'accueil, décor moderne chaleureux, véranda, bonne cave et jolie terrasse-jardin.

◆ Deze mooie villa in Maasstijl nodigt uit tot een eigentijdse, creatieve maaltijd. Warm en modern interieur, veranda, goede wijnkelder en fijn terras.

BELGIQUE

Olivier

av. Général Gracia 23 – ☎ 0 81 22 62 66 – www.olivier4.be – fermé 25 août-8 septembre, mercredi midi, samedi et dimanche

Rest – Lunch 22 € – Menu 34/45 € – Carte 50/75 €

◆ La table d'Olivier séduit en captant l'air du temps : décor contemporain (tables en bois, murs camel) et cuisine au naturel (thon snacké au saté doux, bar de ligne façon waterzoï).

◆ De tafel van Olivier bekoort u met een hedendaags décor (houten tafels, kamel muren) en een natuurlijke keuken (gesnackte tonijn met zachte saté, zeebaars op waterzooiwijze).

à Arbre Sud-Ouest : 5 km par N 928 – Ⓒ Profondeville – ✉ 5170

L'Eau Vive (Pierre Résimont)

rte de Floreffe 37 – ☎ 0 81 41 11 51 – www.eau-vive.be – fermé Noël, nouvel an, 2 semaines à Pâques, fin juin, deux dernières semaines d'août, samedi midi, mardi et mercredi

Rest – Lunch 65 € bc – Menu 87 € bc/140 € bc – Carte 88/110 €

Spéc. Foie gras poêlé à la rhubarbe, tuile aux épices et réduction de pinot noir (avril-juin). Huîtres de Gillardeau et croque tartiné à la tomate, écume iodée. Fraises de Wépion, biscuit breton et crémeux de chocolat blanc et panacotta banane (avril-juin).

◆ Cette ancienne chaudronnerie entourée de verdure abrite une grande salle élégante (tons rouge et marron), avec une terrasse en bord de cascade. Carte classique et menu "clin d'œil" plus moderne...

◆ Oude koperslagerij in het groen. Ruime en smaakvolle eetzaal in rode en kastanjebruine tinten met een terras naast de waterval. Klassieke kaart en een wat moderner "knipoog" menu.

Mooi weer ? Laten we buiten op het terras eten:

à Lustin Est : 5 km par N 931 puis r. Eugène Falmagne – Ⓒ Profondeville – ✉ 5170

XX **Les 4 Arbres**

r. 4 Arbres 73 – ✆ 0 81 22 19 22 – www.les4arbres.be – fermé 2 dernières semaines de septembre et lundi

Rest – *(déjeuner seulement sauf vendredi et samedi)* Lunch 29 € – Menu 40/70 €

◆ Un mélange soigné d'éléments rustiques et modernes dans cette ancienne grange rénovée, où la patronne s'occupe de la cuisine mais se montre aussi souvent en salle.

◆ Een verzorgde mix van rustiek en modern in deze gerenoveerde schuur, waar de eigenaresse in de keuken staat, maar zich ook vaak in de eetzaal laat zien.

QUAREGNON – Hainaut – **533** I20, **534** I20 et **716** E4 – 18 874 h. **7** C2 – ✉ 7390

▶ Bruxelles 77 – Mons 11 – Tournai 37 – Valenciennes 30

XXX **Dimitri**

pl. du Sud 27, (Lourdes) – ✆ 0 65 66 69 69 – www.restaurantdimitri.be – fermé mi-juillet-mi-août, dimanche soir, lundi et après 20 h 30

Rest – Lunch 35 € – Menu 50/70 € – Carte env. 75 €

◆ La carte comme les menus proposent une cuisine gastronomique sur des bases traditionnelles dans un cadre classique distingué. Cave de qualité.

◆ Zowel de kaart als de menu's bieden een gastronomische keuken met traditionele basis, geserveerd in een chique klassiek interieur. Kwaliteitswijnen.

RAMSKAPELLE – West-Vlaanderen – **533** E15 – voir à Knokke-Heist

---

RANCE – Hainaut – Ⓒ Sivry-Rance 4 882 h. – **534** K22 et **716** F5 **7** D3 – ✉ 6470

▶ Bruxelles 92 – Mons 44 – Charleroi 39 – Chimay 12

à Sautin Nord-Ouest : 4 km – Ⓒ Sivry-Rance – ✉ 6470

Le Domaine de la Carrauterie

r. Station 11b – ✆ 0 60 45 53 52 – www.carrauterie.be – fermé 9 au 29 janvier, dimanche et lundi

5 ch – †92/112 € ††104/150 € – ½ P 112/132 €

Rest – *(déjeuner seulement pour résidents)*

◆ Dépaysante maison d'hôte vous conviant à un séjour "cocooning". Yourte mongole et pavillons nordique ou oriental pour se relaxer, salon cosy, chambres à thèmes, nuits gitanes dans la roulotte. Un lunch-buffet "bio" est aussi proposé aux candidats au bien-être.

◆ In dit alternatieve B&B staat herbronnen centraal! Na een deugddoende wellness-sessie komt u verder tot rust in uw berbertent of Scandinavisch of oosters chalet. Themakamers en zigeunernachten in de woonwagen. Biologisch lunchbuffet.

REBECQ – Brabant Wallon – **533** J18, **534** J18 et **716** F4 – 10 481 h. **3** A3 – ✉ 1430

▶ Bruxelles 31 – Wavre 48 – Charleroi 51 – Mons 33

Hostellerie du Petit Spinois

Chemin Ardoisière 60 – ✆ 0 67 84 38 51 – www.hostelleriedupetitspinois.com

14 ch – †95 € ††110/135 €

Rest *La Passion en Bout de Table* – voir la sélection des restaurants

◆ À la campagne ! Cette ferme typique abrite de jolies chambres, tout en tissus et meubles choisis. Et on peut louer des vélos pour explorer la région…

◆ Karakteristieke oude boerderij op het platteland. Mooie kamers met goed gekozen meubels en stoffen. Fietsen te huur voor wie graag de streek wil verkennen.

BELGIQUE

La Passion en Bout de Table – Hôtel Hostellerie du Petit Spinois
Chemin Ardoisière 60 – ✆ 0 67 84 38 51
– www.hostelleriedupetitspinois.com – fermé dimanche soir, lundi et mardi
Rest – Menu 26/48 € – Carte 39/61 €

♦ Table actuelle au cadre avenant : murs clairs, sol en pierres bleues, poêle à bois, sièges Lloyd Loom, poutres et solives. Salles de réceptions.

♦ Restaurant met een aantrekkelijk interieur: hanenbalken en lichte muren, blauwe natuurstenen vloer, houtkachel en Lloyd Loom-stoelen. Feestzalen.

RECOGNE – **Luxembourg** – **534** R23 **et 716** J6 – **voir à Libramont**

REET – **Antwerpen** – Ⓒ **Rumst 14 780 h.** – **533** L16 **et 716** G2 – ✉ **2840** **1** A3

Bruxelles 32 – Antwerpen 17 – Gent 56 – Mechelen 11

Pastorale (Bart De Pooter)
Laarstraat 22 – ✆ 0 3 844 65 26 – www.depastorale.be
– fermé 27 décembre-10 janvier, 15 juillet-9 août, samedi midi, dimanche et lundi
Rest – *(réservation conseillée)* Lunch 75 € bc – Menu 85 € bc/270 € bc – Carte 113/133 €

Spéc. Anguille au quinoa, pignons de pin et jambon Jabugo (avril-août). Homard au citron, herbes et légumes du potager (avril-septembre). Râble de lièvre grillé, salsifis et cerfeuil à la crème (octobre-janvier).

♦ Een oude pastorie met stijlvol interieur (moderne kunst) en een mooie tuin met terras, waar u geniet van een innovatieve keuken die speelt met texturen, vormen en smaken.

♦ Dans un ancien presbytère, un décor épuré tourné vers l'art contemporain, un beau jardin avec terrasse et une cuisine innovante, jouant avec les textures, les formes et les saveurs.

La REID – **Liège** – **533** T20, **534** T20 **et 716** K4 – **voir à Spa**

REKKEM – **West-Vlaanderen** – **533** D18 **et 716** C3 – **voir à Menen**

REMOUCHAMPS – **Liège** – **voir Sougné-Remouchamps**

RENAIX – **Oost-Vlaanderen** – **voir Ronse**

RENDEUX – **Luxembourg** – **533** S21, **534** S21 **et 716** J5 – **2 437 h.** – ✉ **6987** **12** B1

Bruxelles 119 – Arlon 83 – Marche-en-Famenne 15 – La Roche-en-Ardenne 11

au Nord-Ouest : 6,5 km à Hotton : Grottes★★

Hostellerie Château de Rendeux
r. Château 8, (Rendeux-Haut) – ✆ 0 84 37 00 00
– www.chateau-rendeux.com
16 ch – †65/95 € ††95 € – 1 suite – ½ P 100 €
Rest – *(fermé lundi)* Lunch 25 € – Menu 30/45 € – Carte 44/76 €

♦ Vous séjournerez au calme dans cette noble demeure en pierres du pays entourée de dépendances et d'un parc. Salon avec cheminée. Parquet en chêne dans toutes les chambres. Une taverne donne accès au restaurant occupant les caves du château. Table actuelle.

♦ Dit adelshuis van steen uit de streek met bijgebouwen en park is bij uitstek geschikt voor een rustig verblijf. Lounge met schouw en eikenhouten parket in alle kamers. Een taverne geeft toegang tot het restaurant in de kelderverdieping van het kasteel. Eigentijdse keuken.

BELGIQUE

Le Clos de la Fontaine sans rest

r. Fontaine 2, (Chéoux) – 0 84 47 77 01
– www.chambresdhotes.fr/closdelafontaine – fermé première semaine de juillet
5 ch – 50 € 70/100 €

◆ Hébergement rustique soigné dans une ancienne ferme en pierres et colombages donnant sur un beau jardin. Poneys au pré et lapins dans la cour. Produits "maison" au petit-déj'.

◆ Rustiek en verzorgd logies in een oude boerderij met vakwerk en een mooie tuin. Pony's in de wei en konijnen op de binnenplaats. Ontbijt met zelfverbouwde producten.

XXX **Au Moulin de Hamoul**

r. Hotton 86, (Rendeux-Bas) – 0 84 47 81 81 – www.moulindehamoul.com
– fermé mardi soir, dimanche soir, lundi et après 20 h 30
Rest – Lunch 30 € bc – Menu 33/52 € – Carte 38/58 €

◆ Au bord de l'Ourthe, ancien moulin à eau réaménagé où l'on goûte de sages menus oscillant entre tradition et goût du jour. Salles spacieuses et actuelles ; terrasse agréable.

◆ In deze oude watermolen aan de Ourthe kunt u kiezen uit een aantal mooie menu's, die half traditioneel en half modern zijn. Ruime, eigentijdse eetzalen en aangenaam terras.

XX **Au Comte d'Harscamp**

rte de Marche 5, (Rendeux-Haut) – 0 84 45 74 54 – www.comtedharscamp.be
– fermé janvier sauf week-end, mercredis et jeudis non fériés
Rest – Lunch 24 € – Menu 29/37 € – Carte 38/49 €

◆ Un juge rendait ses verdicts dans cette dépendance du château. Chaleureuse ambiance, cadre rustique et terrasse près de l'eau. Menu-carte plein de générosité. Pas de carte des vins mais une cave où l'on va choisir son flacon préféré.

◆ In dit bijgebouw van het kasteel zetelde vroeger een rechtbank. Rustiek interieur, warme sfeer en terras bij het water. Royaal à la carte menu en kelder waar de gasten zelf hun wijn uitzoeken.

Verwar de bestekjes X en de sterren ✿ niet! De bestekjes geven een categorie van confort en service aan. De ster bekroont alleen de kwaliteit van de keuken, welke ook de standing van het huis is.

RENINGE – **West-Vlaanderen** – **Lo-Reninge 3 320 h.** – **533** B17 et **716** B3 – **8647** **18** B2

Bruxelles 131 – Brugge 54 – Ieper 22 – Oostende 53

XXXX **'t Convent** (Matthew De Volder et Sebastien Ververken) avec ch

✿ *Halve Reningestraat 1*
(Ouest : 3 km, direction Oostvleteren) – 0 57 40 07 71 – www.tconvent.be
– fermé 3 au 19 janvier et 27 août-13 septembre
10 ch – 150/270 € 150/270 €, 20 € – 4 suites – ½ P 230 €
Rest – *(fermé mardi et mercredi)* Lunch 44 € – Menu 65/168 €
– Carte 87/145 €

Spéc. Homard aux asperges des dunes (avril-juin). Pigeon aux truffes de saison. Langoustine au caviar et pomme de terre des polders.

◆ Sfeervolle hostellerie. Buiten: truffelveld, wijngaard, tuin en polders op de achtergrond; binnen: rustiek interieur met truffels en wijn op een ereplaats. Grote kamers en suites om de gastronomische avond waardig te besluiten.

◆ Hostellerie pleine de caractère : au dehors, truffière, vigne, jardin et les polders pour toile de fond ; au-dedans, cadre rustique feutré et cultes de la truffe et du vin. Grandes chambres et suites tout confort pour prolonger dignement l'étape gastronomique.

RETIE - Antwerpen - 533 P15 et 716 I2 - 10 741 h. - ✉ 2470 2 D2

Bruxelles 89 - Antwerpen 51 - Turnhout 12 - Eindhoven 38

Villa Tilia sans rest

Peperstraat 11 - ☎ 0 14 38 91 00 - www.villatilia.be

9 ch - †115 € ††125/145 €, ☐ 19 € - 1 suite

◆ Het is moeilijk te zeggen wat precies dit hotel zo bekoorlijk maakt. Met de prachtige wandschilderingen, de verleidelijke art-nouveau-elementen en de groene tuin met zicht op een park heeft het immers troeven te over! Moderne, chique kamers.

◆ Sont-ce les jolies fresques murales, les éléments de décor Art nouveau ou le jardin verdoyant et sa vue sur le parc ? À vrai dire, rien ne peut vraiment résumer le charme de cet hôtel... Esprit chic et moderne dans les chambres.

RHODE-SAINT-GENÈSE - Vlaams Brabant - voir Sint-Genesius-Rode à Bruxelles, environs

RIEMST - Limburg - 533 S18 et 716 J3 - 16 144 h. - ✉ 3770 11 C3

Bruxelles 111 - Hasselt 30 - Liège 24 - Maastricht 9

à Millen Sud : 3 km - C Riemst - ✉ 3770

De Zwarte Stok

Langstraat 26 - ☎ 0 12 26 35 40 - www.dezwartestok.com

9 ch ☐ - †50/60 € ††90/100 € - ½ P 68/78 €

Rest - *(dîner pour résidents seulement)*

◆ Deze verbouwde boerderij uit 1620 heeft nog een rustiek karakter. Sfeervolle appartementen en dito kamers aan de kant van de tuin of de akkers en weilanden. Sinds kort kunt u hier ook verblijven in een appartement met eigen keuken.

◆ Ce bâtiment agricole daté de 1620 a conservé tout son charme : poutres apparentes et dallages anciens font le caractère des chambres, qui donnent sur le jardin ou les champs.

Hoeve Dewalleff

Tikkelsteeg 13 - ☎ 0 12 23 70 89 - www.hoeve-dewalleff.be - fermé dimanche soir, mardi, mercredi et après 20 h 30

Rest - Menu 50 € bc/80 € bc - Carte env. 50 €

◆ In deze 17e-eeuwse hoeve verzorgt de familie Dewalleff zowel privémaaltijden als partijen en congressen, dit alles met een traditionele keuken in een neorustiek interieur. De kermismolen van de jaren 50 is een echte blikvanger!

◆ Ferme du 17e s. où la famille Dewalleff soigne aussi bien vos réceptions et séminaires que vos repas privés. Salle à manger néo-campagnarde, salles pour groupes et jolie cour.

RIJKEVORSEL - Antwerpen - 533 N14 et 716 H1 - 11 259 h. - ✉ 2310 2 C2

Bruxelles 80 - Antwerpen 34 - Turnhout 16 - Breda 41

Waterschoot

Bochtenstraat 11 - ☎ 0 3 314 78 78 - www.restaurant-waterschoot.be - fermé 19 au 27 février, 12 août-3 septembre, samedi midi, dimanche et lundi

Rest - Lunch 34 € - Menu 39/62 € - Carte 60/72 €

◆ Gerenoveerd herenhuis met authentieke elementen (parket, stuc) en tuinterras. Franse seizoengebonden keuken. De Conscience- en Taxandriamenu's zijn erg in trek, door de week serveert men een aanlokkelijk Kleidabber-menu.

◆ Une authentique maison de maître (parquet, stuc, jardin, etc.), joliment rénovée, où apprécier une cuisine française pétrie des saveurs de saison. Les menus Conscience et Taxandria sont très prisés ; en semaine, le menu Kleidabber se révèle très intéressant.

RIJMENAM - Antwerpen - 533 M16 et 716 G2 - voir à Mechelen

RIXENSART - Brabant Wallon - 533 M18, 534 M18 et 716 G3 - voir à Genval

ROBERTVILLE – Liège – C Waimes 7 052 h. – **533** V20, **534** V20 et **716** L4 – ✉ **4950** 9 D2

Bruxelles 154 – Liège 58 – Malmédy 14 – Aachen 40

r. Centrale 53, ✆ 0 80 44 64 75, www.robertville.be

Lac★, ≤★

Hôtel des Bains

r. Haelen 2 (Sud : 1,5 km, au lac) – ✆ 0 80 67 95 71 – www.hoteldesbains.be – fermé 2 au 22 janvier et première semaine vacances de Pâques

13 ch – †105/195 € ††165/240 € – ½ P 147 €

Rest *H2O* – voir la sélection des restaurants

Rest – *(fermé dimanche soir, lundi midi et mercredi sauf vacances scolaires)* Menu 42/74 €

◆ Une situation privilégiée sur la rive du lac de Robertville et un parc y donnant directement accès... C'est charmant ! La plupart des chambres, confortables et aménagées avec goût, offrent une vue sur le plan d'eau et, sur la terrasse, on apprécie le panorama en savourant une sympathique cuisine contemporaine. L'eau est encore présente au spa, flambant neuf, et au centre de bien-être.

◆ De tuin van dit charmante hotel ligt aan het meer. Van de gerieflijke, smaakvol ingerichte kamers kijken de meeste uit op het water. Gloednieuwe spa en welnessruimte. Het restaurant met grote ramen en het terras kijken uit op het water. Hedendaagse keuken.

Domaine des Hautes Fagnes

r. Charmilles 67, (Ovifat) – ✆ 0 80 44 69 87 – www.dhf.be rest, rest,

71 ch – †70/90 € ††90/146 € – ½ P 160/210 €

Rest – Lunch 25 € – Menu 35/52 €

◆ Non loin du signal de Botrange, cet hôtel moderne, spécialisé dans l'accueil de conférences, est également estimé pour son offre de loisirs. Une nouvelle direction y apporte un vent de fraîcheur, et ses atouts restent les mêmes : parc, centre de thalasso, pistes de ski à 300 m...

◆ Modern hotel met talloze faciliteiten, bij uitstek geschikt voor congressen, niet ver van het Signaal van Botrange. De nieuwe directie zorgt voor een frisse wind, maar de troeven zijn gebleven: privépark, thalassocentrum en skipistes op 300 m.

La Chaumière du Lac

r. Barrage 23, (Ovifat) – ✆ 0 80 44 63 39 – www.chaumieredulac.be – fermé lundis et mardis non fériés sauf vacances scolaires

10 ch – †65/80 € ††100/110 € – ½ P 70/115 €

Rest *La Chaumière du Lac* – voir la sélection des restaurants

◆ Grande villa typée dont le toit de chaume bien peigné encapuchonne des chambres fraîches et nettes. Breakfast servi à table. Jardin de repos.

◆ Deze grote karakteristieke villa met rieten dak beschikt over nette en frisse kamers. Het ontbijt wordt aan tafel geserveerd. Rustgevende tuin.

Relais de Poste

r. Lac 16 – ✆ 0 80 44 57 70 – www.relaisdeposte.be

10 ch – †70/85 € ††70/85 € – ½ P 95 €

Rest – Menu 25/32 € – Carte 30/43 €

◆ Habilement remis à jour en mêlant le moderne et l'ancien, cet ensemble de caractère (1738) au passé de relais de poste garde son âme rurale. Chambres confortables. Jardin de repos.

◆ Deze voormalige pleisterplaats uit 1738 is knap gerenoveerd in een mix van oud en modern, waarbij het landelijk karakter is behouden. Comfortabele kamers en rustig gelegen tuin.

La Romance du Lac sans rest

r. Barrage 19, (Ovifat) – ✆ 0 80 44 41 63

5 ch – †35/45 € ††65/75 €

◆ Pavillon en bois, verre et métal bâti par un menuisier pour son accueillante épouse. Chambres en rez-de-jardin, véranda, terrasse, sauna, étang et pelouses au bord du lac.

◆ Dit vrijstaande huis van hout, glas en metaal is door een timmerman gebouwd voor zijn gastvrije echtgenote. Gelijkvloerse kamers, veranda, terras, sauna, vijver en gazons aan het meer.

La Chaumière du Lac - Hôtel La Chaumière du Lac

r. Barrage 23, (Ovifat) – 0 80 44 63 39 – www.chaumieredulac.be – fermé lundis et mardis non fériés sauf vacances scolaires et après 20 h 30

Rest – Menu 35 € – Carte 35/43 €

◆ Didier Condat est un ardent défenseur de la cuisine franco-belge ! Sa carte est un manifeste autant qu'une démonstration, qui rallie un public de plus en plus large.

◆ Didier Condat is overtuigd van de sterkte van de Belgisch-Franse keuken, en wil met zijn gerechten zoveel mogelijk mensen ertoe brengen zijn mening te delen.

H2O – Hôtel des Bains

r. Haelen 2 (Sud : 1,5 km, au lac) – 0 80 67 95 71 – www.hoteldesbains.be – fermé 2 au 22 janvier et première semaine vacances de Pâques

Rest – Carte 28/54 €

◆ Comme son nom l'indique, H2O propose une cuisine simple et agréable, rafraîchissante comme un verre d'eau de source. Plats régionaux, joliment présentés en cocotte, à petits prix.

◆ H-deux-eaux serveert, in de lijn van z'n naam, een eenvoudige keuken die deugd doet en verkwikt, als een fris glas bronwater op een zomerdag. De regionale stoofpotjes worden hier charmant gepresenteerd in cocottes en zijn bovendien niet duur.

La ROCHE-EN-ARDENNE – Luxembourg – 534 S21 et 716 J5 — 13 C1

– 4 306 h. – ✉ 6980

Bruxelles 127 – Arlon 75 – Bouillon 69 – Liège 77

pl. du Marché 15, 0 84 36 77 36, www.la-roche-tourisme.com

Fédération provinciale de tourisme Quai de l'Ourthe 9, 0 84 41 10 11, www.ftlb.be

Site★ • Chapelle Ste-Marguerite ✻★★AB

par ② : 14,5 km, Belvédère des Six Ourthe★★, le Hérou★★ • Point de vue des Crestelles★

Plan page suivante

BELGIQUE

Moulin de la Strument

Petite Strument 62 – 0 84 41 15 07 – www.strument.com – fermé 2 au 31 janvier A**b**

8 ch – 75/77 € 85 € – ½ P 73/76 €

Rest – *(fermé lundi, mardi et mercredi sauf vacances scolaires et après 20 h 30)* Lunch 24 € – Menu 27/45 € – Carte 34/49 €

◆ Hôtel tranquille dans les dépendances restaurées d'un moulin à eau (véritable petit musée, à visiter). Chambres confortables, vue sur la rivière pour certaines, petit-déjeuner servi à table près de la cheminée. Taverne et restaurant néo-rustiques ; carte traditionnelle avec produits régionaux.

◆ Rustig hotel in de gerestaureerde bijgebouwen van een watermolen (een heus museum, is te bezichtigen). Comfortabele kamers, sommige met uitzicht op de rivier. Het ontbijt wordt bij de haard geserveerd. Neorustiek café-restaurant. Traditionele kaart met streekproducten.

Les Genêts 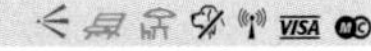

Corniche de Deister 2 – 0 84 41 18 77 – www.lesgenetshotel.com – fermé janvier, 1er au 12 juillet, 1 semaine en septembre, mercredi de novembre à mars et jeudi A**f**

7 ch – 75/78 € 88/92 € – ½ P 108/111 €

Rest – *(dîner pour résidents seulement)*

◆ Maison de pays dominant ville et vallée : un ravissant panorama, dont profitent la plupart des chambres, au même titre que la salle de restaurant, la terrasse et le jardin. Au dîner, repas traditionnel concocté par le patron, en place depuis plus de 30 ans.

◆ Streekwoning boven stad en dal, met een prachtig panorama vanuit de meeste kamers, het restaurant, het terras en de tuin. Al ruim 30 jaar zet de patron 's avonds een traditionele maaltijd op tafel.

LA ROCHE-EN-ARDENNE

Bastogne (Rte de) . . . . A 2
Beausaint (R. de) . . . . B 3
Beausaint (Vlle Rte de) . . . . A 4
Bon-Dieu-de-Maka (R.) . . . . B 7
Châlet (R. du) . . . . B 8
Chamont (R.) . . . . B 10
Champlon (Rte de) . . . . . . A 12
Chanteraine (Pl.). . . . . B 13
Chanteraine (R. de) . . . . . . B 14
Chats (R. des). . . . . B 15
Cielle (Rte de). . . . . A 16
Église (R. de l') . . . . B 17
Faubourg (Pont du) . . . . . . B 18
Gare (R. de la). . . . . B 20
Gravier (Pt du) . . . . B 21
Gravier (Q. du) . . . . B 22
Hospice (R. de l') . . . . B 24
Hotton (Rte de) . . . . A 25
Marché (Pl. du). . . . . B 27
Moulin (R. du). . . . . B 28
Nulay (R.) . . . . B 30
Ourthe (Q. de l') . . . . B 32
Pafy (Ch. du). . . . . A 33
Presbytère (R. du) . . . . B 35
Purnalet (R. du) . . . . B 36
Rompré (R.) . . . . B 37
Val-du-Pierreux. . . . . A 39

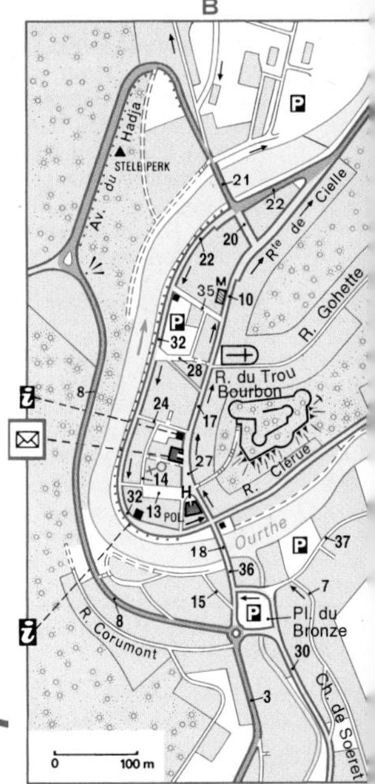

Hostellerie Linchet avec ch

rte de Houffalize 11 – ✆ 0 84 41 13 27 – www.hostellerie-linchet.be – fermé janvier, dernière semaine de juin-2 premières semaines de juillet, mardi, mercredi et jeudi Aw

11 ch – 80/94 € 87/124 € – ½ P 88 €

Rest – *(fermé lundi soir, mardi, mercredi, jeudi soir et après 20 h 30)*
Menu 38/65 € – Carte 39/59 €

◆ Au pied d'un coteau verdoyant, restaurant braquant ses grandes baies vitrées vers l'Ourthe. Cuisine classique faite par la fille de la patronne. Menu "all-in" attirant. Chambres d'où l'on peut admirer la vallée.

◆ De grote ramen van dit restaurant onderaan een begroeide heuvel geven uit op de Ourthe. De dochter van de eigenaresse kookt klassiek. Aantrekkelijk all-in menu. De kamers kijken uit op het dal.

à Jupille par ⑤ : 6 km – C Rendeux 2 689 h. – ✉ 6987 Hodister

Les Tilleuls

rest,

Clos Champs 11 – ✆ 0 84 47 71 31 – www.les-tilleuls.be – fermé 2 janvier-2 février, dimanche, lundi et mardi

13 ch – 77/101 € 89/113 € – ½ P 79/91 €

Rest – *(dîner pour résidents seulement)*

◆ Ce petit hôtel au sommet d'une colline dominant la vallée de l'Ourthe se spécialise dans les petits séminaires en semaine. Le weekend, on y rencontre une clientèle touristique. Belles chambres entièrement rénovées. Restaurant avec une grande terrasse panoramique et un intérieur familial.

◆ Dit kleine hotel op een heuvel boven het dal van de Ourthe is door de week speciaal uitgerust voor kleine seminars. In het weekend komen er vooral toeristen. Mooie, geheel gerenoveerde kamers. Restaurant met groot panoramaterras en gezellig interieur.

Hostellerie Relais de l'Ourthe ch,

r. Moulin 3 – 0 84 47 76 88 – www.relais-ourthe.be
8 ch – 75/95 € 80/130 € – ½ P 106 €
Rest – *(fermé 1er au 22 janvier, 26 juin-14 juillet, lundi midi, jeudi midi, vendredi midi, mardi et mercredi)* Menu 28/58 € – Carte 49/87 €

◆ Ancienne ferme typiquement ardennaise avec une belle piscine et un grand jardin cerné par la forêt. Chambres douillettes au charme rustique, suite en duplex. Table au décor rural soigné et restaurant de plein air. Recettes composées à partir de produits du terroir.

◆ Typisch Ardense oude boerderij met gemoderniseerde kamers. Grote tuin aan de achterkant met trapsgewijs aangelegde gazons en een mooi zwembad. Duplex suite. Restaurant met een verzorgd rustiek interieur, waar 's zomers buiten kan worden gegeten. Gerechten op basis van streekproducten.

ROCHEFORT – Namur – 534 Q22 et 716 I5 – 12 246 h. – 5580 — 15 D2

Bruxelles 117 – Namur 58 – Bouillon 52 – Dinant 32

r. Behogne 5, 0 84 34 51 72, www.valdelesse.be

Grotte de Lorette★

au Sud-Ouest : 6 km à Han-sur-Lesse, Grotte★★★ • Réserve d'animaux sauvages★ • Musée du Monde souterrain : fragment de diplôme★(d'un vétéran romain) • au Nord-Ouest : 11 km à Chevetogne, Domaine provincial Valéry Cousin★

La Malle Poste

r. Behogne 46 – 0 84 21 09 86 – www.malleposte.net – fermé 16 janvier-2 février
24 ch – 80/150 € 110/240 € – ½ P 115 €
Rest ***La Calèche*** – voir la sélection des restaurants

◆ Ex-relais de poste (1653) et ses dépendances où l'on s'endort dans diverses catégories de chambres agréables à vivre. Breakfast de qualité. Espace relaxation et jardin soigné.

◆ Oud poststation (1653) met bijgebouwen, waar de gasten in verschillende soorten kamers logeren die allemaal even comfortabel zijn. Goed ontbijt. Relaxruimte en verzorgde tuin.

Le Vieux Logis sans rest

r. Jacquet 71 – 0 84 21 10 24 – www.levieuxlogis.be – fermé dimanches soirs et lundis non fériés
9 ch – 72 € 85 €

◆ Ce logis en pierres vieux de 300 ans conserve de beaux vestiges du passé : portes, poutres, planchers. Chambres mignonnes ; terrasse-jardin donnant accès à un bosquet.

◆ Hotel in een 300-jarig natuurstenen pand, waarvan de deuren, balken en vloeren nog origineel zijn. Charmante kamers. Tuin met terras en directe toegang tot een bos.

Le Vieux Carmel sans rest

r. Jacquet 61 – 0 84 44 53 41
5 ch – 75/95 € 75/95 €

◆ Ancien cloître carmélite repérable à sa tour. Hall en marbre, salon-bibliothèque au coin du feu, salle à manger classique, chambres personnalisées et jardin clos de grilles.

◆ Voormalig karmelietenklooster met een toren, marmeren hal, zit/leeshoek met open haard, klassieke eetzaal, kamers met een persoonlijke toets en omheinde tuin.

XX **La Calèche** – Hôtel La Malle Poste

r. Behogne 46 – 0 84 21 09 86 – www.malleposte.net – fermé 16 janvier-2 février, 27 juin-8 juillet, 22 août-4 septembre, mercredi et jeudi
Rest – Lunch 28 € – Menu 40/60 € – Carte 50/85 €

◆ Goûteuse cuisine actualisée servie, selon la saison, dans trois élégantes salles où crépitent de bonnes flambées ou sous la pergola du jardin. Accueil aimable de la patronne.

◆ Smakelijke, eigentijdse gerechten, afhankelijk van het seizoen geserveerd in drie elegante zalen met open haard of onder de pergola in de tuin. Vriendelijk onthaal.

BELGIQUE

Couleur Basilic

r. Behogne 43 – ✆ 0 84 46 85 36 – www.couleurbasilic.be – fermé mardi et mercredi
Rest – *(prévenir)* Lunch 20 € – Menu 35/47 €
◆ Le soleil de la Méditerranée s'invite à table dans ce petit resto frais, goûtu et sympa, qui a profité de l'été pour déménager près du clocher et s'étoffer d'un bar "loungy".
◆ De Zuid-Franse zon schijnt in dit leuke en lekkere eettentje, dat de zomer heeft benut om naar de buurt van de klokkentoren te verhuizen en een loungy bar erbij te openen.

Le Limbourg avec ch

pl. Albert Ier 21 – ✆ 0 84 21 10 36 – www.hotellimbourg.com – fermé 10 au 25 janvier et 1er au 10 septembre
6 ch – 60 € 75 €
Rest – *(fermé mardi soir et mercredi)* Lunch 15 € – Menu 22/48 € – Carte 27/55 €
◆ Une taverne sous véranda, un estaminet et une salle à manger actuelle composent cet établissement. Choix classico-traditionnel avec plats de brasserie et petite restauration. Hébergement assez sobre mais très convenable pour l'étape rochefortoise.
◆ Dit etablissement omvat een serre met taverne, een cafeetje en een moderne eetzaal. Traditioneel-klassieke kaart met brasserieschotels en kleine gerechten. Vrij sober logies, dat voor een nachtje echter prima voldoet.

BELGIQUE

à Eprave Sud-Ouest : 7 km – Rochefort – ✉ 5580

Auberge du Vieux Moulin

r. Aujoule 51 – ✆ 0 84 37 73 18 – www.eprave.com – fermé 2 au 26 janvier, lundi et mardi
19 ch – 90 € 125 €, 15 € – ½ P 125 €
Rest – Lunch 23 € bc – Menu 29/55 € – Carte 47/54 €
◆ Vieille auberge rajeunie en mixant des éléments classiques, modernes et asiatiques. Chambres à touche design dans le corps de logis et l'annexe. Bon repas au goût du jour dans un intérieur actuel clair et sobre ou dehors, près du vieux moulin. Jolis menus.
◆ Deze gerenoveerde oude herberg is een mix van klassiek, modern en Aziatisch. Kamers met designelementen in het hoofdgebouw en de dependance. Goede eigentijdse maaltijd in een modern, licht en sober interieur of buiten bij de oude molen. Lekkere menu's.

à Han-sur-Lesse Sud-Ouest : 6 km – Rochefort – ✉ 5580

Auberge de Faule sans rest

r. Grottes 4 – ✆ 0 84 21 98 98 – www.aubergedefaule.be
14 ch – 72 € 88 €
◆ Bonnes chambres dans le corps de logis et l'annexe du jardin, chaleureux espace breakfast (servi à table), atelier-boutique où la patronne expose ses poteries et céramiques.
◆ Goede kamers in het hoofdgebouw en de dependance in de tuin. Gezellige kamer voor het ontbijt, dat aan tafel wordt geserveerd. Winkeltje met keramiek van de eigenaresse.

ROCHEHAUT – Luxembourg – Bouillon 5 464 h. – 534 P23 et 716 I6 – ✉ 6830 — 12 A2

Bruxelles 159 – Arlon 76 – Bouillon 20 – Dinant 63
r. Palis 5a, ✆ 0 477 48 56 52, www.si-rochehaut.be
★★

L'Auberge de la Ferme

r. Cense 12 – ✆ 0 61 46 10 00 – www.aubergedelaferme.com – fermé mars sauf weekend
19 ch – 95/135 € 130/210 € – 1 suite – ½ P 130 €
Rest ***de la Ferme*** **Rest** ***de la Fermette*** – voir la sélection des restaurants
◆ Une maison de village traditionnelle, en pierre du pays, proposant des chambres au confort moderne. Toutes les annexes profitent de la salle du petit-déjeuner.
◆ Dit riante stenen huis in het centrum van het dorp ontvangt u in gemoderniseerde kamers. Ontbijtzaal in het hoofdgebouw voor alle gasten.

L'Auberge de la Fermette

pl. Marie Howet 3 – ✆ 0 61 46 10 05 – www.aubergedelaferme.com
16 ch – 95/135 € 130/210 € – ½ P 100/140 €
◆ Plusieurs catégories de chambres, dont certaines avec jacuzzi et vue sur Frahan.
◆ Verschillende kamertypes waarvan enkele met jacuzzi.

La P'tite Auberge

pl. Marie Howet 5
10 ch – 95/135 € 130/210 € – ½ P 100/140 €
◆ Dans un ancien hôtel-restaurant, chambres rénovées et boutique de produits de la ferme.
◆ Winkeltje met producten van de boerderij ; vernieuwde kamers.

L'Auberg'Inn

r. Cense 26
17 ch – 95/105 € 130/150 € – ½ P 130/140 €
◆ La plus ancienne annexe, en face de l'auberge principale, donne sur les champs et les bois.
◆ Het oudste bijgebouw, renovatie gepland.

BELGIQUE

L'An 1600

r. Palis 7 – ✆ 0 61 46 40 60 – www.an1600.be – fermé 3 janvier-2 février, 17 juin-12 juillet et mardis soirs, mercredis et jeudis non fériés sauf vacances scolaires
10 ch – 100 € 130 € – ½ P 90 €
Rest – *(fermé après 20 h 30)* Menu 25/53 € – Carte 32/54 €
◆ Depuis 1974, on vous reçoit en famille dans cette vieille ferme réaménagée. Hébergement tout confort dans un cadre rustique, à l'hôtel ou dans des chalets en bois. Cuisine ardennaise traditionnelle à base de préparations maison (saumon fumé, confitures, foie gras...). Caveau et terrasse.
◆ Goede, familiale ontvangst sinds 1974 in deze oude, gerenoveerde boerderij. Rustiek kader en gerieflijke kamers. Traditionele kaart, salon-wijnkelder en terras voor de ingang.

de la Ferme – Hôtel L'Auberge de la Ferme

r. Cense 12 – ✆ 0 61 46 10 00 – www.aubergedelaferme.com – fermé mars sauf week-end, dimanche soir, lundi midi, mardi midi et après 20 h 30
Rest – Lunch 30 € – Menu 35/75 € – Carte 56/72 €
◆ Dans cette maison de pays, le chef concocte une cuisine classique aux accents du terroir. Cave impressionnante avec 35 000 bouteilles !
◆ Streekrestaurant waar een dynamische chef-patron een klassieke maaltijd met een plaatselijke tint kookt. 35 000 flessen in de kelder! Veel personeel, in uniform.

de la Fermette – Hôtel L'Auberge de la Ferme

pl. Marie Howet 3 – ✆ 0 61 46 10 05 – www.aubergedelaferme.com
Rest – Menu 30 €
◆ Cuisine régionale concoctée avec les produits de la ferme familiale (ouverte à la visite).
◆ Taverne-restaurant met een regionale keuken waarin producten van de te bezoeken boerderij gebruikt worden.

ROCOURT – **Liège** – **533** S18, **534** S18 **et** **716** J3 – **voir à Liège, périphérie**

ROESBRUGGE-HARINGE – **West-Vlaanderen** – **533** A17 **et** **716** A3 – **voir à Poperinge**

ROESELARE (ROULERS) – **West-Vlaanderen** – **533** D17 **et 716** C3 **19** C2 – **57 432 h.** – ✉ **8800**

▶ Bruxelles 111 – Brugge 34 – Kortrijk 20 – Lille 45

ℹ Ooststraat 35, ✆ 0 51 26 96 00, www.roeselare.be

XXX **Ma Passion**

Diksmuidsesteenweg 159 – ✆ 0 51 69 83 18
– www.ma-passion.be
– fermé première semaine vacances de Pâques, 2 semaines en août, dimanche soir, mardi et mercredi AZ**a**

Rest – Lunch 42 € bc – Menu 55 € bc/99 € bc – Carte 64/85 €

◆ Verzorgd eigentijds restaurant in een voormalige brouwerij (1937) met art-decogevel, torentje en koetspoort. Gemoderniseerd retro-interieur. Mooi terras op de binnenplaats.

◆ Table actuelle soignée aménagée dans une ancienne brasserie (1937) dont la façade Art nouveau arbore tourelle et porte cochère. Intérieur rétro modernisé. Jolie cour-terrasse.

XX ✿ **Boury** (Tim Boury)

Diksmuidsesteenweg 53 – ✆ 0 51 62 64 62
– www.restaurantboury.be
– fermé mardi et mercredi AZ**b**

Rest – *(réservation indispensable)* Lunch 30 € – Menu 52/74 € – Carte 67/87 €

Spéc. Toast brioché au pata negra, cèpes et artichaut. Pigeon d'Anjou aux asperges et morilles. Moelleux au chocolat aux fraises des bois et glace de crème catalane.

◆ "Le tout" West-Vlaanderen lijkt Tim en Inge in z'n hart gesloten te hebben. De prestatie die ze neerzetten, is dan ook even indrukwekkend als hun parcours, dat leest als een staalkaart van de Belgische topgastronomie. De smaak van het seizoensproduct staat centraal, nieuwe technieken zorgen voor een perfecte omlijsting.

◆ Tim et Inge jouissent d'une belle réputation en Flandre occidentale. Il faut dire que leurs prestations sont à la hauteur de leur parcours, brillant échantillon de la haute gastronomie belge. Toute leur attention va à la saveur des produits de saison, qu'ils subliment par de nouvelles influences et, bien sûr, un savoir-faire incomparable.

XX **Eethuis Pieter**

Delaerestraat 32 – ✆ 0 51 20 00 07 – www.eethuispieter.be
– fermé 20 juillet-6 août, samedi midi, dimanche soir, lundi soir, mardi et mercredi BZ**z**

Rest – Lunch 39 € – Menu 58 € bc – Carte 46/85 €

◆ Dit restaurant in hartje Roeselare bestaat uit een aantal oude huisjes met een warm en modern interieur. Actuele gerechten op schrijfbord aanbevolen. Serre en terras.

◆ Au cœur de Roulers, maisonnettes anciennes vous régalant dans trois petites salles cosy ou l'été sur la cour-terrasse. Cuisine du moment. Carte et menu notés à l'écriteau.

XX **Ruben's**

St-Hubrechtsstraat 51 – ✆ 0 479 81 65 55
– www.restaurantrubens.be
– fermé 2 dernières semaines de février, dernière semaine de juillet-première semaine d' août, lundi et mardi BZ**a**

Rest – Menu 29/42 € – Carte 43/55 €

◆ Monumentaal herenhuis (1897) met parket, schouw, lambrisering en glas-in-loodramen. Eenvoudig gedekte tafels, eigentijdse keuken en terras met mooie linde.

◆ Parquet, cheminée, lambris et vitraux d'époque dans cette maison de maître (1897) monumentale. Mise de table simple, cuisine bien de notre temps, superbe tilleul en terrasse.

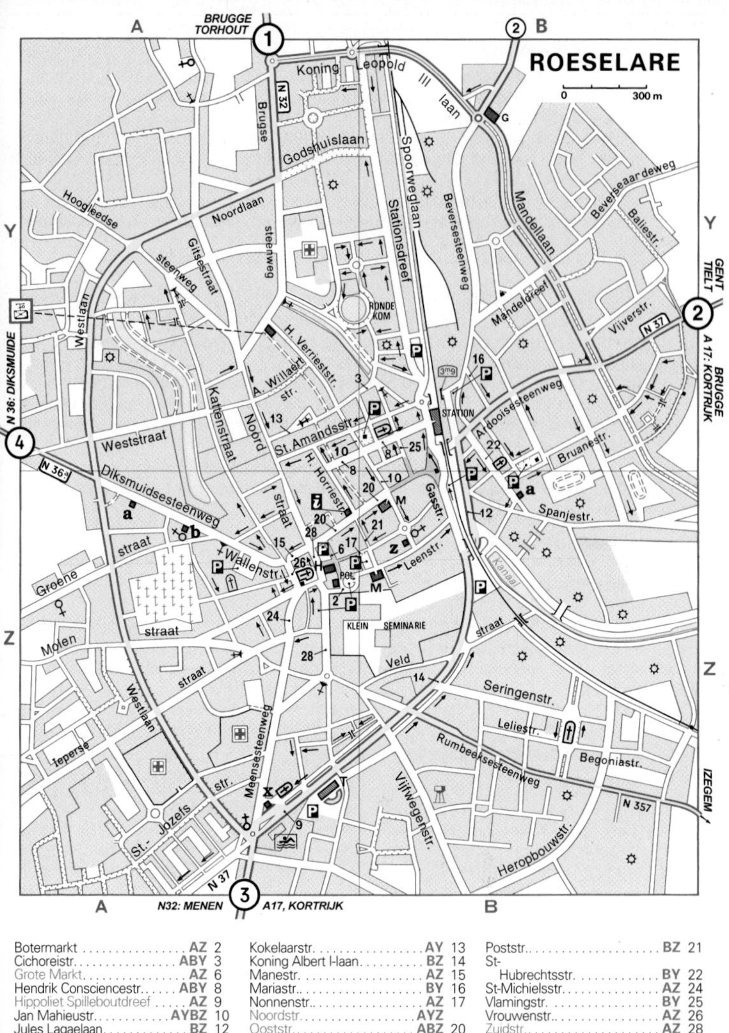

Botermarkt . . . . . AZ 2
Cichoreistr. . . . . . ABY 3
Grote Markt. . . . . AZ 6
Hendrik Consciencestr. . . . . ABY 8
Hippoliet Spilleboutdreef . . . . . AZ 9
Jan Mahieustr. . . . . AYBZ 10
Jules Lagaelaan. . . . . BZ 12
Kokelaarstr. . . . . AY 13
Koning Albert I-laan. . . . . BZ 14
Manestr. . . . . AZ 15
Mariastr. . . . . BY 16
Nonnenstr. . . . . AZ 17
Noordstr. . . . . AYZ
Ooststr. . . . . ABZ 20
Poststr. . . . . BZ 21
St-Hubrechtsstr. . . . . BY 22
St-Michielsstr. . . . . AZ 24
Vlamingstr. . . . . BY 25
Vrouwenstr. . . . . AZ 26
Zuidstr. . . . . AZ 28

XX **De Oude Notelaar**

Meensesteenweg 403 (par ③ : 3 km) – ✆ 0 51 24 54 93 – www.deoudenotelaar.be – fermé 2 dernières semaines d'août, lundi soir, mardi soir et mercredi

Rest – Lunch 21 € – Menu 36/59 € – Carte 32/61 €

◆ Karakteristiek huis met puntdak in het zuiden van de stad. Klassieke kaart, populair keuzemenu, tuintje met terras. De eigenaar kookt en zijn vrouw serveert.

◆ Maison de caractère à toit pointu, exploitée en couple (lui aux casseroles, elle en salle) au Sud de la ville. Carte classique, menu-choix courtisé, jardinet avec terrasse.

X **Bistro De Witte Merel**

Hippoliet Spilleboutdreef 50 – ✆ 0 51 69 49 20 – www.bistrodewittemerel.be – fermé 2 semaines début août, samedi, dimanche et jours fériés AZ**x**

Rest – Lunch 20 € – Menu 45 €

◆ Deze gezellige bistro bij de toren is in 2007 heropend door een chef die zijn sporen heeft verdiend. Eenvoudig en lekker traditioneel eten. Terrassen beneden en boven.

◆ Près du clocher, bistrot chaleureux réouvert en 2007 par un chef qui n'en est pas à son coup d'essai. Repas traditionnel simple et bon. Terrasses en bas et à l'étage.

à Gits par ① : 5 km sur N 32 – Ⓒ Hooglede 9 969 h. – ✉ 8830

X **Bistro 't Verschil**

Bruggesteenweg 42 – ✆ 0 51 43 67 20 – www.bistrotverschil.be – fermé 1 semaine en janvier, 1 semaine en avril, 2 semaines en septembre, samedi midi, mardi et mercredi

Rest – Lunch 23 € bc – Menu 55 € bc/130 € bc – Carte 39/81 €

◆ Een prettige sfeer heerst in deze zaak met een rustieke uitstraling, waar de gastvrouw met een brede glimlach haar gasten bedient. Gerechten met goede producten en eenvoudige presentatie.

◆ Une atmosphère très agréable règne dans cet établissement d'aspect rustique, où la patronne vous sert avec le sourire. Plats à base de bons produits et présentation simple.

BELGIQUE

à Rumbeke Sud-Est : 3 km – Ⓒ Roeselare – ✉ 8800

Hostellerie Vijfwegen

ch, rest,

Hoogstraat 166 – ✆ 0 51 24 34 72 – www.hotel-vijfwegen.be

30 ch – 69/89 € 94/115 € **Rest** – Lunch 17 € – Menu 29/45 €

◆ Dit hotel naast het Sterrebos bestaat uit drie aparte gebouwen in dezelfde straat. Verschillende typen kamers. Receptie op nr. 119. Eenvoudige kaart in het restaurant.

◆ À côté du Sterrebos (domaine provincial), hôtel formé de trois bâtiments séparés mais situés dans la même rue. Divers types de chambres. Accueil au numéro 119. Carte et cadre simples au restaurant.

Babillie sans rest

Babilliestraat 4 – ✆ 0 51 22 83 70 – www.gasthoevebabillie.com

8 ch – 85/125 € 110/125 €

◆ Oude afgelegen boerderij, gerenoveerd in moderne, cosy stijl met knus salon en mooi terras. Vriendelijk onthaal, kleurige kamers en landelijk uitzicht bij het ontbijt.

◆ Dans cette ancienne ferme à la décoration contemporaine, l'accueil est charmant et donne envie de babiller ! Chambres cosy et colorées, petit-déjeuner avec vue sur la campagne.

X **Cá d'Oro**

Hoogstraat 97 – ✆ 0 51 24 71 81 – fermé 28 février-23 mars, 21 août-21 septembre, mardi, mercredi, jeudi et vendredi

Rest – Lunch 28 € – Menu 35/55 € – Carte 46/79 €

◆ Hier wordt van de echte "cucina italiana" genoten in de aangename eetzaal of op het sfeervolle terras. De eigenaar, die ook kookt, komt uit Venetië. Huisgemaakte pasta!

◆ La vraie "cucina italiana" s'apprécie ici dans une salle plaisante et confortable ou sur la terrasse intime. Chef-patron d'origine vénitienne. Buona pasta fatta a casa !

ROMERSHOVEN – Limburg – 533 R17 – voir à Hoeselt

RONSE (RENAIX) – Oost-Vlaanderen – 533 G18 et 716 D3 – 25 146 h. 16 B3 – ✉ 9600

Bruxelles 57 – Gent 38 – Kortrijk 34 – Valenciennes 49

Hoge Mote De Biesestraat 2, ✆ 0 55 23 28 16, www.ronse.be

Collégiale St-Hermès : Crypte★

Remington

Joseph Ferrantstraat 10 – ✆ 0 55 20 61 55 – fermé 2 dernières semaines de juillet
6 ch – 90/120 € 130/160 € **Rest** – *(résidents seulement)*

◆ Klein hotel, niet ver van het station, om rustig te overnachten in ruime, moderne kamers met culinaire namen. Fietsen ter beschikking.

◆ Pas loin de la gare, petit établissement où vous vous endormirez sereinement, dans des chambres amples et actuelles, aux noms gourmands. Vélos à dispositions pour vos balades.

RONSELE – Oost-Vlaanderen – **533** G16 – voir à Zomergem

ROOSDAAL – Vlaams Brabant – **533** J18 et **716** F3 – 11 163 h. **3** A2
– ✉ 1760

Bruxelles 21 – Leuven 58 – Aalst 16 – Namur 100

Den Artiest

Koning Albertstraat 4a – ✆ 0 54 30 02 84 – www.restaurantdenartiest.be – fermé dernière semaine de septembre-2 premières semaines d'octobre, samedi midi, mardi, mercredi et jeudi
Rest – Lunch 15 € – Menu 35/65 € – Carte 37/68 €

◆ Eigentijds restaurant met vrijgevige porties op basis van mooie producten, met een voorliefde voor groenten. Dit alles, vooral in lunchformule, bovendien aan een zeer scherpe prijs.

◆ Dans ce restaurant d'esprit contemporain, le chef a une prédilection pour les légumes... mais aussi pour tous les produits de qualité. Les assiettes sont généreuses et les prix attrayants, spécialement au déjeuner (formule).

ROULERS – West-Vlaanderen – voir Roeselare

RUETTE – Luxembourg – **534** S25 et **716** J7 – voir à Virton

RUISELEDE – West-Vlaanderen – **533** F16 et **716** D2 – 5 177 h. **19** D2
– ✉ 8755

Bruxelles 79 – Brugge 31 – Gent 29

Droomkerke sans rest

Smisseweg 23, (Doomkerke) – ✆ 0 473 73 11 63 – www.droomkerke.be – fermé 7 au 14 janvier, 21 au 27 avril et 22 au 31 août
4 ch – 75/90 € 90/105 €

◆ Deze oude boerderij met bijgebouwen tussen het groen is verbouwd tot B&B. Eigentijdse kamers met retroaccent om heerlijk te dromen. Salon, open keuken en sauna.

◆ Au vert, ancienne ferme avec dépendances, modernisée et convertie en maison d'hôte. Beaux rêves dans des chambres actuelles aux accents rétro. Salon, cuisine ouverte et sauna.

RUMBEKE – West-Vlaanderen – **533** D17 et **716** C3 – voir à Roeselare

SAINTE-CÉCILE – Luxembourg – C Florenville 5 481 h. – **534** Q24 et **716** I6 – ✉ 6820 **12** B3

Bruxelles 171 – Arlon 46 – Bouillon 18 – Neufchâteau 30

Hostellerie Sainte-Cécile

r. Neuve 1 – ✆ 0 61 31 31 67 – www.hotel-ste-cecile.be
14 ch – 70 € 80/90 €, 11 € – ½ P 101 €
Rest – *(fermé lundis midis non fériés en juillet-août et dimanches soirs et lundis soirs non fériés sauf en juillet-août)* Menu 26/58 € – Carte 48/67 €

◆ Vieille maison en pierres du pays dissimulant un beau jardin où se glisse un ruisseau marquant la frontière entre Gaume et Ardennes. Chambres rajeunies par étapes. Repas au goût du jour dans une salle de style classique actualisé ou en plein air.

◆ Oud huis van steen uit de streek. Mooie tuin met een beekje dat de grens vormt tussen de Gaume en de Ardennen. De kamers worden geleidelijk opgeknapt. Eigentijdse maaltijd in een gemoderniseerde klassieke eetzaal of buiten.

BELGIQUE

SAINT-GEORGES-SUR-MEUSE – Liège – 533 R19, 534 R19 et 716 J4 – 6 558 h. – ✉ 4470 — 8 B2

Bruxelles 87 – Liège 20 – Marche-en-Famenne 60 – Namur 43

XX Philippe Fauchet

r. Warfée 62 – ✆ 0 4 259 59 39 – www.philippefauchet.be – fermé samedi midi, dimanche soir, lundi et mardi

Rest – Menu 30/70 € – Carte env. 65 €

◆ Ancienne ferme (18e s.) dans un site champêtre. Cadre moderne épuré, aux tons or et aux tables sur deux niveaux. Cuisine appliquée, de tendance évolutive. Terrasse au jardin.

◆ Restaurant met inventieve keuken in een landelijk gelegen 18de-eeuwse boerderij. Sobere moderne eetzaal met goudtinten en tafels op twee niveaus. Tuin met terras.

XX Delys

r. Neuve 4, (Stockay) – ✆ 0 4 275 64 10 – www.delys-restaurant.be – fermé 1er au 15 septembre, samedi midi, lundi et mardi

Rest – Lunch 19 € – Menu 29/42 €

◆ Le jeune chef du Delys fait le pari d'une cuisine de saveurs proposée à petit prix. Pari tenu, à travers des assiettes très futées concoctées avec des produits de qualité. Le décor moderne est bien à l'image de ses propriétaires.

◆ De jonge chef achter Delys gelooft in een keuken die veel smaak aanbiedt voor weinig geld. Hij doet dit met leuk bedachte gerechten op basis van mooie producten. Het moderne interieur weerspiegelt de jeugdigheid van de uitbaters.

SAINT-GILLES (SINT-GILLIS) – Bruxelles-Capitale – voir à Bruxelles

SAINT-HUBERT – Luxembourg – 534 R22 et 716 J5 – 5 769 h. – ✉ 6870 — 12 B2

Bruxelles 137 – Arlon 60 – Bouillon 44 – La Roche-en-Ardenne 25

r. St-Gilles 12, ✆ 0 61 61 30 10, www.saint-hubert-tourisme.be

Intérieur★★ de la basilique St-Hubert★

au Nord : 7 km à Fourneau-St-Michel★★ : Musée du Fer et de la Métallurgie ancienne★ – Musée de la Vie rurale en Wallonie★★

Ancien Hôpital

r. Fontaine 23 – ✆ 0 61 41 69 65 – www.ancienhopital.be – fermé 20 au 31 août et mardi et mercredi sauf vacances scolaires

6 ch – †80/125 € ††95/140 € **Rest** – Menu 25/45 € – Carte 31/58 €

◆ Cette bâtisse en pierre fut le point de chute de Léopold 1erlors de ses parties de chasse. Contraste de l'ancien et du moderne, chambres confortables. Breakfast en 3 services. Le restaurant propose des plats traditionnels et des fondues toute l'année.

◆ Dit natuurstenen gebouw met een mix van klassiek en modern was de uitvalsbasis van Leopold I tijdens zijn jachtpartijen. Comfortabele kamers met driegangenontbijt. Uitgebreide brasseriekaart met menu's en fondues het hele jaar door.

XX Le Cor de Chasse avec ch

av. Nestor Martin 3 – ✆ 0 61 61 16 44 – www.lecordechassesainthubert.be – fermé 2 premières semaines de mars, 2 dernières semaines de juin, 2 dernières semaines de septembre, lundi soir et mardi

10 ch – †60/64 € ††70/72 €

Rest – *(fermé après 20 h 30)* Lunch 14 € – Menu 28/45 € – Carte 31/48 €

◆ Enseigne de circonstance pour cette sympathique adresse au centre d'une bourgade ardennaise placée sous la bannière du patron des chasseurs. Carte classico-traditionnelle. Hébergement à bon prix dans des chambres parfois personnalisées par du mobilier ancien.

◆ Deze "jachthoorn" is een sympathiek adresje in het hart van het Ardenner dorp, genoemd naar de schutspatroon van de jagers. Traditioneel-klassieke kaart. Goedkoop logies in kamers met soms een persoonlijk accent door stijlmeubilair.

à Awenne **Nord-Ouest : 9 km – Ⓒ Saint-Hubert – ✉ 6870**

XX **L'Auberge du Sabotier et Les 7 Fontaines** avec ch

Grand'rue 21 – ✆ 0 84 36 65 23 – www.aubergedusabotier.be – fermé vacances de carnaval, première semaine vacances de Pâques, 3 au 13 juillet, lundi et mardi

20 ch – †80/88 € ††110/126 €

Rest – *(fermé après 20 h 30)* Menu 35/67 € – Carte 55/70 €

◆ Ancien relais de poste du 17ᵉs., aux murs couverts de lierre. Feu de cheminée et salons décorés de trophées de chasse. Gastronomie contemporaine aux accents méditerranéens. Chambres campagnardes parquetées et junior suites. Cadre rural propice au repos et aux balades sylvestres.

◆ Natuurstenen gebouw met klimop. Typische Ardense sfeer, eigentijdse keuken met een regionaal accent, open haard, jachttrofeeën in het salon en handtekeningen van celebrities aan de muur. Rustieke kamers met parket en junior suites. Landelijke omgeving voor rust en boswandelingen.

SAINT-JOSSE-TEN-NOODE (SINT-JOOST-TEN-NODE) – **Bruxelles-Capitale – voir à Bruxelles**

SAINT-MAUR – **Hainaut – 533** F19, **534** F19 **et 716** D4 – **voir à Tournai**

SAINT-NICOLAS – **Liège – 533** S19 **et 534** S19 – **voir à Liège, environs**

SAINT-NICOLAS – **Oost-Vlaanderen – voir Sint-Niklaas**

SAINT-SAUVEUR – **Hainaut – Ⓒ Frasnes-lez-Anvaing 11 343 h.** **6** B1
– **533** G18, **534** G18 **et 716** D3 – ✉ **7912**

Bruxelles 78 – Mons 55 – Gent 48 – Kortrijk 40

XX **Les Marronniers**

r. Vertes Feuilles 7 – ✆ 0 69 76 99 58 – www.restaurantlesmarronniers.be – fermé 1 semaine carnaval, fin-juillet-début août, lundi, mardi et mercredi

Rest – Menu 34/85 € bc – Carte 44/57 €

◆ Maison du mont St-Laurent dominant le pays des collines. Choix traditionnel actualisé, menu tentateur, salle moderne où l'on se sent bien, vue agreste et belle terrasse au vert.

◆ Restaurant op de Mont St-Laurent met uitzicht over het heuvellandschap. Traditionele keuken met een vleugje eigentijds en een aanlokkelijk menu. Modern, aangenaam interieur, mooi uitzicht en fraai gelegen terras.

SAINT-TROND – **Limburg – voir Sint-Truiden**

SAINT-VITH – **Liège – voir Sankt-Vith**

SANKT-VITH (ST-VITH) – **Liège – 533** V21, **534** V21 **et 716** L5 **9** D3
– **9 302 h.** – ✉ **4780**

Bruxelles 180 – Liège 78 – La Roche-en-Ardenne 51 – Clervaux 36

Hauptstr. 43, ✆ 0 80 28 01 30, www.st.vith.be

Prümerstr. 42a, ✆ 0 80 29 29 70

Pip-Margraff

Hauptstr. 7 – ✆ 0 80 22 86 63 – www.pip.be – fermé début avril et début juillet

25 ch – †70/90 € ††100/130 € – 3 suites – ½ P 105/125 €

Rest *Pip-Margraff* – voir la sélection des restaurants

◆ Dans la rue principale, hôtel d'aspect régional aux chambres meublées en bois clair. Piscine, whirlpool, sauna et salon-véranda.

◆ Hotel aan de hoofdstraat in de typische stijl van de regio. Kamers met lichte houten meubelen. Zwembad, whirlpool en sauna. Lounge in de serre.

BELGIQUE

Am Steineweiher

Rodter Str. 32 (en face du centre sportif) – 0 80 22 72 70 – www.steineweiher.be – fermé 10 au 24 janvier

14 ch – 62 € 90 € – ½ P 71 €

Rest – *(fermé jeudi soir en hiver, jeudi midi et après 20 h 30)* Menu 24/59 €

◆ Un chemin privé mène à cette villa paisible, posée dans un parc verdoyant baigné par un plan d'eau... Traditionnelle et classique, la cuisine a le charme d'antan, comme la terrasse au bord de l'eau. Une adresse tenue en famille... depuis 1974 !

◆ Een eigen oprijlaan leidt naar deze rustige villa met park en vijver omringd door sparren. Traditioneel-klassiek restaurant met de charme van vroeger en fijn terras aan het water. Goed familieonthaal sinds 1974!

Zur Post (Eric Pankert) avec ch

Hauptstr. 39 – 0 80 22 80 27 – www.hotelzurpost.be – fermé 3 semaines en janvier, 1 semaine en juin, 1 semaine en septembre, mardi midi, dimanche soir et lundi

8 ch – 85/149 € 105/169 € – ½ P 130 €

Rest – Lunch 45 € – Menu 65/99 € – Carte 84/105 €

Spéc. Ris de veau croustillant au coulis de figues. Filet de faon au vin d'Arbois et sureau. Moelleux au chocolat "Black and White".

◆ Depuis trois générations la famille Pankert régale les gourmets ! La carte reflète cette expérience digne de confiance : produits de qualité et préparations soignées, dans une veine classique revisitée avec invention. Et à l'heure de dormir, direction... le lit à baldaquin de votre chambre.

◆ Al drie generaties lang onthaalt familie Pankert gastronomen. De keuken reflecteert deze betrouwbaarheid, met mooie producten in verzorgde creaties, klassiek geïnspireerd maar origineel uitgevoerd. Op uw kamer kan u nagenieten in uw sfeervolle hemelbed.

BELGIQUE

Le Luxembourg

Hauptstr. 71, (arrière-salle) – 0 80 22 80 22 – www.luxembourg-restaurant.be – fermé 2 semaines après carnaval, 2 dernières semaines d'août, mardi soir, mercredi et jeudi

Rest – Menu 45/69 € – Carte 66/77 €

◆ Après être passée par de prestigieuses maisons, Ricarda Grommes, une jeune chef exigeante, s'est installée ici, sous les auspices de l'ancien propriétaire. Son credo ? Allier l'esprit de la cuisine française à la générosité de la cuisine néerlandaise. Pas de fioritures, mais un pur délice !

◆ Chef Ricarda Gommes zet hier nu, gesteund door de voormalige eigenaar, haar eigen culinaire koers uit. De ambitieuze jonge kokkin, met een knap parcours langs prestigieuze zaken, weet wat ze wil: de geest van de Franse keuken combineren met de generositeit van de Duitse; zonder franjes maar met pure, volle smaken!

Pip-Margraff – Hôtel Pip-Margraff

Hauptstr. 7 – 0 80 22 86 63 – www.pip.be – fermé début avril, début juillet, dimanche soir et lundi

Rest – Lunch 20 € – Menu 35/70 € – Carte 40/70 €

◆ Au restaurant, attrayant menu mensuel et carte mêlant tradition et modernité. Bar-brasserie fréquenté au lunch. Terrasse d'appoint.

◆ Restaurant met terras en een goede uitstraling. Lekker maandmenu en kaart die traditioneel en modern combineert. De bar-brasserie is favoriet voor de lunch.

SART – **Liège** – **533** U19, **534** U19 **et 716** K5 – **voir à Spa**

SAUTIN – **Hainaut** – **534** K22 **et 716** F5 – **voir à Rance**

SCHAERBEEK (SCHAARBEEK) – **Bruxelles-Capitale** – **533** L17 – **voir à Bruxelles**

SCHERPENHEUVEL (MONTAIGU) – **Vlaams Brabant** **4** D1

– **Scherpenheuvel-Zichem 22 607 h.** – **533** O17 **et 716** H3 – **3270**

Bruxelles 55 – Leuven 29 – Antwerpen 52 – Hasselt 31

De Zwaan avec ch
Albertusplein 12 – 0 13 77 13 69 – fermé vacances de carnaval
9 ch – 50/55 € 90/95 € **Rest** – *(fermé samedi de septembre à avril et après 20 h)* Menu 26/52 € – Carte 28/64 €

◆ Een plaatselijk begrip tegenover de basiliek, al meer dan 400 jaar in handen van dezelfde familie! Traditionele gerechten bereid op een oud kolenfornuis. Praktische kamers, vrij eenvoudig, maar voorzien van ruime badkamers.

◆ Face à la basilique, institution locale tenue en famille depuis plus de 400 ans ! Mets traditionnels concoctés sur un vieux fourneau au charbon. Chambres commodes pour l'étape, assez simples mais pourvues de salles d'eau spacieuses.

SCHILDE – **Antwerpen** – **533** M15 **et 716** G2 – **voir à Antwerpen, environs**

SCHORE – **West-Vlaanderen** – C **Middelkerke 18 893 h.** – **533** C16 **18** B2
– ✉ **8433**

Bruxelles 126 – Brugge 40 – Ieper 34 – Kortrijk 67

Landgoed de Kastanjeboom
Lekestraat 10 – 0 51 55 59 17 – www.landgoeddekastanjeboom.be – fermé dimanche
5 ch – 70 € 86 € – ½ P 110 € **Rest** – *(dîner pour résidents seulement)*

◆ Rust en gemoedelijkheid zijn de trefwoorden van deze polderboerderij met kruidentuin. (Thema)kamers met ruimte, sfeer en comfort. Lekker ontbijt. Stevig en smakelijk diner, dat de gasten samen met de eigenaren nuttigen.

◆ Quiétude et cordialité garanties en cette ancienne ferme des polders. Les chambres (à thème) allient espace, charme et confort. Bon breakfast. Jardin d'aromates. Au dîner, cuisine ménagère robuste et goûteuse, que les logeurs partagent avec les propriétaires.

BELGIQUE

SCHOTEN – **Antwerpen** – **533** L15 **et 716** G2 – **voir à Antwerpen, environs**

SENEFFE – **Hainaut** – **533** K19, **534** K19 **et 716** F4 – **10 716 h.** – ✉ **7180** **7** D2

Bruxelles 43 – Mons 27 – Charleroi 28 – Maubeuge 54

L'Aquarelle sans rest
r. Scrawelle 64 – 0 64 23 96 23 – www.hotelaquarelle.be
27 ch – 85/109 € 85/119 €, 11 €

◆ En voyage d'affaires avec un planning chargé ? Cet établissement moderne se prête à la détente, avec ses chambres confortables et sa piscine chauffée. N'oubliez pas votre maillot de bain !

◆ In dit moderne hotel kunnen zakenreizigers zich na een drukke dag ontspannen op hun verzorgde kamer of in het aangename verwarmde zwembad. Vergeet dus uw zwemkleding niet!

SERAING – **Liège** – **533** S19, **534** S19 **et 716** J4 – **voir à Liège, environs**

SIJSELE – **West-Vlaanderen** – **533** E15 **et 716** C2 – **voir à Damme**

SINT-AGATHA-BERCHEM – **Bruxelles-Capitale** – **voir Berchem-Sainte-Agathe à Bruxelles**

SINT-AMANDSBERG – **Oost-Vlaanderen** – **533** H16 – **voir à Gent, périphérie**

SINT-ANDRIES – **West-Vlaanderen** – **533** E14 **et 716** C2 – **voir à Brugge, périphérie**

SINT-DENIJS – **West-Vlaanderen** – **533** F18 **et 716** D3 – **voir à Zwevegem**

SINT-DENIJS-WESTREM – **Oost-Vlaanderen** – **533** H16 **et 716** D2 – **voir à Gent, périphérie**

SINT-ELOOIS-VIJVE – **West-Vlaanderen** – **533** F17 **et 716** D3 – **voir à Waregem**

SINT-GENESIUS-RODE (RHODE-SAINT-GENÈSE) – **Vlaams Brabant – 533** L18 **et 716** G3 – **voir à Bruxelles, environs**

SINT-GILLIS – **Bruxelles-Capitale – voir Saint-Gilles à Bruxelles**

SINT-HUIBRECHTS-HERN – **Limburg – 533** R18 – **voir à Hoeselt**

SINT-HUIBRECHTS-LILLE – **Limburg – C Neerpelt 16 587 h.** **11** C1
– **533** R15 **et 716** J2 – ✉ **3910**

Bruxelles 111 – Hasselt 40 – Antwerpen 84 – Eindhoven 23

XXX **Sint-Hubertushof**

Broekkant 23 – ✆ 0 11 66 27 71 – www.sinthubertushof.be – fermé 2 dernières semaines de février-première semaine de mars, 3 premières semaines de septembre, samedi midi, lundi et mardi

Rest – Lunch 40 € – Menu 55 € bc/95 € bc – Carte 59/90 €

◆ Voormalig relais voor de binnenvaart (1907) in een rustige woonwijk bij het kanaal. Klassieke kaart met wild in het seizoen, goede wijnen, salon met schouw en mooi terras.

◆ Ex-relais de batellerie (1907) en secteur résidentiel, près du canal de Campine. Mets classiques, spécialités de gibier en saison, bonne cave, salon-cheminée et belle terrasse.

BELGIQUE

SINT-IDESBALD – **West-Vlaanderen – 533** A16 **et 716** A2 – **voir à Koksijde-Bad**

SINT-JAN-IN-EREMO – **Oost-Vlaanderen – 533** G15 **et 716** D2 – **voir à Sint-Laureins**

SINT-JANS-MOLENBEEK – **Bruxelles-Capitale – voir Molenbeek-Saint-Jean à Bruxelles**

SINT-JOOST-TEN-NODE – **Bruxelles-Capitale – voir Saint-Josse-Ten-Noode à Bruxelles**

SINT-KATELIJNE-WAVER – **Antwerpen – 533** M16 **et 716** G2 – **voir à Mechelen**

SINT-KRUIS – **West-Vlaanderen – 533** E15 **et 716** C2 – **voir à Brugge, périphérie**

SINT-KWINTENS-LENNIK – **Vlaams Brabant – C Lennik 8 878 h.** **3** A2
– **533** J18 **et 716** F3 – ✉ **1750**

Bruxelles 18 – Halle 13 – Leuven 55 – Namur 97

X **Sir Kwinten**

Markt 9a – ✆ 0 2 582 89 92 – www.sirkwinten.be – fermé dernière semaine de décembre, 13 au 19 août, samedi midi, lundi et mardi

Rest – Lunch 20 € – Menu 35/48 € – Carte 38/56 €

◆ Vlotte brasserie waar klassiekers en gerechten met een moderne toets geserveerd worden. De zoon des huizes staat in de zaal en staat u bij met deskundig wijnadvies.

◆ Une brasserie branchée qui propose toutes les spécialités de ce type d'établissements, mais aussi des plats plus originaux. Le fils de la maison assure le service, tout en apportant de judicieux conseils en matière de vins.

SINT-LAMBRECHTS-WOLUWE – **Bruxelles-Capitale – voir Woluwe-Saint-Lambert à Bruxelles**

SINT-LAUREINS – **Oost-Vlaanderen – 533** G15 **et 716** D2 – **6 604 h.** **16** A1
– ✉ **9980**

Bruxelles 98 – Gent 30 – Antwerpen 70 – Brugge 31

Het Godshuis ch,

Leemweg 11 – 09 223 15 10 – www.godshuis.be
62 ch – 79/125 € 89/140 € – 2 suites – ½ P 159 €
Rest – *(fermé samedi midi et dimanche midi)* Lunch 15 € – Menu 35/50 € – Carte 37/65 €

◆ Voormalig klooster dat is verbouwd tot hotel. Zeer geschikt voor seminars en evenementen (capaciteit 2000 personen). Mooie wellness. Klassieke kaart met hedendaagse inspiratie.

◆ Un ancien couvent transformé en hôtel. Idéal pour l'organisation de séminaires et d'événements (capacité de 2000 personnes). Bel espace bien-être. Carte classique s'inspirant des nouvelles tendances culinaires.

à Sint-Jan-in-Eremo Nord-Est : 5,5 km – C Sint-Laureins – ✉ 9982

De Warande

Warande 10, (Bentille) – 09 379 00 51 – www.dewaranderestaurant.be – fermé 2 semaines carnaval, fin août-début septembre, mardi et mercredi
Rest – Lunch 30 € – Menu 35/55 € – Carte 56/74 €

◆ Achter de deur van De Warande in dit landelijke dorpje schuilt een eetzaal die warmte uitstraalt. De veranda komt uit op een terras en mooie tuin met vijver en fontein. Klassieke keuken op hedendaagse leest, lekker streekmenu door de week.

◆ Au cœur d'un petit hameau, un restaurant chaleureux dont la véranda et la terrasse ouvrent sur un beau jardin (fontaine, étang). À la carte, des saveurs classiques ou plus originales, et en semaine, un délicieux menu régional.

SINT-MARTENS-BODEGEM – Vlaams Brabant – C Dilbeek 40 255 h. 3 B2 – 533 K17 – ✉ 1700

Bruxelles 12 – Leuven 50 – Gent 47 – Namur 91

Onsemhoeve sans rest

Honsemstraat 2 – 02 582 91 82 – www.onsemhoeve.be
5 ch – 70 € 90 €

◆ Landelijk gelegen oude boerderij aan de rand van het Pajottenland, vlakbij Brussel. Mooie kamers en heerlijk zelfgemaakt ontbijt. De eigenaar is dan ook een beroemde chef-kok!

◆ Aux portes du Pajottenland, dans un site rural proche de la capitale, ancienne ferme tenue par un grand chef au passé étoilé. Jolies chambres et excellent breakfast artisanal.

Bistro Margaux (Thomas Locus)

Dorpsplein 3 – 02 460 05 45 – www.bistromargaux.be – fermé lundi et mardi
Rest – Carte 48/56 €
Spéc. Jets de houblon aux crevettes grises, œuf poché et sabayon au cresson. Ris de veau et rigatoni à la ricotta, épinards et shimeji. Riz au lait.

◆ Eigentijdse bistro, geopend door een jonge chef die tegelijk ambitieus en idealistisch is. Mooie, eerlijke keuken zonder franje op basis van kwaliteitsproducten. Prettig terras en dito rekening!

◆ Bistro contemporain ouvert par un jeune chef ambitieux et idéaliste proposant une belle cuisine pure et sans fioritures à partir de produits de qualité ; agréable terrasse. Addition très sage !

SINT-MARTENS-LATEM (LAETHEM-SAINT-MARTIN) 16 B2 – Oost-Vlaanderen – 533 G16 et 716 D2 – 8 326 h. – ✉ 9830

Bruxelles 65 – Gent 13 – Antwerpen 70

 Latemstraat 120, 09 282 54 11

't Eiernest sans rest

Latemstraat 82 – 09 282 62 31 – www.eiernest.be
3 ch – 90/105 € 95/110 €

◆ B&B naast de dorpsschool. Kamer en duplex met doeken van lokale kunstenaars. Terras voor een zomers ontbijt en tuin met prieeltje. Fietsen te huur.

◆ Maison d'hôtes avoisinant l'école du village. Duplex et chambre ornés de toiles d'artistes locaux, terrasse pour les petits-déjeuners d'été, tonnelle au jardin, vélos à louer.

XX **Hof ter Leie** avec ch

Baarle Franrijkstraat 90 – 0 9 281 05 20 – www.hofterleie.be – fermé carnaval, 2 premières semaines d'octobre, lundi et mardi

3 ch – 120 € 120 € **Rest** – Menu 35/110 € bc – Carte 61/109 €

◆ Licht, modern interieur met rustieke schouw en grote ramen om de Leie te bewonderen, die om de tuin met terras slingert. Verfijnde kaart. Kamers voor een gastronomisch verblijf.

◆ Beau cadre clair et moderne avec cheminée rustique et grandes fenêtres donnant à admirer la Lys qui enlace la terrasse-jardin. Carte élaborée. Chambres pour séjours gourmands.

XX **Sabatini**

Kortrijksesteenweg 114 – 0 9 282 80 35 – www.restosabatini.be – fermé 24 décembre-1er janvier, 15 juillet-15 août, samedi midi et mercredi

Rest – Lunch 20 € – Menu 34/51 € – Carte env. 80 €

◆ Dit Frans-Italiaanse restaurant is in trek bij de Vlaamse high society, onder wie managers, politici en andere bekende figuren. Moderne eetzaal met veranda.

◆ Table franco-italienne où défile la haute société flamande : managers, caciques du monde politique et personnalités de tout poil. Salle à manger-véranda au cadre actuel.

XX **d'Oude Schuur**

Baarle Frankrijkstraat 1 – 0 9 282 33 65 – www.oudeschuur.be – fermé 30 mars-13 avril, 19 octobre-4 novembre, mercredi et jeudi

Rest – Lunch 33 € bc – Menu 40/60 € – Carte 42/80 €

◆ Een karakteristiek boerderijtje dat goed in de smaak valt... Een klassieke kaart of meer creatieve menu's, vergezeld van goede bourgognes en bordeauxs. 's Zomers kan u plaatsnemen onder de bomen.

◆ Une fermette typée qui a de quoi plaire... Une carte classique ou des menus plus créatifs accompagnés d'une fameuse sélection de bourgognes et bordeaux. En été, on s'attable sous les arbres.

XX **L'homard Bizarre**

Dorp 12 – 0 9 281 29 22 – www.homard-bizarre.be – fermé 2 semaines en mars, 2 semaines en septembre, lundi soir, mardi et mercredi

Rest – Menu 47/57 € bc – Carte 40/63 €

◆ In dit pand aan het dorpsplein kunt u goed eten in een warm, modern interieur. Het menu van het seizoen (incl. drank) is een aanrader. Sfeervol terras achter.

◆ Sur la place du village, maison où l'on mange savoureusement dans un cadre moderne chaleureux. Le menu saisonnier boissons incluses est à conseiller. Terrasse arrière intime.

X **A Table**

Buizenbergstraat 27 – 0 9 282 70 68 – fermé dernière semaine de juillet, Noël-nouvel an, samedi midi, mercredi et jeudi

Rest – Carte 37/62 €

◆ Verstopt in een poppenhuisje in de rijkste gemeente van België wacht u de buitengewoon hartelijke ontvangst van patron Bob. Hier bent u aan het goede adres voor een genereuze keuken zonder frivoliteiten, goed bereid en van topkwaliteit.

◆ Dans cette commune connue comme la plus riche de Belgique, Bob, le patron, vous réservera un accueil des plus chaleureux. À la carte : une cuisine très généreuse, pleine d'authenticité, concoctée avec un grand savoir-faire et... de bien beaux produits.

X **De Klokkeput**

Dorp 8 – 0 9 282 47 75 – www.deklokkeput.be – fermé 2 premières semaines d'octobre

Rest – Lunch 16 € – Menu 40/57 € bc – Carte 45/110 €

◆ In 1914-1918 werden de kerkklokken verstopt in een put op de plek van deze herberg, vandaar de naam. Volledig wit interieur met rustieke elementen en beschut terras aan het plein.

◆ En 14-18, on cacha les cloches de l'église dans un puits, à l'emplacement de cette auberge. Cuisine bistrot (tartare, salades, wok) dans un cadre rustique avec mobilier contemporain ; terrasse abritée.

à Deurle Est : 2 km – Sint-Martens-Latem – ✉ 9831

Auberge du Pêcheur

Pontstraat 41 – ☎ 0 9 282 31 44 – www.auberge-du-pecheur.be

31 ch – †95/155 € ††95/185 € – 1 suite

Rest *Orangerie* Rest *The Green* – voir la sélection des restaurants

◆ Weelderige neoklassieke villa aan de Leie. Vrij kleine, maar comfortabele kamers. Vergaderzalen, prachtig terras en schitterende tuin.

◆ Ensemble cossu au passé de guinguette de pêcheurs. Chambres douillettes, salles de réunions et jardin face à la Lys, qui a inspiré bien des peintres. Ponton d'amarrage privé.

Orangerie – Hôtel Auberge du Pêcheur

Pontstraat 41 – ☎ 0 9 282 31 44 – www.auberge-du-pecheur.be – fermé 25 décembre-première semaine de janvier, vacances de carnaval, vacances de la Toussaint, samedi midi, dimanche soir et lundi

Rest – Lunch 42 € – Menu 75/135 € bc – Carte 68/113 €

Spéc. Turbot grillé à l'arête, sauce dijonnaise et pommes nature. Croustillants ris de veau aux haricots verts, pommes confites et jus au vieux balsamique. Crème et glace catalane, chocolat blanc.

◆ Afhankelijk van het weer kunt u buiten genieten of binnen in de fraaie modern-klassieke oranjerie met zicht op de Leie. Dit uitzicht moet trouwens scherp concurreren met de kunstwerken op de borden!

◆ Selon la saison et la météo, festoyez dehors ou sous la belle charpente de cette orangerie classico-moderne tournée vers la Lys, dont la vue rivalise inlassablement avec l'assiette.

The Green – Hôtel Auberge du Pêcheur

Pontstraat 41 – ☎ 0 9 282 31 44 – www.auberge-du-pecheur.be – fermé 24 décembre

Rest – Lunch 15 € – Menu 35 € – Carte 41/66 €

◆ Moderne brasserie met een vaste clientèle en chique ambiance. Lekker "relax-menu" met keuze, voordelige lunch, wijn per glas, goede service en patio.

◆ La belle clientèle locale a fait de cette brasserie moderne sa cantine de luxe. Bon menu "relax" avec choix, lunch à prix sympa, sélection de vins au verre, service soigné, cour-terrasse et atmosphère BCBG.

Deboeveries

Lijnstraat 2 (par N 43) – ☎ 0 9 282 33 91 – www.deboeveries.be – fermé samedis midis, mardis soirs, mercredis et jeudis non fériés

Rest – Lunch 27 € – Menu 39/75 € bc – Carte 36/65 €

◆ Klassieke kaart met gebakken tong als specialiteit en populaire menu's, eventueel met wijnarrangement. Neorustiek bistro-interieur en tuinterras.

◆ Carte classique (la sole meunière est la spécialité de la maison) dans une atmosphère néobistrot. Agréable jardin où s'attabler aux beaux jours.

Brasserie Vinois

Ph. de Denterghemlaan 31 – ☎ 0 9 282 70 18 – www.brasserie-vinois.com – fermé 2 dernières semaines de juillet, samedi midi, lundi et mardi

Rest – Lunch 20 € – Menu 37/75 € bc – Carte 40/60 €

◆ Retrovilla met pergola, die het een koloniaal aspect geeft. Brasserieschotels en actuele suggesties geserveerd in een prettige eetzaal of op het groene terras.

◆ Villa rétro affichant un petit air colonial avec sa pergola. Cuisine de brasserie française (andouillette, confit de canard), cadre sympathique et terrasse verdoyante.

BELGIQUE

SINT-MARTENS-LEERNE – Oost-Vlaanderen – 533 G16 – voir à Deinze

---

SINT-MICHIELS – West-Vlaanderen – 533 E14 et 716 C2 – voir à Brugge, périphérie

---

SINT-NIKLAAS (SAINT-NICOLAS) – Oost-Vlaanderen – 533 J15 et 716 F2 – 71 806 h. – ✉ 9100 17 C1

Bruxelles 47 – Gent 39 – Antwerpen 25 – Mechelen 32

Grote Markt 45, ☎ 0 3 760 92 60, www.sint-niklaas.be

Stadsplattegrond op volgende bladzijde

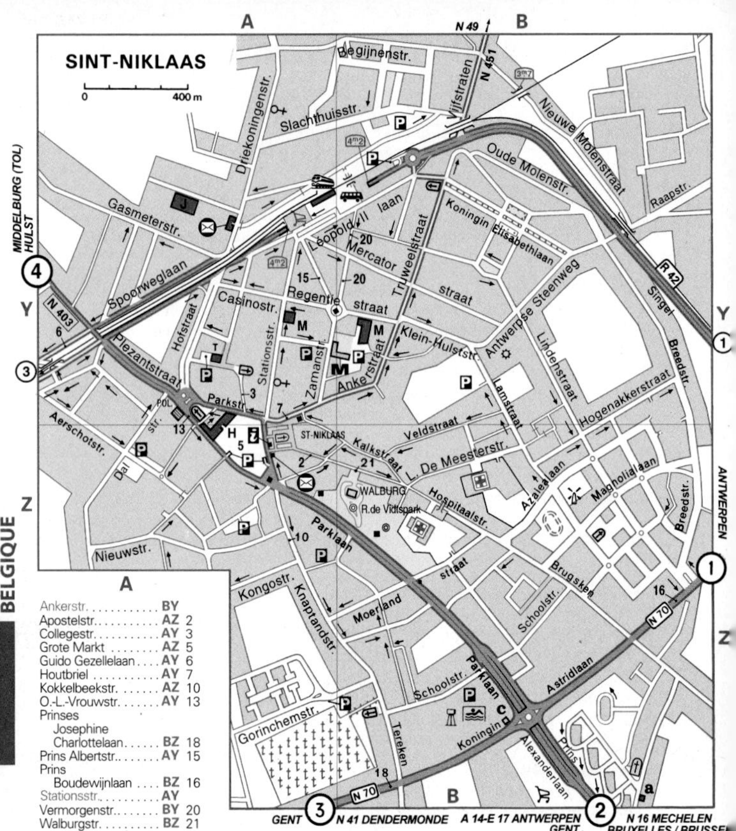

Serwir

Koningin Astridlaan 57 – ✆ 0 3 778 05 11 – www.serwir.be – fermé 24 et 25 décembre BZ**c**

55 ch – 88/138 € 98/143 €

Rest *Brasserie Renardeau* – voir la sélection des restaurants

◆ Dit hotel buiten het centrum biedt goed geëquipeerde kamers in eigentijdse stijl en uitstekende voorzieningen voor vergaderingen en congressen.

◆ Cet immeuble excentré où vous logerez dans des chambres actuelles bien équipées dispose aussi d'une infrastructure importante pour la tenue de réunions et séminaires. Brasserie moderne avec terrasse et pianiste les vendredi et samedi soirs et dimanche midi.

Den Silveren Harynck

Grote Baan 51 (par ① : 5 km sur N 70) – ✆ 0 3 777 50 62 – www.densilverenharynck.be – fermé 27 december-4 janvier, 11 juillet-11 août, jeudi soir, samedi midi, dimanche soir et lundi

Rest – Lunch 33 € – Menu 57/70 € – Carte 59/102 €

◆ De naam is misleidend, want de eigenaar bereidt niet alleen vis, maar ook vleesgerechten. Comfortabele eetzaal, moderne veranda en terras met fontein.

◆ Enseigne trompeuse : le chef-patron donne autant la parole aux produits de la terre qu'à ceux de la mer ! Salle confortable, véranda moderne, bassin avec fontaine en terrasse.

XX **Bistro De Eetkamer**

De Meulenaerstraat 2 – ✆ 0 3 776 28 73 – www.eetkamer.be – fermé lundi et mardi BZ**a**

Rest – Lunch 22 € – Menu 33/60 € – Carte 44/73 €

◆ Villa met tuin in een rustige woonwijk. Lekkere traditionele menu's, geserveerd in een grote eetzaal met houtwerk, in de stijl van een wat chiquere bistro, of buiten.

◆ Villa sur jardin située à l'entrée d'un quartier résidentiel. Bons menus traditionnels actualisés servis dans une grande salle boisée, de type bistrot amélioré, ou dehors.

XX **Kokovin**

Heidebaan 46 (par ① : 3 km sur N 70) – ✆ 0 3 766 86 61 – www.kokovin.be – fermé vacances de carnaval, 2 semaines en juillet, samedi midi, mardi et mercredi

Rest – Lunch 30 € – Menu 55/75 € bc – Carte 46/73 €

◆ Eigentijdse seizoensgebonden keuken op basis van klassieke recepten in een warm interieur met bruine en turquoise tinten of op het mooie tuinterras. Lunch en maandelijks menu.

◆ Cuisine actuelle de saison sur des bases classiques, servie dans un décor chaleureux combinant les tons marrons et turquoises ou sur la belle terrasse-jardin. Lunch et menu mensuel.

XX **Brasserie Renardeau** – Hôtel Serwir

Koningin Astridlaan 57 – ✆ 0 3 778 05 11 – www.serwir.be – fermé 24 et 25 décembre BZ**c**

Rest – Carte 37/56 €

◆ Op het suggestiemenu van deze brasserie staan voornamelijk klassieke gerechten met hier en daar een originele toets. Pianist op zaterdagavond en zondagmiddag.

◆ Toutes les spécialités d'une bonne brasserie, mais aussi quelques mets moins habituels dans ce type d'établissement... À noter, la présence d'un pianiste les samedi soir et dimanche midi !

à Nieuwkerken-Waas Nord-Est : 4,5 km par N 451 – Ⓒ Sint-Niklaas – ✉ 9100

XXX **'t Korennaer**

Nieuwkerkenstraat 4 – ✆ 0 3 778 08 45 – www.korennaer.be – fermé première semaine de janvier, 1 semaine vacances de Pâques, 2 semaines en juillet, 1 semaine à la Toussaint, lundi soir, mardi et mercredi

Rest – Lunch 70 € bc – Menu 80 € bc/105 € bc – Carte 61/100 €

◆ Nieuw modern interieur in lichte grijstonen, met de keuken achter glas goed in het zicht. Eigentijdse of vernieuwende gerechten. Beschut terras op de binnenplaats.

◆ Nouvelle déco moderne en teintes gris clair, avec les cuisines pour point de mire, derrière une vitre, d'où sortent des mets actuels ou plus innovants. Patio-terrasse abrité.

SINT-PIETERS-LEEUW – Vlaams Brabant – 533 K18 et 716 F3 – voir à Bruxelles, environs

---

SINT-PIETERS-WOLUWE – Bruxelles-Capitale – voir Woluwe-Saint-Pierre à Bruxelles

---

SINT-TRUIDEN (SAINT-TROND) – Limburg – 533 Q17 et 716 I3 — 10 B3

– 39 309 h. – ✉ 3800

▶ Bruxelles 63 – Hasselt 17 – Liège 35 – Namur 50

ℹ Stadhuis Grote Markt, ✆ 0 11 70 18 18, www.toerisme-sint-truiden.be

Stadsplattegrond op volgende bladzijde

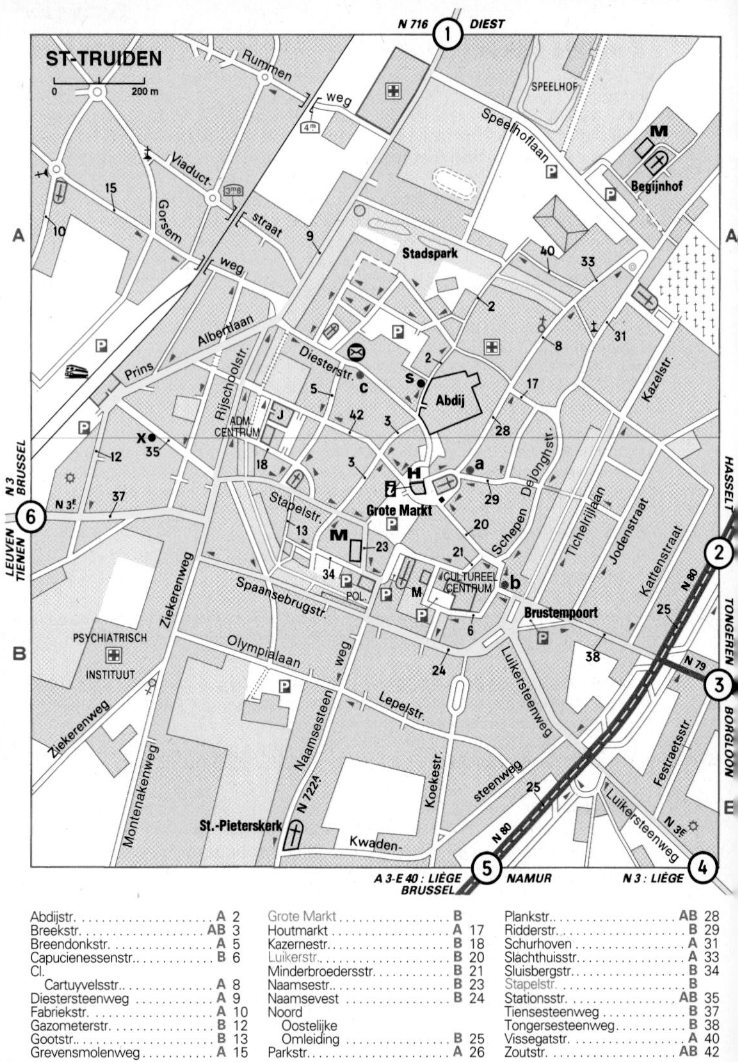

Abdijstr. . . . . A 2
Breekstr. . . . . AB 3
Breendonkstr. . . . . A 5
Capucienessenstr. . . . . B 6
Cl. Cartuyvelsstr. . . . . A 8
Diestersteenweg . . . . A 9
Fabriekstr. . . . . A 10
Gazometerstr. . . . . B 12
Gootstr. . . . . B 13
Grevensmolenweg . . . . A 15
Grote Markt . . . . B
Houtmarkt . . . . A 17
Kazernestr. . . . . B 18
Luikerstr. . . . . B 20
Minderbroedersstr. . . . . B 21
Naamsestr. . . . . B 23
Naamsevest . . . . B 24
Noord Oostelijke Omleiding . . . . . . B 25
Parkstr. . . . . A 26
Plankstr. . . . . AB 28
Ridderstr. . . . . B 29
Schurhoven . . . . A 31
Slachthuisstr. . . . . A 33
Sluisbergstr. . . . . B 34
Stapelstr. . . . . B
Stationsstr. . . . . AB 35
Tiensesteenweg . . . . B 37
Tongersesteenweg . . . . B 38
Vissegatstr. . . . . A 40
Zoutstr. . . . . AB 42

Cicindria sans rest

Abdijstraat 6 – ✆ 0 11 68 13 44
– www.cicindria-hotel.be
– fermé 23 décembre-9 janvier — As

26 ch ☕ – 🚹75/90 € 🚹🚹85/90 € – 1 suite

◆ Hotel in een nieuw gebouw bij een winkelcentrum en de voormalige abdij van de H. Trudo. Keurige functionele kamers en goed ontbijtbuffet.

◆ Bâtisse de conception récente jouxtant un centre commercial et l'ancienne abbaye fondée par saint Trond. Chambres fonctionnelles fraîches et nettes. Beau buffet au petit-déj'.

Hoeve Roosbeek

Roosbeekstraat 76, (Zepperen) (Est : 3 km) – 0 11 78 36 10 – www.hoeveroosbeek.be – fermé 1 semaine en février et fin octobre-début novembre

6 ch – 80/115 € 100/135 €

Rest – Lunch 19 € – Menu 28/48 €

◆ Van het platteland genieten wordt nog zo prettig als het met een vleugje luxe wordt geserveerd. De weldadige privéwellness en de verkwikkende rust van de boomgaarden brengen lichaam en geest helemaal in harmonie.

◆ Une certaine idée du luxe champêtre. Cette ancienne ferme s'est muée en hôtel épuré et contemporain, dans le calme vivifiant des vergers alentour. Espace bien-être avec piscine, sauna, hammam ; restaurant gastronomique… douceur de vivre et harmonie !

Stayen

Tiensesteenweg 168/C (par ⑥ : 1 km) – 0 11 68 12 34 – www.stayen.com

55 ch – 84/154 € 84/154 €, 17 €

Rest *Grand Café Stayen* – voir la sélection des restaurants

◆ Bent u gebeten door het voetbal? Dan moet een verblijf in dit unieke hotel tegenover het STVV-stadion zeker op uw "to do-lijstje" staan: u kunt vanuit uw kamer bijna de grasmat ruiken en in de helft van de kamers kunt u het speelveld ook zien. Strakke designkamers.

◆ Les mordus de foot seront aux anges dans cet hôtel unique, situé face au stade de la fameuse équipe de Sint-Truiden. De votre chambre, vous pourrez presque sentir l'odeur du gazon, et même voir le terrain dans la moitié d'entre elles. Ambiance feutrée, très design.

BELGIQUE

Belle-Vie sans rest

Stationsstraat 12 – 0 11 68 70 38 – www.belle-vie.be AB**x**

4 ch – 60 € 70/90 €, 10 €

◆ Dat de uitbater hier vroeger een decoratiezaak runde, ziet u aan de stijlvolle inrichting van de kamers. Doe hierbij een centrale ligging -tussen station en Grote Markt- en gastvrije ontvangst en u krijgt Belle-Vie, een fijn hotelletje.

◆ Le propriétaire a travaillé dans la décoration, et cela se voit. Les chambres sont particulièrement élégantes. Ajoutez à cela une situation centrale, entre la gare et la Grand-Place, et un accueil chaleureux : l'hôtel Belle-Vie porte bien son nom !

Rikkeshoeve

Erberstraat 56, (Aalst) (par Luikersteenweg : 6,5 km) – 0 474 31 29 29 – www.rikkeshoeve.be

5 ch – 70/75 € 84/89 € – ½ P 105/110 €

Rest – *(résidents seulement)*

◆ De Rikkeshoeve is het laatste huis van het dorpje Aalst, erna vindt u niets anders dan weilanden, kilometers lang. Een uitgelezen plek dus om te genieten van de charme van een B&B met historisch cachet. De uitbater is een gepassioneerde hobbykok, en schotelt u graag een marktmenu voor tegen een goede prijs.

◆ Rikkeshoeve est la dernière maison du hameau d'Aalst, puis ce ne sont que prairies à perte de vue. Idéal pour profiter de cette ancienne ferme, devenue une charmante maison d'hôtes. Le propriétaire, passionné de cuisine, se fera un plaisir de vous concocter un menu du marché à prix doux. Piscine chauffée.

De Fakkels

Hasseltsesteenweg 61, (Melveren) (Nord-Est : 2 km sur N 722) – 0 11 68 76 34 – www.defakkels.be – fermé 1 semaine vacances de Pâques, 3 dernières semaines d'août, samedi midi, dimanche soir, lundi et mardi

Rest – Lunch 38 € – Menu 38/65 € – Carte 51/90 €

◆ Een herenhuis uit 1938, dat bij een aperitiefje in het classicistisch salon helemaal tot zijn recht komt. Eigentijdse keuken, met menu's die graag de lekkernijen van het seizoen centraal plaatsen. Goede wijnkelder. Tuin met chic terras.

◆ Une maison de maître (1938) élégante et classique. Après avoir pris l'apéritif au salon, on savoure une cuisine dans l'air du temps, qui varie avec les saisons et s'accompagne de vins bien choisis. Aux beaux jours, on file au jardin !

XXX **Aen de Kerck van Melveren**

St-Godfriedstraat 15, (Melveren) (Nord-Est : 3 km par N 722) – ✆ 0 11 68 39 65 – www.aendekerck.be – fermé semaine de carnaval, première semaine vacances de Pâques, dernière semaine de juillet-première semaine d'août, Toussaint, samedi midi, dimanche soir, lundi et mardi

Rest – Lunch 40 € – Menu 60 € bc/98 € bc – Carte 65/97 €

◆ Deze klassiek ingerichte pastorie aan een pleintje wijdt zich nu aan het versterken van de inwendige mens. De eetzaal met serre ligt aan de kloostertuin; eigentijdse keuken.

◆ Sur une placette typée, ancien presbytère converti avec bonheur en table au goût du jour et au cadre classique soigné. Salle à manger-véranda donnant sur l'ex- jardin de curé.

XX **Durondeaux**

Diesterstraat 44c – ✆ 0 11 75 42 78 – www.restaurantdurondeaux.be – fermé samedi midi, mardi et mercredi A**c**

Rest – Lunch 28 € – Menu 40/52 € – Carte 43/65 €

◆ In een vleugel van een voormalig klooster heeft religieuze gestrengheid plaatsgeruimd voor zintuiglijk genieten. Kim Allegria, bekend van tv, kan hier met zijn smakelijke, eigentijdse keuken ook in het echt zijn mannetje staan.

◆ Dans une aile de cet ancien cloître, les plaisirs des sens ont remplacé l'austérité religieuse. Kim Allegria, dont le restaurant est devenu populaire grâce à la télévision, s'en donne à cœur joie avec sa délicieuse cuisine actuelle.

BELGIQUE

XX **Paris Sport**

Luikerstraat 82 / 02 – ✆ 0 11 74 35 98 – www.parissport.be – fermé fin décembre, samedi midi et mardi B**b**

Rest – Menu 35/45 € – Carte 45/64 €

◆ Een traditioneel adresje dat zich op de horecakaart van Sint-Truiden wil plaatsen. De keuken is alvast verdienstelijk en verdient beslist haar plaats; vraag ook zeker naar de bearnaise!

◆ Cette adresse traditionnelle se distingue dans le paysage culinaire trudonnaire. Sa cuisine de qualité mérite intérêt – et notamment sa fameuse béarnaise, qu'il faut goûter !

X **L' Angelo Rosso**

Ridderstraat 2 – ✆ 0 11 59 16 00 – www.angelorosso.be – fermé 20 décembre-4 janvier, 2 au 12 avril, 17 mai, 17 juillet-1er août, mardi et mercredi B**a**

Rest – Lunch 25 € – Menu 50 € bc/80 € bc – Carte 41/72 €

◆ De "mamma" van de familie Catania kookt zoals haar genen het haar ingeven: met de smaak van Italië (en zijsprongetjes naar Frankrijk) in onversneden vorm. Even verderop in de straat bakt de "pappa" pizza's.

◆ À l'Angelo Rosso, toute la famille Catania est aux fourneaux : Roberta mitonne de délicieuses spécialités, Filippo est à la cuisson des pizzas, sans oublier "il bambino", Antonio. Une authentique cuisine italienne, raffinée et joliment présentée, qui réjouira les gourmets.

X **Grand Café Stayen** – Hôtel Stayen

Tiensesteenweg 168/C (par ⑥ : 1 km) – ✆ 0 11 69 10 00 – www.stayen.com

Rest – Lunch 14 € – Menu 30/50 € – Carte 20/74 €

◆ Net als de voetbalploeg van het veld ernaast wil het team achter deze brasserie "in eerste klasse blijven". Met verzorgde snacks en seizoenssuggesties maken ze hun missie waar. In de namiddag verrassen ze u met een gratis dessertbuffet.

◆ Tout comme l'équipe de football voisine, cette brasserie joue en "première division" ! Et si on peut y manger sur le pouce, la qualité et le soin n'y restent jamais sur le banc de touche (produits de saison). L'après-midi, surprise : c'est buffet de desserts !

à Duras **Nord-Ouest : 3 km – C Sint-Truiden – ✉ 3803**

X **Herestraat 2**

Herestraat 2 – ☎ 0 11 75 85 02 – www.herestraat2.be – fermé vacances de carnaval, dernière semaine d'août, mardi et mercredi

Rest – Lunch 25 € – Menu 34/49 € bc – Carte 31/53 €

◆ Met zus in de zaal en broer in de keuken lijkt dit duo de formule te hebben gevonden om hun cliëntele te plezieren. De klassieke, genereuze gerechten worden voor uw ogen afgewerkt op het fornuis in de zaal; een niet te missen schouwspel!

◆ La sœur en salle, le frère en cuisine : un duo gagnant si l'on en croit la clientèle, ravie. Les plats, classiques et copieux, sont élaborés sous vos yeux, dans le fourneau de la salle à manger. Un spectacle à ne pas manquer !

à Nieuwerkerken **Nord : 6 km – 6 732 h. – ✉ 3850**

Kasteelhoeve de Kerckhem

Grotestraat 209, (Wijer) – ☎ 0 11 59 66 20 – www.dekerckhem.com

10 ch – †95/120 € ††105/140 € – ½ P 135/160 €

Rest – *(dîner pour résidents seulement)*

◆ In de bijgebouwen van deze mooie kasteelhoeve uit 1648 zijn fraaie kamers ingericht in plattelandsstijl, u waant er zich in een echte "country club". Op de table d'hôte kunt u de oogst van de eigen biologische moestuin proeven.

◆ Décoration campagnarde raffinée pour ces chambres dans les dépendances de cette belle ferme-château de 1648. Ambiance "country club" ! La table d'hôte vous permettre de goûter aux joies du potager bio.

XXX **Kelsbekerhof**

Kerkstraat 2 – ☎ 0 11 69 13 87 – www.kelsbekerhof.be – fermé première semaine de janvier, 2 dernières semaines de juillet, samedi midi, lundi soir, mardi et mercredi

Rest – Lunch 30 € – Menu 40/65 €

◆ In deze oude, van top tot teen verbouwde boerderij kunt u de honger stillen met een keur van modern-klassieke gerechten. Mooi terras met een prachtig uitzicht op de tuin.

◆ Un choix de mets classiques actualisés entend combler votre appétit dans cette ancienne ferme totalement remaniée. Belle terrasse avec un magnifique jardin pour toile de fond.

BELGIQUE

SOHEIT-TINLOT – Liège – C Tinlot 2 588 h. – 533 R20, 534 R20 et 716 J4 – ✉ 4557 8 B2

Bruxelles 96 – Liège 29 – Huy 13

XX **Le Coq aux Champs** (Christophe Pauly)

r. Montys 71 – ☎ 0 85 51 20 14 – www.lecoqauxchamps.be – fermé 2 semaines en janvier, samedi midi, dimanche et lundi

Rest – Lunch 35 € – Menu 53/68 € – Carte 64/106 €

Spéc. Langoustines du Guilvinec, pomme de terre, caviar et citron. Pigeonneau de la ferme de Racan: cuisiné en deux services. La truffe mélanosporum (décembre-mars).

◆ Dans la campagne condruzienne, ancienne bergerie où un jeune chef-patron sublime les meilleurs produits de saison. Lounge et salle modernes jouant l'épure ; terrasse au jardin. Sommelier avisé.

◆ Oude schaapskooi in de Condroz, waar een jonge chef-kok de beste seizoensproducten boven het gemiddelde uittilt. Strak moderne lounge, eetzaal en tuin met terras. Deskundige sommelier.

SOIGNIES (ZINNIK) – Hainaut – 533 J19, 534 J19 et 716 F4 – 26 169 h. – ✉ 7060 7 C1

Bruxelles 41 – Mons 21 – Charleroi 40

Collégiale St-Vincent★★

Les Greniers du Moulin sans rest

chaussée d'Enghien 224 – ✆ 0 67 33 11 88 – www.lemoulin.be – fermé vacances de Noël

14 ch – †54/60 € ††70/78 €

◆ Ensemble de caractère, dont la raison sociale résume le passé. Chambres basiques et studios confortables, avec kitchenette. Petit-déj' servi à table. Exploitation familiale.

◆ De graanschuren van deze oude watermolen, een echt familiebedrijf, bieden nu plaats aan eenvoudige kamers en comfortabele studio's. Het ontbijt wordt aan tafel geserveerd.

XX **L'Embellie**

r. Station 115 – ✆ 0 67 33 31 48 – www.restaurantlembellie.be – fermé première semaine de janvier, mi-juillet-mi-août, mercredi soir, samedi midi, dimanche soir, lundi et après 20 h 30

Rest – Lunch 25 € – Menu 32/43 € – Carte 48/56 €

◆ Le chef de cette Embellie sait partager sa passion pour les poissons et les crustacés ! Et si vous vous êtes régalé, rendez-vous à l'Espace Boutique pour retrouver toutes les épices que vous venez de savourer.

◆ Hier vertaalt de chef zijn liefde voor vis en schaaldieren naar uw bord. Als u geïnspireerd bent geraakt, kunt u ter plaatse de kruiden die u net geproefd heeft, aankopen!

BELGIQUE

XX **La Fontaine St-Vincent**

r. Léon Hachez 7 – ✆ 0 67 33 95 95 – www.fontainesaintvincent.be – fermé 1 semaine carnaval, mi-juillet à mi-août, dimanche soir, lundi soir et mardi

Rest – Lunch 24 € – Menu 37/59 € – Carte 40/71 €

◆ Nouveau décor intime et aéré pour cette maison du 16e s. tenue en famille. Préparations classiques à base de produits choisis. Cave digne de St-Vincent, patron des vignerons.

◆ Sfeervolle en ruime familiezaak in een 16e-eeuws pand. Klassieke keuken met eersteklasingrediënten. De kelder is de H. Vincentius, patroon van de wijnboeren, waardig.

XX **Le Bouchon et l'Assiette**

Chemin du Saussois 5a (par N 6 : 2 km direction Mons, puis 2e rue à gauche) – ✆ 0 67 33 18 14 – www.bouchonetlassiette.com – fermé dimanche soir, lundi soir, mardi soir et mercredi

Rest – Lunch 30 € – Menu 39/53 €

◆ Ex-grange ayant repensé sa déco sans renier son âme campagnarde. Ambiance familiale, sens de l'accueil, carte entre tradition et évolution, beau choix de vins, terrasse-jardin.

◆ Schrik niet als u hier vroeger al eens over de vloer kwam: de rustieke inrichting heeft plaatsgemaakt voor een modern interieur met witte muren. Op het bord vindt u nog steeds de eenvoud en smaak die u van de chef gewend bent.

à Casteau Sud : 7 km par N 6 – C Soignies – ✉ 7061

Casteau Resort sans rest

chaussée de Bruxelles 38 – ✆ 0 65 32 04 00 – www.casteauresort.be

90 ch – †62/129 € ††79/149 €

◆ Hôtel en retrait de la N6 reliant Soignies à Mons, près du SHAPE (OTAN). Chambres actuelles et confortables, studios à l'annexe. Sauna, jacuzzi, fitness. Idéal pour les séminaires.

◆ Dit hotel staat even van de N6 tussen Zinnik en Bergen. Vergaderfaciliteiten, moderne kamers met goed comfort en studio's in het bijgebouw. SHAPE (NAVO) vlakbij. Sauna, jacuzzi, fitness.

SOLRE-SAINT-GÉRY – Hainaut – 534 K21 et 716 F5 – voir à Beaumont

---

SORINNES – Namur – 533 O21, 534 O21 et 716 H5 – voir à Dinant

SOUGNÉ-REMOUCHAMPS – Liège – 🄲 Aywaille 11 820 h. – **533** T20, **534** T20 et **716** K4 – ✉ 4920 — 9 C2

▶ Bruxelles 122 – Liège 28 – Spa 13

ℹ r. Broux 18, ✆ 0 4 384 52 42

👁 Grottes★★

Royal H.-Bonhomme avec ch

r. Reffe 26 – ✆ 0 4 384 40 06 – www.hotelbonhomme.be – fermé semaine de carnaval, dernière semaine de mars, dernière semaine de juin, dernière semaine de septembre-première semaine d'octobre, dernière semaine de novembre-première semaine de décembreet mercredi et jeudi sauf en juillet-août

11 ch – †65/70 € ††99 € – ½ P 85 €

Rest – *(fermé après 20 h 30)* Lunch 36 € – Menu 40/52 € – Carte 39/66 €

♦ Le vrai charme ardennais et une atmosphère toute particulière... Depuis deux siècles, sept générations d'aubergistes se sont succédé ici, insufflant au lieu sa belle âme romantique. Magnifique pergola en fer forgé, cadre empreint de nostalgie au restaurant... L'endroit idéal pour savourer de belles spécialités maison, telles la truite et l'écrevisse.

♦ Deze herberg is doordrenkt van de Ardense charme en dankt zijn flair aan zijn geschiedenis: 7 generaties zorgden hier al meer dan 2 eeuwen (!) voor een gastvrije ontvangst. De prachtige, met smeedijzer versierde pergola maakt het romantische plaatje compleet. Nostalgisch restaurant, specialiteit: rivierkreeft en forel.

SPA – Liège – **533** U20, **534** U20 et **716** K4 – **10 563 h.** – **Station thermale★★** – **Casino** AY , **r. Royale 4** ✆ **0 87 77 20 52** – ✉ **4900** — 9 C2

▶ Bruxelles 139 – Liège 38 – Verviers 16

ℹ Pavillon des Petits Jeux pl. Royale 41, ✆ 0 87 79 53 53, www.spatourisme.be

⛳18 av. de l'Hippodrome 1, au Nord : 2,5 km à Balmoral, ✆ 0 87 79 30 30

👁 par ② : Promenade des Artistes★. Musée : de la Ville d'eaux : collection★ de "jolités" AY**M**

🚗 par ③ : 9 km, Circuit autour de Spa★ • Parc à gibier de la Reid★

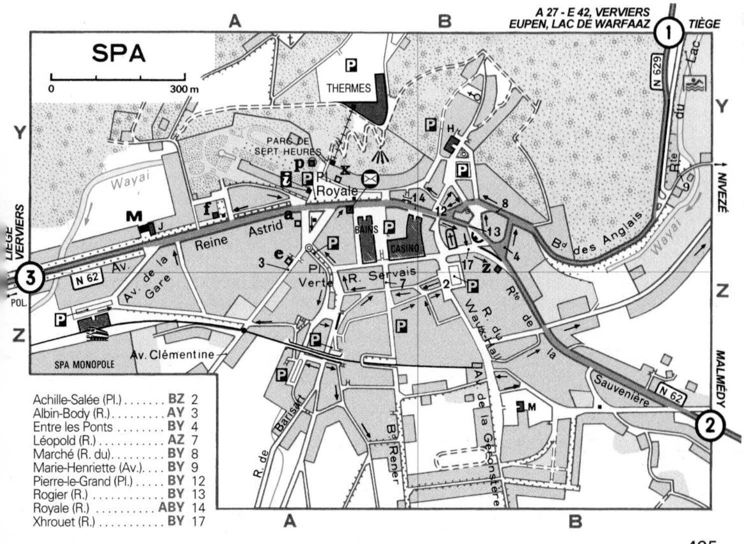

Radisson Blu Palace

pl. Royale 39 – ✆ 0 87 27 97 00
– www.radissonblu.com/palacehotel-spa AY**x**
119 ch – 120/170 € 140/190 € – 1 suite – ½ P 156 €
Rest – Carte 36/61 €

◆ Un funiculaire privé relie cet hôtel de luxe aux thermes de Spa. Chambres tout confort, suites junior avec terrasse et vue sur la ville. Centre de fitness, ainsi que hammam et sauna privés. Cuisine régionale et internationale à la brasserie.

◆ Een privékabelbaan verbindt dit moderne luxehotel met de thermaalbaden van Spa. Comfortabele kamers, junior suites met terras en stadsgezicht, fitness en eigen hamam en sauna. Internationale en regionale gerechten in de brasserie.

Villa des Fleurs sans rest

r. Albin Body 31 – ✆ 0 87 79 50 50 – www.villadesfleurs.be AY**e**
12 ch – 95/172 € 99/172 €

◆ Une demeure du 19e siècle au charme distingué. Les chambres, de facture classique, offrent presque toutes une vue sur le jardin. Salon agréable, avec cheminée, parfait pour la détente.

◆ Een patriciërshuis uit de 19e eeuw met een statige uitstraling. De vaak klassiek ingerichte kamers kijken bijna allemaal uit op de ommuurde tuin. Aangename zitkamer met schouw.

La Heid des Pairs sans rest

av. Prof. Henrijean 143 (Sud par av. Clémentine) – ✆ 0 87 77 43 46
– www.laheid.be AZ
8 ch – 89/134 € 89/134 €

◆ Telle une invitation au repos, une villa de 1834 située à l'orée de Spa, dans un jardin aux arbres centenaires et avec piscine. Chambres romantiques et bon petit-déjeuner. Formules avec accès aux thermes.

◆ Deze villa uit 1843 staat buiten het centrum en wordt door een familie geleid. Serene sfeer, snoeperige kamers, verzorgd ontbijt, tuin met eeuwenoude bomen en een zwembad. Detox-arrangement.

L'Auberge

pl. du Monument 3 – ✆ 0 87 77 44 10 – www.hotel-thermes.be
– fermé 9 au 19 janvier AY**a**
12 ch – 79/149 € 89/149 € – ½ P 108/178 €
Rest *L'Auberge* – voir la sélection des restaurants

◆ Cet hôtel au cœur de Spa a été rénové en 2011. Une façade de style alsacien pour le cachet et l'authenticité… et des chambres entièrement revues dans un esprit luxueux et très confortable.

◆ Dit centrale hotel onderging een transformatie in 2011: de gevel in Elzasstijl is nog steeds het uithangbord, maar de kamers werden volledig gerenoveerd voor meer luxe en comfort.

Villa d'Olne sans rest

Chemin Henrotte 92 (Est : 2 km par av. Marie-Henriette) – ✆ 0 87 77 12 99
– www.villadolne.be BY
6 ch – 120/180 € 120/180 €

◆ Une villa bien séduisante : architecture pleine de cachet, hospitalité des propriétaires, chambres d'hôte de charme et superbe jardin avec pièce d'eau, piscine, terrasse et wellness.

◆ Deze villa heeft heel wat in huis: stijlvolle architectuur, gastvrije eigenaren, sfeervolle gastenkamers en schitterende tuin met waterpartij, zwembad, terras en wellness.

L'Étape Fagnarde

av. Dr P. Gaspar 14 (Sud-Ouest par av. Clémentine) – ✆ 0 87 77 56 50
– www.ef-spa.be AZ
6 ch – 80/95 € 90/105 € **Rest** – *(dîner pour résidents seulement)*

◆ Cette ancienne maison de notable vous loge dans des chambres personnalisées, offrant calme et ampleur. Sens de l'accueil, breakfast de qualité, sauna et jardin avec terrasse.

◆ Dit oude herenhuis beschikt over grote, rustige kamers met een persoonlijke touch. Goed onthaal en een lekker ontbijt. Sauna en terras in de tuin.

BELGIQUE

La Vigie sans rest
av. Prof. Henrijean 129 (Sud par av. Clémentine) – ✆ 0 495 38 62 21 – www.lavigie.be AZ
3 ch – ♦105/135 € ♦♦105/135 €, 10 €
♦ Villa en moellons et colombages bâtie pour un capitaine de navire en 1902 et réaménagée avec goût. Chambres de caractère, joli salon, espace petit-déj' cosy et grand jardin.
♦ Deze smaakvol gerenoveerde villa in breuksteen en vakwerk werd in 1902 gebouwd voor een kapitein. Karaktervolle kamers, knusse ontbijtruimte, mooie zitkamer en grote tuin.

Villa des Fagnes sans rest
Chemin Henrotte 94 (Est : 2 km par av. Marie-Henriette) – ✆ 0 87 77 54 74 – www.villa-des-fagnes.com BY
5 ch – ♦100/120 € ♦♦115/135 €
♦ En retrait de Spa, cette maison de caractère (splendide toit de tuiles rouges et noires) est un havre de paix. Ce ne sont pas les deux chiens qui veillent sur la maison qui viendront perturber le calme des lieux...
♦ De deugddoende kalmte van de omgeving is het enige dat dit net B&B binnensijpelt: hier geen verkeer, geen lawaai, enkel rust. Twee honden waken over het huis.

L'Art de Vivre
av. Reine Astrid 53 – ✆ 0 87 77 04 44 – www.artdevivre.be – fermé lundi midi, mercredi et jeudi AY**f**
Rest – Lunch 35 € – Menu 50/110 € bc – Carte 51/78 €
♦ Maison de notable cultivant l'art de vivre par un cadre plaisant et une belle carte actuelle relevée d'un zeste de créativité. Menus détaillés oralement ; pâtisseries maison.
♦ In dit herenhuis verstaat men "de kunst van het leven": prettig interieur en eigentijdse, creatieve kookstijl. De menu's worden mondeling toegelicht. Huisgemaakte desserts.

La Tonnellerie avec ch
Parc de 7 heures 1 – ✆ 0 87 77 22 84 – www.latonnellerie.be – fermé 16 novembre-2 décembre AY**p**
8 ch – ♦80/100 € ♦♦90/115 € **Rest** – *(fermé mercredi)* Menu 30 €
♦ Dans le parc de Sept-Heures, en plein cœur de Spa, découvrez ce chaleureux restaurant d'inspiration méditerranéenne. Le propriétaire – et sommelier – vous guidera judicieusement dans le choix des vins, et pour prolonger votre séjour, les jolies chambres portent le nom de grands crus ! Chablis, médoc ou champagne ?
♦ In een park in het centrum van Spa vindt u dit mediterraans-geïnspireerd restaurant: de sfeer is warm, het eten zuiders. De eigenaar-sommelier zorgt voor passend wijnadvies. Mooie, sobere kamers aan het park of het bos, genoemd naar acht wijnsoorten.

Le Grand Maur
r. Xhrouet 41 – ✆ 0 87 77 36 16 – www.legrandmaur.com – fermé dimanche soir, lundi et mardi BYZ**z**
Rest – Menu 58/65 € – Carte env. 40 €
♦ La devise de la maison : "Votre plaisir est le nôtre." Un bon départ ! Les jeunes patrons vous régalent d'une belle cuisine classique dans une atmosphère intime et nostalgique.
♦ De filosofie van het huis is "uw plezier is het onze": de jonge uitbaters willen u dan ook graag laten genieten van een klassieke keuken in een intieme en nostalgische atmosfeer.

L'Auberge – Hôtel L'Auberge
pl. du Monument 3 – ✆ 0 87 77 44 10 – www.hotel-thermes.be – fermé 9 au 19 janvier AY**a**
Rest – Lunch 20 € – Menu 30/49 € – Carte 39/70 €
♦ Un décor de cuir, de bois et de miroirs... Une atmosphère traditionnelle donc, pour une cuisine française très typique. Plat du jour et formule déjeuner en semaine.
♦ Een traditionele setting, met leer, hout en spiegels vormen het decor voor een typisch Franse keuken. Dagschotel en lunchmenu tijdens de week.

BELGIQUE

à Balmoral par ① : 3 km – Spa – ✉ 4900 Spa

Radisson Blu Balmoral

av. Léopold II 40 – ✆ 0 87 79 21 41
– www.radissonblu.com/balmoralhotel-spa
106 ch – 140/265 € 140/265 €
Rest *Entre Terre & Mer* – voir la sélection des restaurants

♦ Palace d'aspect anglo-normand posé sur une colline boisée. Chambres et junior suites, wellness et tennis. Souvenirs de pilotes de F1 au bar.

♦ Luxehotel in Anglo-Normandische stijl op een beboste heuvel. Kamers en junior suites, wellness en tennis. Souvenirs van autocoureurs in de bar.

Spa Balmoral

rest,

rte de Balmoral 33 – ✆ 0 87 79 32 50
– www.hotelspabalmoral.be
123 ch – 85/430 € 100/445 € – 3 suites – ½ P 159 €
Rest – Lunch 29 € – Menu 34/47 € – Carte 40/54 €

♦ Sur les hauteurs verdoyantes de la vallée et du lac de Warfaaz, un établissement dédié au bien-être... Espace de remise en forme et de balnéothérapie, chambres confortables et design et, pour travailler un peu, salles de réunion. Côté restaurant, spécialités ardennaises et françaises – avec option buffet le samedi soir – et, en prime, une belle vue sur la nature depuis la terrasse.

♦ Flatgebouw op een beboste heuvel boven het meer van Warfaaz. Sfeervolle lounge, vergaderzalen, fitnessruimte, balneotherapie en designkamers in de nieuwe aanbouw. Ardense specialiteiten en een Franse keuken, buffetoptie op zaterdagavond. Terras met mooi uitzicht op de vallei.

BELGIQUE

Entre Terre & Mer – Hôtel Radisson Blu Balmoral

av. Léopold II 40 – ✆ 0 87 79 21 41
– www.radissonblu.com/balmoralhotel-spa
Rest – Lunch 16 € – Menu 38/80 € bc – Carte 45/63 €

♦ Le soir, on y propose une séance de "live cooking" et des viandes à la broche ; le midi, des recettes bien dans l'époque (ardoise du jour). Un restaurant résolument moderne.

♦ 's Avonds kunt u in dit moderne restaurant terecht voor live cooking en vlees aan het spit; 's middags vindt u eigentijdse gerechten op het schoolbord.

à Creppe Sud : 4,5 km par av. Clémentine - AZ – Spa – ✉ 4900 Spa

Manoir de Lébioles

Domaine de Lébioles 1 – ✆ 0 87 79 19 00 – www.manoirdelebioles.com
– fermé 8 au 26 janvier
16 ch – 179/199 € 179/199 €, 16 €
Rest *Manoir de Lébioles* – voir la sélection des restaurants

♦ Manoir fastueux (1910) surnommé le petit Versailles ardennais. Intérieur d'époque relooké avec classe, chambres au design raffiné, spa complet, parc-jardin à la française et vue bucolique.

♦ Dit weelderige kasteel (1910), ook wel het 'Versailles van de Ardennen' genoemd, biedt een smaakvol gerenoveerd interieur, designkamers, complete spa, Franse tuin en landelijk uitzicht.

Manoir de Lébioles – Hôtel Manoir de Lébioles

Domaine de Lébioles 1 – ✆ 0 87 79 19 00
– www.manoirdelebioles.com
– fermé 8 au 26 janvier, lundi, mardi et après 20 h 30
Rest – Lunch 34 € – Menu 57/96 € – Carte 75/94 €

♦ En ce manoir œuvre un chef réputé, qui signe une cuisine personnelle, dans l'air du temps, à base de produits de grande qualité. Décor chic et moderne, avec une jolie terrasse panoramique.

♦ Eigentijdse keuken van een vermaarde chef-kok die er een eigen stijl op nahoudt en graag met edele producten werkt. Chic, modern interieur en mooi panoramaterras.

à Nivezé par ② : 4 km - [C] Spa - ✉ 4845 Nivezé/Jalhay

La Chamboise sans rest

av. Fernand Jérôme 44 – ☎ 0 87 47 46 80 – www.lachamboise.be – fermé 20 au 26 décembre

4 ch – †130/180 € ††130/180 €

◆ Une maison d'hôtes où vous serez dorloté ! Françoise est aux petits soins et cultive le sens du détail : musique, soirée aux chandelles et même... une bouillotte dans votre lit quand il fait froid !

◆ B&B waar u heerlijk in de watten gelegd wordt, daar zorgt gastvrouw Françoise voor met haar oog voor detail: muziek, kaarsjes bij het slapengaan en een kruik in bed als het koud is!

à La Reid par ③ : 9 km – [C] Theux 12 013 h. – ✉ 4910

Le Menobu

rte du Ménobu 546 – ☎ 0 87 37 60 42 – www.spa-info.be/menobu – fermé 2 semaines en janvier

10 ch – †72/87 € ††72/87 € – ½ P 96 €

Rest – *(fermé mardi, mercredi et après 20 h 30)* Lunch 25 € – Menu 30/40 € – Carte 33/47 €

◆ Accueillant hôtel de campagne tenu de longue date par la même famille. Deux générations de chambres, piscine extérieure côté prairies, proximité d'un parc à gibier. Salle à manger-véranda et terrasse d'été au jardin. Cuisine traditionnelle faite par la patronne.

◆ Uitnodigend plattelandshotel dat sinds jaar en dag door dezelfde familie wordt gerund. Twee generaties kamers, buitenbad bij de weiden, niet ver van een wildpark. Restaurant met serre en zomers terras in de tuin. De bazin heeft een traditionele kookstijl.

à Sart par ① : 7 km – [C] Jalhay 8 306 h. – ✉ 4845 Sart-Lez-Spa

Le Petit Normand avec ch

r. Roquez 47 (Sud-Est : 3 km, direction Francorchamps) – ☎ 0 87 47 49 04 – www.lepetitnormand.be – fermé janvier, mardi, mercredi et jeudi

3 ch – †80 € ††80 € **Rest** – Menu 32/45 € – Carte 39/50 €

◆ Cette maison de notable se dresse dans la sauvage vallée forestière de la Hoëgne... Le chef, bardé de distinctions gastronomiques, panache tradition et modernité. Restaurant de plein air. Pour un week-end gastronomique dans la région, réservez l'une des chambres !

◆ Afgelegen pand in het beboste dal van de Hoëgne. De chef-kok, die tal van gastronomische prijzen heeft gewonnen, combineert traditioneel met modern. 's Zomers buiten eten. De kamers zijn ideaal voor een gastronomisch weekend in de regio.

SPRIMONT – Liège – **533** T19, **534** T19 et **716** K4 – 13 614 h. – ✉ 4140 **8** B2

Bruxelles 112 – Liège 19 – Spa 12

Didier Galet

r. Grand Bru 27 (sur N 30, direction Liège) – ☎ 0 4 382 35 60 – www.didiergalet.be – fermé 1 semaine fin juin, 2 dernières semaines d'août, fin décembre, dimanche soir, lundi, mardi et après 20 h 30

Rest – Lunch 25 € – Menu 32/65 €

◆ Gastronomie évolutive, d'un chef qui tire bien son épingle du jeu dans le paysage culinaire liégeois. Ateliers gourmands et soirées dégustation à thèmes. Deux belles chambres.

◆ Vernieuwende gastronomie van een chef-kok die zich goed staande weet te houden in het Luikse culinaire landschap. Kooklessen en thema-avonden. Twee prettige kamers.

STABROEK – Antwerpen – **533** L14 et **716** G2 – voir à Antwerpen, environs

---

STALHILLE – West-Vlaanderen – **533** D15 et **716** C2 – voir à Jabbeke

BELGIQUE

STAVELOT – Liège – 533 U20, 534 U20 et 716 K4 – 6 758 h. – ✉ 4970 9 C2

Bruxelles 158 – Liège 59 – Bastogne 64 – Malmédy 9

Musée de l'Ancienne Abbaye Cour de l'Hôtel de Ville, ☎ 0 80 86 27 06, www.stavelot.be

Eglise St-Sébastien : Châsse de St-Remacle★★. Musée : Ancienne abbaye★

à l'Ouest : Vallée de l'Amblève★★ • à l'Ouest : 8,5 km : Cascade★ de Coo, Montagne de Lancre ☀★

Le Val d'Amblève

rte de Malmédy 7 – ☎ 0 80 28 14 40 – www.levaldambleve.com – fermé 18 décembre-19 janvier

17 ch – 118/140 € 140 € – 1 suite – ½ P 115 €

Rest *Le Val d'Amblève* – voir la sélection des restaurants

◆ Chambres raffinées dans deux demeures rétro et une dépendance design à façade en bois de cèdre. Sens de l'accueil, espace bien-être avec vue sur la vallée, jardin de repos.

◆ Sierlijke kamers in twee oude panden en een dependance in designstijl met gevel van cederhout. Gastvrij onthaal, wellnessruimte met uitzicht op het dal en rustgevende tuin.

Le Jardin des Princes

r. Basse Levée 2a

6 ch – 100 € 125 €

◆ Annexe au bâtiment principal (où se trouve la réception et où l'on va prendre le petit-déjeuner).

◆ Gasten voor de annex maken gebruik van de receptie van het hoofdgebouw en kunnen daar ook terecht voor het ontbijt.

La Maison

pl. Saint Remacle 19 – ☎ 0 80 88 08 91 – www.hotellamaison.info

12 ch – 75/93 € 116/128 € – ½ P 99/117 €

Rest – *(fermé dimanche et lundi) (dîner seulement)* Menu 24/31 € – Carte 42/52 €

◆ Maison de maître de style liégeois (18^e^s.) sur la place centrale de la cité des "Blancs Moussis". Chambres bien tenues. Meubles ou éléments décoratifs d'époque dans certaines.

◆ 18e-eeuws herenhuis aan het hoofdplein van dit stadje van de Blancs-Moussis (carnaval). Het chique restaurant, met kristallen luchters en marmeren open haarden, straalt klasse uit maar is democratisch geprijsd. Nette kamers, sommige met antieke decoratie.

Dufays sans rest

r. Neuve 115 – ☎ 0 80 54 80 08 – www.bbb-dufays.be

6 ch – 95/115 € 125/165 €

◆ Ancienne maison de notable restaurée où vous serez hébergés dans des chambres à thème : Afrique, Orient, Chine, 18e s. français, 1900, chasse.... Jardin et vue sur la vallée.

◆ De kamers in dit oude, gerestaureerde herenhuis hebben elk een eigen thema: Afrikaans, oosters, Chinees, 18e-eeuws, Frans, 1930, jacht, enz. Tuin met uitzicht op het dal.

Le Val d'Amblève – Hôtel Le Val d'Amblève

rte de Malmédy 7 – ☎ 0 80 28 14 40 – www.levaldambleve.com – fermé 18 décembre-19 janvier et lundi

Rest – Lunch 43 € – Menu 50/88 € – Carte 61/78 €

◆ Restaurant cosy doté d'une orangerie sous verrière et d'une terrasse. Cuisine classico-moderne.

◆ U vindt hier dezelfde gezelligheid als in het hotel waar het bij hoort. Zowel in de oranjerie als op het terras is het goed zitten. Modern-klassieke keuken.

STERREBEEK – Vlaams Brabant – 533 L17 et 716 G3 – voir à Bruxelles, environs

STEVOORT – Limburg – 533 Q17 et 716 I3 – voir à Hasselt

STOUMONT – Liège – 533 T20, 534 T20 et 716 K4 – 3 024 h. – ✉ 4987 9 C2

Bruxelles 139 – Liège 45 – Malmédy 24

à l'Ouest : Site★ du Fonds de Quareux

Zabonprés

Zabonprés 3 (Ouest : 4,5 km sur N 633, puis route à gauche) – ✆ 0 80 78 56 72 – www.zabonpres.be – ouvert 21 mars-21 septembre et week-end; fermé fin décembre-début janvier, semaine de carnaval, semaine de Pâques, semaine de la Toussaint, lundi et mardi

Rest – Menu 33/65 € bc – Carte 38/55 €

◆ Cette fermette "perdue" en bord d'Amblève semble sortie d'un conte de Perrault. Au charme bucolique du lieu, s'ajoute l'attrait d'une cuisine traditionnelle savoureusement revisitée, avec le respect des saisons et... du porte-monnaie !

◆ Dit idyllische boerderijtje aan de oever van de Amblève lijkt regelrecht uit een sprookje te komen. Daarbij komt nog de smakelijke modern-traditionele keuken met respect voor de seizoenen… en voor uw portemonnee!

STROMBEEK-BEVER – Bruxelles-Capitale – 533 L17 et 716 G3 – voir à Bruxelles, environs

STUIVEKENSKERKE – West-Vlaanderen – 533 C16 – voir à Diksmuide

TAMISE – Oost-Vlaanderen – voir Temse

TEMPLOUX – Namur – 533 N20, 534 N20 et 716 H4 – voir à Namur

TEMSE (TAMISE) – Oost-Vlaanderen – 533 K16 et 716 F2 – 28 147 h. – ✉ 9140 17 D2

Bruxelles 40 – Gent 43 – Antwerpen 25 – Mechelen 25

Markt 1, ✆ 0 3 771 51 31, www.temse.be

Clandestino (Wouter van der Vieren)

Cauwerburg 119 – ✆ 0 3 755 85 89 – www.clandestino.be – fermé 29 août-5 septembre, 26 décembre-5 janvier, samedi midi, lundi et mardi

Rest – Lunch 46 € – Menu 65/125 € – Carte 64/120 €

Spéc. Homard fumé au bouillon de jambon Iberico Bellota. Ris de veau à la joue de veau saumurée, crème de petits pois et jus d'osso bucco. Cerises et sorbet d'églantine, violette et yaourt.

◆ Een nieuwe locatie voor Clandestino, maar de culinaire prestaties blijven ijzersterk. U ziet en proeft de chef zijn oog voor detail vooral in de garnituren, het geheel is innemend fris, creatief en heerlijk smaakvol. Elegante atmosfeer.

◆ Clandestino a changé d'adresse, mais n'a pas semé sa clientèle… Les beaux effluves de sa cuisine ne passent pas inaperçus – de même l'art du chef dans le dressage des assiettes, fort délicat ! Au programme : fraîcheur, créativité et surtout saveur, dans une ambiance raffinée.

La Provence

Doornstraat 252, (Velle) (Nord : 2 km) – ✆ 0 3 711 07 63 – www.restaurantlaprovence.be – fermé 16 août-3 septembre, dimanche soir, mardi, mercredi et après 20 h 30

Rest – *(dîner seulement sauf dimanche)* Menu 45/62 € – Carte 51/71 €

◆ Charmante oude boerderij met een boomrijk terras dat uitkijkt op een mooie tuin. Romantische eetzalen, serviesgoed van gres, eigentijdse keuken en lekkere menu's.

◆ Ancienne ferme charmante et sa terrasse arborée ouvrant sur un beau jardin. Salles romantiques, vaisselle en grès sur les tables, offre culinaire de notre temps, bons menus.

De Sonne

Markt 10 – ✆ 0 3 771 37 73 – www.desonne.be – fermé 15 juillet-3 août, 1 er au 19 octobre, *samedi midi, mercredi et jeudi*

Rest – Lunch 38 € – Menu 48/58 € bc – Carte 47/64 €

◆ Dit herenhuis (1874) waakt over de kerk. Modern-klassieke eetzalen, eigentijdse keuken, intieme sfeer, patio en winkeltje met ambachtelijke bonbons.

◆ Maison de notable (1874) veillant sur l'église. Salles classiques actualisées, cuisine d'aujourd'hui, ambiance intime, cour-terrasse et boutique de chocolats artisanaux.

Le Cirque

Gasthuisstraat 110 – ✆ 0 3 296 02 02 – www.lecirque.be – fermé 2 semaines en septembre, samedi midi, mardi et mercredi

Rest – Lunch 29 € – Menu 35/67 € – Carte 47/63 €

◆ Buiten het centrum gelegen bistro met een licht en trendy interieur. Aanlokkelijke, eigentijdse kaart en twee leitjes met menu en mondelinge wijnsuggesties.

◆ Dans ce bistrot au cadre lumineux et tendance, le spectacle est aussi dans l'assiette : la cuisine est créative et la présentation des plats de haute voltige !

TERHULPEN – Brabant Wallon – voir La Hulpe

TERMONDE – Oost-Vlaanderen – voir Dendermonde

TERNAT – Vlaams Brabant – 533 K17 et 716 F3 – 15 006 h. – ✉ 1740 3 A2

Bruxelles 18 – Leuven 50 – Gent 44 – Namur 91

Conviva

Brusselstraat 183 – ✆ 0 2 582 91 20 – www.rest-conviva.be – fermé semaine de carnaval, vacances de la Toussaint et mercredi

Rest – Menu 35 € – Carte env. 51 €

◆ Deze bijdetijdse luxetaverne heeft zijn draai helemaal gevonden in Ternat. De hele dag door kunt u hier terecht voor actuele gerechten, burgerkeuken en grillspecialiteiten. Op het mooie terras hebt u een fijn uitzicht over het Pajottenland.

◆ Une taverne... de luxe ! Elle a su trouver sa place à Ternat : à toute heure de la journée, on peut y faire un repas de grillades, hamburgers ou d'assiettes assez tendance. Décor contemporain, avec une agréable terrasse offrant une belle vue sur le Pajottenland.

BELGIQUE

TERVUREN – Vlaams Brabant – 533 M18 et 716 G3 – voir à Bruxelles, environs

TESSENDERLO – Limburg – 533 P16 et 716 I2 – 17 685 h. – ✉ 3980 10 A2

Bruxelles 72 – Hasselt 31 – Antwerpen 57 – Liège 70

Gemeentehuis Markt, ✆ 0 13 35 33 31, www.tessenderlo.be

Eglise St-Martin (St-Martinuskerk) : jubé★

AubergInn sans rest

Diesterstraat 39 – ✆ 0 13 78 18 20 – www.auberginn.be

5 ch – 115/125 € 135/145 €

◆ Een originele naam voor een frisse B&B, waar het trendy interieur de authentieke charme van het gebouw onderstreept. De gastvrouw legt u graag in de watten: 's morgens een bio-ontbijt en voor 's avonds ligt een heerlijke malse kamerjas klaar.

◆ Une belle maison d'hôtes, dans un élégant bâtiment de la fin du 19e s. L'intérieur, notamment les chambres et salles de bains, marie raffinement contemporain et lustre d'antan. La maîtresse de maison concocte un délicieux petit-déjeuner bio !

La Forchetta

Stationsstraat 69 – ✆ 0 13 66 40 14 – fermé dernière semaine de juillet-2 premières semaines d'août, samedi midi, dimanche soir et lundi

Rest – Lunch 44 € – Menu 50/83 € bc – Carte 51/78 €

◆ Sinds 1977 maakt Giuseppe tongstrelende spijzen in zijn ristorante simpatico. De schilderijen zijn ook van zijn hand. De kaart fladdert tussen Frankrijk en Italië. Tuinterras.

◆ Giuseppe cajole les gourmets depuis 1977 dans son "ristorante simpatico" égayé de toiles peintes de sa main. Carte papillonnant entre l'Italie et la France. Terrasse au jardin.

TEUVEN – Limburg – Ⓒ Voeren 4 203 h. – 533 U18 et 716 K3 – ✉ 3793 11 D3

Bruxelles 134 – Hasselt 73 – Liège 43 – Verviers 26

XXX **Hof de Draeck** avec ch — rest, **P**

Hoof 15 – ☎ 0 4 381 10 17 – www.hof-de-draeck.be – fermé 14 février-1er mars et 13 au 30 août
11 ch – 74 € 108 €
Rest – *(fermé samedi midi, lundi et mardi)* Lunch 46 € bc – Menu 45/58 € – Carte 56/62 €

◆ Twee broers staan aan het roer van deze landelijke kasteelhoeve in een park. Weelderige klassieke eetzaal. Het seizoengebonden menu houdt het midden tussen traditie en evolutie. Gerieflijke grote kamers voor een goede nachtrust. Ontbijt in de oranjerie.

◆ Deux frères tiennent cette belle ferme-château isolée dans un site rural charmant et dotée d'un parc. Restaurant classique opulent. Menu saisonnier entre tradition et évolution. Grandes chambres offrant quiétude et confort. Breakfast dans l'orangerie.

THEUX – Liège – 533 T19, 534 T19 et 716 K4 – 11 946 h. – ✉ 4910 — 9 C2

Bruxelles 131 – Liège 31 – Spa 7 – Verviers 12

XX **L'Aubergine** **P**

chaussée de Spa 87 – ☎ 0 87 53 02 59 – www.aubergine-theux.be – fermé mardi et mercredi
Rest – *(prévenir)* Lunch 29 € – Menu 35 € bc/62 € – Carte 40/45 €

◆ Une carte actuelle appétissante, un lunch et des menus ambitieux sont présentés à cette table familiale située aux avant-postes de Theux. Nombre de couverts limité : réserver.

◆ In deze nieuwe villa even buiten Theux kunt u kiezen uit een mooie kaart met eigentijdse gerechten, een lunchformule en veelbelovende menu's. Beperkt aantal couverts.

BELGIQUE

THIMISTER – Liège – Ⓒ Thimister-Clermont 5 458 h. – 533 U19, 534 U19 et 716 K4 – ✉ 4890 — 9 C1

Bruxelles 121 – Liège 29 – Verviers 12 – Aachen 22

à Clermont Est : 2 km – Ⓒ Thimister-Clermont – ✉ 4890

Château Crawhez — rest,

Crahwez 10b – ☎ 0 87 44 72 92 – www.chateau-crawhez.com
10 ch – 55/100 € 89/245 €, 13 € – 2 suites
Rest – *(fermé lundi et mardi)* Lunch 28 € – Menu 38/68 € – Carte env. 63 €

◆ Un château, des collines verdoyantes... Non, vous ne rêvez pas ! Admirez la vue depuis la terrasse de la bâtisse. Des chambres élégantes ajoutent au charme du lieu. Le restaurant propose une carte classique de qualité (en semaine sur réservation).

◆ Fijne kamers in een kasteeltje temidden van een glooiend landschap, dat vanaf het terras prachtig tot zijn recht komt. Klassieke kaart in het restaurant, in de week na afspraak.

XXX **Le Charmes-Chambertin** 

Crawhez 58 – ☎ 0 87 44 50 37 – www.lecharmeschambertin.be – fermé 1 semaine début janvier, 1 semaine à Pâques, fin juillet-début août, dimanche soir, mardi et mercredi
Rest – Lunch 42 € bc – Menu 38/65 € – Carte 58/84 €

◆ Dans le décor pittoresque du pays d'Herve, une ferme restaurée où l'on déguste une excellente cuisine – alliance de tradition et de modernité –, mise en valeur par un beau choix de vins.

◆ Dit is een gerestaureerde boerderij, schilderachtig gelegen in het Land van Herve. Het restaurant heeft een uitstekende klassiek-moderne keuken en prachtige wijnkelder.

TIELT - West-Vlaanderen - 533 F17 et 716 D2 - 19 647 h. - ✉ 8700 19 C2

▶ Bruxelles 85 - Brugge 34 - Gent 32 - Kortrijk 21

Shamrock

Euromarktlaan 24 (près rte de ceinture) - ✆ 0 51 40 15 31 - www.shamrock.be - fermé 17 juillet-4 août, 24 au 30 décembre et dimanche

39 ch - 70/90 € 105/135 € - 1 suite - ½ P 85/125 €

Rest *Shamrock* - voir la sélection des restaurants

◆ Dit etablissement aan de rand van Tielt bezit oude en gerenoveerde kamers, waarvan 11 spiksplinternieuwe junior suites. Sauna en vergaderzalen.

◆ Établissement au décor ultracontemporain, situé aux portes de Tielt. Deux catégories de chambres, dont onze suites junior. Sauna et salles de réunion.

Shamrock - Hôtel Shamrock

Euromarktlaan 24 (près rte de ceinture) - ✆ 0 51 40 15 31 - www.shamrock.be - fermé 17 juillet-4 août, 24 au 30 décembre, lundi midi et dimanche

Rest - Menu 35/58 € bc - Carte 42/61 €

◆ Een bijdetijds adresje, dat graag inspeelt op wat er leeft met bijvoorbeeld een "Waregem koerse-menu". Hoofdgerechten klassiek, voorgerechten hedendaagser.

◆ Un décor très design et original, à la fois chic et branché, pour une cuisine… qui réserve aussi des surprises - et surtout de belles saveurs.

BELGIQUE

Adressen met gastenkamers geven niet dezelfde diensten als een hotel. Zij onderscheiden zich vaak door hun onthaal en decor, die vooral de persoonlijkheid van de eigenaars naar voren brengt. Deze vermeld in het rood zijn het meest aangenaam.

TIENEN (TIRLEMONT) - Vlaams Brabant - 533 O18 et 716 H3 - 32 552 h. - ✉ 3300 4 D2

▶ Bruxelles 51 - Leuven 27 - Charleroi 60 - Hasselt 35

ℹ Grote Markt 4, ✆ 0 16 80 56 86, www.tienen.be

Église N.-D.-au Lac★(O.L. Vrouw-ten-Poelkerk) : portails★ ABY**D**

par ② : 3 km à Hakendover, église St-Sauveur (Kerk van de Goddelijke Zaligmaker): retable★ • à l'Est : 15 km à Zoutleeuw, Église St-Léonard★★ (St-Leonarduskerk) : musée★★ d'art religieux, tabernacle★★

Fidalgo

Outgaardenstraat 23, (Bost) - ✆ 0 475 61 21 55 - www.fidalgo.be - fermé 9 au 15 avril, 20 août-9 septembre, samedi midi, dimanche soir, lundi et mardi AZ**e**

Rest - Lunch 25 € - Menu 30/85 € - Carte 50/71 €

◆ Goed adres voor een eigentijdse maaltijd in een stijlvol modern-rustiek interieur. De chef volgt de seizoenen en biedt elke maand een ander menu aan. Op het terras in de tuin is het erg aangenaam zitten.

◆ Une bonne adresse pour un repas gastronomique dans un cadre élégant et feutré. Le chef renouvelle le menu chaque mois, au plus près des saisons. Agréable terrasse face au jardin.

De Refugie

Kapucijnenstraat 75 - ✆ 0 16 82 45 32 - www.derefugie.be - fermé première semaine de janvier, 2 premières semaines d'août, semaine de la Toussaint, samedi midi, mardi et mercredi BZ**b**

Rest - Lunch 18 € bc - Menu 35/45 € - Carte 54/69 €

◆ Chef Van Vlemmeren weet wat hij wil: een smakelijke Franse keuken bereiden tegen aantrekkelijke prijzen, met de nadruk op visbereidingen. Spontane ontvangst door de gastvrouw.

◆ Jean-François van Vlemmeren réalise une cuisine française des plus exquises, donnant la priorité au poisson, qu'il prépare en grand maître. Quant à sa femme, elle vous accueille chaleureusement, dans un cadre contemporain soigné.

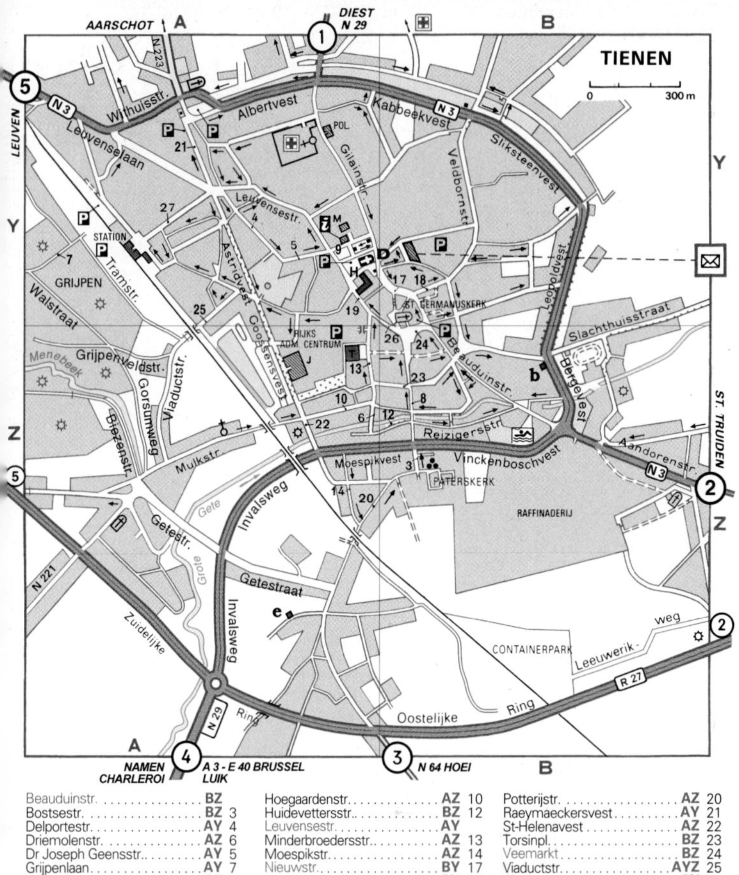

TILFF – **Liège** – **533** S19, **534** S19 **et 716** J4 – **voir à Liège, environs**

TILLEUR – **Liège** – **voir à Liège, environs**

TIRLEMONT – **Vlaams Brabant** – **voir Tienen**

TOERNICH – **Luxembourg** – **534** T25 – **voir à Arlon**

TONGEREN (TONGRES) – **Limburg** – **533** R18 **et 716** J3 – **30 042 h.** **11** C3
– ✉ **3700**

▶ Bruxelles 87 – Hasselt 20 – Liège 19 – Maastricht 19

ℹ Via Julianus 5, ✆ 0 12 80 00 70, www.tongeren.be

👁 Basilique Notre-Dame★★(O.L. Vrouwebasiliek) : trésor★★, retable★, statue polychrome★, cloître★Y. Musée : Gallo-romain★Y**M**[1]

Stadsplattegrond op volgende bladzijde

TONGEREN

Achttiende-Oogstwal . . . . . Y 2
Clarissenstr. . . . . Y 4
Corversstr. . . . . YZ 5
de Schiervelstr. . . . . Y 37
Eeuwfeestwal . . . . Y 6
Elisabethwal . . . . Z 9
Grote Markt . . . . Y
Hasseltsesteenweg . . . . . . Y 10
Hemelingenstr. . . . . Y 12
Hondsstr. . . . . Y 14
Looierstr. . . . . Z 17
Luikerstr. . . . . Z 15
Maastrichterstr. . . . . Y 18
Minderbroederstr. . . . . Z 19
Moerenstr. . . . . Y 20
Momberstr. . . . . Z 23
Muntstr. . . . . Z 24
Nevenstr. . . . . Y 25
Piepelpoel . . . . Y 27
Plein . . . . Y 28
Pliniuswal . . . . Y 30
Predikherenstr. . . . . Y 31
Regulierenpl. . . . . Z 34
Riddersstr. . . . . Y 35
St-Catharinastr. . . . . Y 38
St-Jansstr. . . . . Z 39
St-Maternuswal . . . . Y 41
St-Truidenstr. . . . . Y 42
Stationslaan . . . . Y 44
Vermeulenstr. . . . . Y 46
11 Novemberwal . . . . Y 47

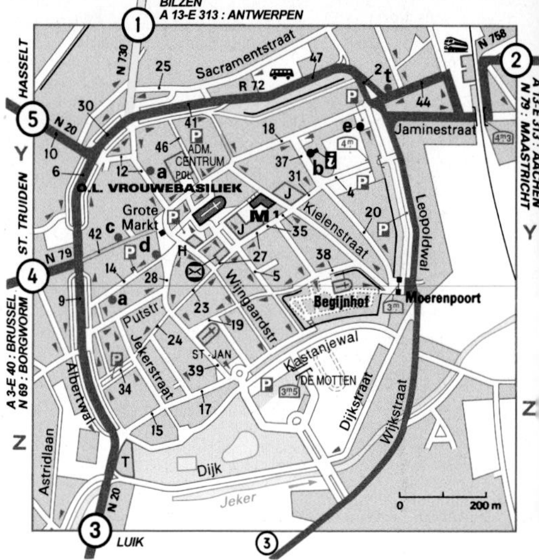

BELGIQUE

Eburon

De Schiervelstraat 10 – 0 12 23 01 99 – www.eburonhotel.be Y**b**
52 ch – 95/160 € 95/160 €, 17 € – ½ P 130 €
Rest ***Tinto*** – voir la sélection des restaurants

Vanuit Eburon ligt de oudste stad van België voor u klaar om ontdekt te worden. De historische charme van een oud klooster in combinatie met een fris interieur staat garant voor een sfeervol verblijf.

◆ Du nom de cet antique peuple qui défia César, cet hôtel est parfait pour visiter Tongres, cité connue comme la plus ancienne du pays. Tout le charme historique d'un ancien cloître, marié à la fraîcheur d'un décor contemporain.

Ambiotel

ch,

Veemarkt 2 – 0 12 26 29 50 – www.ambiotel.be
– fermé 26 décembre-3 janvier Y**e**
22 ch – 95/100 € 115/125 € – ½ P 180 € **Rest** – Carte 26/43 €

Ambiotel, niet alleen Limburgse ambiance, maar ook een knipoog naar Ambiorix, de koning van de Eburonen. Verzorgde kamers en praktisch gelegen, aan een openbare parking bij het binnenrijden van de stad. Brasserie met terras aan de Veemarkt.

◆ Ambiotel : une allusion à l'esprit limbourgeois et un clin d'œil à Ambiorix, chef des Éburons. Chambres soignées dans cet hôtel bien situé, à l'entrée de la ville. De la terrasse de la brasserie, vue sur le célèbre marché aux antiquités, le Veemarkt.

De Open Poort sans rest

Ketsingerdries 32 (Nord-Est : 5 km, sortie 32 sur A 13-E 313 puis par Demerbronstraat) – 0 12 23 37 64 – www.deopenpoort.be
3 ch – 80/90 € 120/130 €

Net buiten het centrum van Tongeren ontvangt kunstenares Tilly Gielen u in stijl in haar Haspengouws erfgoedpand. Gezellige en smaakvolle kamers, kunstatelier, binnenplaats en mooie landschapstuin.

◆ À l'orée de la ville, l'artiste Tilly Gielen vous accueille dans une superbe ferme hesbignonne. Jolies chambres (pierres et poutres apparentes) et grand jardin. Atelier d'art, cours de peinture.

Berkenhof

Klein-Malstraat 36, (Mal) (Est : 6 km) – ✆ 0 12 23 22 60 – www.bb-berkenhof.be
6 ch – 80/90 € 80/90 € – ½ P 130 €
Rest – *(dîner pour résidents seulement)*

◆ Of u hier verblijft voor de rust of voor zaken, de mooie, comfortabele kamers zult u ongetwijfeld appreciëren. Wie 's avonds geen zin meer heeft om naar buiten te gaan, kan op aanvraag aanschuiven aan de table d'hôte.

◆ Des chambres spacieuses, presque austères dans leur dépouillement contemporain, et bien pratiques pour une halte détente ou un voyage d'affaires. Si la paresse vous gagne, vous pourrez prendre votre dîner à la table d'hôte.

De Mijlpaal (Jan Menten)

Sint-Truiderstraat 25 – ✆ 0 12 26 42 77 – www.demijlpaal.org – fermé 2 janvier, 1 semaine en février, 2 semaines en août, 1 semaine à la Toussaint, samedi midi, mardi et mercredi Y**c**
Rest – Lunch 30 € – Menu 35/65 €
Spéc. Joue de porc et jambon pata negra, aux asperges et œuf de caille. Canard à l'ananas, mini navets, oignons grelots et polenta. Sablé au chocolat et glace au lait d'amande.

◆ Restaurant in een voetgangersstraat in het oude centrum, dat contrasteert met het designinterieur. De bereidingen zijn grensverleggend en vernieuwend.

◆ Dans une rue piétonne du centre ancien, table au cadre design en contraste avec l'environnement extérieur. Préparations innovatives sortant des sentiers battus.

Magis (Dimitry Lysens)

Hemelingenstraat 23 – ✆ 0 12 74 34 64 – www.restaurantmagis.be – fermé 19 au 27 février, 16 au 30 juillet, 29 octobre-5 novembre, samedi midi, mardi et mercredi Y**a**
Rest – Lunch 40 € – Menu 65 € bc/110 € bc – Carte 70/83 €
Spéc. Crabe à la crème de foie gras, thon et estragon. Homard aux asperges, lait battu et beurre blanc. Dorade royale en croûte de sel, fenouil, tomate et pommes de terre au romarin.

◆ Historisch pand met geheel gemoderniseerd en eigentijds interieur. Tuin met terras, waterpartij en uitzicht op de basiliek. Smaakvolle keuken met een mediterrane toets.

◆ Maison historique entièrement modernisée au dedans. Intérieur contemporain, terrasse-jardin avec pièce d'eau et vue sur la basilique. Goûteuse cuisine aux touches méditerranéennes.

Lucie & Jimmy

Stationslaan 6 – ✆ 0 12 23 61 00 – www.luciejimmy.be – fermé samedi midi, mardi et mercredi Y**t**
Rest – Lunch 30 € – Menu 45/63 €

◆ De jonge furie Lucie toonde in 'Mijn Restaurant' al dat ze probleemloos haar mannetje staat in de keuken. Dat ze niet alleen pit heeft, maar ook bijdetijds en lekker smaakvol kan koken, bewijzen de frisse gerechtjes die haar vriend Jimmy (elektricien van opleiding) u serveert. Het design is in, de bediening jeugdig.

◆ La jeune et intrépide Lucie a déjà eu l'occasion de démontrer son savoir-faire au Mijn Restaurant et elle n'a rien perdu de son tour de main, comme le prouvent ses assiettes… servies par Jimmy, son compagnon. À la carte : modernité et saveur. Mêmes tonalités branchées et jeunes dans le décor comme dans l'accueil.

Le 54

Hondsstraat 54 – ✆ 0 12 39 32 38 – www.le54.be – fermé 28 mai-11 juin, 1 semaine fin août, dimanche et lundi Z**a**
Rest – Lunch 21 € – Menu 34/50 € – Carte 40/57 €

◆ Een leuk adresje: geen haute cuisine maar een smakelijke productkeuken; geen uitgebreide ploeg maar de passie van mevrouw achter het fornuis en de toewijding van meneer in de zaal. 's Middags enkel lunchformule (voor een interessante prijs).

◆ Une bonne adresse, où l'on ne fait pas de chichi, donnant ainsi la vedette à de savoureux produits. Madame, aux fourneaux, exprime toute sa passion pour la gastronomie. L'accueil prévenant de son mari achève de conquérir les clients…

XX **Altermezzo**

Bilzersteenweg 366, (Riksingen) (Nord: 2 km sur N 730) – ✆ 0 12 74 16 74 – www.altermezzo-tongeren.be – fermé 13 au 21 février, 29 octobre-6 novembre, samedi midi, lundi et mardi

Rest – Lunch 30 € bc – Menu 35/39 € – Carte 44/60 €

◆ Hier zit u goed voor een culinair Frans-Belgisch intermezzo met mediterrane invloeden. Een strakke inrichting binnen en Boeddhabeelden buiten zorgen voor een zen gevoel.

◆ Pour un intermezzo gastronomique franco-belge, ponctué de quelques notes méditerranéennes... Le décor soigné comme les images de Bouddha à l'extérieur rendent zen.

X **Tinto** – Hôtel Eburon

Via Julianus 9 – ✆ 0 12 26 44 40 – www.brasserie-tinto.be Y**b**

Rest – Lunch 20 € – Menu 35/57 € – Carte 36/62 €

◆ Vol professionaliteit wordt hier een geslaagd huwelijk van wijn en spijs voltrokken. Op de kaart een combinatie van brasseriegerechten met klassiekers.

◆ Le Tinto, qui fait aussi bar à vins, est l'endroit parfait pour découvrir de nouveaux accords mets et vins. Cuisine classique de brasserie dans un décor actuel et chaleureux.

TORGNY – Luxembourg – 534 R25 et 716 J7 – voir à Virton

BELGIQUE

TORHOUT – West-Vlaanderen – 533 D16 et 716 C2 – 19 885 h. – ✉ 8820 19 C2

▶ Bruxelles 107 – Brugge 23 – Oostende 25 – Roeselare 13

ℹ Kasteel Ravenhof, ✆ 0 50 22 07 70, www.torhout.be

XX **Forum**

Rijksweg 42, (Sint-Henricus) (Sud-Ouest : 7 km sur N 35) – ✆ 0 51 72 54 85 – www.restaurantforum.be – fermé 1er au 16 août, mercredi soir, dimanche soir et lundi

Rest – Lunch 35 € bc – Menu 35/75 € bc – Carte 47/72 €

◆ Klassieke kaart, het hele jaar kreeft en menu "Escoffier" in dit pand uit 1933, vroeger een café. Nieuw trendy interieur ter ere van het 20-jarige jubileum van de chef.

◆ Choix classique, homard toute l'année et menu "Escoffier" dans cette maison de 1933 au passé de café. Nouvelle déco "trendy" pour fêter les 20 ans de présence du chef-patron.

à Lichtervelde Sud : 7 km – 8 501 h. – ✉ 8810

XXX **De Bietemolen**

Hogelaanstraat 3 (direction Ruddervoorde : 3 km) – ✆ 0 50 21 38 34 – www.debietemolen.com – fermé 1er au 12 janvier, 1er au 25 août, jeudi soir, dimanche soir et lundi

Rest – Menu 35/95 € bc

◆ Een romantische tuin omringt dit oud landhuis, waar men al sinds 1978 heerlijk kan eten. Klassiek interieur, gedempte sfeer en mooi terras. In het weekend alleen een menu.

◆ Un jardin romantique enserre cette propriété où l'on se régale depuis 1978. Cadre classique, ambiance feutrée et belle terrasse. Le week-end, menu unique.

TOURNAI (DOORNIK) – Hainaut – 533 F19, 534 F19 et 716 D4 – 69 043 h. – ✉ 7500 6 B1

▶ Bruxelles 86 – Mons 48 – Charleroi 93 – Gent 70

ℹ Vieux Marché-aux-Poteries 14, ✆ 0 69 22 20 45, www.tournai.be

◉ Cathédrale Notre-Dame★★★ : trésor★★ C • Pont des Trous★ : ≤★ AY • Beffroi★★ C • Grand Place★ C. Musées : des Beaux-Arts★ C**M**² • d'histoire et d'archéologie : sarcophage en plomb gallo-romain★ C**M**³

◎ au Nord : 6 km à Mont-St-Aubert ✵★ AY

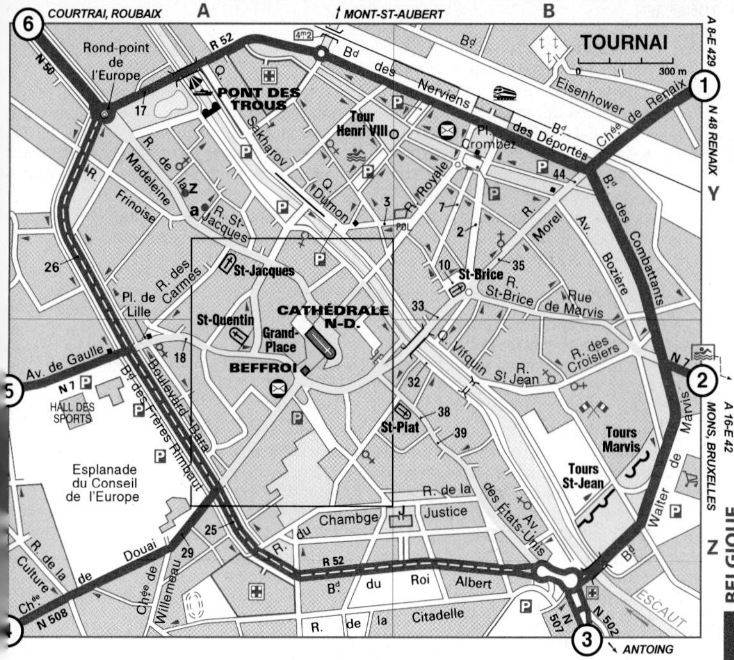

TOURNAI
300 m
COURTRAI, ROUBAIX
MONT-ST-AUBERT
A
B
A 8-E 429
N 48 RENAIX
A 16-E 42
MONS, BRUXELLES
ANTOING
Y
Z
Rond-point de l'Europe
PONT DES TROUS
Tour Henri VIII
St-Jacques
CATHÉDRALE N.-D.
St-Quentin
Grand-Place
BEFFROI
St-Brice
St-Piat
Tours Marvis
Tours St-Jean
HALL DES SPORTS
Esplanade du Conseil de l'Europe
Bd des Nerviens
Bd des Déportés
Eisenhower
Chée de Renaix
Bd des Combattants
Bd Walter de Marvis
Bd du Roi Albert
R. de la Citadelle
Chée de Douai
Chée de Willemeau
Bd des Frères Rimbaut
Boulevard Bara
Av. de Gaulle
Pl. de Lille
R. des Carmes
R. Frinoise
R. de la Madeleine
R. St-Jacques
Q. Sakharov
Q. Dumon
R. Royale
Pl. Crombez
R. Morel
Av. Bozière
R. St-Brice
Rue de Marvis
R. des Croisiers
Q. Vifquin
R. St Jean
R. du Chambge
R. de la Justice
Av. des États-Unis
R. de la Culture
ESCAUT
R 52
N 50
N 7
N 508
N 507
N 502
BELGIQUE

C
St-Jacques
TOUR DU CYGNE
R. des Fossés
ESCAUT
R. de Courtrai
M3
FORT ROUGE
R. de l'Yser
R. Perdue
St-Quentin
CATHÉDRALE NOTRE-DAME
R. de la Lanterne
Pl. St-Pierre
Grand-Place
R. des Maux
BEFFROI
R. Roc St. Nicaise
Tour St-Georges
R. Tête d'Or
R. Garnier
R. St-Martin
Pl. Reine-Astrid
R. As-Pois
R. du Ballon
Sq.re P. Bonduelle
Rue des Jésuites
R. des Filles-Dieu
M
M2
H
T
200 m

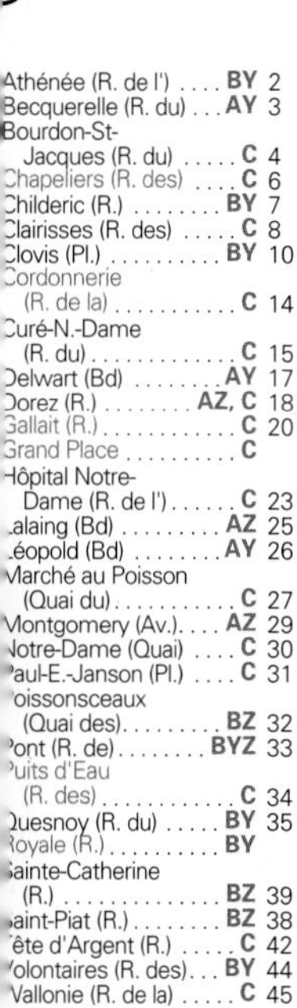

Athénée (R. de l') . . . . BY 2
Becquerelle (R. du) . . . AY 3
Bourdon-St-Jacques (R. du) . . . . . C 4
Chapeliers (R. des) . . . . C 6
Childeric (R.) . . . . BY 7
Clairisses (R. des) . . . . . C 8
Clovis (Pl.) . . . . BY 10
Cordonnerie (R. de la) . . . . C 14
Curé-N.-Dame (R. du) . . . . C 15
Delwart (Bd) . . . . AY 17
Dorez (R.) . . . . AZ, C 18
Gallait (R.) . . . . C 20
Grand Place C
Hôpital Notre-Dame (R. de l') . . . . . . C 23
Lalaing (Bd) . . . . AZ 25
Léopold (Bd) . . . . AY 26
Marché au Poisson (Quai du) . . . . C 27
Montgomery (Av.) . . . . AZ 29
Notre-Dame (Quai) . . . . C 30
Paul-E.-Janson (Pl.) . . . . C 31
Poissonsceaux (Quai des) . . . . BZ 32
Pont (R. de) . . . . BYZ 33
Puits d'Eau (R. des) . . . . C 34
Quesnoy (R. du) . . . . . BY 35
Royale (R.) . . . . BY
Sainte-Catherine (R.) . . . . BZ 39
Saint-Piat (R.) . . . . BZ 38
Tête d'Argent (R.) . . . . . C 42
Volontaires (R. des) . . . BY 44
Wallonie (R. de la) . . . . . C 45

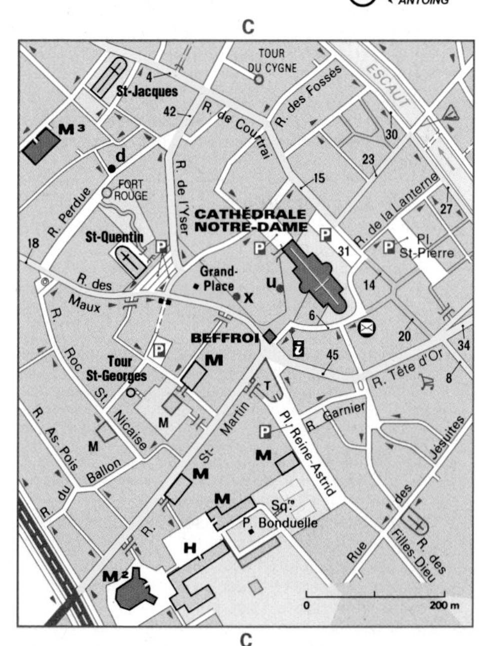

d'Alcantara sans rest

r. Bouchers St-Jacques 2 – ☎ 0 69 21 26 48
– www.hotelalcantara.be
– fermé 24 décembre-9 janvier Cd

24 ch – 88/108 € 98/118 € – 1 suite

◆ Cette maison de maître du 18e s., au cœur de Tournai, propose des chambres toutes différentes et des espaces communs élégants. Belle alliance entre style contemporain et cadre historique. Petit-déjeuner au patio.

◆ Dit stadse 18de-eeuwse herenhuis biedt kamers met een persoonlijke touch; hedendaagse inrichting in een setting met historische allure. Verzorgde openbare ruimten. Ontbijt op de patio.

Plaisir d'essences

Vieux Marché aux Poteries 2 – ☎ 0 69 76 76 55
– www.plaisirdessences.be
– fermé 1 semaine en mars, 2 premières semaines de juillet, 1 semaine en novembre, mercredi soir, samedi midi, dimanche soir et lundi Cu

Rest – Lunch 20 € – Menu 35/51 € – Carte 44/51 €

◆ Face à la cathédrale, ce restaurant saura vous séduire par son répertoire créatif, inspiré par les saveurs d'ici et d'ailleurs. "Laissez-vous faire" vous propose le jeune chef dans son menu du marché du même nom. Pourquoi pas ? Belle carte des vins et prix plutôt doux.

◆ Het is een beetje weggestopt in dit hoekje van Doornik, tegenover de kathedraal, maar beslist een bezoek waard. Dit restaurant brengt een hedendaagse adaptatie van het klassieke repertoire, veel smaak voor relatief weinig geld.

Le Chateau d'Hiver

r. Muche-vache 9 – ☎ 0 69 44 52 26 – www.chateaudhiver.com
– fermé 3 semaines en août, samedi midi, dimanche soir et lundi AYa

Rest – Lunch 28 € – Menu 35/50 € – Carte 45/63 €

◆ Les amateurs de lieux d'inspiration industrielle apprécieront ce restaurant branché. La cuisine n'est pas en reste : généreuse et préparée avec soin. Spécialités de fruits de mer.

◆ Wie houdt van een industrieel-geïnspireerde look zal smullen van het interieur van deze trendy zaak. De keuken is klassieker, maar evenzeer uw bezoek waard: genereus en bereid zoals het hoort, met zeevruchtenschotels als paradepaardje.

la petite Madeleine

r. Madeleine 19 – ☎ 0 69 84 01 87 – www.lapetitemadeleine.be – fermé août, dimanche et lundi AYz

Rest – *(prévenir)* Lunch 24 € – Menu 38/55 € bc – Carte 43/67 €

◆ Préparations classiques et traditionnelles proposées dans une ambiance de bistrot moderne. Étagères et comptoir d'épicerie à l'entrée. Terrasse sur trois niveaux à l'arrière.

◆ Doornikse gastronomen kunnen deze madeleine wel smaken. Het restaurant draait dan ook goed, een terecht compliment voor het klassiek-hedendaagse repertoire. Op het menu: foie gras op een tatin van witloof, filet pur met pepersaus, etc.

Si Jamais

Grand Place 9 – ☎ 0 69 76 67 29 – www.sijamais.be
– fermé 5 au 18 novembre et samedi midi Cx

Rest – Lunch 21 € – Menu 34/50 € – Carte 42/59 €

◆ Si Jamais… tout de suite ! À la pointe des tendances, la déco marie le 20e s. et… le 21e s., tout en épousant les dernières coutumes : formule tapas au déjeuner (très appréciée) et bar à cocktails lounge et jazzy. La carte opte plutôt pour des recettes classiques et généreuses.

◆ Si Jamais is een mooie mengeling van de 20e en de 21e eeuw. Een trendy interieur, cocktaillounge en lunch in het populaire tapaformaat maken het helemaal bijdetijds. De keuken brengt u dan weer de klassiekers, in gulle porties.

à Hollain par ③ : 8 km sur N 507 – Ⓒ Brunehaut 7 868 h. – ✉ 7620

XX **Sel et Poivre**

r. Fontaine 3 – ☎ 0 69 34 46 67 – www.seletpoivre.net – fermé semaine de carnaval, 16 au 31 août, samedi midi, lundi et mardi

Rest – *(déjeuner seulement sauf week-end)* Lunch 15 € – Menu 35/50 € – Carte 36/53 €

♦ Petit resto sympa gentiment tenu en couple dans un village proche de la frontière. Choix traditionnel, menus recommandables et nouvelle terrasse face à la place réaménagée.

♦ Dit sympathieke restaurantje in een dorp bij de grens wordt door een aardig stel gerund. Traditionele kaart, aanbevolen menu's en nieuw terras aan het heringerichte plein.

à Saint-Maur Sud : 5 km – Ⓒ Tournai – ✉ 7500

XX **La Table d'Éric**

r. Colonel Dettmer 2 – ☎ 0 69 22 41 70 – www.latablederic.be – fermé vacances de carnaval, 12 juillet-8 août, samedi midi, mardi et mercredi

Rest – *(déjeuner seulement sauf vendredi et samedi)* Lunch 25 € – Menu 34/50 € – Carte 37/65 €

♦ Adresse de confiance pour apprécier une cuisine vraie, faite artisanalement par Éric et sa petite brigade. Accueil attentionné, décor qui met tout de suite à l'aise, terrasse.

♦ Betrouwbaar adres voor een (h)eerlijke maaltijd, ambachtelijk bereid door Eric en zijn brigade. Attente bediening, eetzaal waar men zich meteen op zijn gemak voelt, en terras.

BELGIQUE

TOURNEPPE – Vlaams Brabant – voir Dworp à Bruxelles, environs

---

TRANSINNE – Luxembourg – Ⓒ Libin 4 857 h. – **534** Q23 et **716** I6 – ✉ 6890 **12** B2

Bruxelles 129 – Arlon 64 – Bouillon 32 – Dinant 44

Euro Space Center★

XX **La Bicoque**

r. Colline 58 (carrefour N 899 et N 40) – ☎ 0 61 65 68 48 – www.labicoque.be – fermé première semaine de janvier, dernière semaine de juillet-première semaine d'août, mercredi soir, dimanche soir et lundi

Rest – Lunch 28 € – Menu 45/65 € – Carte 59/71 €

♦ Atmosphère chaleureuse et romantique sous les poutres apparentes de cette ancienne grange. Cuisine française : pintade aux girolles, médaillons de lotte… Feu de cheminée en hiver.

♦ Warm en romantisch restaurant in een verbouwde graanschuur met oud gebinte. Eigentijdse kaart met een persoonlijke toets. Wijnkelder in het zicht, behaaglijk haardvuur in de winter, modern terras.

TROIS-PONTS – Liège – **533** U20, **534** U20 et **716** K4 – **2 540 h.** – ✉ 4980 **9** C2

Bruxelles 152 – Liège 54 – Stavelot 6

pl. Communale 1, ☎ 0 80 68 40 45, www.troisponts-tourisme.be

Circuit des panoramas★

à Wanne Sud-Est : 6 km – Ⓒ Trois-Ponts – ✉ 4980

X **La Métairie** avec ch

Wanne 4 – ☎ 0 80 86 40 89 – www.lametairie.be – fermé 7 au 12 janvier, 22 février-1er mars, 25 juin-5 juillet, 9 au 20 septembre, lundis et mardis non fériés et après 20 h 30

6 ch – †95/110 € ††95/110 € – ½ P 85 €

Rest – *(fermé après 20 h 30)* Lunch 20 € – Menu 30/45 € – Carte 41/50 €

♦ Une ferme ardennaise rénovée, dont le charme rustique invite à savourer la délicieuse cuisine régionale et de saison du chef. Mention spéciale au menu du mois, bien gourmand. Pour l'étape, de jolies chambres dans l'ancienne grange.

♦ Oude Ardense boerderij in een nieuw jasje met een sober, rustiek karakter. Smakelijke seizoengebonden keuken met streekgerechten. Het maandmenu is een aanrader. De kamers in de voormalige schuur zien er tiptop uit.

TUBIZE (TUBEKE) – **Brabant Wallon** – **533** K18, **534** K18 **et** **716** F3 **3** B2
– **23 553 h.** – ✉ **1480**

▶ Bruxelles 24 – Wavre 55 – Charleroi 47 – Mons 36

X Le Pivert

r. Mons 183 – ☏ 0 2 355 29 02 – www.lepivert.com – fermé 1 semaine carnaval, 1 semaine Pâques, 21 juillet-15 août, dimanche soir, mardi soir et mercredi
Rest – Lunch 16 € – Menu 28/53 € – Carte 38/60 €

◆ Cette table située à l'entrée de la ville séduit par ses menus aussi consistants que savoureux et par les généreux accords mets-vins forfaitaires que propose le patron. Assiettes soignées, chaleureux décor méridional, accueil gentil et service prévenant.

◆ Dit restaurant aan de rand van de stad valt in de smaak vanwege de royale menu's, de vaste spijs-wijncombinaties en de fraai opgemaakte borden. Warm mediterraan interieur en vriendelijke bediening.

à Oisquercq **Sud-Est : 4 km** – 🄲 **Tubize** – ✉ **1480**

XX La Petite Gayolle

r. Bon Voisin 79 – ☏ 0 67 64 84 44 – www.lapetitegayolle.be – fermé 3 dernières semaines d'août, jeudi soir, dimanche soir et lundi
Rest – Lunch 31 € bc – Menu 44 € bc/75 € bc – Carte 40/66 €

◆ Jolie fermette dont le nom désigne une cage à oiseaux en wallon. Carte classique (foie gras, magret de canard, homard, ris de veau, jambonneau...).Terrasse fleurie.

◆ Lieflijk boerderijtje, waarvan de naam verwijst naar een vogelkooi. Klassiek-traditionele keuken met vaste spijs-wijncombinaties.

BELGIQUE

TURNHOUT – **Antwerpen** – **533** O15 **et** **716** H2 – **40 763 h.** – ✉ **2300** **2** C2

▶ Bruxelles 84 – Antwerpen 45 – Liège 99 – Breda 37

ℹ Grote Markt 44, ☏ 0 14 44 33 55, www.turnhout.be

👁 Musée : national de la Carte à jouer★(Nationaal Museum van de Speelkaart)Z

TURNHOUT

Baron Fr. Du Fourstr. . . . . . Y 2
Beekstr. . . . . Z 3
Deken Adamsstr. . . . . Z 5
Druivenstr. . . . . Z 6
Gasthuisstr. . . . . Z 7
Guldensporenlei . . . . Y 9
Hannuitstr. . . . . Y 12
Hofpoort. . . . . Z 13
Kasteelstr. . . . . Y 14
Koningin Elisabethlei . . . . . Y 16
Korte Gasthuisstr. . . . . Z 17
Kwakkelstr. . . . . Z 18
Mermansstr. . . . . Z 19
Otterstr. . . . . Z 21
Oude Vaartstr. . . . . Y 22
Renier Sniedersstr. . . . . . . Z 23
Sint Antoniusstr. . . . . Z 25
Spoorwegstr. . . . . Z 26
Veldstr. . . . . Z 28
Victoriestr. . . . . Z 29
Wezenstr. . . . . Y 31

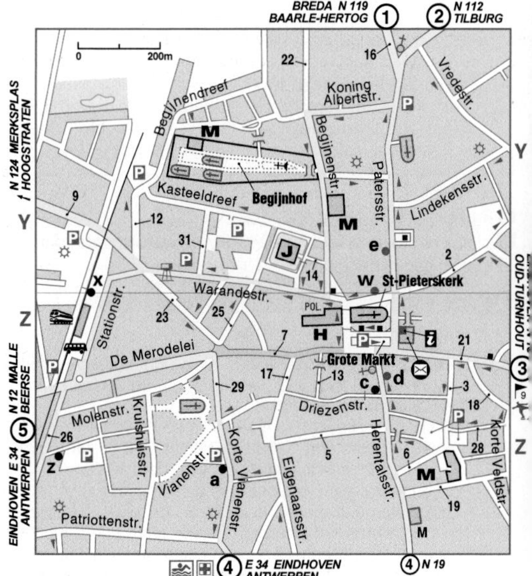

Ter Driezen sans rest

Herentalsstraat 18 – ☎ 0 14 41 87 57 – www.ter-driezen.be – fermé fin décembre
13 ch ☐ – †118/148 € ††168/175 € Z**c**

◆ Karakteristiek etablissement, waarvan de authentieke atmosfeer u terugvoert naar de tijd van de mooie klassieke hotels. Knusse salons, sfeervol terras en siertuin.

◆ Un établissement de caractère, dont l'atmosphère authentique vous replonge au temps des belles hostelleries classiques. Salons "cosy", terrasse charmante et jardin d'agrément.

City sans rest

Stationstraat 5, (dans l'ancienne gare) – ☎ 0 14 82 02 02
– www.turnhoutcity-hotel.be YZ**x**
38 ch ☐ – †89/125 € ††89/140 €

◆ Nieuw hotel naast het station in een voormalig spoorwegdepot. In de kamers aan de voorkant hoort u het geluid van de treinen minder.

◆ Hôtel neuf dans un bâtiment jouxtant la gare, dont il servit de dépôt. Chambres à choisir si possible à l'avant : les bruits du trafic ferroviaire s'y font moins ressentir.

Savoury

Steenweg op Antwerpen 106 (par ⑤ : 2 km) – ☎ 0 14 45 12 45
– www.savoury.be – fermé 2 dernières semaines de juillet, 26 décembre-4 janvier, samedi midi, lundi et mardi
Rest – Lunch 35 € – Menu 55/80 € – Carte 60/116 €

◆ Elegante villa in Engelse stijl in een weelderig groene omgeving. Eigentijdse keuken, warm klassiek interieur met lambrisering en mooi beschut terras aan de voorkant.

◆ Élégante villa de style anglo-normand aux abords verdoyants. Cuisine actuelle, décor intérieur classique chaleureux rehaussé de lambris et belle terrasse abritée en façade.

CucinaMarangon

Patersstraat 9 – ☎ 0 14 42 43 81 – www.cucinamarangon.com – fermé 2 semaines en août, fin décembre-début janvier, mercredi midi, samedi midi et lundi
Rest – Menu 35/60 € – Carte 61/70 € Y**e**

◆ Geniet van de smakelijke Italiaanse keuken van signore Marangon in een Venetiaanse eetzaal met terras. Bediening door zijn lieftallige signora, wier goedlachsheid en spontaniteit echte troeven zijn voor deze zaak. Wijnverkoop bij de ingang.

◆ Le signore Marangon vous fera déguster sa délicieuse cuisine italienne dans une salle d'inspiration vénitienne (avec terrasse). Service spontané et souriant de la charmante maîtresse de maison. Vente de vins.

Lazuli

Koningin Elisabethlei 115 (par ① : 1,5 km) – ☎ 0 14 72 37 90 – www.lazuli.be – fermé 28 mai-3 juin, 3 au 18 septembre, samedi midi, lundi et mardi
Rest – *(réservation indispensable)* Lunch 29 € – Menu 39/55 € bc – Carte 43/69 €

◆ Drie gedreven broers zijn het dreamteam achter Lazuli: in de zaal vindt u een maître en een sommelier, in de keuken staat de derde broer achter het fornuis. Samen bieden ze een lekkere traditionele keuken met sterke wijnsuggesties.

◆ Une affaire de famille ! Les trois frères s'activent, l'un en salle, l'autre en cave, et le troisième aux fourneaux, pour vous offrir une délicieuse cuisine traditionnelle et un excellent choix de vins.

Marché 17

Grote Markt 17 – ☎ 0 14 42 78 99 – www.marche17.be – fermé dernière semaine de décembre-première semaine de janvier, dimanche et jours fériés
Rest – Lunch 28 € – Menu 35/50 € – Carte 33/67 € YZ**w**

◆ Leuk restaurant, waar zij kookt en hij serveert. Ook de zoon is aangestoken door de horecamicrobe, en staat met zijn moeder in de keuken. Terras aan de Markt, open wijnkelder en patio. Eigentijdse Franse keuken.

◆ Un sympathique restaurant… et bar à vins. Monsieur est au service, tandis que sa femme œuvre en cuisine, assistée de son fils. En attendant de goûter à une cuisine française tendance, on contemple la cave, visible de la salle. Patio et terrasse avec vue sur le Grote Markt.

Lo Zio

Herentalsstraat 5 – ✆ 0 14 43 10 08 – www.lozio.be – fermé 2 dernières semaines de juillet, dimanche et lundi Z**d**

Rest – *(dîner seulement) (prévenir)* Menu 34/65 € – Carte 47/61 €

◆ De naam is een knipoog naar de twee eigenaren, ook wel de Nonkels genoemd. Moderne keuken met Italiaanse invloeden en gelikt interieur van marmer, leer, moderne kunst en wat gezochte verlichting. Goed menu van de suggesties op de kaart..

◆ Enseigne en clin d'œil aux deux propriétaires, aussi appelés "de Nonkels" (les Tontons). Cuisine moderne italianisante et cadre léché : marbre, cuir, art contemporain, éclairage étudié... Bon menu basé sur des choix de la carte.

à Oud-Turnhout par ③ : 4 km – 12 872 h. – ✉ 2360

Vin Perdu

Steenweg op Mol 114 – ✆ 0 14 72 38 10 – www.vinperdu.be – fermé 28 décembre-5 janvier, 11 au 19 juillet, 12 au 20 septembre, mardi midi, mercredi midi, samedi midi et lundi

Rest – *(réservation conseillée)* Menu 35/60 € – Carte 56/70 €

◆ Lichte, moderne eetzaal en terras in de tuin, om te genieten van een smaakvol à la carte-menu (3 menu-opties in verschillende prijsklasses) en een lekkere fles wijn voor een redelijke prijs. Vijftien wijnen zijn per glas verkrijgbaar.

◆ Que ce soit dans la salle contemporaine et lumineuse ou en terrasse, au jardin, partez à la découverte des trois savoureux menus que propose ce restaurant. Belle sélection de vins au verre à un prix raisonnable.

BELGIQUE

Broosend Hof

Brooseinde 61 – ✆ 0 14 70 00 77 – www.broosendhof.be – fermé 26 décembre-3 janvier, 2 dernières semaines d'août, mardi et mercredi

Rest – Lunch 33 € – Menu 40/54 € – Carte 51/80 €

◆ Deze oude boerderij is gerenoveerd zonder zijn rustieke karakter te verloochenen. Goede klassieke keuken met veel verse groenten als garnituur.

◆ Cette ancienne ferme s'est refait une beauté sans renier sa rusticité. Cuisine de bonnes bases classiques, "potagère" dans les garnitures, car le chef adore cuisiner les légumes.

UCCLE (UKKEL) – **Bruxelles-Capitale – 533** L18 **et 716** G3 – **voir à Bruxelles**

VAALBEEK – **Vlaams Brabant – 533** N18 – **voir à Leuven**

VENCIMONT – **Namur – Ⓒ Gedinne 4 465 h. – 534** O22 **et 716** H5 **15** C3 – **✉ 5575**

▶ Bruxelles 129 – Namur 75 – Bouillon 38 – Dinant 35

Le Barbouillon avec ch

r. Grande 25 – ✆ 0 61 58 82 60 – www.lebarbouillon.be – fermé carnaval, dernière semaine de juin-première semaine de juillet, fin août, jeudi midi et mercredi

7 ch – 75 € 75 € – ½ P 58/75 €

Rest – Menu 30/65 € – Carte 38/64 €

◆ Parti pris décoratif et registre culinaire classico-traditionnels en cette attachante auberge villageoise. Salon cosy, salles coquettes et miniterrasse. Bons bordeaux en cave. Chambres proprettes à prix "sympa" (sanitaires en commun pour deux d'entre elles).

◆ Aantrekkelijke dorpsherberg met een traditioneel-klassieke keuken en dito interieur. Gezellig salon, mooie eetzalen en miniterras. Lekkere bordeauxs in de kelder. Keurige kamers voor een sympathieke prijs (twee met gedeeld sanitair).

VERVIERS – Liège – **533** U19, **534** U19 et **716** K4 – 55 253 h. – ✉ 4800 **9** C2

Bruxelles 122 – Liège 32 – Aachen 36

r. Jules Cerexhe 86, ☎ 0 87 30 79 26, www.verviers.be

r. Gomzé 30, au Sud-Ouest : 16 km à Gomzé-Andoumont, Sur Counachamps, ☎ 0 4 360 92 07

Musées : des Beaux-Arts et de la Céramique★DM[1] • d'Archéologie et de Folklore : dentelles★DM[2]

par ③ : 14 km, Barrage de la Gileppe★★, ≤★★ • au Nord-Est : 7,5 km : Limbourg★

Plan page suivante

Verviers

r. Station 4 , (dans l'ancienne gare) – ☎ 0 87 30 56 56 – www.hotelverviers.be
100 ch – 66/121 € 77/127 €, 13 € – ½ P 96/151 € B**c**
Rest ***L'entrepôt*** – voir la sélection des restaurants

♦ Un nouveau venu dans l'hôtellerie de Verviers, remarquablement aménagé dans l'ancienne gare et dont les chambres comptent parmi les meilleures de la cité.

♦ Een sterke nieuwkomer in het hotelaanbod van Verviers: centraal gelegen in het voormalige station van Verviers, met mooie kamers die een aangenaam verblijf garanderen.

XX Le Coin des Saveurs

av. de Spa 28 – ☎ 0 87 23 23 60 – www.lecoindessaveurs.be – fermé samedi midi, lundi et mardi B**a**
Rest – Menu 35 € – Carte 37/47 €

♦ Ce Coin des Saveurs mérite bien son nom ! Dans l'atmosphère agréable de la salle – spacieuse – ou en terrasse, on apprécie une jolie cuisine contemporaine : cabillaud et risotto au parmesan, tarte Tatin à la tomate, etc.

♦ Het is erg comfortabel zitten in dit ruime restaurant met z'n mooie terras. U eet er hedendaagse gerechten: kabeljauw met parmezaanrisotto, tarte tatin van tomaat, etc.

XX L'entrepôt – Hôtel Verviers

r. Station 4 , (dans l'ancienne gare) – ☎ 0 87 30 56 56 – www.hotelverviers.be
Rest – Lunch 17 € bc – Menu 30/55 € bc – Carte 29/66 € B**c**

♦ Un "entrepôt" pour cultiver les plaisirs du… palais. La carte : une relecture contemporaine de la cuisine classique. Décor à l'unisson.

♦ Wanneer u maar wil, staat dit restaurant voor u klaar. De hele dag door serveert men klassiek geïnspireerde gerechten op een moderne leest in een bijdetijdse setting.

à Andrimont Nord : 5 km – Ⓒ Dison 15 136 h. – ✉ 4821

XX La Bergerie

rte de Henri-Chapelle 158 – ☎ 0 87 89 18 00 – www.labergeriedandrimont.be – fermé 2 semaines en janvier, 2 semaines en septembre, 2 semaines en novembre, samedi midi, lundi et mardi
Rest – Menu 30/40 € – Carte 35/58 €

♦ Cuisine française de notre temps servie dans une fermette rajeunie (sièges en Lloyd Loom, murs éclaircis, tomettes, briques, pans de bois, éclairage tamisé) ou dehors, avec la campagne à perte de vue. Menus-vedettes.

♦ Eigentijdse Franse keuken in een gemoderniseerd boerderijtje (Lloyd Loomstoelen, lichte muren, terracottategels, baksteen, hout en sfeerverlichting) of buiten, met uitzicht op het platteland. Lekkere menu's.

à Heusy – Ⓒ Verviers – ✉ 4802

XXX La Croustade

r. Hodiamont 13 (par N 657) – ☎ 0 87 22 68 39 – www.croustade.be – fermé 17 février-2 mars, 14 août-6 septembre, 18 décembre-12 janvier, mardi soir, mercredi soir, samedi midi, dimanche soir et lundi B**a**
Rest – Lunch 30 € – Menu 33/56 € – Carte 53/68 €

♦ Dans ce bâtiment de caractère, une cuisine dont on ne se lasse pas : des mets classiques, préparés avec des produits de qualité, pour un résultat tout en saveur… et à un prix délicieux.

♦ Een landhuis met karakter waar men kookt zoals de gasten het graag hebben: klassieke gerechten op basis van goede producten, smaakvol uitgevoerd en tegen een lekkere prijs.

VERVIERS

Street	Grid	No.
Anne-de-Molina (R.)	B	3
Brou (R. du)	C	4
Carmes (R. des)	D	6
Chapelle (R. de la)	B	7
Chêne (Pont du)	C	8
Clément XIV (R.)	B	9
Coronmeuse (R.)	D	10
Crapaurue	D	
Déportés (R. des)	B	12
Fabriques (R. des)	B	15
Franchimontois (R. des)	B	17
Franchimont (R. de)	B	16
Grandjean (R.)	C	18
Grappe (R. de la)	B	19
Grétry (R.)	B	20
Harmonie (Av. de l')	C	22
Heid des Fawes	B	24
Lions (Pont aux)	D	25
Maçons (Quai des)	D	27
Martyr (Pl. du)	C	28
Namur (R. de)	C	29
Ortmans-Hauzeur (R.)	D	30
Palais de Justice (Pl. du)	D	31
Paroisse (R. de la)	D	33
Raines (R. des)	D	34
Récollets (Pont des)	C	36
Saint-Laurent (Pont)	C	37
Sommeleville (Pl.)	D	39
Sommeleville (Pont)	D	40
Spintay (R.)	C	
Théâtre (R. du)	C	42
Thier-Mère-Dieu (R.)	D	43
Tribunal (R. du)	D	45
Verte (Pl.)	C	
Verviers (R. de)	B	46

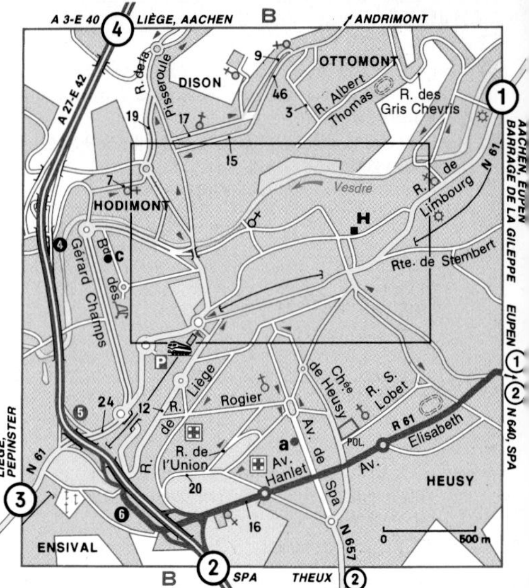

BELGIQUE

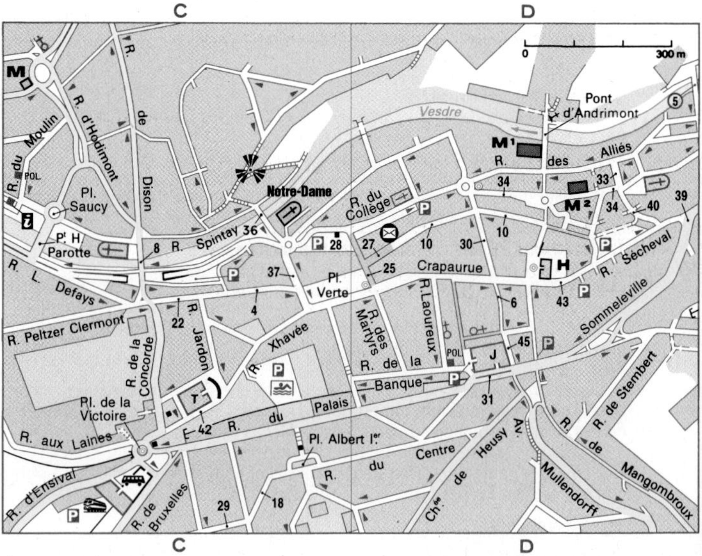

à Petit-Rechain Nord-Ouest : 2 km – Verviers – ✉ 4800

XX **La Chapellerie**

chaussée de la Seigneurie 13 – ✆ 0 87 31 57 41
– www.lachapellerie.be
– fermé 1er au 15 janvier, fin août-début septembre, samedi midi, lundi soir, mardi, mercredi et après 20 h 30
Rest – Lunch 29 € – Menu 35/60 € – Carte 47/55 €

♦ Carte attrayante et bon menu en phase avec l'époque dans cette maison de maître au passé de chapellerie. Salle relookée en gris et blanc, véranda moderne et cour-terrasse. Chapeau aussi pour l'accueil chaleureux !

♦ Aantrekkelijke kaart en lekker menu, goed bij de tijd, in deze oude hoedenwinkel. De eetzaal is gerestyled in grijs en wit. Moderne serre en patio. Hoedje af voor het gastvrije onthaal!

VEURNE (FURNES) – West-Vlaanderen – 533 B16 et 716 B2 – 11 666 h. 18 A2 – ✉ 8630

Bruxelles 134 – Brugge 47 – Oostende 26 – Dunkerque 21

Grote Markt 29, ✆ 0 58 33 55 31, www.veurne.be

Grand-Place★★(Grote Markt) • Procession des Pénitents★★ (Boetprocessie) • Hôtel de Ville(Stadhuis) : Cuirs★

à l'Est : 10 km à Diksmuide, Tour de l'Yser (IJzertoren)✻★

Hostellerie Croonhof rest, rest, ch, soir

Noordstraat 9 – ✆ 0 58 31 31 28 – www.croonhof.be
– fermé 25 juin-2 juillet, 1er au 15 octobre et 17 au 26 décembre
14 ch – 78/83 € 94/128 € – ½ P 111/116 €
Rest – *(fermé dimanches et lundis non fériés sauf 15 juillet-15 août et après 20 h 30)*
Lunch 26 € – Menu 33/60 € bc

♦ Dit gemoedelijke familiehotel is ondergebracht in een gerenoveerd herenhuis vlak bij de pittoreske Grote Markt. De kamers zijn groot genoeg en bieden modern comfort. Comfortabel restaurant met een verzorgde eigentijdse keuken in licht Italiaanse stijl. Twee klassiek ingerichte eetzalen, waarvan één met glasdak.

♦ Maison de maître rénovée, toute proche de la pittoresque Grand-Place. Chambres d'ampleur satisfaisante, bénéficiant du confort moderne. Atmosphère d'hostellerie familiale. Confortable restaurant d'hôtel tenu en famille et servant de la cuisine actuelle soignée, légèrement italianisante, dans deux salles au décor formel, dont l'une sous verrière.

De Loft sans rest

Oude Vestingstraat 36 – ✆ 0 58 31 59 49 – www.deloft.be
8 ch – 69/74 € 85/95 €

♦ Deze oude smederij is omgetoverd tot een "lofthotel" in het centrum, even buiten het toeristische circuit. Basic kamers, maar fris en proper. Tearoom en kunstgalerij.

♦ Au centre, mais hors du circuit touristique, ancienne fonderie convertie en "loft-hotel" accueillant. Chambres basiques mais fraîches et nettes ; tea-room et galerie d'art.

't Kasteel & 't Koetshuys sans rest

Lindendreef 7 – ✆ 0 58 31 53 72 – www.kasteelenkoetshuys.be
– fermé 2 dernières semaines d'octobre
12 ch – 90 € 125 €

♦ B&B in een mooi herenhuis uit 1900, waar de gasten in de watten worden gelegd. Aangename, rustige kamers (vaak gedeeld sanitair), wellness en tearoom in het hoogseizoen.

♦ Bed and breakfasts occupant une belle demeure 1900. Patronne aux petits soins, chambres calmes et charmantes (sanitaires souvent partagés), bon wellness et tea-room en saison.

BELGIQUE

XX **Olijfboom**

Noordstraat 3 – ✆ 0 58 31 70 77 – www.olijfboom.be – fermé 8 au 23 janvier, dimanche et lundi

Rest – Lunch 20 € – Menu 35/55 €

◆ Goed adresje bij de Grote Markt. Hedendaags interieur met open keuken, waarin een chef-kok "nieuwe stijl" aan het werk is op klassieke basis. Verse kreeft en lekkere wijn.

◆ Bonne petite table à débusquer près du Grote Markt. Cadre actuel, chef "new style" œuvrant à vue, choix classique, recettes de homard (puisé au vivier) et beau livre de cave.

X **De Oogappel**

Appelmarkt 3 – ✆ 0 58 28 86 46 – www.restaurantdeoogappel.be – fermé dimanche soir et lundi

Rest – Carte 36/75 €

◆ Restaurant in bistrostijl in het centrum van Veurne, in een gerenoveerd pand uit 1760, waarvan de vloeren en kasten nog origineel zijn. Klassieke Franse kaart.

◆ Restaurant de style bistrot établi au centre de Furnes, dans une maison de 1760 rénovée en préservant revêtements de sol et armoires d'origine. Carte classique française.

à Beauvoorde Sud-Ouest : 8 km – C Veurne – ✉ 8630 Veurne

BELGIQUE

Driekoningen

rest,

Wulveringemstraat 40 – ✆ 0 58 29 90 12 – www.driekoningen.be – fermé 16 janvier-10 février, 20 février-2 mars, 20 au 31 août, lundi soir en hiver, mardi et mercredi

13 ch – †65 € ††70/90 €, ☐ 8 € – ½ P 70/80 €

Rest – *(fermé après 20 h 30)* Menu 39/55 € – Carte 38/54 €

◆ Grote 18de-eeuwse herberg in een karakteristiek dorp. Familiebedrijf met functionele kamers voor een goede prijs. Klassieke kaart en drie menu's. Rustiek interieur met schouw. Taverne, oude graanschuur voor partijen en tuin met terras.

◆ Dans un village typé, grande auberge dont l'origine se perd au 18[e]s. Chambres fonctionnelles à bons prix. Carte classique et trois menus proposés dans un cadre rustique avec cheminée. Taverne, ancienne grange (banquets) et terrasse au jardin. Tenue familiale.

VIELSALM – Luxembourg – 533 U21, 534 U21 et 716 K5 – 7 513 h. – ✉ 6690 13 C1

Bruxelles 171 – Arlon 86 – Malmédy 28 – Clervaux 40

av. de la Salm 50, ✆ 0 80 21 50 52, www.vielsalm-gouvy.org

Les Myrtilles

r. Vieux Marché 1 – ✆ 0 80 67 22 85 – www.lesmyrtilles.be

19 ch ☐ – †59/89 € ††69/119 € – ½ P 60/85 €

Rest – *(fermé jeudi midi et mercredi)* Menu 25/58 € – Carte 35/54 €

◆ Les chambres de ce sympathique hôtel familial se révèlent plaisantes, d'autant qu'elles sont proposées à prix doux... Carte classique au restaurant.

◆ Aardig familiehotel met prettige kamers voor een zacht prijsje. Vrolijke ontbijtzaal met een rustiek karakter. Kleine tuin met terras en enkele speeltoestellen. Klassieke kaart in het restaurant.

L'Auberge du Notaire

r. Général Jacques 11 – ✆ 0 80 78 56 70 – www.aubergedunotaire.be – fermé dimanche soir,mardi et mercredi

9 ch ☐ – †115/130 € ††130/145 € – ½ P 149/164 €

Rest – Menu 34/80 € – Carte 42/59 €

◆ On ne passe plus les actes en cette maison de notaire devenue B&B de charme. Boiseries à l'accueil, plancher dans les chambres, salle à manger bien stylée et terrasse-jardin.

◆ Er worden geen akten meer gepasseerd in dit notarishuis dat nu een sfeervol B&B is. Gelambriseerde entree, kamers met parket, gestileerde eetkamer en tuinterras.

à Bovigny Sud : 7 km – C Gouvy 5 394 h. – ✉ 6671

Saint-Martin rest, P VISA MC

Courtil 5 – ☎ 0 80 21 55 42 – www.hotelsaintmartin.be – fermé 9 au 19 janvier, 30 mars-5 avril et 26 août-2 septembre

12 ch – †56/66 € ††66 €, ☕ 9 €

Rest – *(fermé mardi et mercredi en janvier, février, novembre et décembre sauf vacances scolaires, dimanche soir et après 20 h 30)* Lunch 20 € – Menu 27/38 € – Carte 38/49 €

♦ Cette maison ardennaise en pierres du pays plaît pour son atmosphère familiale des plus hospitalières et pour ses chambres fonctionnelles bien tenues, cédées à prix souriants. Salle de restaurant au décor assez typé, assorti au tempérament régional du menu.

♦ In dit hotel, dat in typisch Ardense stijl uit natuursteen is opgetrokken, heerst een gastvrije, huiselijke sfeer. Goed onderhouden, functionele kamers voor een zacht prijsje. De karakteristieke eetzaal past uitstekend bij het regionale karakter van het menu.

à Hébronval Ouest : 10 km – C Vielsalm – ✉ 6690 Vielsalm

XX **Le Val d'Hébron** avec ch rest, P VISA MC AE

Hébronval 10 – ☎ 0 80 41 88 73 – fermé 1 semaine en avril, 16 août-2 septembre, mardi et mercredi

12 ch – †38 € ††58 €, ☕ 8 € – ½ P 58 €

Rest – Lunch 20 € – Menu 33/52 € – Carte 34/54 €

♦ Auberge familiale où l'on se sent entre de bonnes mains. Intérieur moderne et généreuse cuisine traditionnelle faite par la patronne, depuis 1973. Ne ratez pas son menu de saison en 4 services ! Bonnes chambres au jardin, dans l'annexe côtoyant l'église.

♦ In deze familieherberg bent u in goede handen. Moderne eetzaal met een traditionele keuken. De eigenaresse staat al sinds 1973 achter het fornuis. Haar seizoensgebonden 4-gangen menu is een must! Goede kamers in het bijgebouw in de tuin, naast de kerk.

BELGIQUE

VILLERS-LE-BOUILLET – Liège – 533 Q19, 534 Q19 et 716 I4 – 6 225 h. – ✉ 4530 — 8 A2

Bruxelles 86 – Liège 25 – Huy 8 – Namur 37

XX **Un temps pour Soi** P VISA MC AE

Thier du Moulin 46 (Sud : 4 km par N 684) – ☎ 0 85 25 58 55 – www.untempspoursoi.be – fermé première semaine de janvier, dernière semaine d'août-première semaine de septembre et samedis midis, dimanches soirs et lundis non fériés

Rest – Lunch 30 € – Menu 50 € bc

♦ Maison de pays dont l'atmosphère, intime et feutrée, convient tant aux déjeuners d'affaires qu'aux dîners romantiques. Cuisine de saison faite par la patronne. Belle terrasse.

♦ Karakteristiek pand met terras, waarvan de intieme, gedempte sfeer zich zowel leent voor een zakenlunch als een romantisch diner. De eigenaresse kookt op basis van het seizoen.

VILLERS-SUR-LESSE – Namur – C Rochefort 12 403 h. – 534 P22 et 716 I5 – ✉ 5580 — 15 C2

Bruxelles 115 – Namur 54 – Bouillon 55 – Dinant 25

Beau Séjour P VISA MC

r. Platanes 16 – ☎ 0 84 37 71 15 – www.beausejour.be – fermé 2 semaines en janvier, fin juin-début juillet, lundi et mardi

13 ch – †80/120 € ††80/120 €, ☕ 15 € – ½ P 119 €

Rest *Du Four à la Table* – voir la sélection des restaurants

♦ Au cœur du village, hostellerie s'ouvrant sur un jardin fleuri dès les premiers beaux jours et doté d'un étang de baignade, avec vue sur le château.

♦ Dit hotel-restaurant in het hart van het dorp heeft een tuin die 's zomers prachtig in bloei staat, met een zwemvijver en uitzicht op het kasteel. Drie types kamers.

Château de Vignée

r. Montainpré 27, (Vignée) (Ouest : 3,5 km près E 411 - A 4, sortie 22) – ✆ 0 84 37 84 05 – www.chateaudevignee.be – fermé 10 janvier-10 février
13 ch – †75/155 € ††75/155 €, ☐ 14 € – 4 suites – ½ P 110 €
Rest *Château de Vignée* – voir la sélection des restaurants

◆ Ferme fortifiée reconstruite en 1756 dans ce coin de campagne au passé vigneron. Corps de logis, tour et dépendances abritent des chambres châtelaines. Parc en bord de Lesse.

◆ Deze kasteelhoeve werd in 1756 herbouwd in een voormalige wijngaard. De kamers zijn ondergebracht in het hoofdgebouw, de toren en de dependances. Park aan de Lesse.

XX

Du Four à la Table – Hôtel Beau Séjour

r. Platanes 16 – ✆ 0 84 37 71 15 – www.beausejour.be – fermé 2 semaines en janvier, fin juin-début juillet, lundi et mardi
Rest – *(fermé mardi soir sauf en juillet-août, lundi et après 20 h 30) (dîner seulement sauf week-end)* Lunch 34 € – Menu 55 € bc/92 € bc

◆ Le chef flamand Laurent Van de Vyver choisit pour une cuisine créative qui peut compter sur l'approbation de ses voisins. Les voisins, ce sont les résidents du château de Ciergnon tout proche... le couple royal de Belgique!

◆ De Vlaamse chef Laurent Van de Vyver kiest voor een creatieve keuken die onder meer op de goedkeuring van de buren kan rekenen. Die buren, dat zijn de bewoners van het nabijgelegen kasteel van Ciergnon... Het Belgische vorstenpaar!

XX

Château de Vignée – Hôtel Château de Vignée

r. Montainpré 27, (Vignée) (Ouest : 3,5 km près E 411 - A 4, sortie 22) – ✆ 0 84 37 84 05 – www.chateaudevignee.be – fermé 10 janvier-10 février, lundi soir et mardi
Rest – Menu 35/55 € – Carte 52/66 €

◆ Un cadre Art déco, pour une carte empreinte de classicisme et de tradition… Terrasse aux beaux jours.

◆ Het zal u niet verbazen dat u in dit traditioneel ogende restaurant met art-deco-interieur ook klassieke gerechten krijgt. 's Zomers kunt u buiten zitten.

X

Auberge du Bief de la Lesse

r. Bief 1 – ✆ 0 84 37 84 21 – www.biefdelalesse.com – fermé lundis et mardis non fériés
Rest – Carte env. 30 €

◆ Vieille ferme (18e s.) au décor nostalgique chaleureux, façon bistrot rustique. Flambées au salon dès les premiers frimas, tonnelle côté jardin, petit choix noté à l'ardoise.

◆ Oude boerderij (18de eeuw) met een warm, nostalgisch interieur in rustieke bistrostijl. Zitkamer met open haard, tuin met pergola en kleine keuze op een lei.

VILVOORDE (VILVORDE) – Vlaams Brabant – 533 L17 et 716 G3 – voir à Bruxelles, environs

---

VIRELLES – Hainaut – 534 K22 et 716 F5 – voir à Chimay

VIRTON – Luxembourg – 534 S25 et 716 J7 – 11 426 h. – ✉ 6760 13 C3

Bruxelles 221 – Arlon 29 – Bouillon 53 – Longwy 32

r. Grasses Oies 2b, ✆ 0 63 57 89 04, www.virton.be

XX

Le Franc Gourmet

r. Roche 13 – ✆ 0 63 57 01 36 – www.francgourmet.be – fermé 1 semaine en juillet, samedi midi, dimanche soir et lundi
Rest – Menu 30/48 € – Carte 32/54 €

◆ Face à la Maison du Tourisme de Gaume. Cuisine classico-actuelle servie dans trois pièces modernes en enfilade ou au jardin. Recommandable menu "composition" à choix multiple.

◆ Restaurant tegenover het VVV-kantoor van Gaume, met drie moderne eetzalen achter elkaar. Modern-klassieke keuken en menu met veel keuze. Mogelijkheid om in de tuin te eten.

à Ruette Sud-Est : 7 km – 🄲 Virton – ✉ 6760

La Bajocienne sans rest

r. Abbé Dorion 22 – ☎ 0 63 57 00 63 – www.labajocienne.be – fermé 1 semaine en septembre

4 ch – †35/40 € ††50/55 €

◆ Belle ferme gaumaise de 1745 où règne une attachante atmosphère rurale. Chambres coquettes aux accents de Provence et chaleureux salon au coin du poêle.

◆ Mooie boerderij (1745) in de stijl van het Gaumeland met een landelijke sfeer. Leuke kamers met een Provençaals accent en gezellige zitkamer met kachel.

à Torgny Sud-Ouest : 10 km – 🄲 Rouvroy 2 080 h. – ✉ 6767

L'Empreinte du Temps

r. Escofiette 12 – ☎ 0 63 60 81 80 – www.lempreintedutemps.be – fermé dernière semaine de janvier-première semaine de février et dernière semaine d'août-première semaine de septembre

11 ch – †79/98 € ††98/120 €

Rest *L'Empreinte du Temps* – voir la sélection des restaurants

◆ Façade pittoresque en pierres blondes (1803) et séduisant décor rustico-moderne pour ce petit hôtel occupant l'ex-école.

◆ Hotelletje in een oude school met een mooie gevel van lichte natuursteen en een geslaagd modern-rustiek interieur.

Auberge de la Grappe d'Or (Clément Petitjean) avec ch

r. Ermitage 18 – ☎ 0 63 57 70 56 – www.lagrappedor.com – fermé dernière semaine de janvier-première semaine de février et dernière semaine d'août-première semaine de septembre

10 ch – †110/115 € ††140 € – ½ P 135 €

Rest – *(fermé lundi et mardi)* Lunch 32 € – Menu 57/97 € – Carte 73/81 €

Spéc. Ris de veau en millefeuille de foie gras, croustillant de pieds de porc et jus du jarret. Suprêmes de pigeonneau au quinoa fumé, sauce à l'arabica. Langoustines de Guilvinec au beurre d'estragon, poêlée de shiitake.

◆ Auberge de caractère dans un village de la "Provence belge". Gastronomie évolutive sublimée par une cave d'épicurien. Carte avec "incontournables" et trio de menus, dont le plus fastueux, en 6 services, s'articule autour d'un produit. Belles chambres en rez-de-jardin et à l'étage.

◆ Karakteristieke herberg in een dorp in de Belgische "Provence". Creatieve keuken en goede wijnkelder. Kaart met Belgische specialiteiten en drie menu's, waarvan het zesgangenmenu rond één product wordt samengesteld. Mooie kamers op de beneden- en bovenverdieping.

L'Empreinte du Temps – Hôtel L'Empreinte du Temps

r. Escofiette 12 – ☎ 0 63 60 81 80 – www.lempreintedutemps.be – fermé dernière semaine de janvier-première semaine de février, dernière semaine d'août-première semaine de septembre, lundi et mardi

Rest – Lunch 22 € – Menu 26 € – Carte env. 35 €

◆ Prenez un fond de rusticité, ajoutez une dose d'esprit contemporain – épure comprise – et assaisonnez le tout de décontraction et de chaleur : vous obtiendrez ce joli bistrot ! Buffet de mises en bouche régionales, menu selon le marché et jolis vins à prix doux.

◆ Mooie eetzaal in bistrostijl met een sobere, modern-rustieke uitstraling, warme en ontspannen sfeer, regionaal hors-d'oeuvre buffet, smakelijk keuzemenu van de markt en lekkere wijnen voor een zacht prijsje.

VLISSEGEM – **West-Vlaanderen** – **533** D15 **et 716** C2 – **voir à De Haan**

VOLLEZELE – **Vlaams Brabant** – 🄲 **Galmaarden 8 518 h.** – **533** J18 **et** **716** F3 – ✉ **1570** **3** A2

Bruxelles 32 – Leuven 69 – Gent 50 – Mons 39

BELGIQUE

Hof te Spieringen

Langestraat 42 – ✆ 0 54 56 71 54 – www.hoftespieringen.be
5 ch – 103/113 € 125/135 € – ½ P 113/155 €
Rest – *(dîner pour résidents seulement)*

◆ Al van bij de hartelijke ontvangst voelt u dat u hier in goede handen bent. De gezellige zithoek met open haard en prachtige kamers met parket maken het plaatje van de perfecte B&B compleet.

◆ On entre dans cette maison et l'on se sent tout de suite bien ! La gentillesse de la maîtresse des lieux, le charme des chambres, les fauteuils au coin du feu, le beau jardin : tout n'est que ravissement... Un vrai havre de paix, idéal pour se ressourcer.

VORST – Bruxelles-Capitale – voir Forest à Bruxelles

VRASENE – Oost-Vlaanderen – C Beveren 46 588 h. – 533 K15 et 716 F2 – ✉ 9120 17 D1

Bruxelles 55 – Gent 49 – Antwerpen 13 – Sint-Niklaas 8

Herbert Robbrecht

Hogenakker 1 (sur N 451) – ✆ 0 3 755 17 75 – www.herbertrobbrecht.be – fermé 1er au 8 janvier, 26 mars-6 avril, 16 juillet-9 août, 29 octobre-4 novembre, samedi midi, mardi soir et jeudi
Rest – Lunch 45 € – Menu 65/90 € – Carte 70/96 €
Spéc. Ris de veau aux langoustines, beurre noisette au citron et estragon. Cuisses de grenouilles à la pommade de pommes de terre, crème d'herbes et tempura de haricots. Terrines de tête de veau et foie d'oie à la bière.

◆ Deze villa kijkt uit op een tuin met terras en waterpartij. Elegant hedendaags interieur en moderne keuken op basis van eersteklasproducten. Lunch en menu met een goede prijs-kwaliteitsverhouding. Patio.

◆ Villa s'ouvrant sur un jardin avec terrasse et pièce d'eau. Cadre actuel élégant et cuisine moderne faite à partir de produits triés sur le volet. Lunch et menu d'un bon rapport qualité-prix. Cour-terrasse.

VRESSE-SUR-SEMOIS – Namur – 534 O23 et 716 H6 – 2 767 h. – ✉ 5550 15 C3

Bruxelles 154 – Namur 95 – Bouillon 29 – Charleville-Mézières 30

r. Albert Raty 83, ✆ 0 61 29 28 27, www.ardenne-namuroise.be

au Nord-Est : Gorges du Petit Fays★ • Route de Membre à Gedinne ≤★★

Le Relais avec ch

r. Albert Raty 72 – ✆ 0 61 50 00 46 – www.lerelais.be – ouvert 7 avril-1er janvier; fermé mardi soir, mercredi et jeudi sauf de juillet au 20 septembre et après 20 h 30
12 ch – 43/50 € 63 €, 8 € – ½ P 69 €
Rest – Menu 23/32 € – Carte 34/50 €

◆ Ex-relais de poste devancé par une terrasse abritée. Alléchante carte et menu comme autrefois : les fervents de cuisine traditionnelle généreuse sauront apprécier ! Chambres de mise simple à l'étage.

◆ Oud poststation met een beschut terras aan de voorkant. Aanlokkelijke kaart en menu zoals vroeger: wie van overvloedig en traditioneel eten houdt, komt hier aan zijn trekken! Eenvoudige kamers op de bovenverdieping.

à Bohan Sud-Ouest : 6 km – C Vresse-sur-Semois – ✉ 5550

l'Artiste

r. Église 41 – ✆ 0 61 25 52 01 – www.chezlartiste.be – fermé 10 janvier-4 mars
4 ch – 65/85 € 85/105 € **Rest** – *(dîner pour résidents seulement)*

◆ Maison de maître transformée en bed and breakfast par son propriétaire, architecte, mais aussi artiste à ses heures. Chambres et communs ornés de quelques-unes de ses œuvres. Dîner sur demande.

◆ Dit herenhuis werd tot B&B verbouwd door de eigenaar, die architect en tevens kunstenaar is. In alle vertrekken hangt wel wat van zijn werk.

à Laforêt Sud : 2 km – Ⓒ Vresse-sur-Semois – ✉ 5550

Auberge Moulin Simonis

rte de Charleville 42 (sur N 935) – ☎ 0 61 50 00 81 – www.moulinsimonis.com – fermé janvier et mercredi

11 ch – 73/83 € 80/90 € – ½ P 70/75 €

Rest ***Auberge Moulin Simonis*** – voir la sélection des restaurants

◆ Accueil familial et sympathique dans cet ancien moulin à eau isolé dans un vallon de verdure et... de silence. Avis aux pêcheurs : le ruisseau voisin regorge de truites !

◆ In deze oude watermolen, afgelegen in een rustig groen dal, wordt u vriendelijk onthaald. In het beekje naast het hotel zwemmen de forellen u voorbij.

Auberge Moulin Simonis – Hôtel Auberge Moulin Simonis

rte de Charleville 42 (sur N 935) – ☎ 0 61 50 00 81 – www.moulinsimonis.com – fermé janvier, mercredi et après 20 h 30

Rest – Lunch 20 € – Menu 25/34 € – Carte 44/53 €

◆ Dans le décor traditionnel de cette auberge en pierre ou en terrasse, on se ressource en dégustant des recettes de toujours, accommodées au goût du moment : jambon de ferme et sa salade à l'huile de noix, petit bouillon lardé aux endives ; et, évidemment, une truite meunière "Moulin Simonis".

◆ In het traditioneel decor van deze typische stenen herberg of op het tuinterras kunt u zich herbronnen terwijl u geniet van tijdloze gerechten op hedendaagse wijze: hoeveham en sla met notenolie; Sint-Jacobsschelpen met witlofbouillon; en natuurlijk de forel “Moulin Simonis” op molenaarswijze...

à Membre Sud : 3 km – Ⓒ Vresse-sur-Semois – ✉ 5550

Les Alisiers

r. Coin 17 – ☎ 0 61 50 00 01 – www.les-alisiers.be

3 ch – 60 € 75 € **Rest** – *(dîner pour résidents seulement)*

◆ Dans cette maison villageoise en schiste (17ᵉs.) règne une agréable atmosphère, typiquement ardennaise. Chambres de caractère. Bonne table d'hôtes.

◆ In dit 17de-eeuwse dorpshuis van leisteen, waar een restaurateursechtpaar de scepter zwaait, hangt een leuke Ardense sfeer. Kamers met karakter en een lekkere table d'hôtes. Smakelijke table d'hôte.

VROENHOVEN – Limburg – Ⓒ Riemst 16 227 h. – 533 S18 et 716 J3 – ✉ 3770 11 C3

Bruxelles 106 – Hasselt 37 – Liège 26 – Aachen 42

Im's & Wim's sans rest

Keelstraat 4 – ☎ 0 12 21 35 33 – www.imsenwims.eu

3 ch – 65/85 € 65/85 €

◆ Of u nu, net over de grens, Maastricht wil verkennen of wilt genieten van de Limburgse landschappen, bij Im en Wim zit u goed. Warme ontvangst met koffie en gebak, uitgebreid ontbijt.

◆ Si vous ne voulez avoir que la frontière à traverser pour aller explorer Maastricht ou les paysages du Limbourg, vous êtes à la bonne adresse. Im et Wim vous réservent un accueil chaleureux – avec café et pâtisserie ! Le petit-déjeuner, copieux, est parfait... avant de passer la frontière.

Mary Wong

Maastrichtersteenweg 242 – ☎ 0 12 45 57 57 – www.marywong.be – fermé 2 semaines en janvier, 1 semaine en février, mardi et mercredi

Rest – *(dîner seulement)* Menu 30/50 €

◆ Aardig en verzorgd Chinees restaurant bij de grens, dat door een Belgisch-Chinees stel wordt gerund. De specialiteit van het huis is authentieke geroosterde pekingeend.

◆ Restaurant chinois aimable et soigné tenu par un couple sino-belge à deux pas de la frontière. Spécialité de canard laqué dans la grande et authentique tradition pékinoise.

WAASMUNSTER – Oost-Vlaanderen – 533 J16 et 716 F2 – 10 415 h. – ✉ 9250 17 C2

Bruxelles 39 – Gent 31 – Antwerpen 29

XXX **La Cucina**

Belselestraat 4 (sur E 17 - A 14, sortie ⑬) – ✆ 0 52 46 00 29 – www.restaurant-lacucina.be – fermé 3 semaines en août, samedi midi, mardi et mercredi

Rest – Lunch 29 € – Menu 36/63 € – Carte 55/75 €

◆ Nieuw, modern interieur en een mooi, schaduwrijk terras aan de achterkant. Eigentijdse keuken met een duidelijk accent op mediterrane ingrediënten.

◆ Nouvelle déco intérieure de style contemporain, jolie terrasse arrière à l'ombre des arbres et cuisine actuelle de saison, très portée sur les saveurs méditerranéennes.

X **Roosenberg**

Patotterijstraat 1 – ✆ 0 3 722 06 00 – www.roosenberg.be – fermé 24 et 31 décembre

Rest – *(ouvert jusqu'à 23 h)* Carte 36/77 €

◆ Weelderige brasserie in een grote moderne villa in koloniale stijl. Typische brasseriekaart met topproducten. Grillschotels en suggesties op een lei. Businesslunch. Terras beschut door een galerij.

◆ Brasserie cossue occupant une grande villa moderne de style colonial. Produits choisis et spécialités de grillades. Suggestions à l'ardoise ; belle carte des vins.

BELGIQUE

WAIMES (WEISMES) – Liège – 533 V20, 534 V20 et 716 L4 – 7 044 h. 9 D2

– ✉ 4950

▶ Bruxelles 164 – Liège 65 – Malmédy 8 – Spa 27

Hotleu rest,

r. Hottleux 106 (Ouest : 2 km) – ✆ 0 80 67 97 05 – www.hotleu.be – fermé 1 semaine début janvier et 1 semaine fin juin

15 ch ☕ – †60/125 € ††80/150 € – ½ P 90 €

Rest – *(fermé mardi et mercredi)* – Menu 30/75 € – Carte 39/49 €

◆ Hôtel familial perché sur les hauts de Waimes. Ambiance provinciale, chambres bien tenues et distractions : pistes de quilles, piscine d'été et court de tennis. Salle à manger bourgeoise avec terrasse au-dessus du jardin. Bois et prés vallonnés à perte de vue.

◆ Door een familie geleid hotel in de heuvels van Waimes. Gemoedelijke ambiance, goed onderhouden kamers en faciliteiten om te kegelen, zwemmen en tennissen. Traditionele eetzaal met terras boven de tuin. Bos en glooiende weilanden tot zover het oog reikt.

Cyrano

r. Chanteraine 11 – ✆ 0 80 67 99 89 – www.cyrano.be

15 ch ☕ – †65/90 € ††90/110 € – ½ P 90 €

Rest *Cyrano* – voir la sélection des restaurants

◆ Juste "un peu de nez" suffit – n'en déplaise à Cyrano – pour flairer ici la bonne adresse ! Chambres variant espace et déco.

◆ Wie een fijne neus heeft (niet per se zo lang als Cyrano), vindt moeiteloos de weg naar dit leuke adres. De kamers verschillen qua ruimte en inrichting.

La Trouvaille

rte de Grosbois 7, (Thirimont) (Sud : 4 km) – ✆ 0 80 67 86 42 – www.latrouvaille.org

5 ch ☕ – †65 € ††85 € – ½ P 98 €

Rest – *(dîner pour résidents seulement)*

◆ Un village pittoresque, une ferme, des chambres rustiques... un tableau parfait pour une escapade en amoureux dans les Ardennes ! Et à vous de jouer pour mettre le tout en musique : un piano à queue vous tend les bras... Cuisine de saison à la table d'hôte.

◆ Rustieke gastenkamers in een boerderijtje in een pittoresk dorpje: de Ardense idylle is hier compleet! De bijhorende soundtrack kan u zelf verzorgen op de vleugelpiano. Op de table d'hôtes serveert de chef een seizoensgebonden keuken.

XX **Cyrano** – Hôtel Cyrano

r. Chanteraine 11 – ✆ 0 80 67 99 89 – www.cyrano.be – fermé samedi midi et lundi

Rest – Menu 59/69 €

◆ Salle à manger chaleureuse et moderne, menu créatif décrit oralement, jolis vins de la région de Bergerac. Bistrot et taverne à côté.

◆ Warme, moderne eetzaal, creatief menu en goede wijnen uit de streek van Bergerac. In de bistro eet u eenvoudigere gerechten tegen een slimme prijs.

WALCOURT – **Namur** – **533** L21, **534** L21 **et** **716** G5 – **17 951 h.** **14** B2
– ✉ **5650**

Bruxelles 81 – Namur 57 – Charleroi 21 – Dinant 43

Grand'Place 25, ✆ 0 71 61 25 26, www.mtvev.com

Basilique St-Materne★ : jubé★, trésor★

XX **Hostellerie Dispa** avec ch

r. Jardinet 7 – ✆ 0 71 61 14 23 – www.hostelleriedispa.be – fermé 2 semaines en janvier et 1 semaine début septembre

6 ch – †70 € ††80/90 €, ☕ 12 €

Rest – *(fermé dimanche soir sauf en juillet-août, mardi soir et mercredi)*
Lunch 24 € – Menu 32/60 € – Carte 49/69 €

◆ Bons produits wallons, spécialité d'écrevisses, cave prestigieuse (sélection de Mouton-Rothschild) et chef-patron en place depuis 1971 dans cette ancienne maison de notable. Chambres différentes en format, agencement et décor, mais toutes cédées au même prix.

◆ Herenhuis waar u al sinds 1971 goed kunt tafelen, dankzij de Waalse kwaliteitsproducten en prestigieuze wijnkelder (Mouton-Rothschild). Rivierkreeft is de specialiteit. De kamers verschillen qua formaat, indeling en inrichting, maar de prijs is gelijk.

BELGIQUE

WANNE – **Liège** – **533** U20, **534** U20 **et** **716** K4 – **voir à Trois-Ponts**

WANNEGEM-LEDE – **Oost-Vlaanderen** – **533** G17 **et** **716** D3 – **voir à Kruishoutem**

WANZE – **Liège** – **533** Q19, **534** Q19 **et** **716** I4 – **voir à Huy**

WAREGEM – **West-Vlaanderen** – **533** F17 **et** **716** D3 – **36 306 h.** **19** D3
– ✉ **8790**

Bruxelles 79 – Brugge 47 – Gent 34 – Kortrijk 16

18 Bergstraat 41, ✆ 0 56 60 88 08

De Peracker

Caseelstraat 45 (Ouest : 3 km sur rte de Desselgem, puis rte à gauche) – ✆ 0 56 60 03 31 – www.deperacker.be

14 ch ☕ – †74/99 € ††94/119 € – ½ P 97/124 €

Rest – *(fermé vendredi, dimanche et jours fériés) (dîner seulement)*
Menu 38 € bc/49 € bc – Carte 32/59 €

◆ Hotel in familiebeheer buiten het centrum, bij een meertje, waar 's zomers bootjes beschikbaar zijn. De meeste kamers zijn gerenoveerd. Zeer geschikt voor partijen. Steengrill. Lommerrijk terras aan het water.

◆ Hôtel familial excentré, voisinant avec un étang où l'on canote en saison. Chambres majoritairement rénovées (réservez celles-là). Organisation de banquets. Restaurant spécialisé dans les grillades sur pierre. Terrasse au bord de l'eau, à l'ombre des arbres.

XX **Berto**

Holstraat 32 – ✆ 0 56 44 30 15 – www.berto-waregem.be – fermé 1 semaine en janvier, 1 semaine en mars, 3 semaines en septembre, dimanche et lundi

Rest – Lunch 30 € – Menu 65/88 € bc – Carte 52/74 €

◆ Gerenoveerd herenhuis met een terras op de binnenplaats. Bar met mozaïek, designlampen, witgemaakte houten planken en modern zwart meubilair. Verfijnde keuken.

◆ Maison de notable relookée au-dedans et dotée d'une terrasse sur cour. Bar en mosaïque, éclairage design, planchers blanchis et mobilier contemporain noir. Cuisine élaborée.

X **Hobo's**

Wortegemseweg 51 (près E 17 - A 14, sortie ⑤) – ✆ 0 56 61 69 54 – www.hobos.be – fermé 15 au 22 janvier, 21 juillet-12 août, samedi et dimanche

Rest – Menu 16/48 € – Carte 38/68 €

◆ Bistro-interieur met donker hout en stoelen in wild leder. Mooi terras. Originele wijnlijst en traditionele spijskaart met Japanse invloeden, het geboorteland van de patron.

◆ Déco "bistrot" en bois foncé, sièges en cuir et jolie terrasse. Carte classique (escargots, vol-au-vent…) où s'invitent aussi les saveurs du Japon, pays natal du patron.

BELGIQUE

à Sint-Eloois-Vijve Nord-Ouest : 3 km – C Waregem – ✉ 8793

XX **De Houtsnip**

Posterijstraat 56 – ✆ 0 56 61 13 77 – www.houtsnip.be – fermé semaine de Pâques, 1er au 19 août, dimanche soir, mardi et mercredi

Rest – Lunch 20 € – Menu 35/78 € bc – Carte 51/79 €

◆ Herenhuis met een trotse uitstraling waar een bijdetijds en redelijk geprijsd menu uw eetlust zal bevredigen. Restaurantzalen met klassieke en hedendaagse decoratieve elementen.

◆ Maison de maître à fière allure où un bon menu actuel et raisonnablement tarifé comblera votre appétit. Salles mariant des éléments décoratifs classiques et contemporains.

XX **Bistro Desanto**

Gentseweg 558 – ✆ 0 56 60 24 13 – www.bistrodesanto.be – fermé 24 décembre-5 janvier, 2 mai, 28 juillet-16 août, dimanche et mercredi

Rest – Carte 37/72 €

◆ Trendy bistro met eigentijdse en traditionele gerechten geserveerd in de ultramoderne eetzaal of op het mooie terras. Specialiteit: kalfskop en puree met karnemelk.

◆ Bistrot tendance envoyant de la cuisine d'hier et d'aujourd'hui dans un cadre design "ultra-fashion" ou sur sa belle terrasse. Tête de veau et purée au babeurre en spécialités.

WAREMME (BORGWORM) – Liège – 533 Q18, 534 Q18 et 716 I3 – 14 607 h. – ✉ 4300

8 A1

▶ Bruxelles 76 – Liège 28 – Namur 47 – Sint-Truiden 19

XX **Le Petit Axhe**

r. Petit-Axhe 12, (Petit Axhe) (Sud-Ouest : 2 km) – ✆ 0 19 32 37 22 – www.lepetit-axhe.be – fermé 1 semaine en mars, fin juillet-début août, semaine de la Toussaint, mercredi soir, samedi midi, lundi et mardi

Rest – Lunch 32 € – Menu 50/60 € – Carte env. 72 €

◆ Table intime sinon confidentielle, en pleine campagne hesbignonne. Déco ravivée, terrasse au jardin, beaux produits cuisinés dans l'air du temps, pour un résultat bien goûtu !

◆ Intiem restaurant midden op het platteland. Gerenoveerde eetzaal en tuin met terras. De mooie producten worden eigentijds bereid, wat een heel geslaagd resultaat oplevert! Vooral de menu's zijn erg in trek.

WATERLOO - Brabant Wallon - 533 L18, 534 L18 et 716 G3 - 29 598 h. 3 B2 - ✉ 1410

Bruxelles 18 - Wavre 29 - Charleroi 37 - Namur 61

chaussée de Bruxelles 218, ☎ 0 2 352 09 10, www.waterloo-tourisme.be

chaussée d'Alsemberg 1021, au Sud-Ouest : 5 km à Braine-l'Alleud, ☎ 0 2 353 02 46

Vieux Chemin de Wavre 50, à l'Est : 5 km à Ohain, ☎ 0 2 633 18 50

Grand Hôtel

chaussée de Tervuren 198 – ☎ 0 2 352 18 15 – www.martinshotels.com
79 ch – 80/275 € 90/305 €
Rest *La Sucrerie* – voir la sélection des restaurants

♦ Cette ancienne raffinerie de sucre du 19e s. est aujourd'hui un agréable hôtel. Grandes chambres, confortables et modernes ; bar au cadre cosy et belle terrasse.

♦ Dit weelderig hotel deed in het verleden dienst als suikerfabriek. Nu vindt u er grote, gerenoveerde, moderne kamers, een bar en een mooi terras.

Martin's Lodge

29 ch – 70/200 € 80/220 €

♦ Dans le lodge, chambres ingénieusement agencées et agrémentées d'une touche de couleur.

♦ Ingenieuze kamers met een kleurrijke toets in de Lodge naast het Grand Hotel.

Le Côté Vert

chaussée de Bruxelles 200g – ☎ 0 2 354 01 05 – www.cotevert.be – fermé dernière semaine de décembre-première semaine de janvier
47 ch – 75/145 € 90/160 €
Rest *La Cuisine au Vert* – voir la sélection des restaurants

♦ À deux pas du centre-ville, cet hôtel est niché dans un écrin de verdure et de quiétude. Chambres de bon confort.

♦ Dit hotel staat vlak bij het centrum in een rustige buurt met veel groen. Comfortabele kamers.

BELGIQUE

L'Opéra

chaussée de Tervuren 178 – ☎ 0 2 354 86 43 – www.lopera.be – fermé août, samedi midi et dimanche
Rest – Lunch 20 € – Menu 40/55 € – Carte 40/64 €

♦ Ample "ristorante-wine bar" au design italien très léché. Harmonie gris et pourpre en salle, marbres de Vérone et de Carrare et belle toile montrant un célèbre opéra vénitien.

♦ Italiaans restaurant met wijnbar en trendy interieur met harmonieuze grijs- en purperkleuren, marmer uit Verona en Carrare, en een schildering van een Venetiaanse opera.

Pierre Romano

r. Station 29 – ☎ 0 2 353 27 90 – fermé dimanche soir et lundi
Rest – Lunch 16 € – Menu 29/65 €

♦ Tons clairs et élégance classique du cadre, en parfaite osmose avec les créations de Pierre Romano, un vétéran des fourneaux ! Petite serre et terrasse donnant sur le jardin.

♦ Lichte en ruim ingedeelde eetzalen met een klassiek decor, wat perfect past bij de creaties van Pierre Romano, een oude rot in het vak. Kleine serre en terras aan de tuinzijde.

De bouche à oreille

chaussée de Bruxelles 79 – ☎ 0 2 351 40 73 – www.deboucheaoreille.be – fermé samedi midi, dimanche soir et mercredi
Rest – Lunch 16 € – Menu 33 € – Carte 41/51 €

♦ Un petit restaurant simple et élégant, où lotte, carré d'agneau, ris de veau et foie gras s'invitent à votre table. Bons produits et portions généreuses.

♦ Schappelijke menu's en kaart met uitbundige, hedendaagse bereidingen op basis van kwaliteitsproducten. Modern interieur met sobere decoratie.

XX **La Cuisine au Vert** – Hôtel Le Côté Vert

chaussée de Bruxelles 200g – ☎ 0 2 357 34 94 – www.cotevert.be – fermé dernière semaine de décembre-première semaine de janvier, première semaine de juillet, 2 premières semaines d'août, samedi et dimanche

Rest – Lunch 19 € – Menu 30/48 € bc – Carte 34/56 €

♦ Dans un cadre verdoyant, on déguste une agréable cuisine classique (foie gras, quenelles, sole meunière...). Suggestions "bien d'ici" et "d'ailleurs" renouvelées chaque mois.

♦ Traditionele gerechten en elke maand één Belgisch en één internationaal gerecht, geserveerd in een moderne zaal of op het mooie terras.

XX **La Sucrerie** – Hôtel Grand Hôtel

chaussée de Tervuren 198 – ☎ 0 2 352 18 15 – www.martinshotels.com – fermé samedi midi et dimanche midi

Rest – Lunch 19 € – Menu 65 € bc

♦ De hautes voûtes et des colonnes de briques comme surgies du passé... Une scène superbe pour une cuisine qui plonge également ses racines dans le classicisme et les traditions régionales, tout en cultivant l'esprit de l'époque !

♦ De hoge zuilen en bakstenen bogen van het verleden zorgen vandaag voor een heerlijk gastronomisch decor. Ook de neoklassieke keuken slaat een brug tussen vroeger en nu met hedendaags geïnterpreteerde steekgerechten.

X **Yves Lemercier**

chaussée de Charleroi 72 (N 5, direction butte du lion) – ☎ 0 2 387 17 78 – www.yveslemercier.be – fermé Noël-nouvel an, samedi midi, dimanche, lundi et après 20 h 30

Rest – *(déjeuner seulement sauf vendredi et samedi) (menu unique)* Lunch 25 € – Menu 35 €

♦ Un chef-patron très pointilleux sur la qualité des produits tient cette maison proche de la butte du lion. Excellentes charcuteries maison, dont un boudin noir à se damner !

♦ In dit restaurant bij de "Leeuw" staat de kwaliteit van de producten voorop. Overheerlijke huisgemaakte vleeswaren, waaronder zwarte bloedworst.

X **Chez Lucien**

chaussée de Bruxelles 178 – ☎ 0 2 353 07 24 – www.chezlucien.be – fermé 1er au 8 octobre, samedi midi et lundi

Rest – Lunch 14 € – Menu 33/45 €

♦ Petite maison bien plaisante à vivre : cadre néo-rustique intimiste, tables à touche-touche soigneusement dressées, cuisine traditionnelle généreuse et mini-terrasse au calme.

♦ Leuk pandje met sfeervolle neorustieke eetzalen, met zorg gedekte tafels dicht op elkaar en een piepklein, maar rustig terrasje. Gulle traditionele keuken.

WATERMAEL-BOITSFORT (WATERMAAL-BOSVOORDE) – **Bruxelles-Capitale** – **533** L18 – **voir à Bruxelles**

WATOU – **West-Vlaanderen** – Ⓒ **Poperinge 19 998 h.** – **533** A17 **et** **716** A3 – ✉ **8978** **18** A3

▶ Bruxelles 146 – Brugge 81 – Kortrijk 55 – Lille 49

⌂ **Brouwershuis** sans rest

Trappistenweg 23a – ☎ 0 57 38 88 60 – www.brouwershuis.com

10 ch – †70/85 € ††85/100 €

♦ Een aangename sfeer in deze bed & breakfast van dezelfde eigenaar als de brouwerij ernaast, die een bijzondere geur verspreidt. Verzorgde, persoonlijke kamers.

♦ Maison d'hôtes tenue par le propriétaire de la brasserie de bière toute proche... Chambres soignées, agréable jardin.

Gasthof 't Hommelhof

Watouplein 17 – ✆ 0 57 38 80 24 – www.hommelhof.be – fermé lundi soir, mardi soir et jeudi soir sauf en juillet-août et mercredi

Rest – Menu 35/49 € – Carte 38/53 €

◆ Herberg in het hart van een brouwersdorp bij de Franse grens. In de aantrekkelijke, rustiek ingerichte eetzaal, genieten gasten van het talent van deze enthousiaste chef-kok. Zijn zoon ontfermt zich over de zaal en is sommelier, hij adviseert zowel de adepten van Bacchus als die van Gambrinus.

◆ Non loin de la frontière française, ce village cultive une tradition brassicole très… belge ; au cœur de la cité, cette auberge rustique ne déroge pas à la règle ! L'affaire est familiale : le chef conjugue talent et enthousiasme ; en salle, son fils, sommelier, est d'aussi bon conseil en matière de vins que de bières !

Une bonne table sans se ruiner ? Repérez les Bib Gourmand.

WAVRE (WAVER) – P Brabant Wallon – **533** M18, **534** M18 **et** **716** G3 **4** C2
– **32 910 h.** – ✉ **1300**

Bruxelles 32 – Charleroi 45 – Leuven 26 – Liège 87

Hôtel de Ville r. Nivelles 1, ✆ 0 10 23 03 52, www.wavre.be

Fédération provinciale de tourisme av. Einstein 2, ✆ 0 10 23 63 31, www.brabantwallon.be

18 Les Gottes 3, au Nord-Est : 10 km à Grez-Doiceau, ✆ 0 10 84 15 01

27 chaussée du Château de la Bawette 5, ✆ 0 10 22 33 32

Plans pages 530, 531

BELGIQUE

Le Caprice des Deux

r. Bruxelles 25 – ✆ 0 10 22 60 65 – www.lecapricedesdeux.be – fermé 15 au 31 juillet, samedi midi, dimanche et lundi C**a**

Rest – Menu 32/51 €

◆ Dans cette maison de maître au charme raffiné, le chef élabore une cuisine mêlant bases classiques et inventivité (ainsi un homard grillé sur du quinoa à la citronnelle).

◆ Tongstrelende gerechten geserveerd in een sfeervol, modern-klassiek herenhuis in het centrum, of bij mooi weer in de tuin. Inventieve chef-kok.

La Table des Templiers

Chemin du Temple 10 (Nord-Ouest : 3 km) – ✆ 0 10 88 13 50 – www.latabledestempliers.be – fermé 1 semaine à Pâques, 15 au 31 août, samedi midi, dimanche midi et jours fériés

Rest – Lunch 23 € – Menu 40/70 € – Carte 59/92 €

◆ Table actuelle à l'ambiance historique en cette belle ferme-château (17e s.) bâtie sur un plan carré. Chapelle gothique, terrasse aux abords verdoyants, banquets le week-end.

◆ Deze mooie kasteelhoeve (17e eeuw) op een vierkant grondplan is nu een eigentijds restaurant met een historische ambiance. Gotische kapel, terras en banqueting in het weekend.

Carte Blanche

av. Reine Astrid 8 – ✆ 0 10 24 23 63 – fermé samedi midi, dimanche soir, lundi, mardi, mercredi et après 20 h 30 D**c**

Rest – Lunch 18 € – Menu 35/42 € – Carte 40/54 €

◆ Maison d'aspect traditionnel où un chef a carte blanche pour concocter de généreux menus tandis que son aimable épouse soigne la salle. Salon et terrasse côté jardin.

◆ Traditioneel restaurant. De chef heeft carte blanche bij het bereiden van de rijke menu's, terwijl zijn aardige vrouw de gasten bedient. Salon en terras aan de tuinzijde.<

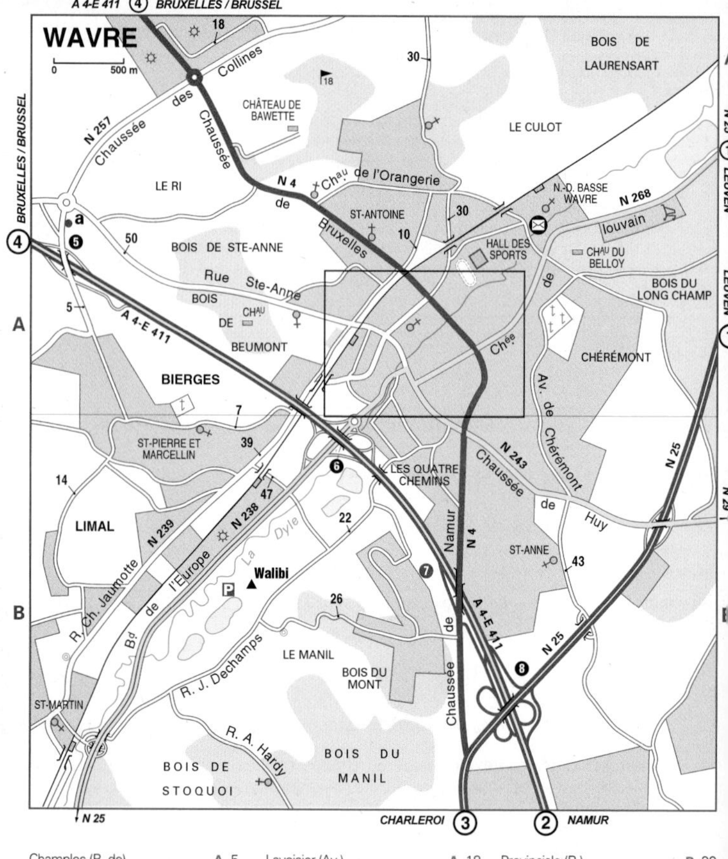

Champles (R. de) . . . . A 5
Combattants (R. des) . . . . AB 7
Gaulois (Chaussée des) . . . . A 10
Haie (R. de la) . . . . B 14
Lavoisier (Av.) . . . . A 18
Manil (R. du) . . . . B 22
Maréchaux (Chemin des) . . . . . . B 26
Ottenbourg (Chaussée d') . . . . . A 30
Provinciale (R.) . . . . B 39
Vieusart (Chemin de) . . . . B 43
Wastinne (R. de la) . . . . B 47
Wavre (R. de) . . . . A 50

Rotissimus

r. Fontaines 60 – ✆ 0 10 24 54 54 – www.rotissimus.be – fermé 24 juillet-15 août, samedi et dimanche C**g**

Rest – Lunch 19 € – Menu 29/39 € – Carte 33/60 €

♦ En centre-ville, maison à façade bordeaux et au décor intérieur rustique actualisé. Plats classiques-traditionnels et de brasserie ; rôtissoire en salle et lunch démocratique.

♦ Restaurant in het centrum met een bordeauxrode gevel en een actueel-rustiek interieur. Klassieke keuken met brasserieschotels, grill in de zaal en goedkoop lunchmenu.

Happy's

chaussée des Collines 106 (sortie ⑤ sur E 411, Bierges) – ✆ 0 10 22 22 40 – www.restohappys.be – fermé samedi midi A**a**

Rest – Lunch 17 € – Menu 38 € – Carte 35/87 €

♦ Lieu branché dans le genre lounge-bar-brasserie design avec mezzanine soutenue par une belle charpente en bois. Carte globe-trotter, sushi-bar, piano-jazz et DJ (s'informer).

♦ Trendy lounge-bar-brasserie met mezzanine op een fraai gebinte. Kosmopolitische kaart, sushibar, jazzpianist en DJ (informeren).

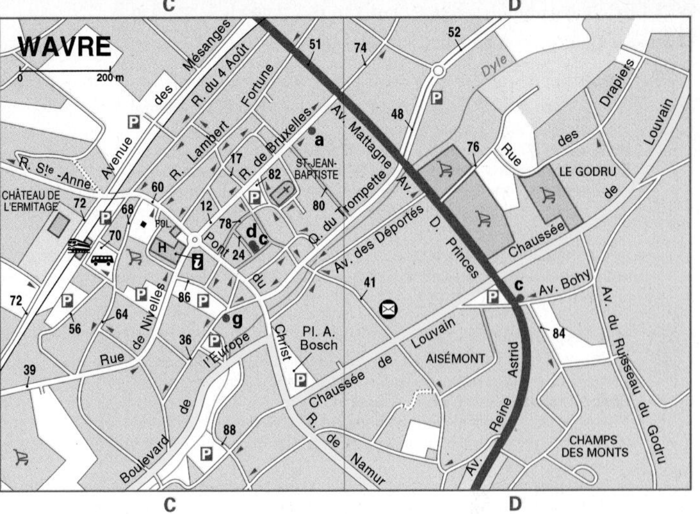

Belle Voie (Av.). . . . . D 52
Berger (Pl. Henri). . . . . C 70
Bruxelles (Chée de). . . . . C 51
Carabiniers (R. des). . . . . C 86
Clos (Av. du). . . . . D 84
Commerce (R. du). . . . . C 78
Croix du Feu (R. des) . . . . D 76
Désiré Yemaux (Av.). . . . . D 48
Ermitage (R. de l') . . . . C 72
Flandre (R.). . . . . C 17
Fontaines (R.) . . . . C 36
Haute (R.). . . . . C 12
Letroye (R. F.). . . . . CD 41
Mercier (Pl. Cardinal). . . . . C 82
Meunier (R. du) . . . . C 88
Moulin à Vent (R. du) . . . . C 56
Nuit et Jour (Ruelle) . . . . C 24
Piat (R. Théophile). . . . . C 64
Pré de Wildre (Ruelle du). . . . . CD 80
Provinciale (R.). . . . . C 39
Saint-Roch (R.) . . . . CD 74
Volontaires (R. des). . . . . C 68

Le Bateau Ivre

Ruelle Nuit et Jour 19 – ✆ 0 10 24 37 64 – www.lebateauivre.be – fermé dimanche et lundi C**d**

Rest – Lunch 17 € – Menu 25 € – Carte 43/53 €

♦ Dans une ruelle piétonne, cette adresse est prisée pour sa carte mêlant saveurs méditerranéennes, influences françaises et asiatiques. Jolie cour intérieure où s'attabler l'été.

♦ Dit adresje in een voetgangerssteeg is geliefd vanwege de Franse, Italiaanse en oriëntaalse gerechten, de lekkere wijn, de intieme sfeer en het mooie terras op de binnenplaats.

La Figuière

r. Source 15 – ✆ 0 10 24 21 58 – www.lafiguiere.be – fermé samedi midi, dimanche et lundi C**c**

Rest – Lunch 15 € – Menu 25/40 € – Carte 38/59 €

♦ Une maisonnette romantique, dans une rue piétonne au centre de Wavre, avec un intérieur sorti tout droit d'un magazine ! Cuisine classique actualisée, menu du mois et "menu des saveurs".

♦ Romantisch huisje in het voetgangersgebied van Waver. De inrichting lijkt regelrecht uit een tijdschrift te komen. Geactualiseerde klassieke keuken, maandmenu en een degustatiemenu.

WAYS – **Brabant Wallon** – **533** L19 et **534** L19 – **voir à Genappe**

WEISMES – **Liège** – **voir Waimes**

WELLIN – **Luxembourg** – **534** P22 **et 716** I5 – **2 999 h.** – ✉ **6920** **12** B2

▶ Bruxelles 110 – Arlon 83 – Bouillon 44 – Dinant 34

Well'in

Grand Place 28 – ☎ 0 84 38 74 94 – www.wellinhotel.be – fermé 5 au 14 mars et 3 au 12 septembre

8 ch – 72/86 € 86/99 € – ½ P 92 €

Rest ***L'Atelier des Sens*** – voir la sélection des restaurants

◆ Chambres fonctionnelles décorées dans l'air du temps : panneaux muraux (coquelicots, orchidées, bayadère...) ; stickers de citations de grands écrivains ; tons beige, mauve et crème...

◆ De functionele kamers zijn eigentijds ingericht met behang van klaprozen, orchideeën, bonte strepen en citaten van grote schrijvers in beige, mauve en crème tinten.

La Papillote

r. Station 5 – ☎ 0 84 38 88 16 – www.lapapillote.be – fermé première semaine de janvier, 15 juillet-6 août, samedi midi, dimanche soir, mardi soir et mercredi

Rest – Lunch 21 € – Menu 34/82 € bc

◆ Un restaurant dont l'atmosphère est résolument chaleureuse (murs jaune et rouge). La carte fait la part belle aux produits de la mer (homards du vivier) ; le service est prévenant.

◆ Rood-gele muren, licht parket, donkere houten tafels: je voelt je meteen thuis in deze eetzaal, waar de vriendelijke eigenaresse alles goed in de gaten houdt. Lekkere eigentijdse keuken met een voorliefde voor alles wat zwemt (kreeft uit het homarium).

L'Atelier des Sens – Hôtel Well'in

Grand Place 28 – ☎ 0 84 38 74 94 – www.wellinhotel.be – fermé 5 au 14 mars, 3 au 12 septembre, mercredi et jeudi

Rest – Carte 25/46 €

◆ Sa formule peut satisfaire tous les goûts : au choix, on peut faire un repas d'une salade, de pâtes ou même d'une pizza (fine et croustillante) ou bien au contraire d'une cuisine française classique.

◆ Dit zintuigilijk atelier biedt u een heel flexibele restaurantformule: salades, pasta's en dunne, knapperige pizza's naast een klassieke Franse kaart.

Een goede maaltijd voor een redelijke prijs? Kijk bij de Bib Gourmand. Ze helpen u goede tafels te ontdekken die kwaliteitskeuken verbinden met aangepaste prijzen!

WEMMEL – **Vlaams Brabant** – **533** K17 **et 716** F3 – **voir à Bruxelles, environs**

WENDUINE – **West-Vlaanderen** – Ⓒ **De Haan 12 527 h.** – **533** D15 **et 716** C2 – ✉ **8420** **19** C1

▶ Bruxelles 111 – Brugge 17 – Oostende 16

Hostellerie Astrid

Astridplein 2 – ☎ 0 50 41 21 37 – www.hostellerieastrid.be – fermé 2 au 31 janvier

9 ch – 70/90 € 90/115 € – ½ P 80/93 €

Rest – *(dîner pour résidents seulement)*

◆ In deze villa naast de tennisbaan en 300 m van de kust wacht u een fijn onthaal. Goed onderhouden kamers, verzorgd ontbijt en tuin met terras. Moderne eetzaal en dito kookstijl voor hotelgasten (reserveren). Lekkere wijnen voor zachte prijzen.

◆ À 300 m de la mer, près de plusieurs courts de tennis, cette villa se prête à un séjour sportif... ou pas, si l'on préfère profiter des chambres bien tenues, du petit-déjeuner soigné et de la terrasse sur le jardin. Cadre moderne au restaurant (à noter : une belle carte des vins).

XX **Poincaré** VISA MC

Delacenseriestraat 21 – ✆ 0 50 42 32 78 – www.poincare-restaurant.be – fermé 1 semaine en mars, 1 semaine en juin, 1 semaine en septembre , 1 semaine en décembre, mardi soir sauf en juillet-août, mardi midi, lundi et aprés 20.30 h.
Rest – Lunch 29 € – Menu 39/49 € – Carte 48/71 €

◆ Gezellig tafelen tegen een goede prijs? Dat is de formule waarmee Poincaré Wenduine veroverde. Gegrilde hoevekip met zongedroogde tomaat, tartaar van kalfsvlees met gebakken scampi: in de keuken wordt klassiek koken hedendaags geïnterpreteerd.

◆ Un bon repas à prix doux ? Telle est la formule de ce Poincaré – et Wenduine a vite fait le calcul ! Quelques-uns des succès de la carte : poulet fermier grillé aux tomates séchées, tartare de veau aux langoustines frites, etc.

WÉPION – **Namur** – **533** O20, **534** O20 **et 716** H4 – **voir à Namur**

WESTENDE – **West-Vlaanderen** – Ⓒ **Middelkerke 18 893 h.** – **533** B16 **et 716** B2 – **Station balnéaire** – ✉ **8434** — **18** B1

Bruxelles 127 – Brugge 40 – Oostende 11 – Veurne 14

Bassevillestraat 81, ✆ 0 58 24 10 77

à Westende-Bad **Nord : 2 km** – Ⓒ **Middelkerke** – ✉ **8434**

St-Laureins ← AC rest, VISA MC

Strandlaan 12, (Sint-Laureinsstrand) (Ouest : 1 km) – ✆ 0 58 23 39 58 – www.st-laureins.be – fermé mi-novembre-mi-décembre
10 ch – †65 € ††100 € – ½ P 100 €
Rest – *(fermé mardi et mercredi d'octobre à avril)* Menu 31/36 € – Carte 35/52 €

◆ Hotelletje verstopt in de duinen, waarop u vanuit de meeste kamers een knap uitzicht hebt. Restaurant met een beschut terras, dat in 1927 als eenvoudig strandtentje begon! De specialiteiten zijn langoestine en scampi.

◆ Plaisantes échappées littorales par les baies de ce petit hôtel niché dans les dunes. Chambres aux décors disparates. Restaurant pourvu d'une terrasse abritée. Spécialités de langoustine et de scampi. Tout a débuté en 1927, par un simple cabanon de plage !

XX **Marquize** VISA MC

Henri Jasparlaan 175 – ✆ 0 59 31 11 11 – www.marquize.be – fermé 2 semaines début mars, 1 semaine fin juin, 2 semaines début octobre, lundi soir d'octobre à mars, mercredi sauf du 15 juillet au 15 août et mardi
Rest – Lunch 27 € bc – Menu 51/60 € – Carte 53/83 €

◆ Mooie cottage met cosy retro-interieur, vriendelijk onthaal, klantgerichte bediening en verrukkelijke recepten die bij de huidige smaak passen. Terras naast de trambaan.

◆ Accueil tout sourire, service proche du client et appétissantes recettes au goût du jour en ce joli cottage au cadre rétro-cosy. Terrasse voisinant avec une ligne de tramway.

WESTERLO – **Antwerpen** – **533** O16 **et 716** H2 – **23 896 h.** – ✉ **2260** — **2** C3

Bruxelles 57 – Antwerpen 46 – Diest 20 – Turnhout 30

Boerenkrijglaan 25, ✆ 0 14 54 54 28, www.toerismewesterlo.be

au Nord : 2 km à Tongerlo : Musée Leonardo da Vinci★

XXX **Geerts** avec ch AC rest, ch, P VISA MC AE

Grote Markt 50 – ✆ 0 14 54 40 17 – www.hotelgeerts.be – fermé 15 février-2 mars et 16 août-8 septembre
18 ch – †115 € ††140 €
Rest – *(fermé dimanche soir et mercredi)* Lunch 30 € – Menu 52/80 € – Carte 65/105 €

◆ De familie Geerts is sinds 1920 eigenaar van deze hostellerie. Modern-klassieke gerechten en dito inrichting. Oranjerie met bistroformule. Siertuin en terrassen. Aangename kamers om de avond waardig te besluiten.

◆ Hostellerie tenue par la famille Geerts depuis 1920. Table classico-moderne sur le plan décoratif et culinaire, formule bistrot côté orangerie, jardin d'apparat avec terrasses. Chambres avenantes pour prolonger l'étape dans de bonnes conditions.

XX **Het Komfoor** 

Gevaertlaan 199, (Heultje) – ✆ 0 16 84 33 77 – www.hetkomfoor.be – fermé samedi midi, mercredi et jeudi

Rest – Lunch 31 € – Menu 57 € bc/109 € bc – Carte 54/72 €

◆ Of het nu op het prachtige terras in de groene tuin is of in de luxueuze eetzaal: het eten van Het Komfoor smaakt even lekker. De chef kookt contemporain en is niet bang van pittige smaken. Het kreeftenmenu is het hele jaar door verkrijgbaar.

◆ Sur la jolie terrasse du jardin ou dans le décor luxueux de la salle à manger, le repas paraît d'autant plus délicieux... Le chef signe une belle cuisine contemporaine, qui ne craint pas les épices. Menu homard toute l'année.

WESTKAPELLE – **West-Vlaanderen** – **533** E15 **et 716** C2 – **voir à Knokke-Heist**

WESTOUTER – **West-Vlaanderen** – C **Heuvelland 8 004 h.** – **533** B18 **et 716** B3 – ✉ **8954** **18** B3

Bruxelles 136 – Brugge 66 – Ieper 14 – Lille 39

Reverie sans rest

Rodebergstraat 26 – ✆ 0 57 44 48 19 – www.reverie.be

8 ch – †80/105 € ††100/116 €

◆ Mooi pand van baksteen en vakwerk op de Rodeberg. Alle ruime en verzorgde kamers bieden schitterend uitzicht op het Vlaamse heuvelland. Zeer uitgebreid ontbijt.

◆ Jolie bâtisse en briques et colombages perchée sur le Rodeberg. Vue superbe sur la campagne flandrienne par les fenêtres de toutes les chambres spacieuses et soignées. Petit-déjeuner très copieux.

WEVELGEM – **West-Vlaanderen** – **533** E18 **et 716** C3 – **30 975 h.** – ✉ **8560** **19** C3

Bruxelles 99 – Brugge 54 – Kortrijk 8 – Lille 23

XX **De Abdijpoort**

Lauwestraat 170 (accès par Kloosterstraat) – ✆ 0 56 41 80 75 – www.restaurant-abdijpoort.be – fermé 26 juillet-11 août, mardi et mercredi

Rest – Lunch 30 € – Menu 42/83 € bc – Carte 37/53 €

◆ Ietwat verscholen restaurant in de overblijfselen van een oude boerderij tussen de weilanden. Mooi terras dat uitkijkt op een boomgaard die doorloopt tot het riviertje.

◆ Ce restaurant un peu caché tire agréablement parti des vestiges d'une ancienne ferme entourée de prés. Belle terrasse tournée vers un verger descendant jusqu'à la rivière.

X **Bistro Biggles**

Luchthavenstraat 1 – ✆ 0 56 37 33 00 – www.bistrobiggles.be – fermé 14 juillet-8 août, 22 décembre-2 janvier, mardi soir et mercredi

Rest – Lunch 16 € – Menu 40/55 € bc – Carte 43/62 €

◆ Moderne bistro op de eerste verdieping van de luchthaven van Kortrijk, met ronde zaal die uitkijkt over de landingsbaan. Back to basics in de keuken, eenvoudige gerechten met goede producten.

◆ Bistro moderne au 1er étage de l'aéroport de Courtrai. Cuisine prônant un retour à l'essentiel : des mets simples élaborés avec de bons produits. Vue panoramique sur les pistes.

à Gullegem **Nord : 5 km** – C **Wevelgem** – ✉ **8560**

XXX **Gouden Kroon**

Koningin Fabiolastraat 41 – ✆ 0 56 40 04 76 – www.restaurantgoudenkroon.be – fermé 23 juillet-10 août, mercredi soir, jeudi soir, lundi et mardi

Rest – Lunch 38 € – Menu 60 € bc – Carte 55/66 €

◆ Herenhuis uit 1900 in het centrum van Gullegem, met een goede klassieke keuken. De chef-kok heeft zijn proeve van bekwaamheid afgelegd bij de koninklijke familie in Laken.

◆ Maison de maître 1900 située au centre de Gullegem. Le chef, qui a fait ses armes auprès de la famille royale à Laeken, propose une cuisine classique de bon aloi.

WIBRIN – **Luxembourg** – **534** T22 **et 716** K5 – **voir à Houffalize**

BELGIQUE

WIERDE – Namur – **533** O20, **534** O20 et **716** H4 – voir à Namur

WILSELE – Vlaams Brabant – **533** N17 et **716** H3 – voir à Leuven

WIMMERTINGEN – Limburg – **533** R17 et **716** J3 – voir à Hasselt

WOLUWE-SAINT-LAMBERT (SINT-LAMBRECHTS-WOLUWE) – **Bruxelles-Capitale** – **533** L17 et **716** G3 – voir à Bruxelles

WOLUWE-SAINT-PIERRE (SINT-PIETERS-WOLUWE) – **Bruxelles-Capitale** – **533** L18 et **716** G3 – voir à Bruxelles

WOLVERTEM – Vlaams Brabant – C Meise 18 351 h. – **533** K17 et **716** F3 – ✉ 1861 3 B1

Bruxelles 16 – Leuven 40 – Antwerpen 36 – Gent 60

Falko sans rest

Stationsstraat 54a – ✆ 0 2 263 04 50 – www.falkohotel.be

45 ch – 120/150 € 145/175 €

◆ Zakenhotel bij de A12 met grote hedendaagse kamers in twee vleugels. In de openbare ruimten hangen kleurrijke eigentijdse doeken. Ontbijtbuffet in de serre en moderne bar.

◆ Businesshotel proche de l'A12. Communs ornés de toiles contemporaines colorées, grandes chambres actuelles se partageant deux ailes, buffet matinal dans la serre, bar moderne.

WORTEGEM-PETEGEM – Oost-Vlaanderen – **533** G17 et **716** D3 – **6 264 h.** – ✉ **9790** 16 A3

Bruxelles 80 – Gent 32 – Kortrijk 24 – Oudenaarde 8

Kortrijkstraat 52, ✆ 0 55 33 41 61

Bistronoom

Waregemseweg 155, (Wortegem) – ✆ 0 56 61 11 22 – www.bistronoom.be – fermé vacances de Pâques, 2 premières semaines de septembre, samedi midi, mardi soir et mercredi

Rest – Carte 36/95 €

◆ Villa met een nieuwe, moderne look. Traditionele kaart met carpaccio en ossobuco als specialiteiten. Weekendmenu incl. drank. Tuinterras aan de voorzijde.

◆ Villa à colombages ayant la forêt pour écrin. Les carpaccios et l'osso buco font la fierté de la maison. Carte classique avec un menu tout compris le week-end.

YPRES – West-Vlaanderen – voir Ieper

YVOIR – Namur – **533** O21, **534** O21 et **716** H5 – **8 798 h.** – ✉ **5530** 15 C2

Bruxelles 92 – Namur 22 – Dinant 8

Chemin du Beau Vallon 45, au Nord : 10 km à Profondeville, ✆ 0 81 41 14 18

à l'Ouest : Vallée de la Molignée★

Ferme de l'Airbois sans rest

Tricointe 55 – ✆ 0 82 61 41 43 – www.airbois.com

5 ch – 93/113 € 104/137 €

◆ Sur les crêtes mosanes, dans un site boisé, ancienne ferme réaménagée et dotée de belles grandes chambres dont les salles d'eau sont habillées de carreaux peints à la main.

◆ Op de bergkam van het Maasbekken, omringd door bossen, staat deze gerenoveerde boerderij. De mooie grote kamers hebben badkamers met handgeschilderde tegeltjes.

ZAVENTEM – Vlaams Brabant – **533** L17 et **716** G3 – voir à Bruxelles, environs

ZEDELGEM – West-Vlaanderen – **533** D16 et **716** C2 – voir à Brugge, environs

BELGIQUE

ZEEBRUGGE – West-Vlaanderen – Ⓒ Brugge 117 210 h. – **533** E14 et **716** C1 – ✉ 8380 **19** C1

▶ Bruxelles 111 – Brugge 15 – Knokke-Heist 8 – Oostende 25

Liaison maritime Zeebrugge-Hull : P and O North Sea Ferries, Leopold II Dam 13 (Kaaien 106-108) ☎ 0 70 70 07 74

Monaco

Baron de Maerelaan 26 – ☎ 0 50 54 44 37 – www.hotelmonaco.be A**r**

15 ch – †85 € ††100 € **Rest** – *(résidents seulement)*

◆ Al decennialang biedt hotel Monaco comfortabel logement langs de haven tegen een interessante prijs. De spijskaart is eenvoudig, maar bevat veel visspecialiteiten. Uitsluitend à la carte.

◆ Les décennies passent et le Monaco pratique toujours des prix doux, pour des chambres bien confortables. Pour se restaurer, de nombreuses spécialités de poisson (uniquement à la carte).

Channel 16

Werfkaai 13 – ☎ 0 50 60 16 16 – www.ch16.be – fermé première semaine de juillet, lundi et mardi B**a**

Rest – Lunch 22 € – Menu 35/55 € bc – Carte 44/69 €

◆ "Food is fun", zo luidt hier het devies en men wil het lichte en luchtige van het interieur ook op uw bord waarmaken. Al bij de amuses merkt u dat de chef op koers zit: net als de rest van wat u hier kunt verwachten, getuigen ze van een frisheid en smaak die uit eten gaan tot gastronomisch genieten maken.

◆ "Food is fun" : tel est le canal de ce Channel ! Fraîcheur et légèreté caractérisent le décor ; plus encore la cuisine, où s'imprime tout le talent du chef, qui sait dynamiser les saveurs… Un beau moment de gastronomie.

BELGIQUE

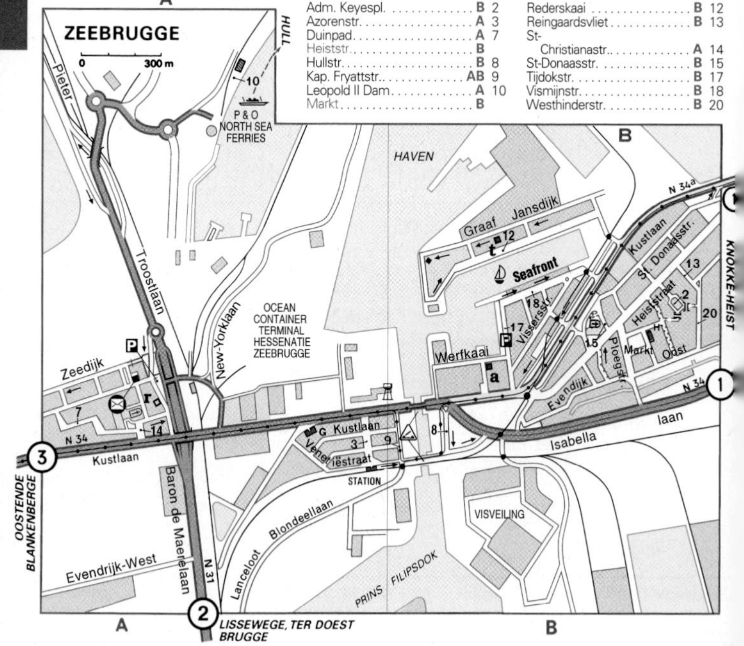

't Pakhuis

Rederskaai 7 – ✆ 0 50 67 49 91 – www.tpakhuis.eu – fermé mardi sauf en juillet-août et lundi Bt

Rest – Carte 29/67 €

◆ Dit is een zaak die genieten van het heerlijks van de zee tot z'n essentie herleidt: superverse producten, eerlijk bereid en opgediend in een simpele setting. Na het hoofdgerecht wacht u nog een artisanaal bereid dessert van oma Rosette.

◆ Un restaurant assez simple… où l'on peut s'offrir une plongée dans les délices de la mer ! Les produits sont d'une fraîcheur remarquable et fort bien cuisinés. N'oubliez pas le dessert artisanal de tante Rosette !

ZELLIK – **Vlaams Brabant** – **533** K17 **et 716** F3 – **voir à Bruxelles, environs**

Adressen met gastenkamers ⌂ geven niet dezelfde diensten als een hotel. Zij onderscheiden zich vaak door hun onthaal en decor, die vooral de persoonlijkheid van de eigenaars naar voren brengt. Deze vermeld in het rood ⌂ zijn het meest aangenaam.

ZELZATE – **Oost-Vlaanderen** – **533** H15 **et 716** E2 – **12 494 h.** – ✉ **9060** **16** B1

Bruxelles 76 – Gent 20 – Brugge 44

Craenendam 5, Sud-Est : 3 km à Wachtebeke, ✆ 0 9 342 42 76

Royal rest,

Burg. Jos. Chalmetlaan 21 – ✆ 0 9 361 09 15 – www.royalhotels.nl

27 ch – †65/95 € ††85/115 € – ½ P 78 €

Rest – *(dîner pour résidents seulement)*

◆ Centraal gelegen hotel met nieuwe eigentijds ingerichte kamers, de helft met kitchenette. Terras op de binnenplaats.

◆ Les atouts de cet hôtel ? Une situation centrale et des chambres modernes (la moitié avec kitchenette). Terrasse côté cour.

Den Hof rest, ch,

Stationsstraat 22 – ✆ 0 9 345 60 48 – www.denhof.be – fermé 1 semaine vacances de Pâques, 3 dernières semaines de juillet et fin décembre-début janvier

16 ch – †90/115 € ††115/135 € – ½ P 110/135 €

Rest – *(fermé samedi midi, dimanche, jeudi et après 20 h 30)* Carte env. 49 €

◆ Verschillende soorten kamers in het hoofd- en bijgebouw. Klassiek hotel-restaurant voor vergaderingen, banqueting en tuinfeesten, ook in familieverband. Mooie moderne eetzaal met veel licht en terras met pergola aan de grote tuin.

◆ Plusieurs genres de chambres dans le corps de logis et sa dépendance. Maison bourgeoise où l'on se retrouve entre amis, collègues ou en famille. Élégante salle baignée de lumière ; terrasse donnant sur le grand jardin. Salles de fête.

Tolkantoor sans rest

Havenlaan 81 – ✆ 0 9 342 78 87 – www.tolkantoor.be

5 ch – †70/80 € ††85/95 €

◆ Voormalig tolhuis uit 1910, rustig gelegen aan de jachthaven. Kamers op de verdieping, een grote Japanse tuin en beneden een kunstgalerij met keramiek van de hand van de eigenares.

◆ Cet ancien poste de péage accueille un hôtel au charme ethnique et zen, tout près du port de plaisance. Exposition de céramiques créées par la propriétaire. Grand jardin japonais.

ZEVERGEM – **Oost-Vlaanderen** – **533** H17 – **voir à Gent, environs**

ZILLEBEKE – **West-Vlaanderen** – **533** C18 **et 716** B3 – **voir à Ieper**

ZINGEM – Oost-Vlaanderen – **533** G17 **et 716** D3 – **7 130 h.** – ✉ **9750** **16** B3

▶ Bruxelles 57 – Gent 23 – Kortrijk 35 – Oudenaarde 9

à Ouwegem Ouest : 5 km – Ⓒ Zingem – ✉ 9750

XX ✿ **Benoit en Bernard Dewitte**

Beertegemstraat 52 – ☎ 0 9 384 56 52 – www.benoitdewitte.be – fermé 23 décembre-7 janvier, 16 juillet-3 août, samedi midi, dimanche soir et lundi
Rest – *(nombre de couverts limité, prévenir)* Lunch 28 € – Menu 45/65 € bc – Carte 55/71 €
Spéc. Tarte Tatin de navets printaniers confits, mousse de langoustine. Sauté de veau à la carotte, fenouil et pâtes au beurre de truffes. Gâteau aux marrons, sirop de miel et porto, glace au yaourt.
◆ Twee jonge broers onthalen u in deze sfeervolle villa verstopt achter een haag in een woonwijk op het platteland. Kleine kaart met een tiental gerechten op basis van kwaliteitsproducten. Modern-rustiek interieur, terras en boomgaard.
◆ Deux jeunes frères vous régalent dans cette villa cosy cachée derrière sa haie en campagne résidentielle. Petite carte d'une dizaine de mets. Produits choisis, mis en œuvre avec recherche. Cadre rustique actualisé, terrasse et verger.

ZINNIK – Hainaut – voir Soignies

ZOLDER – Limburg – Ⓒ **Heusden-Zolder 32 060 h.** – **533** Q16 **et 716** I2 – ✉ **3550** **10** B2

▶ Bruxelles 77 – Hasselt 12 – Diest 22 – Maastricht 46

18 Golfstraat 1, au Nord-Est : 10 km à Houthalen, ☎ 0 89 38 35 43

18 Donckstraat 30, à l'Ouest : 14 km à Paal, ☎ 0 13 61 89 50

X **Laurus**

Stationsstraat 67 – ☎ 0 11 53 11 14 – www.restaurantlaurus.be – fermé 2 dernières semaines d'août, samedi midi, lundi soir, mardi et mercredi
Rest – Lunch 24 € – Menu 33/69 € bc – Carte 38/80 €
◆ Deze voormalige graanschuur ademt nu een gezellige bistrosfeer uit. Dynamische chef-kok, geassisteerd door zijn vrouw in de eetzaal. Voordelige lunch. Tuinterras met barbecue.
◆ Ex-grange aménagée pour combler votre appétit dans une ambiance bistrot cosy. Chef dynamique secondé en salle par son épouse. Lunch intéressant. Terrasse-jardin avec barbecue.

à Bolderberg Sud-Ouest : 8 km sur N 729 – Ⓒ Heusden-Zolder – ✉ 3550 Zolder

XX ✿ **Prêt-à-Goûter** (Geert et Bart Vandenhove)

St-Jobstraat 83 – ☎ 0 11 20 16 80 – www.pretagouter.be – fermé 15 au 30 juillet, 26 décembre-1er janvier, samedi midi, dimanche et lundi
Rest – Lunch 42 € – Menu 75/95 € – Carte 82/115 €
Spéc. Langoustines en carpaccio et grillées. Turbot à l'os, béarnaise au corail de homard. Gibiers et champignons des bois selon la saison.
◆ Modern-klassieke gastronomie met de beste producten van het seizoen, fashionable eetzalen en mooi groen terras. In deze herberg werkt de hele familie samen om u te laten genieten!
◆ Prêt ? Goûtez ! Les meilleurs produits de saison pour de bons plats traditionnels revisités avec succès. Il faut dire qu'ici, toute la famille met la main à la pâte pour vous régaler. Salles aménagées avec goût et, aux beaux jours, jolie terrasse verdoyante.

ZOMERGEM – Oost-Vlaanderen – **533** G16 **et 716** D2 – **8 172 h.** – ✉ **9930** **16** B2

▶ Bruxelles 77 – Gent 21 – Brugge 38 – Roeselare 53

à Ronsele **Nord-Est : 3,5 km – 🄲 Zomergem – ✉ 9932**

XX **Landgoed Den Oker**

Stoktevijver 36 – ✆ 0 9 372 40 76 – www.landgoeddenoker.be – fermé 1er au 17 mars, 10 au 20 juillet, 1er au 20 septembre, dimanche soir, lundi et mercredi

Rest – Lunch 37 € – Menu 68/88 € bc – Carte 73/160 €

◆ Dit landelijke pand bij het kanaal van Schipdonk heeft tal van gotische elementen in de eetzaal en op het terras dat uikijkt op de tuin. Klassieke keuken.

◆ Près du canal de Schipdonk, cette fermette au décor bigarré propose une cuisine classique. Agréable terrasse donnant sur le jardin.

ZONHOVEN – **Limburg** – **533** R17 **et 716** J3 – **20 570 h.** – ✉ **3520** **10** B2

▶ Bruxelles 85 – Hasselt 10 – Leuven 62 – Maastricht 41

Goudbloem sans rest

Nachtegalenstraat 49 – ✆ 0 11 81 35 50 – www.hotelgoudbloem.be

6 ch ☕ – 🚹85 € 🚹🚹120 €

◆ Gastheer Johan legt zijn gasten graag in de watten: hij zorgt voor een warm welkom, versgeperst fruitsap bij het ontbijt en huiselijke kamers gedecoreerd met Limburgse kunst. Zijn moeder schenkt u graag wat te drinken uit in het café.

◆ Accueil chaleureux, chambres douillettes – décorées dans le style limbourgeois –, jus de fruits fraîchement pressés au petit-déjeuner : Johan, le maître de maison, est aux petits soins pour ses hôtes ! Et sa mère reçoit au joli café attenant...

Casa Roman sans rest

Herestraat 72 – ✆ 0 496 86 35 35 – www.casaroman.be

6 ch – 🚹60 € 🚹🚹80 €, ☕ 10 €

◆ Azzuro, rosso, argenta, ... U raadt het al: deze themakamers zijn het werk van een gepassioneerd Italiaans koppel dat de zuiderse zon op uw verblijf laat schijnen. Maak uw ervaring compleet met een tocht door de natuur op een Vespa!

◆ Azzuro, Rosso, Argenta, etc. Vous l'aurez deviné : ces chambres sont l'œuvre d'un couple italien passionné, qui partagera avec vous quelques rayons du soleil méridional. Pour une expérience totale, ne manquez pas la balade en vespa dans la campagne !

BELGIQUE

ZOTTEGEM – **Oost-Vlaanderen** – **533** H17 **et 716** E3 – **24 882 h.** – ✉ **9620** **16** B3

▶ Bruxelles 46 – Gent 29 – Aalst 24 – Oudenaarde 18

X **Two Cooks**

Markt 15 – ✆ 0 9 328 85 69 – www.twocooks.be – fermé 2 semaines début août, samedi midi, dimanche soir et lundi

Rest – Lunch 35 € bc – Menu 52 € bc/65 € bc – Carte 56/65 €

◆ Twee jonge koks verenigen sinds 2006 hun talenten in de keukens van dit pand, dat als een gastronomische bistro in designstijl is ingericht. Een succesrecept!

◆ Deux jeunes chefs qui en veulent unissent leurs talents depuis 2006 dans les cuisines de cette maison relookée dans le style bistrot-gastro design. Aucun doute : la sauce a bien pris !

à Elene **Nord : 2 km – 🄲 Zottegem – ✉ 9620**

X **Bistro Alain**

Leopold III straat 1 (angle Elenestraat) – ✆ 0 9 360 12 94 – www.bistroalain.be – fermé vacances de carnaval, 2 semaines en août, mardi et mercredi

Rest – Lunch 35 € bc – Menu 48 € – Carte env. 70 €

◆ Deze designbistro in een oude watermolen speelt met het contrast tussen rood en wit. In de achterste zaal kan gastronomisch worden getafeld. Terras met teakhouten meubelen.

◆ Dans un ancien moulin à eau, bistrot "design" jouant sur le contraste du rouge et du blanc. Arrière-salle plus "gastro" et vivifiante terrasse d'été dotée de meubles en teck.

Het ZOUTE – **West-Vlaanderen** – **533** E14 **et 716** C1 – voir à Knokke-Heist

ZUTENDAAL - Limburg - **533** S17 et **716** J3 - **7 009 h.** - ✉ **3690** **11** C2

▶ Bruxelles 104 - Hasselt 20 - Liège 38 - Maastricht 16

De Klok

Daalstraat 9 - ☎ 0 89 61 11 31 - www.hoteldeklokzutendaal.be - fermé fin décembre-début janvier et mardi

10 ch - 80/100 € 100/120 € **Rest** - Menu 20/60 € - Carte 24/80 €

◆ Hostellerie in het centrum van Zutendaal. De eigentijdse kamers bieden een goed comfort. De gasten worden gewekt door de kerkklokken aan de overkant! In een serre met zicht op het kerkplein wordt een verzorgde bistrokeuken geserveerd.

◆ Dans le centre de Zutendaal, cet hôtel propose des chambres contemporaines et confortables. Le restaurant, prolongé d'une véranda, sert une cuisine de bistrot soignée. L'église, juste en face, sonne l'heure, de bon matin…

ZWEVEGEM - West-Vlaanderen - **533** F18 et **716** D3 - **24 113 h.** - ✉ **8550** **19** D3

▶ Bruxelles 91 - Brugge 48 - Gent 46 - Kortrijk 6

Molenberg

Kwadepoelstraat 51 - ☎ 0 56 75 93 97 - www.molenbergrestaurant.be - fermé fin juillet-2 premières semaines d'août, samedi midi, dimanche soir, lundi soir et mercredi

Rest - Menu 57 € bc/110 € bc - Carte 64/150 €

◆ Oude molenaarswoning op het platteland. Klassieke maaltijd in een neorustiek eetzaaltje. Verzorgde tafels en aantrekkelijk menu. Specialiteit: Bretoense St.-Jacobsschelpen.

◆ Jadis, un meunier occupait cette maison. Aujourd'hui, la gastronomie a investi les lieux. Au menu : cuisine classique et Saint-Jacques de Bretagne tenant le haut de l'affiche.

à Sint-Denijs Sud : 6 km - C Zwevegem - ✉ 8554

De Muishond

Zandbeekstraat 15 (par N 50, puis prendre Beerbosstraat) - ☎ 0 56 45 51 11 - fermé samedi et dimanche

Rest - Carte 41/59 €

◆ Afgelegen karakteristiek boerderijtje in de buurt van Kortrijk, waar moeder en zoon al ruim 30 jaar de scepter zwaaien. Op houtskool geroosterde gerechten in de zaal bereid.

◆ Un peu perdue dans les "steppes" courtraisiennes, fermette typée tenue de mère en fils depuis plus de 30 ans. Choix traditionnel avec grillades au feu de bois faites en salle.

ZWIJNAARDE - Oost-Vlaanderen - **533** H17 et **716** E2 - voir à Gent, périphérie

BELGIQUE

Grand Duché de

Luxembourg Lëtzebuerg

AHN (OHN) – Wormeldange 2 451 h. – 717 X25 et 716 M7 — 21 C3

Luxembourg 36 – Ettelbrück 51 – Remich 15 – Trier 27

XXX Mathes

39 rte du Vin ✉ 5401 – ☎ 76 01 06
– www.restaurant-mathes.lu
– fermé 26 décembre-12 janvier, 29 octobre-8 novembre et lundis et mardis non fériés

Rest – Lunch 38 € – Menu 62/74 € – Carte env. 71 €

♦ Resto smart établi de longue date en bord de Moselle vigneronne. Carte et déco réussissent un joli compromis entre tradition et goût du jour. Terrasses agréables, vues séduisantes, sens de l'accueil.

♦ Seit langem am weinbewachsenen Moselufer etabliertes Restaurant. Küche und Ausstattung vereinen Tradition und Moderne. Angenehme Terrassen, schöner Ausblick, freundlicher Empfang.

ALZINGEN (ALZÉNG) – 717 V25 – voir à Luxembourg, environs

BASCHARAGE (NIDDERKÄERJHÉNG) – 717 U25 et 716 K7 – 7 428 h. — 20 B3

LUXEMBOURG

Luxembourg 19 – Esch-sur-Alzette 14 – Arlon 21 – Longwy 17

Gulliver

58 r. Nicolas Meyers, (sur N 31, direction Niederkorn) ✉ 4918 – ☎ 504 45 51
– www.gulliver.lu

65 ch – †70/110 € ††85/125 € – ½ P 61/88 €
Rest – Lunch 11 € – Menu 18/50 € bc – Carte 25/69 €

♦ Bâtisse hôtelière en secteur résidentiel, près du Pôle Européen de Développement. Accès aisé aux axes routiers transfrontaliers. Meilleur confort dans les chambres de l'annexe. Table italienne où un lunch à prix serré attire la clientèle des bureaux alentours.

♦ Hotelbau in einem eleganten Viertel nahe dem Europäischen Entwicklungszentrum (Pôle Européen de Développement). Bequeme Zufahrt zu den grenzüberschreitenden Fernstraßen. Die Zimmer im Nebengebäude sind komfortabler. Das italienische Restaurant ist mit seinem preisgünstigen Lunch bei den Mitarbeitern der umliegenden Büros beliebt.

Beierhaascht

240 av. de Luxembourg ✉ 4940 – ☎ 26 50 85 50
– www.beierhaascht.lu

31 ch – †76/80 € ††89/93 €
Rest *Beierhaascht* – voir la sélection des restaurants

♦ À la fois hôtel, restaurant, producteur de jambon et brasseur… Qui dit mieux ? Cet établissement cultive des savoir-faire anciens, parmi lesquels l'art de l'accueil. Chambres fonctionnelles (avec parquet), plus calmes sur l'arrière.

♦ Das Hotel grenzt an eine Hausbrauerei und eine auf Räucherwaren spezialisierte Fleischerei. Zimmer mit Parkettboden; meiden Sie die zur Straße hin gelegenen. Zwischen großen Sudkesseln werden traditionelle Speisen und Grillspezialitäten serviert. Mittagsgerichte zu günstigen Preisen.

XX Le Pigeonnier

211 av. de Luxembourg ✉ 4940 – ☎ 50 25 65
– www.lepigeonnier.lu
– fermé 15 août-15 septembre, samedi midi, dimanche soir, lundi et mardi

Rest – Lunch 38 € – Menu 52/68 € bc – Carte 63/75 €

♦ Ex-grange vous conviant à festoyer dans un cadre rustique. Tomettes, poutres et pierres apparentes en salle ; espace réservé aux banquets à l'étage. Choix classique actualisé.

♦ Die ehemalige Scheune lädt zum Verweilen in rustikalem Rahmen ein. Steinmauern und offenliegende Holzbalken in der Gaststätte; Nebenraum für Festivitäten im ersten Stock. Zeitgemäße klassische Küche.

Beierhaascht – Hôtel Beierhaascht

240 av. de Luxembourg ✉ 4940 – ✆ 26 50 85 50 – www.beierhaascht.lu – fermé dimanche soir et lundi

Rest – Menu 20/28 € – Carte 28/46 €

♦ Dans cet hôtel-restaurant associé à une brasserie artisanale et à une boucherie-charcuterie, la tradition et les salaisons maison sont à l'honneur – et de grandes cuves de brassage servent de décor ! Avis aux amateurs : les portions sont généreuses...

♦ Dieses Hotelrestaurant, an das sowohl eine Brauerei als auch eine Metzgerei angeschlossen ist, hat sich der Tradition und der Hausmacherwurst verschrieben und die große Braukessel dienen als Dekor. Hinweis für Liebhaber dieser Küche: Die Portionen sind üppig.

BEAUFORT (BEFORT) – 717 W23 et 716 L6 – 2 180 h. — 21 C2

Luxembourg 38 – Diekirch 15 – Echternach 15 – Ettelbrück 25

87 Grand-Rue, ✉ 6310, ✆ 83 60 99, www.beaufort.lu

Ruines du château★ • au Sud-Est : 4 km et 30 mn AR à pied, Gorges du Hallerbach★

Meyer — rest, rest, rest,

120 Grand-Rue ✉ 6310 – ✆ 26 87 61 23 – www.hotelmeyer.lu – ouvert avril-décembre

33 ch – †68/130 € ††112/150 € – ½ P 93 €

Rest – *(fermé après 20 h 30)* Menu 23/45 € – Carte 40/66 €

♦ Imposante hostellerie postée à l'entrée d'un village connu pour sa liqueur de cassis : le Cassero. Bonnes chambres garnies de meubles en bois cérusé. Ambiance familiale. Cuisine classico-actuelle servie dans une salle confortable ou l'été au jardin.

♦ Imposantes Hotelanwesen am Eingang eines Dorfes, das für seinen Likör aus Schwarzen Johannisbeeren bekannt ist: den Cassero. Schöne Zimmer mit Möbeln aus Kirschbaumholz. Familiäres Ambiente. Eine klassisch-zeitgemäße Küche wird im komfortablen Restaurant oder im Garten serviert.

Auberge Rustique — rest,

55 r. Château ✉ 6313 – ✆ 83 60 86 – www.aubergerustique.lu

8 ch – †40/45 € ††80 € – ½ P 57/62 €

Rest – *(fermé après 20 h 30)* Lunch 10 € – Menu 35/45 € – Carte 31/47 €

♦ On prétend que V. Hugo aurait logé dans cette petite auberge au passé de relais de poste fondée au 18ᵉs. près des ruines du château. Chambres proprettes, café et terrasse. Restaurant misant sur un éventail de préparations régionales sans complication.

♦ Victor Hugo soll in diesem kleinen Gasthof gewohnt haben, einer ehemaligen Poststation, die im 18. Jh. nahe der Schlossruinen erbaut wurde. Saubere Zimmer, Café und Terrasse. Das Restaurant setzt auf eine Auswahl regionaler, unkomplizierter Speisen.

BELAIR – voir à Luxembourg, périphérie

BERDORF (BÄERDREF) – 717 X24 et 716 M6 – 1 695 h. — 21 C2

Luxembourg 38 – Diekirch 24 – Echternach 6 – Ettelbrück 31

7 r. Laach, ✉ 6550, ✆ 79 06 43, www.berdorf.lu

au Nord-Ouest : Île du Diable★★ • au Nord : Plateau des Sept Gorges★ (Sieweschluff), Kasselt★ • au Sud : 2 km, Werschrumschluff★

au Sud-Ouest : 3 km, Vallée des Meuniers★★★(Müllerthal ou Vallée de l'Ernz Noire). à l'Est : 2 km : promenade à pied★★ vers le rocher du Perekop

Kinnen

2 rte d'Echternach ✉ 6550 – ☎ 79 01 83 – www.hotelkinnen.lu – ouvert avril-12 novembre

25 ch – 58/63 € 90/95 €

Rest – *(fermé lundi et après 20 h 30)* Lunch 16 € – Menu 24/46 € – Carte 37/66 €

◆ Hostellerie familiale à l'atmosphère nostalgique, œuvrant depuis 1852 au centre de ce village de la Petite Suisse luxembourgeoise. Chambres bien tenues et entretenues. Repas classico-traditionnels servis dans deux salles au charme rétro ou sur la terrasse abritée.

◆ Das im Zentrum des Dorfes in der Kleinen Luxemburgischen Schweiz gelegene Familienhotel mit gepflegten Zimmern und nostalgischer Atmosphäre besteht seit 1852. Klassisch-traditionelle Küche in zwei Speisesälen mit Retro-Charme oder auf der geschützten Terrasse.

BERTRANGE (BARTRÈNG) – 717 V25 et 716 L7 – 6 446 h. — 20 B3

Luxembourg 8 – Diekirch 44 – Grevenmacher 40 – Saarbrücken 106

Windsor

5 r. Mérovingiens, (Bourmicht) ✉ 8070 – ☎ 263 99 31 – www.windsor.lu – fermé samedi midi et dimanche soir

Rest – Lunch 36 € – Menu 75/115 € bc – Carte env. 88 €

◆ Bonne surprise que ce restaurant situé dans une zone industrielle. Sous l'égide de Jan Schneidewind, des plats traditionnels, classiques ou plus gastronomiques, concoctés sous les yeux des clients dans la cuisine centrale.

◆ Es überrascht schon etwas, dass dieses Restaurant in einem Gewerbegebiet liegt. Unter der Schirmherrschaft von Jan Schneidewind entstehen in der mittig gelegenen Küche vor den Augen der Gäste traditionelle, klassische oder auch gehobenere Gerichte.

BOUR (BUR) – C Tuntange 1 195 h. – 717 V24 et 716 L6 — 20 B2

Luxembourg 16 – Ettelbrück 27 – Mersch 12 – Arlon 18

au Nord-Est : 4 km, Hunnebour : cadre★

Janin

2 r. Arlon ✉ 7412 – ☎ 30 03 78 – www.janin.lu – fermé fin février-début mars, septembre, mercredi, jeudi et après 20 h 30

Rest – Lunch 47 € – Menu 53/64 € – Carte 88/110 €

◆ La patronne est en cuisine dans cette engageante auberge villageoise. Écrevisses à gogo en saison. Pour un apéro couleur locale, laissez-vous tenter par le "maitrank" maison !

◆ In dem engagiert geführten Dorfgasthof steht die Chefin selbst am Herd. Krustentiere „à gogo" in der Saison. Als Aperitif sollten Sie den hauseigenen "Maitrank" probieren.

BOURGLINSTER (BUERGLËNSTER) – C Junglinster 6 341 h. – 717 W24 et 716 L6 — 21 C2

Luxembourg 20 – Echternach 25 – Ettelbrück 29

La Distillerie (René Mathieu)

8 r. Château ✉ 6162 – ☎ 787 87 81 – www.bourglinster.lu – fermé 24 décembre-12 janvier, 20 février-1er mars, 14 au 17 mai, 29 octobre-8 novembre, dimanche soir, lundi et mardi

Rest – Lunch 50 € – Menu 80/95 € – Carte 61/84 €

Rest *Brasserie Côté Cour* – voir la sélection des restaurants

Spéc. La pêche du jour cuit sur pierre aux saveurs végétales, mousseline au cataire et jus vert épicé. Pigeonneau aux pousses de genévrier et épices, cuisses confites croustillantes, jus parfumé aux écorces. Gratiné au chocolat à la vanille, carpaccio de pêche et jus des noyaux, sorbet fraîcheur.

◆ Ce château fort dominant la localité est un havre de paix et de bon goût ! Mets fuyant la banalité, aussi savoureux qu'esthétiques, dans un registre inventif et très personnel.

◆ Das Schloss hoch über dem Ort ist eine Oase der Ruhe und des guten Geschmacks! Die exquisite extravagante Küche verwöhnt den Gaumen ebenso wie das Auge.

Brasserie Côté Cour – Rest La Distillerie

8 r. Château ✉ 6182 – ☎ 787 87 81 – www.bourlingster.lu – fermé 24 décembre-12 janvier, 20 février-1er mars, 14 au 17 mai, 29 octobre-8 novembre, dimanche soir, lundi et mardi

Rest – Lunch 23 € – Menu 35 € – Carte 42/63 €

◆ Resto retranché dans la cour du château. Accueil stylé mais pas guindé, authentique déco "old-fashioned" et terrasse-rempart à la vue fascinante. Jamais ordinaire, la cuisine, s'élève par ses élans créatifs bien placés, et par sa légèreté tarifaire.

◆ Im Schlosshof untergebrachte Brasserie mit perfektem, ungezwungenem Empfang, authentischem "old-fashioned" wirkendem Ambiente und Terrasse mit reizvoller Aussicht. Nicht alltägliche, kreative Küche zu fairen Preisen.

BOURSCHEID (BUURSCHENT) – 717 V23 et 716 L6 – 1 359 h. 20 B2

Luxembourg 47 – Diekirch 14 – Ettelbrück 18 – Wiltz 22

Route du château ←★★ • Ruines★ du château★, ←★

à Bourscheid-Moulin (Buurschenter-millen) Est : 4 km

Hôtel du Moulin

1 Buurschtermillen ✉ 9164 – ☎ 99 00 15 – www.moulin.lu – fermé janvier-12 février

10 ch – 🛉97 € 🛉🛉112/130 € – 2 suites – ½ P 123 €

Rest – *(résidents seulement)*

◆ Établissement tranquille blotti au creux de la verdoyante vallée de la Sûre, près d'un pont à arcades. Chambres pimpantes, sauna et curieuse piscine à remous couverte. Mets traditionnels proposés dans une salle rustique braquée vers la rivière ou dehors.

◆ Ein ruhiges Haus, das sich in der Nähe einer Arkadenbrücke in die Sohle des grünen Sûretals schmiegt. Adrette Zimmer, Sauna und attraktives Hallenbad mit Whirlpool. Im rustikalen Speisesaal mit Blick auf den Fluss oder im Freien werden traditionelle Gerichte angeboten.

à Bourscheid-Plage Est : 5 km

Belair rest, rest,

✉ 9164 – ☎ 263 03 51 – www.cocoonhotels.com

32 ch – 🛉77/117 € 🛉🛉96/124 € – ½ P 101 €

Rest – Lunch 24 € – Menu 36/50 € – Carte 40/53 €

◆ Agréable hôtel au creux de la verdoyante vallée de la Sûre. Grandes chambres fonctionnelles ; bar à vin, salles de réunion et terrasses. Repas traditionnel dans une rotonde tournée vers la rivière.

◆ Das Hotel steht im bewaldeten Tal der Sûre und bietet geräumige, moderne Zimmer. Weinbar, Konferenzräume und Terrassen. Traditionelle Gerichte werden in einem dem Fluss zugewandten Rundbau serviert.

La Rive

21 ch – 🛉77 € 🛉🛉96 €

◆ Cette dépendance de l'hôtel Belair conjugue repos, détente et cocooning : espace relaxation, fitness, sauna, tennis et même pêche privée.

◆ Das Nebengebäude des Hotels Belair bietet Ruhe, Entspannung und Wohlbefinden: Fitnessraum, Sauna, Tennisplatz und privater Angelplatz.

CANACH (KANECH) – C Lenningen 1 654 h. – 717 W25 et 716 L7 21 C3

Luxembourg 16 – Mondorf-les-Bains 19 – Saarbrücken 88

Scheierhaff, ☎ 35 61 35

LUXEMBOURG

Mercure

Scheierhaff, (Sud : 2,5 km) ✉ *5412 – ✆ 26 35 41 – www.mercure.com*
74 ch – 139/210 € 159/250 € – 2 suites – ½ P 167/250 €
Rest – Carte 36/53 €

◆ Hôtel de chaîne à la campagne, niché dans un terrain de golf dont la vue profite à chaque chambre (standard, duplex et suites), toutes assez amples. Wellness et jolie piscine. Brasserie actuelle grand ouverte sur le "green", à la façon d'un "club house".

◆ Zu einer Kette gehörendes Hotel auf einem Golfgelände gelegen. Recht geräumige Zimmer (Standard, Duplex und Suiten) mit Blick auf den Golfplatz; Wellness-Angebote und hübsches Schwimmbad. Die auf den Golfplatz hinausgehende Brasserie bietet Clubhaus-Atmosphäre.

CLAUSEN (KLAUSEN) – voir à Luxembourg, périphérie

CLERVAUX (KLIERF) – 717 V22 et 716 L5 – 1 983 h. 20 B1

Luxembourg 62 – Diekirch 30 – Ettelbrück 34 – Bastogne 28
Château, ✉ 9712, ✆ 92 00 72, www.tourisme-clervaux.lu
Mecherwee, au Nord-Ouest : 3 km à Eselborn, ✆ 92 93 95
Site★★ • Château★ : expositions de maquettes★ et de photographies★ • au Sud : route de Luxembourg ★★

LUXEMBOURG

International rest, rest,

10 Grand-rue ✉ *9710 – ✆ 92 93 91 – www.interclervaux.lu – fermé 24 et 25 décembre*
48 ch – 94/144 € 110/160 € – 6 suites – ½ P 82/125 €
Rest – Lunch 24 € bc – Menu 29/40 € – Carte 45/60 €

◆ Cet hôtel établi dans le centre piétonnier offre le choix entre de nombreuses sortes de chambres et propose divers délassements dont un wellness très complet. Belle carte dans le tempo actuel aux Arcades ; cave communicante où s'attablent les pensionnaires.

◆ Das in der Fußgängerzone gelegene Hotel bietet viele verschiedene Zimmerkategorien und diverse Freizeitangebote mit umfangreichem Wellnessprogramm. Gute, zeitgemäße Speisenauswahl im Les Arcades, einem netten Kellerlokal, in dem sich die Hausgäste treffen.

Koener rest,

14 Grand-rue ✉ *9710 – ✆ 92 10 02 – www.koenerclervaux.lu – fermé 24 et 25 décembre*
48 ch – 60/118 € 80/150 € – ½ P 84 €
Rest – *(fermé après 20 h 30)* Lunch 17 € – Menu 20/60 € – Carte 29/48 €

◆ Situé sur une petite place pittoresque, cet hôtel dispose de chambres bien tenues, plus spacieuses dans l'extension. Espace bien-être, piscine, sauna, centre Thalgo. Restaurant au cadre classique cossu et feutré ; cuisine traditionnelle.

◆ Ideal ist die Lage auf einem malerischen kleinen Platz. Gut gepflegte Zimmer im vorderen Bereich, "King Size"-Zimmer im hinteren Anbau. Wellness, Schwimmbad, Saunen, Thalgo-Zentrum. Restaurant mit gemütlichem klassischem Ambiente und traditioneller Küche.

Hôtel du Commerce rest,

2 r. Marnach ✉ *9709 – ✆ 92 10 32 – www.hotelducommerce.lu – ouvert 16 mars-25 novembre*
47 ch – 57/75 € 84/125 € – 2 suites – ½ P 67/88 €
Rest – *(fermé mardi midi, mercredi midi et après 20 h 30)* Menu 25/60 € – Carte 32/59 €

◆ Accueil chaleureux et jolies chambres aux tons… chauds dans cet hôtel familial et confortable. Le fils de la maison officie en cuisine pour vous concocter des gourmandises de saison. Sympathique !

◆ Ein herzlicher Empfang und hübsche Zimmer in warmen Farbtönen erwarten Sie in diesem komfortablen Familienbetrieb. Der Sohn des Hauses bereitet in der Küche saisonale Köstlichkeiten für Sie zu. Eine sympathische Adresse!

Hôtel des Nations rest, rest,
29 r. Gare ✉ 9707 – ✆ 92 10 18 – www.hoteldesnations.lu – fermé 9 au 27 janvier
29 ch – 60/80 € 70/164 €
Rest – *(fermé lundi)* Lunch 9 € – Menu 35/80 € – Carte 30/56 €
♦ Hôtel tenu par la même famille depuis 1865. Chambres confortables et fonctionnelles ; espace bien-être avec hammam et bain turc. Cuisine au goût du jour servie au restaurant ou dans la brasserie.
♦ Hotel, in dem die traditionelle Gastfreundlichkeit seit 1865 von derselben Familie gepflegt wird! Verschiedene Zimmertypen und brandneuer Wellnessbereich. Im Restaurant werden zeitgemäße Gerichte in neo-rustikalem Rahmen serviert.

à Roder (Roeder) **Est : 4,5 km – C Munshausen 1 102 h.**

Manoir Kasselslay avec ch
Maison 21 ✉ 9769 – ✆ 95 84 71 – www.kasselslay.lu – fermé 27 décembre-5 janvier, 15 février-2 mars, 11 avril, 30 mai et 27 août-18 septembre
6 ch – 95/105 € 130/150 € – ½ P 110 €
Rest – *(fermé dimanche soir de décembre à février, lundis et mardis non fériés et après 20 h 30)* Lunch 36 € – Menu 40/89 € bc – Carte 51/89 €
♦ Auberge familiale envoyant de la cuisine classique revisitée avec finesse et générosité, dans un cadre moderne sobre ou en plein air. Chambres aux noms de plantes aromatiques.
♦ Familiengasthof, der seinen Gästen mit Finesse und Großzügigkeit zubereitete, klassische Gerichte bietet, die in einem schlicht modernen Ambiente oder aber auch im Freien genossen werden können. Die Zimmer sind nach Gewürzkräutern benannt.

à Urspelt Nord : 4 km – C Clervaux

Château d'Urspelt
Am Schlass ✉ 9774 – ✆ 26 90 56 10 – www.chateau-urspelt.lu
29 ch – 75/125 € 80/160 € – 1 suite – ½ P 114 €
Rest *Victoria* – voir la sélection des restaurants
♦ Ce majestueux château offre une belle image de l'élégance associée au Grand-Duché… Après la nuit passée dans l'une des chambres, romantiques et aux couleurs chaleureuses, la journée peut commencer en douceur, autour du copieux petit-déjeuner.
♦ Dieses majestätische Schloss vermittelt ein schönes Bild von der Eleganz, die man mit dem Großherzogtum assoziiert… Nach einer Nacht in einem der romantischen und in warmen Tönen gehaltenen Zimmer kann der Tag geruhsam bei einem reichhaltigen Frühstück beginnen.

Victoria – Hôtel Château d'Urspelt
Am Schlass ✉ 9774 – ✆ 26 90 56 10 – www.chateau-urspelt.lu
Rest – *(dîner seulement sauf dimanche)* Menu 39 €/75 € bc – Carte 39/70 €
♦ Quatre menus bien ciblés (végétarien, poisson, italien et luxembourgeois) et une carte variée, où se côtoient carpaccio, entrecôte, scampi… On salive sans savoir quoi choisir ! Le décor est très moderne, ce qui est plutôt rare dans la région.
♦ Vegetarisch, Fisch, italienisch oder luxemburgisch: Die vier Menüs bieten bestimmt auch für Sie das Passende! Und wenn Sie sich wirklich nicht entscheiden können, haben Sie auch die Möglichkeit, von der Karte zu wählen (Carpaccio, Entrecôte, Scampis, etc.). Die Einrichtung überrascht mit Moderne.

DIEKIRCH (DIKRECH) – **717** V23 et **716** L6 – **6 413 h.** **21** C2

Luxembourg 33 – Clervaux 30 – Echternach 28 – Ettelbrück 5
3 pl. de la Libération, ✉ 9255, ✆ 80 30 23, www.diekirch.lu
au Nord : 8 km et 15 mn AR à pied, Falaise de Grenglay ★★

Beau Séjour

12 r. Esplanade ✉ 9227 – ☎ 26 80 47 15 – www.hotel-beausejour.lu
16 ch – ♦65/80 € ♦♦80/90 € **Rest** – Lunch 30 € – Menu 32/43 €

♦ Ce petit hôtel situé dans la rue principale de Diekirch possède deux sortes de chambres (confort simple ou supérieur). Si vous avez le sommeil léger, réservez à l'arrière ! Restaurant servant de la cuisine gentiment traditionnelle.

♦ Das kleine Hotel an der Hauptstraße von Diekirch bietet entweder Zimmer mit einfachem oder gehobenem Komfort. Wählen Sie ein nach hinten gelegenes Zimmer, wenn Sie einen leichten Schlaf haben. In diesem Restaurant wird traditonelle Küche serviert.

DIRBACH (DIIRBECH) – Ⓒ Goesdorf 1 264 h. – 717 V23 — 20 B2

Luxembourg 56 – Clervaux 28 – Diekirch 19 – Echternach 54

Dirbach Plage - Auberge de la Sûre

Dirbach Plage ✉ 9153 – ☎ 26 95 92 39 – www.dirbach.eu – fermé janvier-février
9 ch – ♦52/112 € ♦♦62/122 € – ½ P 77/137 €
Rest – Lunch 30 € – Carte 35/74 €

♦ Niché au bord de la Sûre, dans un écrin de verdure, cet hôtel constitue un petit paradis pour les amateurs de nature. Avis aux pêcheurs : au restaurant, le chef se fera un plaisir de préparer vos truites ! Quant au patron, il partagera avec vous sa passion pour le bon vin, et ce à des prix intéressants.

♦ Das Hotel am Ufer der Sauer ist ein wahres Paradies für Naturliebhaber. Ein besonderer Service für Angler: Im Restaurant bereitet der Küchenchef die von Ihnen gefangenen Forellen zu! Und der Inhaber teilt gerne mit seinen Gästen seine Leidenschaft für guten Wein, der zudem zu interessanten Preisen angeboten wird.

LUXEMBOURG

ECHTERNACH (IECHTERNACH) – 717 X24 et 716 M6 – 4 960 h. — 21 C2

Luxembourg 36 – Diekirch 28 – Ettelbrück 30 – Bitburg 21

9 Parvis de la Basilique, ✉ 6486, ☎ 72 02 30, www.echternach-tourist.lu

Place du Marché★ Y**10** • Abbaye★ X • à l'Ouest : Gorge du Loup★★ (Wolfschlucht), ★ belvédère de Troosknepchen Z

Petite Suisse Luxembourgeoise★★★ : Vallée des Meuniers★★★

Eden au Lac

Oam Nonnesees (au-dessus du lac) ✉ 6474 – ☎ 72 82 83 – www.edenaulac.lu – ouvert 23 mars-11 novembre Z**m**
60 ch – ♦113/162 € ♦♦150/257 € – 3 suites – ½ P 142 €
Rest *Le Jardin d'Épices* – voir la sélection des restaurants

♦ Un accueil chaleureux ; des chambres confortables avec terrasse surplombant le lac et la villa romaine ; de bons équipements de loisirs et de bien-être : c'est bien un éden !

♦ Ein freundlicher Empfang, komfortable Zimmer mit einer Terrasse über dem See und der römischen Villa, gute Freizeit- und Wellnesseinrichtungen – ein echtes kleines Paradies! Im Restaurant genießt man den Panoramablick über Echternach.

Grand Hôtel

rest,

27 rte de Diekirch ✉ 6430 – ☎ 72 96 72 – www.grandhotel.lu – ouvert 20 mars-15 novembre Z**p**
27 ch – ♦100/120 € ♦♦130/155 € – 9 suites – ½ P 135/155 €
Rest – Menu 35/80 € – Carte 48/85 €

♦ Un hôtel familial en pleine nature et proche d'Echternach. Chambres "king size" dans l'aile récente, grand écran au bar, jolie piscine intérieure et espace de relaxation. Salles à manger et carte classiques ; vue sur la vallée boisée par les baies vitrées.

♦ Nahe Echternach steht das traditionsreiche Familienhotel im Grünen. King-Size-Zimmer im neuen Flügel, hübsches Schwimmbad mit Panoramablick und Fitnessbereich. Klassischer Speisesaal mit ebensolchen Gerichten und Blick auf das bewaldete Tal.

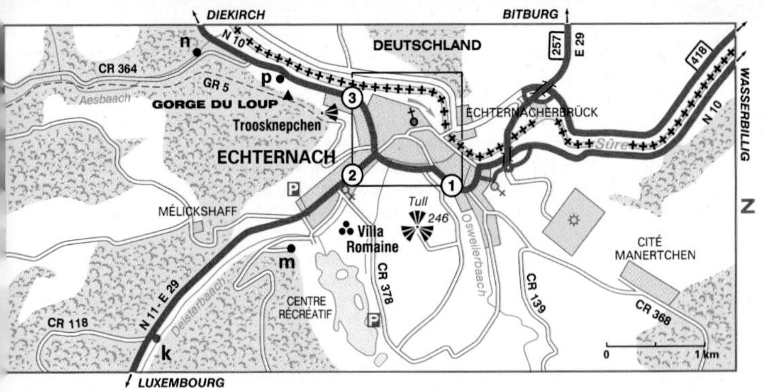

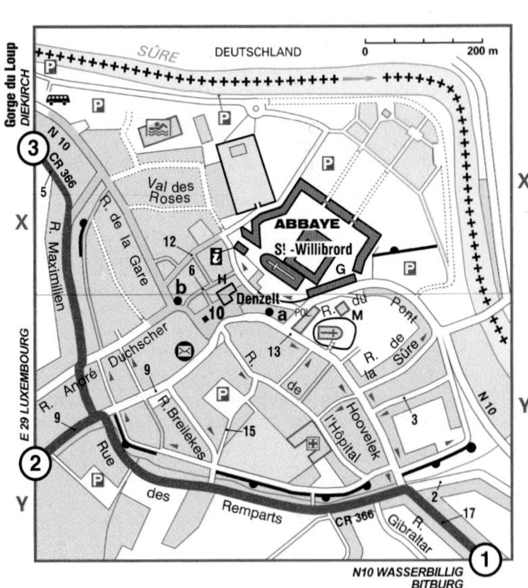

ECHTERNACH

Bénédictins (R. des) . . . . Y 2
Bons Malades (R. des) . . . . . Y 3
Breilekes (R.) . . . . Y
Duchscher (R. André) . . . . . . Y
Ermesinde (R.) . . . . X 5
Gare (R. de la) X
Gibraltar (R.) . . . . Y
Haut Ruisseau (R.) . . . . X 6
Hoovelek . . . . Y
Hôpital (R. de l') . . . . Y
Luxembourg (R. de) . . . . Y 9
Marché (Pl. du) . . . . Y 10
Maximilien (R.) . . . . XY
Merciers (R. des) . . . . X 12
Montagne (R. de la) . . . . Y 13
Pont (R. du) . . . . XY
Remparts (R. des) . . . . Y
Sigefroi (R. Comte) . . . . Y 15
Sûre (R. de la) . . . . Y
Val des Roses X
Wasserbillig (R. de) . . . . Y 17

Bel Air

1 rte de Berdorf ✉ 6409 – ☎ 72 93 83
– www.belair-hotel.lu – fermé 2 au 11 janvier

VISA MC AE D

Zn

38 ch – 🚹98/166 € 🚹🚹118/178 € – ½ P 136 €

Rest – Menu 52/82 € – Carte 52/68 €

♦ Choisissez cet hôtel de tradition pour son parc cerné de bois, ses chambres à jour et ses équipements récréatifs et de bien-être : spa (réserver), piscine à l'antique, tennis... Restaurant classique tourné vers les pelouses, parterres et pièce d'eau du jardin.

♦ Ein von Wald umgebener Park, renovierte Zimmer, der Wellnessbereich (reservieren), das schöne antike Schwimmbad und die Tennisanlage sprechen für dieses Traditonshaus. Traditionelles Restaurant mit Blick auf den Garten und Teich.

Eine preiswerte und komfortable Übernachtung? Folgen Sie dem Bib Hotel.

Hostellerie de la Basilique

7 pl. du Marché ✉ 6460 – ✆ 72 94 83 – www.hotel-basilique.lu – ouvert avril-11 novembre Y**a**

14 ch – 85/98 € 110/126 € – ½ P 115 €

Rest *Om Märtchen* – voir la sélection des restaurants

◆ Sur la place du marché de la vieille ville, cette auberge est vraiment pittoresque ; quant aux chambres, elles sont spacieuses, fonctionnelles et joliment aménagées. À la brasserie Om Märtchen, les plats régionaux sont à l'honneur : choucroute et autres spécialités luxembourgeoises.

◆ Der Gasthof am Marktplatz in der Altstadt ist wirklich malerisch! Die geräumigen Zimmer sind zweckmäßig und hübsch eingerichtet. In der Brasserie Om Märtchen liegt der Schwerpunkt auf regionalen Gerichten wie Sauerkraut und anderen luxemburgischen Spezialitäten.

Le Pavillon

rest, VISA AE

2 r. Gare ✉ 6440 – ✆ 72 98 09 – www.lepavillon.lu XY**b**

10 ch – 60/72 € 85/95 € – ½ P 86/98 €

Rest – *(fermé mercredi de mi-novembre à avril)* Lunch 12 € – Menu 15/35 € – Carte 28/61 €

◆ En secteur piétonnier commerçant, hébergement simple et commode pour faire étape dans la capitale de la Petite Suisse luxembourgeoise. Chambres proprettes d'aspect rétro. Table classico-traditionnelle par sa cuisine autant que par son décor. Terrasse-trottoir.

◆ Ein schlichtes, gemütliches Quartier im Fußgänger- und Geschäftszentrum der Hauptstadt der Kleinen Luxemburgischen Schweiz. Gepflegte Zimmer im Retro-Stil. Klassisch-traditionelle Küche, ebensolches Dekor. Straßenterrasse.

XXX **Le Jardin d'Épices** – Hôtel Eden au Lac

Oam Nonnesees (au-dessus du lac) ✉ 6474 – ✆ 72 82 83 – www.edenaulac.lu – ouvert 23 mars-11 novembre; fermé jeudi midi, samedi soir et mercredi Z**m**

Rest – Menu 82 € – Carte 66/80 €

◆ Un cadre charmant pour déguster une cuisine française et régionale. En salle comme en terrasse, vous profiterez d'une jolie vue sur la verdure.

◆ In charmanter Umgebung wird sowohl französische als auch regionale Küche geboten. Im Restaurant wie auch auf der Terrasse hat man eine schöne Aussicht ins Grüne.

X **Om Märtchen** – Hôtel Hostellerie de la Basilique

7 pl. du Marché ✉ 6460 – ✆ 72 94 83 – www.hotel-basilique.lu – ouvert avril-11 novembre; fermé mercredi Y**a**

Rest – *(dîner seulement sauf dimanche)* Menu 35/55 €

◆ Bien au chaud dans la brasserie ou en terrasse, sur la vibrante place du marché, on déguste une bonne cuisine traditionnelle luxembourgeoise. Parmi les spécialités maison… la choucroute !

◆ Gemütlich in der Brasserie oder auf der Terrasse, die auf dem belebten Marktplatz gelegen ist, bekommt man hier die gute, traditionelle luxemburger Küche serviert. Unter den Spezialitäten findet sich auch ein Sauerkraut.

à Lauterborn (Lauterbur) – C Echternach

XXX **Au Vieux Moulin** avec ch

Maison 6 ✉ 6562 – ✆ 720 06 81 – www.hotel-au-vieux-moulin.lu – fermé 12 décembre-2 février et lundi Z**k**

11 ch – 85/100 € 100/130 € – 2 suites – ½ P 111/126 €

Rest – *(fermé mardi midi, lundi et après 20 h 30)* Menu 39/69 € – Carte 48/68 €

◆ Hostellerie cossue nichée au creux d'une verte vallée. Choix classique, service aux petits soins, salles fraîches et élégantes, terrasse près d'un étang. Chambres douillettes et tarifs doux. Dans le bâtiment récent, chambres de plain-pied disposant d'une terrasse.

◆ Stattliches Gasthaus inmitten eines grünen Tales mit klassischer Küche, aufmerksamem Service, freundlichen, eleganten Räumen und einer Terrasse in der Nähe eines Teichs. Behagliche Zimmer zu günstigen Preisen. In dem neuen Gebäude haben die Zimmer im Erdgeschoss eine Terrasse.

à Steinheim (Stenem) **par ① : 4 km – 🄲 Rosport 2 051 h.**

Gruber
36 rte d'Echternach ✉ 6585 – ✆ 72 04 33 – www.hotelgruber.com – ouvert fin mars-10 décembre
17 ch – †45/62 € ††56/79 €, ☕ 10 € – ½ P 60/72 €
Rest *Gruber* – voir la sélection des restaurants
◆ Une auberge familiale, appréciée pour ses chambres agréables et parfaitement tenues, son beau jardin donnant sur la Sûre et… ses prix doux.
◆ Der familiengeführte Gasthof wird wegen seiner einladenden und tadellos gepflegten Zimmer, dem zur Sauer hin gelegenen Garten und seiner gemäßigten Preise geschätzt. Und für den Verdauungsspaziergang gibt es zahlreiche Rundwanderwege in der Nähe.

Gruber – Hôtel Gruber
36 rte d'Echternach ✉ 6585 – ✆ 72 04 33 – www.hotelgruber.com – ouvert fin mars-10 décembre; fermé après 20 h 30
Rest – Lunch 30 € – Menu 35/60 €
◆ Hôtel ou plutôt restaurant ? Difficile d'exprimer sa préférence quand on fréquente le Gruber, qui séduit dans les deux cas. On y redécouvre le plaisir authentique d'un repas au goût d'autrefois, simplicité comprise.
◆ Hotel oder doch eher Restaurant? Es ist schwer, sich hier genau festzulegen, denn das Gruber liegt wohl irgendwo dazwischen. Man hat das Vergnügen, authentische Gerichte mit dem Geschmack von damals zu kosten, einfach und gut.

EICH (EECH) – **voir à Luxembourg, périphérie**

ELLANGE (ELLÉNG) – **717** W25 – **voir à Mondorf-les-Bains**

ERPELDANGE (IERPELDÉNG) – **717** V23 **et 716** L6 – **voir à Ettelbrück**

ESCH-SUR-ALZETTE (ESCH-UELZECHT) – **717** U26 **et 716** K7 **20** B3
– **30 630 h.**

Luxembourg 18 – Longwy 26 – Thionville 32
25 pl. Boltgen, ✉ 4044, ✆ 54 16 37, www.esch.lu

Plan page suivante

The Seven
50 Parc Galgebierg (suivre r. Parc jusqu'au bout - au-dessus du stade Emile Mayrisch) ✉ 4142 – ✆ 54 02 28 – www.thesevenhotel.lu BZ**c**
14 ch – †110/150 € ††110/150 €, ☕ 12 € – 1 suite – ½ P 152 €
Rest *Le Pavillon* – voir la sélection des restaurants
◆ Un building contemporain pour un hôtel design et étonnant, au cœur d'une nature luxuriante : "the place to be" à seulement quinze minutes de la capitale ! Panorama inoubliable, en surplomb de la ville.
◆ In einem zeitgemäßen Gebäude mitten in einer üppig grünen Umgebung ist dieses ungewöhnliche Hotel im Designerstil untergebracht. "The place to be", nur 15 Minuten von der Hauptstadt entfernt! Genießen Sie den unvergesslichen Rundblick über die Stadt.

Mercure
2 pl. Boltgen ✉ 4044 – ✆ 54 19 91 – www.mercure.com BZ**t**
41 ch – †89/149 € ††89/149 €, ☕ 15 €
Rest – Lunch 12 € – Menu 19/27 € – Carte 32/53 €
◆ Un Mercure confortable, au cœur d'Esch-sur-Alzette. Côté papilles, le Bistroquet propose une carte traditionnelle de qualité, que vous pourrez apprécier, à la belle saison, sur une jolie terrasse fleurie.
◆ Ein komfortables Mercure-Hotel mitten in Esch-sur-Alzette. Für den kulinarischen Genuss bietet das Bistroquet eine gehobene traditionelle Speisekarte. In der schönen Jahreszeit können Sie sich auf der hübschen blumengeschmückten Terrasse niederlassen.

ESCH-SUR-ALZETTE

Alzette (R. de l') . . . . ABZ
Boltgen (Pl.) . . . . BZ 8
Charbons (R. des) . . . . AZ 13
Commerce (R. du) . . . . BZ 12
Dellheicht (R.) . . . . BY 14
Gare (Av. de la) . . . . BZ 15
Grand-Rue . . . . BZ 16
Hôtel-de-Ville (Pl. de l') . . . . . BZ 18
Karl-Marx (R.) . . . . AY 20
Léon-Jouhaux (R.) . . . . AY 21
Léon-Weirich (R.) . . . . AYZ 23
Libération (R. de la) . . . . BZ 24
Mathias-Koener (R.) . . . . BY 25
Norbert-Metz (Pl.) . . . . BZ 26
Remparts (Pl. des) . . . . BZ 29
Remparts (R. des) . . . . BZ 30
Résistance (Pl. de la) . . . . . . AZ 32
Sacrifiés 1940-45 (Pl. des) . . . . AY 33
St-Michel (Pl.) . . . . BZ 34
St-Vincent (R.) . . . . BZ 36
Sidney-Thomas (R.) . . . . . . AYZ 37
Stalingrad (R. de) . . . . AZ 39
Synagogue (Pl. de la) . . . . . . BZ 40
Wurth-Paquet (R.) . . . . BY 42
Xavier-Brasseur (R.) . . . . BZ 43
Zénon-Bernard (R.) . . . . . . ABZ 44
10-Septembre (R. du) . . . . ABZ 45

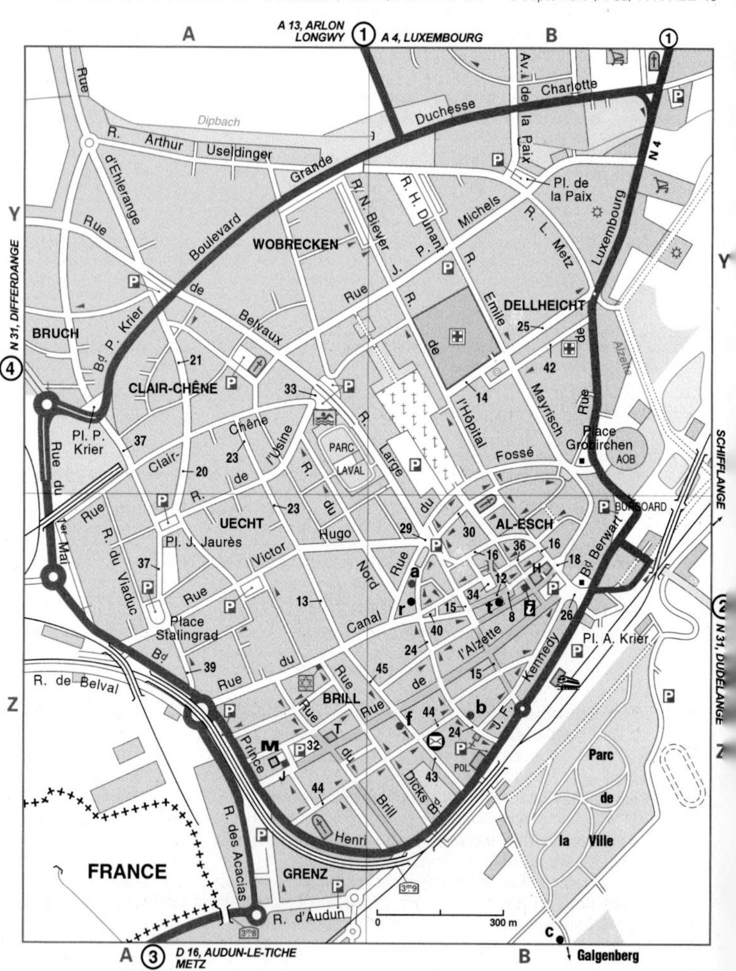

Topaz sans rest

5 r. Remparts ✉ *4303 – ☎ 531 44 11 – www.topaz.lu* BZ**r**

22 ch – ♦50/75 € ♦♦75/95 €

◆ Un établissement calme, sans chichis et accueillant. Chambres modestes mais parfaitement tenues, à prix doux. L'été, le petit-déjeuner est servi en terrasse.

◆ Ein ruhiges, einladendes Haus ohne viel Schnickschnack. Die Zimmer sind zwar bescheiden, aber perfekt gepflegt und preisgünstig. Im Sommer wird das Frühstück auf der Terrasse serviert.

Favaro (Renato Favaro)

19 r. Remparts ✉ 4303 – ✆ 54 27 23 – www.favaro.lu
– fermé 19 au 27 février, 27 mai-4 juin, 29 juillet-20 août, samedi midi, dimanche soir et lundi BZ**a**

Rest – Lunch 40 € – Menu 90/130 € bc – Carte env. 90 €

Rest ***Lounge Favaro*** – voir la sélection des restaurants

Spéc. Antipasti à la truffe blanche (octobre-décembre). Cannelloni de carpaccio de bœuf et tartare de langoustine, huile de noisette au caviar. Raviole de pintadeau, beurre à la fleur de thym.

♦ C'est avec élégance que Renato Favaro fait briller le soleil de l'Italie dans votre assiette. Un raffinement que l'on retrouve aussi dans la salle, chic et classique.

♦ Lassen Sie sich von Renato Favaro mit elegant zubereiteten Gerichten der sonnendurchfluteten italienischen Küche verwöhnen. Ebenso raffiniert wie die Präsentation auf dem Teller ist der schicke Saal im klassischen Stil.

Postkutsch

8 r. Xavier Brasseur ✉ 4040 – ✆ 54 51 69 – www.postkutsch.lu – fermé samedi midi, dimanche soir et lundi BZ**f**

Rest – Lunch 26 € – Menu 46/105 € bc – Carte 63/97 €

♦ Salle à manger aux réminiscences Art déco, fresque évoquant l'ère des diligences, carte actuelle assortie de menus hebdomadaires et mémorables chariots de fromages affinés.

♦ Speisesaal mit Art-déco-Elementen und Fresken, die an die Zeit der Postkutschen erinnern. Zeitgemäße Karte und wöchentliche Menüs sowie bemerkenswerter Käsewagen.

Le Pavillon – Hôtel The Seven

50 Parc Galgebierg (suivre r. Parc jusqu'au bout - au-dessus du stade Emile Mayrisch) ✉ 4142 – ✆ 54 02 28 – www.pavillon.lu BZ**c**

Rest – Lunch 20 € – Menu 42/80 € – Carte 42/63 €

♦ Dans un grand parc boisé, aux portes de la ville, ce restaurant convivial propose une cuisine à la fois contemporaine et copieuse, dans un sympathique décor rétro.

♦ In einem großen baumbestandenen Park am Rande der Stadt bietet dieses gastfreundliche Restaurant eine üppige zeitgemäße Küche in nettem nostalgischen Ambiente.

Acacia avec ch rest,

10 r. Libération ✉ 4210 – ✆ 54 10 61 – www.hotel-acacia.lu – fermé 24 décembre-1er janvier BZ**b**

23 ch – 65/82 € 95/112 €

Rest – *(fermé dimanche et jours fériés)* Menu 28/90 € bc – Carte 37/70 €

♦ À proximité de la gare, une adresse conviviale où, par temps froid, crépite un feu dans la cheminée. Les chambres, bien que modestes, offrent un confort correct, à prix intéressant.

♦ In diesem gastlichen Haus in Bahnhofsnähe knistert an kühlen Tagen ein Feuer im Kamin. Die Zimmer sind zwar bescheiden, bieten aber korrekten Komfort zu interessanten Preisen.

Lounge Favaro – Rest Favaro

19 r. Remparts, (1er étage) ✉ 4303 – ✆ 54 27 23 35
– www.loungefavaro.lu
– fermé 19 au 27 février, 27 mai-4 juin, 29 juillet-20 août, samedi midi, dimanche soir et lundi BZ**a**

Rest – Lunch 18 € – Menu 35/55 € – Carte 34/58 €

♦ Au 1er étage du Favaro, ce lounge au cadre bistrotier propose carte, plats du jour et formules rapides, sans sacrifier la qualité ou la saveur des recettes de la *mamma*...

♦ Diese Lounge im Bistro-Stil befindet sich im ersten Stock des Favaro. Hier werden Tagesgerichte und schnelle Mahlzeiten angeboten, die qualitativ der guten Küche von *La Mamma* in Nichts nachstehen.

LUXEMBOURG

ESCH-SUR-SÛRE (ESCH SAUER) – 717 U23 et 716 K6 – 324 h. 20 B2

Luxembourg 48 – Diekirch 24 – Ettelbrück 19 – Bastogne 27

Maison du Parc Naturel de la Haute-Sûre 15 rte de Lultzhausen, ✉ 9650, ☎ 899 33 11, www.esch-sur-sure.lu

Site★ • Tour de Guet ≤★

à l'Ouest : rte de Kaundorf ≤★ • à l'Ouest : Lac de la Haute-Sûre★ ≤★ • au Sud-Ouest : Haute vallée de la Sûre★★, Hochfels★ • à l'Est : Basse vallée de la Sûre★ • au Sud : 10 km à Rindschleiden : Église paroissiale★

Hôtel de la Sûre

1 r. Pont ✉ 9650 – ☎ 83 91 10 – www.hotel-de-la-sure.lu – fermé 15 décembre-27 janvier

23 ch – 42/125 € 79/175 € – ½ P 67 €

Rest *Comte Godefroy* – voir la sélection des restaurants

◆ Dans un splendide cadre bucolique, un établissement de style régional bien équipé (installations de bien-être, etc.) et insolite... Le propriétaire en a fait un "hôtel-bibliothèque" ! Venez avec deux livres et vous repartirez avec un inédit.

◆ In einer wunderschönen und idyllischen Umgebung liegt dieses ungewöhnliche Haus im regionalen Stil mit guter Ausstattung (Wellnesseinrichtungen usw.). Der Inhaber hat daraus ein "Hotel mit Bibliothek" gemacht! Bringen Sie zwei Bücher mit, und Sie erhalten ein noch unveröffentlichtes Werk. Restaurant mit französischer Küche.

Comte Godefroy – Hôtel de la Sûre

1 r. Pont ✉ 9650 – ☎ 83 91 10 – www.hotel-de-la-sure.lu – fermé 15 décembre-27 janvier

Rest – Menu 18/54 €

◆ Ce Comte Godefroy – repris par le fils de la famille – aime la tradition ! Ici, on ne jure que par la cuisine française et les spécialités régionales.

◆ Das Comte Godefroy – inzwischen vom Sohn der Familie übernommen - steht für Tradition! Hier schwört man auf die französische Küche und die regionalen Spezialitäten.

La sélection de ce guide s'enrichit avec vous : vos découvertes et vos commentaires nous intéressent. Faites-nous part de vos satisfactions ou de vos déceptions. Coup de cœur ou coup de colère : écrivez-nous !

ETTELBRÜCK (ETTELBRÉCK) – 717 V23 et 716 L6 – 7 837 h. 20 B2

Luxembourg 28 – Clervaux 34 – Bastogne 41

5 r. Abbé Muller, ✉ 9065, ☎ 81 20 68, www.ettelbruck-info.be

à l'Est : Basse vallée de la Sûre★ d'Erpeldange à Wasserbillig • à l'Ouest : Haute vallée de la Sûre★★ d'Erpeldange à Hochfels

à Erpeldange (Ierpeldéng) Nord-Est : 2,5 km par N 27 – 2 248 h.

Dahm avec ch

57 Porte des Ardennes ✉ 9145 – ☎ 816 25 51 – www.hotel-dahm.com – fermé 18 décembre-7 janvier

25 ch – 65/86 € 85/105 € **Rest** – Menu 31/115 € bc – Carte 40/93 €

◆ Que vous soyez en quête d'une table gastronomique ou d'un repas simple, vous êtes ici à la bonne adresse : cuisine française raffinée ou brasserie conviviale, selon votre humeur culinaire ! Chambres spacieuses, simples mais parfaitement entretenues.

◆ Egal, ob Sie auf der Suche nach einem Feinschmeckerrestaurant sind oder nach einer einfachen Mahlzeit, hier sind Sie genau richtig – je nach Laune können Sie wählen zwischen raffinierter französischer Küche oder einer geselligen Brasserie! Die geräumigen Zimmer sind schlicht, aber tadellos gepflegt.

FRISANGE (FRÉISENG) – 717 W25 et 716 L7 – 3 778 h. 21 C3

Luxembourg 12 – Thionville 20

Lea Linster

17 rte de Luxembourg ✉ 5752 – ✆ 23 66 84 11 – www.lealinster.lu – fermé 2 dernières semaines d'août, 24 décembre-mi-janvier, lundi et mardi

Rest – Menu 95/125 € – Carte 90/122 €

Spéc. Salade tiède de homard, sauce à l'estragon. Bar de ligne en croûte de sel. Ris de veau croustillant, jus de veau au thym

♦ Une cuisinière médiatique règne avec bienveillance sur cette institution locale pétrie de caractère et de savoir-faire. La maison vient de se refaire une beauté, ce qui ajoute encore au plaisir du repas. À (re)découvrir sans tarder !

♦ Charakter und Können bestimmen diese Institution, in der die medienbekannte Köchin mit Engagement Regie führt. Schön renoviert, überzeugt das Restaurant nicht nur mit Gaumenfreuden. Zögern Sie nicht, dieses Haus (wieder)zuentdecken!

GAICHEL (GÄICHEL) – C Hobscheid 3 026 h. – 717 U24 et 716 K6 20 B2

Luxembourg 35 – Diekirch 35 – Arlon 5

9 ✆ 39 71 08

La Gaichel

Maison 5 ✉ 8469 Eischen – ✆ 39 01 29 – www.lagaichel.lu – fermé janvier-2 février

12 ch – †165/250 € ††165/250 € – ½ P 145/185 €

Rest ***La Gaichel*** – voir la sélection des restaurants

♦ Un beau parc et son golf agrémentent cette fastueuse auberge de 1852. Ravissantes chambres aux décors "bonbonnière", avec terrasse-balcon où le breakfast peut vous être livré.

♦ Ein herrlicher Park sowie ein Golfplatz umgeben das stattliche Gasthaus von 1852. Reizende Zimmer im "Bonbonniere"-Dekor, mit Terrasse oder Balkon – hier können Sie auch frühstücken. Gehobene zeitgemäße Küche in klassischem Rahmen; gute Weinauswahl.

Auberge de la Gaichel

Maison 7 ✉ 8469 Eischen – ✆ 39 01 29 – www.lagaichel.lu – fermé février

16 ch – †75/125 € ††95/125 € – 1 suite

Rest ***Auberge de la Gaichel*** – voir la sélection des restaurants

♦ Bâtisse ancienne et typée, rénovée intérieurement en accentuant le coté "cosy". Communs douillets et chambres mignonnes, toutes personnalisées.

♦ Charakteristisches altes Gebäude. Die Innenräume wurden renoviert, wobei das Ambiente jetzt besonders gemütlich ist. Behagliche Gemeinschaftsräume und reizende, individuell gestaltete Zimmer. Einfache, traditionelle, üppige Gerichte werden in einem sympathischen Ambiente oder auf der an der Rückseite liegenden Terrasse zur Parkseite hin serviert.

La Gaichel – Hôtel La Gaichel

Maison 5 ✉ 8469 Eischen – ✆ 39 01 29 – www.lagaichel.lu – fermé janvier-2 février, mardi midi, dimanche soir et lundi

Rest – Lunch 40 € – Menu 68/95 € – Carte 72/109 €

Spéc. Nage d'écrevisses pattes rouges, brunoise de légumes. Canard Nantais laqué au miel de thym. La grande assiette du chocolatier.

♦ Qualité des produits, maîtrise technique, originalité… Cette table conjugue avec art classicisme et modernité. Une belle adresse, une valeur très sûre !

♦ Qualität der Produkte, technische Perfektion, Originalität… Die Küche spielt gekonnt sowohl auf der modernes als auch der klassischen Tonleiter. Eine schöne Adresse mit hervorragendem Ruf!

Auberge de la Gaichel – Hôtel Auberge de la Gaichel

Maison 7 ✉ 8469 Eischen – ✆ 39 01 29 – www.lagaichel.lu – fermé février et mardi soir

Rest – Lunch 16 € – Menu 29/50 € – Carte 28/44 €

♦ L'Auberge de la Gaichel ? La tradition avec simplicité et générosité, et un décor sympathique. À l'arrière, la terrasse fait face au parc.

♦ Die Auberge de la Gaichel verbindet Tradition mit Großzügigkeit, Leichtigkeit und einem sympatischen Ambiente. Die Terrasse liegt hinter dem Haus zum Park hin.

GREVENMACHER (GRÉIWEMAACHER) – **717** X24 et **716** M6 – 4 347 h. **21** C2

Luxembourg 28 – Echternach 28 – Remich 22 – Saarbrücken 93

Simon's Plaza

7 Potaschberg, (près A1 - E 44, sortie ⑬) ✉ 6776 – ☎ 26 74 44 – www.simons-plaza.com – fermé 23 décembre-4 janvier

54 ch – 109/129 € 120/160 € – ½ P 130 €

Rest – Lunch 12 € – Menu 32/54 € – Carte 28/56 €

◆ Près de l'autoroute, hôtel d'aspect engageant et moderne, à l'image des chambres, pensées pour la clientèle d'affaires. Celles de l'arrière ouvrent sur la nature. Lumineux restaurant de style contemporain, doté de grandes baies vitrées. Carte internationale.

◆ In Autobahnnähe liegt dieses ansprechende, moderne Hotel, mit neuzeitlichen Zimmern für Geschäftsreisende - die nach hinten liegenden bieten einen Blick ins Grüne. Helles, zeitgemäßes Restaurant mit großen Fenstern und internationaler Karte.

GRUNDHOF (GRONDHAFF) – C Beaufort 2 126 h. – **717** W23 et **716** L6 **21** C2

Luxembourg 37 – Diekirch 18 – Echternach 10 – Ettelbrück 24

au Sud : 3 km, Vallée des Meuniers★★★

Brimer

1 rte de Beaufort ✉ 6360 – ☎ 268 78 71 – www.hotel-brimer.lu – ouvert mars-22 novembre

28 ch – 100/120 € 115/150 € – ½ P 79/95 €

Rest *Brimer* – voir la sélection des restaurants

◆ Aux portes de la "Petite Suisse luxembourgeoise", ce très bel hôtel est tenu par la même famille depuis plus d'un siècle. Accueil prévenant et centre de remise en forme au top !

◆ Dieses sehr schöne, am Rande der "Kleinen Luxemburger Schweiz" gelegene Hotel wird seit über 100 Jahren von derselben Familie geführt. Zuvorkommender Empfang und hervorragendes Wellness-Center!

XXX Brimer – Hôtel Brimer

1 rte de Beaufort ✉ 6360 – ☎ 268 78 71 – www.hotel-brimer.lu

Rest – Lunch 20 € – Menu 35/50 € – Carte 44/65 €

◆ Un repas délicieux sans se ruiner ? Les Brimer prouvent avec panache que c'est possible. Leur formule magique : de bons produits cuisinés avec originalité, générosité et saveur. Madame excelle dans la cueillette des champignons les plus délicieux...

◆ Sie haben Lust auf ein köstliches Essen zu moderaten Preisen? Die Familie Brimer beweist, dass das möglich ist. Ihr Erfolgsrezept: erstklassige Produkte, die originell und sehr geschmackvoll in großzügigen Portionen zubereitet werden. Die Hausherrin sammelt übrigens die köstlichsten Pilze ...

XX L'Ernz Noire avec ch

2 rte de Beaufort ✉ 6360 – ☎ 83 60 40 – www.lernznoire.lu – ouvert mi-mars-mi-décembre

11 ch – 88 € 88/105 € – ½ P 60/78 €

Rest – *(fermé mercredi midi et mardi)* Menu 68/78 € – Carte env. 60 €

◆ À deux pas du centre-ville, au milieu d'un agréable jardin, cet établissement emprunte son nom à la rivière qui traverse la commune. Les spécialités de la maison ? Les plats à base de champignons et le gibier. Chambres plaisantes et petit-déjeuner servi dans la délicieuse orangerie.

◆ Das ganz in der Nähe des Ortskerns in einem reizvollen Garten gelegene Restaurant ist nach dem Fluss benannt, der durch den Ort fließt. Spezialitäten des Hauses sind Pilzgerichte und Wild. Einladende Zimmer. Das Frühstück wird in der zauberhaften Orangerie serviert.

HOBSCHEID (HABSCHT) – **717** U24 **et** **716** K6 – **3 079 h.** **20** B3

Luxembourg 23 – Mamer 13 – Mersch 18 – Redange 13

XX **Kreizerbuch**

117 rte de Kreuzerbuch (2,5 km direction Redange) ✉ 8370 – ✆ 39 99 45 – www.kreizerbuch.lu – fermé fin décembre-début janvier, première semaine de mai, dernière semaine d'août-première semaine de septembre, dimanche soir, lundi soir et mardi

Rest – Lunch 11 € – Menu 65 € bc – Carte 53/64 €

♦ Cet ex-relais de diligences au cadre chaleureux et typé braque sa belle terrasse vers la forêt. Cuisine classique-actuelle pleine de générosité. Carte enrichie de suggestions.

♦ Die ehemalige Poststation mit sympathischem, typischem Flair bietet eine klassisch-aktuelle, reichhaltige Speisenauswahl mit saisonalen Tagesgerichten. Terrasse mit Blick auf den Wald.

HULDANGE (HULDANG) – C **Troisvierges 2 918 h.** – **717** V22 **et** **716** L5 **20** B1

Luxembourg 74 – Clervaux 20 – Vianden 54 – Wiltz 34

XXX **K**

2 r. Stavelot, (Burrigplatz) ✉ 9964 – ✆ 979 05 61 – www.krestaurant.lu – fermé 20 au 28 février, 3 au 18 septembre, lundi et mardi

Rest – Lunch 30 € – Menu 45/90 € bc – Carte 53/84 €

Rest *Brasserie du K* – voir la sélection des restaurants

♦ Raffinement et qualité : voilà qui résume l'assiette... et le décor. Frédéric Müller, réalise une cuisine gastronomique contemporaine en revisitant des spécialités traditionnelles et régionales. Un véritable sacerdoce pour ce chef créatif !

♦ Raffinesse und Qualität – auf dem Teller wie beim Ambiente. Frédéric Müller kreiert eine gehobene zeitgemäße Küche, für die er traditionelle und regionale Spezialitäten neu interpretiert. Eine echte Aufgabe für diesen kreativen Küchenchef!

X **Brasserie du K** – Rest K

2 r. Stavelot, (Burrigplatz) ✉ 9964 – ✆ 979 05 61 – www.krestaurant.lu – fermé lundis non fériés

Rest – Lunch 30 € bc – Carte 22/50 €

♦ Cette brasserie connaît ses classiques et constitue un agréable complément à sa "maison mère" gastronomique. Le vendredi soir, place aux grillades, avec un buffet en musique – ambiance garantie !

♦ Zeitgemäße Küche in modernem Ambiente (neo-barocke Kronleuchter, helle Eichentäfelung). Brasserie mit hübscher Terrasse und sogar ein Feinkostgeschäft. Rauchersalon.

HUNCHERANGE (HËNCHERÉNG) – C **Bettembourg 9 818 h.** – **717** V25 **20** B3

Luxembourg 22 – Esch-sur-Alzette 11 – Mamer 29 – Metz 58

XXX **De Pefferkär**

49 rte d'Esch ✉ 3340 – ✆ 51 35 75 – www.de-pefferkaer.lu – fermé 18 au 27 février, 3 au 10 septembre et samedis midis, dimanches soirs et lundis non fériés

Rest – Lunch 18 € – Menu 37/65 € – Carte 42/71 €

♦ Dans cette maison gourmande, la patronne concocte une cuisine classique et renouvelle son menu du marché deux fois par mois. Cadre chaleureux ; tableaux colorés.

♦ Stellen Sie sich in dem Schlemmerlokal selbst Ihr Menü aus der Speisekarte zusammen. Der Speiseraum ist mit Parkettboden, modernen Gemälden und Medaillon-Stühlen ausgestattet. Die Inhaberin steht am Herd.

JUNGLINSTER (JONGLËNSTER) – **717** W24 **et** **716** L6 – **6 524 h.** **21** C2

Luxembourg 17 – Echternach 19 – Ettelbrück 27

18 Domaine de Behlenhaff, ✆ 780 06 81

Parmentier

7 r. Gare ✉ 6117 – ✆ 78 71 68 – www.parmentier.lu – fermé 3 semaines en août

10 ch – 83 € 98 € – ½ P 78 €

Rest *Parmentier* – voir la sélection des restaurants

◆ L'hôtel Parmentier vous accueille dans des chambres spacieuses, modernes, élégantes et bien équipées. Et tout cela à une quinzaine de minutes de route de la capitale.

◆ Das Hotel Parmentier empfängt Sie mit großzügigen Zimmern, die modern, elegant und gut ausgestattet sind - und all das nur 15 Autominuten von der Hauptstadt entfernt.

XX **Parmentier** – Hôtel Parmentier

7 r. Gare ✉ 6117 – ✆ 78 71 68 – www.parmentier.lu – fermé 2 semaines en février, 3 semaines en août, mardi et mercredi

Rest – Lunch 12 € – Menu 35/57 € – Carte 31/56 €

◆ Le Parmentier ? On y vient pour ses mets savoureux toujours escortés des plus beaux nectars, pour son excellent rapport plaisir-prix, mais aussi pour son bar à vins.

◆ Für das Parmentier sprechen viele Gründe: schmackhafte Speisen, dazu immer erlesene Tropfen, sehr günstige Preise für die gebotenen Gaumenfreuden, eine Weinbar und geräumige, elegante Zimmer mit gutem Komfort.

LUXEMBOURG

KAUTENBACH (KAUTEBAACH) – 717 V23 et 716 L6 – 271 h. 20 B1

Luxembourg 56 – Clervaux 24 – Ettelbrück 28 – Wiltz 11

Hatz

rest,

9 Duerfstr. ✉ 9663 – ✆ 95 85 61 – www.hotel-hatz.lu – ouvert avril-15 novembre

14 ch – 58/63 € 80/85 €, 11 € – 2 suites – ½ P 85/90 €

Rest – *(fermé lundi midi, mardi midi et jeudi midi)* Menu 24/54 € – Carte 34/52 €

◆ Au milieu d'un minuscule village ardennais entouré de forêts, bâtisse régionale dont l'imposante façade jaune clair abrite des chambres tranquilles. Salles à manger "rétro", terrasse avant à l'ombre d'un store, choix traditionnel et menus proposés le week-end.

◆ Inmitten eines winzigen, von Wäldern umgebenen Ardennen-Dorfes gelegenes großes Haus mit imposanter hellgelber Fassade, das ruhige Zimmer anbietet. Restaurant im Retro-Stil mit traditionellen Gerichten, am Wochenende Menüauswahl. Nach vorne gelegene Terrasse mit Markise.

KAYL (KÄL) – 717 V26 et 716 L7 – 7 918 h. 20 B3

Luxembourg 22 – Diekirch 66 – Grevenmacher 47 – Metz 58

X **Pavillon Madeleine**

30 r. Moulin, (dans le parc communal) ✉ 3660 – ✆ 26 56 64 – www.lealinster.lu – fermé lundi et mardi

Rest – Lunch 14 € – Menu 45 € – Carte 35/56 €

◆ Une belle architecture moderne au cœur du parc de Kayl. Le pavillon n'est pas forcément facile à trouver… mais la promenade est agréable ! Le midi, formule déjeuner uniquement ; carte réduite l'après-midi.

◆ Léa Linsters Pavillon ist sicher nicht einfach zu finden, aber der Spaziergang lohnt sich allemal. Denn das moderne Gebäude befindet sich im Herzen eines Parks. Mittags wird ein einheitliches Menu serviert, am Nachmittag reicht man eine kleine Karte.

KIRCHBERG (KIIRCHBIERG) – voir à Luxembourg, périphérie

KLEINBETTINGEN (KLENGBETTEN) – C Steinfort 4 422 h. 20 B3 – 717 U25 et 716 K7

Luxembourg 19 – Esch-sur-Alzette 33 – Mamer 10 – Redange-sur-Attert 23

Jacoby
11 r. Gare ✉ 8380 – ✆ 390 19 81 – www.hoteljacoby.lu
13 ch – 80 € 102 €
Rest *de Bräiläffel* – voir la sélection des restaurants
◆ Idéalement situé (près de la capitale et de la frontière), ce sympathique hôtel familial est immanquable, avec sa façade tout de rouge et blanc vêtue ! Chambres spacieuses et pimpantes.
◆ Diesen netten Familienbetrieb in idealer Lage (nahe der Hauptstadt und der Grenze) mit seiner ganz in Rot und Weiß gehaltenen Fassade kann man nicht verfehlen! Schmucke, geräumige Zimmer.

de Bräiläffel – Hôtel Jacoby
2 r. Moulin ✉ 8380 – ✆ 390 19 81 – www.hoteljacoby.lu
Rest – *(fermé mercredi)* Menu 54/73 € – Carte 33/70 €
◆ Derrière cette curieuse enseigne – terme luxembourgeois signifiant "la cuillère en bois" – se cache un restaurant traditionnel proposant aussi bien une cuisine française que des spécialités luxembourgeoises.
◆ Hinter diesem ungewöhnlichen Namen – der luxemburgische Ausdruck für "Breilöffel" – verbirgt sich ein traditionelles Restaurant, das französische Küche und Luxemburger Spezialitäten anbietet.

KOCKELSCHEUER (KOCKELSCHEIER) – **717** V25 – **voir à Luxembourg, périphérie**

KOPSTAL (KOPLESCHT) – **717** V24 **et 716** L7 – **3 170 h.** **20** B3
Luxembourg 11 – Diekirch 31 – Echternach 41 – Esch-sur-Alzette 26

Weidendall avec ch
5 r. Mersch ✉ 8181 – ✆ 30 74 66 – www.weidendall.com
9 ch – 55 € 90 €
Rest – *(fermé dimanche soir et mardi)* Lunch 13 € – Menu 29/35 € – Carte 32/55 €
◆ Engageante auberge tenue en famille près du clocher. Côté fourneaux et resto, on fait preuve du même classicisme, mais il y a aussi une formule brasserie. Chambres sobres et claires, dotées d'un robuste mobilier en chêne massif et de salles de bains à jour.
◆ Ein reizender familiengeführter Gasthof gleich neben der Dorfkirche. Klassischer Speisesaal und ebensolche Küche, ergänzt durch ein Brasserie-Angebot. Schlichte, helle Zimmer mit robustem Mobiliar aus massiver Eiche und modernem Bad.

LAROCHETTE (an der FIELS) – **717** W24 **et 716** L6 – **2 016 h.** **21** C2
Luxembourg 27 – Diekirch 12 – Echternach 20 – Ettelbrück 17
33 Chemin J.A. Zinnen, ✉ 7626, ✆ 83 76 76, www.larochette.eu
à l'Ouest : 5 km, Nommerlayen★
au Sud-Ouest : 11 km, Vallée de l'Eisch★

Auberge Op der Bleech ch,
4 pl. Bleech ✉ 7610 – ✆ 87 80 58 – www.opderbleech.lu
– fermé 30 août-15 septembre et 23 décembre-1er janvier
9 ch – 68/75 € 85/100 €
Rest – *(fermé mardi hors saison et mercredi)* Carte 26/50 €
◆ Auberge familiale d'aspect typique, vous hébergeant dans des chambres fonctionnelles, à choisir de préférence en façade, pour la vue sur le château. Brasserie et restaurant où l'on propose un choix classico-traditionnel. Grande terrasse avant.
◆ Ein typischer familiärer Gasthof. Sie werden in frischen, gut gepflegten Zimmern untergebracht – besonders schön sind die nach vorne gelegenen mit Blick auf das Schloss. Brasserie und Restaurant mit klassisch-traditionellem Speisenangebot. Große Terrasse vor dem Haus.

LAUTERBORN (LAUTERBUR) – **717** X24 – **voir à Echternach**

LIMPERTSBERG (LAMPERTSBIERG) – **voir à Luxembourg, périphérie**

LIPPERSCHEID (LËPSCHT) – Ⓒ **Bourscheid 1 317 h.** – **717** V23 **et** **716** L6 **20** B2

Luxembourg 45 – Clervaux 24 – Diekirch 10 – Ettelbrück 18

à l'Est : 2 km et 15 mn AR à pied, Falaise de Grenglay ≤ ★★

Leweck rest,

421 contrebas E ✉ 9378 – ☎ 99 00 22 – www.sporthotel.lu
– fermé 8 au 25 janvier et 1er au 15 juillet

51 ch – 72/90 € 95/125 € – ½ P 107 €

Rest – Lunch 25 € – Menu 35/65 € – Carte 49/67 €

◆ Hôtel de standing combinant loisirs sportifs et bien-être. Près de la moitié des chambres sont des junior suites. Salles de séminaires, jardin, vue sur la vallée et le château. Repas traditionnel dans une salle au chic alpin. Brasserie du même genre.

◆ Hotel der gehobenen Kategorie mit Sportangeboten und Wellnessbereich. Mehr als die Hälfte der Zimmer sind Juniorsuiten. Konferenzräume, Garten und Blick auf Tal und Schloss. Traditionelle Gerichte im eleganten Speisesaal mit alpenländischem Dekor. Schöne Brasserie im gleichen Stil.

LUXEMBOURG
Lëtzebuerg

20 B3

© Franz Marc Frei/Look/Photononstop

94 034 h. – **717** V25 **et 716** L7

Amsterdam 391 – Bonn 190 – Bruxelles 219

Bureau de change : La ville de Luxembourg est connue pour la multitude de banques qui y sont représentées, et vous n'aurez donc aucune difficulté à changer de l'argent

Compagnies de transport aérien

Renseignements départs-arrivées ✆ 47 98 50 50 et 47 98 50 51 •Findel par E 44 : 6 km ✆ 42 82 82 21 • Aérogare : pl. de la Gare ✆48 11 99

Office de Tourisme

30 pl. Guillaume II, ✉ 1648, ✆22 28 09, www.ont.lu

Air Terminus gare centrale, ✉ 1010, ✆42 82 82 20

Aérogare à Findel, ✆42 07 61

Transports

Il est préférable d'emprunter les bus (fréquents) qui desservent quelques parkings périphériques. Principale compagnie de Taxi : Taxi Colux ✆ 48 22 33

Transports en commun : pour toute information ✆ 47 96 29 75

Golf

rte de Trèves 1, Hoehenhof (Senningerberg) près de l'aéroport, ✆340 09 01

A VOIR

Vieille ville★★ • Place de la Constitution★★4 • Plateau St-Esprit★★4 • Chemin de la Corniche★★4G • Le Bock★★4G • Boulevard Victor Thorn★4G121

Musées : National d'Histoire et d'Art★★ : section gallo-romaine★4**M¹** • d'Histoire de la Ville de Luxembourg★4GM³ • d'Art moderne Grand-Duc-Jean ★,<★2DY

Autres curiosités : les Casemates du Block★★4G • Palais Grand-Ducal★4G • Cathédrale Notre-Dame★4F • Pont Grande-Duchesse Charlotte★2DY

Architecture moderne : Philharmonie★★2DY

Le shopping : Grand'Rue et rues piétonnières autour de la Place d'Armes4F - Quartier de la Gare3CDZ

LUXEMBOURG

Liste alphabétique des hôtels
Alfabetische lijst van hotels
Alphabetische liste der Hotels
Index of hotels

Liste alphabétique des restaurants
Alfabetische lijst van restaurants
Alphabetische liste der restaurants
Index of restaurants

Le Royal

12 bd Royal ✉ 2449 – ✆ 241 61 61 – www.leroyalluxembourg.com
190 ch – ♦390/530 € ♦♦390/530 €, ☕ 29 € – 20 suites **4Fd**
Rest *La Pomme Cannelle* – voir la sélection des restaurants

♦ Ensemble luxueux et moderne. Chambres de grand confort dans l'unité principale ; aile de standing avec plusieurs types de suites. Spa, piano-bar en soirée, service performant.

♦ Modernes Luxushotel. Zimmer mit hohem Komfort im Hauptgebäude; Flügel mit verschiedenen Arten von Suiten der oberen Kategorie. Wellness, Pianobar am Abend, ausgezeichneter Service. Klassisches Speisenangebot im Brasseriestil und sonntags Lunch-Büfett im Restaurant Le Jardin.

Sofitel Le Grand Ducal

40 bd d'Avranches ✉ 1160 – ✆ 24 87 71
– www.sofitel.com **2DZc**
126 ch – ♦155/550 € ♦♦155/550 €, ☕ 27 € – 2 suites – ½ P 215 €
Rest *Top Floor* – voir la sélection des restaurants

♦ Luxe, confort et agencement design dans cet hôtel neuf dont plus de la moitié des chambres offrent une superbe vue urbaine.

♦ Luxus, Komfort und Designerambiente bietet dieses neue Hotel. Von mehr als der Hälfte der Zimmer genießt man einen herrlichen Blick über die Stadt. Feinschmeckerrestaurant mit trendigem Dekor im obersten Stock. Durch die großen Fenster fällt der Blick auf das Tal und die Altstadt.

Le Place d'Armes

18 pl. d'Armes ✉ 1136 – ✆ 27 47 37
– www.hotel-leplacedarmes.com **4Fj**
18 ch – ♦285/420 € ♦♦285/420 €, ☕ 29 € – 10 suites
Rest *La Cristallerie* Rest *Plëss* – voir la sélection des restaurants

♦ Sur la place la plus animée du centre-ville… et pourtant, cet établissement est un véritable havre de paix ! Ancien hôtel particulier rénové de pied en cap, il distille avec charme, et sans qu'elle ne soit figée, l'ambiance du vieux Luxembourg. Incontournable.

♦ Ein Stadtpalais aus dem 18. Jh., das eine Oase der Ruhe am belebtesten Platz der Stadt darstellt. Elegante und sehr komfortable Zimmer. Raffiniertes Jugendstil-Ambiente und klassische Küche in dem Restaurant im ersten Stock. Einfachere, aber sehr nette Brasserie.

Parc Beaux-Arts sans rest

1 r. Sigefroi ✉ 2536 – ✆ 26 86 76
– www.goeres-group.com **4Gz**
10 ch ☕ – ♦169/455 € ♦♦169/480 €

♦ Maisons anciennes bien restaurées, au voisinage du palais grand-ducal et du musée d'Histoire et d'Art. Communs et suites d'un style "néo-rétro" pétri de charme. Bon breakfast.

♦ Alte, sorgsam renovierte Gebäude nahe dem Großherzogspalast und dem Geschichts- und Kunstmuseum. Öffentlicher Bereich und Suiten im charmanten "Neo-Retro"-Stil. Gutes Frühstück.

Novotel Centre

35 r. Laboratoire ✉ 1911 – ✆ 24 87 81 **2DZa**
150 ch – ♦129/209 € ♦♦129/209 €, ☕ 20 €
Rest – *(fermé samedi midi et dimanche midi) (ouvert jusqu'à 23 h)* Lunch 19 € – Menu 28 € – Carte 32/61 €

♦ Hôtel de chaîne inauguré en mai 2007 à mi-chemin entre la gare et la vieille ville. Façade moderne, communs design, chambres fonctionnelles contemporaines, salles de réunions. Au restaurant, cuisine actuelle et déco "fashion" en bordeaux, blanc et noir.

♦ Im Mai 2007 eröffnetes Kettenhotel auf halbem Weg zwischen Bahnhof und Altstadt. Moderne Fassade, Gemeinschaftsbereiche im Designerstil, funktionelle, zeitgemäße Zimmer, Konferenzräume. Im Restaurant serviert man in einem trendigen, in Bordeauxrot, Schwarz und Weiß gehaltenen Ambiente eine moderne Küche.

LUXEMBOURG

Arlon (Rte d') . . . . **AV**
Auguste-Charles (R.) . . . . **BX** 10
Beggen (R. de). . . . . **ABV**
Carrefours (R. des) . . . . **AV** 18
Cents (R.) . . . . **BV** 19
Cimetière (R. du) . . . . **BX** 25
Echternach (Rte d'). . . . . **BV**
Eich (R. d') . . . . **ABV** 36
Guillaume (Av.) . . . . **AV** 55
Hamm (R. de) . . . . **BVX**
Hamm (Val de) . . . . **BV**
Hespérange (R. d') . . . . **BX** 61
Itzig (R. d') . . . . **BX**
Kohlenberg . . . . **AX**
Kopstal (Rte de) . . . . **AV**
Leudelange (R. de). . . . . **AX**
Longwy (Rte de) . . . . **AVX**
Merl (R. de). . . . . **AX** 76
Mulhenbach (R. de) . . . . **AV** 79
Neudorf (R. de). . . . . **BV**
Patton (Bd du Général). . . . . . **BV** 86
Rollingergrund
(R. de) . . . . **AV** 102
Strassen (R. de) . . . . **AV** 112
Thionville (Rte de). . . . . **BX**
Trèves (Rte de) . . . . **BV**
10-Septembre (Av. du). . . . . . **AV** 127

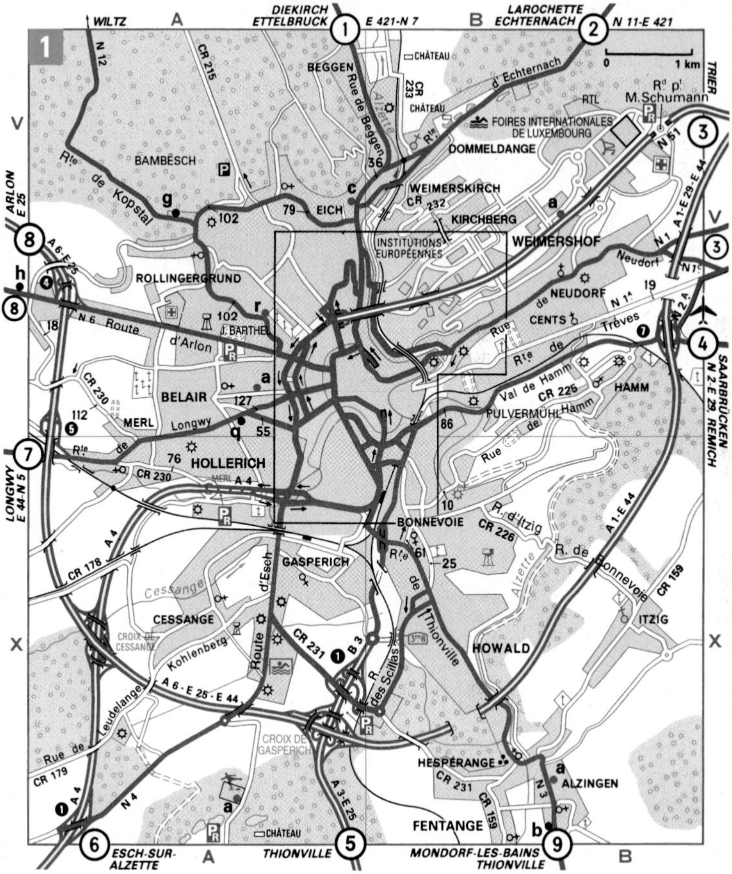

Rix sans rest

20 bd Royal ✉ 2449 – ✆ 47 16 66 – www.hotelrix.lu
– fermé 1er au 9 janvier et 10 au 27 août **4Fb**

21 ch – 110/160 € 140/180 €

♦ Hôtel familial en retrait d'un axe passant. Sobres chambres diversement agencées, belle salle des petits-déjeuners de style classique, parking privé gratuit devant la porte.

♦ Etwas zurückgesetzt an einer Durchgangsstraße gelegener Familienbetrieb. Unterschiedlich geschnittene schlichte Zimmer, schöner Frühstücksraum im klassischen Stil, kostenloser Privatparkplatz vor der Tür.

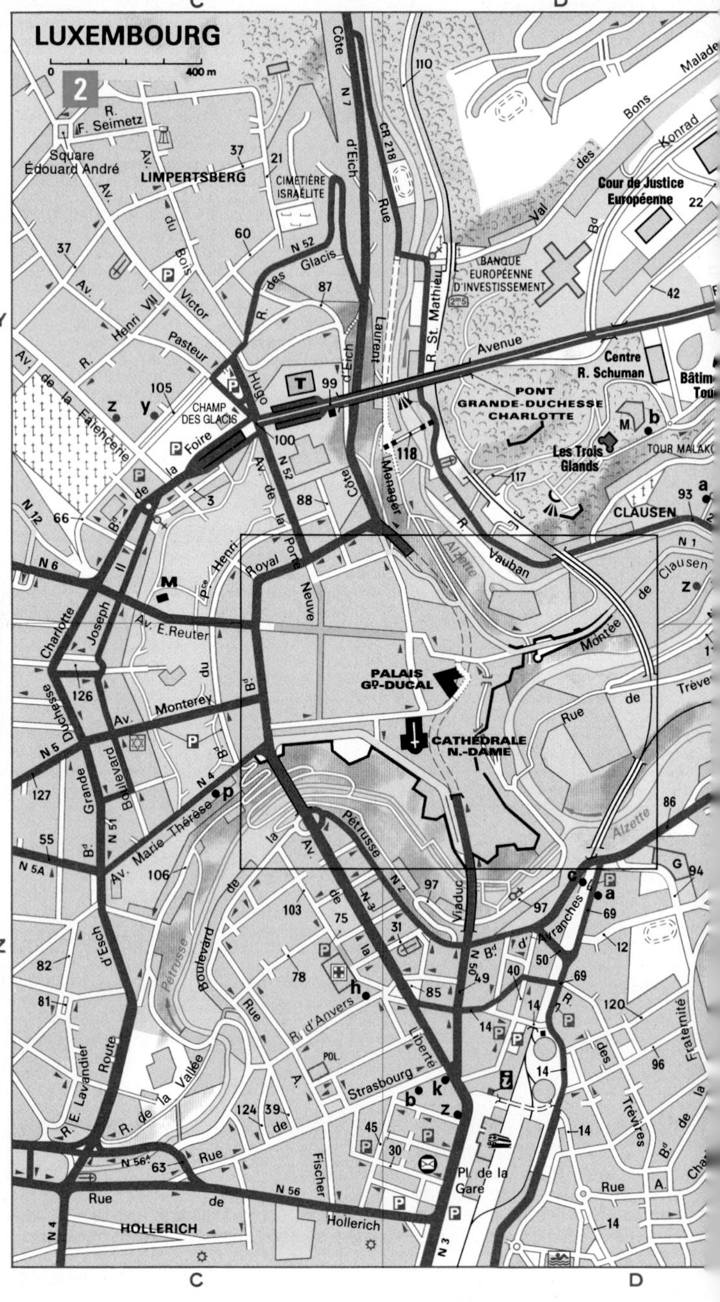

LUXEMBOURG
0
400 m
LIMPERTSBERG
CIMETIÈRE ISRAÉLITE
Square Édouard André
CHAMP DES GLACIS
BANQUE EUROPÉENNE D'INVESTISSEMENT
Cour de Justice Européenne
Centre R. Schuman
PONT GRANDE-DUCHESSE CHARLOTTE
Les Trois Glands
TOUR MALAKOFF
CLAUSEN
PALAIS Gd-DUCAL
CATHÉDRALE N.-DAME
HOLLERICH
Pl. de la Gare

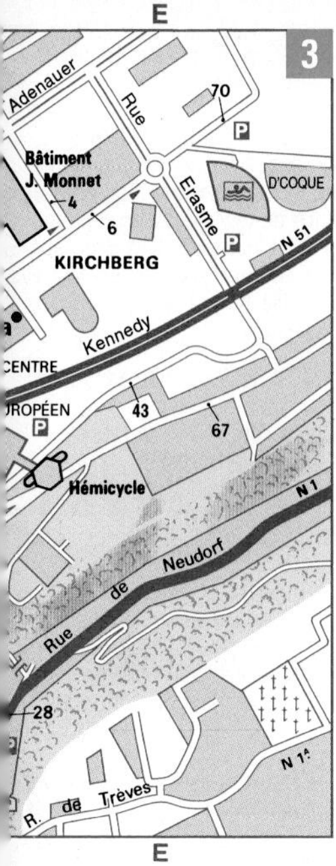

Adames (R.) . . . . CY 3
Albert-Wehrer (R.). . . . . . . EY 4
Alcide-de-Gasperi (R.) . . . . EY 6
Aldringen (R.) . . . . F 7
Athénée (R. de l'Ancien) . . . F 9
Auguste-Lumière (R.). . . . DZ 12
Bains (R. des) . . . . F 13
Bonnevoie (R. de) . . . . DZ 14
Boucherie (R. de la) . . . . . . G 15
Bruxelles (Pl. de) . . . . F 16
Capucins (R. des) . . . . F
Cerisiers (R. des) . . . . CY 21
Charles-Léon-Hammes (R.) . . . . DY 22
Chimay (R.) . . . . F 24
Clairefontaine (Pl.) . . . . FG 27
Clausen (R. de) . . . . EY 28
Commerce (R. du) . . . . . CDZ 30
Curé (R. du) . . . . F
Dicks (R.) . . . . CDZ 31
Eau (R. de l') . . . . G 33
Ermesinde (R.) . . . . CY 37
Etats-Unis (R. des) . . . . . . CZ 39
Fort Neipperg (R. du) . . . . DZ 40
Fort Niedergrünewald (R. du) . . . . DY 42
Fort Thüngen (R. du) . . . . EY 43
Fort Wedell (R. du). . . . . CDZ 45
Fossé (R. du) . . . . F 46
Franklin-Roosevelt (Bd) . . . . F 48
Gare (Av. de la) . . . . DZ 49
Gaulle (Av. du Gén.-de) . . DZ 50
Grand-Rue . . . . F
Guillaume-Schneider (R.) . CY 60
Guillaume (Av.) . . . . CZ 55
Jean-Baptiste-Merkels (R.) CZ 63
Jean-Ulveling (Bd) . . . . . . FG 64
Jules-Wilhem (R.) . . . . EY 67
J. P.-Probst (R.) . . . . CY 66
Laboratoire (R. du) . . . . . . DZ 69
Léon-Hengen (R.) . . . . EY 70
Liberté (Av. de la). . . . . . CDZ
Marché aux Herbes (R. du) . . . . FG 73
Marché (Pl. du) . . . . G 72
Martyrs (Pl. des) . . . . CZ 75
Michel-Rodange (R.) . . . . . CZ 78
Münster (R.) . . . . G 79
Nancy (Pl. de) . . . . CZ 81
Nassau (R. de). . . . . CZ 82
Notre-Dame (R.) . . . . F 84
Paris (Pl. de) . . . . DZ 85
Patton (Bd du Général) . . . DZ 86
Paul-Eyschen (R.) . . . . CY 87
Pescatore (Av.) . . . . CY 88
Pfaffenthal (Montée de) . . FG 90
Philippe-II (R.) . . . . F 91
Pierre-de-Mansfeld (Allée) DY 93
Pierre-et-Marie-Curie (R.) . DZ 94
Pierre-Hentges (R.) . . . . . . DZ 96
Porte Neuve (Av. de la) . . CY
Prague (R. de) . . . . DZ 97
Robert-Schuman (Bd) . . . CY 99
Robert-Schuman (Rond-Point) . . . . CY 100
Sainte-Zithe (R.) . . . . CZ 103
Scheffer (Allée) . . . . CY 105
Semois (R. de la) . . . . CZ 106
Sigefroi (R.) . . . . G 108
Sosthène Weis (R.) . . . . G 109
Stavelot (R. de) . . . . DY 110
Strasbourg (R. de) . . . . . CDZ
Théâtre (Pl. du) . . . . F 114
Tour Jacob (Av. de la). . . DEY 115
Trois Glands (R. des) . . . . DY 117
Vauban (Pont) . . . . DY 118
Verger (R. du) . . . . DZ 120
Victor-Thorn (Bd) . . . . G 121
Willy-Georgen (R.) . . . . F 123
Wilson (R.) . . . . CZ 124
Winston-Churchill (Pl.) . . . CZ 126
10-Septembre (Av. du) . . . CZ 127

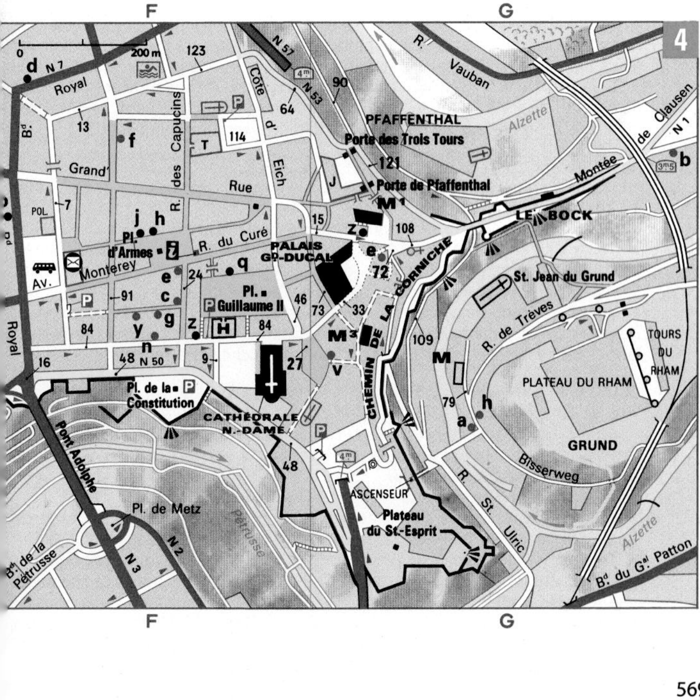

Parc Plaza

5 av. Marie-Thérèse ✉ 2132 – ☎ 456 14 11 – www.goeres-group.com
89 ch – 109/255 € 129/275 € **2CZp**
Rest – *(fermé jours fériés midis)* Lunch 13 € – Menu 21 € – Carte 19/50 €

◆ Complexe moderne en trois parties : le Parc Plaza, avec l'accueil et près de 90 chambres, le Parc Belle-Vue, avec près de 60 chambres, et l'aile dévolue aux repas et réunions. Cuisine traditionnelle servie dans une ambiance de taverne ou en terrasse.

◆ Der moderne Komplex umfasst drei Teile: das Parc Plaza mit dem Empfang und rund 90 Zimmern, das Parc Belle-Vue mit fast 60 Zimmern und einen Flügel für die Mahlzeiten und für Konferenzen. Eine traditionelle Küche serviert man in einem Ambiente im Stil einer Taverne oder auf der Terrasse.

Parc Belle-Vue

58 ch – 85/165 € 85/215 €

◆ Chambres offrant un confort un peu plus simple qu'à côté.

◆ Die Zimmer bieten einen etwas einfacheren Komfort als nebenan.

Simoncini sans rest

6 r. Notre-Dame ✉ 2240 – ☎ 22 28 44 – www.hotelsimoncini.lu **4Fz**
35 ch – 90/165 € 130/190 €

◆ Cet hôtel neuf conjugue confort, modernisme minimaliste et ambiance "arty". Chambres compactes ; plus tranquilles aux étages supérieurs. Parking public souterrain juste à côté.

◆ Dieses neue Hotel vereint Komfort, minimalistisch-modernen Stil und künstlerisches Ambiente. Praktische Zimmer – ruhiger in den oberen Etagen. Öffentliche Tiefgarage gleich nebenan.

Français

rest,

14 pl. d'Armes ✉ 1136 – ☎ 47 45 34 – www.hotelfrancais.lu **4Fh**
24 ch – 95/125 € 100/140 €
Rest – *(fermé soirs des 24 et 31 décembre) (ouvert jusqu'à 23 h)* Lunch 13 € – Menu 22/50 € – Carte 33/60 €

◆ Cet hôtel exploité par la même famille depuis 1970 donne sur la place la plus animée du centre. Espaces communs parsemés d'œuvres d'art et chambres d'une tenue irréprochable. Taverne-restaurant servant de la cuisine classique-traditionnelle.

◆ Das seit 1970 von derselben Familie geführte Hotel steht am belebtesten Platz des Zentrums. Mit Kunstwerken geschmückte Aufenthaltsbereiche, tadellos gepflegte Zimmer. Taverne mit klassisch-traditionellem Speisenangebot.

Vauban

10 pl. Guillaume II ✉ 1648 – ☎ 22 04 93 – www.hotelvauban.lu **4Fq**
17 ch – 60/95 € 100/140 €
Rest – *(ouvert jusqu'à 23 h)* Menu 25/29 € – Carte 32/48 €

◆ Petite auberge située en face de l'hôtel de ville, sur une vaste place animée. Chambres impeccablement tenues, tissus assortis et parquet. Table proposant des spécialités libanaises et azerbaïdjanaises. Terrasse en été.

◆ Kleiner Gasthof gegenüber dem Rathaus an einem großen belebten Platz. Tadellose Zimmer, harmonisch abgestimmte Stoffe und Parkettböden. Das Restaurant bietet libanesische und aserbaidschanische Küche. Im Sommer mit Terrasse.

Clairefontaine (Arnaud Magnier)

9 pl. de Clairefontaine ✉ 1341 – ☎ 46 22 11 – www.restaurantclairefontaine.lu – fermé première semaine de janvier, 1 semaine à Pâques, 2 dernières semaines d'août-première semaine de septembre, 1 semaine Noël-nouvel an, jours fériés, samedi et dimanche **4Gv**
Rest – Lunch 67 € bc – Menu 53/100 € – Carte 65/106 €

Spéc. Carpaccio et tartare de Saint-Jacques au céleri et à la truffe. Poularde de Bresse à la truffe cuite en vessie . Découverte sucrée autour d'un café et d'un cigare.

◆ Belle maison de bouche sur une place élégante. Cadre classique avec boiseries anciennes et mobilier contemporain, table moderne créative, bons accords mets-vins, terrasse avant.

◆ Schönes Restaurant an einem eleganten Platz. Klassische Einrichtung mit alten Holztäfelungen und zeitgenössischem Mobiliar, kreative, moderne Küche, harmonisch auf die Speisen abgestimmte Weine, Terrasse auf der Vorderseite.

XXX ✿ **Le Bouquet Garni** (Thierry Duhr) soir VISA AE
32 r. Eau ✉ 1449 – ☎ 26 20 06 20 – www.lebouquetgarni.lu – fermé dimanche
Rest – Lunch 40 € – Menu 85/110 € – Carte 83/104 € **4Ge**
Spéc. Homard bleu rôti dans ces sucs, vinaigrette tiède de pommes de terre. Côte de veau au sautoir, fondue de morilles au vin jaune. La Dame blanche revisitée
♦ Table raffinée au cadre chic et chaleureux, dans une maison du 18e s. avoisinant le palais grand-ducal. Miniterrasse d'été sur planches. Choix classique actualisé.
♦ Raffinierte Speisen und eine schicke, behagliche Einrichtung in einem Haus aus dem 18. Jh., das an das großherzogliche Palais grenzt. Kleine Sommerterrasse auf Holzplanken. Aktualisierte klassische Küche.

XXX **La Cristallerie** – Hôtel Le Place d'Armes AC VISA AE
18 pl. d'Armes, (1er étage) ✉ 1136 – ☎ 27 47 37 – www.hotel-leplacedarmes.com – fermé samedi midi, dimanche et lundi **4Fj**
Rest – Lunch 36 € – Menu 45/85 € – Carte 53/82 €
♦ Une salle élégante sertie par une superbe verrière Art nouveau, pour une cuisine contemporaine qui puise aux sources du classicisme. Le chef a une prédilection pour les produits nobles, bien en phase avec le cadre.
♦ In einem elegante Saal, der von einer Glaskuppel im Jugendstil gekrönt wird, serviert man eine moderne Küche, bei der die klassischen Wurzeln unverkennbar sind. Die Vorliebe des Küchenchefs für Edelprodukte spiegelt das Ambiente wider.

XX **La Pomme Cannelle** – Hôtel Le Royal AC VISA AE
12 bd Royal ✉ 2449 – ☎ 241 61 67 36 – www.leroyalluxembourg.com – fermé 1er au 8 janvier, 28 juillet-26 août, samedi, dimanche et jours fériés
Rest – Lunch 46 € – Menu 64/129 € bc – Carte 70/83 € **4Fd**
♦ Dans un décor chaleureux évoquant l'empire des Indes, les produits nobles (homard, ris de veau...) sont à l'honneur, parfois relevés d'une touche épicée.
♦ Man bietet zeitgemäße Küche, für die hervorragende Produkte verwendet werden. Menü "Entdeckung" und Menü "Versuchung". Das gemütliche Interieur vermittelt einen Hauch von Indien.

XX **La Lorraine** AC VISA AE
7 pl. d'Armes ✉ 1136 – ☎ 47 14 36 – www.lalorraine-restaurant.lu
Rest – Menu 26 € bc/65 € bc – Carte 42/71 € **4Fe**
♦ Une institution gourmande sur la place d'Armes. Cuisine privilégiant la mer, mais aussi inspirée par le terroir. Ambiance gastro chic, lumière tamisée et atmosphère lounge le soir. Bonne cave.
♦ Eine Institution zum Schlemmen am Place d'Armes. Die Küche bietet vorwiegend Fisch und Meeresfrüchte, ist aber auch von der Region inspiriert. Oben schickes Ambiente, unten smarter Bistrostil. Guter Weinkeller.

XX **Roma** VISA AE
5 r. Louvigny ✉ 1946 – ☎ 22 36 92 – www.roma.lu – fermé dimanche soir et lundi **4Fg**
Rest – Carte 47/59 €
♦ L'un des doyens des "ristoranti" de Luxembourg. Atmosphère décontractée et décor en phase avec l'époque. Carte à deux volets : classique et actuel. Bon choix de vins italiens.
♦ Eines der ältesten "Ristoranti" Luxemburgs. Ungezwungene Atmosphäre und zwei verschiedene Speisekarten - eine klassische und eine zeitgemäße. Auswahl an italienischen Weinen.

XX **Top Floor** – Hôtel Sofitel Le Grand Ducal AC VISA AE
40 bd d'Avranches ✉ 1160 – ☎ 24 87 73 10 – www.sofitel.com – fermé dimanche soir **2DZc**
Rest – *(ouvert jusqu'à 23 h 30)* Carte 45/78 €
♦ Bonne cuisine d'hôtel au décor "fashionable" perchée au dernier étage et braquant ses grandes fenêtres vers la vallée et la vieille ville. Bar lounge à côté.
♦ In der obersten Etage des Hotels befindet sich dieses "In"-Restaurant, dessen große Fenster einen sensationellen Blick über das Tal und die Altstadt bieten. Die Bar Lounge ist gleich nebenan.

Plëss – Hôtel Le Place d'Armes

18 pl. d'Armes ✉ 1136 – ✆ 27 47 37
– www.hotel-leplacedarmes.com **4Fj**

Rest – Menu 26/55 € bc – Carte 42/56 €

◆ Plëss : en luxembourgeois, la "place"... une référence évidente à la place d'Armes. C'est là, au cœur de la ville, que se trouve cette belle brasserie contemporaine. Atmosphère citadine et glamour !

◆ Plëss heißt auf luxemburgisch "Platz", eine Referenz an den Place d'Armes. Im Herzen der Stadt findet man eben diesen Platz und somit auch diese schöne moderne Brasserie. Urbane, glamouröse Atmosphäre.

Céladon

1 r. Nord ✉ 2229 – ✆ 47 49 34 – www.thai.lu
– fermé samedi midi et dimanche **4FGk**

Rest – Lunch 23 € – Menu 45/55 € – Carte env. 45 €

◆ Cette table exotique du centre doit son nom à un vernis précieux utilisé par les potiers thaïlandais. Salles étagées, sobres et actuelles. Repas "siamois" ; plats végétariens.

◆ Das exotische Restaurant im Zentrum ist nach einer wertvollen, von thailändischen Töpfern verwendeten Glasur benannt. Eleganter, sauberer Speisesaal. Thailändische und vegetarische Gerichte.

Mi & Ti

8 av. de la Porte-Neuve ✉ 2227 – ✆ 26 26 22 50
– fermé 3 dernières semaines d'août, lundi soir et dimanche **4Ff**

Rest – Lunch 18 € – Menu 36 € – Carte 44/53 €

◆ Table italienne installée au 1er étage d'un bloc moderne. Déco "fashion", produits reçus en direct de la Botte, choix simple à la Bottega d'en bas, terrasse urbaine passante.

◆ Trendig gestaltetes italienisches Restaurant im 1. Stock eines modernen Häuserblocks. Gute Produkte direkt aus Italien. Einfacheres Angebot in der unten gelegenen Bottega. Straßenterrasse.

Yamayu Santatsu

26 r. Notre-Dame ✉ 2240 – ✆ 46 12 49
– fermé dernière semaine de juillet-2 premières semaines d'août, fin décembre-début janvier, dimanche et lundi **4Fn**

Rest – Lunch 15 € – Menu 30/34 € – Carte 27/54 €

◆ Table nipponne au cadre minimaliste, petits salons à l'étage pour dîners plus privatifs. Choix typique et varié, incluant un menu. Les sushis prennent forme en salle, derrière le comptoir.

◆ Japanisches Restaurant mit einer Ausstattung im minimalistischen Stil, 200 m von der Kathedrale entfernt. Sushibar und abwechslungsreiche Auswahl typischer Gerichte.

Caves Gourmandes

32 r. Eau ✉ 1449 – ✆ 46 11 24
– www.caves-gourmandes.lu
– fermé 2 premières semaines de janvier **4Ge**

Rest – Lunch 23 € – Menu 35/70 € bc – Carte 42/72 €

◆ Salles caverneuses et sympa, où l'on vient s'encanailler en compagnie de bons petits plats régionaux mijotés à l'ancienne. Nostalgie oblige, ils atterrissent souvent à votre table dans des cocottes en fonte ! Terrasse d'été sur le devant.

◆ Regionale, nach alten Rezepten zubereitete Küche wird im Gewölbekeller serviert. Nostalgie verpflichtet, so dass die Gerichte sogar im gusseisernen Topf auf den Tisch kommen! Sommerterrasse vor dem Haus.

Gute und preiswerte Häuser kennzeichnet der „Bib": der rote „Bib Gourmand" für die Küche, der blaue „Bib Hotel" bei den Zimmern.

LUXEMBOURG-GRUND

Mosconi (Ilario Mosconi)

13 r. Münster ✉ 2160 – ☎ 54 69 94 – www.mosconi.lu – fermé 1 semaine à Pâques, 3 dernières semaines d'août, 24 décembre-début janvier, jours fériés, samedi midi, dimanche et lundi **4Ga**

Rest – Lunch 44 € – Menu 72/120 € – Carte 89/124 €

Spéc. Pâté de foie de poulet, crème de truffes blanches, polenta rôtie et câpres caramélisés. Risotto aux truffes blanches (octobre-décembre). Porcelet à la patate douce et pousses de blettes.

◆ Ancienne maison de notable en bord d'Alzette. Salon et salles romantiques au luxe discret où l'on goûte une fine cuisine italienne ; jolie terrasse près de l'eau et belle cave.

◆ Ein altes Patrizierhaus am Ufer der Alzette. Salon und Räume romantisch und von diskretem Luxus. Hier wird eine gehobene italienische Küche serviert. Hübsche Terrasse am Wasser und gut sortierter Weinkeller.

Kamakura

4 r. Münster ✉ 2160 – ☎ 47 06 04 – www.kamakura.lu – fermé 23 décembre-4 janvier, 2 semaines à Pâques, 3 semaines fin août, jours fériés, samedi midi et dimanche **4Gh**

Rest – Lunch 12 € – Menu 29/68 € – Carte 37/78 €

◆ Cette authentique table nippone fait la joie des Luxembourgeois depuis plus de 20 ans ! La réputation du wagyu-beef et des sakés n'est plus à faire. Décor épuré et atmosphère zen.

◆ Dieses authentische japanische Restaurant ist seit über 20 Jahren bei den Luxemburgern sehr beliebt und genießt insbesondere für sein Wagyu-Beef und die Sake-Auswahl einen exzellenten Ruf. Minimalistisches Dekor und Zen-Ambiente.

LUXEMBOURG-GARE

International

20 pl. de la Gare ✉ 1616 – ☎ 48 59 11 – www.hotelinter.lu **2DZz**

69 ch – 89/250 € 108/500 € – 1 suite – ½ P 114 €

Rest – *(fermé 20 décembre-2 janvier, samedi et dimanche)* Menu 25/40 € – Carte 28/61 €

◆ Établissement appartenant à une grande chaîne hôtelière et faisant face à la gare. Les chambres, standard ou plus cossues, sont bien tenues. Restaurant installé en angle de rue et éclairé par de grandes baies vitrées. Choix classique-traditionnel étoffé. Petite restauration dans l'Inter-lounge.

◆ Ein nach und nach renoviertes Hotel vor dem Bahnhof. Gut gepflegte Zimmer der Kategorien "Standard" und "Luxus Das an einer Straßenecke gelegene Restaurant wird durch die großen Fenster erhellt. Umfangreiche klassisch-traditionelle Auswahl.

City sans rest

1 r. Strasbourg ✉ 2561 – ☎ 29 11 22 – www.cityhotel.lu **2DZk**

35 ch – 90/140 € 120/185 €

◆ Immeuble de l'entre-deux-guerres dont les chambres, fonctionnelles et assez spacieuses, sont décorées dans le style des années 1980. Petite restauration au bar.

◆ Das Haus aus der Zeit zwischen den beiden Weltkriegen beherbergt recht geräumige, unterschiedlich eingerichtete Zimmer im 80er-Jahre-Stil. Bis 22 Uhr kleines Speisenangebot in der Bar.

Carlton sans rest

9 r. Strasbourg ✉ 2561 – ☎ 29 96 60 – www.carlton.lu **2DZb**

48 ch – 80/130 € 110/135 €

◆ Belle bâtisse Art déco (1930) vous hébergeant dans des chambres confortables. Communs évocateurs des années folles, joli salon-séjour reposant, accueil et service prévenants.

◆ Schönes Art-déco-Gebäude von 1930 mit komfortablen Zimmern und freundlichem Service. Gemeinschaftsräume im Stil der wilden Zwanziger. Hübscher Aufenthaltsraum im Retro-Stil.

Christophe Colomb sans rest

10 r. Anvers ✉ 1130 – ✆ 408 41 41 – www.christophe-colomb.lu **2CZh**

24 ch – 75/170 € 85/185 €

◆ À 500 m de la gare, petit hôtel idéal pour les utilisateurs du rail, n'en déplaise aux "grands navigateurs". Chambres standard assez spacieuses, garnies d'un mobilier actuel.

◆ Kleines Hotel, 500 m vom Bahnhof entfernt, ideal für Zugreisende. Geräumige Standardzimmer mit moderner Einrichtung.

Périphérie

à l'Aéroport par ③ : 8 km

NH rest,

1 rte de Trèves ✉ 1019 – ✆ 34 05 71 – www.nh-hotels.com

148 ch – 79/275 € 79/275 €, 21 € – 1 suite – ½ P 104 €

Rest – *(ouvert jusqu'à 23 h)* Carte 22/64 €

◆ Immeuble des années 1970 attirant principalement une clientèle d'affaires. Les chambres y sont fonctionnelles et confortables. Service de navettes vers Kirchberg. Brasserie claire et sobre où l'on présente une carte internationale. L'été, repas en terrasse.

◆ Sehr komfortable Zimmer, dezenter Luxus, renoviertes Interieur. Von dem besonders auf Businessgäste zugeschnittenen Haus aus den 70er Jahren bietet man einen Shuttle-Service nach Kirchberg. Großes Frühstücksbuffet. Helle und schlichte Brasserie mit internationaler Küche. Im Sommer mit Terrasse.

LUXEMBOURG

à Belair – C Luxembourg

Albert Premier

2a r. Albert Ier ✉ 1117 – ✆ 442 44 21 – www.albertpremier.lu **2CZc**

38 ch – 100/780 € 100/780 €, 22 €

Rest *Albert Premier* – voir la sélection des restaurants

◆ Une noble demeure aux portes de la ville, avec une extension éminemment… high-tech : mélange de styles dans cet établissement très chic ! Au choix, des chambres très classiques, aux airs de bonbonnière anglaise ; les autres résolument design et aussi impeccables... Avec l'espace bien-être, tout est là pour le repos du corps et l'esprit.

◆ Am Stadtrand gelegenes Hotel. Altes Haus mit Gemeinschaftsbereichen im englischen Stil und gemütlichen, klassisch eingerichteten Zimmern. Im neuen Flügel befinden sich sehr gut ausgestattete zeitgemäße Zimmer.

Parc Belair

111 av. du X Septembre ✉ 2551 – ✆ 44 23 23 – www.goeres-group.com

57 ch – 144/400 € 144/425 € – 1 suite **1AVq**

Rest – *(fermé samedi midi et dimanche midi) (dîner seulement les jours fériés)* Carte 25/53 €

◆ Immeuble moderne doté de junior suites et de chambres confortables. Décor à thème dans certaines. Plus de calme et jolie vue à l'arrière, côté parc. Lounge-bar agréable. Carte traditionnelle au bistrot.

◆ Modernes Gebäude mit Juniorsuiten und komfortablen Zimmern, von denen einige nach Themen dekoriert sind. Die auf der Rückseite zum Park hin gelegenen Zimmer sind ruhiger und bieten einen schönen Ausblick. Angenehme Salonbar. Bistro mit traditionellem Angebot. Restaurant gegenüber.

Albert Premier – Hôtel Albert Premier

2a r. Albert Ier ✉ 1117 – ✆ 442 44 21 – fermé samedi midi et dimanche

Rest – Lunch 23 € – Menu 52/78 € – Carte 46/73 € **2CZc**

◆ Dans ce boutique-hôtel sophistiqué, le restaurant est à l'avenant ! William Mahi réalise une cuisine française originale et contemporaine. Le sommelier, lui, se fera un plaisir de vous présenter ses trésors...

◆ In dem Lifestyle-Hotel steht das Restaurant völlig im Einklang mit dem Rahmen! William Mahi zaubert eine originelle und zeitgemäße französische Küche, und der Sommelier präsentiert den Gästen gerne seine Schätze.

XX **Thailand**

72 av. Gaston Diderich ✉ 1420 – ✆ 44 27 66 – www.thai.lu – fermé 1er au 8 août, samedi midi et lundi **1**AV**a**

Rest – Menu 40/50 € – Carte 42/44 €

♦ Au cœur de Belair, table exotique engageante, se distinguant par sa ribambelle de recettes thaïlandaises, son cadre moderne dépouillé et son service jeune et prévenant.

♦ Exotisches Restaurant im Herzen von Belair. Hervorzuheben ist die Vielzahl an thailändischen Gerichten, die moderne Einrichtung und der zuvorkommende, dynamische Service.

Les prix indiqués devant le symbole 🚹 correspondent au prix le plus bas en basse saison puis au prix le plus élevé en haute saison, pour une chambre single. Même principe avec le symbole 🚹🚹 cette fois pour une chambre double.

à Clausen (Klausen) – C Luxembourg

Les Jardins du President sans rest

2 pl. Ste-Cunégonde ✉ 1367 – ✆ 260 90 71 – www.jardinspresident.lu

7 ch – 🚹150/185 € 🚹🚹150/185 €, ☕ 18 € **2**DY**a**

♦ Tranquillité et élégance. Tel est le cadre idyllique de cette adresse qui a pour voisines une église et une rivière. Les chambres sont très douillettes et... le centre de Luxembourg est tout proche !

♦ Ruhe und Eleganz versprechen die Zimmer dieser idyllischen Adresse, die Kirchtum und Fluß zu Nachbarn hat. Ein weiterer Pluspunkt: Das Hotel befindet sich unweit des Zentrums von Luxemburg.

XXX **Le Sud**

2 r. Emile Mousel, (sur le site de l'ancienne brasserie Mousel, parking Clausen) ✉ 6521 – ✆ 26 47 87 50 – www.le-sud.lu – fermé 5 au 27 août, samedi midi, dimanche et lundi **2**DY**z**

Rest – *(menu unique)* Menu 59/69 €

♦ Le soleil provençal dans votre assiette : cappuccino de pétoncles, barigoule d'artichauts du Var, croustillant de cabillaud et son jus de bouillabaisse... On dirait le Sud !

♦ Hier kommt die provenzalische Sonne auf den Tisch: Kammmuschel-Cappuccino, mit Pilzen farcierte, speckumwickelte, in Weißwein gedünstete Artischocken aus dem Var, Kabeljau-Croustillant mit Bouillabaisse-Saft... Wie im Süden!

X **Um Plateau**

6 Plateau Altmunster ✉ 1123 – ✆ 26 47 84 26 – www.umplateau.lu – fermé dimanche **4**G**b**

Rest – Lunch 25 € – Menu 45/75 € bc – Carte 39/59 €

♦ Néobistrot élégant : fauteuils design, luminaires pop, tons chauds et, pour la touche rétro, vitraux. Cuisine dans l'air du temps : risotto de riz noir, coquillettes et saumon...

♦ Elegantes Neo-Bistro: Designer-Sessel, Pop-Leuchten, warme Farbtöne und nostalgische Buntglasfenster. Moderne Küche: Risotto aus schwarzem Reis, Hörnchennudeln und Lachs...

à Eich (Eech) – C Luxembourg

XX **Sapori**

11 pl. Dargent ✉ 1413 – ✆ 26 43 28 28 – www.espaces-saveurs.lu – fermé lundi et mardi **1**AV**c**

Rest – *(ouvert jusqu'à 23 h)* Carte 43/60 €

♦ Alléchant buffet d'antipasti, suggestions très prisées inscrites au tableau, bons vins de toute la "Botte" et personnel dynamique à cette adresse transalpine agencée design.

♦ Das italienische Restaurant im Designerstil bietet ein besonders appetitliches Vorspeisenbüfett, sehr beliebte, an der Tafel angeschriebene Tagesempfehlungen, gute Weine aus ganz Italien und einen engagierten Service.

à Kirchberg (Kiirchbierg) – C Luxembourg

Sofitel Europe

4 r. Fort Niedergrünewald, (Centre Européen) ✉ 2015 – ☎ 43 77 61
– www.sofitel.com **3EYa**
105 ch – 🚹135/450 € 🚹🚹135/450 €, ☕ 25 € – 4 suites
Rest *Oro e Argento* Rest *Le Stübli* – voir la sélection des restaurants

◆ En plein quartier institutionnel européen, hôtel au plan ovale audacieux, avec atrium central. Chambres spacieuses très confortables. Accueil et service en rapport.

◆ Mitten im Viertel der europäischen Institutionen steht das Hotel in gewagter Ovalkonstruktion mit einem Atrium in der Mitte. Geräumige, sehr komfortable Zimmer. Entsprechender Empfang und Service. Regionale Küche in gemütlichem, sehr typischem Ambiente. Bedienung in traditioneller Kleidung.

Meliã

1 Park Dräi Eechelen ✉ 1499 – ☎ 27 33 31 – www.melia.com **2DYb**
161 ch – 🚹90/350 € 🚹🚹90/350 €, ☕ 20 € – 1 suite – ½ P 115/400 €
Rest *Aqua* – voir la sélection des restaurants

◆ Le premier hôtel de cette chaîne espagnole au Benelux, à côté du centre de congrès. Chambres sobres, confortables et fonctionnelles. Belle vue sur la ville.

◆ Das erste Hotel dieser spanischen Hotelkette in den Beneluxstaaten befindet sich neben dem Kongresszentrum. Schlichte, komfortable und funktionelle Zimmer. Schöner Blick auf die Stadt. Brasserie mit italienischen Einflüssen. Bar und Terrasse zur Place de l'Europe hin. Schlicht gehaltene Einrichtung mit roten Farbakzenten.

Novotel

ch, rest,

6 r. Fort Niedergrünewald, (Centre Européen) ✉ 2226 – ☎ 429 84 81
– www.novotel.com **3EYa**
260 ch – 🚹190/280 € 🚹🚹190/280 €, ☕ 18 € – ½ P 216 €
Rest – *(ouvert jusqu'à minuit)* Menu 26/30 € – Carte 28/54 €

◆ Voisin de son grand frère, cet établissement géré par le même groupe dispose d'une importante infrastructure pour séminaires et de chambres récemment remises à neuf. Bar spacieux et restaurant servant une cuisine au goût du jour.

◆ Das Hotel steht direkt neben seinem großen Bruder und wird von derselben Gruppe geleitet. Es verfügt über ideale Räumlichkeiten für Seminare und über kürzlich renovierte Zimmer. Großräumige Bar und Restaurant mit zeitgemäßer Küche.

Oro e Argento – Hôtel Sofitel Europe

6 r. Fort Niedergrünewald, (Centre Européen) ✉ 2015 – ☎ 43 77 61
– www.sofitel.com **3EYa**
Rest – Carte 63/71 €

◆ Belle table transalpine installée dans un hôtel de luxe. Carte italienne au goût du jour, riche décor intérieur à connotations vénitiennes, atmosphère intime et service stylé.

◆ Schönes italienisches Restaurant in einem Luxushotel. Saisonbedingte italienische Küche, elegante Innenausstattung mit venezianischem Touch, intime Atmosphäre und geschulter Service.

The Last Supper

33 av. J.F. Kennedy, (Ellipse Kirchberg 2) ✉ 1855 – ☎ 27 04 54
– www.thelastsupper.lu
– *fermé jours feriés, samedi midi et dimanche* **1BVa**
Rest – Lunch 26 € – Menu 31/69 € – Carte env. 61 €

◆ Brasserie fashion et loungy où la jeune clientèle cravatée se délecte de sushis et autres délicatesses au goût du jour. Curieuse table "puzzle" à l'arrière. Belle terrasse.

◆ Trendige, gepflegte Brasserie, in der sich junge, gut gekleidete Gäste Sushis und andere zeitgemäße Delikatessen schmecken lassen. Eigenartiger "Puzzletisch" im hinteren Bereich. Hübsche Terrasse.

Le Stübli – Hôtel Sofitel Europe
4 r. Fort Niedergrünewald, (Centre Européen) ✉ 2015 – ☎ 43 77 61 – www.sofitel.com **3**EY**a**
Rest – Menu 26/32 € – Carte 38/51 €
♦ Le Tirol au cœur du Luxembourg : ici, le décor comme le service évoquent un chalet autrichien ! Cuisine régionale.
♦ Tirol im Herzen von Luxemburg. Service und Dekor erinnern an ein österreichische Berghütte. Regionale Küche.

Aqua – Hôtel Meliã
1 Park Dräi Eechelen ✉ 1499 – ☎ 27 33 31 – www.melia.com – fermé samedi et dimanche **2**DY**b**
Rest – Lunch 20 € – Menu 25/65 € – Carte 43/67 €
♦ Envie d'un cocktail "after work" en terrasse sur la place de l'Europe ou bien d'un en-cas à l'italienne ? Trendy et branché : tel est le concept d'Aqua.
♦ Lust auf einen After Work Cocktail oder ein paar Antipasti auf der Terrasse, die auf dem Place d'Europe gelegen ist? Das Aqua ist trendy und stets gut besucht.

à Kockelscheuer (Kockelscheier) – C Luxembourg

Patin d'Or (Philippe Laffut)
40 rte de Bettembourg (à la patinoire) ✉ 1899 – ☎ 22 64 99 – www.patin-dor.lu – fermé 22 décembre-10 janvier, 17 au 20 mai, 26 mai-5 juin, 1er au 10 septembre, samedi et dimanche **1**AX**a**
Rest – Lunch 35 € – Menu 55/85 € – Carte 70/94 €
Spéc. Terrine de foie d'oie au naturel, petite salade de fenouil au jambon cru, compotée de figues. Pâté de crabe royal, artichauts en barigoule et émulsion de pommes de terre au jambon. Pigeonneau rôti sous le grill, brochette de sot-l'y-laisse et foie gras sur fondue de roquette.
♦ Restaurant ample et confortable, agrégé à une patinoire, dans un site forestier. Un jeune chef talentueux y revisite les classiques et propose un beau choix de recettes actuelles aux influences diverses.
♦ Das geräumige und komfortable Restaurant liegt an einer Eisbahn im Wald. Der talentierte junge Küchenchef bietet klassische Speisen mit modernen Akzenten und eine Auswahl von zeitgemäßen Gerichten mit verschiedenen Enflüssen.

à Limpertsberg (Lampertsbierg) – C Luxembourg

Glacis by Wengé
21 Allée Scheffer ✉ 2520 – ☎ 27 47 59 30 – www.wenge.lu – fermé 8 au 15 avril, 19 août-12 septembre et dimanche **2**CY**y**
Rest – Menu 21/30 € – Carte 43/67 €
♦ Tons taupe, lampes d'architecte, bougies et sièges design confèrent au lieu une atmosphère cosy. Cuisine au goût du jour, sans chichis et réalisée avec de bons produits.
♦ Graubraune Farbtöne, Architekten-Lampen, Kerzen und Designer-Stühle verleihen dem Ort eine behagliche Atmosphäre. Zeitgemäße Gerichte ohne Schnickschnack, die mit guten Produkten zubereitet werden.

Lagura
18 av. de la Faïencerie ✉ 1510 – ☎ 26 27 67 – www.lagura.lu – fermé 25 et 26 décembre, dimanche en juillet-août et samedi midi **2**CY**z**
Rest – Lunch 24 € – Menu 40 € – Carte 44/78 €
♦ Tons chocolat et brun, fauteuils confortables et ambiance cosy, propice aux échappées italiennes. Ici, la Botte dicte la carte : pâtes maison, tarte fine de tomate, sorbet au basilic…
♦ Hausgemachte Nudeln und südwestliche Einflüsse... Hier bestimmt der "Stiefel" die Karte. Moderne Einrichtung in dunklen Tönen, bequeme Sessel in den Sälen.

à Rollingergrund (Rolléngergronn) – C **Luxembourg**

Sieweburen

36 r. Septfontaines ✉ 2534 – ☎ 44 23 56 – www.sieweburen.lu – fermé 24 décembre-8 janvier 1AV**g**

14 ch – 105/125 € 125/160 €

Rest – *(fermé mercredi)* Lunch 13 € – Menu 50 € – Carte 33/61 €

♦ Architecture régionale à colombages inscrite dans un site verdoyant. Les chambres, refaites en 2010, offrent un confort fonctionnel et davantage de quiétude à l'arrière. Taverne-restaurant où l'on sert des spécialités du pays et des plats traditionnels.

♦ Im Grünen gelegenes Fachwerkhaus im regionalen Stil. Die etwas altmodischen Zimmer bieten zweckmäßigen Komfort. Die nach hinten hinausgehenden sind ruhiger. In der Taverne erwarten Sie landestypische Spezialitäten und traditionelle Gerichte.

Théâtre de l'Opéra

100 r. Rollingergrund ✉ 2440 – ☎ 25 10 33 – www.lopera.lu – fermé samedi midi, dimanche et jours fériés 1AV**r**

Rest – Lunch 14 € – Carte 43/64 €

♦ Maison bourgeoise au décor cosy et actuel (tons chauds et boiseries). Cuisine aux influences méditerranéennes : tarte au thon et aux olives, scampis à la citronnelle... Belles terrasses.

♦ Aus dem ehemaligen Bürgerhaus wurde ein Restaurant mit schönem Ambiente. Zeitgemäße Küche mit mediterranen Einflüssen. Modernes, 2010 neu gestaltetes Interieur. Hübsche Terrassen.

ENVIRONS

à Alzingen (Alzéng) – C **Hesperange 13 163 h.**

Alzinn sans rest

2 r. Nicolas Wester ✉ 5836 – ☎ 2 63 67 – www.hotelalzinn.com 1BX**b**

26 ch – 139/179 € 139/179 €

♦ Personnel féminin dévoué, ambiance "zen", chambres lumineuses et épurées, lounge-bibliothèque, espace breakfast sympa... Ce "boutique-hotel" a plus d'un atout pour séduire !

♦ Aufmerksames weibliches Personal, entspannte Atmosphäre, lichtdurchflutete, klare Zimmer, Lounge-Bibliothek, hübscher Frühstücksbereich... Das Boutique-Hotel überzeugt mit mehr als einem Trumpf.

Opium

427 rte de Thionville ✉ 5887 – ☎ 26 36 01 60 – www.opium.lu – fermé samedi midi et dimanche midi 1BX**a**

Rest – Lunch 25 € – Carte 43/63 €

♦ "Lounge-restaurant" dont la carte combine des influences thaïlandaises, vietnamiennes, chinoises et japonaises. Décor exotique chaleureux présidé par un énorme bouddha couché.

♦ Originelles asiatisches Restaurant. Auf der Karte stehen vietnamesische, chinesische und japanische Spezialitäten. Exotische, gemütliche Ausstattung mit einem liegenden gewaltigen Buddha.

à Sandweiler par ④ **: 7 km – 3 194 h.**

Delicious

21 r. Principale ✉ 5240 – ☎ 35 01 80 – www.delicious.lu – fermé 27 décembre-6 janvier, dimanche soir et lundi

Rest – Lunch 18 € – Menu 65 € – Carte 42/66 €

♦ Près du clocher, sémillante façade ocre-orange dissimulant une salle à manger spacieuse décorée dans l'esprit contemporain. Cuisine traditionnelle actualisée. Terrasse cachée.

♦ Nahe des Kirchturms befindet sich hinter einer ocker-orangefarbenen Fassade ein geräumiger moderner Speisesaal. Traditionelle, zeitgemäße Küche. Versteckt liegende Terrasse.

Wäissen Haff

30 r. Principale ✉ 5240 – ✆ 26 70 14 11 – www.waissen-haff.lu – fermé 30 août-6 septembre, 24 décembre-3 janvier, samedi midi, dimanche et lundi

Rest – Menu 21/70 € – Carte 38/70 €

♦ Ancienne ferme relookée au-dedans : lounge-bar moderne donnant accès à une grande mezzanine design garnie d'une rambarde en inox. Carte actuelle conséquente. Terrasse d'été.

♦ Der ehemalige Bauernhof wurde im Innern neu gestaltet. Durch die moderne Salonbar erreicht man ein großes Zwischengeschoss im Designerstil mit Edelstahlgeländer. Konsequent moderne Speisekarte. Sommerterrasse.

à Strassen (Stroossen) – **7 385 h.**

Olivier

140a rte d'Arlon ✉ 8008 – ✆ 31 36 66 – www.hotel-olivier.com **1AVh**

46 ch – †89/250 € ††104/265 €, ☕ 12 € – ½ P 97/178 €

Rest *Cime* – voir la sélection des restaurants

♦ À portée de l'autoroute, bâtisse contemporaine abritant des chambres sobres et bien tenues. Studios et duplex.

♦ Das zeitgemäße Gebäude nahe der Autobahn beherbergt Sie in frischen und gut gepflegten Zimmern. Auch Studios und Maisonetten stehen zur Verfügung.

Mon Plaisir sans rest

218 rte d'Arlon (par ⑧ : 4 km) ✉ 8010 – ✆ 31 15 41 – www.hotel-monplaisir.lu – fermé 24, 25, 26, 31 décembre et 1er janvier

30 ch ☕ – †85/115 € ††99/125 €

♦ Hôtel d'un bon petit confort, sur un axe fréquenté rejoignant directement la capitale. Pour des nuitées plus calmes, réservez une chambre à l'arrière. Breakfast servi à table.

♦ Hotel mit gutem schlichten Komfort an einer viel befahrenen Straße direkt in die Hauptstadt. Für ruhigere Nächte sollten Sie eines der nach hinten hinausgehenden Zimmer wählen. Das Frühstück wird am Tisch serviert.

Cime – Hôtel Olivier

140a rte d'Arlon ✉ 8008 – ✆ 31 36 66 – www.hotel-olivier.com – fermé samedi, dimanche et jours fériés **1AVh**

Rest – Lunch 25 € – Carte 36/74 €

♦ Boiseries et couleurs dans ce restaurant d'hôtel, où trois alcôves permettent de se restaurer dans une grande intimité... Cuisines classique et libanaise, tapas.

♦ Ein farbenfroh und mit viel Holz ausgestattetes modernes Hotelrestaurant - in drei Nischen speist man in intimer Atmosphäre. Mediterrane und libanesische Küche sowie Tapas.

Two 6 Two

262 rte d'Arlon, (par ⑧ : 5 km) ✉ 8010 – ✆ 26 11 99 97 – www.smets.lu – fermé 21 juillet-16 août, lundi soir, mardi soir et dimanche

Rest – Lunch 20 € bc – Menu 45 € bc/150 € bc – Carte 49/76 €

♦ Table au décor "fashionable" en noir et blanc, cachée à l'arrière (1er étage) d'un magasin de décoration et vêtements. Salle braquée vers la campagne. Carte selon le marché.

♦ Das etwas versteckt hinter einem Dekorations- und Bekleidungsgeschäft gelegene Restaurant (im 1. Stock) ist modisch in schwarz-weiß dekoriert und bietet marktfrische Küche und einen Blick ins Grüne.

Bistronome

371 rte d'Arlon (par ⑧ : 6 km) ✉ 8011 – ✆ 26 31 31 90 – www.bistronome.lu – fermé dimanche, lundi et jours fériés

Rest – Menu 32/38 €

♦ Envie de découvrir la cuisine "bistronomique" ? Le chef, Jean-Charles Hospital, interprète cet art culinaire de manière originale et ravit ses fidèles ! Des créations inventives, généreuses et savoureuses à souhait : il n'y a pas de secret…

♦ Haben Sie Lust, die gehobene Bistroküche zu entdecken? Der Küchenchef Jean-Charles Hospital interpretiert diese Kochkunst auf originelle Art und begeistert seine Stammgäste mit einfallsreichen, großzügigen und überaus schmackhaften Kreationen. Es gibt kein Geheimnis!

à Walferdange (Walfer) par ① : **5 km – 7 348 h.**

Moris sans rest

1 pl. des Martyrs ✉ 7201 – ✆ 330 10 51 – www.morishotel.lu
24 ch – 100 € 140 €
◆ Hôtel octogonal voisinant avec l'église et un carrefour. Demandez une chambre lui tournant le dos si vous avez le sommeil léger ! Confort fonctionnel.
◆ In der dritten Generation geführtes Hotel in achteckiger Form neben der Dorfkirche und einer Kreuzung. Wenn Sie einen leichten Schlaf haben, sollten Sie eines der nach hinten hinausgehenden Zimmer wählen! Zweckmäßiger Komfort.

MERTERT (MÄERTERT) – 717 X24 et 716 M6 – 3 730 h. 21 D2

Luxembourg 32 – Ettelbrück 46 – Thionville 56 – Trier 15
Vallée de la Moselle Luxembourgeoise★ de Wasserbillig à Schengen

XX **Joël Schaeffer**

1 r. Haute ✉ 6680 – ✆ 26 71 40 80 – www.joel-schaeffer.lu – fermé 1 semaine carnaval, 1 semaine fin août et lundi
Rest – Lunch 17 € – Menu 35/68 € – Carte 49/62 €
◆ Schaeffer ? C'est le nom du propriétaire de ce chaleureux restaurant… On y savoure une cuisine créative et copieuse et, en semaine, les formules sont vraiment attractives. Pour l'anecdote, le village de Mertert compte le seul port fluvial du pays.
◆ Schaeffer ist der Name des Inhabers dieses gemütlichen Restaurants, in dem man eine üppige kreative Küche genießen kann. Werktags werden sehr attraktive Menüs angeboten. In dem Dorf Mertert befindet sich übrigens der einzige Binnenhafen des ganzen Landes …

MONDORF-LES-BAINS (MUNNERËF) – 717 W25 et 716 L7 21 C3
– 4 608 h. – Station thermale – Casino 2000, r. Flammang, ✉ 5618, ✆ 23 61 12 13

Luxembourg 19 – Remich 11 – Thionville 22
26 av. des Bains, ✉ 5610, ✆ 23 66 75 75, www.mondorf.info
Domaine thermal★ • Eglise St-Michel : mobilier★
à l'Est : Vallée de la Moselle Luxembourgeoise★ de Schengen à Wasserbillig

Parc

Domaine thermal, av. Dr E. Feltgen ✉ 5601 – ✆ 23 66 60 – www.mondorf.lu – fermé 23 décembre-4 janvier
113 ch – 199/270 € 232/252 € – 30 suites
Rest – Menu 35/60 € – Carte 42/69 €
◆ Hôtel ressourçant où la famille grand-ducale a ses habitudes. Trois types de chambres dont trente suites, wellness très complet, accès direct au parc thermal. Carte actuelle et belle cave au restaurant.
◆ In diesem Hotel ist auch die großherzogliche Familie zu Gast. Drei Zimmerkategorien, darunter dreißig Suiten, umfangreiches Wellnessangebot, direkter Zugang zu den Thermen. Restaurant mit zeitgemäßer Küche und gutem Weinkeller.

Grand Chef

rest,

36 av. des Bains ✉ 5610 – ✆ 23 66 80 12 – www.grandchef.lu – ouvert 17 mars-12 novembre
37 ch – 72/84 € 98/112 € – 3 suites – ½ P 78/85 €
Rest – Lunch 15 € – Menu 25/47 € – Carte 31/64 €
◆ Cette gentilhommière (1852) ouvrant sur les thermes est tenue par la même famille depuis 1917. Communs cossus, ambiance nostalgique, amples chambres meublées en merisier. Repas classique dans un opulent décor rétro. Grands crus sagement tarifés. Vins au verre.
◆ Dieses auf die Thermen blickende Gut von 1852 wird seit 1917 von derselben Familie geführt. Behagliches Ambiente, nostalgischer Rahmen und geräumige Zimmer. Restaurant mit traditioneller Küche und Retro-Dekor. Weine aus Top-Lagen zu angemessenen Preisen. Offene Weine.

Casino 2000

r. Flammang ✉ 5618 – ✆ 26 67 82 13 – www.casino2000.lu – fermé 23 et 24 décembre

28 ch – 125/130 € 149/159 € – 3 suites – ½ P 185/195 €

Rest ***Les Roses*** – voir la sélection des restaurants

◆ Un casino partage ses murs avec cet hôtel moderne doté de grandes chambres bien équipées et plaisamment agencées. Installations pour banquets, réunions et séminaires.

◆ In diesem Haus befindet sich neben einem Casino auch das moderne Hotel mit großen und gut ausgestatteten Zimmern. Für Familienfeste, Konferenzen und Seminare geeignet.

Beau Séjour

3 av. Dr Klein ✉ 5630 – ✆ 26 67 75 – www.beau-sejour.lu – fermé 20 décembre-2 janvier

13 ch – 78/88 € 104/120 € – 2 suites – ½ P 73/81 €

Rest – Menu 18/65 € – Carte 42/56 €

◆ Petite affaire familiale située à proximité des thermes. Les chambres, assez simples mais de tailles correctes, se partagent deux étages. Cuisine classico-traditionnelle proposée dans une chaleureuse salle pourvue de boiseries et égayée par des tons rouges.

◆ Ein kleiner Familienbetrieb in der Nähe der Thermen. Die auf zwei Stockwerken liegenden Zimmer sind einfach ausgestattet aber ausreichend groß. Klassisch-traditionelle Küche und freundliche Atmosphäre im holzvertäfelten, in Rottönen gehaltenen Restaurant.

LUXEMBOURG

XXX **Les Roses** – Hôtel Casino 2000

r. Flammang ✉ 5618 – ✆ 26 67 84 10 – www.casino2000.lu – fermé 3 au 11 janvier, 7 août-5 septembre, 24 décembre et mardis et mercredis non fériés

Rest – Lunch 42 € – Menu 50/69 € – Carte 66/82 €

Spéc. Croquants de crevettes grises et caviar, de ris de veau et ratatouille et de truite à l'artichaut. Filet de bœuf et foie gras flambé à table, bouchon de pomme de terre au cœur truffé. Crêpes façon Suzette à la mirabelle et glace aux éclats de vanille.

◆ Le thème de la rose inspire l'élégant décor de cette rotonde moderne agrémentée, en son centre, d'une tonnelle circulaire. Cuisine actuelle élaborée. Service aux petits soins.

◆ Das Motiv der Rose inspiriert die elegante Dekoration dieses in einem modernen Rundbau gelegenen Speisesaals. Innovative, ausgefeilte Küche. Aufmerksamer Service.

à Ellange-Gare (Elléng) **Nord-Ouest : 2,5 km – C Mondorf-les-Bains**

XXX **La Rameaudière**

10 r. Gare ✉ 5690 – ✆ 23 66 10 63 – www.larameaudiere.lu – fermé 1er au 24 janvier, 25 juin-3 juillet, 27 août-4 septembre, 29 octobre-6 novembre et lundis et mardis non fériés

Rest – Menu 44/115 € bc – Carte 72/89 €

◆ Dans l'ancien hall de la gare du village, on déguste une cuisine classique pleine de saveurs. Les spécialités du chef : foie gras, homard et pigeon… rien que ça ! L'été, les tables sont dressées sur la terrasse fleurie, à l'ombre des arbres fruitiers.

◆ In der ehemaligen Wartehalle des Dorfbahnhofs genießt man eine sehr schmackhafte klassische Küche. Spezialitäten des Chefs sind Köstlichkeiten wie Foie gras, Hummer und Taube. Im Sommer werden die Tische auf der blumengeschmückten Terrasse im Schatten der Obstbäume gedeckt.

MULLERTHAL (MËLLERDALL) – C **Waldbillig 1 478 h.** – **717** W24 **et 716** L6 **21** C2

Luxembourg 30 – Echternach 14 – Ettelbrück 31

au Sud-Ouest : 2 km à Christnach, ✆ 87 83 83

Vallée des Meuniers★★★

XXX **Le Cigalon** avec ch rest, VISA

1 r. Ernz Noire ✉ 6245 – ☎ 79 94 95 – www.lecigalon.lu – fermé fin décembre-février

11 ch – 85/90 € 105/110 € – 2 suites

Rest – *(fermé lundi hors saison et mardi)* Menu 37/99 € bc

◆ La Provence s'invite à table en cette riante auberge familiale aux murs ocre-jaune. Expo de santons au salon, parc reposant et jolies balades à faire dans la vallée bucolique. Pour l'étape, chambres et suites pastel égayées de tissus méridionaux colorés.

◆ In diesem freundlichen Familiengasthof mit den ockergelben Wänden schmeckt man die Provence. Krippen-Ausstellung im Salon, erholsamer Park und schöne Spaziergänge im bäuerlichen Tal. Für die Übernachtung: pastellfarbene Zimmer und Suiten mit südlichem Ambiente.

MÜNSBACH (MËNSBECH) – C Schuttrange 3 534 h. – 717 W25 — 21 C3

Luxembourg 15 – Diekirch 47 – Grevenmacher 16

Légère VISA AE

11 Parc d'activité Syrdall (sortie ⑪ sur A 1 - E 44, puis à gauche) ✉ 5365 – ☎ 490 00 61 – www.legerehotels.com

156 ch – 85/295 € 85/295 €, 17 € **Rest** – Menu 38 € – Carte 38/66 €

◆ Grand bâtiment récent proche de l'aéroport. Cadre sobre et immaculé ; chambres fonctionnelles dotées de mobilier design. Cuisine au goût du jour au "Cube" ; grandes baies vitrées.

◆ Großes neues Gebäude in Flughafennähe. Makellose, schlichte Einrichtung; funktionelle Zimmer mit Designer-Möbeln. Zeitgemäße Küche im „Cube"; große Fensterfront.

NOSPELT (NOESPELT) – C Kehlen 4 931 h. – 717 V24 — 20 B3

Luxembourg 16 – Diekirch 34 – Esch-sur-Alzette 29 – Remich 43

X **Bonifas** VISA

4 Grand-rue ✉ 8391 – ☎ 26 31 36 92 – fermé vacances de carnaval, vacances de la Pentecôte, 15 août-première semaine de septembre, jours fériés, samedi midi, dimanche soir et lundi

Rest – Lunch 13 € – Menu 43/46 € – Carte 33/52 €

◆ Bonifas : une maison qui a su conserver son âme d'ancienne auberge de village. Cuisine généreuse et savoureuse dans une ambiance bistrotière.

◆ Das gegenüber dem Glockenturm gelegene Dorfgasthaus mit Bistroambiente bietet moderne Küche. In der Woche wird ein preiswerter Mittagstisch oder ein Menü à la carte serviert; am Wochenende begrenztes Angebot.

OETRANGE (ÉITER) – C Contern 3 483 h. – 717 W25 — 21 C3

Luxembourg 15 – Trier 41 – Thionville 45 – Merzig 43

XXX **Ma langue sourit** (Cyril Molard) VISA AE

1 r. Remich, (Oetrange-Moulin) ✉ 5331 – ☎ 26 35 20 31 – www.mls.lu – fermé 1er au 8 janvier, 1 semaine Pâques, 15 août-3 septembre, dimanche et lundi

Rest – Lunch 39 € – Menu 60 € bc/120 € bc

Spéc. Saint-Jacques rôties à la citronnelle et citron vert, pomme de terre douce moelleuse (hiver). Asperges blanches à la sarriette, ris de veau braisé et échalotes confites (printemps). Tomates de collections a l'huile de menthe, polenta aux olives croustillante (été).

◆ Auberge où la flamme gastronomique est rallumée par un chef formé dans de belles maisons françaises. Accueil et service vraiment super-gentils, déco moderne et cuisine d'aujourd'hui sachant bien jongler avec les saveurs et les textures.

◆ Der Küchenchef hat sein Handwerk in den besten französischen Restaurants erlernt und sich persönlich hohe Ziele gesteckt. Sehr netter Empfang und Service, moderne Ausstattung und ebensolche Küche, in der Aromen und Zutaten wunderbar miteinander harmonieren.

POMMERLOCH (POMMERLACH) – C Winseler 1 116 h. – 717 U23 et 716 K6 — 20 B1

Luxembourg 56 – Diekirch 37 – Ettelbrück 7 – Wiltz 7

Pommerloch

2 Wohlber ✉ 9638 – ✆ 269 51 51
– www.hotelpommerloch.lu
8 ch – 65 € 85 €
Rest – Menu 15/120 €
◆ Malgré sa proximité d'un carrefour routier, cet hôtel est accueillant et paisible, avec de grandes chambres parfaitement insonorisées et proposées à des tarifs raisonnables. Au restaurant – contemporain et chaleureux –, jolie vue sur la campagne environnante et plats traditionnels.
◆ Trotz seiner Nähe zu einer Straßenkreuzung ist dieses Hotel ruhig und einladend. Geboten werden große Zimmer mit perfekter Schallisolierung zu vernünftigen Preisen. In dem gemütlichen zeitgemäßen Restaurant genießt man bei traditionellen Gerichten den Blick auf die ländliche Umgebung.

REMERSCHEN (RËMERSCHEN) – C Schengen 1 526 h. – 717 X26 et 716 M7 — 21 C3

Luxembourg 37 – Diekirch 83 – Grevenmacher 32 – Saarbrücken 68

le Bistrot Gourmand

77 Waïstross ✉ 5440 – ✆ 26 66 57 93 – www.bistrotgourmand.lu – fermé 1er au 15 novembre, 24 décembre-1er janvier, samedi midi, dimanche soir et lundi
Rest – Carte 29/59 €
◆ Ce bistrot a tout pour plaire : une terrasse sur une petite place pittoresque, une délicieuse cuisine de brasserie (française et internationale) et une remarquable sélection de vins (dont un grand nombre proposés au verre).
◆ Dieses Bistro hat alles, um zu gefallen: eine Terrasse auf einem malerischen kleinen Platz, eine köstliche Brasserie-Küche (französisch und international) und eine bemerkenswerte Auswahl an Weinen (viele davon werden auch glasweise ausgeschenkt).

LUXEMBOURG

REMICH (RÉIMECH) – 717 X25 et 716 M7 – 3 345 h. — 21 C3

Luxembourg 22 – Mondorf-les-Bains 11 – Saarbrücken 77
Esplanade, ✉ 5533, ✆ 23 69 84 88, www.remich.lu
Scheierhaff, au Nord-Ouest : 12 km à Canach, ✆ 35 61 35
Vallée de la Moselle Luxembourgeoise★ de Schengen à Wasserbillig

Saint-Nicolas

31 Esplanade ✉ 5533 – ✆ 2 66 63 – www.saint-nicolas.lu
36 ch – 95/130 € 95/155 € – ½ P 123 €
Rest *Lohengrin* – voir la sélection des restaurants
◆ Hôtel de la fin du 19es. dont la jolie façade rouge regarde la Moselle. Chambres confortables et actuelles, certaines donnant sur les quais. Spa (sauna, hammam, piscines à jets…).
◆ Traditionell gestaltetes Gasthaus, dessen hübsche rote Fassade zum Fluss hinaus geht. Einige der modernen, komfortablen Zimmer bieten Blick auf den Kai. Klassische Küche und ebensolches Dekor. Im Hintergrund ziehen die Moselschiffe vorbei.

Domaine la Forêt

36 rte de l'Europe ✉ *5531 –* ✆ *23 69 99 99*
– www.hotel-la-foret.lu – fermé 15 février-1er mars et 23 juillet-3 août
18 ch – 90/135 € 120/145 € – ½ P 90/105 €
Rest – *(fermé mardi midi, lundi et jours fériés)* Menu 38 € bc/77 €
– Carte 55/66 €
◆ Bâtisse hôtelière vous conviant à conjuguer relaxation et remise en forme dans ses nouvelles installations. Grandes chambres de style actuel.
◆ Das Hotel lädt in neuen Räumlichkeiten zum Entspannen und Fitnesstraining ein. Große moderne Zimmer.

Hôtel des Vignes

29 rte de Mondorf ✉ 5552 – ☎ 23 69 91 49 – www.hotel-vignes.lu
– fermé 23 décembre-20 janvier
24 ch – 90 € 112 € – ½ P 117 €
Rest *Du Pressoir* – voir la sélection des restaurants
♦ En position dominante, hôtel dont les chambres avec terrasse ou balcon ménagent un joli panorama sur la vallée vigneronne.
♦ Dieses auf einer Anhöhe gelegene Hotel bietet Zimmer mit Balkon oder Terrasse und großartigem Panoramablick über die Weinberge des Tals.

Lohengrin – Hôtel Saint-Nicolas

31 Esplanade ✉ 5533 – ☎ 2 66 63 – www.lohengrin.lu
Rest – Lunch 27 € – Menu 34/65 € – Carte 46/68 €
♦ Sur une place où les restaurants ne manquent pas, cet établissement se distingue par sa cuisine soignée... et une qualité constante depuis des décennies. Bons bourgognes et bordeaux à prix doux.
♦ Auf einem Platz, an dem es vor Restaurants nur so wimmelt, sticht dieses durch seine sorgfältige Küche und gute Qualität seit Jahrzehnten heraus! Burgunder- und Bordeauxweine zu moderaten Preisen.

Du Pressoir – Hôtel des Vignes

29 rte de Mondorf ✉ 5552 – ☎ 23 69 91 49 – www.hotel-vignes.lu
– fermé 23 décembre-20 janvier
Rest – Lunch 35 € – Menu 40/69 € – Carte 47/59 €
♦ Un vieux pressoir pour décor et... un large panorama pour toile de fond : un cadre agréable pour une cuisine toute contemporaine. On peut boire un verre en terrasse en admirant le vignoble familial (riesling).
♦ Eine alte Weinpresse und ein wunderschönes Panorama bilden das Dekor für eine moderne Küche. Beim Glas Wein auf der Terrasse kann man den Blick über die Rieslingreben der Inhaberfamilie schweifen lassen.

RODER (ROEDER) – **717** V22 – **voir à Clervaux**

ROLLINGERGRUND (ROLLÉNGERGRONN) – **voir à Luxembourg, périphérie**

ROMBACH-MARTELANGE (ROMBECH-MAARTELÉNG) **20** A2
– Ⓒ **Rambrouch 3 854 h.** – **717** T24
Luxembourg 51 – Redange-sur-Attert 19 – Wiltz 41 – Arlon 20

La Maison Rouge

5 rte d'Arlon ✉ 8832 – ☎ 23 64 00 06 – www.resto.lu/maisonrouge/
– fermé 21 février-15 mars, 11 au 21 septembre, 24 décembre-3 janvier, mercredi et jeudi
Rest – Menu 36/60 € – Carte env. 66 €
♦ Derrière sa façade rouge, cette auberge majestueuse, au cœur du village, vous emmène à la découverte des spécialités de saison... Au menu, une cuisine traditionnelle bien alléchante !
♦ Hinter seiner roten Fassade lädt dieser edle Gasthof zur Entdeckung saisonaler Spezialitäten ein. Angeboten wird eine sehr leckere traditionelle Küche.

SAEUL (SËLL) – **717** U24 **et 716** K6 – **697 h.** **20** B2
Luxembourg 21 – Ettelbrück 22 – Mersch 11 – Arlon 14

Maison Rouge

10 r. Principale ✉ 7470 – ☎ 23 63 02 21 – fermé 3 semaines en février, 3 semaines en août et dimanches soirs, lundis et mardis non fériés
Rest – Lunch 25 € – Menu 42/55 € – Carte 37/67 €
♦ Cette auberge familiale (6e génération en place) à façade rouge met à profit un relais de poste. Cuisine traditionnelle où entrent les légumes du potager visible à l'arrière.
♦ Das in der 6. Generation familiengeführte Gasthaus mit der roten Fassade war früher eine Poststation. Traditionelle Gerichte mit Gemüse aus dem eigenen Garten.

SANDWEILER – **717** W25 **et 716** L7 – **voir à Luxembourg, environs**

SCHEIDGEN (SCHEEDGEN) – **Consdorf 1 803 h.** – **717** X24 **et** **716** M6 — **21** C2

Luxembourg 35 – Echternach 8 – Ettelbrück 36

Hôtel de la Station
10 rte d'Echternach ✉ 6250 – ☎ 79 08 91 – www.hoteldelastation.lu – ouvert 15 mars-14 novembre
20 ch – 65/70 € 110/120 € – ½ P 70/75 €
Rest – *(fermé lundi, mardi et après 20.30 h)* Menu 35/95 € bc
◆ Hôtel calme tenu par la même famille depuis 1904. Accueil gentil, jardin de repos, salle de réunions, chambres confortables, balcon pour certaines. Resto bien comme il faut devancé par un petit bistrot et complété par une terrasse au vert. Fumaisons "maison" !
◆ Ein ruhiges Anwesen, seit 1904 von derselben Familie geführt. Freundlicher Empfang, Garten zum Entspannen, Konferenzräume und komfortable Zimmer, einige mit Balkon. Traditionelles Restaurant mit kleinem Bistro und einer Terrasse im Grünen. Hausgeräucherte Spezialitäten.

SCHENGEN – **717** X26 **et 716** M7 – **1 553 h.** — **21** C3

Luxembourg 37 – Diekirch 72 – Grevenmacher 30 – Metz 53

Château de Schengen
2 Beim Schlass ✉ 5444 – ☎ 23 66 38 – www.goeres-group.com
34 ch – 85/165 € 100/180 € – 1 suite
Rest – Menu 27/49 € – Carte 29/67 €
◆ Ce château du 19es., où furent signés les célèbres accords, dispose de chambres classiques (ciels de lit imprimés, moulures...). Beau jardin français. Nombreuses salles de réception. Au restaurant, cuisine classique adaptée à la clientèle internationale.
◆ Dieses Schloss aus dem 19. Jh., in dem das Schengener Abkommen unterzeichnet wurde , bietet klassisch gestaltete Zimmer (bedruckte Betthimmel, Zierleisten usw.). Schöner französischer Garten. Zahlreiche Empfangssäle. Restaurant mit klassischer, auf die internationale Kundschaft abgestimmter Küche.

SCHOUWEILER (SCHULLER) – **Dippach 3 537 h.** – **717** U25 **et** **716** K7 — **20** B3

Luxembourg 14 – Mondorf-les-Bains 29 – Arlon 20 – Longwy 18

Toit pour Toi
2 r. IX Septembre ✉ 4995 – ☎ 26 37 02 32 – www.toitpourtoi.lu – fermé 6 au 31 août, 23 décembre-9 janvier et jeudi
Rest – *(dîner seulement jusqu'à 23 h) (réservation conseillée)* Carte 53/80 €
Spéc. Ravioles ouvertes de foie de canard poêlé, bouillon de poule crémé à l'huile de truffes. Poulet de Bresse rôti à la broche. Côte à l'os grillée, cornet de pommes paille.
◆ Grange relookée où une équipe dynamique vous réserve un accueil attentionné. Cuisine actuelle bien faite, déco "loungy" en bas et salle de caractère en haut (charpente, cheminée, éclairage intime...). La clientèle est conquise !
◆ In dieser zum Restaurant umgebauten Scheune bereitet Ihnen das dynamische Team einen herzlichen Empfang. Zeitgemäße, gut zubereitete Gerichte, loungeartige Ausstattung unten und stilvoller Speiseraum oben (Deckengebälk, Kamin, intime Beleuchtung...). Den Gästen gefällt es!

Guillou Campagne
17 r. Résistance ✉ 4996 – ☎ 37 00 08 – fermé 8 août-1er septembre, 23 au 31 décembre, samedi midi, dimanche soir, lundi et mardi
Rest – Lunch 29 € – Menu 65 € – Carte 43/57 €
◆ Cette équipe peut être fière de son établissement ! Dans un cadre agréable, on déguste une savoureuse cuisine de terroir, qui associe spécialités françaises et régionales. On ressort ravi.
◆ In dem Dorfgasthof verwöhnt man die Gäste in vier kleinen, intimen Räumen - eingerichtet mit nostalgischen Stühlen, Kamin und Murano-Lüster - mit raffinierten klassischen Gerichten, köstlichen Saucen und guter Weinauswahl.

SOLEUVRE (ZOLWER) – Sanem **14 421 h.** – **717** U25 **et 716** K7 **20** B3
Luxembourg 22 – Esch-sur-Alzette 8 – Arlon 27 – Longwy 22

XXX **La Petite Auberge**
1 r. Aessen, (CR 110 - rte de Sanem) ✉ 4411 – ☎ 59 44 80 – fermé 24 décembre-15 janvier, 28 mai-3 juin, 13 août-2 septembre, jours fériés, dimanche et lundi
Rest – Lunch 20 € – Menu 46/76 € – Carte 55/73 €
◆ Ancienne ferme convertie en confortable auberge. Carte classique, service à l'anglaise, découpes en salle et bonne cave montée par un chef-patron cultivant la passion du vin.
◆ Zu einem behaglichen Gasthaus umgebauter ehemaliger Bauernhof. Klassische Speisen, englischer Service, am Tisch tranchierte Fleischgerichte und ein guter, vom Hausherrn liebevoll gepflegter Weinkeller.

STEINHEIM (STENEM) – **717** X24 – **voir à Echternach**

STRASSEN (STROOSSEN) – **717** V25 **et 716** L7 – **voir à Luxembourg, environs**

TROISVIERGES (ELWEN) – **717** U22 **et 716** L5 – **2 972 h.** **20** B1
Luxembourg 75 – Clervaux 19 – Bastogne 28

XX **Les Timandines** avec ch
23 r. Asselborn ✉ 9907 – ☎ 26 90 97 04 – www.lestimandines.lu – fermé 1er au 9 janvier et 5 au 16 septembre
9 ch – †50/55 € ††72/82 €
Rest – *(fermé dimanche soir et jeudi)* Lunch 12 € – Menu 45/65 € – Carte 48/61 €
◆ La progéniture du couple de propriétaires (Timothée et Amandine) a inspiré l'enseigne de cette jeune maison ! Attrayante cuisine au goût du jour, en belle osmose avec la déco. Chambres actuelles sans grand luxe, mais bien fraîches et nettes.
◆ Das jugendliche Haus wurde nach den Sprösslingen der Eigentümer (Timothée und Amandine) benannt. Verlockende zeitgemäße Speisen, die mit dem Ambiente harmonieren. Moderne Zimmer ohne großen Luxus, aber frisch und sauber.

URSPELT – **717** V22 – **voir à Clervaux**

VIANDEN (VEIANEN) – **717** W23 **et 716** L6 – **1 692 h.** **21** C1
Luxembourg 44 – Clervaux 31 – Diekirch 11 – Ettelbrück 16
1a r. Vieux Marché, ✉ 9419, ☎ 834 25 71, www.vianden-info.lu
Site★★ • Château★★ : chemin de ronde ≤★
au Nord-Ouest : 4 km, Bassins supérieurs du Mont St-Nicolas (route ≤★★ et ≤★) • au Nord : 3,5 km à Bivels : site★ • au Nord : Vallée de l'Our★★

Oranienburg
126 Grand-Rue ✉ 9411 – ☎ 834 15 31 – www.hoteloranienburg.com – fermé 3 janvier-30 mars et 15 novembre-15 décembre
24 ch – †48/61 € ††75/96 € – 2 suites – ½ P 71 €
Rest *Le Châtelain* – voir la sélection des restaurants
◆ Hôtellerie officiant en famille depuis plus de 100 ans au cœur de ce petit bourg charmant dominé par sa forteresse féodale. Plusieurs genres de chambres. Brasserie sympa.
◆ Ein seit 100 Jahren familiengeführter Gasthof im Herzen des charmanten Marktfleckens mit seiner Festung aus der Feudalzeit. Verschiedene Zimmerkategorien. Gemütliche Brasserie.

Belle-Vue rest,
3 r. Gare ✉ 9420 – ☎ 83 41 27 – www.hotelbv.com
59 ch – †55/89 € ††72/98 € – ½ P 82 € **Rest** – Carte 25/48 €
◆ Beaucoup de bois, un brasserie joliment rustique et des chambres soignées : une halte agréable dans ce sympathique hôtel de style régional.
◆ Viel Holz, eine hübsche rustikale Brasserie und gepflegte Zimmer garantieren in diesem ansprechenden Hotel im regionalen Stil einen angenehmen Aufenthalt.

Petry rest, P VISA AE

15 r. Gare ✉ 9420 – ☎ 83 41 22 – www.hotel-petry.com
– fermé janvier
28 ch – 52/73 € 70/93 € – ½ P 77 €
Rest – *(fermé mardi)* Menu 25/47 € – Carte 29/48 €

◆ Charme régional, tradition et accueil chaleureux du propriétaire (qui n'est autre que celui du Belle-Vue) : une recette décidément gagnante ! Côté papilles, on se régale de petits plats traditionnels et italiens.

◆ Der typisch regionale Charme, Tradition und ein herzlicher Empfang durch die Inhaberin (der auch das Hotel Belle-Vue gehört) sind das Erfolgsrezept dieses Hauses. Im Restaurant verwöhnt man die Gäste mit traditionellen und italienischen kleinen Gerichten.

Heintz sans rest P VISA

55 Grand-Rue ✉ 9410 – ☎ 83 41 55 – www.hotel-heintz.lu
– ouvert 27 avril-1er octobre
30 ch – 55/85 € 65/95 €, 8 € – 1 suite

◆ C'est en 1910 que ce couvent s'est mué en hôtel, depuis lors tenu par la même famille. L'établissement, charmant, abrite des chambres coquettes et confortables. Table traditionnelle par sa carte et son décor. Fondue fromagère pour spécialité. Cour-terrasse au vert.

◆ Dieses Kloster wurde 1910 in ein Hotel umgebaut, das seitdem von derselben Familie geführt wird. Ein reizendes Haus mit hübschen, komfortablen Zimmern. Traditionelles Gasthaus sowohl in Bezug auf die Küche als auch auf das Ambiente. Käsefondue als Spezialität. Hofterrasse im Grünen.

Victor Hugo VISA AE

1 r. Victor Hugo ✉ 9414 – ☎ 834 16 01 – www.hotelvictorhugo.lu
– fermé 15 février-22 mars et mercredi hors saison
24 ch – 59/69 € 79/96 € – ½ P 84 €
Rest – Carte 26/52 €

◆ V. Hugo, qui séjourna souvent à Vianden, a su apprécier cette auberge jouxtant le pont de l'Our. Chambres pimpantes, estaminet, salle de réunion, espace relaxation et sauna. Resto traditionnel où les grillades arrivent sur des potences. Jolie terrasse arrière.

◆ V. Hugo wusste bei seinen häufigen Besuchen in Vianden diese Unterkunft nahe der Our-Brücke zu schätzen. Schöne Zimmer, Konferenzräume, Fitnessbereich, Sauna und Schenke. Traditionelles Restaurant, in dem Grillspieße über dem Teller aufgehängt serviert werden. Hübsche Terrasse hinter dem Haus.

XXX **Le Châtelain** – Hôtel Oranienburg AC VISA AE

126 Grand-Rue ✉ 9411 – ☎ 834 15 31
– www.hoteloranienburg.com
– fermé 3 janvier-30 mars, 15 novembre-15 décembre et lundis et mardis non fériés
Rest – Lunch 28 € – Menu 45/75 € – Carte 54/73 €

◆ Au pied du château de Vianden, Le Châtelain vous accueille dans une atmosphère familiale et conviviale, légèrement surannée. La carte est courte mais pleine de délices, avec un beau choix de vins.

◆ Am Fuße der Burg Vianden werden Sie im Restaurant Le Châtelain in einer familiären, geselligen Atmosphäre mit leicht altmodischer Note empfangen. Die Karte ist klein, aber voller Köstlichkeiten. Gute Weinauswahl.

WALFERDANGE (WALFER) – **717** V25 **et 716** L7 – **voir à Luxembourg, environs**

WALLENDORF-PONT (WALLENDORFER-BRÉCK) – C **Reisdorf** **21** C2
1 027 h. – **717** W23

Luxembourg 40 – Diekirch 12 – Vianden 12

Dimmer
4 Grenzwee ✉ 9392 – ✆ 83 62 20 – www.hoteldimmer.lu – fermé 16 décembre-8 février
28 ch – 51/73 € 76/106 € – 1 suite – ½ P 63/78 €
Rest – Lunch 12 € – Menu 36/55 € – Carte 26/48 €
◆ Auberge de longue tradition familiale (1871), près du pont sur la Sûre qui vous amène en Allemagne. Chambres à jour, miniwellness, sauna, fitness, canoës, tennis et VTT. Restaurant se complétant d'un estaminet et d'une terrasse braquée vers la rivière.
◆ Das Haus mit Familientradition seit 1871 liegt in der Nähe der Sûre-Brücke, an der Grenze zu Deutschland. Moderne Zimmer, kleiner Wellnessbereich, Sauna, Kanufahrten, Tennisplatz und Mountain-Biking. Restaurant mit Schenke und Terrasse am Fluss.

WASSERBILLIG (WAASSERBËLLEG) – C **Mertert 3 631 h.** – **717** X24 et **716** M6 **21** D2
Luxembourg 33 – Ettelbrück 48 – Thionville 58 – Trier 18
Vallée de la Moselle Luxembourgeoise★ jusqu'à Schengen

XX **Kinnen**
32 rte de Luxembourg ✉ 6633 – ✆ 74 00 88 – fermé février, juillet, octobre, jeudi soir et mercredi
Rest – Lunch 30 € – Menu 48/63 € – Carte 48/69 €
◆ Auberge familiale située au centre d'un bourg mosellan frontalier. Resto à la carte, terrasse et estaminet où l'on sert le plat du jour à midi, dans une ambiance villageoise.
◆ Im Zentrum des Mosel-Grenzdorfes findet man den familienbetriebenen Gasthof mit Terrasse und Schenke, in der das Mittagsangebot in ländlichem Ambiente serviert wird.

WEILERBACH (WEILERBAACH) – C **Berdorf 1 600 h.** – **717** X23 et **716** M6 **21** C2
Luxembourg 39 – Diekirch 24 – Echternach 5 – Ettelbrück 29

Schumacher
1 rte de Diekirch ✉ 6590 – ✆ 720 13 31 – www.hotel-schumacher.lu – ouvert avril-novembre
25 ch – 80 € 94/105 € – ½ P 112 €
Rest – *(fermé lundi midi, mercredi midi et jeudi midi)* Lunch 25 € – Menu 45/55 € – Carte 44/64 €
◆ Réservez une chambre en façade pour contempler du balcon la rivière-frontière qui se glisse devant cet hôtel familial. Salon-cheminée et toit-terrasse avec vue sur la vallée. Une carte classique-traditionnelle est présentée au restaurant.
◆ Ein familiäres Hotel, dessen an der Vorderseite liegende Zimmer einen Balkon und Flussblick bieten. Kaminzimmer und Dachterrasse mit Aussicht auf das Tal. Restaurant mit klassisch-traditioneller Speisekarte.

WILTZ (WOLZ) – **717** U23 et **716** K6 – **4 977 h.** **20** B1
Luxembourg 55 – Clervaux 21 – Ettelbrück 26 – Bastogne 21
Château, ✉ 9516, ✆ 95 74 44, www.touristinfowiltz.lu

Hôtel du Vieux Château
1 Grand-Rue ✉ 9530 – ✆ 95 80 18 – www.hotelvchateau.com – fermé 2 premières semaines de janvier, 3 premières semaines d'août et lundis et mardis non fériés
7 ch – 62 € 72 €, 15 € – 1 suite – ½ P 92 €
Rest *Du Vieux Château* – voir la sélection des restaurants
◆ A la recherche d'un logement confortable à bon prix pour votre escapade gastronomique? Les chambres tranquilles du Vieux Château sont alors un excellent choix!
◆ Suchen Sie eine komfortable und preisgünstige Unterkunft für Ihren Restaurant-Trip? Die ruhigen Zimmer des Vieux Château sind da eine hervorragende Wahl!

LUXEMBOURG

XXX **Du Vieux Château** - Hôtel du Vieux Château

1 Grand-Rue ✉ 9530 – ✆ 95 80 18 – www.hotelvchateau.com – fermé 2 premières semaines de janvier, 3 premières semaines d'août et lundis et mardis non fériés

Rest – Lunch 13 € – Menu 34/65 € – Carte 51/79 €

♦ Cette belle demeure, dans un quartier pittoresque, séduit par ses menus tout aussi démocratiques que goûtus ! Vieux marronnier en terrasse. Fumaisons artisanales.

♦ Schönes Anwesen in einem malerischen Viertel. Schmackhafte Menüs werden hier oder auf der Terrasse mit altem Kastanienbaum serviert. Hausgeräucherte Spezialitäten. Für ein königliches gastronomisches Wochenende stehen ruhige Zimmer, darunter eine Suite, zur Verfügung.

à Winseler (Wanseler) **Ouest : 3 km – 1 116 h.**

XX **L'Auberge Campagnarde**

28 Duerfstr. ✉ 9696 – ✆ 26 95 07 99 – fermé mardi soir, jeudi soir, dimanche soir et lundi

Rest – Lunch 13 € – Menu 45/65 € bc

♦ Entrez en confiance dans cette auberge rose donnant un peu de vie à ce patelin paisible. Terrasse avant, salle mignonne, recettes de notre temps, selon la saison et le marché.

♦ Das Haus mit der frischen rosafarbenen Fassade bietet ein hübsches Restaurant, eine nach vorne gelegene Terrasse und zeitgemäße Küche, je nach Saison und Marktangebot.

LUXEMBOURG

WILWERDANGE (WILWERDANG) – Ⓒ Troisvierges 2 918 h. 20 B1

– **717** V22 **et 716** L5

▶ Luxembourg 71 – Diekirch 41 – Ettelbrück 43 – Bastogne 31

XX **L'Ecuelle**

15 r. Principale ✉ 9980 – ✆ 99 89 56 – www.ecuelle.lu – fermé semaine de carnaval, dernière semaine d'août-première semaine de septembre, lundi soir, mardi soir et mercredi

Rest – Lunch 13 € – Menu 30/50 € – Carte 39/63 €

♦ À deux pas de la frontière belge, un restaurant pimpant et soigné, au décor contemporain. La carte est variée et attractive… sans compter le petit plus bien sympathique : truites et saumons sont fumés sur place !

♦ Ganz in der Nähe der belgischen Grenze liegt dieses schmucke, gepflegte Restaurant mit zeitgemäßem Interieur. Die Karte ist vielfältig und attraktiv – besonders zu empfehlen sind die selbstgeräucherten Forellen und Lachs!

WINSELER (WANSELER) – 717 U23 et 716 K6 – voir à Wiltz

Jours fériés en 2012

Feestdagen in 2012
Feiertage in Jahre 2012
Bank Holidays in 2012

BELGIQUE – BELGIË – BELGIEN

1er janvier	Jour de l'An
8 avril	Pâques
9 avril	lundi de Pâques
1er mai	Fête du Travail
17 mai	Ascension
27 mai	Pentecôte
28 mai	lundi de Pentecôte
21 juillet	Fête Nationale
15 août	Assomption
1er novembre	Toussaint
11 novembre	Fête de l'Armistice
25 décembre	Noël

GRAND-DUCHÉ DE LUXEMBOURG

1er janvier	Jour de l'An
20 février	lundi de Carnaval
8 avril	Pâques
9 avril	lundi de Pâques
1er mai	Fête du Travail
17 mai	Ascension
27 mai	Pentecôte
28 mai	lundi de Pentecôte
23 juin	Fête Nationale
15 août	Assomption
1er novembre	Toussaint
25 décembre	Noël
26 décembre	Saint-Étienne

Indicatifs téléphoniques internationaux

Internationale landnummers

vers/naar nach/to — de/van/ von/from	A	B	CH	CZ	D	DK	E	FIN	F	GB	GR
A Austria		0032	0041	00420	0049	0045	0034	00358	0033	0044	0030
B Belgium	0043		0041	00420	0049	0045	0034	00358	0033	0044	0030
CH Switzerland	0043	0032		00420	0049	0045	0034	00358	0033	0044	0030
CZ Czech Republic	0043	0032	0041		0049	0045	0034	00358	0033	0044	0030
D Germany	0043	0032	0041	00420		0045	0034	00358	0033	0044	0030
DK Denmark	0043	0032	0041	00420	0049		0034	00358	0033	0044	0030
E Spain	0043	0032	0041	00420	0049	0045		00358	0033	0044	0030
FIN Finland	0043	0032	0041	00420	0049	0045	0034		0033	0044	0030
F France	0043	0032	0041	00420	0049	0045	0034	00358		0044	0030
GB United Kingdom	0043	0032	0041	00420	0049	0045	0034	00358	0033		0030
GR Greece	0043	0032	0041	00420	0049	0045	0034	00358	0033	0044	
H Hungary	0043	0032	0041	00420	0049	0045	0034	00358	0033	0044	0030
I Italy	0043	0032	0041	00420	0049	0045	0034	00358	0033	0044	0030
IRL Irland	0043	0032	0041	00420	0049	0045	0034	00358	0033	0044	0030
J Japan	00143	00132	00141	001420	00149	00145	00134	001358	00133	00144	00130
L Luxemburg	0043	0032	0041	00420	0049	0045	0034	00358	0033	0044	0030
N Norway	0043	0032	0041	00420	0049	0045	0034	00358	0033	0044	0030
NL Netherlands	0043	0032	0041	00420	0049	0045	0034	00358	0033	0044	0030
PL Poland	0043	0032	0041	00420	0049	0045	0034	00358	0033	0044	0030
P Portugal	0043	0032	0041	00420	0049	0045	0034	00358	0033	0044	0030
RUS Russia	81043	81032	81041	810420	81049	81045	*	810358	81033	81044	*
S Sweden	0043	0032	0041	00420	0049	0045	0034	00358	0033	0044	0030
USA	01143	01132	01141	011420	01149	01145	01134	01358	01133	01144	01130

** Pas de sélection automatique* ** Geen automatische selektie*

Important : pour les communications internationales, le zéro (0) initial de l'indicatif interurbain n'est pas à composer (excepté pour les appels vers l'Italie).
Aux Pays-Bas on n'utilise pas le préfixe dans la zone.
Appel d'urgence : Belgique : 112 ; Luxembourg : 112 ; Pays-Bas : 112

Belangrijk: bij internationale telefoongesprekken moet de eerste nul (0) van het netnummer worden weggelaten (behalve als u naar Italië opbelt). In Nederland moet men binnen eenzelfde zone geen netnummer draaien of intoetsen.
Hulpdiensten : België : 112 ; Luxemburg : 112 ; Nederland : 112..

Internationale Telefon-Vorwahlnummern

International Dialling Codes

H	I	IRL	J	L	N	NL	PL	P	RUS	S	USA	
0036	0039	00353	0081	00352	0047	0031	0048	00351	007	0046	001	**A Austria**
0036	0039	00353	0081	00352	0047	0031	0048	00351	007	0046	001	**B Belgium**
0036	0039	00353	0081	00352	0047	0031	0048	00351	007	0046	001	**CH Switzerland**
0036	0039	00353	0081	00352	0047	0031	0048	00351	007	0046	001	**CZ Czech Republic**
0036	0039	00353	0081	00352	0047	0031	0048	00351	007	0046	001	**D Germany**
0036	0039	00353	0081	00352	0047	0031	0048	00351	007	0046	001	**DK Denmark**
0036	0039	00353	0081	00352	0047	0031	0048	00351	007	0046	001	**E Spain**
0036	0039	00353	0081	00352	0047	0031	0048	00351	007	0046	001	**FIN Finland**
0036	0039	00353	0081	00352	0047	0031	0048	00351	007	0046	001	**F France**
0036	0039	00353	0081	00352	0047	0031	0048	00351	007	0046	001	**GB United Kingdom**
0036	0039	00353	0081	00352	0047	0031	0048	00351	007	0046	001	**GR Greece**
	0039	00353	0081	00352	0047	0031	0048	00351	007	0046	001	**H Hungary**
0036		00353	0081	00352	0047	0031	0048	00351	*	0046	001	**I Italy**
0036	0039		0081	00352	0047	0031	0048	00351	007	0046	001	**IRL Irland**
00136	00139	001353		001352	00147	00131	00148	001351	*	00146	0011	**J Japan**
0036	0039	00353	0081		0047	0031	0048	00351	007	0046	001	**L Luxemburg**
0036	0039	00353	0081	011352		0031	0048	00351	007	0046	001	**N Norway**
0036	0039	00353	0081	00352	0047		0048	00351	007	0046	001	**NL Netherlands**
0036	0039	00353	0081	00352	0047	0031		00351	007	0046	001	**PL Poland**
0036	0039	00353	0081	00352	0047	0031	0048		007	0046	001	**P Portugal**
81036	*	*	*	*	*	81031	81048	*		*	*	**RUS Russia**
0036	0039	00353	0081	00352	0047	0031	0048	00351	007		001	**S Sweden**
01136	01139	011353	01181	011352	01147	01131	01148	011351	*	01146	–	**USA**

** Automatische Vorwahl nicht möglich*

** Direct dialling not possiblee*

Wichtig: bei Auslandsgesprächen darf die Null (0) der Ortsnetzkennzahl nicht gewählt werden (ausser bei Gesprächen nach Italien).
In den Niederlanden benötigt man keine Vorwahl innerhalb einer Zone.
Notruf: Belgien : 112; Luxembourg : 112; Niederlanden : 112.

Note: when making an international call, do not dial the first "0" of the city codes (except for calls to Italy).
The dialling code is not required for local calls in the Netherlands.
Emergency phone numbers : Belgium : 112; Luxembourg : 112; Netherlands : 112.

Lexique

Woordenlijst
Lexicon
Lexikon

Lexique

Woordenlijst
Lexicon
Lexikon

A	→	→	→
à louer	te huur	for hire	zu vermieten
addition	rekening	bill, check	Rechnung
aéroport	luchthaven	airport	Flughafen
agence de voyage	reisagentschap	travel bureau	Reisebüro
agencement	inrichting	installation	Einrichtung
agneau	lam	lamb	Lamm
ail	knoflook	garlic	Knoblauch
amandes	amandelen	almonds	Mandeln
ancien, antique	oud, antiek	old, antique	ehemalig, antik
août	augustus	August	August
Art déco	Art deco	Art Deco	Jugendstil
artichaut	artisjoken	artichoke	Artischocke
asperges	asperges	asparagus	Spargel
auberge	herberg	inn	Gasthaus
aujourd'hui	vandaag	today	heute
automne	herfst	autumn	Herbst
avion	vliegtuig	aeroplane	Flugzeug
avril	april	April	April

B	→	→	→
bac	veerpont	ferry	Fähre
bagages	bagage	luggage	Gepäck
bateau	boot	ship	Boot, Schiff
beau	mooi	fine, lovely	schön
beurre	boter	butter	Butter
bien, bon	goed	good, well	gut
bière	bier	beer	Bier
billet d'entrée	toegangsbewijs	admission ticket	Eintrittskarte
blanchisserie	droogkuis	laundry	Wäscherei
bœuf	rund	beef	Siedfleisch
bouillon	bouillon	clear soup	Fleischbrühe
bouteille	fles	bottle	Flasche

C	→	→	→
café	koffie	coffee	Kaffee
café-restaurant	café-restaurant	café-restaurant	Wirtschaft

caille	kwartel	partridge	Wachtel
caisse	kassa	cash desk	Kasse
campagne	platteland	country	Land
canard, caneton	eend	duck	Ente, junge Ente
cannelle	kaneel	cinnamon	Zimt
câpres	kappers	capers	Kapern
carnaval	carnaval	carnival	Fasnacht
carottes	wortelen	carrots	Karotten
carte postale	postkaart	postcard	Postkarte
céleri	selder	celery	Sellerie
cerises	kersen	cherries	Kirschen
cervelle de veau	kalfshersenen	calf's brain	Kalbshirn
chambre	kamer	room	Zimmer
champignons	champignons	mushrooms	Pilze
change	wissel	exchange	Geldwechsel
charcuterie	charcuterie	pork butcher's meat	Aufschnitt
château	kasteel	castle	Burg, Schloss
chevreuil	ree	roe deer (venison)	Reh
chien	hond	dog	Hund
chou	kool	cabbage	Kraut, Kohl
chou de Bruxelles	spruitjes	Brussel sprouts	Rosenkohl
chou rouge	rode kool	red cabbage	Rotkraut
chou-fleur	bloemkool	cauliflower	Blumenkohl
citron	citroen	lemon	Zitrone
clé	sleutel	key	Schlüssel
collection	collectie	collection	Sammlung
combien ?	hoeveel ?	how much ?	wieviel ?
commissariat	commissariaat	police headquarters	Polizeirevier
concombre	komkommer	cucumber	Gurke
confiture	konfituur	jam	Konfitüre
coquille St-Jacques	St Jacobsschelpen	scallops	Jakobsmuschel
corsé	krachtig	full bodied	kräftig
côte de porc	varkenskotelet	pork chop	Schweinekotelett
côte de veau	kalfskotelet	veal chop	Kalbskotelett
courgettes	courgetten	courgette	zucchini
crème	room	cream	Rahm
crèpes	pannenkoeken	pancakes	Pfannkuchen
crevaison	bandenpanne	puncture	Reifenpanne
crevettes	garnalen	shrimps	Krevetten
crudités	rauwkost	raw vegetables	Rohkost
crustacés	schaaldieren	shellfish	Krustentiere

D	→	→	→
décembre	december	December	Dezember
demain	morgen	tomorrow	morgen
demander	vragen	to ask for	fragen, bitten
départ	vertrek	departure	Abfahrt
dimanche	zondag	Sunday	Sonntag
docteur	dokter	doctor	Arzt
doux	zacht	sweet, mild	mild

E	→	→	→
eau gazeuse	spuitwater	sparkling water	mit Kohlensäure
eau minérale	mineraalwater	mineral water	Mineralwasser
écrevisse	rivierkreeftjes	crayfish	Flusskrebs
église	kerk	church	Kirche
émincé	dunne plakjes	thin slice	Geschnetzeltes
en daube, en sauce	gesmoord, in saus	stewed, with sauce	geschmort, mit Sauce
en plein air	buitenlucht	outside	im Freien
endive	witloof	chicory	Endivie
entrecôte	tussenribstuk	sirloin steak	Zwischenrippenstück
enveloppes	briefomslag	envelopes	Briefumschläge
épinards	spinazie	spinach	Spinat
escalope panée	gepaneerd kalfslapje	escalope in breadcrumbs	paniertes Schnitzel
escargots	slakken	snails	Schnecken
étage	verdieping	floor	Stock, Etage
été	zomer	summer	Sommer
excursion	uitstap	excursion	Ausflug
exposition	tentoonstelling	exhibition, show	Ausstellung

F	→	→	→
faisan	fazant	pheasant	Fasan
farci	gevuld	stuffed	gefüllt
fenouil	venkel	fennel	Fenchel
ferme	boerderij	farm	Bauernhaus
fermé	gesloten	closed	geschlossen
fêtes, jours fériés	feest, feestdagen	bank holidays	Feiertage
feuilleté	bladerdeeg	puff pastry	Blätterteig
février	februari	February	Februar
filet de bœuf	rundsfilet	fillet of beef	Rinderfilet
filet de porc	varkensfilet	fillet of pork	Schweinefilet
fleuve	rivier	river	Fluss
foie de veau	kalfslever	calf's liver	Kalbsleber
foire	kermis	fair	Messe, Ausstellung
forêt, bois	woud, bos	forest, wood	Wald
fraises	aardbeien	strawberries	Erdbeeren
framboises	frambozen	raspberries	Himbeeren
frit	gefrituurd	fried	frittiert
fromage	kaas	cheese	Käse
fromage blanc	plattekaas	curd cheese	Quark
fruité	fruitig	fruity	fruchtig
fruits de mer	zeevruchten	seafood	Meeresfrüchte
fumé	gerookt	smoked	geräuchert

G	→	→	→
gare	station	station	Bahnhof
gâteau	koek	cake	Kuchen
genièvre	jenever	juniper berry	Wacholder
gibier	wild	game	Wild
gingembre	gember	ginger	Ingwer
grillé	gegrild	grilled	gegrillt
grotte	grot	cave	Höhle

H	→	→	→
habitants	inwoners	residents, inhabitants	Einwohner
hebdomadaire	wekelijks	weekly	wöchentlich
hier	gisteren	yesterday	gestern
hiver	winter	winter	Winter
homard	kreeft	lobster	Hummer
hôpital	ziekenhuis	hospital	Krankenhaus
hôtel de ville, mairie	gemeentehuis	town hall	Rathaus
huile d'olives	olijfolie	olive oil	Olivenöl
huîtres	oesters	oysters	Austern

I-J	→	→	→
interdit	verboden	prohibited	verboten
jambon (cru, cuit)	ham (rauw, gekookt)	ham (raw, cooked)	Schinken (roh, gekocht)
janvier	januari	January	Januar
jardin, parc	tuin, park	garden, park	Garten, Park
jeudi	donderdag	Thursday	Donnerstag
journal	krant	newspaper	Zeitung
jours fériés	vakantiedagen	bank holidays	Feiertage
juillet	juli	July	Juli
juin	juni	June	Juni
jus de fruits	fruitsap	fruit juice	Fruchtsaft

L	→	→	→
lait	melk	milk	Milch
langouste	langoest	spiny lobster	Languste
langoustines	langoustine	Dublin bay prawns	Langustinen
langue	tong	tongue	Zunge
lapin	konijn	rabbit	Kaninchen
léger	licht	light	leicht
légumes	groenten	vegetable	Gemüse
lentilles	linzen	lentils	Linsen
lièvre	haas	hare	Hase
lit	bed	bed	Bett
lit d'enfant	kinderbed	child's bed	Kinderbett
lotte	zeeduivel	monkfish	Seeteufel
loup de mer	zeewolf	seau bass	Seewolf, Wolfsbarsch
lundi	maandag	Monday	Montag

M	→	→	→
mai	mei	May	Mai
maison	huis	house	Haus
manoir	kasteeltje	manor house	Herrensitz
mardi	dinsdag	Tuesday	Dienstag
mariné	gemarineerd	marinated	mariniert
mars	maart	March	März
mercredi	woensdag	Wednesday	Mittwoch
miel	honing	honey	Honig
moelleux	soepel	mellow	weich, gehaltvoll
monument	monument	momument	Denkmal
morilles	morieljes	morels	Morcheln
moules	mosselen	mussels	Muscheln
moulin	molen	mill	Mühle
moutarde	mosterd	mustard	Senf

N	→	→	→
navet	knol	turnip	weisse Rübe
neige	sneeuw	snow	Schnee
Noël	Kerstmis	Christmas	Weihnachten
noisettes, noix	nootjes	hazelnuts, nuts	Haselnüsse, Nüsse
nouilles	noedels	noodles	Nudeln
novembre	november	November	November

O	→	→	→
octobre	oktober	October	Oktober
œuf	ei	egg	Ei
office de tourisme	toerismebureau	tourist information office	Verkehrsverein
oignons	uien	onions	Zwiebeln
ombragé	schaduwrijk	shaded	schattig
oseille	zuring	sorrel	Sauerampfer

P	→	→	→
pain	brood	bread	Brot
Pâques	Pasen	Easter	Ostern
pâtisseries	gebak	pastries	Feingebäck, Kuchen
payer	betalen	to pay	bezahlen
pêches	perziken	peaches	Pfirsiche
peintures, tableaux	schilderijen	paintings	Malereien, Gemälde
perdrix, perdreau	patrijs, jonge patrijs	partridge	Rebhuhn
petit-déjeuner	ontbijt	breakfast	Frühstück
petits pois	erwtjes	green peas	Erbsen
piétons	voetgangers	pedestrians	Fussgänger
pigeon	duif	pigeon	Taube
pintade	parelhoen	guinea fowl	Perlhuhn
piscine	zwembad	swimming pool	Schwimmbad

plage	strand	beach	Strand
pneu	autoband	tyre	Reifen
poireau	prei	leek	Lauch
poires	peren	pears	Birnen
poisson	vis	fish	Fisch
poivre	peper	pepper	Pfeffer
police	politie	police	Polizei
pommes	appelen	apples	Äpfel
pommes de terre	aardappelen	potatoes	Kartoffeln
pont	brug	bridge	Brücke
poulet	kip	chicken	Hähnchen
pourboire	drinkgeld	tip	Trinkgeld
poussin	kuikentje	young chicken	Küken
printemps	lente	spring	Frühling
promenade	wandeling	walk	Spaziergang
prunes	pruimen	plums	Pflaumen

Q-R

queue de bœuf	ossenstaart	oxtail	Ochsenschwanz
raifort	mierikswortel	horseradish	Meerrettich
raisin	druif	grape	Traube
régime	dieet	diet	Diät
renseignements	inlichtingen	information	Auskünfte
repas	maaltijd	meal	Mahlzeit
réservation	reservering	booking	Tischbestellung
réservation souhaitée	reserveren aanbevolen	booking essential	Tischbestellung ratsam
résidents seulement	enkel hotelgasten	residents only	nur Hotelgäste
ris de veau	kalfszwezeriken	sweetbread	Kalbsbries, Milken
riz	rijst	rice	Reis
rognons	niertjes	kidneys	Nieren
rôti	gebraad	roasted	gebraten
rouget	poon	red mullet	Rotbarbe
rue	straat	street	Strasse
rustique	rustiek	rustic	rustikal, ländlich

S

saignant	kort gebakken	rare	englisch gebraten
St-Pierre	zonnevis	John Dory (fish)	Sankt-Peters Fisch
safran	saffraan	saffron	Safran
salle à manger	eetkamer	dining-room	Speisesaal
salle de bain	badkamer	bathroom	Badezimmer
samedi	zaterdag	Saturday	Samstag
sandre	snoekbaars	perch pike	Zander
sanglier	everzwijn	wild boar	Wildschwein
saucisse	verse worst	sausage	Würstchen
saucisson	worst	sausage	Trockenwurst
sauge	salie	sage	Salbei
saumon	zalm	salmon	Lachs
sculptures sur bois	houtsculpturen	wood carvings	Holzschnitzereien

sec	droog	dry	trocken
sel	zout	salt	Salz
semaine	week	week	Woche
septembre	september	September	September
service compris	dienst inbegrepen	service included	Bedienung inbegriffen
site, paysage	landschap	site, landscape	Landschaft
soir	avond	evening	Abend
sole	tong	sole	Seezunge
sucre	suiker	sugar	Zucker
sur demande	op aanvraag	on request	auf Verlangen
sureau	vlier	elderbarry	Holunder

T	→	→	→
tarte	taart	tart	Torte
thé	thee	tea	Tee
thon	tonijn	tuna	Thunfisch
train	trein	train	Zug
tripes	pensen	tripe	Kutteln
truffes	truffels	truffles	Trüffeln
truite	forel	trout	Forelle
turbot	tarbot	turbot	Steinbutt

V	→	→	→
vacances, congés	vakantie	holidays	Ferien
vendredi	vrijdag	Friday	Freitag
verre	glas	glass	Glas
viande séchée	gedroogd vlees	dried meats	Trockenfleisch
vignes, vignoble	wijngaard	vines, vineyard	Reben, Weinberg
vin blanc sec	droge witte wijn	dry white wine	herber Weisswein
vin rouge, rosé	rode wijn, rosé	red wine, rosé	Rotwein, Rosé
vinaigre	azijn	vinegar	Essig
voiture	wagen	car	Wagen
volaille	gevogelte	poultry	Geflügel
vue	vergezicht	view	Aussicht

Atlas

Atlas des localités par province

Atlas

Atlas met plaatsnamen per provincie

Provinzatlas

Provinzatlas mit allen erwähnten Orte

Atlas

Atlas of listed towns per province

Distances

Au texte de chaque localité vous trouverez la distance de sa capitale d'état et des villes environnantes. Les distances intervilles du tableau les complètent.
La distance d'une localité à une autre n'est pas toujours répétée en sens inverse : voyez au texte de l'une ou de l'autre.
Les distances sont comptées à partir du centre-ville et par la route la plus pratique, c'est-à-dire celle qui offre les meilleures conditions de roulage, mais qui n'est pas nécessairement la plus courte.

Afstanden

In de tekst bij elke plaats vindt U de afstand tot de hoofdstad en tot de grotere steden in de omgeving. De afstandstabel dient ter aanvulling.
De afstand tussen twee plaatsen staat niet altijd onder beide plaatsen vermeld ; zie dan bij zowel de ene als de andere plaats.
De afstanden zijn berekend vanaf het stadscentrum en via de gunstigste (niet altijd de kortste) route.

Entfernungen

Die Entfernungen zur Landeshauptstadt und zu den nächstgrößeren Städten in der Umgebung finden Sie in jedem Ortstext.
Die Kilometerangaben der Tabelle ergänzen somit die Angaben des Ortstextes.
Da die Entfernung von einer Stadt zu einer anderen nicht immer unter beiden Städten zugleich aufgeführt ist, sehen Sie bitte unter beiden entsprechenden Ortstexten nach.
Die Entfernungen gelten ab Stadmitte unter Berücksichtigung
der güngstigsten (nicht immer kürzesten) Streckte.

Distances

Each entry indicates how far the town or locality is from the capital and other nearby towns. The distances in the table complete those given under individual town headings for calculating total distances.
To avoid excessive repetition some distances have only been quoted once. You may, therefore, have to look under both town headings.
Distances are calculated from town centres and along the best roads from a motoring point of view – not necessarily the shortest.

Distances entre principales villes
Afstanden tussen de belangrijkste steden
Entfernungen zwischen den größeren Städten
Distances between major towns

	Aalst	Antwerpen	Arlon	Bastogne	Bouillon	Brugge	Bruxelles/Brussel	Charleroi	Chimay	Echternach	Gent	Hasselt	Knokke-Heist	Kortrijk	Leuven	Liège	Luxembourg	Maaseik	Marche-en-Famenne	Mechelen	Mons	Namur	Nivelles	De Panne	Sank-Vith	Tongeren	Tournai	Turnhout	Verviers	Vianden	Wavre	Zaventem
Antwerpen	66																															
Arlon	225	230																														
Bastogne	187	192	41																													
Bouillon	201	206	78	64																												
Brugge	78	92	296	256	275																											
Bruxelles/Brussel	31	47	190	150	169	100																										
Charleroi	83	105	177	136	155	152	60																									
Chimay	142	163	172	158	103	186	119	58																								
Echternach	274	265	71	112	145	342	244	241	236																							
Gent	33	60	252	212	230	48	58	111	168	302																						
Hasselt	116	87	178	138	201	175	86	138	194	186	140																					
Knokke-Heist	86	93	305	265	281	25	111	164	221	353	65	170																				
Kortrijk	69	99	287	247	266	55	94	129	142	338	47	175	75																			
Leuven	61	66	187	160	165	130	31	85	142	224	88	59	140	126																		
Liège	128	133	128	88	151	197	98	100	155	154	156	54	209	193	77																	
Luxembourg	250	255	30	71	105	318	213	200	195	34	277	219	330	312	211	169																
Maaseik	161	132	198	158	221	219	131	158	213	197	184	59	218	226	105	63	239															
Marche-en-Famenne	144	149	81	44	76	213	107	94	100	163	171	108	224	207	106	58	122	129														
Mechelen	55	26	208	167	186	114	31	88	145	258	79	96	112	120	43	111	232	142	125													
Mons	91	113	207	167	185	130	68	49	59	272	119	147	151	87	95	131	232	189	124	96												
Namur	103	108	130	90	109	172	66	43	99	196	130	106	183	156	65	67	155	126	48	85	75											
Nivelles	57	79	187	147	166	126	34	29	86	253	84	113	141	119	60	111	212	159	105	61	38	55										
De Panne	120	150	338	298	317	58	145	197	204	389	98	226	79	70	174	241	363	273	256	166	147	217	173									
Sank-Vith	201	192	93	53	116	269	171	173	229	77	228	112	278	266	149	79	88	123	77	182	205	140	182	315								
Tongeren	121	112	158	118	181	189	90	119	174	167	148	32	198	186	69	35	199	54	88	102	150	86	120	235	92							
Tournai	101	131	252	212	231	80	89	94	107	318	80	182	100	36	130	176	277	229	170	122	50	120	83	96	251	194						
Turnhout	109	53	270	224	249	140	89	150	207	273	105	90	139	147	106	141	295	102	188	66	159	148	126	196	198	119	176					
Verviers	155	146	124	84	147	224	125	128	183	124	182	66	232	220	103	33	135	77	97	136	159	95	137	269	49	46	203	152				
Vianden	285	276	54	60	124	354	255	195	215	29	312	196	362	350	233	163	50	207	104	266	226	150	203	399	87	176	270	282	134			
Wavre	64	70	163	123	142	133	28	52	109	229	92	98	145	130	30	88	188	144	81	46	73	42	36	179	162	106	117	110	117	181		
Zaventem	40	45	190	149	168	109	13	70	127	240	67	78	121	105	25	93	214	124	107	22	79	68	45	154	165	86	107	85	120	231	29	
Zelzate	54	47	271	230	249	49	79	131	188	308	21	125	47	75	106	174	295	172	188	67	141	149	107	115	233	153	104	92	188	299	110	85

Leuven – Wavre: 30 km

Antwerpen	Brugge	Bruxelles/Brussel	Liège	Luxembourg	
1375	1328	1339	1320	1153	***Barcelona***
610	676	570	524	357	***Basel***
731	817	769	690	767	***Berlin***
706	772	666	620	454	***Bern***
518	429	512	609	724	***Birmingham***
929	882	893	955	947	***Bordeaux***
1942	2008	1902	1856	1689	***Brindisi***
1372	1325	1336	1397	1390	***Burgos***
634	581	598	660	727	***Cherbourg***
764	717	728	790	630	***Clermont-Ferrand***
398	485	398	310	232	***FrankfurtamMain***
829	824	789	743	576	***Genève***
952	862	945	1043	1158	***Glasgow***
559	651	594	529	626	***Hamburg***
448	534	486	408	494	***Hannover***
868	959	903	837	934	***København***
126	79	112	204	304	***Lille***
2089	2042	2053	2115	2107	***Lisboa***
317	228	311	408	523	***London***
770	765	731	685	518	***Lyon***
1622	1575	1586	1648	1640	***Madrid***
2153	2106	2117	2179	2141	***Málaga***
1083	1078	1043	997	830	***Marseille***
947	1013	907	861	694	***Milano***
772	859	772	684	523	***München***
722	675	685	747	740	***Nantes***
1724	1790	1684	1638	1471	***Napoli***
1194	1285	1229	1163	1260	***Oslo***
2416	2482	2376	2330	2163	***Palermo***
343	296	307	369	367	***Paris***
1935	1888	1899	1961	1953	***Porto***
903	989	902	815	736	***Praha***
1535	1601	1495	1449	1282	***Roma***
1161	1114	1125	1187	1179	***SanSebastián***
1515	1606	1550	1484	1581	***Stockholm***
473	539	433	387	220	***Strasbourg***
1019	1065	979	933	766	***Torino***
1017	971	981	1043	995	***Toulouse***
1717	1670	1681	1661	1495	***Valencia***
1210	1273	1168	1124	957	***Venezia***
1108	1194	1107	1020	941	***Wien***
1286	1372	1285	1198	1084	***Zagreb***

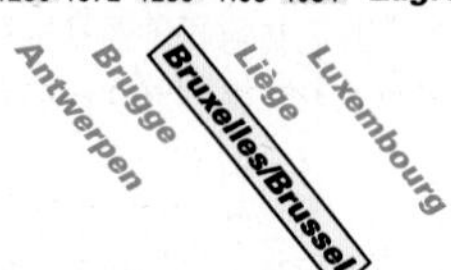

Bruxelles/Brussel-Madrid

1586 km

Localité possédant au moins

- ● un hôtel ou un restaurant
- ✿ une table étoilée
- ☺ un restaurant « Bib Gourmand »
- ☺ un hôtel « Bib Hôtel »
- ✗ un restaurant agréable
- ⌂ un hôtel agréable
- ♘ un hôtel très tranquille

Plaats met minstens

- ● een hotel of restaurant
- ✿ een sterrenbedrijf
- ☺ een « Bib Gourmand »
- ☺ een « Bib Hotel »
- ✗ een aangenaam restaurant
- ⌂ een aangenaam hotel
- ♘ een zeer rustig hotel

Ort mit mindestens

- ● einem Hotel oder Restaurant
- ✿ einem Restaurant mit Sterne
- ☺ einem Restaurant « Bib Gourmand »
- ☺ einem Hotel « Bib Hotel »
- ✗ einem sehr angenehmen Restaurant
- ⌂ einem sehr angenehmen Hotel
- ♘ einem sehr ruhigen Haus

Place with at least

- ● a hotel or a restaurant
- ✿ a starred establishment
- ☺ a restaurant « Bib Gourmand »
- ☺ a hotel « Bib Hotel »
- ✗ a particularly pleasant restaurant
- ⌂ a particularly pleasant hotel
- ♘ a particularly quiet hotel

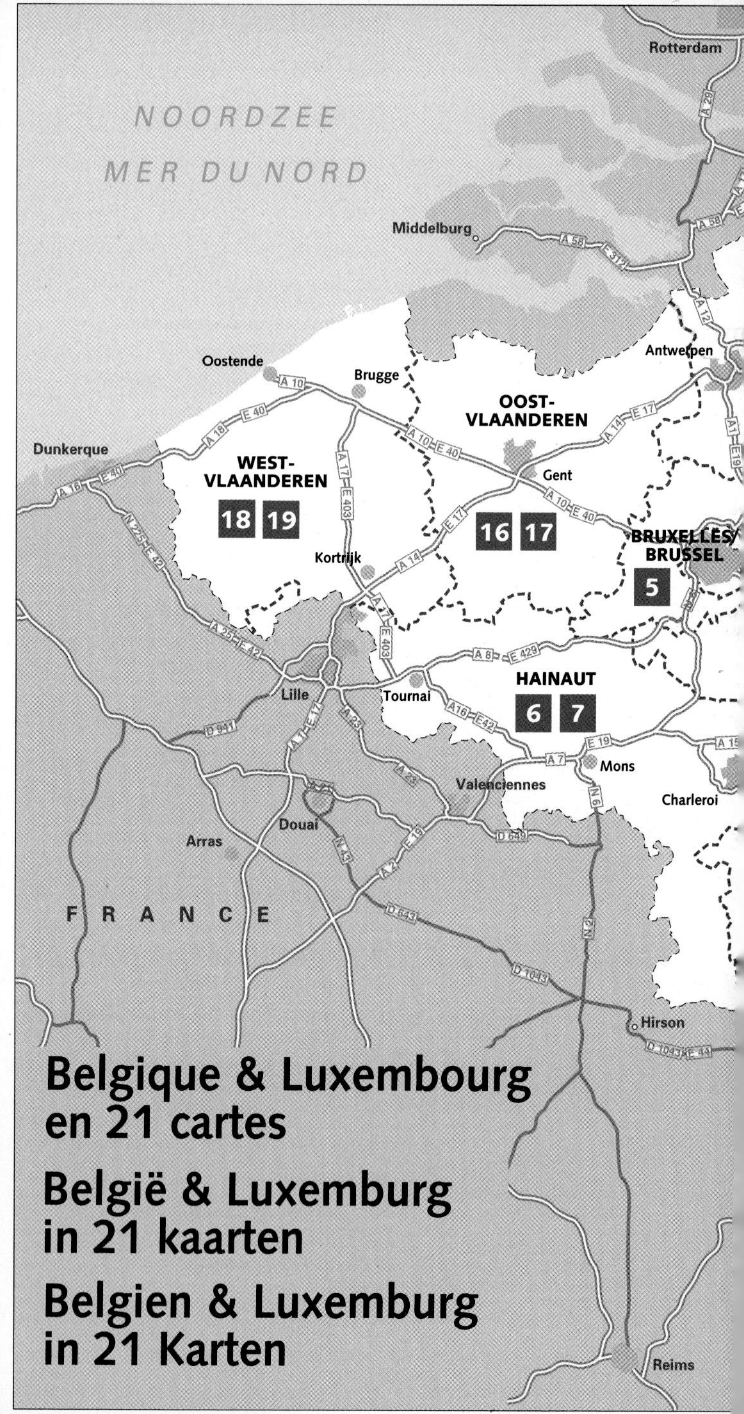
Rotterdam
NOORDZEE
MER DU NORD
Middelburg
A 29
A 58
E 312
A 12
Antwerpen
Oostende
Brugge
A 10
E 40
A 18
OOST-
VLAANDEREN
E 17
A 14
Dunkerque
WEST-
VLAANDEREN
A 17
E 403
A 16
Gent
18
19
16
17
N 225
E 42
BRUXELLES/
BRUSSEL
5
Kortrijk
A 25
A 8
E 429
HAINAUT
6
7
Lille
Tournai
A 1
A 23
A16
E 19
A 7
Mons
D 941
Valenciennes
Charleroi
N 6
Douai
Arras
N 43
D 649
A 2
FRANCE
D 643
N 2
D 1043
Hirson
E 44
Belgique & Luxembourg
en 21 cartes
België & Luxemburg
in 21 kaarten
Belgien & Luxemburg
in 21 Karten
Reims

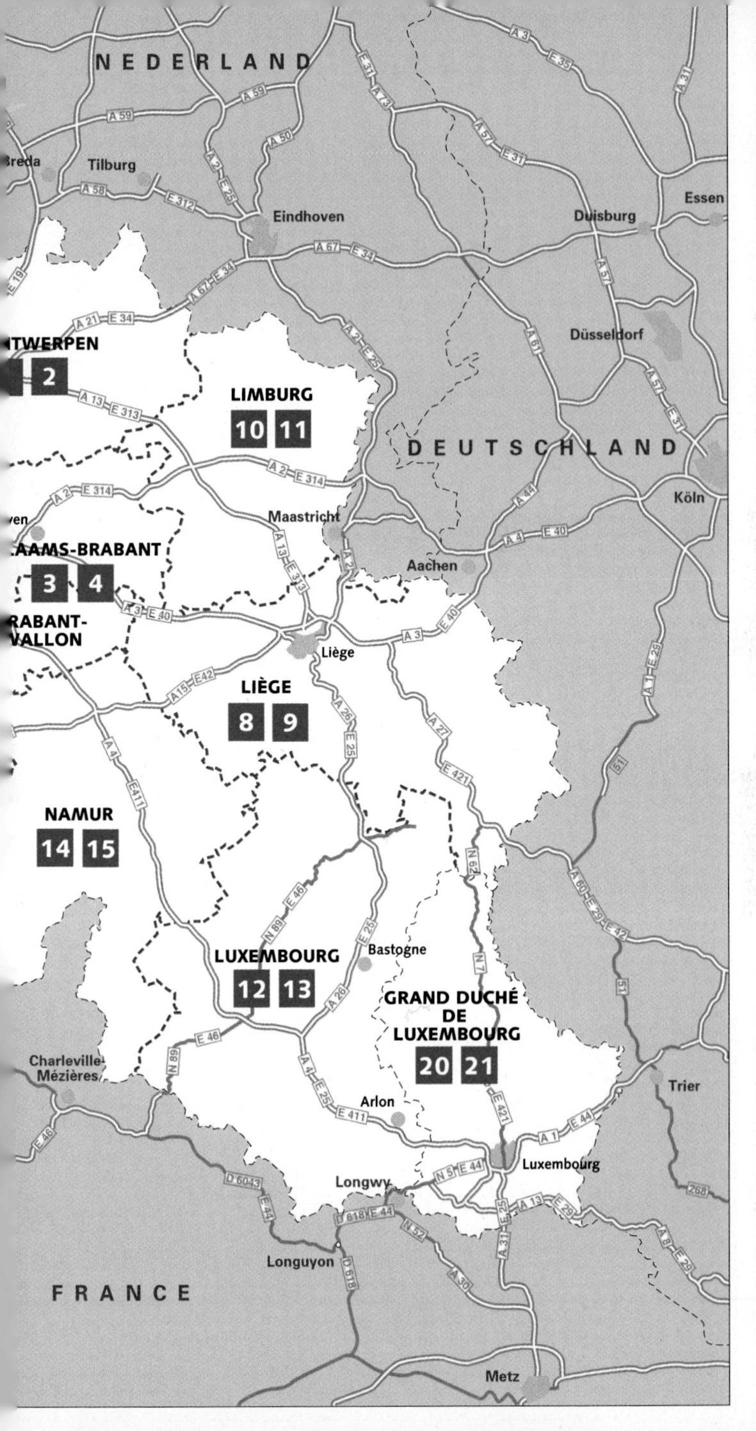
NEDERLAND
Breda
Tilburg
Eindhoven
Duisburg
Essen
Düsseldorf
TWERPEN
2
LIMBURG
10 11
DEUTSCHLAND
Köln
Maastricht
Aachen
LAAMS-BRABANT
3 4
RABANT-
VALLON
Liège
LIÈGE
8 9
NAMUR
14 15
LUXEMBOURG
12 13
Bastogne
GRAND DUCHÉ
DE
LUXEMBOURG
20 21
Charleville-
Mézières
Arlon
Trier
Luxembourg
Longwy
Longuyon
FRANCE
Metz

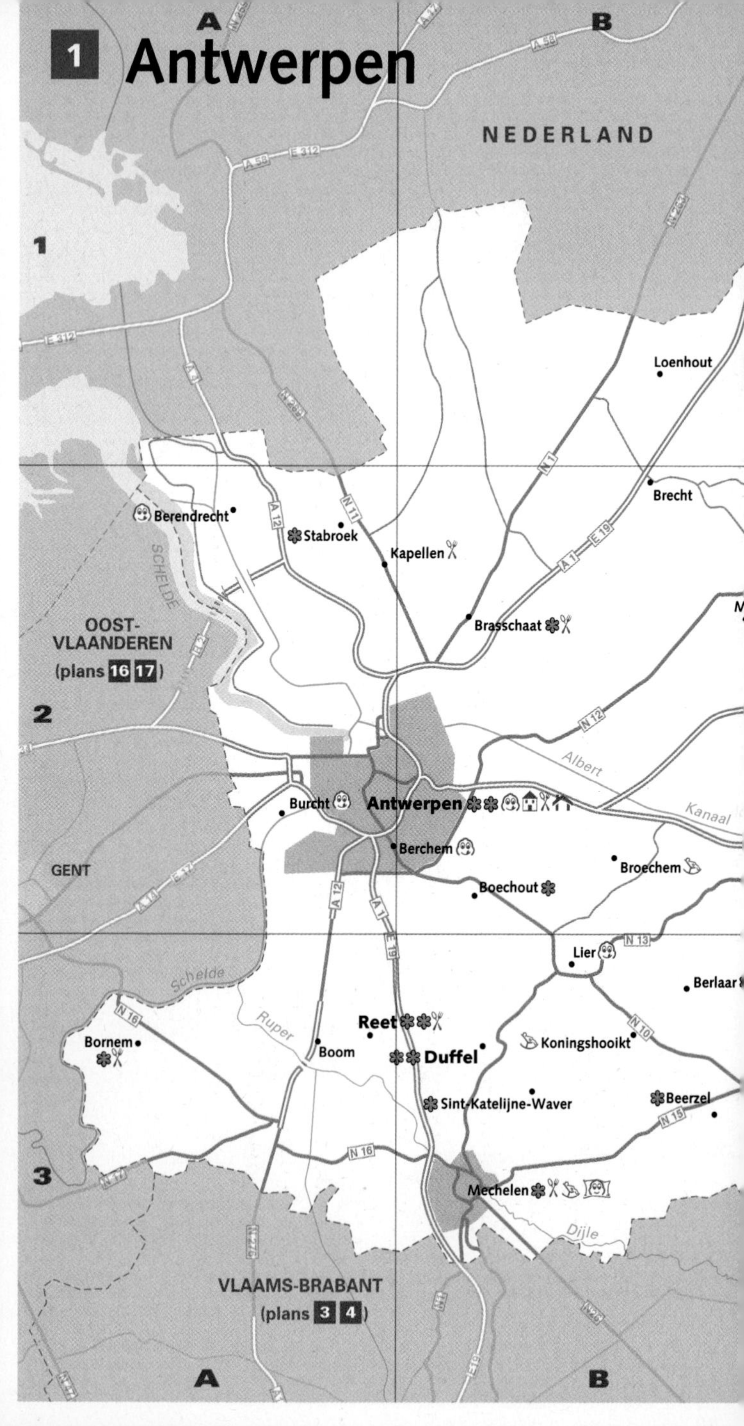
1 Antwerpen
A
B
NEDERLAND
1
2
3
Loenhout
Brecht
Berendrecht
Stabroek
Kapellen
Brasschaat
OOST-
VLAANDEREN
(plans 16 17)
SCHELDE
Albert
Kanaal
Burcht
Antwerpen
Berchem
Broechem
Boechout
GENT
Lier
Berlaar
Scheldе
Ruper
Reet
Boom
Duffel
Koningshooikt
Bornem
Sint-Katelijne-Waver
Beerzel
Mechelen
Dijle
VLAAMS-BRABANT
(plans 3 4)
A
B

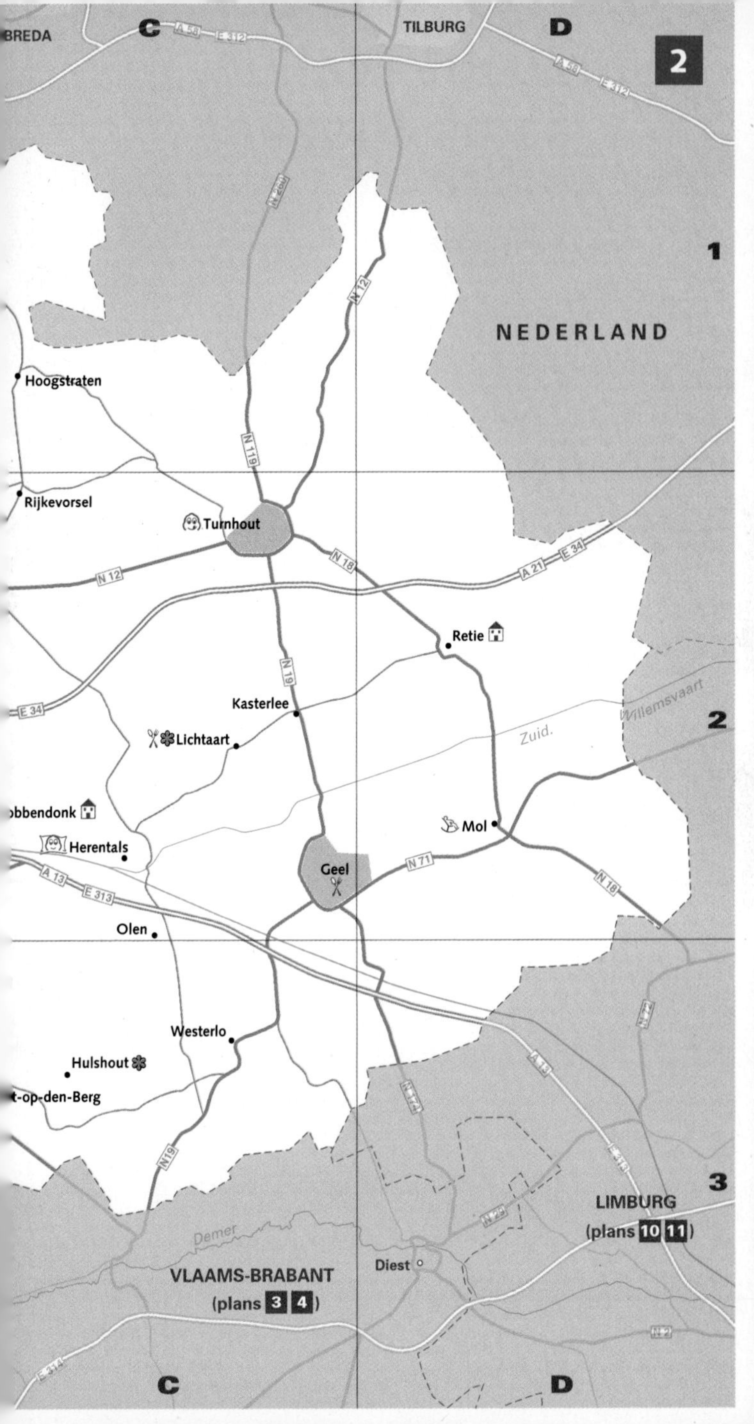

BREDA
C
A 58
E 312
TILBURG
D
2
N 260
1
N 12
NEDERLAND
Hoogstraten
N 119
Rijkevorsel
Turnhout
N 18
A 21
E 34
N 12
Retie
N 19
E 34
Kasterlee
Lichtaart
Willemsvaart
Zuid.
2
obbendonk
Mol
Herentals
Geel
N 71
N 18
A 13
E 313
Olen
Westerlo
Hulshout
t-op-den-Berg
N 174
A 13
N 19
E 313
3
LIMBURG
(plans 10 11)
N 29
Demer
VLAAMS-BRABANT
Diest
(plans 3 4)
N 2
E 314
C
D

3 Brabant Wallon Vlaams-Brabant

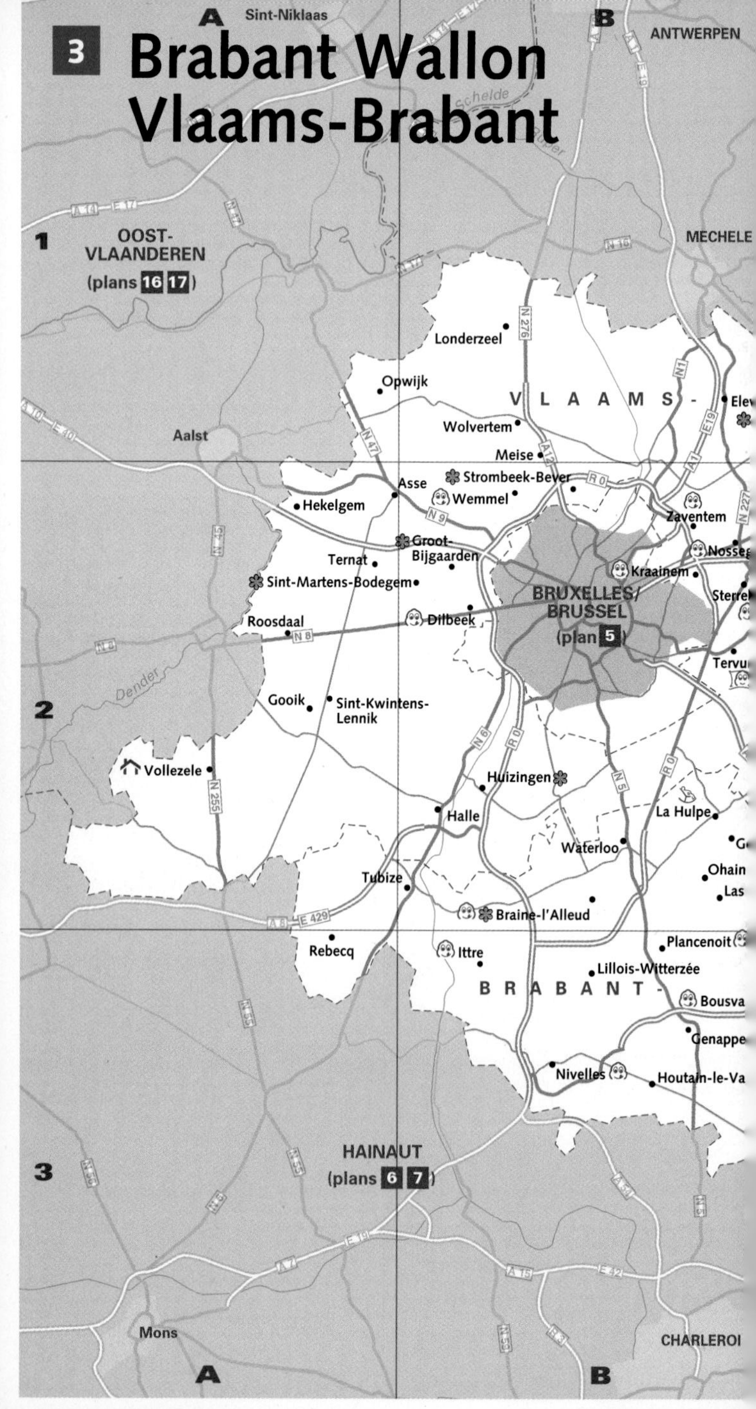

C
D
Geel
4
ANTWERPEN
(plans 1 2)
Keerbergen
Boortmeerbeek
Demer
Langdorp
Aarschot
Scherpenheuvel
Diest
LIMBURG
(plans 10 11)
B R A B A N T
Buken
ps-Kwerps
Leuven
Heverlee
Korbeek-Dijle
Neerijse
Tienen
Sint-Truiden
Hoegaarden
Outgaarden
erijse
Jodoigne
Wavre
Bonlez
Chaumont-Gistoux
elette
Louvain-la-Neuve
Ottignies
Court-Saint-Etienne
W A L L O N
Perwez
LIÈGE
(plans 8 9)
NAMUR
(plans 14 15)
Meuse
Sambre
NAMUR
1
2
3

Le Guide MICHELIN

Une collection à savourer!

Belgique & Luxembourg
Deutschland
España & Portugal
France
Great Britain & Ireland
Italia
Nederland
Portugal
Suisse-Schweiz-Svizzera
Main Cities of Europe

Et aussi

Chicago
Hokkaido
Hong Kong Macau
Kyoto Osaka Kobe
London
New York City
Paris
San Francisco
Tokyo

Bruxelles-Capitale Brussel Hoofdstad

5

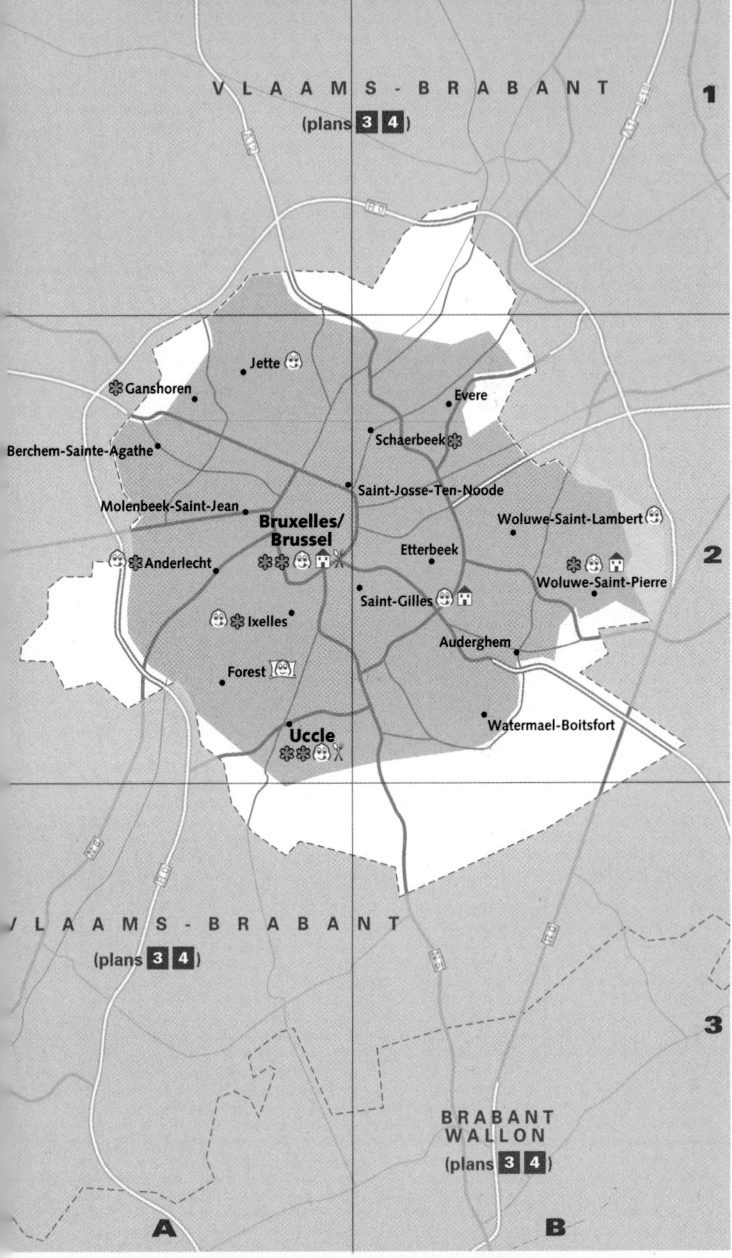

A B

1

VLAAMS-BRABANT

(plans 3 4)

Jette

Ganshoren

Evere

Schaerbeek

Berchem-Sainte-Agathe

Saint-Josse-Ten-Noode

Molenbeek-Saint-Jean

Bruxelles/ Brussel

Woluwe-Saint-Lambert

2

Etterbeek

Anderlecht

Woluwe-Saint-Pierre

Saint-Gilles

Ixelles

Auderghem

Forest

Watermael-Boitsfort

Uccle

VLAAMS-BRABANT

(plans 3 4)

3

BRABANT WALLON

(plans 3 4)

A B

6 Hainaut

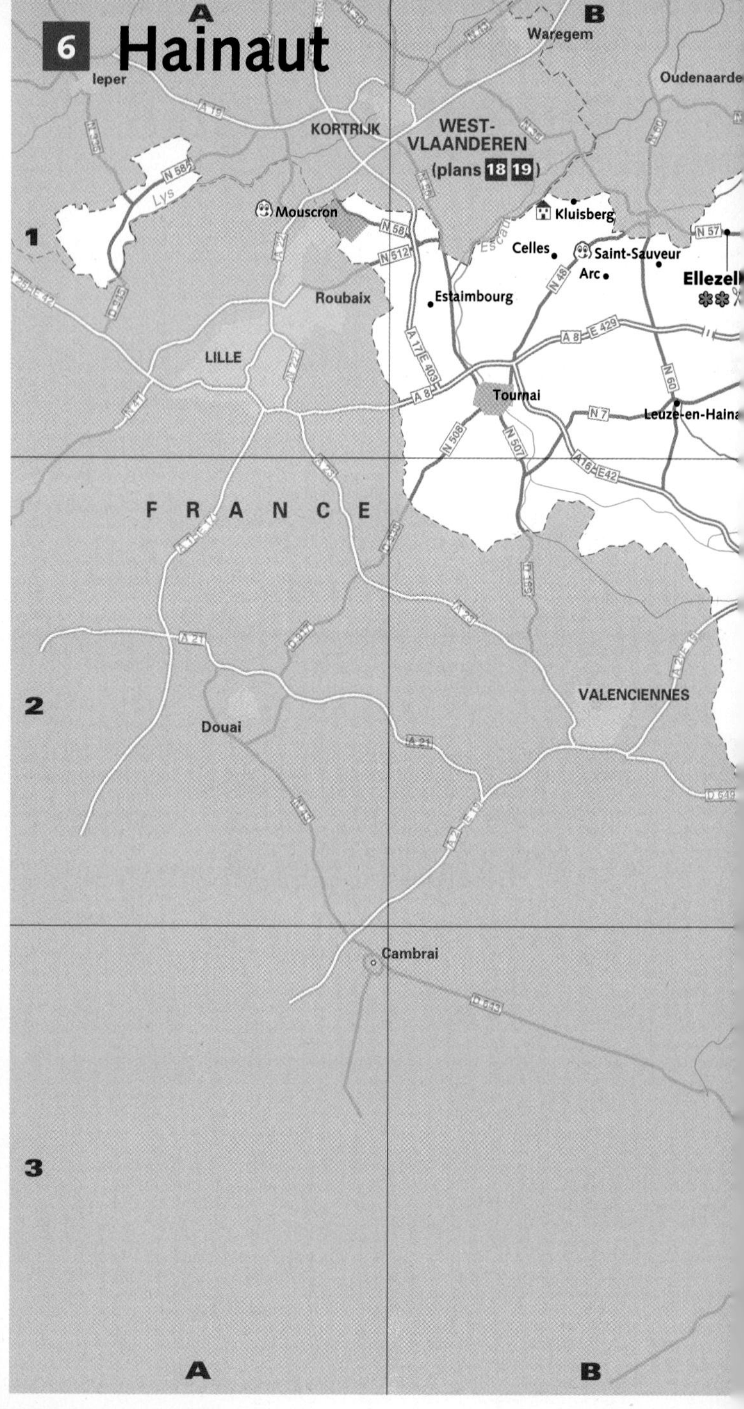

A
B
Ieper
Waregem
Oudenaarde
KORTRIJK
WEST-
VLAANDEREN
(plans 18 19)
Lys
Mouscron
Kluisberg
Escaut
Celles
Saint-Sauveur
Arc
Ellezel
Estaimbourg
Roubaix
LILLE
Tournai
Leuze-en-Haina
1
F R A N C E
VALENCIENNES
Douai
2
Cambrai
3
A
B

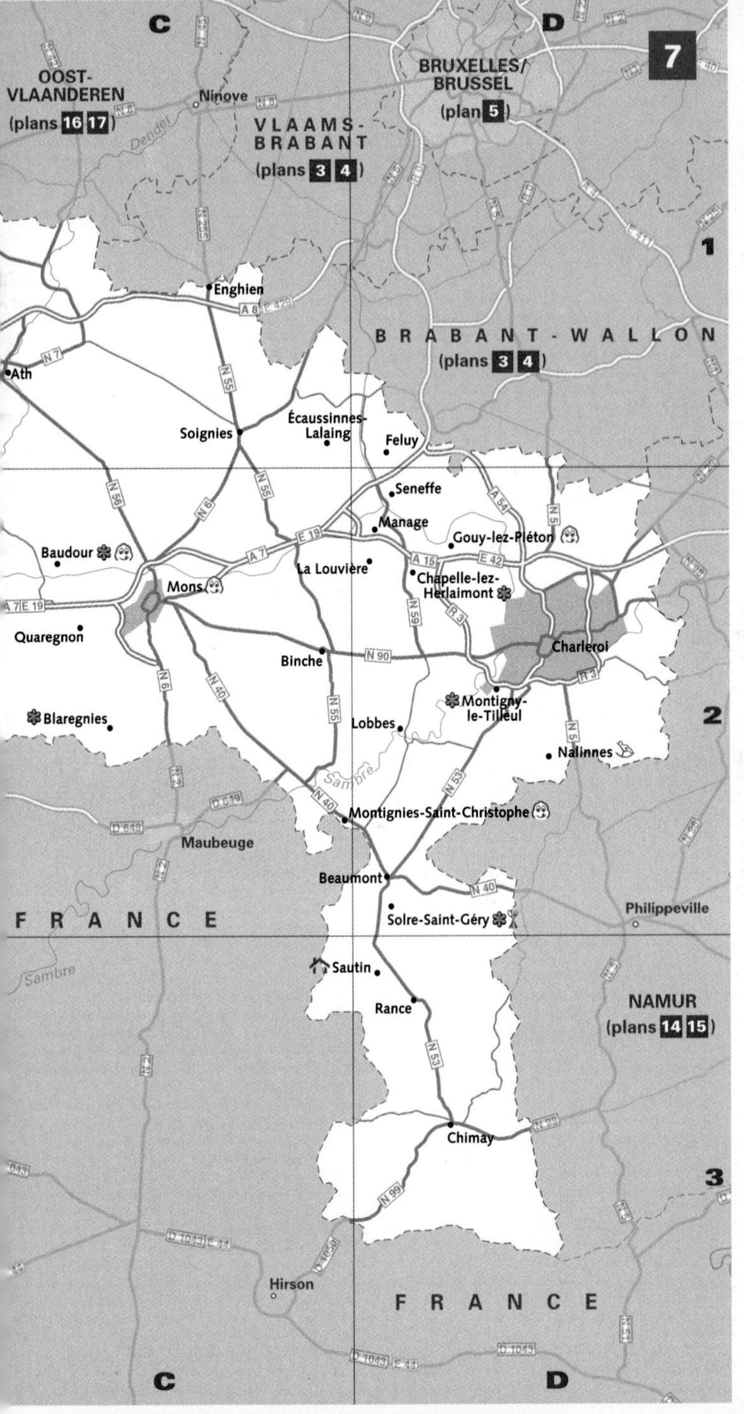
C
D
7
OOST-
VLAANDEREN
(plans 16 17)
Ninove
BRUXELLES/
BRUSSEL
(plan 5)
VLAAMS-
BRABANT
(plans 3 4)
1
Enghien
BRABANT-WALLON
(plans 3 4)
Ath
Soignies
Écaussinnes-
Lalaing
Feluy
Seneffe
Manage
Gouy-lez-Piéton
Baudour
La Louvière
Mons
Chapelle-lez-
Herlaimont
Quaregnon
Charleroi
Binche
Montigny-
le-Tilleul
Blaregnies
Lobbes
2
Nalinnes
Sambre
Montignies-Saint-Christophe
Maubeuge
Beaumont
Solre-Saint-Géry
Philippeville
FRANCE
Sautin
Rance
NAMUR
(plans 14 15)
Chimay
3
Hirson
FRANCE
C
D

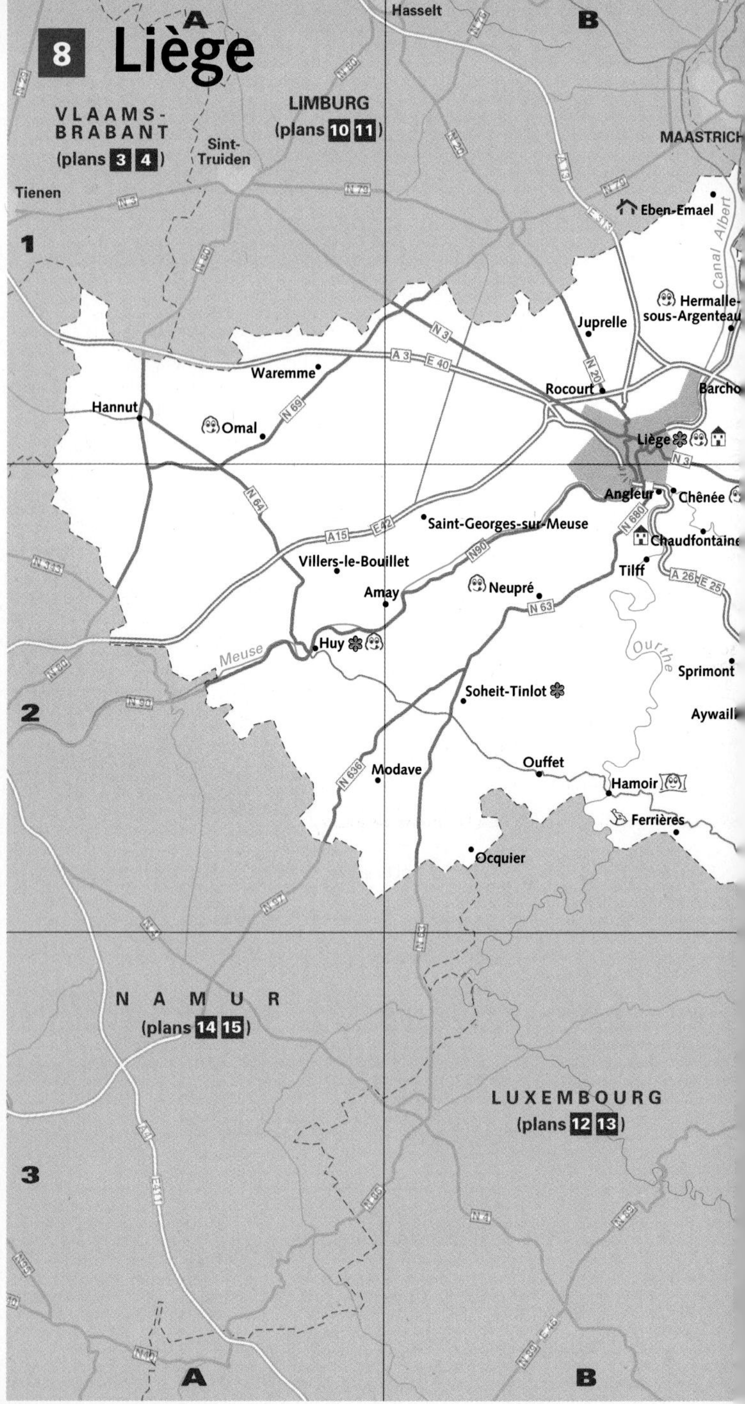
8 Liège
A
B
1
2
3
VLAAMS-BRABANT
(plans 3 4)
LIMBURG
(plans 10 11)
NAMUR
(plans 14 15)
LUXEMBOURG
(plans 12 13)
Hasselt
Sint-Truiden
Tienen
MAASTRICH
Eben-Emael
Canal Albert
Hermalle-sous-Argenteau
Juprelle
Waremme
Rocourt
Barcho
Hannut
Omal
Liège
Angleur
Chênée
Chaudfontaine
Saint-Georges-sur-Meuse
Villers-le-Bouillet
Amay
Neupré
Tilff
Huy
Meuse
Ourthe
Sprimont
Aywail
Soheit-Tinlot
Ouffet
Hamoir
Ferrières
Modave
Ocquier
N 3
A 3
E 40
N 20
N 69
N 64
A 15
E 42
N 90
N 680
N 63
A 26
E 25
N 636
N 79

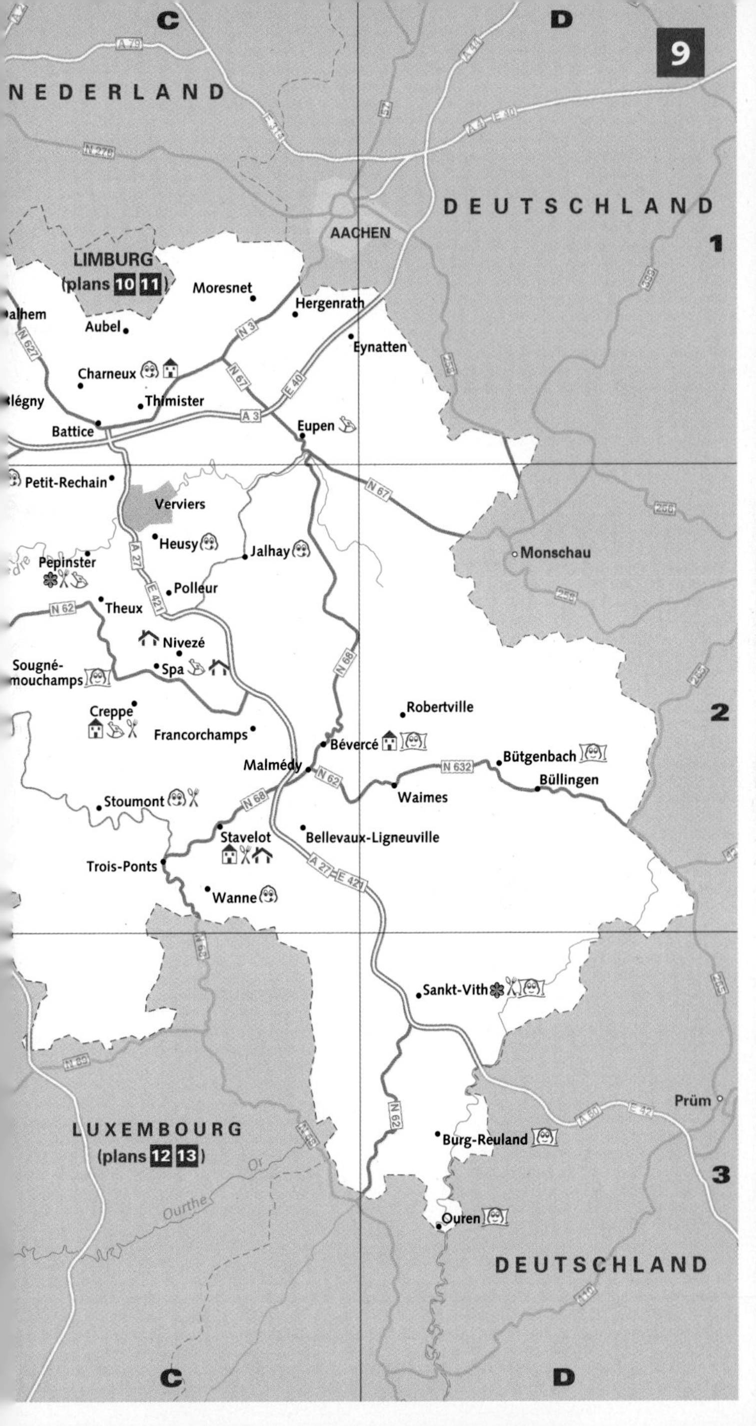
C
D
NEDERLAND
DEUTSCHLAND
AACHEN
1
LIMBURG
(plans 10 11)
Moresnet
Hergenrath
Aubel
Eynatten
Charneux
Blégny
Thimister
Battice
Eupen
Petit-Rechain
Verviers
Heusy
Jalhay
Monschau
Pepinster
Polleur
Theux
Nivezé
Sougné-mouchamps
Spa
Creppe
Francorchamps
Robertville
2
Béveré
Bütgenbach
Malmédy
Büllingen
Waimes
Stoumont
Stavelot
Bellevaux-Ligneuville
Trois-Ponts
Wanne
Sankt-Vith
Prüm
LUXEMBOURG
(plans 12 13)
Burg-Reuland
3
Ourthe
Ouren
DEUTSCHLAND
C
D

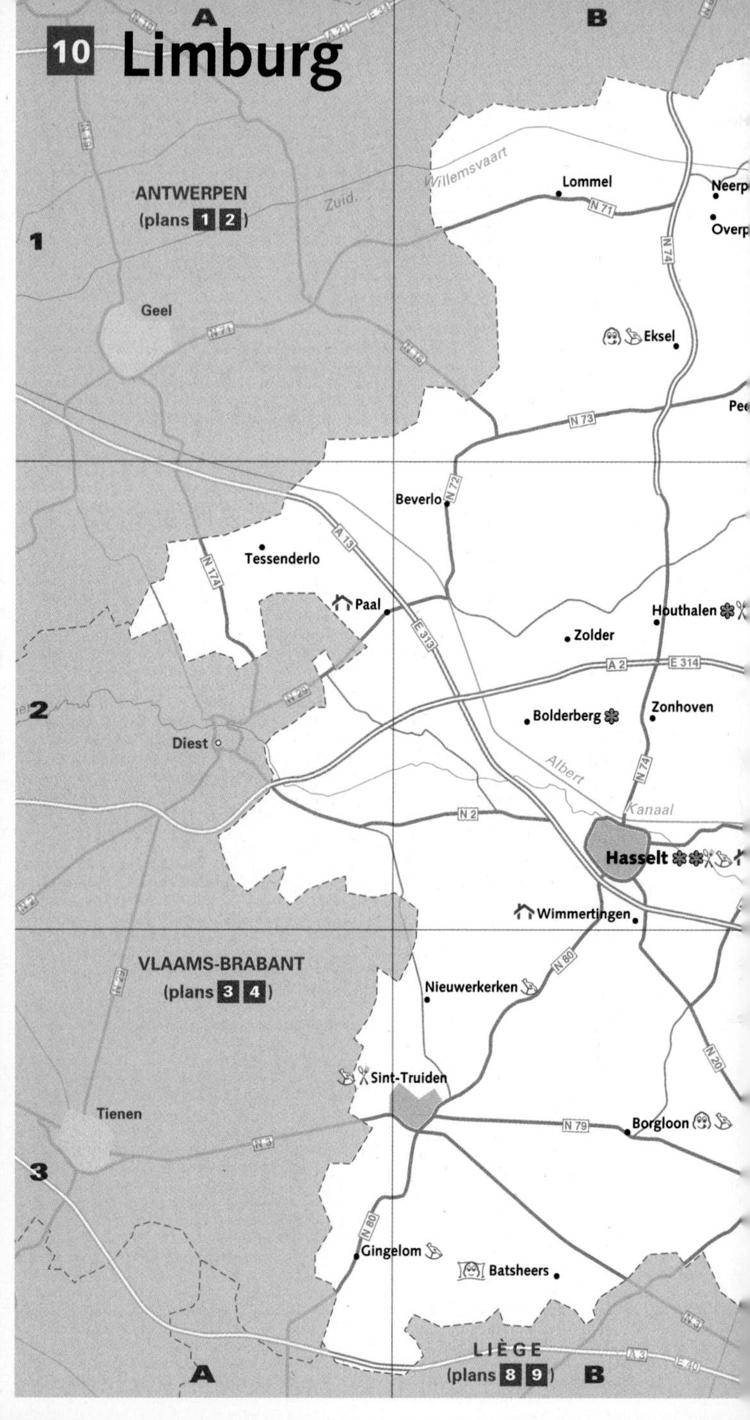
10 Limburg
A
B
ANTWERPEN
(plans 1 2)
1
Geel
Zuid.
Willemsvaart
Lommel
N 71
Neerp
Overp
N 74
Eksel
Pee
N 73
N 72
Beverlo
A 13
Tessenderlo
N 174
Paal
E 313
Houthalen
Zolder
A 2
E 314
N 29
2
Diest
Bolderberg
Zonhoven
Albert
Kanaal
N 74
N 2
Hasselt
Wimmertingen
N 80
VLAAMS-BRABANT
(plans 3 4)
Nieuwerkerken
N 20
Sint-Truiden
Tienen
N 79
Borgloon
N 3
3
N 80
Gingelom
Batsheers
LIÈGE
(plans 8 9)
A 3
E 40

C
D
11
NEDERLAND
Hamont-Achel
int-Huibrechts-Lille
A 2
E 25
Maas
1
Bocholt
N 73
Maaseik
Neerglabbeek
N 78
Opglabbeek
Dilsen
Lanklaar
As
N 75
Sittard
56
Maas
2
Genk
Maasmechelen
A 76
Opgrimbie
E 314
Zutendaal
E 25
A 2
N 78
Neerharen
Lanaken
A 79
Bilzen
MAASTRICHT
eselt
NEDERLAND
Vroenhoven
N 278
A 13
Kanne
Riemst
N 79
E 313
Tongeren
's-Gravenvoeren
3
Teuven
Canal Albert
LIÈGE
(plans 8 9)
C
D

12 Luxembourg

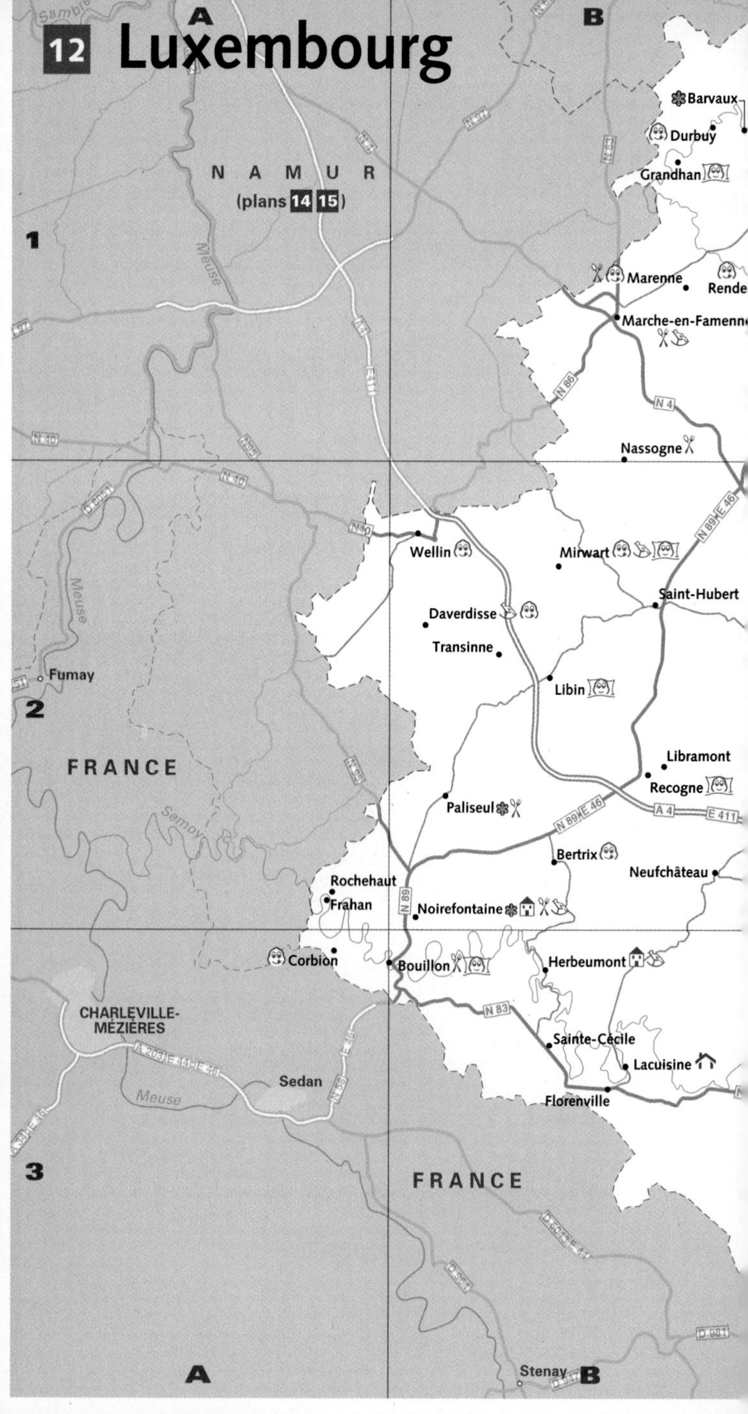

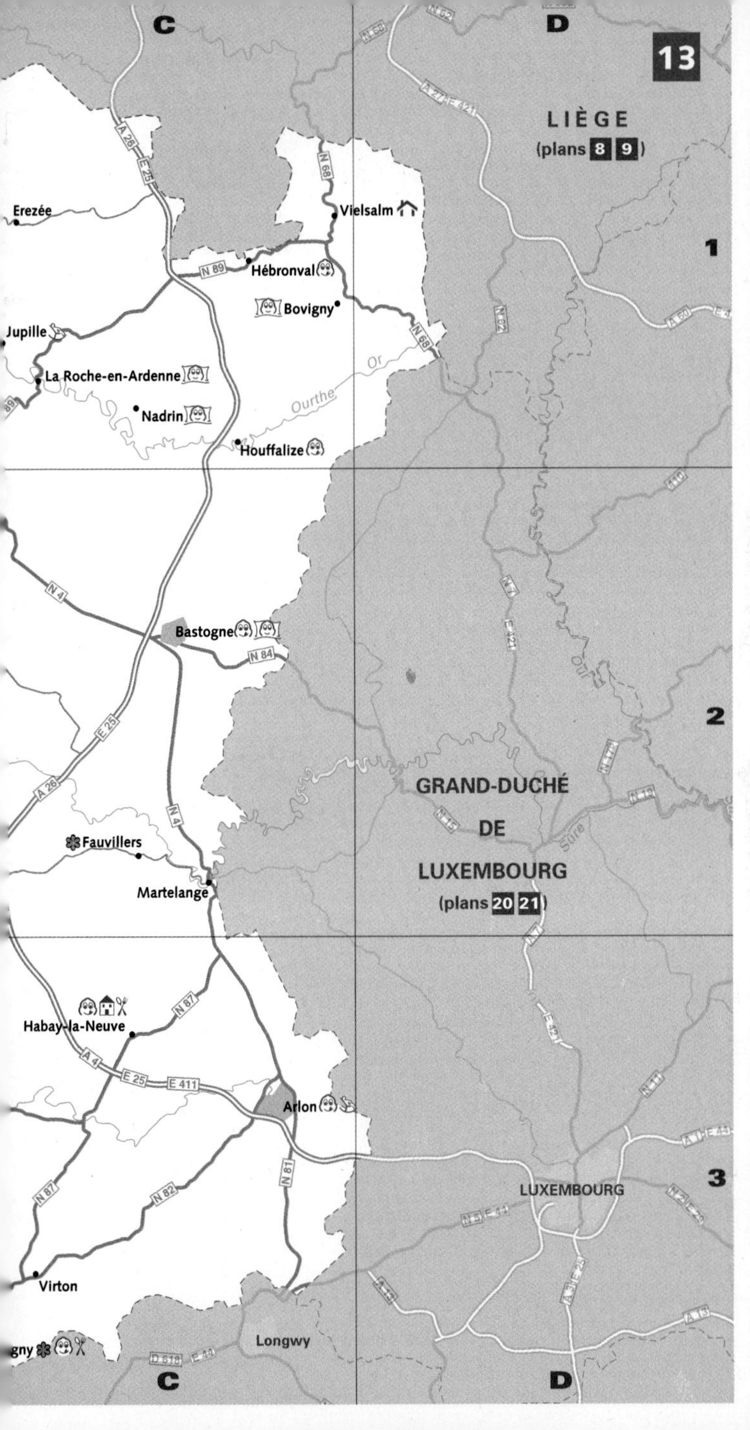

C
D
13
LIÈGE
(plans 8 9)
1
2
3
Erezée
Vielsalm
Hébronval
Bovigny
Jupille
La Roche-en-Ardenne
Nadrin
Houffalize
Ourthe
Bastogne
GRAND-DUCHÉ
DE
LUXEMBOURG
(plans 20 21)
Sûre
Our
Fauvillers
Martelange
Habay-la-Neuve
Arlon
Virton
Longwy
LUXEMBOURG
N 89
N 68
N 4
N 84
N 87
N 82
N 81
A 26
E 25
A 4
E 411
N 15
N 7
N 11
A 1
A 13
A 3
D 618
C
D

14 Namur

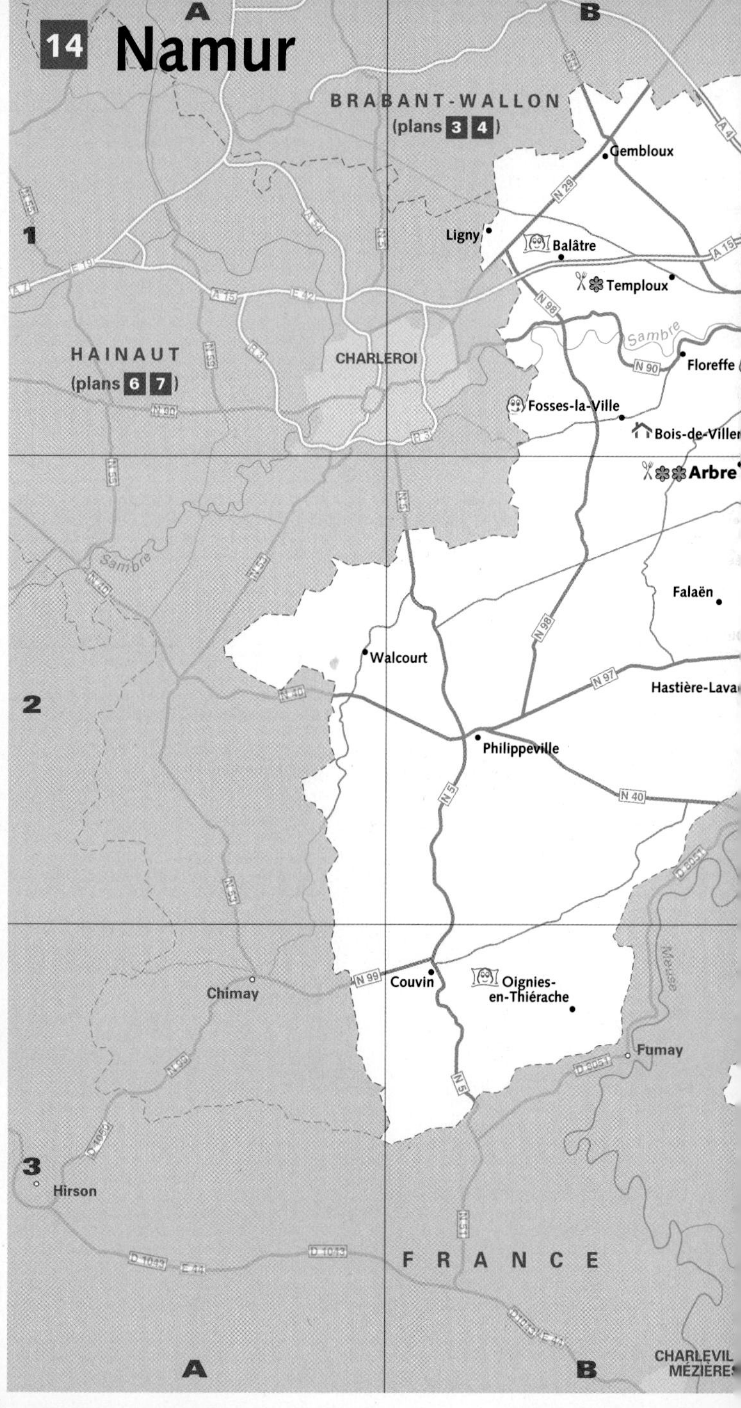

A
B
BRABANT-WALLON
(plans 3 4)
Gembloux
Ligny
Balâtre
Temploux
HAINAUT
(plans 6 7)
CHARLEROI
Sambre
Floreffe
Fosses-la-Ville
Bois-de-Viller
Arbre
1
Falaën
Walcourt
Hastière-Lava
2
Philippeville
Couvin
Oignies-
en-Thiérache
Chimay
Fumay
Meuse
3
Hirson
FRANCE
A
B
CHARLEVIL
MÉZIÈRES

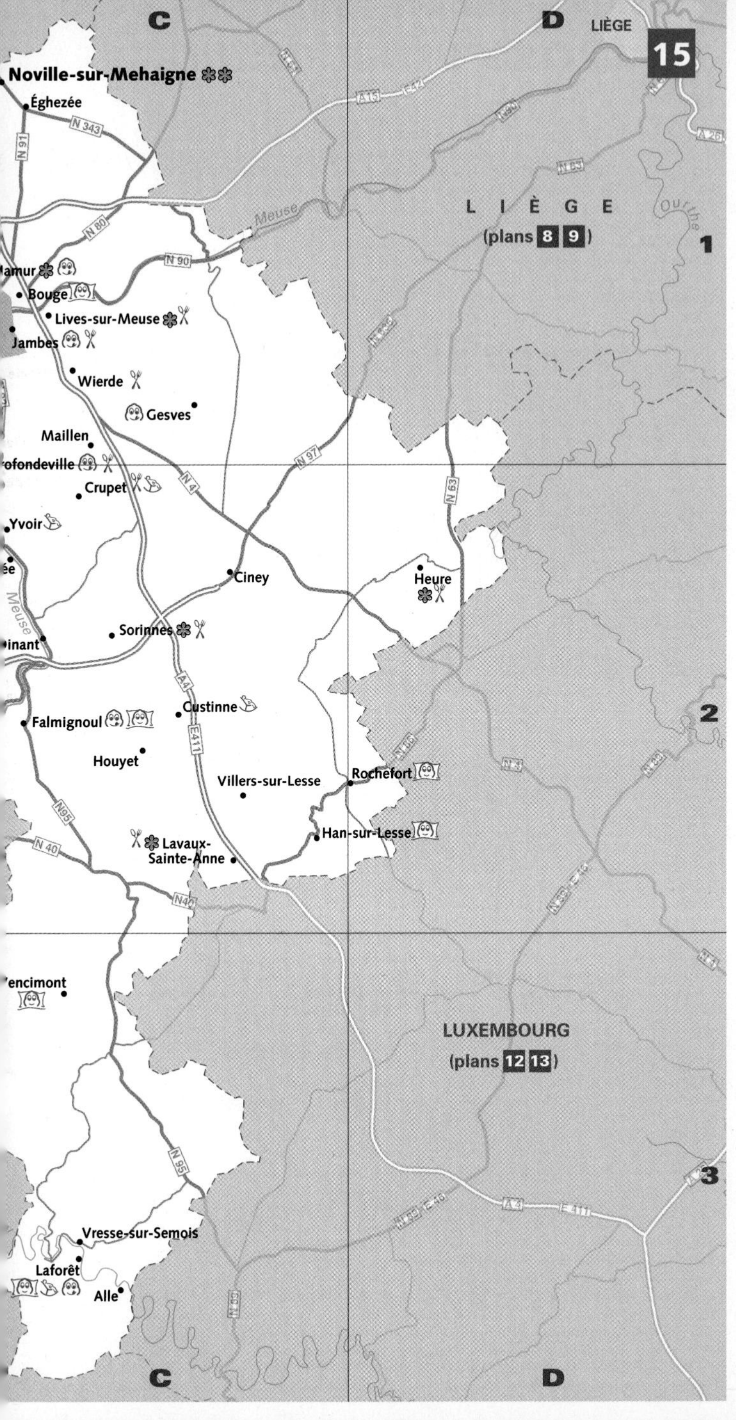
C
D
LIÈGE
Noville-sur-Mehaigne
Éghezée
N 343
N 91
A 15
E 42
N 90
N 63
A 26
Meuse
Ourthe
LIÈGE
(plans 8 9)
1
N 80
N 90
amur
Bouge
Lives-sur-Meuse
Jambes
Wierde
Gesves
Maillen
rofondeville
Crupet
N 97
N 4
N 63
Yvoir
ée
Ciney
Heure
Meuse
Sorinnes
inant
A4
Custinne
2
Falmignoul
E411
Houyet
N 86
N 4
N 89
Villers-sur-Lesse
Rochefort
N95
Han-sur-Lesse
N 40
Lavaux-
Sainte-Anne
N40
E 46
N 4
encimont
LUXEMBOURG
(plans 12 13)
N 95
3
N 89
E 46
A 4
E 411
Vresse-sur-Semois
Laforêt
Alle
C
D

16 Oost-Vlaanderen

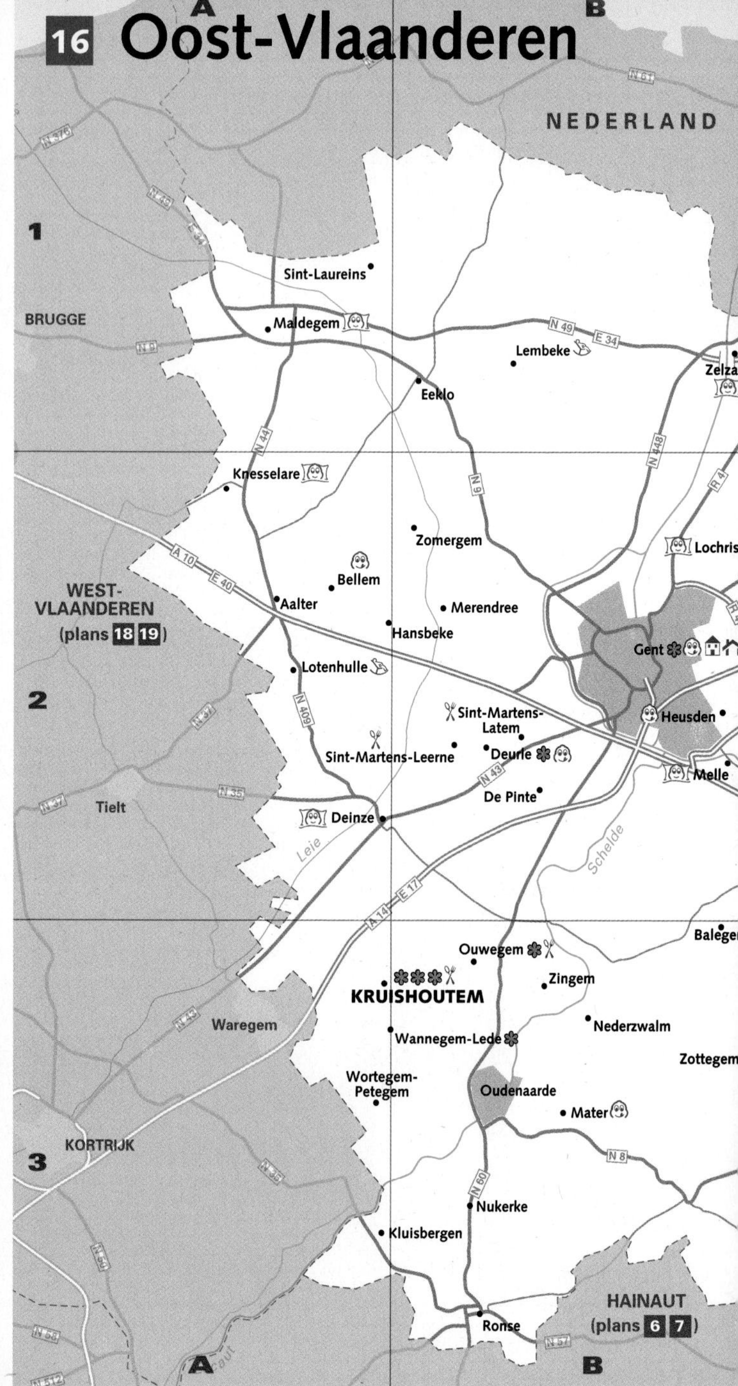

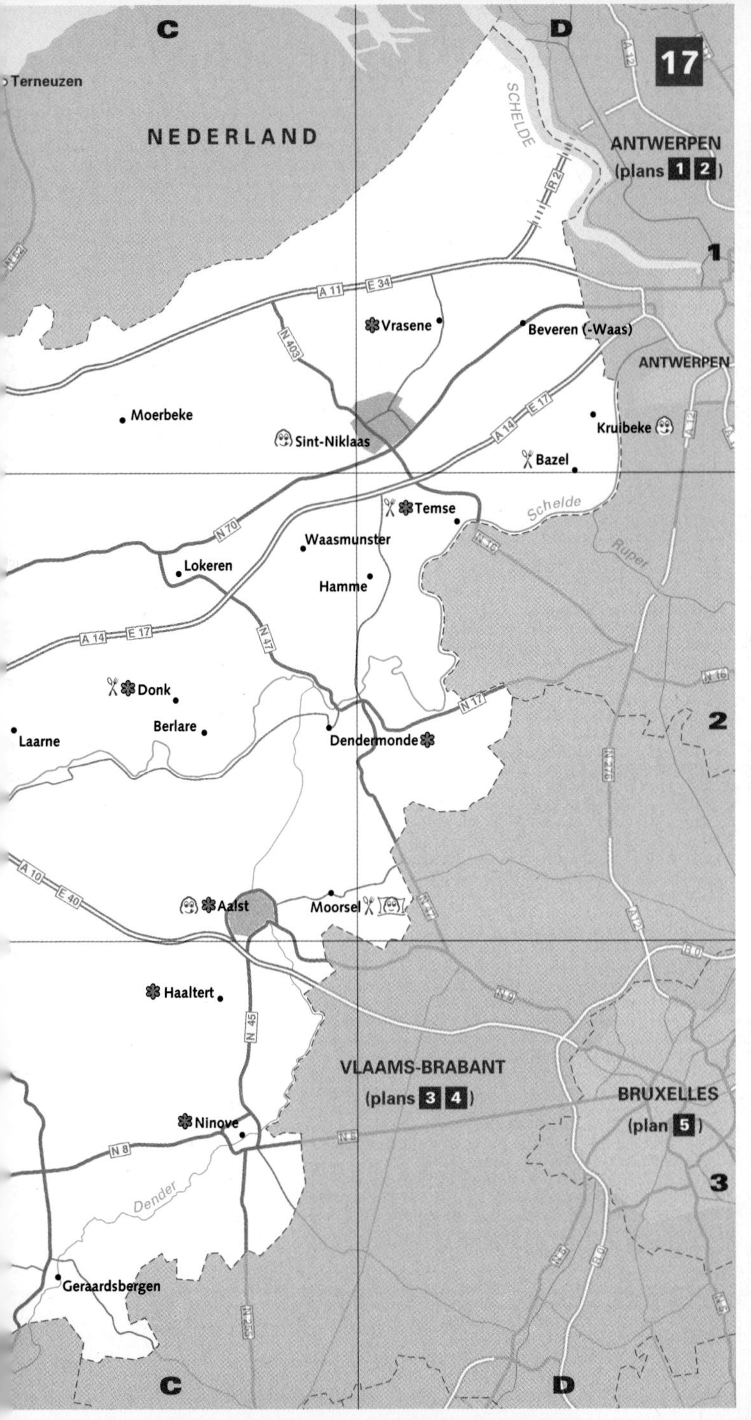
C
D
Terneuzen
NEDERLAND
SCHELDE
ANTWERPEN
(plans 1 2)
1
A 11
E 34
Vrasene
Beveren (-Waas)
ANTWERPEN
N 403
Moerbeke
Sint-Niklaas
A 14
E 17
Kruibeke
Bazel
Temse
Schelde
N 70
Waasmunster
N 16
Lokeren
Hamme
A 14
E 17
N 47
Donk
Berlare
Laarne
Dendermonde
N 17
2
N 275
A 10
E 40
Aalst
Moorsel
A 12
R 0
N 9
Haaltert
N 45
VLAAMS-BRABANT
(plans 3 4)
BRUXELLES
(plan 5)
Ninove
N 8
N 6
3
Dender
Geraardsbergen
C
D

18 West-Vlaanderen

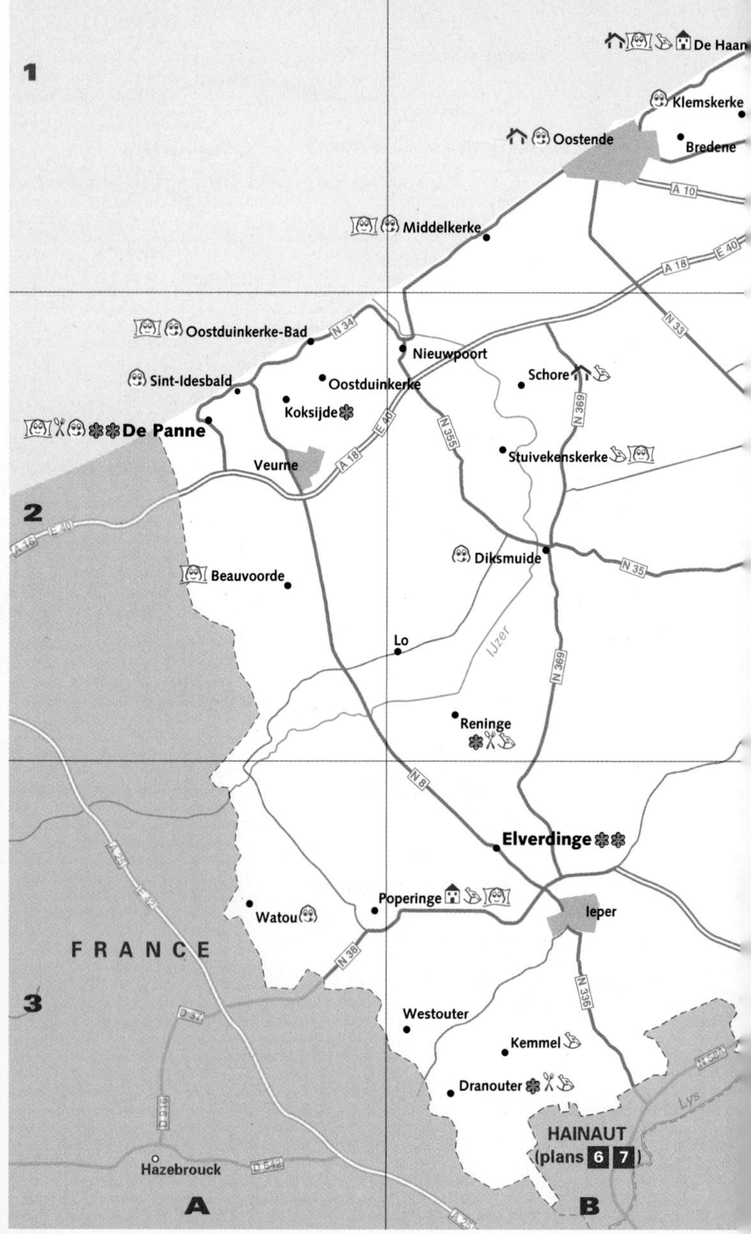

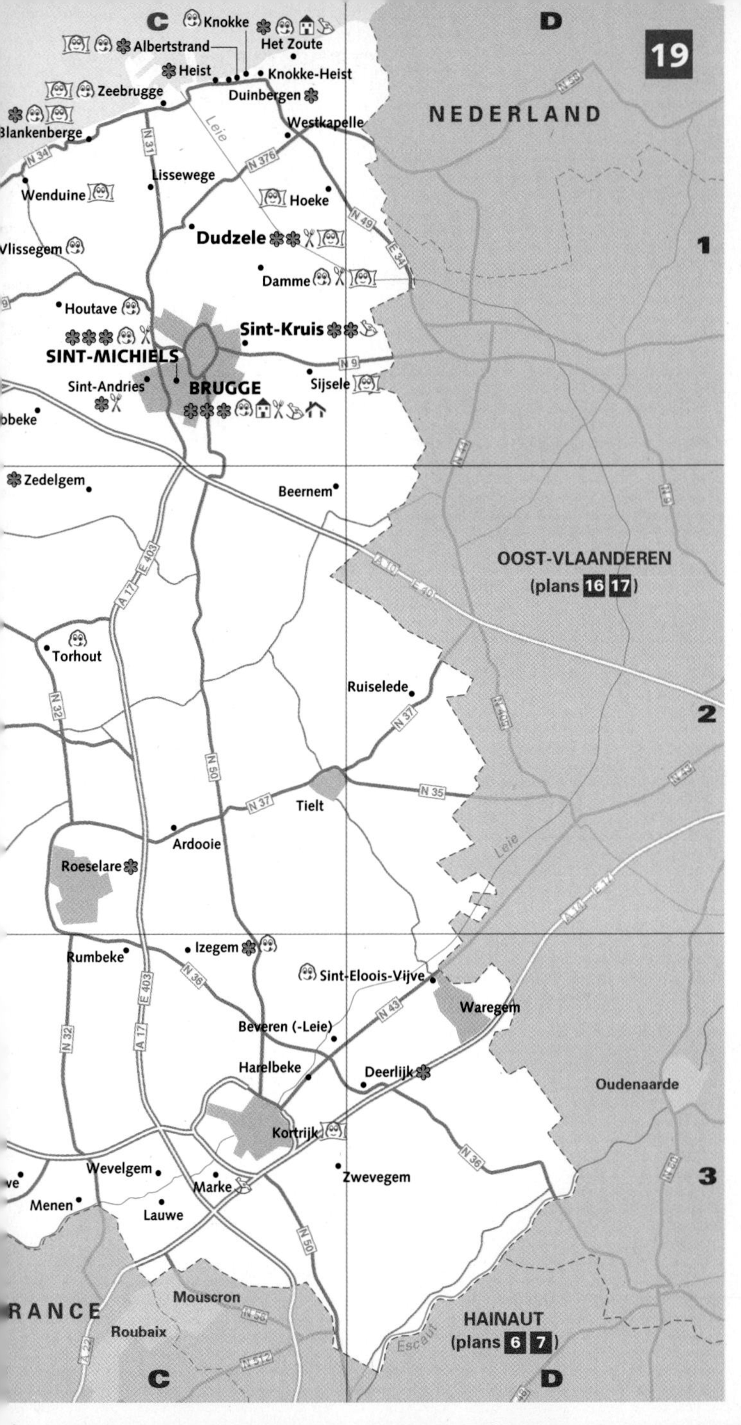
C
D
Knokke
Het Zoute
Albertstrand
Heist
Knokke-Heist
Zeebrugge
Duinbergen
Blankenberge
Westkapelle
NEDERLAND
Leie
N 31
N 34
N 376
N 58
Lissewege
Wenduine
Hoeke
N 49
E 34
Dudzele
Vlissegem
Damme
Houtave
Sint-Kruis
SINT-MICHIELS
N 9
Sint-Andries
BRUGGE
Sijsele
Zedelgem
Beernem
A 10
E 40
E 403
A 17
OOST-VLAANDEREN
(plans 16 17)
Torhout
Ruiselede
N 32
N 37
N 50
Tielt
N 35
Ardooie
Leie
Roeselare
E 17
Izegem
Rumbeke
N 36
Sint-Eloois-Vijve
N 43
Waregem
Beveren (-Leie)
Harelbeke
Deerlijk
Oudenaarde
Kortrijk
N 36
Wevelgem
Marke
Zwevegem
Menen
Lauwe
Mouscron
RANCE
Roubaix
HAINAUT
(plans 6 7)
Escaut
1
2
3

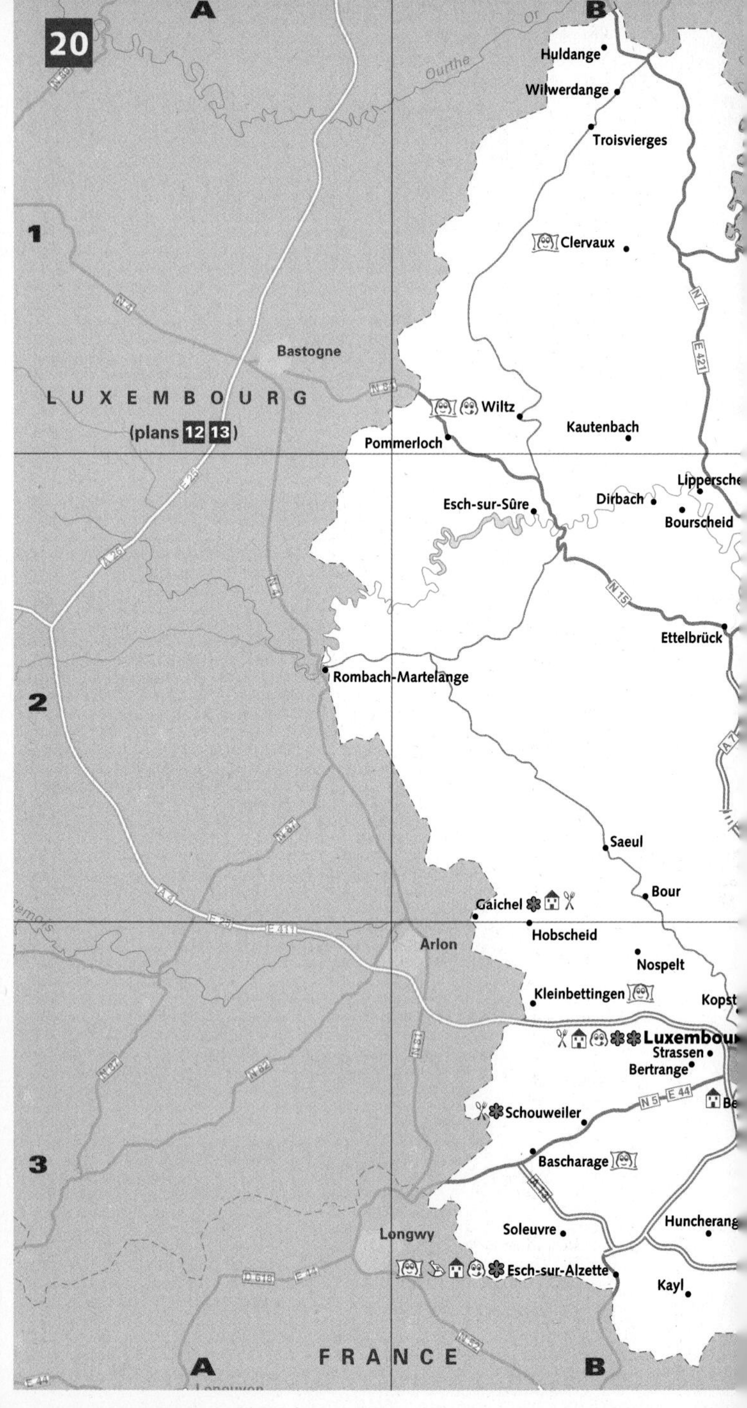
A
B
Huldange
Wilwerdange
Troisvierges
Ourthe
1
Clervaux
N 7
E 421
Bastogne
LUXEMBOURG
(plans 12 13)
Wiltz
Kautenbach
Pommerloch
Lippersche
Dirbach
Esch-sur-Sûre
Bourscheid
N 15
Ettelbrück
Rombach-Martelange
2
Saeul
Bour
Gaichel
Hobscheid
Arlon
E 411
Nospelt
Kleinbettingen
Kopst
Luxembou
Strassen
Bertrange
N 5
E 44
Be
Schouweiler
3
Bascharage
Soleuvre
Huncherang
Longwy
Esch-sur-Alzette
Kayl
FRANCE
A
B

Grand-Duché de Luxembourg

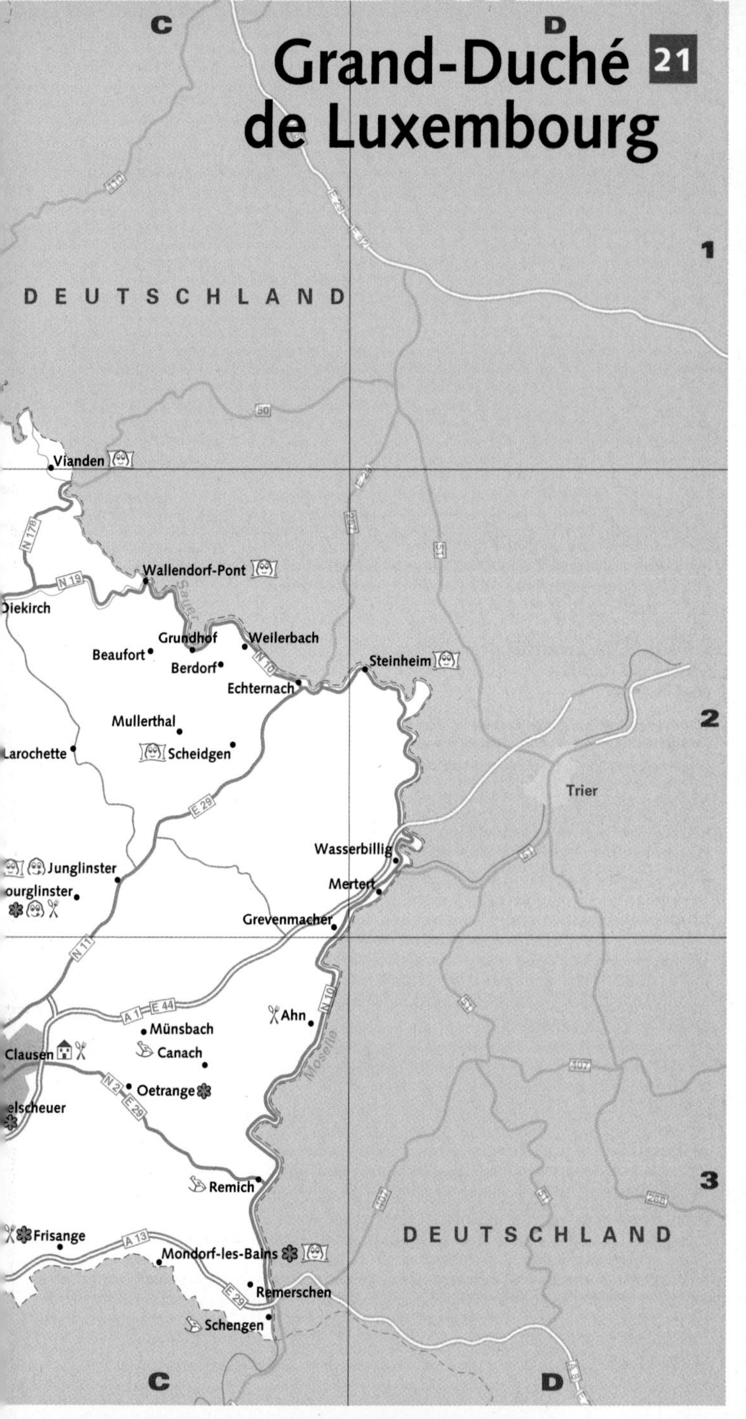

Manufacture française des pneumatiques MICHELIN
Société en commandite par actions au capital de 504 000 004 EUR
Place des Carmes-Déchaux – 63 Clermont-Ferrand (France)
R.C.S. Clermond-Fd B 855 200 507

Dépôt légal 11/2011
NUR 440/504

Sur du papier issu de forêts gérées durablement.

Printed in Italy, 10/2011

Compogravure : JOUVE, Saran (France).

Impression-reliure : LA TIPOGRAFICA VARESE, Varese (Italie).